2024年 2月 2日 改訂新版

건축관계법 해설

최한석·김수영 共著

inup 한솔아카데미

2024년 개정신판
「건축관계법규」에 관하여...

Ⅰ. 총 3권으로 구성

■ **2024년판 건축관계법규는**

1권 「건축법」 상세해설

「건축법」을 알기 쉽고, 보기 쉽게 그림과 도표로 해설. 건축관계법에서 규정하고 있는 건축물의 시설기준을 수록. 질의회신, 법제처 법령해석, 대법원 판례 등 수록

2권 관계법 요약해설

「국토의 계획 및 이용에 관한 법률」·「주차장법」·「주택법」·「도시 및 주거환경정비법」·「건축사법」·「장애인·노인·임산부등의 편의증진보장에 관한 법률」·「소방시설 설치 및 관리에 관한 법률」에 대한 장별·조항별 요약해설 수록

3권 3단 법령집

「건축법」·「건축물관리법」·「녹색건축물 조성 지원법」·「국토의 계획 및 이용에 관한 법률」·「주차장법」·「주택법」·「도시 및 주거환경정비법」·「건설기술진흥법」·「건축사법」을 법·령·규칙 3단으로 정리하고, 관련되는 질의회신·법령해석·관계법 조항·그림예시 등을 수록

Ⅱ. 법령과 서식의 CD수록

■ **2024년판 건축관계법규는**

건축 관련 법규·지침·고시 및 지방자치단체 조례 등과 각종 서식을 별첨 CD에 수록

Ⅲ. 사용자 편의를 고려한 구성

■ **2024년판 건축관계법규는**

1. 해설편을 건축법 상세 해설편과 건축관계법 요약 해설편으로 분권하여 사용과 휴대가 편리하도록 제작
2. 건축법 상세 해설편에서는
   • 건축법의 개정내용을 확인하기 쉽게 시행 중인 것은 밑줄 표시, 시행 예정인 것은 음영 처리
   • 질의회신, 법령해석, 판례를 보기 쉽게 정리
3. 법령의 내용을 알기 쉽고, 보기 쉽게 그림과 도표로 정리

이 책의 구성에 관하여...

알기쉬운 상세해설	3단 법령집의 활용	관련법CD의 활용	이용시 주의사항

알기쉬운 상세해설

- 1권 「건축법」의 체계적인 상세해설
① 관련법조항의 연계수록 (법, 령, 칙)
② 그림과 도표를 활용, 내용을 쉽게 이해하도록 정리
③ 각 조항별 관련법조항을 발췌 수록
④ 최근 및 이전의 질의 · 회신, 법제처 법령해석 및 판례를 수록하여 법조항의 올바른 이해와 해석에 도움

- 2권 관계법(7개법)의 요약 해설

- 1권 부록 건축법 하위 법령 및 관련 고시, 서울특별시 건축조례 등을 수록

- 2권 부록 특별시 · 광역시 도시계획조례 등을 수록

3단 법령집의 활용

1. 「건축법」 및 관계법의 3단 수록
① 법 · 령 · 규칙 등
② 별표
③ 관계법 관련조항
④ 질의회신, 법령해석 등
⑤ 개정내용 밑줄 및 음영 처리
⑥ 관련기준 명시

2. 수록된 법령
① 건축법
② 건축물관리법
③ 녹색건축물 조성 지원법
④ 국토의 계획 및 이용에 관한 법률
⑤ 주차장법
⑥ 주택법
⑦ 도시 및 주거환경정비법
⑧ 건설기술진흥법
⑨ 건축사법

관련법CD의 활용

1. 「건축법」과 관련된 관련법 규정, 지침, 고시, 조례 등을 체계적으로 CD에 수록

2. 관련법 순서에 따른 배열과 이에 관한 목차를 수록, 신속한 검색이 용이하게 구성

3. 「건축법」 및 관련법의 별표 · 서식 등을 수록, 사용의 편리성 고려

- 종합법령 CD보기 및 활용 참조 (책 뒷면)

이용시 주의사항

1. 이 책의 해설편은 2024. 2.2까지 개정된 내용을 반영함

2. 1권 2편과 3권은 2024. 2.2까지 개정된 내용을 반영함

3. 빈번한 법 및 고시 등의 개정으로 최신 규정의 확인 필요

4. 질의 · 회신, 법제처 법령 해석 및 판례는 법령의 이해를 돕기 위해 최신 자료를 우선하여 수록하였으며, 현행 규정의 확인 필요

감사의 마음을 전하며...

인곡정사(仁谷精舍)__겸재 정선(謙齋 鄭敾)

갑진년 (甲辰年) 푸른 용의 해 2월. 23차 개정판을 출간합니다.
올해에도 건축관계법규 개정판을 출간할 수 있도록 응원해 주신 독자여러분께 깊이 감사드립니다. 국내외 어려운 경제사정과 부동산 경기의 침체로 건설시장이 마치 오랜 겨울 속에 있는 듯합니다. 그러나, 겨울 뒤에 봄이 오듯이 건설분야의 추운 겨울이 가고 푸른 용이 비상하는 새해 봄을 시작으로, 모든 건설인의 희망이 열리기를 바랍니다.

이번 개정판에서는

1. 「건축법」의 경우 가설건축물 축조에 대한 지방건축위원회의 심의 생략, 일조 등의 확보를 위한 건축물의 높이 제한 규정 완화, 단독주택, 공동주택 등의 지하층에 거실 설치 금지, 아파트의 대피공간의 바닥면적 산정 기준 강화 및 공사현장의 부실감리 방지를 위해 건축사보 배치현황에 대한 허가권자의 확인의무 강화 등 개정이 있었습니다.
2. 「국토의 계획 및 이용에 관한 법률」의 경우 자연녹지지역에서 농수산물 가공·처리시설 등을 설치시 건폐율을 40%까지 완화하며, 계획관리지역에 지구단위계획이 수립된 경우 제조업소, 공장 등을 설치할 수 있도록 하고, 도시계획시설의 명칭을 변경하는 경우 도시계획위원회의 심의를 거치지 않도록 절차를 간소화 하였습니다.
3. 「주차장법」에서는 전용주차구획을 정할 수 있는 자동차에 승용차공동이용 자동차를 추가하고 기계식 주차장의 수시검사 제도 도입, 보수원에 대한 안전교육 이수 의무, 관리자의 보험 가입 의무를 신설하였고, 주차대수 50대 이상인 지하식, 건축물식 주차장의 경사로에 완화구간을 설치하고, 오르막 경사로의 종단 경사도를 완화하는 등의 규정이 신설되었습니다.
4. 「도시 및 주거환경정비법」에서는 재건축사업의 범위에 관한 특례에서 기준이 되는 토지 등 소유자의 수에서 기준일의 다음 날 이후에 소유권 취득자를 제외하고, 시공자 선정을 위한 입찰에 참가하는 건설업자 등이 토지등소유자에게 합동설명회를 2회 이상 개최하도록 하는 등 규정이 신설되었습니다.
5. 국토교통부의 질의회신, 법제처 법령해석 및 대법원 판례 등 최근 자료를 발췌하여 수록하였습니다.

제23회 개정판의 완성을 위해 한솔아카데미 한병천 사장님, 이종권 전무님, 안주현 부장님, 강수정 실장님, 문수진 과장님, 한민정 주임님 등 임직원분들의 많은 지원과 노력이 있었고, 조남두 교수님의 도움이 컸습니다. 모든 분들께 감사드립니다.

2024년 2월
저자 일동

목 차

建築關係法 解說

第3編 國土의 計劃 및 利用에 關한 法律 解說

제12장 벌 칙 *3-199*

第4編 駐車場法 解說

제1장 총 칙 *4-3*

제2장 노상주차장 *4-11*

第5編 住宅法 解說

第6編 都市 및 住居環境整備法 解說

제10장 벌 칙   *6-130*

第7編 建築士法 解說

제1장 총 칙   *7-3*

제2장 자 격   *7-6*

제7장 벌 칙

第8編 障碍人·老人·妊産婦 등의 便宜增進 保障에 관한 法律

제1장 총 칙

제2장 편의시설의 대상시설·설치기준 및 운영 등

第9編 消防施設 設置 및 安全管理에 關한 法律 解說

제1장 총 칙   *9-3*

제2장 소방시설등의 설치·관리 및 방염   *9-15*

第10編 서울특별시 관련 조례

國土의 計劃 및 利用에 關한 法律 解說

최종개정 : 국토의 계획 및 이용에 관한 법률　　2023. 8. 8
시행령　　2024. 1.26
시행규칙　　2023. 1.27

목　차

총 칙

건축관계법

국토계획법

주차장법

주 택 법

도시및주거
환경정비법

건축사법

장애인시설법

소방시설법

서울시조례

1 목적 (법/제1조)

이 법은 국토의 이용·개발 및 보전을 위한 계획의 수립 및 집행 등에 관하여 필요한 사항을 정함으로써 공공복리를 증진시키고 국민의 삶의 질을 향상시키는 것을 목적으로 한다.

2 정의 (법/제2조)

1 광역도시계획

둘 이상의 특별시·광역시·특별자치시·특별자치도·시 또는 군의 공간구조 및 기능을 상호 연계시키고 환경을 보전하며 광역시설을 체계적으로 정비하기 위하여 국토교통부장관 또는 도지사가 지정한 광역계획권의 장기발전방향을 제시하는 계획을 말한다.

【참고】 광역계획권의 지정 목적

① 둘 이상의 특별시·광역시·특별자치시·특별자치도·시 또는 군의 공간구조 및 기능을 상호연계
② 환경을 보전
③ 광역시설을 체계적으로 정비

■세부적인 사항은 제2장 광역도시계획 참조

2 도시·군계획

특별시·광역시·특별자치시·특별자치도·시 또는 군(광역시의 관할구역에 있는 군을 제외)의 관할구역에 대하여 수립하는 공간구조와 발전방향에 대한 계획으로서 도시·군기본계획과 도시·군관리계획으로 구분한다.

건축관계법

국토계획법

주차장법

주 택 법

도시및주거
환경정비법

건축사법

장애인시설법

소방시설법

서울시조례

구　분	내　용
도시·군기본계획	특별시·광역시·특별자치시·특별자치도·시 또는 군의 관할구역에 대하여 기본적인 공간구조와 장기발전방향을 제시하는 종합계획으로서 도시·군관리계획 수립의 지침이 되는 계획을 말한다.
도시·군관리계획	특별시·광역시·특별자치시·특별자치도·시 또는 군의 개발·정비 및 보전을 위하여 수립하는 토지이용·교통·환경·경관·안전·산업·정보통신·보건·복지·안보·문화 등에 관한 다음의 계획을 말한다. 1. 용도지역·용도지구의 지정 또는 변경에 관한 계획 2. 개발제한구역·도시자연공원구역·시가화조정구역·수산자원보호구역의 지정 또는 변경에 관한 계획 3. 기반시설의 설치·정비 또는 개량에 관한 계획 4. 도시개발사업 또는 정비사업에 관한 계획 5. 지구단위계획구역의 지정 또는 변경에 관한 계획과 지구단위계획 6. 입지규제최소구역의 지정 또는 변경에 관한 계획과 입지규제최소구역계획

■ 도시·군계획의 체계

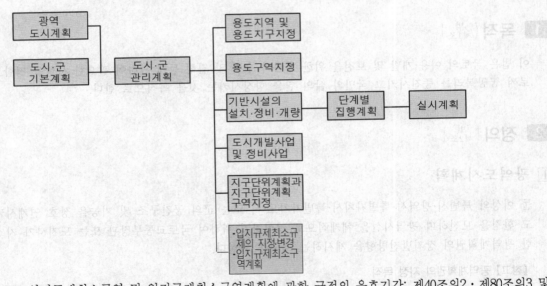

※ 입지규제최소구역 및 입지규제최소구역계획에 관한 규정의 유효기간: 제40조의2·제80조의3 및 제83조의2는 2024년 12월 31일까지 효력을 가진다.

③ 지구단위계획

도시·군계획 수립대상 지역의 일부에 대하여 토지이용을 합리화하고 그 기능을 증진시키며 미관을 개선하고 양호한 환경을 확보하며, 그 지역을 체계적·계획적으로 관리하기 위하여 수립하는 도시·군관리계획을 말한다.

■ 세부적인 사항은 제4장 지구단위계획 참조

제1장 총칙

1장

건축관계법

국토계획법

주차장법

주택법

도시및주거
환경정비법

건축사법

장애인시설법

소방시설법

서울시조례

④ 입지규제최소구역계획

입지규제최소구역에서의 토지의 이용 및 건축물의 용도·건폐율·용적률·높이 등의 제한에 관한 사항 등 입지규제최소구역의 관리에 필요한 사항을 정하기 위하여 수립하는 도시·군관리계획을 말한다.

⑤ 성장관리계획

성장관리계획이란 성장관리계획구역에서의 난개발을 방지하고 계획적인 개발을 유도하기 위하여 수립하는 계획을 말한다.

⑥ 기반시설

【1】기반시설

기반시설이란 다음의 시설(해당시설 그 자체의 기능발휘와 이용을 위하여 필요한 부대시설 및 편익시설 포함)을 말한다.

구 분	종 류
1. 교통시설	도로·철도·항만·공항·주차장·자동차정류장·궤도·차량 검사 및 면허시설
2. 공간시설	광장·공원·녹지·유원지·공공공지
3. 유통 · 공급시설	유통업무설비·수도·전기·가스·열공급설비·방송·통신시설·공동구·시장·유류저장 및 송유설비
4. 공공 · 문화체육시설	학교·공공청사·문화시설·공공필요성이 인정되는 체육시설·연구시설·사회복지시설·공공직업훈련시설·청소년 수련시설
5. 방재시설	하천·유수지(遊水池)·저수지·방화설비·방풍설비·방수설비·사방설비·방조설비
6. 보건위생시설	장사시설·도축장·종합의료시설
7. 환경기초시설	하수도, 폐기물처리 및 재활용시설, 빗물저장 및 이용시설·수질오염방지시설·폐차장

【2】기반시설의 세분

기반시설중 도로·자동차정류장·광장은 다음과 같이 세분할 수 있다.

구 분	세 분 내 용		
1. 도로	① 일반도로 ④ 보행자우선도로 ⑦ 지하도로	② 자동차전용도로 ⑤ 자전거전용도로	③ 보행자전용도로 ⑥ 고가도로
2. 자동차정류장	① 여객자동차터미널 ④ 공동차고지　⑤ 화물자동차 휴게소	② 물류터미널 ⑥ 복합환승센터	③ 공영차고지 ⑦ 환승센터
3. 광장	① 교통광장 ④ 지하광장	② 일반광장 ⑤ 건축물부설광장	③ 경관광장

건축관계법

국토계획법

주차장법

주 택 법

도시및주거
환경정비법

건축사법

장애인시설법

소방시설법

서울시조례

관계법 「도시·군계획시설의 결정·구조 및 설치기준에 관한 규칙」 제62조【유통업무설비】

이 절에서 "유통업무설비"란 다음 각 호의 시설을 말한다. <개정 2023.8.1.>

1. 「물류시설의 개발 및 운영에 관한 법률」에 따른 일반물류단지
2. 다음 각 목의 시설로서 각 목별로 1개 이상의 시설이 동일하거나 인접한 장소에 함께 설치되어 상호 그 효용을 다하는 시설
   가. 다음의 시설 중 어느 하나 이상의 시설
      (1) 「유통산업발전법」 제2조제3호·제4호·제7호 및 제15호의 규정에 의한 대규모점포·임시시장·전문상가단지 및 공동집배송센터
      (2) 「농수산물유통 및 가격안정에 관한 법률」 제2조제2호·제5호 및 제12호의 규정에 의한 농수산물도매시장·농수산물공판장 및 농수산물종합유통센터
      (3) 「자동차관리법」 제60조제1항의 규정에 의한 자동차경매장
   나. 다음의 시설 중 어느 하나 이상의 시설
      (1) 제31조제2호에 따른 물류터미널 또는 같은 조 제3호나목에 따른 화물자동차운수사업용 공영차고지
      (2) 화물을 취급하는 철도역
      (3) 「물류시설의 개발 및 운영에 관한 법률」 제2조제7호라목에 따른 화물의 운송·하역 및 보관시설
      (4) 「항만법」 제2조제5호나목(2)에 따른 하역시설
   다. 다음의 시설 중 어느 하나 이상의 시설
      (1) 창고·야적장 또는 저장소(「위험물안전관리법」 제2조제1항제4호의 저장소를 제외한다)
      (2) 화물적하시설·화물적치용건조물 그 밖에 이와 유사한 시설
      (3) 「축산물위생관리법」 제2조제11호에 따른 축산물보관장
      (4) 생산된 자동차를 인도하는 출고장

관계법 「도시·군계획시설의 결정·구조 및 설치기준에 관한 규칙」 제9조【도로의 구분】

도로는 다음 각 호와 같이 구분한다. <개정 2012.10.31, 2019.8.7., 2021.2.24>

1. 사용 및 형태별 구분
   가. 일반도로 : 폭 4미터 이상의 도로로서 통상의 교통소통을 위하여 설치되는 도로
   나. 자동차전용도로 : 특별시·광역시·특별자치시·시 또는 군(이하 "시·군"이라 한다)내 주요지역 간이나 시·군 상호간에 발생하는 대량교통량을 처리하기 위한 도로로서 자동차만 통행할 수 있도록 하기 위하여 설치하는 도로
   다. 보행자전용도로 : 폭 1.5미터 이상의 도로로서 보행자의 안전하고 편리한 통행을 위하여 설치하는 도로
   라. 보행자우선도로: 폭 20미터 미만의 도로로서 보행자와 차량이 혼합하여 이용하되 보행자의 안전과 편의를 우선적으로 고려하여 설치하는 도로
   마. 자전거전용도로 : 폭 1.1미터(길이가 100미터 미만인 터널 및 교량의 경우에는 0.9미터) 이상의 도로로서 자전거의 통행을 위하여 설치하는 도로
   바. 고가도로 : 시·군내 주요지역을 연결하거나 시·군 상호간을 연결하는 도로로서 지상교통의 원활한 소통을 위하여 공중에 설치하는 도로
   사. 지하도로 : 시·군내 주요지역을 연결하거나 시·군 상호간을 연결하는 도로로서 지상교통의 원활한 소통을 위하여 지하에 설치하는 도로(도로·광장 등의 지하에 설치된 지하공공보도시설을 포함한다). 다만, 입체교차를 목적으로 지하에 도로를 설치하는 경우를 제외한다.
2. 규모별 구분
   가. 광로: 폭 40미터 이상
   나. 대로: 폭 25미터 이상 40미터 미만인 도로
   다. 중로 : 폭 12미터 이상 25미터 미만인 도로
   라. 소로 : 12미터 미만인 도로
   <※ 위의 세분류는 생략 함>

3. 기능별 구분

　가. 주간선도로 : 시·군내 주요지역을 연결하거나 시·군 상호간을 연결하여 대량통과 교통을 처리하는 도로로서 시·군의 골격을 형성하는 도로

　나. 보조간선도로 : 주간선도로를 집산도로 또는 주요 교통발생원과 연결하여 시·군 교통이 모였다 흩어지도록 하는 도로로서 근린주거구역의 외곽을 형성하는 도로

　다. 집산도로(集散道路) : 근린주거구역의 교통을 보조간선도로에 연결하여 근린주거구역내 교통이 모였다 흩어지도록 하는 도로로서 근린주거구역의 내부를 구획하는 도로

　라. 국지도로 : 가구(街區 : 도로로 둘러싸인 일단의 지역을 말한다. 이하 같다)를 구획하는 도로

　마. 특수도로 : 보행자전용도로·자전거전용도로 등 자동차 외의 교통에 전용되는 도로

관계법 「도시·군계획시설의 결정·구조 및 설치기준에 관한 규칙」 제50조 【광장의 결정기준】

광장의 결정기준은 다음 각 호와 같다. <개정 2012.10.31., 2019.8.7>

1. 교통광장

　가. 교차점광장

　　(1) 혼잡한 주요도로의 교차지점에서 각종 차량과 보행자를 원활히 소통시키기 위하여 필요한 곳에 설치할 것

　　(2) 자동차전용도로의 교차지점인 경우에는 입체교차방식으로 할 것

　　(3) 주간선도로의 교차지점인 경우에는 접속도로의 기능에 따라 입체교차방식으로 하거나 교통섬·변속차로 등에 의한 평면교차방식으로 할 것. 다만, 도심부나 지형여건상 광장의 설치가 부적합한 경우에는 그러하지 아니하다.

　나. 역전광장

　　(1) 역전에서의 교통혼잡을 방지하고 이용자의 편의를 도모하기 위하여 철도역 앞에 설치할 것

　　(2) 철도교통과 도로교통의 효율적인 변환을 가능하게 하기 위하여 도로와의 연결이 쉽도록 할 것

　　(3) 대중교통수단 및 주차시설과 원활히 연계되도록 할 것

　다. 주요시설광장

　　(1) 항만·공항 등 일반교통의 혼잡요인이 있는 주요시설에 대한 원활한 교통처리를 위하여 당해 시설과 접하는 부분에 설치할 것

　　(2) 주요시설의 설치계획에 교통광장의 기능을 갖는 시설계획이 포함된 때에는 그 계획에 의할 것

2. 일반광장

　가. 중심대광장

　　(1) 다수인의 집회·행사·사교 등을 위하여 필요한 경우에 설치할 것

　　(2) 전체 주민이 쉽게 이용할 수 있도록 교통중심지에 설치할 것

　　(3) 일시에 다수인이 모였다 흩어지는 경우의 교통량을 고려할 것

　나. 근린광장

　　(1) 주민의 사교·오락·휴식 및 공동체 활성화 등을 위하여 필요한 경우에 근린주거구역별로 설치할 것

　　(2) 시장·학교 등 다수인이 모였다 흩어지는 시설과 연계되도록 인근의 토지이용현황을 고려할 것

　　(3) 시·군 전반에 걸쳐 계통적으로 균형을 이루도록 할 것

3. 경관광장

　가. 주민의 휴식·오락 및 경관·환경의 보전을 위하여 필요한 경우에 하천, 호수, 사적지, 보존가치가 있는 산림이나 역사적·문화적·향토적 의의가 있는 장소에 설치할 것

　나. 경관물에 대한 경관유지에 지장이 없도록 인근의 토지이용현황을 고려할 것

　다. 주민이 쉽게 접근할 수 있도록 하기 위하여 도로와 연결시킬 것

4. 지하광장

　가. 철도의 지하정거장, 지하도 또는 지하상가와 연결하여 교통처리를 원활히 하고 이용자에게 휴식을 제공하기 위하여 필요한 곳에 설치할 것

건축관계법

국토계획법

주차장법

주 택 법

도시및주거
환경정비법

건 축 사 법

장애인시설법

소방시설법

서울시조례

건축관계법

> 나. 광장의 출입구는 쉽게 출입할 수 있도록 도로와 연결시킬 것
> 5. 건축물부설광장
> 　가. 건축물의 이용효과를 높이기 위하여 건축물의 내부 또는 그 주위에 설치할 것
> 　나. 건축물과 광장 상호간의 기능이 저해되지 아니하도록 할 것
> 　다. 일반인이 접근하기 용이한 접근로를 확보할 것

국토계획법

7 도시·군계획시설

기반시설 중 도시·군관리계획으로 결정된 시설을 말한다.

8 광역시설

기반시설 중 광역적인 정비체계가 필요한 다음의 시설을 말한다.

주차장법

1. 둘 이상의 특별시·광역시·특별자치시·특별자치도·시 또는 군(광역시의 관리구역에 있는 군을 제외*)의 관할구역에 걸치는 시설 　* 지방도시계획위원회의 업무(영 제110조), 시·군·구 도시계획위원회의 구성 및 운영(영 제112조), 시범도시사업계획의 수립·시행(영 제128조)에서는 광역시 관할구역내의 군을 포함	도로·철도·광장·녹지, 수도·전기·가스·열공급설비, 방송·통신시설, 공동구, 유류저장 및 송유설비, 하천·하수도(하수종말처리시설 제외)
2. 둘 이상의 특별시·광역시·특별자치시·특별자치도·시 또는 군이 공동으로 이용하는 시설	항만·공항·자동차정류장·공원·유원지·유통업무설비·문화시설·공공필요성이　인정되는 체육시설·사회복지시설·공공직업훈련시설·청소년수련시설·유수지·장사시설·도축장·하수도(하수종말처리시설에 한한다)·화장장·공동묘지·봉안시설·폐기물처리 및 재활용시설·도축장·수질오염방지시설·폐차장

주 택 법

도시및주거
환경정비법

건축사법

【참고1】 광역지방자치단체

- 특별시 1개: 서울특별시
- 특별자치시 1개: 세종특별자치시
- 광역시 6개
  인천광역시, 대전광역시, 대구광역시
  광주광역시, 울산광역시, 부산광역시
- 특별자치도 1개: 제주특별자치도

⇒ 시·도

장애인시설법

소방시설법

【참고2】 기초지방자치단체

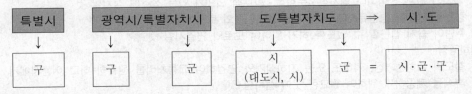

서울시조례

건축관계법

국토계획법

주차장법

주 택 법

도시및주거
환경정비법

건축사법

장애인시설법

소방시설법

서울시조례

> **관계법** 「지방자치법」 제3조 【지방자치단체의 법인격과 관할】
> ① 지방자치단체는 법인으로 한다.
> ② 특별시, 광역시, 특별자치시, 도, 특별자치도(이하 "시·도"라 한다)는 정부의 직할(直轄)로 두고, 시는 도 또는 특별자치도의 관할 구역 안에, 군은 광역시·도 또는 특별자치도의 관할 구역 안에 두며, 자치구는 특별시와 광역시의 관할 구역 안에 둔다. 다만, 특별자치도의 경우에는 법률이 정하는 바에 따라 관할 구역 안에 시 또는 군을 두지 아니할 수 있다. <개정 2023.6.7.>
> ③ 특별시·광역시 및 특별자치시가 아닌 인구 50만 이상의 시에는 자치구가 아닌 구를 둘 수 있고, 군 에는 읍·면을 두며, 시와 구(자치구를 포함한다)에는 동을, 읍·면에는 리를 둔다.
> ④ 제10조제2항에 따라 설치된 시에는 도시의 형태를 갖춘 지역에는 동을, 그 밖의 지역에는 읍·면을 두되, 자치구가 아닌 구를 둘 경우에는 그 구에 읍·면·동을 둘 수 있다.
> ⑤ 특별자치시와 관할 구역 안에 시 또는 군을 두지 아니하는 특별자치도의 하부행정기관에 관한 사항은 따로 법률로 정한다. <개정 2023.6.7.>

9 공동구

【1】 정 의

지하매설물(전기·가스·수도 등의 공급설비, 통신시설, 하수도시설 등)을 공동수용하기 위하여 지하에 설치하는 매설물을 말한다.

【2】 설치목적

1. 도시미관의 개선
2. 도로구조의 보전
3. 교통의 원활한 소통

10 도시·군계획시설사업

도시·군계획시설을 설치·정비 또는 개량하는 사업을 말한다.

11 도시·군계획사업

정 의	도시·군관리계획을 시행하기 위한 사업
종 류	• 도시·군계획시설사업 • 도시개발사업(「도시개발법」에 따름) • 정비사업(「도시 및 주거환경정비법」에 따름)

> **관계법** 「도시개발법」 제2조 【정의】
> ① 이 법에서 사용하는 용어의 뜻은 다음과 같다.
> 1. "도시개발구역"이란 도시개발사업을 시행하기 위하여 제3조와 제9조에 따라 지정·고시된 구역을 말한다.
> 2. "도시개발사업"이란 도시개발구역에서 주거, 상업, 산업, 유통, 정보통신, 생태, 문화, 보건 및 복지 등의 기능이 있는 단지 또는 시가지를 조성하기 위하여 시행하는 사업을 말한다.
> ② 「국토의 계획 및 이용에 관한 법률」에서 사용하는 용어는 이 법으로 특별히 정하는 경우 외에는 이 법에서 이를 적용한다.

건축관계법

국토계획법

주차장법

주 택 법

도시및주거
환경정비법

건 축 사 법

장애인시설법

소방시설법

서울시조례

관계법 「도시 및 주거환경정비법」 제2조【정의】

이 법에서 사용하는 용어의 뜻은 다음과 같다. <개정 2021.4.13., 2023.7.18.>

1. "정비구역"이란 정비사업을 계획적으로 시행하기 위하여 제16조의 규정에 의하여 지정·고시된 구역을 말한다.

2. "정비사업"이란 이 법에서 정한 절차에 따라 도시기능을 회복하기 위하여 정비구역에서 정비기반시설을 정비하거나 주택 등 건축물을 개량 또는 건설하는 다음 각 목의 사업을 말한다.

　가. 주거환경개선사업: 도시저소득 주민이 집단거주하는 지역으로서 정비기반시설이 극히 열악하고 노후·불량건축물이 과도하게 밀집한 지역의 주거환경을 개선하거나 단독주택 및 다세대주택이 밀집한 지역에서 정비기반시설과 공동이용시설 확충을 통하여 주거환경을 보전·정비·개량하기 위한 사업

　나. 재개발사업: 정비기반시설이 열악하고 노후·불량건축물이 밀집한 지역에서 주거환경을 개선하거나 상업지역·공업지역 등에서 도시기능의 회복 및 상권활성화 등을 위하여 도시환경을 개선하기 위한 사업. 이 경우 다음 요건을 모두 갖추어 시행하는 재개발사업을 "공공재개발사업"이라 한다.

　　1) 특별자치시장, 특별자치도지사, 시장, 군수, 자치구의 구청장(이하 "시장·군수등"이라 한다) 또는 제10호에 따른 토지주택공사등(조합과 공동으로 시행하는 경우를 포함한다)이 제24조에 따른 주거환경개선사업의 시행자, 제25조제1항 또는 제26조제1항에 따른 재개발사업의 시행자나 제28조에 따른 재개발사업의 대행자(이하 "공공재개발사업 시행자"라 한다)일 것

　　2) 건설·공급되는 주택의 전체 세대수 또는 전체 연면적 중 토지등소유자 대상 분양분(제80조에 따른 지분형주택은 제외한다)을 제외한 나머지 주택의 세대수 또는 연면적의 100분의 20 이상 100분의 50 이하의 범위에서 대통령령으로 정하는 기준에 따라 특별시·광역시·특별자치시·도·특별자치도 또는 「지방자치법」 제198조에 따른 서울특별시·광역시 및 특별자치시를 제외한 인구 50만 이상 대도시(이하 "대도시"라 한다)의 조례(이하 "시·도조례"라 한다)로 정하는 비율 이상을 제80조에 따른 지분형주택, 「공공주택 특별법」에 따른 공공임대주택(이하 "공공임대주택"이라 한다) 또는 「민간임대주택에 관한 특별법」 제2조제4호에 따른 공공지원민간임대주택(이하 "공공지원민간임대주택"이라 한다)으로 건설·공급할 것. 이 경우 주택 수 산정방법 및 주택 유형별 건설비율은 대통령령으로 정한다.

　다. 재건축사업: 정비기반시설은 양호하나 노후·불량건축물에 해당하는 공동주택이 밀집한 지역에서 주거환경을 개선하기 위한 사업. 이 경우 다음 요건을 모두 갖추어 시행하는 재건축사업을 "공공재건축사업"이라 한다.

　　1) 시장·군수등 또는 토지주택공사등(조합과 공동으로 시행하는 경우를 포함한다)이 제25조제2항 또는 제26조제1항에 따른 재건축사업의 시행자나 제28조제1항에 따른 재건축사업의 대행자(이하 "공공재건축사업 시행자"라 한다)일 것

　　2) 종전의 용적률, 토지면적, 기반시설 현황 등을 고려하여 대통령령으로 정하는 세대수 이상을 건설·공급할 것. 다만, 제8조제1항에 따른 정비구역의 지정권자가 「국토의 계획 및 이용에 관한 법률」 제18조에 따른 도시·군기본계획, 토지이용 현황 등 대통령령으로 정하는 불가피한 사유로 해당하는 세대수를 충족할 수 없다고 인정하는 경우에는 그러하지 아니하다.

3. "노후·불량건축물"이란 다음 각 목의 어느 하나에 해당하는 건축물을 말한다.

　가. 건축물이 훼손되거나 일부가 멸실되어 붕괴, 그 밖의 안전사고의 우려가 있는 건축물

　나. 내진성능이 확보되지 아니한 건축물 중 중대한 기능적 결함 또는 부실 설계·시공으로 구조적 결함 등이 있는 건축물로서 대통령령으로 정하는 건축물

　다. 다음의 요건을 모두 충족하는 건축물로서 대통령령으로 정하는 바에 따라 시·도조례로 정하는 건축물

　　1) 주변 토지의 이용 상황 등에 비추어 주거환경이 불량한 곳에 위치할 것

건축관계법

국토계획법

주차장법

주 택 법

도시및주거
환경정비법

건축사법

장애인시설법

소방시설법

서울시조례

2) 건축물을 철거하고 새로운 건축물을 건설하는 경우 건설에 드는 비용과 비교하여 효용의 현저한 증가가 예상될 것

라. 도시미관을 저해하거나 노후화된 건축물로서 대통령령으로 정하는 바에 따라 시·도조례로 정하는 건축물

4. "정비기반시설" 이란 도로·상하수도·구거(溝渠: 도랑)·공원·공용주차장·공동구(「국토의 계획 및 이용에 관한 법률」 제2조제9호에 따른 공동구를 말한다. 이하 같다), 그 밖에 주민의 생활에 필요한 열·가스 등의 공급시설로서 대통령령으로 정하는 시설을 말한다.

5. "공동이용시설" 이란 주민이 공동으로 사용하는 놀이터·마을회관·공동작업장, 그 밖에 대통령령으로 정하는 시설을 말한다.

6. "대지" 란 정비사업으로 조성된 토지를 말한다.

7. "주택단지" 란 주택 및 부대시설·복리시설을 건설하거나 대지로 조성되는 일단의 토지로서 다음 각 목의 어느 하나에 해당하는 일단의 토지를 말한다.

　가. 「주택법」 제15조에 따른 사업계획승인을 받아 주택 및 부대시설·복리시설을 건설한 일단의 토지

　나. 가목에 따른 일단의 토지 중 「국토의 계획 및 이용에 관한 법률」 제2조제7호에 따른 도시·군계획시설(이하 "도시·군계획시설" 이라 한다)인 도로나 그 밖에 이와 유사한 시설로 분리되어 따로 관리되고 있는 각각의 토지

　다. 가목에 따른 일단의 토지 둘 이상이 공동으로 관리되고 있는 경우 그 전체 토지

　라. 제67조에 따라 분할된 토지 또는 분할되어 나가는 토지

　마. 「건축법」 제11조에 따라 건축허가를 받아 아파트 또는 연립주택을 건설한 일단의 토지

8.~11. <생략>

12 도시·군계획사업시행자

「국토의 계획 및 이용에 관한 법률」 또는 다른 법률에 따라 도시·군계획사업을 시행하는 자를 말한다.

13 공공시설

공공시설이라 함은 다음의 시설을 말한다.

1. 도로·공원·철도·수도·항만·공항·광장·녹지·공공공지·공동구·하천·유수지
2. 방화설비·방풍설비·방수설비·사방설비·방조설비·하수도·구거(溝渠: 도랑)
3. 행정청이 설치하는 주차장, 저수지 및 그 밖에 다음에 해당하는 시설 　① 공공필요성이 인정되는 체육시설 중 운동장 　② 장사시설 중 화장장·공동묘지·봉안시설(자연장지 또는 장례식장에 화장장·공동묘지·봉안시설 중 한 가지 이상의 시설을 같이 설치하는 경우를 포함한다)
4. 「스마트도시의 조성 및 산업진흥 등에 관한 법률」 에 따른 스마트도시서비스를 제공하기 위한 분야별 정보시스템을 연계·통합하여 운영하는 스마트도시 통합운영센터와 그 밖에 이와 비슷한 시설로서 국토교통부장관이 관계 중앙행정기관의 장과 협의하여 고시하는 시설

14 국가계획

중앙행정기관이 법률에 의하여 수립하거나 국가의 정책적인 목적달성을 위하여 수립하는 계획 중 다음 사항이 포함된 계획을 말한다.

1장

제3편 국토의 계획 및 이용에 관한 법률

건축관계법

국토계획법

주차장법

주택법

도시및주거환경정비법

건축사법

장애인시설법

소방시설법

서울시조례

1. 지역적 특성 및 계획의 방향·목표에 관한 사항
2. 공간구조, 생활권의 설정 및 인구의 배분에 관한 사항
3. 토지의 이용 및 개발에 관한 사항
4. 토지의 용도별 수요 및 공급에 관한 사항
5. 환경의 보전 및 관리에 관한 사항
6. 기반시설에 관한 사항
7. 공원·녹지에 관한 사항
8. 경관에 관한 사항
9. 기후변화 대응 및 에너지절약에 관한 사항
10. 방재 및 안전에 관한 사항
11. 위 2.~10.의 단계별 추진에 관한 사항
12. 도시·군관리계획으로 결정하여야 할 사항

15 개발밀도관리구역 (법 제2조18호)

개발로 인하여 기반시설이 부족할 것으로 예상되나 기반시설을 설치하기 곤란한 지역을 대상으로 건폐율이나 용적률을 강화하여 적용하기 위하여 지정하는 구역을 말한다.

16 기반시설부담구역 (법 제2조19호)(영 제4조의2)

개발밀도관리구역 외의 지역으로서 개발로 인하여 다음에 해당하는 기반시설의 설치가 필요한 지역을 대상으로 기반시설을 설치하거나 그에 필요한 용지를 확보하게 하기 위하여 지정·고시하는 구역을 말한다.

① 도로(인근의 간선도로로부터 기반시설부담구역까지의 진입도로를 포함)
② 공원
③ 녹지
④ 학교(대학교는 제외)
⑤ 수도(인근의 수도로부터 기반시설부담구역까지 연결하는 수도를 포함)
⑥ 하수도(인근의 하수도로부터 기반시설부담구역까지 연결하는 하수도를 포함)
⑦ 폐기물처리 및 재활용시설
⑧ 그 밖에 특별시장·광역시장·특별자치시장·특별자치도지사·시장 또는 군수가 기반시설부담계획에서 정하는 시설

17 기반시설 설치비용 (법 제2조20호)(영 제4조의3)

단독주택 및 숙박시설 등의 시설(「건축법 시행령」 [별표 1]에 따른 용도별 건축물을 말 함)의 신·증축 행위로 인하여 유발되는 기반시설을 설치하거나 그에 필요한 용지를 확보하기 위하여 부과 징수하는 금액을 말한다.

> **예외** 「국토의 계획 및 이용에 관한 법률 시행령」 [별표 1]의 건축물

3 국토이용 및 관리의 기본원칙 (법 제3조)

국토는 자연환경의 보전 및 자원의 효율적 활용을 통하여 환경적으로 건전하고 지속가능한 발전을 이루기 위하여 다음의 목적을 달성할 수 있도록 이용 및 관리되어야 한다.

1. 국민생활과 경제활동에 필요한 토지 및 각종 시설물의 효율적 이용과 원활한 공급
2. 자연환경 및 경관의 보전과 훼손된 자연환경 및 경관의 개선 및 복원
3. 교통·수자원·에너지 등 국민생활에 필요한 각종 기초서비스의 제공
4. 주거 등 생활환경 개선을 통한 국민의 삶의 질의 향상
5. 지역의 정체성과 문화유산의 보전
6. 지역간 협력 및 균형발전을 통한 공동번영의 추구
7. 지역경제의 발전 및 지역간·지역내 적정한 기능배분을 통한 사회적 비용의 최소화
8. 기후변화에 대한 대응 및 풍수해 저감을 통한 국민의 생명과 재산의 보호
9. 저출산·인구의 고령화에 따른 대응과 새로운 기술변화를 적용한 최적의 생활환경 제공

4 도시의 지속가능성 및 생활인프라 수준 평가의 기준·절차 (법 제3조의2)(영 제4조의4)

(1) 국토교통부장관은 도시의 지속가능하고 균형 있는 발전과 주민의 편리하고 쾌적한 삶을 위하여 도시의 지속가능성 및 생활인프라(교육시설, 문화·체육시설, 교통시설 등의 시설로서 국토교통부장관이 정하는 것을 말함) 수준을 평가할 수 있다.

(2) 도시의 지속가능성을 평가기준 및 절차
① 국토교통부장관은 도시의 지속가능성 및 생활인프라 수준의 평가기준을 정할 때에는 다음의 구분에 따른 사항을 종합적으로 고려하여야 한다.

㉠ 지속가능성 평가기준	토지이용의 효율성, 환경친화성, 생활공간의 안전성·쾌적성·편의성 등에 관한 사항
㉡ 생활인프라 평가기준	보급률 등을 고려한 생활인프라 설치의 적정성, 이용의 용이성·접근성·편리성 등에 관한 사항

② 국토교통부장관은 위 ①에 따른 평가기준에 따라 평가를 실시하려는 경우 특별시장·광역시장·특별자치시장·특별자치도지사·시장 또는 군수에게 해당 지방자치단체의 자체평가를 실시하여 그 결과를 제출하도록 하여야 하며, 제출받은 자체평가 결과를 바탕으로 최종평가를 실시한다.
③ 국토교통부장관은 위 ②에 따른 평가결과의 일부 또는 전부를 공개할 수 있으며, 「도시재생 활성화 및 지원에 관한 특별법」에 따른 도시재생 활성화를 위한 비용의 보조 또는 융자, 「지방자치분권 및 지역균형발전에 관한 특별법」에 따른 포괄보조금의 지원 등에 평가결과를 활용하도록 할 수 있다.
④ 국토교통부장관은 위 ②에 따른 도시의 지속가능성 평가를 전문기관에 의뢰할 수 있다.
⑤ 위 ①~④에서 규정한 평가기준 및 절차 등에 관하여 필요한 세부사항은 국토교통부장관이 정하여 고시한다.

(3) 국가 및 지방자치단체는 도시의 지속가능성 평가결과를 도시·군계획의 수립 및 집행에 반영하여야 한다.

건축관계법

국토계획법

주차장법

주택법

도시및주거환경정비법

건축사법

장애인시설법

소방시설법

서울시조례

건축관계법
국토계획법
주차장법
주택법
도시및주거환경정비법
건축사법
장애인시설법
소방시설법
서울시조례

5 **국가계획, 광역도시계획 및 도시·군계획의 관계 등** (법 제4조)

(1) 도시·군계획은 특별시·광역시·특별자치시·특별자치도·시 또는 군의 관할구역에서 수립되는 다른 법률에 따른 토지의 이용·개발 및 보전에 관한 계획의 기본이 된다.

(2) 광역도시계획 및 도시·군계획은 국가계획에 부합되어야 하며, 광역도시계획 또는 도시·군계획의 내용이 국가계획의 내용과 다를 때에는 국가계획의 내용이 우선한다. 이 경우 국가계획을 수립하려는 중앙행정기관의 장은 미리 지방자치단체의 장의 의견을 듣고 충분히 협의하여야 한다.

(3) 광역도시계획이 수립되어 있는 지역에 대하여 수립하는 도시·군기본계획은 그 광역도시계획에 부합되어야 하며, 도시·군기본계획의 내용이 광역도시계획의 내용과 다를 때에는 광역도시계획의 내용이 우선한다.

(4) 특별시장·광역시장·특별자치시장·특별자치도지사·시장 또는 군수(광역시의 관할구역에 있는 군의 군수를 제외한다)가 관할구역에 대하여 다른 법률에 따른 환경·교통·수도·하수도·주택 등에 관한 부문별 계획을 수립하는 때에는 도시·군기본계획의 내용과 부합되게 하여야 한다.

※ 다음에 해당하는 법 규정의 적용 시에는 광역시의 관할구역에 있는 군의 군수를 포함한다.

내 용	법조항	내 용	법조항
지방도시계획위원회	제113조	토지이용에 관한 의무 등	제124조
허가구역의 지정	제117조	이행강제금	제124조의2
토지거래계약에 관한 허가	제118조	지가동향의 조사	제125조
허가기준	제119조	다른 법률과의 관계	제126조
이의신청	제120조	법률 등의 위반자에 대한 처분	제133조
국가 등이 행하는 토지거래계약에 관한 특례 등	제121조	청문	제136조
선매	제122조	도시·군계획의 수립 및 운영에 대한 감독 및 조정	제138조제1항
불허가 처분을 받은 토지에 대한 매수 청구	제123조	권한의 위임 및 위탁	제139조제1항, 제2항

6 **도시·군계획 등의 명칭** (법 제5조)

(1) 행정구역의 명칭이 특별시·광역시·특별자치시·특별자치도·시인 경우 도시·군계획, 도시·군기본계획, 도시·군관리계획, 도시·군계획시설, 도시·군계획시설사업, 도시·군계획사업 및 도시·군계획상임기획단의 명칭은 각각 "도시계획", "도시기본계획", "도시관리계획", "도시계획시설", "도시계획시설사업", "도시계획사업" 및 "도시계획상임기획단"으로 한다.

(2) 행정구역의 명칭이 군인 경우 도시·군계획, 도시·군기본계획, 도시·군관리계획, 도시·군계획시설, 도시·군계획시설사업, 도시·군계획사업 및 도시·군계획상임기획단의 명칭은 각각 "군계획", "군기본계획", "군관리계획", "군계획시설", "군계획시설사업", "군계획사업" 및 "군계획상임기획단"으로 한다.

(3) 군에 설치하는 도시계획위원회의 명칭은 "군계획위원회"로 한다.

7 국토의 용도구분 및 용도지역별 관리의무 (법 제7조)

(1) 국토는 토지의 이용 실태 및 특성, 장래의 토지 이용 방향, 지역 간 균형발전 등을 고려하여 다음과 같은 용도지역으로 구분한다.

구 분	내 용	관 리 의 무
도시지역	인구와 산업이 밀집되어 있거나 밀집이 예상되어 해당 지역에 대하여 체계적인 개발·정비·관리·보전 등이 필요한 지역	이 법 또는 관계 법률이 정하는 바에 따라 해당 지역이 체계적이고 효율적으로 개발·정비·보전될 수 있도록 미리 계획을 수립하고 이를 시행하여야 한다.
관리지역	도시지역의 인구와 산업을 수용하기 위하여 도시지역에 준하여 체계적으로 관리하거나 농림업의 진흥, 자연환경 또는 산림의 보전을 위하여 농림지역 또는 자연환경보전지역에 준하여 관리가 필요한 지역	이 법 또는 관계 법률이 정하는 바에 따라 필요한 보전조치를 취하고 개발이 필요한 지역에 대하여는 계획적인 이용과 개발을 도모하여야 한다.
농림지역	도시지역에 속하지 아니하는 「농지법」에 따른 농업진흥지역 또는 「산지관리법」에 따른 보전산지 등으로서 농림업의 진흥과 산림의 보전을 위하여 필요한 지역	이 법 또는 관계 법률이 정하는 바에 따라 농림업의 진흥과 산림의 보전·육성에 필요한 조사와 대책을 마련하여야 한다.
자연환경 보전지역	자연환경·수자원·해안·생태계·상수원 및 문화재(→ 「국가유산기본법」 제3조에 따른 국가유산)의 보전과 수산자원의 보호·육성 등을 위하여 필요한 지역 <시행 2024.5.17>	이 법 또는 관계 법률이 정하는 바에 따라 환경오염방지, 자연환경·수질·수자원·해안·생태계 및 문화재의 보전과 수산자원의 보호·육성을 위하여 필요한 조사와 대책을 마련하여야 한다.

(2) 국가 또는 지방자치단체는 용도지역의 효율적인 이용 및 관리를 위하여 해당 용도지역에 관한 개발·정비 및 보전에 필요한 조치를 강구하여야 한다.

관계법 「농지법」 제28조 【농업진흥지역의 지정】

① 시·도지사는 농지를 효율적으로 이용하고 보전하기 위하여 농업진흥지역을 지정한다.

② 제1항에 따른 농업진흥지역은 다음 각 호의 용도구역으로 구분하여 지정할 수 있다.

1. 농업진흥구역: 농업의 진흥을 도모하여야 하는 다음 각 목의 어느 하나에 해당하는 지역으로서 농림축산식품부장관이 정하는 규모로 농지가 집단화되어 농업 목적으로 이용할 필요가 있는 지역
   가. 농지조성사업 또는 농업기반정비사업이 시행되었거나 시행 중인 지역으로서 농업용으로 이용하고 있거나 이용할 토지가 집단화되어 있는 지역
   나. 가목에 해당하는 지역 외의 지역으로서 농업용으로 이용하고 있는 토지가 집단화되어 있는 지역
2. 농업보호구역: 농업진흥구역의 용수원 확보, 수질 보전 등 농업 환경을 보호하기 위하여 필요한 지역

관계법 「산지관리법」 제4조 【산지의 구분】

① 산지를 합리적으로 보전하고 이용하기 위하여 전국의 산지를 다음 각 호와 같이 구분한다. <개정 2018.3.20>

1. 보전산지(保全山地)
   가. 임업용산지(林業用山地): 산림자원의 조성과 임업경영기반의 구축 등 임업생산 기능의 증진을 위하여 필요한 산지로서 다음의 산지를 대상으로 산림청장이 지정하는 산지
      1) 「산림자원의 조성 및 관리에 관한 법률」에 따른 채종림(採種林) 및 시험림의 산지
      2) 「국유림의 경영 및 관리에 관한 법률」에 따른 보전국유림의 산지

건축관계법

국토계획법

주차장법

주 택 법

도시및주거 환경정비법

건축사법

장애인시설법

소방시설법

서울시조례

건축관계법

국토계획법

주차장법

주 택 법

도시및주거
환경정비법

건축사법

장애인시설법

소방시설법

서울시조례

　　　3) 「임업 및 산촌 진흥촉진에 관한 법률」에 따른 임업진흥권역의 산지
　　　4) 그 밖에 임업생산 기능의 증진을 위하여 필요한 산지로서 대통령령으로 정하는 산지
　나. 공익용산지: 임업생산과 함께 재해 방지, 수원 보호, 자연생태계 보전, 산지경관 보전, 국민보
　　　건휴양 증진 등의 공익 기능을 위하여 필요한 산지로서 다음의 산지를 대상으로 산림청장이
　　　지정하는 산지
　　　1) 「산림문화 · 휴양에 관한 법률」에 따른 자연휴양림의 산지
　　　2) 사찰림(寺刹林)의 산지
　　　3) 제9조에 따른 산지전용 · 일시사용제한지역
　　　4) 「야생생물 보호 및 관리에 관한 법률」제27조에 따른 야생생물 특별보호구역 및 같은
　　　　 법 제33조에 따른 야생생물 보호구역의 산지
　　　5) 「자연공원법」에 따른 공원구역의 산지
　　　6) 「문화재보호법」에 따른 문화재보호구역의 산지
　　　7) 「수도법」에 따른 상수원보호구역의 산지
　　　8) 「개발제한구역의 지정 및 관리에 관한 특별조치법」에 따른 개발제한구역의 산지
　　　9) 「국토의 계획 및 이용에 관한 법률」에 따른 녹지지역 중 대통령령으로 정하는 녹지지역
　　　　 의 산지
　　　10) 「자연환경보전법」에 따른 생태 · 경관보전지역의 산지
　　　11) 「습지보전법」에 따른 습지보호지역의 산지
　　　12) 「독도 등 도서지역의 생태계보전에 관한 특별법」에 따른 특정도서의 산지
　　　13) 「백두대간 보호에 관한 법률」에 따른 백두대간보호지역의 산지
　　　14) 「산림보호법」에 따른 산림보호구역의 산지
　　　15) 그 밖에 공익 기능을 증진하기 위하여 필요한 산지로서 대통령령으로 정하는 산지
　2. 준보전산지: 보전산지 외의 산지
② 산림청장은 제1항의 규정에 의한 산지의 구분에 따라 전국의 산지에 대하여 지형도면에 그 구분
을 명시한 산지구분도(이하 "산지구분도"라 한다)를 작성하여야 한다. <개정 2007.1.26>
③ 산지구분도의 작성방법 및 절차 등에 관한 사항은 농림축산식품부령으로 정한다. <개정 2013.3.23.>

■8■ 다른 법률에 따른 토지이용에 관한 구역 등의 지정 제한 등 (법
제8조)

(1) 중앙행정기관의 장 또는 지방자치단체의 장은 다른 법률에 의하여 토지이용에 관한 지역·지구·
구역 또는 구획 등을 지정하고자 하는 경우에는 해당 구역 등의 지정목적이 이 법에 따른 용도
지역·용도지구 및 용도구역의 지정목적에 부합되도록 하여야 한다.

(2) 중앙행정기관의 장이나 지방자치단체의 장은 다른 법률에 따라 지정되는 구역 등에서 1㎢(「도
시개발법」에 따른 도시개발구역의 경우에는 5㎢) 이상의 구역 등을 지정 또는 변경하고자 하는
경우에는 중앙행정기관의 장은 국토교통부장관과 협의하여야 하며 지방자치단체의 장은 국토교
통부장관의 승인을 얻어야 한다.

　■ 국토교통부장관에게 협의 또는 승인을 요청하는 때에는 다음의 서류를 국토교통부장관에게
　　제출하여야 한다.

1. 구역 등의 지정 또는 변경의 목적·필요성·배경·추진절차 등에 관한 설명서(관계 법령의 규정에 의 　하여 해당 구역 등을 지정 또는 변경할 때 포함되어야 하는 내용을 포함한다)
2. 대상지역과 주변지역의 용도지역·기반시설 등을 표시한 축척 1/25,000의 토지이용현황도
3. 대상지역 안에 지정하고자 하는 구역 등을 표시한 축척 1/5,000~1/25,000의 도면
4. 그 밖에 국토교통부령이 정하는 서류

(3) 지방자치단체의 장이 위 (2)에 따라 승인을 받아야 하는 구역 등에서 1㎢(「도시개발법」에 따른 도시개발구역의 경우에는 5㎢) 미만의 구역 등을 지정하거나 변경하려는 경우 특별시장·광역시장·특별자치시장·도지사·특별자치도지사는 위 (2)에도 불구하고 국토교통부장관의 승인을 받지 아니하되, 시장·군수 또는 구청장(자치구의 구청장을 말함)은 시·도지사의 승인을 받아야 한다.

- 시장·군수 또는 구청장(자치구의 구청장을 말한다. 이하 같다)이 시·도지사의 승인을 요청하는 경우에는 위 (2)의 서류를 시·도지사에게 제출하여야 한다.

(4) 위 (2) 및 (3)에도 불구하고 다음의 어느 하나에 해당하는 경우에는 국토교통부장관과의 협의를 거치지 아니하거나 국토교통부장관 또는 시·도지사의 승인을 받지 아니한다.

1. 다른 법률에 따라 지정하거나 변경하려는 구역 등이 도시·군기본계획에 반영된 경우
2. 보전관리지역·생산관리지역·농림지역 또는 자연환경보전지역에서 다음의 지역을 지정하려는 경우
   ① 「농지법」에 따른 농업진흥지역
   ② 「한강수계 상수원수질개선 및 주민지원 등에 관한 법률」 등에 따른 수변구역
   ③ 「수도법」에 따른 상수원보호구역
   ④ 「자연환경보전법」에 따른 생태·경관보전지역
   ⑤ 「야생생물 보호 및 관리에 관한 법률」에 따른 야생생물 특별보호구역
   ⑥ 「해양생태계의 보전 및 관리에 관한 법률」에 따른 해양보호구역
3. 군사상 기밀을 지켜야 할 필요가 있는 구역 등을 지정하려는 경우
4. 협의 또는 승인을 받은 구역 등에서 다음에 해당하는 범위에서 변경하려는 경우
   ① 협의 또는 승인을 얻은 지역·지구·구역 또는 구획 등의 면적의 10%의 범위 안에서 면적을 증감시키는 경우
   ② 협의 또는 승인을 얻은 구역 등의 면적산정의 착오를 정정하기 위한 경우

(5) 국토교통부장관 또는 시·도지사는 위 규정에 의하여 협의 또는 승인을 하고자 하는 경우에는 중앙도시계획위원회 또는 시·도도시계획위원회의 심의를 거쳐야 한다.

예외 심의를 요하지 아니하는 경우

1. 보전관리지역이나 생산관리지역에서 다음의 구역 등을 지정하는 경우
   ① 「산지관리법」에 따른 보전산지
   ② 「야생생물 보호 및 관리에 관한 법률」에 따른 야생생물보호구역
   ③ 「습지보전법」에 따른 습지보호지역
   ④ 「토양환경보전법」에 따른 토양보전대책지역
2. 농림지역이나 자연환경보전지역에서 다음의 구역 등을 지정하는 경우
   ① 위 1.의 어느 하나에 해당하는 구역 등
   ② 「자연공원법」에 따른 자연공원
   ③ 「자연환경보전법」에 따른 생태·자연도 1등급 권역
   ④ 「독도 등 도서지역의 생태계보전에 관한 특별법」에 따른 특정도서
   ⑤ 「문화재보호법」(→「자연유산의 보존 및 활용에 관한 법률」)에 따른 명승 및 천연기념물과 그 보호구역 <시행 2024.3.22.>
   ⑥ 「해양생태계의 보전 및 관리에 관한 법률」에 따른 해양생태도 1등급 권역

관계법 「수도법」 제7조【상수원보호구역 지정 등】
① 환경부장관은 상수원의 확보와 수질 보전을 위하여 필요하다고 인정되는 지역을 상수원 보호를 위한 구역(이하 "상수원보호구역"이라 한다)으로 지정하거나 변경할 수 있다.
② 환경부장관은 제1항에 따라 상수원보호구역을 지정하거나 변경하면 지체 없이 공고하여야 한다.

건축관계법
국토계획법
주차장법
주 택 법
도시및주거
환경정비법
건축사법
장애인시설법
소방시설법
서울시조례

③ 제1항과 제2항에 따라 지정·공고된 상수원보호구역에서는 다음 각 호의 행위를 할 수 없다. <개정 2022.1.11>

1. 「물환경보전법」 제2조제7호 및 제8호에 따른 수질오염물질·특정수질유해물질, 「화학물질관리법」 제2조제7호에 따른 유해화학물질, 「농약관리법」 제2조제1호에 따른 농약, 「폐기물관리법」 제2조제1호에 따른 폐기물, 「하수도법」 제2조제1호·제2호에 따른 오수·분뇨 또는 「가축분뇨의 관리 및 이용에 관한 법률」 제2조제2호에 따른 가축분뇨를 사용하거나 버리는 행위, 다만, 다음 각 목의 어느 하나에 해당하는 행위는 제외한다.

가. 취수시설, 정수시설, 「물환경보전법」 제2조제17호에 따른 공공폐수처리시설, 「하수도법」 제2조제9호에 따른 공공하수처리시설 또는 국가·지방자치단체에 소속된 시험·분석·연구 기관에서 「화학물질관리법」 제2조제7호에 따른 유해화학물질을 수처리제(「먹는물관리법」 제3조제5호에 따른 수처리제를 말한다), 중화제, 소독제 또는 시약으로 사용하는 행위

나. 법률 제10976호 수도법 일부개정법률의 시행일(2012년 1월 29일을 말한다), 「화학물질관리법」 제2조제7호에 따른 유해화학물질 고시일 또는 상수원보호구역 공고일 이전부터 「화학물질관리법」 제2조제7호에 따른 유해화학물질을 사용하고 있는 사업장에서 그 유해화학물질이나 대체 유해화학물질을 사용하는 행위

2. 그 밖에 상수원을 오염시킬 명백한 위험이 있는 행위로서 대통령령으로 정하는 금지행위

④ 제1항과 제2항에 따라 지정·공고된 상수원보호구역에서 다음 각 호의 어느 하나에 해당하는 행위를 하려는 자는 관할 시장·군수·구청장의 허가를 받아야 한다. 다만, 대통령령으로 정하는 경미한 행위인 경우에는 신고하여야 한다.

1. 건축물, 그 밖의 공작물의 신축·증축·개축·재축(再築)·이전·변경 또는 제거
2. 입목(立木) 및 대나무의 재배 또는 벌채
3. 토지의 굴착·성토(盛土), 그 밖에 토지의 형질변경

⑤ ~ ⑥ <생략>

관계법 「자연공원법」 제2조 【정의】

이 법에서 사용하는 용어의 뜻은 다음과 같다. <개정 2016.5.29.>

1. "자연공원"이란 국립공원·도립공원·군립공원(郡立公園) 및 지질공원을 말한다.
2. "국립공원"이란 우리나라의 자연생태계나 자연 및 문화경관(이하 "경관"이라 한다)을 대표할 만한 지역으로서 제4조 및 제4조의2에 따라 지정된 공원을 말한다.
3. "도립공원"이란 도 및 특별자치도(이하 "도"라 한다)의 자연생태계나 경관을 대표할 만한 지역으로서 제4조 및 제4조의3에 따라 지정된 공원을 말한다.
3의2. "광역시립공원"이란 특별시·광역시·특별자치시(이하 "광역시"라 한다)의 자연생태계나 경관을 대표할 만한 지역으로서 제4조 및 제4조의3에 따라 지정된 공원을 말한다.
4. "군립공원"이란 군의 자연생태계나 경관을 대표할 만한 지역으로서 제4조 및 제4조의4에 따라 지정된 공원을 말한다.
4의2. "시립공원"이란 시의 자연생태계나 경관을 대표할 만한 지역으로서 제4조 및 제4조의4에 따라 지정된 공원을 말한다.
4의3. "구립공원"이란 자치구의 자연생태계나 경관을 대표할 만한 지역으로서 제4조 및 제4조의4에 따라 지정된 공원을 말한다.
4의4. "지질공원"이란 지구과학적으로 중요하고 경관이 우수한 지역으로서 이를 보전하고 교육·관광 사업 등에 활용하기 위하여 제36조의3에 따라 환경부장관이 인증한 공원을 말한다.
5. "공원구역"이란 자연공원으로 지정된 구역을 말한다.
6.~10. <생략>

건축관계법

국토계획법

주차장법

주 택 법

도시및주거
환경정비법

건축사법

장애인시설법

소방시설법

서울시조례

> **관계법** 「토양환경보전법」제17조【토양보전대책지역의 지정】
> ① 환경부장관은 대책기준을 넘는 지역이나 제2항에 따라 특별자치시장·특별자치도지사·시장·군수·구청장이 요청하는 지역에 대해서는 관계 중앙행정기관의 장 및 관할 시·도지사와 협의하여 토양보전대책지역(이하 "대책지역"이라 한다)으로 지정할 수 있다. 다만, 대통령령으로 정하는 경우에 해당하는 지역에 대해서는 대책지역으로 지정하여야 한다. <개정 2017.11.28.>
> ② 특별자치시장·특별자치도지사·시장·군수·구청장은 관할구역 중 특히 토양보전이 필요하다고 인정하는 지역에 대하여는 그 지역의 토양오염의 정도가 대책기준을 초과하지 아니하더라도 관할 시·도지사와 협의하여 그 지역을 대책지역으로 지정하여 줄 것을 환경부장관에게 요청할 수 있다. <개정 2017.11.28.>
> ③ 제1항에 따른 대책지역의 지정기준, 지정절차와 그 밖에 필요한 사항은 대통령령으로 정한다.
> ④ 환경부장관은 제1항에 따라 대책지역을 지정할 때에는 그 지역의 위치, 면적, 지정 연월일, 지정 목적과 그 밖에 환경부령으로 정하는 사항을 고시하여야 한다. 고시된 사항을 변경하였을 때에도 또한 같다.

(6) 중앙행정기관의 장이나 지방자치단체의 장은 다른 법률에 따라 지정된 토지 이용에 관한 구역 등을 변경하거나 해제하려면 도시·군관리계획의 입안권자의 의견을 들어야 한다. 이 경우 의견 요청을 받은 도시·군관리계획의 입안권자는 이 법에 따른 용도지역·용도지구·용도구역의 변경이 필요하면 도시·군관리계획에 반영하여야 한다.

(7) 시·도지사가 다음의 어느 하나에 해당하는 행위를 할 때 도시·군관리계획의 변경이 필요하여 시·도도시계획위원회의 심의를 거친 경우에는 해당 사항에 따른 심의를 거친 것으로 본다.

1. 「농지법」에 따른 농업진흥지역의 해제	「농어업·농어촌 및 식품산업 기본법」에 따른 시·도 농업·농촌 및 식품산업정책심의회의 심의
2. 「산지관리법」에 따른 보전산지의 지정해제	「산지관리법」에 따른 지방산지관리위원회의 심의

【참고1】 여의도동과 여의도의 면적

① 여의도의 행정구역상(여의도동) 면적은 약 8.40㎢(약 254만평) 정도이다.
　이 면적은 여의도 제방 안쪽과 밖의 면적, 한강시민공원, 생태공원, 밤섬 일부 및 하천바닥을 포함한 전체 면적을 말한다.

② 여의도의 면적(비교기준으로서의 면적)
　보통 '여의도의 몇 배' 할 때의 면적은 위의 ①과는 다르다. 즉, 여의도는 70년대 초반 우리나라 최초의 신도시 개념인 '여의도 개발계획'에 따라 당시 모래섬에 불과했던 여의도 주변을 윤중제라는 제방을 쌓아 육지화 하였다. 이전에는 평소에 밤섬과 여의도가 모래톱으로 연결되어 있어 걸어서도 갈 수 있었을 정도였으며 홍수 때에는 밤섬과 양말산(높이 약 40m − 현 국회의사당 자리) 꼭대기만 보였다고 한다. 여의도가 육지화 되었을 당시의 면적이 약 2.9㎢(약 89만 1천평)이었고 이 면적 위에 여의도 신도시가 들어섰다. 이런 의미에서 2.9㎢라는 면적이 상징적인 의미가 되었다. "여의도의 몇 배"라는 말은 여의도 신도시가 생기고 나서 생긴 말이기 때문에 비교기준을 이야기할 때의 여의도 면적은 약 2.9㎢이다.

③ 여의도 국회의사당 부지의 전체 면적은 약 33만㎡(약 10만평)이다.

건축관계법

국토계획법

주차장법

주 택 법

도시및주거
환경정비법

건축사법

장애인시설법

소방시설법

서울시조례

【참고2】 단위의 면적의 비교

$$1km^2 = 1,000m \times 1,000m = 1,000,000m^2 \ (1백만m^2)$$
$$= 1,000,000m^2 \times 0.3025 ≒ 302,500(평)$$
$$= 1,000,000m^2 \div 10,000 = 100(ha)$$

※ $1m^2 ≒ 0.3025$평, $10,000m^2 = 1(ha)$

9 다른 법률에 따른 도시·군관리계획의 변경 제한 (법 제9조)(영 제6조)

중앙행정기관의 장이나 지방자치단체의 장은 다른 법률에서 이 법에 따른 도시·군관리계획의 결정을 의제(擬制)하는 내용이 포함되어 있는 계획을 허가·인가·승인 또는 결정하려면 다음에 따라 중앙도시계획위원회 또는 지방도시계획위원회의 심의를 받아야 한다.

예외 심의를 받지 않아도 되는 경우

1. 국토교통부장관과 협의하거나 국토교통부장관 또는 시·도지사의 승인을 받은 경우
2. 다른 법률에 따라 중앙도시계획위원회나 지방도시계획위원회의 심의를 받은 경우
3. 다른 법률에 따라 지정하거나 변경하려는 구역등이 도시·군기본계획에 반영된 경우
4. 도시·군관리계획의 결정을 의제하는 계획에서 그 계획면적의 5퍼센트 미만을 변경하는 경우

(1) 중앙행정기관의 장 또는 지방자치단체의 장은 용도지역·용도지구·용도구역의 지정 또는 변경에 대한 도시·군관리계획의 결정을 의제하는 계획을 허가·인가·승인 또는 결정하고자 하는 경우에는 미리 다음의 구분에 따라 중앙도시계획위원회 또는 지방도시계획위원회의 심의를 받아야 한다.

1. 중앙도시계획위원회의 심의	① 중앙행정기관의 장이 30만m^2 이상의 용도지역·용도지구 또는 용도구역의 지정 또는 변경에 대한 도시·군관리계획의 결정을 의제하는 계획을 허가·인가·승인 또는 결정하고자 하는 경우
	② 지방자치단체의 장이 5km^2 이상의 용도지역·용도지구 또는 용도구역의 지정 또는 변경에 대한 도시·군관리계획의 결정을 의제하는 계획을 허가·인가·승인 또는 결정하고자 하는 경우
2. 지방도시계획위원회의 심의	지방자치단체의 장이 30만m^2 이상 5km^2 미만의 용도지역·용도지구 또는 용도구역의 지정 또는 변경에 대한 도시·군관리계획의 결정을 의제하는 계획을 허가·인가·승인 또는 결정하고자 하는 경우

(2) 중앙행정기관의 장 또는 지방자치단체의 장이 위 (1)의 규정에 의하여 중앙도시계획위원회 또는 지방도시계획위원회의 심의를 받는 때에는 다음의 서류를 국토교통부장관 또는 해당 지방도시계획위원회가 설치된 지방자치단체의 장에게 제출하여야 한다.

서류 등	축척 등
1. 계획의 목적·필요성·배경·내용·추진절차 등을 포함한 계획서	관계 법령의 규정에 의하여 해당 계획에 포함되어야 하는 내용을 포함
2. 대상지역과 주변지역의 용도지역·기반시설 등을 표시한 토지이용현황도	축척 1/25,000
3. ① 용도지역·용도지구 또는 용도구역의 지정 또는 변경에 대한 내용을 표시한 도면	축척 1/1,000
② 위 ①의 경우 도시지역외 지역의 도면	축척 1/5,000 이상
4. 그 밖에 국토교통부령이 정하는 서류	

건축관계법

국토계획법

주차장법

주 택 법

도시및주거
환경정비법

건축사법

장애인시설법

소방시설법

서울시조례

【참고1】 의제(擬制)

성질이 다른 것을 같은 것으로 보고 법률상 같은 효과를 주는 것(일)

【참고2】 허가, 인가, 승인, 협의

(1) 허가(許可)

자연인(개인)이나 법인이 일반적으로 자유롭게 활동할 수 있는 기본 권리를 국가목적 또는 행적목적 달성의 필요에 따라 그 권리를 제한하고 일정한 요건을 갖춘 자에게만 그 권리를 행사할 수 있도록 허락하여 주는 것

※ 무허가(無許可) 행위는 처벌 대상이 되지만 행위 자체는 무효(無效)가 되는 것은 아니다.

(예) 건축허가, 개발행위의 허가 등

(2) 인가(認可)

제3자의 법률행위를 보충하여 그 법률상 효력을 완성시켜 주는 행정행위

※ 인가는 법률적 행위의 효력요건이기 때문에 무인가(無認可) 행위는 무효가 되지만 일반적으로 처벌의 대상은 되지 않는다.

(예) 도시계획사업의 실시계획 인가, 재개발사업의 '관리처분계획 인가' 등

(3) 승인(承認) 및 협의(協議)

① 공법(公法)상 승인 및 협의

국가 또는 지방자치단체 등의 기관이 다른 기관이나 개인의 특정한 행위에 대하여 부여하는 동의(同意)의 뜻으로 사용되는 것으로 상·하(上·下)의 구별이 있는 경우에는 '승인(承認)'을 상하의 구분이 없는 경우나 모호한 경우에는 '협의(協議)'를 사용한다.

승인 및 협의는 단순한 행정기관 내부의 관계로서 행하여지는 것과 법령의 규정에 의하여 필요적 행정절차로서 요구되는 것이 있다.

(예) 재건축 조합(組合)에 대한 '정관의 승인, 광역도시계획 수립시 관계 행정기관의 장과의 협의' 등

② 사법(司法)상 승인

일반적으로 타인의 행위에 대하여 긍정의 의사를 표시하는 것

(예) 채무의 승인 등

건축관계법

국토계획법

주차장법

주 택 법

도시및주거
환경정비법

건축사법

장애인시설법

소방시설법

서울시조례

2

광역도시계획

1 광역계획권의 지정 (법 제10조)

(1) 광역계획권은 인접한 둘 이상의 특별시·광역시·특별자치시·특별자치도·시 또는 군의 관할구
역 단위로 지정한다.

구 분		내 용
1. 지정권자	• 국토교통부장관	광역계획권이 둘 이상의 특별시·광역시·특별자치시·도 또는 특별자치도(이하 "시·도")의 관할 구역에 걸쳐 있는 경우
	• 도지사	광역계획권이 도의 관할 구역에 속하여 있는 경우
2. 지정 목적	둘 이상의 특별시·광역시·특별자치시·특별자치도·시 또는 군의 • 공간구조 및 기능의 상호연계 • 환경보전 • 광역시설의 체계적인 정비	
3. 지정 범위	• 인접한 둘 이상의 특별시·광역시·특별자치시·특별자치도·시 또는 군의 관할구역 단위 예외 일부를 광역계획권에 포함시키고자 하는 때에는 구·군(광역시의 관할구역안의 군)·읍 또는 면의 관할구역 단위로 할 것	

(2) 중앙행정기관의 장, 시·도지사, 시장 또는 군수는 국토교통부장관이나 도지사에게 광역계획권의
지정 또는 변경을 요청할 수 있다.

(3) 국토교통부장관은 광역계획권을 지정하거나 변경하려면 관계 시·도지사, 시장 또는 군수의 의견
을 들은 후 중앙도시계획위원회의 심의를 거쳐야 한다.

(4) 도지사가 광역계획권을 지정하거나 변경하려면 관계 중앙행정기관의 장, 관계 시·도지사, 시
장 또는 군수의 의견을 들은 후 지방도시계획위원회의 심의를 거쳐야 한다.

(5) 국토교통부장관 또는 도지사는 광역계획권을 지정하거나 변경하면 지체 없이 관계 시·도지사,
시장 또는 군수에게 그 사실을 통보하여야 한다.

건축관계법

국토계획법

주차장법

주 택 법

도시및주거
환경정비법

건축사법

장애인시설법

소방시설법

서울시조례

2 광역도시계획의 수립권자 (법 제11조)

국토교통부장관, 시·도지사, 시장 또는 군수는 다음의 구분에 따라 광역도시계획을 수립하여야 한다.

광역계획권의 범위	수립권자
• 동일한 도의 관할구역	관할 시장 또는 군수가 공동으로 수립
• 둘 이상의 시·도의 관할구역에 걸치는 경우	관할 시·도지사가 공동으로 수립
• 광역계획권을 지정한 날부터 3년이 지날 때까지 관할 시장 또는 군수로부터 광역도시계획의 승인 신청이 없는 경우 • 시장 또는 군수가 협의를 거쳐 요청하는 경우	관할 도지사가 수립
• 시장 또는 군수가 요청하는 경우와 그 밖에 필요하다고 인정하는 경우	도지사와 관할 시장 또는 군수와 공동으로 수립
• 국가계획과 관련 • 광역계획권을 지정한 날로부터 3년이 경과할 때까지 관할 시·도지사로부터 광역도시계획에 대한 승인신청이 없을 경우	국토교통부장관
• 시·도지사의 요청이 있는 경우 • 국토교통부장관이 필요하다고 인정한 경우	국토교통부장관과 관할 시·도지사와 공동으로 수립

※ 광역도시계획의 수립절차(공청회, 지방의회 의견청취)는 도시·군기본계획의 수립절차와 같다.

3 광역도시계획의 내용 (법 제12조)

광역도시계획은 다음 내용에 관한 사항 중 해당 광역계획권의 지정목적을 달성하는데 필요한 사항에 대한 정책방향이 포함되어야 한다.

1. 광역계획권의 공간구조와 기능분담에 관한 사항

2. 광역계획권의 녹지관리체계와 환경보전에 관한 사항

3. 광역시설의 배치·규모·설치에 관한 사항

4. 경관계획에 관한 사항

5. 그 밖에 광역계획권에 속하는 특별시·광역시·특별자치시·특별자치도·시 또는 군 상호 간의 기능연계에 관한 다음의 사항
   ① 광역계획권의 교통 및 물류유통체계에 관한 사항
   ② 광역계획권의 문화·여가 공간 및 방재에 관한 사항

4 광역도시계획의 수립기준 (영 제10조)

국토교통부장관은 광역도시계획의 수립기준을 정할 때에는 다음 사항을 종합적으로 고려하여야 한다.

건축관계법

국토계획법

주차장법

주 택 법

도시및주거
환경정비법

건축사법

장애인시설법

소방시설법

서울시조례

1. 광역계획권의 미래상과 이를 실현할 수 있는 체계화된 전략을 제시하고 국토종합계획 등과 서로 연계되도록 할 것

2. 특별시·광역시·특별자치시·특별자치도·시 또는 군 간의 기능분담, 도시의 무질서한 확산방지, 환경보전, 광역시설의 합리적 배치 그 밖에 광역계획권 안에서 현안사항이 되고 있는 특정부문 위주로 수립할 수 있도록 할 것

3. 여건변화에 탄력적으로 대응할 수 있도록 포괄적이고 개략적으로 수립하도록 하되, 특정부문 위주로 수립하는 경우에는 도시·군기본계획이나 도시·군관리계획에 명확한 지침을 제시할 수 있도록 구체적으로 수립하도록 할 것

4. 녹지축·생태계·산림·경관 등 양호한 자연환경과 우량농지, 보전목적의 용도지역, 문화재 및 역사문화환경 등을 충분히 고려하여 수립하도록 할 것

5. 부문별 계획은 서로 연계되도록 할 것

6. 「재난 및 안전관리 기본법」에 따른 시·도안전관리계획 및 시·군·구안전관리계획과 「자연재해대책법」에 따른 시·군 자연재해저감 종합계획을 충분히 고려하여 수립하도록 할 것

【참고】 광역도시계획 수립 지침(국토교통부훈령 제1641호, 2023.4.21)
　　　　저탄소 녹색도시 조성을 위한 도시·군계획수립 지침(국토교통부훈령 제1126호, 2018.12.21.)

5 광역도시계획의 수립을 위한 기초조사 (법 제13조)

(1) 국토교통부장관, 시·도지사·시장 또는 군수는 광역도시계획을 수립 하거나 변경하려면 다음 사항 중 해당 광역도시계획의 수립 또는 변경에 관하여 필요한 사항을 미리 조사하거나 측량(이하 "기초조사"라 함)하여야 한다.

1. 인구·경제·사회·문화·토지이용·환경·교통·주택

2. 기후·지형·자원·생태 등 자연적 여건

3. 기반시설 및 주거수준의 현황과 전망

4. 풍수해·지진 그 밖의 재해의 발생현황 및 추이

5. 광역도시계획과 관련된 다른 계획 및 사업의 내용

6. 그 밖에 광역도시계획의 수립에 필요한 사항

(2) 국토교통부장관, 시·도지사, 시장 또는 군수는 관계 행정기관의 장에게 위 ①에 따른 기초조사에 필요한 자료를 제출하도록 요청할 수 있다. 이 경우 요청을 받은 관계 행정기관의 장은 특별한 사유가 없으면 그 요청에 따라야 한다.

(3) 국토교통부장관, 시·도지사, 시장 또는 군수는 효율적인 기초조사를 위하여 필요하면 위 (1) 및 (2)에 따른 조사 또는 측량을 전문기관에 의뢰할 수 있다.

6 공청회의 개최 (법 제14조)

국토교통부장관, 시·도지사, 시장 또는 군수는 광역도시계획을 수립하거나 변경하려면 미리 공청회를 열어 주민과 관계 전문가 등으로부터 의견을 들어야 하며, 공청회에서 제시된 의견이 타당하다고 인정하면 광역도시계획에 반영하여야 한다.

7　지방자치단체의 의견 청취 (법 제15조)

(1) 시·도지사, 시장 또는 군수는 광역도시계획을 수립하거나 변경하려면 미리 관계 시·도, 시 또는 군의 의회와 관계 시장 또는 군수의 의견을 들어야 한다.

(2) 국토교통부장관은 광역도시계획을 수립하거나 변경하려면 관계 시·도지사에게 광역도시계획 안을 송부하여야 하며, 관계 시·도지사는 그 광역도시계획 안에 대하여 그 시·도의 의회와 관계 시장 또는 군수의 의견을 들은 후 그 결과를 국토교통부장관에게 제출하여야 한다.

(3) 위 (1) 및 (2)에 따른 시·도, 시 또는 군의 의회와 관계 시장 또는 군수는 특별한 사유가 없으면 30일 이내에 시·도지사, 시장 또는 군수에게 의견을 제시하여야 한다.

8　광역도시계획의 승인 (법 제16조)

【1】 승인절차

(1) 시·도지사는 광역도시계획을 수립하거나 변경하려면 국토교통부장관의 승인을 받아야 한다.

　　예외 다음에 해당하여 도지사가 수립하는 광역도시계획

　　1. 시장 또는 군수가 요청하는 경우와 그 밖에 필요하다고 인정하는 경우

　　2. 시장 또는 군수가 협의를 거쳐 요청하는 경우

① 시·도지사는 광역도시계획의 승인을 얻고자 하는 때에는 광역도시계획안(案)에 다음의 서류를 첨부하여 국토교통부장관에게 제출하여야 한다.

　　1. 기초조사 결과

　　2. 공청회개최 결과

　　3. 관계 시·도의 의회와 관계 시장 또는 군수(광역시의 관할구역 안에 있는 군의 군수를 제외한다)의 의견청취 결과

　　　　예외 지방도시계획위원회의 업무(영 제110조), 시·군·구도시계획위원회의 구성 및 운영(영 제112조), 토지거래계약의 허가절차(영 제117조), 선매협의(영 제122조), 토지에 관한 매수청구(영 제123조), 토지이용의무 등(영 제124조), 신고 포상금(영 제124조의2), 이행강제금의 부과(영 제124조의3), 시범도시의 공모(영 제127조), 시범도시사업계획의 수립·시행(영 제128조) 및 시범도시사업의 평가·조정(영 제130조)에서는 광역시의 관할구역 안에 있는 군의 군수를 포함

　　4. 시·도 도시계획위원회의 자문을 거친 경우에는 그 결과

　　5. 관계 중앙행정기관의 장과의 협의 및 중앙도시계획위원회의 심의에 필요한 서류

② 국토교통부장관은 제출된 광역도시계획안(案)이 수립기준 등에 적합하지 아니한 때에는 시·도지사에게 광역도시계획안의 보완을 요청할 수 있다.

(2) 국토교통부장관은 위 (1)에 따라 광역도시계획을 승인하거나 직접 광역도시계획을 수립 또는 변경(시·도지사와 공동으로 수립하거나 변경하는 경우를 포함)하려면 관계 중앙행정기관과 협의한 후 중앙도시계획위원회의 심의를 거쳐야 한다.

2장

제3편 국토의 계획 및 이용에 관한 법률

건축관계법

국토계획법

주차장법

주택법

도시및주거
환경정비법

건축사법

장애인시설법

소방시설법

서울시조례

(3) 위 (2)에 따라 협의 요청을 받은 관계 중앙행정기관의 장은 특별한 사유가 없는 한 그 요청을 받은 날부터 30일 이내에 국토교통부장관에게 의견을 제시하여야 한다.

(4) 국토교통부장관은 직접 광역도시계획을 수립 또는 변경하거나 승인하였을 때에는 관계중앙행정기관의 장과 시·도지사에게 관계 서류를 송부하여야 하며, 관계 서류를 받은 시·도지사는 그 내용을 공고하고 일반이 열람할 수 있도록 하여야 한다.

(5) 시장 또는 군수는 광역도시계획을 수립하거나 변경하려면 도지사의 승인을 받아야 한다.

(6) 도지사가 위 (5)에 따라 광역도시계획을 승인하거나 위 (1)의 예외에 따라 직접 광역 도시계획을 수립 또는 변경(시장·군수와 공동으로 수립하거나 변경하는 경우를 포함)하려면 위 (2)∼(5)까지의 규정을 준용한다. 이 경우 "국토교통부장관"은 "도지사"로, "중앙행정기관의 장"은 "행정기관의 장(국토교통부장관을 포함)"으로, "중앙도시계획위원회"는 "지방도시계획위원회"로 "시·도지사"는 "시장 또는 군수"로 본다.

■ 광역도시계획의 수립절차

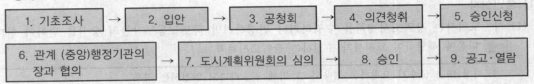

【2】 열람

① 국토교통부장관은 광역도시계획을 승인하거나 직접 수립 또는 변경한 경우에는 관계 중앙행정기관의 장과 시·도지사에게 관계서류를 송부하여야 한다.

② 시·도지사는 송부된 광역도시계획을 지체 없이 공고하고 일반이 열람(열람기간 : 30일 이상)하게 하여야 한다.

9 광역도시계획의 조정 (법 제17조)

【1】 조정의 신청

① 둘 이상의 행정구역에 걸친 광역도시계획을 공동으로 수립할 때 서로의 협의가 이루어지지 않을 때에는 공동 또는 단독으로 국토교통부장관에게 조정을 신청할 수 있다.

② 국토교통부장관은 단독으로 조정신청을 받은 경우에는 기한을 정하여 당사자 간에 다시 협의를 하도록 권고할 수 있으며, 기한 내 협의가 이루어지지 아니하는 경우에는 이를 직접 조정할 수 있다.

【2】 조정신청에 따른 조치

① 국토교통부장관은 조정의 신청을 받거나, 직접 조정하고자 하는 때에는 중앙도시계획위원회의 심의를 거쳐 광역도시계획의 내용을 조정하여야 한다.

② 이해관계를 가진 지방자치단체의 장은 중앙도시계획위원회의 회의에 출석하여 의견을 진술할 수 있다.

③ 광역도시계획을 수립하는 자는 조정결과를 광역도시계획에 반영하여야 한다.

④ 광역도시계획을 공동으로 수립하는 시장 또는 군수는 그 내용에 관하여 서로 협의가 되지 아니하면 공동이나 단독으로 도지사에게 조정을 신청할 수 있다.

⑤ 위 ④에 따라 도지사가 광역도시계획을 조정하는 경우에는 위 【1】-② 및 【2】-①~③까지의 규정을 준용한다. 이 경우 "국토교통부장관"은 "도지사"로, "중앙도시계획위원회"는 "도의 지방도시계획위원회"로 본다.

10 광역도시계획협의회의 구성 및 운영 (법 제17조의2)

(1) 국토교통부장관, 시·도지사, 시장 또는 군수는 광역도시계획을 공동으로 수립할 때에는 광역도시계획의 수립에 관한 협의 및 조정이나 자문 등을 위하여 광역도시계획협의회를 구성하여 운영할 수 있다.

(2) 위 (1)에 따라 광역도시계획협의회에서 광역도시계획의 수립에 관하여 협의·조정을 한 경우에는 그 조정 내용을 광역도시계획에 반영하여야 하며, 해당 시·도지사, 시장 또는 군수는 이에 따라야 한다.

건축관계법

국토계획법

주차장법

주 택 법

도시및주거
환경정비법

건축사법

장애인시설법

소방시설법

서울시조례

도시·군기본계획

1 도시·군기본계획의 수립권자와 대상지역 (법 제18조)

도시·군기본계획의 수립권자와 대상지역은 다음과 같다.

수립권자	대상지역	기 타
특별시장· 광역시장· 특별자치시 장·특별자치 도지사·시장 또는 군수	관할 구역	예외 시 또는 군의 위치, 인구의 규모, 인구감소율 등을 고려하여 다음의 경우 도시·군기본계획을 수립하지 아니할 수 있다. 1. 「수도권정비계획법」에 따른 수도권에 속하지 아니하고 광역시와 경계를 같이하지 아니한 시 또는 군으로서 인구 10만명 이하인 시 또는 군 2. 관할구역 전부에 대하여 광역도시계획이 수립되어 있는 시 또는 군으로서 해당 광역도시계획에 도시·군기본계획의 내용이 모두 포함되어 있는 시 또는 군

① 특별시장·광역시장·특별자치시장·특별자치도지사·시장 또는 군수는 지역여건상 필요하다고 인정되는 때에는 인접한 특별시·광역시·특별자치시·특별자치도·시 또는 군의 관할구역의 전부 또는 일부를 포함하여 도시·군기본계획을 수립할 수 있다.

② 특별시장·광역시장·특별자치시장·특별자치도지사·시장 또는 군수는 위 ①에 따라 인접한 특별시·광역시·특별자치시·특별자치도·시 또는 군의 관할구역을 포함하여 도시·군기본계획을 수립하고자 하는 때에는 미리 해당 특별시장·광역시장·특별자치시장·특별자치도지사·시장 또는 군수와 협의하여야 한다.

> 관계법 「수도권정비계획법」제2조제1호, 시행령 제2조
> "수도권"이란 서울특별시와 인천광역시 및 경기도를 말한다.

【참고】 국토교통부장관, 도지사는 도시·군기본계획의 수립권자에 해당하지 않는다.

2 도시·군기본계획의 내용 $\left(\genfrac{}{}{0pt}{}{법}{제19조}\right)\left(\genfrac{}{}{0pt}{}{영}{제15조}\right)$

도시·군기본계획에는 다음 사항에 대한 정책방향이 포함되어야 한다.

1. 지역적 특성 및 계획의 방향·목표에 관한 사항

2. 공간구조, 생활권의 설정 및 인구의 배분에 관한 사항

3. 토지의 이용 및 개발에 관한 사항

4. 토지의 용도별 수요 및 공급에 관한 사항

5. 환경의 보전 및 관리에 관한 사항

6. 기반시설에 관한 사항

7. 공원·녹지에 관한 사항

8. 경관에 관한 사항

9. 기후변화 대응 및 에너지절약에 관한 사항

10. 방재·방범 등 안전에 관한 사항

11. 위 2. ~ 10.까지에 규정된 사항의 단계별 추진에 관한 사항

12. 도시·군기본계획의 방향 및 목표 달성과 관련된 다음의 사항
   ① 도심 및 주거환경의 정비·보전에 관한 사항
   ② 다른 법률에 따라 도시·군기본계획에 반영되어야 하는 사항
   ③ 도시·군기본계획의 시행을 위하여 필요한 재원조달에 관한 사항
   ④ 그 밖에 도시·군기본계획 승인권자가 필요하다고 인정하는 사항

【참고】광역도시계획과 도시·군기본계획의 성격
   ① 장래 발전 방향을 제시하는 행정계획으로 일반 국민에 대해 직접적인 구속력이 없다.
   ② 행정(내)부의 구속적(拘束的) 계획으로서의 성격을 갖는다.

   ③ 일반 국민에 대하여 직접적 구속력을 갖지 않으므로 행정심판이나 행정소송의 대상이 되지 않는다.
   ④ 승인시 고시(告示)에 관한 규정은 없으며 공고(公告)에 관한 규정이 있다.
   ※ 광역도시계획은 5년 마다 재검토 규정이 없으나 도시·군기본계획 및 도시·군관리계획은 재검토 규정이 있다.

3 도시·군기본계획의 수립기준 $\left(\genfrac{}{}{0pt}{}{영}{제16조}\right)$

국토교통부장관은 도시·군기본계획의 수립기준을 정할 때에는 다음 사항을 종합적으로 고려하여야 한다.

1. 특별시·광역시·특별자치시·특별자치도·시 또는 군의 기본적인 공간구조와 장기발전방향을 제시하는 토지이용·교통·환경 등에 관한 종합계획이 되도록 할 것

2. 여건변화에 탄력적으로 대응할 수 있도록 포괄적이고 개략적으로 수립하도록 할 것

3. 도시·군기본계획을 정비할 때에는 종전의 도시·군기본계획의 내용 중 수정이 필요한 부분만을 발췌하여 보완함으로써 계획의 연속성이 유지되도록 할 것

건축관계법

국토계획법

주차장법

주택법

도시및주거
환경정비법

건축사법

장애인시설법

소방시설법

서울시조례

4. 도시와 농어촌 및 산촌지역의 인구밀도, 토지이용의 특성 및 주변환경 등을 종합적으로 고려하여 지역별로 계획의 상세정도를 다르게 하되, 기반시설의 배치계획, 토지용도 등은 도시와 농어촌 및 산촌지역이 서로 연계되도록 할 것

5. 부문별 계획은 도시·군기본계획의 방향에 부합하고 도시·군기본계획의 목표를 달성할 수 있는 방안을 제시함으로써 도시·군기본계획의 통일성과 일관성을 유지하도록 할 것

6. 도시지역 등에 위치한 개발가능 토지는 단계별로 시차를 두어 개발되도록 할 것

7. 녹지축·생태계·산림·경관 등 양호한 자연환경과 우량농지, 보전목적의 용도지역, 문화재 및 역사문화환경 등을 충분히 고려하여 수립하도록 할 것

8. 경관에 관한 사항에 대하여는 필요한 경우에는 도시·군기본계획도서의 별책으로 작성할 수 있도록 할 것

9. 「재난 및 안전관리 기본법」에 따른 시·도안전관리계획 및 시·군·구안전관리계획과 「자연재해대책법」에 따른 시·군 자연재해저감 종합계획을 충분히 고려하여 수립하도록 할 것

【참고】도시·군기본계획 수립지침(국토교통부훈령 제1694호, 2023.12.28)
저탄소 녹색도시 조성을 위한 도시·군계획수립 지침(국토교통부훈령 제1126호, 2018.12.21.)

4 도시·군기본계획의 수립을 위한 기초조사 및 공청회(법 제20조)(영 제16조의2)

(1) 규정의 준용

| 도시·군기본계획을 수립 또는 변경하는 경우에는 다음의 규정을 준용한다. ① 광역도시계획의 수립을 위한 기초조사 (법 제13조) ② 공청회의 개최 (법 제14조) | 준용의 경우 다음과 같이 본다. ① "국토교통부장관 또는 시·도지사" → "특별시장·광역시장·특별자치시장·특별자치도지사·시장 또는 군수" ② "광역도시계획" → "도시·군기본계획" |

(2) 시·도지사, 시장 또는 군수는 위 (1)-①에 따른 기초조사의 내용에 국토교통부장관이 정하는 바에 따라 실시하는 토지의 토양, 입지, 활용가능성 등 토지의 적성에 대한 평가(이하 "토지적성평가"라 한다)와 재해 취약성에 관한 분석(이하 "재해취약성분석"이라 한다)을 포함하여야 한다.

(3) 다음의 구분에 따른 경우에는 위 (2)에 따른 토지적성평가 또는 재해취약성분석을 하지 아니할 수 있다.
① 토지적성평가 : 다음의 어느 하나에 해당하는 경우
㉠ 도시·군기본계획 입안일부터 5년 이내에 토지적성평가를 실시한 경우
㉡ 다른 법률에 따른 지역·지구 등의 지정이나 개발계획 수립 등으로 인하여 도시·군기본계획의 변경이 필요한 경우
② 재해취약성분석 : 다음의 어느 하나에 해당하는 경우
㉠ 도시·군기본계획 입안일부터 5년 이내에 재해취약성분석을 실시한 경우
㉡ 다른 법률에 따른 지역·지구 등의 지정이나 개발계획 수립 등으로 인하여 도시·군기본계획의 변경이 필요한 경우

5 지방의회의 의견 청취 (법 제21조)

(1) 특별시장·광역시장·특별자치시장·특별자치도지사·시장 또는 군수는 도시·군기본계획을 수립하거나 변경하려면 미리 그 특별시·광역시·특별자치시·특별자치도·시 또는 군 의회의 의견을 들어야 한다.

(2) 위 (1)에 따른 특별시·광역시·특별자치시·특별자치도·시 또는 군의 의회는 특별한 사유가 없으면 30일 이내에 특별시장·광역시장·특별자치시장·특별자치도지사·시장 또는 군수에게 의견을 제시하여야 한다.

6 도시·군기본계획의 확정 및 승인 (법 제22조, 제22조의2)

【1】특별시·광역시·특별자치시·특별자치도의 도시·군기본계획의 확정 (영 제16조의3)

① 특별시장·광역시장·특별자치시장 또는 특별자치도지사는 도시·군기본계획을 수립하거나 변경하려면 관계 행정기관의장(국토교통부장관을 포함)과 협의한 후 지방도시계획위원회의 심의를 거쳐야 한다.

② 위의 ①에 따라 협의 요청을 받은 관계 행정기관의 장은 특별한 사유가 없으면 그 요청을 받은 날부터 30일 이내에 특별시장 또는 광역시장에게 의견을 제시해야 한다.

③ 특별시장·광역시장·특별자치시장 또는 특별자치도지사는 도시·군기본계획을 수립하거나 변경한 경우에는 관계 행정기관의 장에게 관계 서류를 송부하여야 하며, 해당 공보와 인터넷 홈페이지에 그 계획을 공고하고 30일 이상 일반인이 열람할 수 있도록 해야 한다.

【2】시·군 도시·군기본계획의 승인 (영 제17조)

① 시장 또는 군수는 도시·군기본계획을 수립하거나 변경하려면 도지사의 승인을 받아야 한다.

② 도지사는 위 ①에 따라 도시·군기본계획을 승인하려면 관계 행정기관의 장과 협의한 후 지방도시계획위원회의 심의를 거쳐야 한다.

③ 협의 요청을 받은 관계 행정기관의 장은 특별한 사유가 없으면 그 요청을 받은 날부터 30일 이내에 도지사에게 의견을 제시해야 한다.

④ 도지사는 도시·군기본계획을 승인하면 관계 행정기관의 장과 시장 또는 군수에게 관계 서류를 송부하여야 하며, 관계 서류를 받은 시장 또는 군수는 해당 시·군의 공보와 인터넷 홈페이지에 그 계획을 공고하고 30일 이상 일반인이 열람할 수 있도록 해야 한다.

【참고1】고시(告示)와 공고(公告)

① 고시와 공고의 공통점
 - 행정기관이 공개적으로 일반 국민에게 글(문서)로써 널리 알리는 것이다.
 - 형식상 행정기관명, 연도표시와 일련번호를 사용한다.
　(예) 행정안전부고시 제2006-20호, 행정안전부공고 제2006-20호

② 고시와 공고의 차이점
 - 고시는 법령에 근거가 있어야 하나, 공고는 반드시 법령에 근거를 둘 필요가 없다.
 - 고시는 일단 고시된 사항은 개정이나 폐지가 없는 한 효력이 지속되나, 공고는 효력이 단기적이거나 일시적인 경우가 많다.

건축관계법

국토계획법

주차장법

주 택 법

도시및주거
환경정비법

건축사법

장애인시설법

소방시설법

서울시조례

건축관계법

국토계획법

주차장법

주택법

도시및주거
환경정비법

건축사법

장애인시설법

소방시설법

서울시조례

- 고시는 원칙적으로는 법규성은 없으나 보충적으로 법규성을 가지는 일이 있으며, 일반처분성을 가지는 경우도 있다. 필요한 공시(公示; 일정한 내용을 공개적으로 게시하여 일반 국민에게 알리는 것)를 하지 않으면 권리의 변동은 완전한 효력을 나타내지 못한다.
- 공고에 의하여 법률상 효과가 생기는 것은 법률에 규정이 있는 경우에 한하며, 공고된 사항에 대하여 일정한 절차를 밟지 않으면 권리를 상실하는 등의 불리한 효과가 발생하는 경우가 많다. 공고는 이해관계인으로 하여금 신청의 기회를 갖게 하기 위해서, 또는 소재지가 불명한 사람에 대한 통지의 수단으로 쓰이는 경우도 있다.

【참고2】 도시·군기본계획의 수립절차

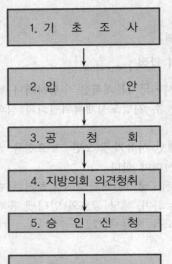

1. 기 초 조 사	• 특별시장·광역시장 · 특별자치시장 · 특별자치도지사· 시장·군수
2. 입 안	• 특별시장·광역시장·특별자치시장 · 특별자치도지사 시장·군수
3. 공 청 회	• 주민 및 전문가의 의견 청취
4. 지방의회 의견청취	
5. 승 인 신 청	• 시장·군수 → 도지사

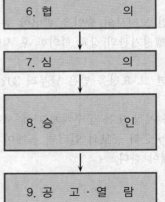

6. 협 의	• 관계 행정기관의 장 (국토교통부장관 포함, 30일 이내 의견 제시)
7. 심 의	• 지방도시계획위원회
8. 승 인	• 도지사(시장·군수가 수립·변경하는 경우) (※ 특별시장, 광역시장·특별자치시장 · 특별자치도지사 는 직접 확정함)
9. 공 고 · 열 람	• 특별시장·광역시장·특별자치시장 · 특별자치도지사 · 시장·군수 (열람기간 30일 이상)

제3장 도시·군기본계획

3장

건축관계법

국토계획법

주차장법

주 택 법

도시및주거
환경정비법

건축사법

장애인시설법

소방시설법

서울시조례

7 도시·군기본계획의 정비 (법 제23조)

(1) 특별시장·광역시장·특별자치시장·특별자치도지사·시장 또는 군수는 5년마다 관할구역의 도시·군기본계획에 대하여 그 타당성 여부를 전반적으로 재검토하여 이를 정비하여야 한다.

(2) 특별시장·광역시장·특별자치시장·특별자치도지사·시장 또는 군수는 도시·군기본계획의 내용에 우선하는 광역도시계획 및 국가계획의 내용을 도시·군기본계획에 반영하여야 한다.

【참고】 국토계획의 정의 및 구분(「국토기본법」 제6조)

국토계획	국토를 이용·개발 및 보전할 때 미래의 경제적·사회적 변동에 대응하여 국토가 지향하여야 할 발전 방향을 설정하고 이를 달성하기 위한 계획
국토종합계획	국토전역을 대상으로 하여 국토의 장기적인 발전방향을 제시하는 종합계획
초광역권계획	지역의 경제 및 생활권역의 발전에 필요한 연계·협력사업 추진을 위하여 2개 이상의 지방자치단체가 상호 협의하여 설정하거나 「지방자치법」 제199조의 특별지방자치단체가 설정한 권역으로, 특별시·광역시·특별자치시 및 도·특별자치도의 행정구역을 넘어서는 권역("초광역권")을 대상으로 하여 해당 지역의 장기적인 발전 방향을 제시하는 계획
도종합계획	도 또는 특별자치도의 관할구역을 대상으로 하여 해당 지역의 장기적인 발전방향을 제시하는 종합계획
시·군종합계획	특별시·광역시·특별자치시·시 또는 군(광역시의 군 제외)의 관할구역을 대상으로 하여 해당 지역의 기본적인 공간구조와 장기발전방향을 제시하고, 토지이용·교통·환경·안전·산업·정보통신·보건·후생·문화 등에 관하여 수립하는 계획으로서 「국토의 계획 및 이용에 관한 법률」에 따라 수립되는 도시·군계획
지역계획	특정한 지역을 대상으로 특별한 정책목적을 달성하기 위하여 수립하는 계획
부문별계획	국토전역을 대상으로 하여 특정부문에 대한 장기적인 발전방향을 제시하는 계획

■ 국토계획의 체계

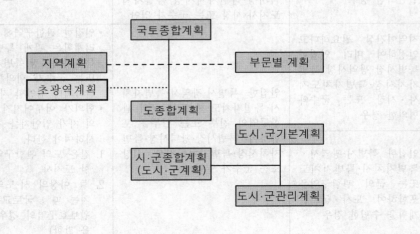

건축관계법

국토계획법

주차장법

주 택 법

도시및주거
환경정비법

건 축 사법

장애인시설법

소방시설법

서울시조례

4

도시·군관리계획

1 도시·군관리계획의 수립절차

도시·군관리계획은 도시·군기본계획을 바탕으로 특별시·광역시·특별자치시·특별자치도·시 또는 군의 개발·정비 및 보전을 위해 수립하는 토지이용 등의 계획으로서 다음과 같은 과정을 거쳐 수립된다.

■ 도시·군관리계획의 수립절차

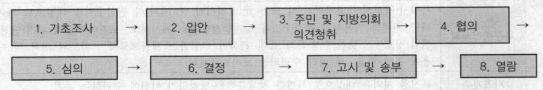

| 1. 기초조사 | → | 2. 입안 | → | 3. 주민 및 지방의회 의견청취 | → | 4. 협의 | → |
| 5. 심의 | → | 6. 결정 | → | 7. 고시 및 송부 | → | 8. 열람 |

1 도시·군관리계획의 입안권자 (법 제24조)

【1】 특별시장·광역시장·특별자치시장·특별자치도지사·시장 또는 군수가 입안하는 경우

구 분	입안권자	기 타
• 일반적인 경우	관할구역에 대하여 특별시장·광역시장·특별자치시장·특별자치도지사·시장 또는 군수가 입안	—
• 지역여건상 필요하다고 인정하여 미리 인접한 특별시장·광역시장·특별자치시장·특별자치도지사·시장 또는 군수와 협의한 경우	인접한 특별시·광역시·특별자치시·특별자치도·시 또는 군의 관할구역의 전부 또는 일부를 포함하여 특별시장·광역시장·특별자치시장·특별자치도지사·시장 또는 군수가 입안	• 인접한 관할구역에 대한 도시·군관리계획은 관계 특별시장·광역시장·특별자치시장·특별자치도지사·시장 또는 군수가 협의하여 공동으로 입안하거나 입안할 자를 정함 • 협의가 이루어지지 않을 경우 다음의 자가 입안자를 지정하고, 이를 고시하여야 한다. 1. 같은 도의 관할구역에 속할 때 : 관할 도지사 2. 둘 이상의 시·도의 관할구역에 걸치는 때 : 국토교통부장관 (수산자원보호구역의 경우 해양수산부장관을 말함)
• 인접한 특별시·광역시·특별자치시·특별자치도 또는 군의 관할구역을 포함하여 도시·군기본계획을 수립한 경우		

【2】국토교통부장관 또는 도지사가 입안하는 경우

입안권자	내 용	기 타
• 국토교통부장관 (직접 또는 관계 중앙행정기관의 장의 요청에 의하여 입안)	1. 국가계획과 관련된 경우 2. 둘 이상의 시·도에 걸쳐 지정되는 용도지역·용도지구 또는 용도구역과 둘 이상의 시·도에 걸쳐 이루어지는 사업의 계획 중 도시·군관리계획으로 결정하여야 할 사항이 있는 경우 3. 특별시장·광역시장·특별자치시장·특별자치도지사·시장 또는 군수가 조정기한까지 국토교통부장관의 도시·군관리계획의 조정요구에 따라 도시·군관리계획을 정비하지 아니하는 경우	• 관할 시·도지사 및 시장·군수의 의견을 들어야 함
• 도지사 (직접 또는 시장이나 군수의 요청에 의하여 입안)	1. 둘 이상의 시·군에 걸쳐 지정되는 용도지역·용도지구 또는 용도구역과 둘 이상의 시·군에 걸쳐 이루어지는 사업의 계획 중 도시·군관리계획으로 결정하여야 할 사항이 포함되어 있는 경우 2. 도지사가 직접 수립하는 사업의 계획으로서 도시·군관리계획으로 결정하여야 할 사항이 포함되어 있는 경우	• 관계시장 또는 군수의 의견을 들어야 함

② 도시·군관리계획의 입안 (법 제25조)

【1】작성기준

도시·군관리계획은 광역도시계획 및 도시·군기본계획에 부합되어야 한다.

【2】작성내용

국토교통부장관(수산자원보호구역의 경우 해양수산부장관을 말함), 시·도지사, 시장 또는 군수는 도시·군관리계획을 입안하는 때에는 도시·군관리계획도서(계획도 및 계획조서를 말함)와 이를 보조하는 계획설명서(기초조사결과·재원조달방안 및 경관계획 등을 포함)를 작성하여야 한다.

【3】도시·군관리계획도서 및 계획설명서의 작성기준 등 (영 제18조)

(1) 도시·군관리계획도서 중 계획도는 축척 1/1,000 또는 축척 1/5,000(축척 1/1,000 또는 축척 1/5,000의 지형도가 간행되어 있지 아니한 경우에는 축척 1/25,000)의 지형도(수치지형도를 포함)에 도시·군관리계획사항을 명시한 도면으로 작성하여야 한다.

　예외 지형도가 간행되어 있지 아니한 경우 해도·해저지형도 등의 도면으로 지형도에 갈음할 수 있다.

(2) 위 (1)의 규정에 의한 계획도가 2매 이상인 경우에는 계획설명서에 도시·군관리계획총괄도(축척 1/50,000 이상의 지형도에 주요 도시·군관리계획사항을 명시한 도면을 말함)를 포함시킬 수 있다.

건축관계법

국토계획법

주차장법

주택법

도시및주거환경정비법

건축사법

장애인시설법

소방시설법

서울시조례

③ 도시·군관리계획의 수립기준 (영 제19조)

국토교통부장관은 도시·군관리계획의 수립기준을 정할 때에는 다음 사항을 종합적으로 고려하여야 한다.

1. 광역도시계획 및 도시·군기본계획 등에서 제시한 내용을 수용하고 개별 사업계획과의 관계 및 도시의 성장추세를 고려하여 수립하도록 할 것

2. 도시·군기본계획을 수립하지 아니하는 시·군의 경우 해당 시·군의 장기발전구상 법 도시·군기본계획에 포함될 사항 중 도시·군관리계획의 원활한 수립을 위하여 필요한 사항이 포함되도록 할 것

3. 도시·군관리계획의 효율적인 운영 등을 위하여 필요한 경우에는 특정지역 또는 특정부문에 한정하여 정비할 수 있도록 할 것

4. 공간구조는 생활권단위로 적정하게 구분하고 생활권별로 생활·편익시설이 고루 갖추어지도록 할 것

5. 도시와 농어촌 및 산촌지역의 인구밀도, 토지이용의 특성 및 주변환경 등을 종합적으로 고려하여 지역별로 계획의 상세정도를 다르게 하되, 기반시설의 배치계획, 토지용도 등은 도시와 농어촌 및 산촌지역이 서로 연계되도록 할 것

6. 토지이용계획을 수립할 때에는 주간 및 야간활동인구 등의 인구규모, 도시의 성장추이를 고려하여 그에 적합한 개발밀도가 되도록 할 것

7. 녹지축·생태계·산림·경관 등 양호한 자연환경과 우량농지, 문화재 및 역사문화환경 등을 고려하여 토지이용계획을 수립하도록 할 것

8. 수도권안의 인구집중유발시설이 수도권외의 지역으로 이전하는 경우 종전의 대지에 대하여는 그 시설의 지방이전이 촉진될 수 있도록 토지이용계획을 수립하도록 할 것

9. 도시·군계획시설은 집행능력을 고려하여 적정한 수준으로 결정하고, 기존 도시·군계획시설은 시설의 설치현황과 관리·운영상태를 점검하여 규모 등이 불합리하게 결정되었거나 실현가능성이 없는 시설 또는 존치 필요성이 없는 시설은 재검토하여 해제하거나 조정함으로써 토지이용의 활성화를 도모할 것

10. 도시의 개발 또는 기반시설의 설치 등이 환경에 미치는 영향을 미리 검토하는 등 계획과 환경의 유기적 연관성을 높여 건전하고 지속가능한 도시발전을 도모하도록 할 것

11. 「재난 및 안전관리 기본법」에 따른 시·도안전관리계획 및 시·군·구안전관리계획과 「자연재해대책법」에 따른 시·군· 자연재해저감 종합계획을 충분히 고려하여 수립하도록 할 것

【참고】 도시·군관리계획 수립지침(국토교통부훈령 제1695호, 2023.12.28.)
저탄소 녹색도시 조성을 위한 도시·군계획수립 지침(국토교통부훈령 제1126호, 2018.12.21.)

관계법 「수도권정비계획법 시행령」 제3조 【인구집중유발시설의 종류 등】
　법 제2조제3호에 따른 인구집중유발시설은 다음 각 호의 어느 하나에 해당하는 시설을 말한다. 이경우 제3호부터 제5호까지의 시설에 해당하는 건축물의 연면적 또는 시설의 면적을 산정할 때 대지가 연접하고 소유자(제3호의 공공 청사인 경우에는 사용자를 포함한다)가 같은 건축물에 대하여는 각 건축물의 연면적 또는 시설의 면적을 합산한다. <개정 2011.3.9>
　1. 「고등교육법」 제2조에 따른 학교로서 대학, 산업대학, 교육대학 또는 전문대학(이에 준하는 각종 학교를 각각 포함한다. 이하 같다)
　2. 「산업집적활성화 및 공장설립에 관한 법률」 제2조제1호에 따른 공장으로서 건축물의 연면적(제조시설로 사용되는 기계 또는 장치를 설치하기 위한 건축물 및 사업장의 각 층 바닥면적의 합계를 말한다)이 500제곱미터 이상인 것
　3. 다음 각 목의 어느 하나에 해당하는 공공 청사(도서관, 전시장, 공연장, 군사시설 중 군부대의 청사, 국가정보원 및 그 소속 기관의 청사는 제외한다. 이하 같다)로서 건축물의 연면적이 1천 제곱

건축관계법
국토계획법
주차장법
주택법
도시및주거환경정비법
건축사법
장애인시설법
소방시설법
서울시조례

제4장 도시·군관리계획

4장

건축관계법

국토계획법

주차장법

주 택 법

도시및주거
환경정비법

건축사법

장애인시설법

소방시설법

서울시조례

미터 이상인 것

가. 중앙행정기관 및 그 소속 기관의 청사

나. 다음에 해당하는 법인(이하 "공공법인"이라 한다)의 사무소(연구소와 연수 시설 등을 포함한다. 이하 같다)

　1) 정부가 자본금의 100분의 50 이상을 출자한 법인 및 그 법인이 자본금의 100분의 50 이상을 출자한 법인

　2) 「국유재산법」에 따른 정부출자기업체

　3) 법률에 따른 정부 출연 대상 법인으로서 정부로부터 출연을 받거나 받은 법인

　4) 개별 법률에 따라 설립되는 법인으로서 주무부장관의 인가 또는 허가를 받지 아니하고 해당 법률에 따라 직접 설립된 법인

4. 다음 각 목의 어느 하나에 해당하는 업무용 건축물, 판매용 건축물 및 복합 건축물. 다만, 지방자치단체가 출자하거나 출연한 법인의 사무소로 사용되는 건축물과 자연보전권역이 아닌 지역에 설치되는 「벤처기업육성에 관한 특별조치법」 제2조제4항에 따른 벤처기업집적시설 및 「국제회의산업 육성에 관한 법률 시행령」 제3조에 따른 국제회의시설 중 전문회의시설은 제외한다.

가. 업무용 건축물: 다음에 해당하는 시설(이하 "업무용시설"이라 한다)이 주용도[해당 건축물의 업무용시설 면적의 합계가 「건축법 시행령」 별표 1의 분류에 따른 용도별 면적(이하 "용도별 면적"이라 한다) 중 가장 큰 경우를 말한다. 이하 이 목에서 같다]인 건축물로서 그 연면적이 2만5천제곱미터 이상인 건축물 또는 업무용시설이 주용도가 아닌 건축물로서 그 업무용시설 면적의 합계가 2만5천제곱미터 이상인 건축물

　1) 「건축법 시행령」 별표 1 제10호마목의 연구소 및 같은 표 제14호나목의 일반업무시설

　2) 「건축법 시행령」 별표 1 제3호의 제1종 근린생활시설, 같은 표 제4호의 제2종 근린생활시설, 같은 표 제5호의 문화 및 집회시설(같은 호 라목 및 마목의 시설만 해당한다) 및 같은 표 제18호의 창고시설. 다만, 각 시설의 면적이 1)에 따른 시설 면적의 합계보다 작은 경우만 해당한다.

나. 판매용 건축물: 다음에 해당하는 건축물

　1) 다음에 해당하는 시설(이하 "판매용시설"이라 한다)이 주용도(해당 건축물의 판매용시설 면적의 합계가 용도별면적 중 가장 큰 경우를 말한다. 이하 이 목에서 같다)인 건축물로서 그 연면적이 1만5천제곱미터 이상인 건축물 또는 판매용시설이 주용도가 아닌 건축물로서 그 판매용시설 면적의 합계가 1만5천제곱미터 이상인 건축물

　가) 「건축법 시행령」 별표 1 제7호의 판매시설 및 같은 표 제16호의 위락시설

　나) 「건축법 시행령」 별표 1 제3호의 제1종 근린생활시설, 같은 표 제4호의 제2종 근린생활시설, 같은 표 제5호의 문화 및 집회시설, 같은 표 제13호의 운동시설 및 같은 표 제18호의 창고시설. 다만, 각 시설의 면적이 가)에 따른 시설 면적의 합계보다 작은 경우만 해당한다.

　2) 업무용시설 및 판매용시설(이하 "복합시설"이라 한다)이 주용도(해당 건축물의 복합시설 면적의 합계가 용도별면적 중 가장 큰 경우를 말한다. 이하 이 목 및 다목에서 같다)가 아닌 건축물로서 복합시설의 면적의 합계가 1만5천제곱미터 이상 2만5천제곱미터 미만이고 판매용시설 면적이 업무용시설 면적보다 큰 건축물의 복합시설에 해당하는 부분

다. 복합 건축물: 복합시설이 주용도인 건축물로서 그 연면적이 2만5천제곱미터 이상인 건축물 또는 복합시설이 주용도가 아닌 건축물로서 그 복합시설의 면적의 합계가 2만5천제곱미터 이상인 건축물

5. 「건축법 시행령」 별표 1 제10호나목의 교육원, 같은 호 다목의 직업훈련소 및 같은 표 제20호 사목의 운전 및 정비 관련 직업훈련소로서 건축물의 연면적이 3만제곱미터 이상인 연수 시설. 다만, 지방자치단체 또는 지방자치단체가 출자하거나 출연한 법인이 설치하는 시설은 제외한다.

건축관계법

국토계획법

주차장법

주 택 법

도시및주거
환경정비법

건축사법

장애인시설법

소방시설법

서울시조례

4 도시 · 군관리계획 입안의 제안 (법 제26조)(영 제19조의2)

【1】도시 · 군관리계획입안의 제안

(1) 주민(이해관계자를 포함함)은 도시 · 군관리계획을 입안할 수 있는 자에게 도시 · 군관리계획의 입안을 제안할 수 있다.

- 도시·군관리계획의 입안을 제안하려는 자는 다음의 구분에 따라 토지소유자의 동의를 받아야 한다. 이 경우 동의 대상 토지 면적에서 국·공유지는 제외한다.
  ① 아래 (3)의 1. 관한 사항에 대한 제안의 경우: 대상 토지 면적의 4/5 이상
  ② 아래 (3)의 2 .및 3.에 관한 사항에 대한 제안의 경우: 대상 토지 면적의 2/3 이상

(2) 도시 · 군관리계획의 입안을 제안 받은 자는 그 처리결과를 제안일로부터 45일 이내에 도시 · 군관리계획입안에의 반영여부를 제안자에게 통보하여야 한다.

> 예외 부득이한 사정이 있는 경우 1회에 한하여 30일을 연장 가능

(3) 국토교통부장관, 시·도지사, 시장 또는 군수는 주민의 제안을 도시 · 군관리계획입안에 반영하는 경우에는 제안서에 첨부된 도시 · 군관리계획도서와 계획설명서를 도시 · 군관리계획의 입안에 활용할 수 있다.

- **주민이 제안할 수 있는 도시·군관리계획의 입안에 관한 사항(도시·군관리계획서와 계획설명서 첨부)**

1. 기반시설의 설치·정비 또는 개량에 관한 사항

2. 지구단위계획구역의 지정 및 변경과 지구단위계획의 수립 및 변경에 관한 사항

3. 다음의 어느 하나에 해당하는 용도지구의 지정 및 변경에 관한 사항
   ① 개발진흥지구 중 공업기능 또는 유통물류기능 등을 집중적으로 개발·정비하기 위한 개발진흥지구로서 산업 · 유통개발진흥지구
   ② 용도지구의 지정에 따라 지정된 용도지구 중 해당 용도지구에 따른 건축물이나 그 밖의 시설의 용도·종류 및 규모 등의 제한을 지구단위계획으로 대체하기 위한 용도지구

4. 입지규제최소구역의 지정 및 변경과 입지규제최소구역계획의 수립 및 변경에 관한 사항

(4) 위 (3)-3.에 따른 산업·유통개발진흥지구의 지정을 제안할 수 있는 대상지역은 다음의 요건을 모두 갖춘 지역으로 한다.

① 지정 대상 지역의 면적은 10,000㎡ 이상 30,000㎡ 미만일 것
② 지정 대상 지역이 자연녹지지역·계획관리지역 또는 생산관리지역일 것.

> 단서 계획관리지역에 있는 기존 공장의 증축이 필요한 경우로서 해당 공장이 도로·철도·하천·건축물·바다 등으로 둘러싸여 있어 증축을 위해서는 불가피하게 보전관리지역 또는 농림지역을 포함하여야 하는 경우에는 전체 면적의 20% 이하의 범위에서 보전관리지역 또는 농림지역을 포함하되, 다음의 어느 하나에 해당하는 경우에는 20% 이상으로 할 수 있다.
> ㉠ 보전관리지역 또는 농림지역의 해당 토지가 개발행위허가를 받는 등 이미 개발된 토지인 경우
> ㉡ 보전관리지역 또는 농림지역의 해당 토지를 개발하여도 주변지역의 환경오염·환경훼손 우려가 없는 경우로서 해당 도시계획위원회의 심의를 거친 경우

③ 지정 대상 지역의 전체 면적에서 계획관리지역의 면적이 차지하는 비율이 50/100 이상일 것. 이 경우 자연녹지지역 또는 생산관리지역 중 도시·군기본계획에 반영된 지역은 계획관리지역으로 보아 산정한다.
④ 지정 대상 지역의 토지특성이 과도한 개발행위의 방지를 위하여 국토교통부장관이 정하여 고시하는 기준에 적합할 것

(5) 도시·군관리계획의 입안을 제안하려는 경우에는 다음의 요건을 모두 갖추어야 한다.
  ① 둘 이상의 용도지구가 중첩하여 지정되어 해당 행위제한의 내용을 정비하거나 통합적으로 관리할 필요가 있는 지역을 대상지역으로 제안할 것
  ② 해당 용도지구에 따른 건축물이나 그 밖의 시설의 용도·종류 및 규모 등의 제한을 대체하는 지구단위계획구역의 지정 및 변경과 지구단위계획의 수립 및 변경에 관한 사항을 동시에 제안할 것
(6) 도시·군관리계획 입안 제안의 세부적인 절차는 국토교통부장관이 정하여 고시한다.

【2】비용부담

도시·군관리계획의 입안을 제안 받은 자는 제안된 도시·군관리계획의 입안 및 결정에 필요한 비용의 전부 또는 일부를 제안자에게 부담시킬 수 있다.

⑤ 도시·군관리계획의 입안을 위한 기초조사 등 (법 제27조)(영 제21조)

(1) 도시·군관리계획을 입안하는 경우 광역도시계획의 수립을 위한 기초조사의 규정을 준용한다.
(2) 국토교통부장관(수산자원보호구역의 경우 해양수산부장관을 말함), 시·도지사, 시장 또는 군수는 기초조사의 내용에 도시·군관리계획이 환경에 미치는 영향 등에 대한 환경성검토를 포함하여야 한다.
(3) 국토교통부장관, 시·도지사, 시장 또는 군수는 기초조사의 내용에 토지적성평가와 재해취약성분석을 포함하여야 한다.
(4) 도시·군관리계획으로 입안하려는 지역이 도심지에 위치하거나 개발이 끝나 나대지가 없는 등 다음의 구분에 따른 요건에 해당하면 위 (1)~(3)의 규정에 따른 기초조사, 환경성 검토, 토지적성평가 또는 재해취약성분석을 하지 않을 수 있다.

  1. 기초조사를 실시하지 아니할 수 있는 요건: 다음의 어느 하나에 해당하는 경우
   ① 해당 지구단위계획구역이 도심지(상업지역과 상업지역에 연접한 지역을 말한다)에 위치하는 경우
   ② 해당 지구단위계획구역 안의 나대지면적이 구역면적의 2%에 미달하는 경우
   ③ 해당 지구단위계획구역 또는 도시·군계획시설부지가 다른 법률에 따라 지역·지구 등으로 지정되거나 개발계획이 수립된 경우
   ④ 해당 지구단위계획구역의 지정목적이 해당 구역을 정비 또는 관리하고자 하는 경우로서 지구단위계획의 내용에 너비 12m 이상 도로의 설치계획이 없는 경우
   ⑤ 기존의 용도지구를 폐지하고 지구단위계획을 수립 또는 변경하여 그 용도지구에 따른 건축물이나 그 밖의 시설의 용도·종류 및 규모 등의 제한을 그대로 대체하려는 경우
   ⑥ 해당 도시·군계획시설의 결정을 해제하려는 경우
   ⑦ 그 밖에 국토교통부령으로 정하는 요건에 해당하는 경우

  2. 환경성 검토를 실시하지 아니할 수 있는 요건: 다음의 어느 하나에 해당하는 경우
   ① 위 1.의 ①~⑤의 어느 하나에 해당하는 경우
   ② 「환경영향평가법」에 따른 전략환경영향평가 대상인 도시·군관리계획을 입안하는 경우

  3. 토지적성평가를 실시하지 아니할 수 있는 요건: 다음의 어느 하나에 해당하는 경우
   ① 위 1.의 ①~⑤의 어느 하나에 해당하는 경우
   ② 도시·군관리계획 입안일부터 5년 이내에 토지적성평가를 실시한 경우
   ③ 주거지역·상업지역 또는 공업지역에 도시·군관리계획을 입안하는 경우
   ④ 법 또는 다른 법령에 따라 조성된 지역에 도시·군관리계획을 입안하는 경우
   ⑤ 「개발제한구역의 지정 및 관리에 관한 특별조치법 시행령」에 따른 다음의 ㉠·㉡ 또는 ㉢

건축관계법
국토계획법
주차장법
주 택 법
도시및주거
환경정비법
건축사법
장애인시설법
소방시설법
서울시조례

건축관계법

국토계획법

주차장법

주 택 법

도시및주거
환경정비법

건축사법

장애인시설법

소방시설법

서울시조례

(㉠ 또는 ㉡에 해당하는 지역과 연접한 대지로 한정한다)의 지역에 해당하여 개발제한구역에서 조정 또는 해제된 지역에 대하여 도시·군관리계획을 입안하는 경우

㉠ 개발제한구역에 대한 환경평가 결과 보존가치가 낮게 나타나는 곳으로서 도시용지의 적절한 공급을 위하여 필요한 지역. 이 경우 도시의 기능이 쇠퇴하여 활성화할 필요가 있는 지역과 연계하여 개발할 수 있는 지역을 우선적으로 고려하여야 한다.

㉡ 주민이 집단적으로 거주하는 취락으로서 주거환경 개선 및 취락 정비가 필요한 지역

㉢ 개발제한구역 경계선이 관통하는 대지(대지: 「공간정보의 구축 및 관리 등에 관한 법률」에 따라 각 필지로 구획된 토지를 말한다)로서 다음 각각의 요건을 모두 갖춘 지역

ⓐ 개발제한구역의 지정 당시 또는 해제 당시부터 대지의 면적이 1천제곱미터 이하로서 개발제한구역 경계선이 그 대지를 관통하도록 설정되었을 것

ⓑ 대지 중 개발제한구역인 부분의 면적이 기준 면적 이하일 것. 이 경우 기준 면적은 특별시·광역시·특별자치시·도 또는 특별자치도(이하 "시·도"라 한다)의 관할구역 중 개발제한구역 경계선이 관통하는 대지의 수, 그 대지 중 개발제한구역인 부분의 규모와 그 분포 상황, 토지이용 실태 및 지형·지세 등 지역 특성을 고려하여 시·도의 조례로 정한다.

⑥ 「도시개발법」에 따른 도시개발사업의 경우

⑦ 지구단위계획구역 또는 도시·군계획시설부지에서 도시·군관리계획을 입안하는 경우

⑧ 다음의 어느 하나에 해당하는 용도지역·용도지구·용도구역의 지정 또는 변경의 경우

㉠ 주거지역·상업지역·공업지역 또는 계획관리지역의 그 밖의 용도지역으로의 변경(계획관리지역을 자연녹지지역으로 변경하는 경우는 제외한다)

㉡ 주거지역·상업지역·공업지역 또는 계획관리지역 외의 용도지역 상호간의 변경(자연녹지지역으로 변경하는 경우는 제외한다)

㉢ 용도지구·용도구역의 지정 또는 변경(개발진흥지구의 지정 또는 확대지정은 제외한다)

⑨ 다음의 어느 하나에 해당하는 기반시설을 설치하는 경우

㉠ 용도지역별 개발행위규모(시행령 제55조제1항 각 호)에 해당하는 기반시설

㉡ 도로·철도·궤도·수도·가스 등 선형(線型)으로 된 교통시설 및 공급시설

㉢ 공간시설(체육공원·묘지공원 및 유원지는 제외한다)

㉣ 방재시설 및 환경기초시설(폐차장은 제외한다)

㉤ 개발제한구역 안에 설치하는 기반시설

4. 재해취약성분석을 실시하지 않을 수 있는 요건: 다음의 어느 하나에 해당하는 경우

① 위 1.의 ①~⑤의 어느 하나에 해당하는 경우

② 도시·군관리계획 입안일부터 5년 이내에 재해취약성분석을 실시한 경우

③ 위 3.의 ⑦ 및 ⑧의 어느 하나에 해당하는 경우(방재지구의 지정·변경은 제외한다)

④ 다음의 어느 하나에 해당하는 기반시설을 설치하는 경우

㉠ 위 3.의 ⑨-㉠의 기반시설

㉡ 공간시설 중 녹지·공공공지

【참고】 토지의 적성평가

(1) 토지적성평가의 의의

토지적성평가는 전국토의 "환경친화적이고 지속가능한 개발"을 보장하고 개발과 보전이 조화되는 "선계획·후개발의 국토관리체계"를 구축하기 위하여 각종의 토지이용계획이나 주요시설의 설치에 관한 계획을 입안하고자 하는 경우에 토지의 환경 생태적·물리적·공간적 특성을 종합적으로 고려하여 개별 토지가 갖는 환경적·사회적 가치를 과학적으로 평가함으로써 보전할 토지와 개발 가능한 토지를 체계적으로 판단할 수 있도록 계획을 입안하는 단계에서 실시하는 기초조사이다.

평가특성		평 가 지 표 군
물리적 특성		경사도, 표고
지역특성	개발성 지표	도시용지비율, 용도전용비율, 도시용지 인접비율, 지가수준
	보전성 지표	농업진흥지역비율, 전·답·과수원 면적비율, 경지정리 면적비율, 생태자연도 상위등급비율, 공적규제지역 면적비율, 녹지자연도 상위등급비율, 임상도 상위등급비율, 보전산지비율
공간적 입지특성[1]	개발성 지표	기개발지와의 거리, 공공편익시설과의 거리, 도로와의 거리,
	보전성 지표	경지정리지역과의 거리, 공적규제지역과의 거리, 하천·호소·농업용 저수지와의 거리, 해안선과의 거리

주 : 1) 행정구역과 관계없이 최단 거리에 있는 시설 등을 기준으로 평가함으로 원칙으로 한다.

단서 장애물 등으로 평가대상 토지의 적성에 영향을 주지 않는 경우에는 주변상황을 고려하여 그 적용을 배제하며, 기개발지·경지정리지역·공적규제지역 등의 면적이 작아 평가대상 토지의 적성에 미치는 영향이 미미하다고 판단되는 경우에도 그 적용을 배제할 수 있다.

■ 평가지표군 및 평가지표 ([별표 1], 위 (1) 관련)

(2) 토지적성평가의 범위

토지적성평가는 관리지역을 보전관리지역·생산관리지역 및 계획관리지역으로 세분하는 등 용도지역이나 용도지구를 지정 또는 변경하는 경우, 일정한 지역·지구 안에서 도시·군계획시설을 설치하기 위한 계획을 입안하고자 하는 경우, 도시개발사업 및 정비사업에 관한 계획 또는 지구단위계획을 수립하는 경우에 이를 실시한다.

【참고1】토지의 적성평가에 관한 지침(국토교통부훈령 제1465호, 2021.12.21)

【참고2】환경영향평가의 대상 (「환경영향평가법」 제22조)

「도시개발법」에 따른 도시개발사업 중 사업면적이 25만㎡ 이상인 사업, 「도시 및 주거환경정비법」에 따른 정비사업(주거환경개선사업은 제외) 중 사업면적이 30만㎡ 이상인 사업, 「국토의 계획 및 이용에 관한 법률」에 따른 도시·군계획시설사업 중 대통령으로 정하는 시설에 관한 사업 등은 해당 사업의 실시계획 또는 사업시행인가의 고시 전에 환경영향평가를 실시하여야 한다.

※ 환경영향평가 대상사업의 구체적인 종류, 범위 및 협의 요청시기에 관한 것은 「환경영향평가법 시행령」[별표3] 참조 바람

관계법 「환경영향평가법」 제9조 【전략환경영향평가의 대상】
① 다음 각 호의 어느 하나에 해당하는 계획을 수립하려는 행정기관의 장은 전략환경영향평가를 실시하여야 한다.
  1. 도시의 개발에 관한 계획   2. 산업입지 및 산업단지의 조성에 관한 계획
  3. 에너지 개발에 관한 계획   4. 항만의 건설에 관한 계획
  5. 도로의 건설에 관한 계획   6. 수자원의 개발에 관한 계획
  7. 철도(도시철도를 포함한다)의 건설에 관한 계획
  8. 공항의 건설에 관한 계획   9. 하천의 이용 및 개발에 관한 계획

건축관계법
국토계획법
주차장법
주 택 법
도시및주거
환경정비법
건축사법
장애인시설법
소방시설법
서울시조례

제3편 국토의 계획 및 이용에 관한 법률

4장

건축관계법

국토계획법

주차장법

주택법

도시및주거
환경정비법

건축사법

장애인시설법

소방시설법

서울시조례

3-42

10. 개간 및 공유수면의 매립에 관한 계획　　11. 관광단지의 개발에 관한 계획
12. 산지의 개발에 관한 계획　　13. 특정 지역의 개발에 관한 계획
14. 체육시설의 설치에 관한 계획　　15. 폐기물 처리시설의 설치에 관한 계획
16. 국방·군사 시설의 설치에 관한 계획　　17. 토석·모래·자갈·광물 등의 채취에 관한 계획
18. 환경에 영향을 미치는 시설로서 대통령령으로 정하는 시설의 설치에 관한 계획

② 제1항에 따른 전략환경영향평가 대상계획(이하 "전략환경영향평가 대상계획"이라 한다)은 그 계획의 성격 등을 고려하여 다음 각 호와 같이 구분한다.

　1. 정책계획: 국토의 전 지역이나 일부 지역을 대상으로 개발 및 보전 등에 관한 기본방향이나 지침 등을 일반적으로 제시하는 계획

　2. 개발기본계획: 국토의 일부 지역을 대상으로 하는 계획으로서 다음 각 목의 어느 하나에 해당하는 계획

　　가. 구체적인 개발구역의 지정에 관한 계획

　　나. 개별 법령에서 실시계획 등을 수립하기 전에 수립하도록 하는 계획으로서 실시계획 등의 기준이 되는 계획

③ 전략환경영향평가 대상계획 및 제2항에 따른 정책계획 및 개발기본계획의 구체적인 종류는 제10조의2에서 정한 절차를 거쳐 대통령령으로 정한다. <개정 2016.5.29.>

제10조【전략환경영향평가 대상 제외】 제9조에도 불구하고 다음 각 호의 어느 하나에 해당하는 계획에 대하여는 전략환경영향평가를 실시하지 아니할 수 있다.

　1. 국방부장관이 군사상 고도의 기밀보호가 필요하거나 군사작전의 긴급한 수행을 위하여 필요하다고 인정하여 환경부장관과 협의한 계획

　2. 국가정보원장이 국가안보를 위하여 고도의 기밀보호가 필요하다고 인정하여 환경부장관과 협의한 계획

「환경영향평가법 시행령」 제2조【환경영향평가등의 분야별 세부 평가항목 등】

① 「환경영향평가법」(이하 "법"이라 한다) 제7조제1항에 따른 환경영향평가분야(이하 "환경영향평가분야"라 한다)의 세부 평가항목은 [별표 1]과 같다.

② 법 제7조제2항에 따른 환경영향평가분야의 평가는 법 제6조에 따른 환경영향평가등의 대상지역에 대한 현지조사 및 문헌조사를 기초로 환경영향을 과학적으로 예측·분석하는 방법으로 하여야 한다.

③ 제2항에 따른 환경영향평가분야의 평가방법에 관한 세부 사항은 관계 중앙행정기관의 장과 협의를 거쳐 환경부장관이 정하여 고시한다.

[별표 1] 환경영향평가 등의 분야별 세부평가항목(제2조제1항 관련)

1. 전략환경영향평가

가. 정책계획

　1) 환경보전계획과의 부합성

　　가) 국가 환경정책　　나) 국제환경 동향·협약·규범

　2) 계획의 연계성·일관성

　　가) 상위 계획 및 관련 계획과의 연계성　　나) 계획목표와 내용과의 일관성

　3) 계획의 적정성·지속성

　　가) 공간계획의 적정성　　나) 수요 공급 규모의 적정성　　다) 환경용량의 지속성

나. 개발기본계획

　1) 계획의 적정성

　　가) 상위계획 및 관련 계획과의 연계성　　나) 대안 설정·분석의 적정성

　2) 입지의 타당성

　　가) 자연환경의 보전

건축관계법

국토계획법

주차장법

주 택 법

도시및주거
환경정비법

건축사법

장애인시설법

소방시설법

서울시조례

(1) 생물다양성·서식지 보전   (2) 지형 및 생태축의 보전
(3) 주변 자연경관에 미치는 영향   (4) 수환경의 보전
나) 생활환경의 안정성
(1) 환경기준 부합성   (2) 환경기초시설의 적정성
(3) 자원·에너지 순환의 효율성
다) 사회·경제 환경과의 조화성: 환경친화적 토지이용

2. 환경영향평가
가. 자연생태환경 분야 : 1) 동·식물상   2) 자연환경자산
나. 대기환경 분야 : 1) 기상   2) 대기질   3) 악취   4) 온실가스
다. 수환경 분야
1) 수질(지표·지하)   2) 수리·수문   3) 해양환경
라. 토지환경 분야
1) 토지이용   2) 토양   3) 지형·지질
마. 생활환경 분야
1) 친환경적 자원 순환   2) 소음·진동   3) 위락·경관
4) 위생·공중보건   5) 전파장해   6) 일조장해
바. 사회환경·경제환경 분야
1) 인구   2) 주거(이주의 경우를 포함한다)   3) 산업

3. 소규모 환경영향평가
가. 사업개요 및 지역 환경현황
1) 사업개요   2) 지역개황   3) 자연생태환경
4) 생활환경   5) 사회·경제환경
나. 환경에 미치는 영향 예측·평가 및 환경보전방안
1) 자연생태환경(동·식물상 등)   2) 대기질, 악취
3) 수질(지표, 지하), 해양환경   4) 토지이용, 토양, 지형·지질
5) 친환경적 자원순환, 소음·진동   6) 경관
7) 전파장해, 일조장해   8) 인구, 주거, 산업

⑥ 주민과 지방의회의 의견청취 (법 제28조)

【1】주민의 의견청취

(1) 국토교통부장관(수산자원보호구역의 경우 해양수산부장관을 말함), 시·도지사, 시장 또는 군수는 도시·군관리계획을 입안할 때 주민의 의견을 들어야 하며, 그 의견이 타당하다고 인정되면 도시·군관리계획에 반영해야 한다.

(2) 주민의 의견청취 (영 제22조)

① (5)에 따라 조례로 주민의 의견 청취에 필요한 사항을 정할 때 적용되는 기준은 다음과 같다.

---
1. 도시·군관리계획안의 주요 내용을 다음 매체에 각각 공고할 것
① 해당 지방자치단체의 공보나 둘 이상의 일반일간신문[1]
② 해당 지방자치단체의 인터넷 홈페이지 등의 매체

2. 도시·군관리계획안을 14일 이상의 기간 동안 일반인이 열람할 수 있도록 할 것

주1)「신문 등의 진흥에 관한 법률」에 따라 전국 또는 해당 지방자치단체를 주된 보급지역으로 등록한 일반일간신문을 말함

② ①의 규정에 의하여 공고된 도시·군관리계획안의 내용에 대하여 의견이 있는 자는 열람기간내에 특

별시장·광역시장·특별자치시장·특별자치도지사·시장 또는 군수에게 의견서를 제출할 수 있다.
③ 국토교통부장관, 시·도지사, 시장 또는 군수는 ③에 따라 제출된 의견을 도시·군관리계획안에 반영할 것인지 여부를 검토하여 그 결과를 열람기간이 종료된 날부터 60일 이내에 해당 의견을 제출한 자에게 통보해야 한다.

(3) (2)에 따라 도시·군관리계획안을 받은 특별시장·광역시장·특별자치시장·특별자치도지사·시장 또는 군수는 명시된 기한까지 그 도시·군관리계획안에 대한 주민의 의견을 들어 그 결과를 국토교통부장관이나 도지사에게 제출하여야 한다.

(4) 국토교통부장관, 시·도지사, 시장 또는 군수는 다음의 어느 하나에 해당하는 경우로서 그 내용이 해당 지방자치단체의 조례로 정하는 중요한 사항인 경우에는 그 내용을 다시 공고·열람하게 하여 주민의 의견을 들어야 한다.
① 위 (1)에 따라 청취한 주민 의견을 도시·군관리계획안에 반영하고자 하는 경우
② 관계 행정기관의 장과의 협의 및 중앙도시계획위원회의 심의, 시·도도시계획위원회의 심의 또는 시·도에 두는 건축위원회와 도시계획위원회의 공동 심의에서 제시된 의견을 반영하여 도시·군관리계획을 결정하고자 하는 경우

(5) (1) 및 (4)에 따른 주민의 의견 청취에 필요한 사항은 대통령령으로 정하는 기준에 따라 해당 지방자치단체의 조례로 정한다.

(6) 국토교통부장관, 시·도지사, 시장 또는 군수는 도시·군관리계획을 입안하려면 해당 지방의회의 의견을 들어야 한다.

(7) 국토교통부장관이나 도지사가 (6)에 따라 지방의회의 의견을 듣는 경우에는 (2)와 (3)을 준용한다. 이 경우 "주민"은 "지방의회"로 본다.

(8) 특별시장·광역시장·특별자치시장·특별자치도지사·시장 또는 군수가 (6)에 따라 지방의회의 의견을 들으려면 의견 제시 기한을 밝혀 도시·군관리계획안을 송부하여야 한다. 이 경우 해당 지방의회는 명시된 기한까지 특별시장·광역시장·특별자치시장·특별자치도지사·시장 또는 군수에게 의견을 제시하여야 한다.

【2】 지방의회의 의견청취

국토교통부장관, 시·도지사, 시장 또는 군수는 도시·군관리계획입안시 아래 표의 사항에 대하여 해당 지방의회의 의견을 들어야 한다. 특별시장·광역시장·특별자치시장·특별자치도지사·시장 또는 군수가 지방의회의 의견을 듣고자 하는 경우 의견제시기한을 명시하여 도시·군관리계획안을 송부하고, 지방의회는 기한 내에 의견을 제시하여야 한다.

의 견 청 취 사 항	예 외
1. 용도지역·용도지구 또는 용도구역의 지정 및 변경지정 예외 용도지구에 따른 건축물이나 그 밖의 시설의 용도·종류 및 규모 등의 제한을 그대로 지구단위계획으로 대체하기 위한 경우로서 해당 용도지구를 폐지하기 위하여 도시·군관리계획을 결정하는 경우에는 제외한다.	1. 단위 도시·군계획시설부지 면적의 5% 미만인 시설부지의 변경인 경우(도로의 경우에는 시점 및 종점이 변경되지 아니하고 중심선이 종전에 결정된 도로의 범위를 벗어나지 아니하는 경우에 한하며, 공원 및 녹지의 경우에는 면적이 증가되는 경우에 한함)
2. 광역도시계획에 포함된 광역시설의 설치·정비 또는 개량에 관한 도시·군관리계획의 결정 또는 변경결정	2. 지형사정으로 인한 도시·군계획시설의 근소한 위치변경 또는 비탈면 등으로 인한 시설부지의 불가피한 변경인 경우
3. 다음의 어느 하나에 해당하는 기반시설의 설치·정비 또는 개량에 관한 도시·군관리계획의 결정 또는 변경결정 ① 도로 중 주간선도로* ② 철도 중 도시철도	3. 이미 결정된 도시·군계획시설의 세부시설의 결정 또는 변경인 경우 4. 도시지역의 축소에 따른 용도지역·용도지구·용도구역 또는 지구단위계획구역의 변경인 경우 5. 도시지역외의 지역에서 「농지법」에 따른 농업진흥지역 또는 「산지관리법」에 따른 보전산지를

건축관계법
국토계획법
주차장법
주택법
도시및주거환경정비법
건축사법
장애인시설법
소방시설법
서울시조례

③ 자동차정류장 중 여객자동차터미널
　(시외버스운송사업용에 한함)
④ 공원(「도시공원 및 녹지 등에 관한 법률」에 따른 소공원 및 어린이공원을 제외)
⑤ 유통업무설비
⑥ 학교 중 대학
⑦ 공공청사 중 지방자치단체의 청사
⑧ 하수도(하수종말처리시설에 한함)
⑨ 폐기물처리 및 재활용시설
⑩ 수질오염방지시설
⑪ 그 밖에 다음에 해당하는 정하는 시설
　㉠ 공공필요성이 인정되는 체육시설 중 운동장
　㉡ 장사시설 중 화장장·공동묘지·봉안시설(자연장지 또는 장례식장에 화장장·공동묘지·봉안시설 중 한 가지 이상의 시설을 같이 설치하는 경우를 포함한다)

농림지역으로 결정하는 경우
6. 「자연공원법」에 따른 공원구역, 「수도법」에 따른 상수원보호구역, 「문화재보호법」에 의하여 지정된 지정문화재 또는 천연기념물과 그 보호구역을 자연환경보전지역으로 결정하는 경우
7. 그 밖에 국토교통부령이 정하는 경미한 사항의 변경인 경우
8. 지구단위계획으로 결정 또는 변경결정 하는 경우
9. 기반시설의 설치·정비 또는 개량에 관한 것인 경우 지방의회의 권고대로 도시·군계획시설결정을 해제하기 위한 도시·군관리계획을 결정하는 경우

* 주간선도로 : 시·군내 주요지역을 연결하거나 시·군 상호간이나 주요지방 상호간을 연결하여 대량통과교통을 처리하는 도로로서 시·군의 골격을 형성하는 도로를 말함.

예외 국방상 또는 국가안전보장상 기밀을 요하는 사항(관계중앙행정기관의 장의 요청이 있는 것에 한함)이거나 시행령에서 정하는 경미한 사항(위 표의 예외에 해당하는 사항)은 주민 및 지방의회의 의견청취를 생략할 수 있다.

관계법 「도시공원 및 녹지 등에 관한 법률」 제15조 【도시공원의 세분 및 규모】
① 도시공원은 그 기능 및 주제에 따라 다음 각 호와 같이 세분한다. <개정 2020.2.4., 2021.1.12.>
1. 국가도시공원: 제19조에 따라 설치·관리하는 도시공원 중 국가가 지정하는 공원
2. 생활권공원: 도시생활권의 기반이 되는 공원의 성격으로 설치·관리하는 공원으로서 다음 각 목의 공원
　가. 소공원: 소규모 토지를 이용하여 도시민의 휴식 및 정서 함양을 도모하기 위하여 설치하는 공원
　나. 어린이공원: 어린이의 보건 및 정서생활의 향상에 이바지하기 위하여 설치하는 공원
　다. 근린공원: 근린거주자 또는 근린생활권으로 구성된 지역생활권 거주자의 보건·휴양 및 정서생활의 향상에 이바지하기 위하여 설치하는 공원
3. 주제공원: 생활권공원 외에 다양한 목적으로 설치하는 다음 각 목의 공원
　가. 역사공원: 도시의 역사적 장소나 시설물, 유적·유물 등을 활용하여 도시민의 휴식·교육을 목적으로 설치하는 공원
　나. 문화공원: 도시의 각종 문화적 특징을 활용하여 도시민의 휴식·교육을 목적으로 설치하는 공원
　다. 수변공원: 도시의 하천가·호숫가 등 수변공간을 활용하여 도시민의 여가·휴식을 목적으로 설치하는 공원
　라. 묘지공원: 묘지 이용자에게 휴식 등을 제공하기 위하여 일정한 구역에 「장사 등에 관한 법률」 제2조제7호에 따른 묘지와 공원시설을 혼합하여 설치하는 공원
　마. 체육공원: 주로 운동경기나 야외활동 등 체육활동을 통하여 건전한 신체와 정신을 배양함을 목적으로 설치하는 공원
　바. 도시농업공원: 도시민의 정서순화 및 공동체의식 함양을 위하여 도시농업을 주된 목적으로 설치하는 공원
　사. 방재공원: 지진 등 재난발생 시 도시민 대피 및 구호 거점으로 활용될 수 있도록 설치하는 공원
　아. 그 밖에 특별시·광역시·특별자치시·도·특별자치도(이하 "시·도"라 한다) 또는 「지방자치법」 제198조에 따른 서울특별시·광역시 및 특별자치시를 제외한 인구 50만 이상 대도시의 조례로 정하는 공원
② 제1항 각 호의 공원이 갖추어야 하는 규모는 국토교통부령으로 정한다.

건축관계법

국토계획법

주차장법

주 택 법

도시및주거
환경정비법

건축사법

장애인시설법

소방시설법

서울시조례

⑦ 도시·군관리계획의 결정권자 및 결정의 신청 $\binom{법}{제29조}\binom{영}{제23조}$

【1】 도시·군관리계획의 결정권자

(1) 시·도지사

도시·군관리계획은 시·도지사가 직접 또는 시장·군수의 신청에 의하여 결정한다.

예외 「지방자치법」에 따른 서울특별시와 광역시 및 특별자치시를 제외한 인구 50만 이상의 대도시(이하 "대도시"라 함)의 경우에는 해당 시장("대도시 시장"이라 함)이 직접 결정하고, 다음의 도시·군관리계획은 시장 또는 군수가 직접 결정한다.

① 시장 또는 군수가 입안한 지구단위계획구역의 지정·변경과 지구단위계획의 수립·변경에 관한 도시·군관리계획

② 지구단위계획으로 대체하는 용도지구 폐지에 관한 도시·군관리계획[해당 시장(대도시 시장은 제외함) 또는 군수가 도지사와 미리 협의한 경우에 한정한다]

■ 기존의 국토교통부장관이 결정하는 다음에 해당하는 도시·군관리계획은 시·도지가 직접 결정한다.

1. 일단의 토지의 총면적이 5㎢ 이상에 해당하는 도시지역·관리지역·농림지역 또는 자연환경보전지역간의 용도지역의 지정 및 변경에 관한 도시·군관리계획

   예외 도시지역외의 지역에서 해당법률에 따른 농공단지·군립공원·상수원보호구역의 지정 및 체육시설의 입지를 위한 도시·군기본계획의 변경의 범위에 해당하는 경우를 제외한다.

2. 녹지지역을 50만㎡ 이상의 주거지역·상업지역 또는 공업지역으로 변경하는 사항에 관한 도시·군관리계획(도시·군기본계획이 수립되지 아니한 시·군에 한함)

3. 토지면적 5㎢ 이상에 해당하는 지구단위계획구역의 지정 및 변경에 관한 도시·군관리계획

(2) 국토교통부장관

다음의 도시·군관리계획은 국토교통부장관이 결정한다.

① 국토교통부장관이 입안한 도시·군관리계획

② 개발제한구역의 지정 및 변경에 관한 도시·군관리계획

③ 시가화조정구역의 지정 및 변경에 관한 도시·군관리계획

(3) 해양수산부장관

수산자원보호구역의 지정 및 변경에 관한 도시·군관리계획은 해양수산부장관이 결정한다.

【2】 도시·군관리계획의 결정 신청

(1) 시장 또는 군수는 도시·군관리계획의 결정을 신청하려면 도시·군관리계획도서 및 계획설명서에 다음의 서류를 첨부하여 도지사에게 제출하여야 한다.

예외 시장 또는 군수가 국토교통부장관 또는 해양수산부장관에게 도시·군관리계획의 결정을 신청하는 경우에는 도지사를 거쳐야 한다.

1. 주민의견청취 결과

2. 지방의회 의견청취 결과

3. 도시계획위원회의 자문을 거친 경우에는 그 결과

4. 관계행정기관의 장과의 협의에 필요한 서류

5. 중앙도시계획위원회 또는 도 도시계획위원회의 심의에 필요한 서류

(2) 시·도지사가 개발제한구역의 지정 및 변경에 관한 도시·군관리계획 및 시가화조정구역의 지정 및 변경에 관한 도시·군관리계획의 결정을 신청하는 경우에는 위 (1)에 해당하는 서류를 국토해양부장관에게 제출하여야 한다.

(3) 시·도지사가 수산자원보호구역의 지정 및 변경에 해당하는 도시·군관리계획의 결정을 신청하는 경우에는 위 (1)에 해당하는 서류를 해양수산부장관에게 제출하여야 한다.

8 도시·군관리계획의 결정 (법 제30조)

【1】 시·도지사에 따른 도시·군관리계획의 결정

협 의	협 의 자	내 용
	관계행정기관의 장 (협의요청일로부터 30일 이내 의견제출)	- 일반적인 도시·군관리계획
	국토교통부장관	- 국토교통부장관이 입안하여 결정한 도시·군관리계획의 변경 - 광역도시계획과 관련하여 시·도지사가 입안한 도시·군관리계획 - 개발제한구역이 해제되는 지역에 대하여 해제 이후 최초로 결정되는 도시·군관리계획 - 2 이상의 시·도에 걸치는 기반시설의 설치·정비 또는 개량에 관한 도시·군관리계획 중 면적 1㎢ 이상의 공원의 면적을 5% 이상 축소하는 것에 관한 도시·군관리계획

↓

	심의기관
심 의	시·도 도시계획위원회 예외 시·도지사는 지구단위계획(지구단위계획과 지구단위계획구역을 동시에 결정할 때에는 지구단위계획구역의 지정 또는 변경에 관한 사항을 포함할 수 있다)이나 지구단위계획으로 대체하는 용도지구 폐지에 관한 사항을 결정하는 경우 공동심의 사항에 대하여는 「건축법」에 따라 시·도에 두는 건축위원회와 도시계획위원회가 공동으로 하는 심의를 거쳐야 한다.

↓

결 정	시·도지사

↓

고시 및 송부	시·도지사가 공보에 고시하고 관계 특별시장·광역시장·특별자치시장·특별자치도지사·시장·군수에게 송부

↓

열 람	관계 시장·군수는 관계서류를 일반이 열람할 수 있도록 하여야 함.

※ 시장 또는 군수가 도시·군관리계획을 결정하는 경우에는 위의 규정을 준용한다.

■ 지구단위계획 중 공동심의 사항 (법 제30조제3항 단서)

시·도지사가 다음 사항을 결정할 경우 건축위원회와 도시계획위원회가 공동으로 하는 심의를 거쳐야 한다.

1. 지구단위계획(지구단위계획과 지구단위계획구역을 동시에 결정할 때에는 지구단위계획구역의 지정 또

4장 제3편 국토의 계획 및 이용에 관한 법률

건축관계법

국토계획법

주차장법

주 택 법

도시및주거
환경정비법

건축사법

장애인시설법

소방시설법

서울시조례

는 변경에 관한 사항을 포함할 수 있다)

2. 지구단위계획으로 대체하는 기존의 용도지구 폐지*에 관한 사항

 * 제52조제1항제1호의2 : 기존의 용도지구를 폐지하고 그 용도지구에서의 건축물이나 그 밖의 시설의 용도·종류 및 규모 등의 제한을 대체하는 사항

■ **공동위원회의 구성기준** (영
제25조제2항)

1. 공동위원회의 위원은 건축위원회 및 도시계획위원회의 위원 중에서 시·도지사 또는 시장·군수가 임명 또는 위촉할 것. 이 경우 지방도시계획위원회에 지구단위계획을 심의하기 위한 분과위원회가 설치되어 있는 경우에는 해당 분과위원회의 위원 전원을 공동위원회의 위원으로 임명 또는 위촉하여야 한다.

2. 공동위원회의 위원 수는 30명 이내로 할 것

3. 공동위원회의 위원 중 건축위원회의 위원이 1/3 이상이 되도록 할 것

4. 공동위원회 위원장은 임명 또는 위촉한 위원 중에서 시·도지사 또는 시장·군수가 임명 또는 위촉할 것

【2】 국토교통부장관에 따른 도시·군관리계획 결정

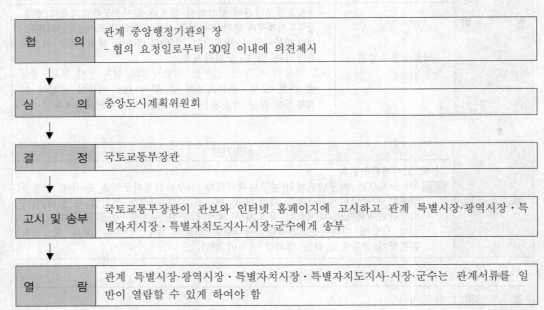

협 의	관계 중앙행정기관의 장 - 협의 요청일로부터 30일 이내에 의견제시
심 의	중앙도시계획위원회
결 정	국토교통부장관
고시 및 송부	국토교통부장관이 관보와 인터넷 홈페이지에 고시하고 관계 특별시장·광역시장·특별자치시장·특별자치도지사·시장·군수에게 송부
열 람	관계 특별시장·광역시장·특별자치시장·특별자치도지사·시장·군수는 관계서류를 일반이 열람할 수 있게 하여야 함

【3】 절차의 생략

(1) 국토교통부장관 또는 시·도지사는 국방상 또는 국가안전보장상 기밀을 지켜야 할 필요가 있다고 인정되면(관계중앙행정기관의 장의 요청이 있는 때만 해당)에는 도시·군관리계획의 전부 또는 일부에 대하여 협의와 심의절차를 생략할 수 있다.

(2) 도시·군관리계획에 대한 변경절차는 위 【1】, 【2】의 해당 결정 절차를 준용한다.

 예외1 **결정된 도시·군관리계획의 경미한 사항 변경시 협의·심의 제외 가능**(영
제25조제3항)(규칙
제3조)

 다음의 어느 하나에 해당하는 경우(서로 간에 저촉되지 않는 경우로 한정) 관계행정기관의 장과의 협의, 국토교통부장관과의 협의 및 중앙도시계획위원회 또는 지방도시계획위원회의 심의를 거치지 않고 도시·군관리계획(지구단위계획 및 입지규제최소구역계획은 제외)을 변경할 수 있다.

1. 다음의 어느 하나에 해당하는 경우
   ① 단위 도시·군계획시설부지 면적의 5% 미만의 변경인 경우
      예외 다음 시설은 해당 요건을 충족하는 경우만 해당
      ㉠ 도로: 시작지점 또는 끝지점이 변경(해당 도로와 접한 도시·군계획시설의 변경으로 시작지점 또는 끝지점이 변경되는 경우는 제외)되지 않는 경우로서 중심선이 종전에 결정된 도로의 범위를 벗어나지 않는 경우
      ㉡ 공원 및 녹지: 다음의 어느 하나에 해당하는 경우
         가) 면적이 증가되는 경우
         나) 최초 도시·군계획시설 결정 후 변경되는 면적의 합계가 1만㎡ 미만이고, 최초 도시·군계획시설 결정 당시 부지 면적의 5% 미만의 범위에서 면적이 감소되는 경우
            예외 「도시공원 및 녹지 등에 관한 법률」의 완충녹지(도시지역 외의 지역에서 같은 법을 준용하여 설치하는 경우를 포함)인 경우는 제외
   ② 지형사정으로 인한 도시·군계획시설의 근소한 위치변경 또는 비탈면 등으로 인한 시설부지의 불가피한 변경인 경우
   ③ 그 밖에 경미한 다음 사항의 변경인 경우
      ㉠ 「도시계획시설의 결정·구조 및 설치기준에 관한 규칙」의 규정에 적합한 범위안에서 도로모퉁이변을 조정하기 위한 도시·군계획시설의 변경
      ㉡ 도시·군관리계획결정의 내용 중 면적산정의 착오 등을 정정하기 위한 변경
      ㉢ 「공간정보의 구축 및 관리 등에 관한 법률」 및 「건축법」에 따라 허용되는 오차를 반영하기 위한 변경
      ㉣ 건축물의 건축 또는 공작물의 설치에 따른 변속차로, 차량출입구 또는 보행자출입구의 설치를 위한 도시·군계획시설의 변경
      ㉤ 도시·군계획시설의 명칭의 변경
2. 이미 결정된 도시·군계획시설의 세부시설을 변경하는 경우로서 세부시설 면적, 건축물 연면적 또는 건축물 높이의 변경[50% 미만으로서 시·도 또는 대도시(「지방자치법」에 따른 서울특별시·광역시 및 특별자치시를 제외한 인구 50만 이상 대도시를 말한다. 이하 같다)의 도시·군계획조례로 정하는 범위 이내의 변경은 제외하며, 건축물 높이의 변경은 층수변경이 수반되는 경우를 포함한다]이 포함되지 않는 경우
3. 도시지역의 축소에 따른 용도지역·용도지구·용도구역 또는 지구단위계획구역의 변경인 경우
4. 도시지역외의 지역에서 「농지법」에 따른 농업진흥지역 또는 「산지관리법」에 따른 보전산지를 농림지역으로 결정하는 경우
5. 「자연공원법」에 따른 공원구역, 「수도법」에 따른 상수원보호구역, 「문화재보호법」에 따라 지정된 지정문화재 또는 천연기념물과 그 보호구역을 자연환경보전지역으로 결정하는 경우
6. 체육시설(세분된 체육시설을 말함) 및 그 부지의 전부 또는 일부를 다른 체육시설 및 그 부지로 변경(둘 이상의 체육시설을 같은 부지에 함께 결정하기 위하여 변경하는 경우를 포함)하는 경우
7. 문화시설(세분된 문화시설을 말하되, 「전시산업발전법」에 따른 전시시설과 「국제회의시설 육성에 관한 법률」에 따른 국제회의 시설은 제외) 및 그 부지의 전부 또는 일부를 다른 문화시설 및 그 부지로 변경(둘 이상의 문화시설을 같은 부지에 함께 결정하기 위하여 변경하는 경우를 포함)하는 경우
8. 장사시설(세분된 장사시설을 말함) 및 그 부지의 전부 또는 일부를 다른 장사시설 및 그 부지로 변경(둘 이상의 장사시설을 같은 부지에 함께 결정하기 위하여 변경하는 경우를 포함)하는 경우
9. 그 밖에 다음에 해당하는 경미한 사항의 변경인 경우
   ① 도시·군계획시설결정의 변경에 따른 용도지역·용도지구 및 용도구역의 변경
   ② 도시·군계획시설결정 또는 용도지역·용도지구·용도구역의 변경에 따른 지구단위계획구역의 변경
   ③ 지구단위계획구역 변경에 따른 개발진흥지구의 변경

건축관계법

국토계획법

주차장법

주 택 법

도시및주거
환경정비법

건축사법

장애인시설법

소방시설법

서울시조례

건축관계법

국토계획법

주차장법

주택법

도시및주거
환경정비법

건축사법

장애인시설법

소방시설법

서울시조례

예외2 지구단위계획 중 협의·심의를 거치지 아니하고 변경할 수 있는 경우(영 제25조제4항)(규칙 제3조 제2항)
지구단위계획 중 다음의 경우(서로 간에 저촉되지 않는 경우로 한정)에는 관계 행정기관의 장과의 협의, 국토교통부장관과의 협의 및 중앙도시계획위원회·지방도시계획위원회 또는 공동위원회의 심의를 거치지 않고 지구단위계획을 변경할 수 있다. 아래 13.(다른 호에 저촉되지 않는 경우로 한정)은 공동위원회의 심의를 거쳐야 한다.

1. 지구단위계획으로 결정한 용도지역·용도지구 또는 도시·군계획시설에 대한 변경결정으로서 위 예외1 에 해당하는 변경인 경우

2. 가구(지구단위계획의 수립기준에 따른 별도의 구역을 포함) 면적의 10% 이내의 변경인 경우

3. 획지(劃地:구획된 한 단위의 토지)면적의 30% 이내의 변경인 경우

4. 건축물 높이의 20% 이내의 변경인 경우(층수 변경이 수반되는 경우 포함)

5. 지구단위계획의 용적률 완화 적용 받는 공동개발 대상* 획지의 규모 및 조성계획의 변경인 경우
   * (영 제46조제7항제2호)

6. 건축선 또는 차량 출입구의 변경으로서 다음에 해당 경우
   ① 건축선의 1m 이내의 변경인 경우
   ② 「도시교통정비 촉진법」에 따른 교통영향평가서의 심의를 거쳐 결정된 경우

7. 건축물의 배치·형태 또는 색채의 변경인 경우

8. 지구단위계획에서 경미한 사항으로 결정된 사항의 변경인 경우. 예외 용도지역·용도지구·도시·군계획시설·가구면적·획지면적·건축물높이 또는 건축선의 변경에 해당하는 사항을 제외

9. 법률 제6655호 부칙*에 따른 제2종지구단위계획으로 보는 개발계획에서 정한 건폐율 또는 용적률을 감소시키거나 10% 이내에서 증가시키는 경우. 예외 증가시키는 경우 지구단위계획구역 안에서의 건폐율 등의 완화적용에 따른 건폐율·용적률의 한도 초과시 제외
   * (법률 제6655호 국토의계획및이용에관한법률 부칙 제17조제2항)

10. 지구단위계획구역 면적의 10%(용도지역 변경을 포함하는 경우 5%) 이내의 변경 및 동 변경지역 안에서의 지구단위계획의 변경

11. 국토교통부령으로 정하는 경미한 사항
    ① 지구단위계획의 포함 사항 규정에 따른 교통처리계획 중 주차장 출입구, 차량 출입구 또는 보행자 출입구의 위치 변경 및 보행자 출입구의 추가 설치
    ② 지하 또는 공중공간에 설치할 시설물의 높이·깊이·배치 또는 규모
    ③ 대문·담 또는 울타리의 형태 또는 색채
    ④ 간판의 크기·형태·색채 또는 재질
    ⑤ 장애인·노약자 등을 위한 편의시설계획
    ⑥ 에너지 및 자원의 절약과 재활용에 관한 계획
    ⑦ 생물서식공간의 보호·조성·연결 및 물과 공기의 순환 등에 관한 계획
    ⑧ 문화재 및 역사문화환경 보호에 관한 계획

12. 그 밖에 위 1.~11.과 유사한 사항으로서 도시·군계획조례로 정하는 사항의 변경인 경우

13. 「건축법」 등 다른 법령의 규정에 따른 건폐율 또는 용적률 완화 내용을 반영하기 위하여 지구단위계획을 변경하는 경우

(3) 입지규제최소구역계획 중 다음의 경우(다른 호에 저촉되지 않는 경우로 한정)에는 관계 행정기관의 장과의 협의, 국토교통부장관과의 협의 및 중앙도시계획위원회·지방도시계획위원회의 심의를 거치지 않고 입지규제최소구역계획을 변경할 수 있다.

1. 입지규제최소구역계획으로 결정한 용도지역·용도지구, 지구단위계획 또는 도시·군계획시설에 대한 변경결정으로서 위 (2)의 예외1의 표에 해당하는 변경, 예외2의 표 2.~5., 6. 및 7.의 어느 하나에 해당하는 변경(다른 호에 저촉되지 않는 경우로 한정)

2. 입지규제최소구역계획에서 경미한 사항으로 결정된 사항의 변경
   예외 용도지역·용도지구, 도시·군계획시설, 가구면적, 획지면적, 건축물 높이 또는 건축선의 변경에 해당하는 사항은 제외

3. 입지규제최소구역 면적의 10% 이내의 변경 및 해당 변경지역 안에서의 입지규제최소구역계획의 변경

9 도시·군관리계획 결정의 효력 (법 제31조)

【1】 도시·군관리계획 결정에 따른 효력

① 도시·군관리계획 결정의 효력은 지형도면을 고시한 날부터 발생한다.

② 위 ①에서 규정한 사항 외에 도시·군관리계획 결정의 효력 발생 및 실효 등에 관하여는 「토지이용규제 기본법」의 규정(제8조제3항~제5항까지)에 따른다.

> 관계법 「토지이용규제 기본법」 제8조 【지역·지구등의 지정 등】
>
> ①, ② "생략"
>
> ③ 제2항에 따라 지형도면 또는 지적도 등에 지역·지구등을 명시한 도면(이하 "지형도면등"이라 한다)을 고시하여야 하는 지역·지구등의 지정의 효력은 지형도면등의 고시를 함으로써 발생한다. 다만, 지역·지구등을 지정할 때에 지형도면등의 고시가 곤란한 경우로서 대통령령으로 정하는 경우에는 그러하지 아니하다.
>
> ④ 제3항 단서에 해당되는 경우에는 지역·지구등의 지정일부터 2년이 되는 날까지 지형도면등을 고시하여야 하며, 지형도면등의 고시가 없는 경우에는 그 2년이 되는 날의 다음 날부터 그 지정의 효력을 잃는다.
>
> ⑤ 제4항에 따라 지역·지구등의 지정이 효력을 잃은 때에는 그 지역·지구등의 지정권자는 대통령령으로 정하는 바에 따라 지체 없이 그 사실을 관보 또는 공보에 고시하고, 이를 관계 특별자치도지사·시장·군수(광역시의 관할 구역에 있는 군의 군수를 포함한다. 이하 같다) 또는 구청장(구청장은 자치구의 구청장을 말하며, 이하 "시장·군수 또는 구청장"이라 한다)에게 통보하여야 한다. 이 경우 시장·군수 또는 구청장은 그 내용을 제12조에 따른 국토이용정보체계(이하 "국토이용정보체계"라 한다)에 등재(登載)하여 일반 국민이 볼 수 있도록 하여야 한다.
>
> ⑥ ~ ⑨ "생략"

【2】 시행중인 사업에 대한 효력

도시·군관리계획 결정 당시 이미 사업 또는 공사에 착수한 자는 해당 도시·군관리계획 결정에 관계없이 공사를 계속할 수 있다.

예외 시가화조정구역 또는 수산자원보호구역의 지정에 관한 도시·군관리계획 결정이 있는 경우 특별시장·광역시장·특별자치시장·특별자치도지사·시장·군수에게 다음과 같이 신고하고 이미 착수한 사업 및 공사를 계속할 수 있다.

| 시가화조정구역 또는 수산자원 보호구역 | 결정고시일로부터 3월내에 사업 또는 공사의 내용을 신고한다. (건축을 목적으로하는 토지의 형질변경인 경우 형질변경공사 완료 후 3월내 건축허가신청을 하여야 하며, 토지의 형질변경에 관한 공사를 완료한 후 1년 이내에 도시·군관리계획 결정의 고시가 있는 경우 해당 건축물을 건축하고자 하는 자는 해당 도시·군관리계획 결정의 고시일부터 6월 이내에 건축허가를 신청하는 때에는 해당 건축물을 건축할 수 있다.) |

건축관계법

국토계획법

주차장법

주 택 법

도시및주거
환경정비법

건축사법

장애인시설법

소방시설법

서울시조례

10 도시·군관리계획에 관한 지형도면의 고시 등 (법 제32조)

특별시장·광역시장·특별자치시장·특별자치도지사·시장 또는 군수는 도시·군관리계획 결정이 고시되면 지적(地籍)이 표시된 지형도에 도시·군관리계획에 관한 사항을 자세히 밝힌 도면을 작성하여야 한다.

【1】 지형도면의 작성

작 성 자	승 인 등
• 시장 • 군수	1. 시장(대도시 시장은 제외)이나 군수가 지형도에 도시·군관리계획(지구단위계획구역의 지정·변경과 지구단위계획의 수립·변경에 관한 도시·군관리계획은 제외)에 관한 사항을 자세히 밝힌 지형도면을 작성하면 도지사의 승인을 받아야 한다. 2. 승인신청을 받은 도지사는 결정·고시된 도시·군관리계획과 대조하여 착오가 없다고 인정되면 30일 이내에 승인하여야 한다.
• 국토교통부장관* • 도지사	– 도시·군관리계획을 직접 입안한 경우 관계 특별시장·광역시장·특별자치시장·특별자치도지사·시장·군수의 의견을 들어 직접 작성할 수 있다. * 수산자원보호구역의 경우:해양수산부장관

【2】 지형도면의 고시 및 열람

고시	국토교통부장관, 시·도지사, 시장 또는 군수는 직접 지형도면을 작성하거나 지형도면을 승인한 경우에는 이를 고시하여야 한다.

↓

열 람	특별시장·광역시장·특별자치시장·특별자치도지사·시장·군수는 일반인이 열람할 수 있도록 하여야 한다.

【참고】 지형도면 고시의 의의
- 결정된 도시·군관리계획의 내용을 지형도에 표시하여 일반인이 결정된 도시·군관리계획의 내용을 쉽게 이해할 수 있도록 함
- 도시·군관리계획결정 고시일로부터 2년 이내에 지형도면 고시가 없는 경우 결정된 도시·군관리계획은 2년이 되는 날의 다음날에 자동적으로 효력을 상실함

【3】 「토지이용규제 기본법」의 규정 준용

위 【1】 및 【2】에 따른 지형도면의 작성기준 및 방법과 지형도면의 고시방법 및 절차 등에 관하여는 「토지이용규제 기본법」의 규정에 따른다.

> 관계법 「토지이용규제 기본법 시행령」 제7조 【지형도면등의 작성·고시방법】
> ① 법 제8조제2항 본문에 따라 지적이 표시된 지형도에 지역·지구등을 명시한 도면(이하 "지형도면"이라 한다)을 작성할 때에는 축척 500분의 1 이상 1천500분의 1 이하(녹지지역의 임야, 관리지역, 농림지역 및 자연환경보전지역은 축척 3천분의 1 이상 6천분의 1 이하로 할 수 있다)로 작성하여야 한다.
> ② 제1항에 따라 작성하는 지형도면은 법 제12조에 따른 국토이용정보체계(이하 "국토이용정보체계"라 한다)상에 구축되어 있는 지적이 표시된 지형도의 데이터베이스를 사용하여야 한다.
> ③ 법 제8조제2항 단서에 따라 지형도면을 작성·고시하지 아니하거나, 지형도면을 갈음하여 지적

도(국토이용정보체계상에 구축되어 있는 연속지적도를 말한다. 이하 같다) 등에 지역·지구등을 명시한 도면을 작성하여 고시하는 경우는 다음 각 호와 같다. <개정 2012.4.10>

1. 지형도면을 작성·고시하지 아니하는 경우

가. 지역·지구등의 경계가 행정구역 경계와 일치하는 경우

나. 별도의 지정절차 없이 법령 또는 자치법규에 따라 지역·지구등의 범위가 직접 지정되는 경우

다. 관계 법령에 따라 지역·지구등의 지정이 의제되는 경우. 다만, 해당 법령에서 지역·지구등의 지정 시 지형도면 또는 지적도 등에 지역·지구등을 명시한 도면(이하 "지형도면 등"이라 한다)을 고시하도록 규정하고 있으나, 의제하는 법령에서는 그 지형도면등의 고시까지 의제하고 있지 아니하는 경우는 제외한다.

2. 지형도면을 갈음하여 지적도에 지역·지구등을 명시한 도면을 작성하여 고시하는 경우

가. 도시·군계획사업·택지개발사업 등 개발사업이 완료된 지역에서 지역·지구등을 지정하는 경우

나. 지역·지구등의 경계가 지적선을 기준으로 결정되는 경우

다. 국토이용정보체계상에 지적이 표시된 지형도의 데이터베이스가 구축되어 있지 아니하거나 지형과 지적의 불일치로 지형도의 활용이 곤란한 경우

3. 해도나 해저지형도를 이용할 수 있는 경우

해수면을 포함하는 지역·지구등을 지정하는 경우(해수면 부분만 해당한다)

④ 법 제8조제3항 단서에서 "대통령령으로 정하는 경우"란 제3항제2호에 따라 지적도에 지역·지구등을 명시할 수 있으나 지적과 지형의 불일치 등으로 지적도의 활용이 곤란한 경우를 말한다.

⑤ 제1항부터 제3항까지의 규정에 따른 도면이 2매 이상인 경우에는 축척 5천분의 1 이상 5만분의 1 이하의 총괄도를 따로 첨부할 수 있다.

⑥ 법 제8조제2항에 따라 중앙행정기관의 장이나 지방자치단체의 장이 지역·지구등의 지정과 지형도면등을 관보나 공보에 고시할 때에는 같은 내용을 해당 중앙행정기관이나 지방자치단체의 인터넷 홈페이지에 동시에 게재하여야 한다.

⑦ 중앙행정기관의 장이나 지방자치단체의 장이 법 제8조제5항에 따라 지역·지구등의 지정이 효력을 잃은 사실을 고시하는 경우에는 다음 각 호의 사항이 포함되어야 한다.

1. 지역·지구등의 명칭·위치 및 면적

2. 지역·지구등의 지정 고시일

3. 지역·지구등 지정의 실효 사유와 실효일

⑧ 법 제8조제8항 본문에서 "대통령령으로 정하는 사항"이란 다음 각 호의 사항을 말한다.

1. 지역·지구등의 명칭·위치 및 면적

2. 지역·지구등의 지정 고시 예정일 및 효력 발생 예정일

3. 지형도면등 및 이와 관련된 전산자료

⑨ <생략>

⑩ 제1항부터 제9항까지에서 규정한 사항 외에 지형도면등의 작성기준, 작성방법 및 도면관리 등에 관하여 필요한 사항은 국토교통부장관이 정하여 고시한다. <개정 2013.3.23.>

【참고】 지역·지구등의 지형도면 작성에 관한 지침(국토교통부고시 제2022-274호, 2022.5.18.)

국토계획법

주차장법

주 택 법

도시및주거
환경정비법

건축사법

장애인시설법

소방시설법

서울시조례

건축관계법

국토계획법

주차장법

주 택 법

도시및주거
환경정비법

건축사법

장애인시설법

소방시설법

서울시조례

11 도시·군관리계획의 정비 (법 제34조)

【1】 도시·군관리계획의 정비

특별시장·광역시장·특별자치시장·특별자치도지사·시장 또는 군수는 5년마다 관할구역의 도시·군관리계획에 대하여 그 타당성 여부를 전반적으로 재검토하여 정비하여야 한다.

【2】 정비에 따른 고려 사항 (영 제29조)

(1) 특별시장·광역시장·특별자치시장·특별자치도지사·시장 또는 군수는 도시·군관리계획을 정비함에 있어서 다음의 사항을 검토하여 도시·군관리계획입안에 반영하여야 한다.

> **① 도시·군계획시설 설치에 관한 도시·군관리계획**
>
> 1. 도시·군계획시설결정의 고시일부터 3년 이내에 해당 도시·군계획시설의 설치에 관한 도시·군계획시설사업의 전부 또는 일부가 시행되지 아니한 경우 해당 도시·군계획시설결정의 타당성
> 2. 도시·군계획시설결정에 따라 설치된 시설 중 여건 변화 등으로 존치 필요성이 없는 도시·군계획시설에 대한 해제 여부

> **② 용도지구 지정에 관한 도시·군관리계획**
>
> 1. 지정목적을 달성하거나 여건 변화 등으로 존치 필요성이 없는 용도지구에 대한 변경 또는 해제 여부
> 2. 해당 용도지구와 중첩하여 지구단위계획구역이 지정되어 지구단위계획이 수립되거나 다른 법률에 따른 지역·지구 등이 지정된 경우 해당 용도지구의 변경 및 해제 여부 등을 포함한 용도지구 존치의 타당성
> 3. 둘 이상의 용도지구가 중첩하여 지정되어 있는 경우 용도지구의 지정 목적, 여건 변화 등을 고려할 때 해당 기존의 용도지구를 폐지하고 그 용도지구에서의 건축물이나 그 밖의 시설의 용도·종류 및 규모 등의 제한을 대체하는 사항을 내용으로 하는 지구단위계획으로 대체할 필요성이 있는지 여부

(2) 도시·군기본계획을 수립하지 않은 시·군의 시장·군수가 도시·군관리계획을 정비하는 때에는 계획설명서에 해당 시·군의 장기발전구상을 포함시켜야 하며, 공청회를 개최하여 이에 관한 주민의 의견을 들어야 한다.

(3) (2)에 따른 공청회의 개최 등에 관하여는 영 제12조(광역도시계획의 수립을 위한 공청회)의 규정을 준용한다.

12 도시·군관리계획 입안의 특례 (법 제35조)

(1) 국토교통부장관, 시·도지사, 시장 또는 군수는 도시·군관리계획을 조속히 입안하여야 할 필요가 있다고 인정되면 광역도시계획이나 도시·군기본계획을 수립할 때에 도시·군관리계획을 함께 입안할 수 있다.

【참고】 도시·군기본계획과 도시·군관리계획의 차이점

구　분	도시·군기본계획	도시·군관리계획
계획 목적	• 도시·군개발 방향, 미래상 제시	• 구체적 개발지침 및 절차제시
계획 내용	• 물적·비물적 종합계획	• 물적 위주의 계획
계획 기간	• 20년 (5년마다 재검토)	• 10년 (5년마다 재검토)
구속 대상(성격)	• 관할 행정청 (행정명령 성격)	• 개별 시민 (행정처분 성격, 행정소송의 대상)

입안·수립권자	• 특별시장, 광역시장, 특별자치시장, 특별자치도지사, 대도시시장, 시장, 군수	• 원칙 : 특별시장, 광역시장, 특별자치시장, 특별자치도지사, 대도시시장, 시장, 군수 • 예외: 국토교통부장관, 도지사
승인권자	• 시·도지사 (시장, 군수가 수립한 경우)	• 시·도지사 (시장, 군수가 수립한 경우)
계획 범위	• 관할 행정구역	• 관할 행정구역
표현 방식	• 개념적, 계획적 표현	• 구체적 표현
도면 축척	• 1/25,000~1/50,000	• 1/500~1/5,000 (고시 의무)
주민참여 방법	• 공청회	• 의견청취

(2) 국토교통부장관(수산자원보호구역의 경우 해양수산부장관), 시·도지사, 시장 또는 군수는 필요하다고 인정되면 도시·군관리계획을 입안할 때에 법 제30조제1항(도시·군관리계획 결정 전 미리 협의)에 따라 협의하여야 할 사항에 관하여 관계 중앙행정기관의 장이나 관계 행정기관의 장과 협의할 수 있다. 이 경우 시장이나 군수는 도지사에게 그 도시·군관리계획(지구단위계획구역의 지정·변경과 지구단위계획의 수립·변경에 관한 도시·군관리계획은 제외)의 결정을 신청할 때에 관계 행정기관의 장과의 협의 결과를 첨부하여야 한다.

(3) (2)에 따라 미리 협의한 사항에 대하여는 법 제30조제1항에 따른 협의를 생략할 수 있다.

2 용도지역·용도지구·용도구역

① 용도지역의 지정 (법
제36조)

【1】 정의

"용도지역"이라 함은 토지의 이용 및 건축물의 용도·건폐율(「건축법」 제55조의 건축물의 건폐율을 말함)·용적률(「건축법」 제56조의 건축물의 용적률을 말함)·높이 등을 제한함으로써 토지를 경제적·효율적으로 이용하고 공공복리의 증진을 도모하기 위하여 서로 중복되지 아니하게 도시·군관리계획으로 결정하는 지역을 말한다.

■ 국토의 용도구분(법 제6조, 법 제7조)

국토는 토지의 이용실태 및 특성, 장래의 토지이용방향 등을 고려하여 다음과 같은 용도지역으로 구분한다. 또한, 국가 또는 지방자치단체는 용도지역의 효율적인 이용 및 관리를 위하여 해당 용도지역에 관한 개발·정비 및 보전에 필요한 조치를 강구하여야 한다.

구 분	내 용	관리의무
도시지역	인구와 산업이 밀집되어 있거나 밀집이 예상되어 해당 지역에 대하여 체계적인 개발·정비·관리·보전 등이 필요한 지역	이 법 또는 관계 법률이 정하는 바에 따라 해당 지역이 체계적이고 효율적으로 개발·정비·보전될 수 있도록 미리 계획을 수립하고 이를 시행하여야 함.
관리지역	도시지역의 인구와 산업을 수용하기 위하여 도시지역에 준하여 체계적으로 관리하거나 농림업의 진흥, 자연환경 또는 산림의 보전을 위하여 농림지역 또는 자연환경보전지역에 준하여 관리가 필요한 지역	이 법 또는 관계 법률이 정하는 바에 따라 필요한 보전조치를 취하고 개발이 필요한 지역에 대하여는 계획적인 이용과 개발을 도모하여야 함.

건축관계법

국토계획법

주차장법

주 택 법

도시및주거환경정비법

건축사법

장애인시설법

소방시설법

서울시조례

건축관계법

국토계획법

주차장법

주 택 법

도시및주거
환경정비법

건축사법

장애인시설법

소방시설법

서울시조례

3-56

농림지역	도시지역에 속하지 아니하는 「농지법」에 따른 농업진흥지역 또는 「산림관리법」에 따른 보전산지 등으로서 농림업의 진흥과 산림의 보전을 위하여 필요한 지역	이 법 또는 관계 법률이 정하는 바에 따라 농림업의 진흥과 산림의 보전·육성에 필요한 조사와 대책을 마련하여야 함.
자연환경 보전지역	자연환경·수자원·해안·생태계·상수원 및 문화재의 보전과 수산자원의 보호·육성 등을 위하여 필요한 지역	이 법 또는 관계 법률이 정하는 바에 따라 환경오염방지, 자연환경·수질·수자원·해안·생태계 및 문화재의 보전과 수산자원의 보호·육성을 위하여 필요한 조사와 대책을 마련하여야 함.

【참고】 국토의 용도지역 구분

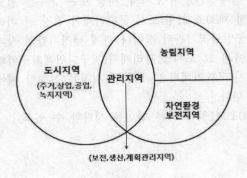

[용도지역 구분 개념도]

[용도지역별 지정현황(2021년 기준)]

※ 대한민국 국토(남한)의 면적은 2021년 말을 기준으로 100,188.1(㎢)정도이다.(출처:국토교통부 「지적통계연보」)

【2】 용도지역의 지정 및 세분(1)$\left(\begin{smallmatrix}법\\제36조\end{smallmatrix}\right)\left(\begin{smallmatrix}영\\제30조\end{smallmatrix}\right)$

(1) 국토교통부장관, 시·도지사 또는 대도시 시장은 용도지역의 지정 또는 변경을 도시·군관리계획으로 지정한다. 또한 주거지역·상업지역·공업지역 및 녹지지역을 다음과 같이 세분하여 지정할 수 있다.

구분	용도지역/내용	용도지역의 세분		
		구 분	내 용	
도 시 지 역	주거지역 (거주의 안녕과 건전한 생활환경의 보호를 위하여 필요한 지역)	전용주거지역 : 양호한 주거 환경을 보호하기 위하여 필요한 지역	제1종 전용주거지역	단독주택 중심의 양호한 주거환경을 보호하기 위하여 필요한 지역
			제2종 전용주거지역	공동주택 중심의 양호한 주거환경을 보호하기 위하여 필요한 지역
		일반주거지역 : 편리한 주거환경을 조성하기 위하여 필요한 지역	제1종 일반주거지역	저층주택을 중심으로 편리한 주거환경을 조성하기 위하여 필요한 지역
			제2종 일반주거지역	중층주택을 중심으로 편리한 주거환경을 조성하기 위하여 필요한 지역
			제3종 일반주거지역	중·고층주택을 중심으로 편리한 주거환경을 조성하기 위하여 필요한 지역
		준주거지역		주거기능을 위주로 이를 지원하는 일부 상업·업무기능을 보완하기 위하여 필요한 지역

		중심상업지역	도심·부도심의 상업 및 업무기능의 확충을 위하여 필요한 지역
상업지역 (상업 그 밖의 업무의 편익증 진을 위하여 필요한 지역)		일반상업지역	일반적인 상업 및 업무기능을 담당하게 하기 위하여 필요한 지역
		근린상업지역	근린지역에서의 일용품 및 서비스의 공급을 위하여 필요한 지역
		유통상업지역	도시내 및 지역간 유통기능의 증진을 위하여 필요한 지역
공업지역 (공업의 편익 증진을 위하여 필요한 지역)		전용공업지역	주로 중화학공업·공해성공업 등을 수용하기 위하여 필요한 지역
		일반공업지역	환경을 저해하지 아니하는 공업의 배치를 위하여 필요한 지역
		준공업지역	경공업 그 밖의 공업을 수용하되, 주거·상업·업무기능의 보완이 필요한 지역
녹지지역 (자연환경·농지 및 산림의 보호, 보건위생, 보안과 도시의 무질서한 확산을 방지하기 위하여 녹지의 보전이 필요한 지역)		보전녹지지역	도시의 자연환경·경관·산림 및 녹지공간을 보전할 필요가 있는 지역
		생산녹지지역	주로 농업적 생산을 위하여 개발을 유보할 필요가 있는 지역
		자연녹지지역	도시의 녹지공간의 확보, 도시확산의 방지, 장래 도시용지의 공급 등을 위하여 보전할 필요가 있는 지역으로서 불가피한 경우에 한하여 제한적인 개발이 허용되는 지역

(2) 시·도지사 또는 대도시 시장은 해당 시·도 또는 대도시의 도시·군계획조례로 정하는 바에 따라 도시·군관리계획결정으로 위 (1)에 따라 세분된 주거지역·상업지역·공업지역·녹지지역을 추가적으로 세분하여 지정할 수 있다.

【3】 용도지역의 지정 및 세분(2)

구 분		세분 및 내용
관리지역	보전관리지역	자연환경보호, 산림보호, 수질오염방지, 녹지공간 확보 및 생태계 보전 등을 위하여 보전이 필요하나, 주변의 용도지역과의 관계 등을 고려할 때 자연환경보전지역으로 지정하여 관리하기가 곤란한 지역
	생산관리지역	농업·임업·어업생산 등을 위하여 관리가 필요하나, 주변의 용도지역과의 관계 등을 고려할 때 농림지역으로 지정하여 관라하기가 곤란한 지역
	계획관리지역	도시지역으로의 편입이 예상되는 지역 또는 자연환경을 고려하여 제한적인 이용·개발을 하려는 지역으로서 계획적·체계적인 관리가 필요한 지역

※ 농림지역 및 자연환경보전지역은 세분되지 아니함.

【4】 공유수면매립지에 관한 용도지역의 지정 (법 제41조)

공유수면매립지의 용도지역의 지정 등은 다음과 같다.

(1) 공유수면(바다만 해당함)의 매립목적이 해당 매립구역과 이웃하고 있는 용도지역의 내용과 동일한 때에는 도시·군관리계획의 입안 및 결정절차 없이 해당 매립준공구역은 그 매립의 준공인

건축관계법

국토계획법

주차장법

주 택 법

도시및주거 환경정비법

건축사법

장애인시설법

소방시설법

서울시조례

건축관계법

국토계획법

주차장법

주 택 법

도시및주거
환경정비법

건축사법

장애인시설법

소방시설법

서울시조례

가일부터 이와 이웃하고 있는 용도지역으로 지정된 것으로 본다. 이 경우 관계 특별시장·광역시장·시장 또는 군수는 그 사실을 지체 없이 고시하여야 한다.

(2) 공유수면의 매립목적이 해당 매립구역과 이웃하고 있는 용도지역의 내용과 다른 경우 및 그 매립구역이 둘 이상의 용도지역에 걸쳐 있거나 이웃하고 있는 경우 그 매립구역이 속할 용도지역은 도시·군관리계획결정으로 지정하여야 한다.

(3) 관계 행정기관의 장은 「공유수면 관리 및 매립에 관한 법률」에 따른 공유수면매립의 준공인가를 한 때에는 지체 없이 이를 관계 특별시장·광역시장·특별자치시장·특별자치도지사·시장 또는 군수에게 통보하여야 한다.

【참고】공유수면(公有水面)
국가 소유에 속하는 하천·바다·호소(湖沼 : 호수와 늪) 등 공공에 사용되는 수류(水流) 또는 수면(水面)을 말한다.

【5】다른 법률에 의하여 지정된 지역의 용도지역지정 등의 의제$\left(\frac{법}{제42조}\right)$

(1) 도시지역으로 결정·고시된 것으로 보는 경우
① 「항만법」에 따른 항만구역으로서 도시지역에 연접된 공유수면
② 「어촌·어항법」에 따른 어항구역으로서 도시지역에 연접된 공유수면
③ 「산업입지 및 개발에 관한 법률」에 따른 국가산업단지, 일반산업단지, 도시첨단산업단지
④ 「택지개발촉진법」에 따른 택지개발지구
⑤ 「전원개발촉진법」에 따른 전원개발사업구역 및 예정구역(수력발전소 또는 송·변전설비만을 설치하기 위한 전원개발사업구역 및 예정구역을 제외한다)

(2) 농림지역 또는 자연환경보전지역으로 결정·고시된 것으로 보는 경우
① 관리지역안에서 「농지법」에 따른 농업진흥지역으로 지정·고시된 지역
 - 이 법에 따른 농림지역으로 지정·고시된 것으로 본다.
② 관리지역 안의 산림 중 「산지관리법」에 따른 보전산지로 지정·고시된 지역
 - 이 법에 따른 농림지역 또는 자연환경보전지역으로 결정·고시된 것으로 본다.

(3) 관계 행정기관장의 의무
관계 행정기관의 장은 위 규정에 의해 항만구역·어항구역·산업단지·택지개발지구·전원(電源)개발사업구역 및 예정구역·농업진흥지역 또는 보전산지를 지정한 경우에는 지형도면 또는 지형도에 그 지정사실을 표시하여 해당 지역을 관할하는 특별시장·광역시장·특별자치시장·특별자치도지사·시장 또는 군수에게 통보하여야 한다.

관계법 「산업입지 및 개발에 관한 법률」 제2조제8호

8. "산업단지"란 제7호의2에 따른 시설과 이와 관련된 교육·연구·업무·지원·정보처리·유통 시설 및 이들 시설의 기능 향상을 위하여 주거·문화·환경·공원녹지·의료·관광·체육·복지 시설 등을 집단적으로 설치하기 위하여 포괄적 계획에 따라 지정·개발되는 일단(一團)의 토지로서 다음 각 목의 것을 말한다.

 가. 국가산업단지: 국가기간산업, 첨단과학기술산업 등을 육성하거나 개발 촉진이 필요한 낙후지역이나 둘 이상의 특별시·광역시 또는 도에 걸쳐 있는 지역을 산업단지로 개발하기 위하여제6조에 따라 지정된 산업단지

 나. 일반산업단지: 산업의 적정한 지방 분산을 촉진하고 지역경제의 활성화를 위하여 제7조에 따라 지정된 산업단지

 다. 도시첨단산업단지: 지식산업·문화산업·정보통신산업, 그 밖의 첨단산업의 육성과 개발 촉진을 위하여 「국토의 계획 및 이용에 관한 법률」에 따른 도시지역에 제7조의2에 따라 지정된 산업단지

 라. 농공단지(農工團地): 대통령령으로 정하는 농어촌지역에 농어민의 소득 증대를 위한 산업을 유치·육성하기 위하여 제8조에 따라 지정된 산업단지

【6】용도지역의 환원

(1) 위 【5】의 (1)·(2)에 해당하는 구역·단지·지구 등이 해제되는 경우(개발사업의 완료로 해제되는 경우를 제외함) 이 법 또는 다른 법률에서 해당 구역 등이 어떤 용도지역에 해당되는 지를 따로 정하고 있지 아니한 때에는 이를 지정하기 이전의 용도지역으로 환원된 것으로 본다. 이 경우 지정권자는 용도지역이 환원된 사실을 고시하고, 해당 지역을 관할하는 특별시장·광역시장·특별자치시장·특별자치도지사·시장 또는 군수에게 통보하여야 한다.

(2) 위 (1)의 규정에 의하여 용도지역이 환원되는 당시 이미 사업 또는 공사에 착수한 자(이 법 또는 다른 법률에 의하여 허가·인가·승인 등을 얻어야 하는 경우에는 해당 허가·인가·승인 등을 얻어 사업 또는 공사에 착수한 자를 말함)는 해당 용도지역의 환원에 관계없이 그 사업 또는 공사를 계속할 수 있다.

② 용도지구의 지정 (법 제37조)

【1】정의

"용도지구"란 토지의 이용 및 건축물의 용도·건폐율·용적률·높이 등에 대한 용도지역의 제한을 강화 또는 완화하여 적용함으로써 용도지역의 기능을 증진시키고 경관·안전 등을 도모하기 위하여 도시·군관리계획으로 결정하는 지역을 말한다.

【2】지정 (영 제31조제1항)

국토교통부장관, 시·도지사 또는 대도시 시장은 다음의 용도지구의 지정 또는 변경을 도시·군관리계획으로 결정한다.

구 분	내 용
1. 경관지구	경관의 보전·관리 및 형성을 위하여 필요한 지구
2. 고도지구	쾌적한 환경조성 및 토지의 고도이용과 그 증진을 위하여 건축물의 높이의 최고한도를 규제할 필요가 있는 지구
3. 방화지구	화재의 위험을 예방하기 위하여 필요한 지구
4. 방재지구	풍수해, 산사태, 지반의 붕괴 그 밖에 재해를 예방하기 위하여 필요한 지구
5. 보호지구	문화재(→「국가유산기본법」에 따른 국가유산), 중요 시설물[항만, 공항, 공용시설(공공업무시설, 공공필요성이 인정되는 문화시설·집회시설·운동시설 및 그 밖에 이와 유사한 시설로서 도시·군계획조례로 정하는 시설을 말함), 교정시설·군사시설을 말한다] 및 문화적·생태적으로 보존가치가 큰 지역의 보호와 보존을 위하여 필요한 지구 <시행 2024.5.17.>
6. 취락지구	녹지지역·관리지역·농림지역·자연환경보전지역·개발제한구역 또는 도시자연공원구역안의 취락을 정비하기 위한 지구
7. 개발진흥지구	주거기능·상업기능·공업기능·유통물류기능·관광기능·휴양기능 등을 집중적으로 개발·정비할 필요가 있는 지구
8. 특정용도제한지구	주거 및 교육환경 보호 또는 청소년 보호 등의 목적으로 오염물질 배출시설, 청소년 유해시설 등 특정시설의 입지를 제한할 필요가 있는 지구
9. 복합용도지구	지역의 토지이용 상황, 개발 수요 및 주변 여건 등을 고려하여 효율적이고 복합적인 토지이용을 도모하기 위하여 특정시설의 입지를 완화할 필요가 있는 지구(일반주거지역, 일반공업지역, 계획관리지역에서 지정할 수 있음)

※ 경관지구(특화경관지구의 세분을 포함한다), 중요시설물보호지구, 특정용도제한지구는 세분하여 지정할 수 있다.

건축관계법
국토계획법
주차장법
주 택 법
도시및주거환경정비법
건축사법
장애인시설법
소방시설법
서울시조례

【3】 용도지구의 세분 (영 제31조제2항 ~ 제7항)

(1) 국토교통부장관, 시·도지사 또는 대도시 시장은 필요하다고 인정되면 도시·군관리계획 결정으로 경관지구 등을 다음과 같이 세분하여 지정할 수 있다.

구 분	용도지구의 세분	
	구 분	내 용
1. 경관지구	자연경관지구	산지, 구릉지 등 자연경관을 보호하거나 유지하기 위하여 필요한 지구
	시가지경관지구	지역 내 주거지, 중심지 등 시가지의 경관을 보호 또는 유지하거나형성하기 위하여 필요한 지구
	특화경관지구	지역 내 주요 수계의 수변 또는 문화적 보존가치가 큰 건축물 주변의 경관 등 특별한 경관을 보호 또는 유지하거나 형성하기 위하여 필요한 지구
2. 방재지구	시가지방재지구	건축물·인구가 밀집되어 있는 지역으로서 시설 개선 등을 통하여 재해 예방이 필요한 지구
	자연방재지구	토지의 이용도가 낮은 해안변, 하천변, 급경사지 주변 등의 지역으로서 건축 제한 등을 통하여 재해예방이 필요한 지구
3. 보호지구	역사문화환경보호지구	문화재·전통사찰 등 역사·문화적으로 보존가치가 큰 시설 및 지역의 보호 및 보존을 위하여 필요한 지구
	중요시설물보호지구	중요시설물의 보호와 기능의 유지 및 증진 등을 위하여 필요한 지구
	생태계보호지구	야생동식물서식처 등 생태적으로 보존가치가 큰 지역의 보호와 보존을 위하여 필요한 지구
4. 취락지구	자연취락지구	녹지지역·관리지역·농림지역 또는 자연환경보전지역안의 취락을 정비하기 위하여 필요한 지구
	집단취락지구	개발제한구역안의 취락을 정비하기 위하여 필요한 지구
5. 개발진흥지구	주거개발진흥지구	주거기능을 중심으로 개발·정비할 필요가 있는 지구
	산업·유통개발진흥지구	공업기능 및 유통·물류 기능을 중심으로 개발·정비할 필요가 있는 지구
	관광·휴양개발진흥지구	관광·휴양기능을 중심으로 개발·정비할 필요가 있는 지구
	복합개발진흥지구	주거, 산업, 유통, 관광·휴양 등 2이상의 기능을 중심으로 개발·정비할 필요가 있는 지구
	특정개발진흥지구	주거기능, 공업기능, 유통·물류기능 및 관광·휴양기능 외의 기능을 중심으로 특정한 목적을 위하여 개발·정비할 필요가 있는 지구

(2) 시·도지사 또는 대도시 시장은 지역여건상 필요하면 해당 시·도 또는 대도시의 도시·군계획 조례로 정하는 바에 따라 경관지구를 추가적으로 세분(특화경관지구의 세분을 포함)하거나 중요시설물보호지구 및 특정용도제한지구를 세분하여 지정할 수 있다.

(3) 시·도지사는 지역여건상 필요한 때에는 다음의 기준에 따라 해당 시·도 또는 대도시의 조례로 용도지구의 명칭 및 지정목적과 건축 그 밖의 행위의 금지 및 제한에 관한 사항 등을 정하여 상기 용도지구 외의 용도지구의 지정 또는 변경을 도시·군관리계획으로 결정할 수 있다.

① 용도지구의 신설은 법에서 정하고 있는 용도지역·용도구역·지구단위계획구역 또는 다른 법률에 따른 지역·지구만으로는 효율적인 토지이용을 달성할 수 없는 부득이한 사유가 있는 경우에 한할 것

② 용도지구 안에서의 행위제한은 그 용도지구의 지정목적 달성에 필요한 최소한도에 그치도록

할 것

③ 해당 용도지역 또는 용도구역의 행위제한을 완화하는 용도지구를 신설하지 아니할 것

(4) 시·도지사 또는 대도시 시장은 다음의 어느 하나에 해당하는 지역에 대해서는 방재지구의 지정 또는 변경을 도시·군관리계획으로 결정하여야 한다. 이 경우 도시·군관리계획의 내용에는 해당 방재지구의 재해저감대책을 포함하여야 한다.

① 연안침식으로 인하여 심각한 피해가 발생하거나 발생할 우려가 있어 이를 특별히 관리할 필요가 있는 지역으로서 「연안관리법」에 따른 연안침식관리구역으로 지정된 지역

② 풍수해, 산사태 등의 동일한 재해가 최근 10년 이내 2회 이상 발생하여 인명 피해를 입은 지역으로서 향후 동일한 재해 발생 시 상당한 피해가 우려되는 지역

(5) 시·도지사 또는 대도시 시장은 다음에 해당하는 지역에 복합용도지구를 지정할 수 있다.

① 일반주거지역

② 일반공업지역

③ 계획관리지역

(6) 시·도지사 또는 대도시 시장은 복합용도지구를 지정하는 경우에는 다음의 기준을 따라야 한다.

① 용도지역의 변경 시 기반시설이 부족해지는 등의 문제가 우려되어 해당 용도지역의 건축제한만을 완화하는 것이 적합한 경우에 지정할 것

② 간선도로의 교차지(交叉地), 대중교통의 결절지(結節地) 등 토지이용 및 교통 여건의 변화가 큰 지역 또는 용도지역 간의 경계지역, 가로변 등 토지를 효율적으로 활용할 필요가 있는 지역에 지정할 것

③ 용도지역의 지정목적이 크게 저해되지 아니하도록 해당 용도지역 전체 면적의 1/3 이하의 범위에서 지정할 것

④ 그 밖에 해당 지역의 체계적·계획적인 개발 및 관리를 위하여 지정 대상지가 국토교통부장관이 정하여 고시하는 기준에 적합할 것

■ 용도지구 주요 변경사항

종전의 미관지구 ➡	경관지구
1. 중심지미관지구	1. 시가지경관지구
2. 일반미관지구	
3. 역사문화미관지구	2. 특화경관지구
종전의 보존지구 ➡	보호지구
1. 역사문화환경보존지구	1. 역사문화환경보호지구
2. 중요시설물보존지구	2. 중요시설물보호지구
3. 생태계보존지구	3. 생태계보호지구
종전의 시설보호지구 ➡	중요시설물보호지구 및 특정용도제한지구
1. 공용시설보호지구	
2. 항만시설보호지구	1. 중요시설물보호지구
3. 공항시설보호지구	
4. 학교시설보호지구	2. 특정용도제한지구
※ 신설 ☞	복합용도지구

건축관계법

국토계획법

주차장법

주 택 법

도시및주거
환경정비법

건축사법

장애인시설법

소방시설법

서울시조례

③ **용도구역의 지정** (법 제38조 ~ 제40조의2)

【1】정의

　"용도구역"은 토지의 이용 및 건축물의 용도·건폐율·용적률·높이 등에 대한 용도지역 및 용도지구의 제한을 강화하거나 완화하여 따로 정함으로써 시가지의 무질서한 확산방지, 계획적이고 단계적인 토지이용의 도모, 토지이용의 종합적 조정·관리 등을 위하여 도시·군관리계획으로 결정하는 지역을 말한다.

【2】개발제한구역 (법 제38조)

　(1) 개발제한구역의 지정
　　국토교통부장관은 개발제한구역의 지정 또는 변경을 도시·군관리계획으로 결정할 수 있다.

　(2) 지정목적
　　① 도시의 무질서한 확산을 방지하고 도시주변의 자연환경을 보전하여 도시민의 건전한 생활
　　　환경을 확보하기 위하여 도시의 개발을 제한할 필요가 있는 경우
　　② 국방부장관의 요청이 있어 보안상 도시의 개발을 제한할 필요가 있다고 인정되는 경우

【3】도시자연공원구역 (법 제38조의2)

　(1) 도시자연공원구역의 지정
　　시·도지사 또는 대도시 시장은 도시자연공원구역의 지정 또는 변경을 도시·군관리계획으로 결정할 수 있다.

　(2) 지정목적
　　① 도시의 자연환경 및 경관을 보호
　　② 도시민에게 건전한 여가·휴식공간을 제공
　　③ 도시지역안의 식생이 양호한 산지의 개발을 제한할 필요가 있다고 인정하는 경우

　(3) 도시자연공원구역의 지정 또는 변경에 관하여 필요한 사항 및 도지자연공원구역 안에서의 행위제한 등 도시자연공원구역의 관리에 관하여 필요한 사항은 「도시공원 및 녹지 등에 관한 법률」에 따른다.

【4】시가화조정구역 (법 제39조)

　(1) 시가화조정구역의 지정
　　시·도지사가 직접 또는 관계 행정기관장의 요청을 받아 도시·군관리계획으로 결정할 수 있다.
　　예외 국가계획과 연계하여 시가화조정구역의 지정 또는 변경이 필요한 경우 국토교통부장관이 직접 시가화조정구역의 지정 또는 변경을 도시·군관리계획으로 결정할 수 있다.

　(2) 지정목적
　　① 도시의 무질서한 시가화 방지
　　② 도시의 계획적·단계적인 개발도모
　　③ 일정기간 동안 시가화를 유보할 필요가 있다고 인정되는 경우

　(3) 시가화유보기간 : 시가화조정구역을 지정 또는 변경하고자 하는 때는 해당 도시지역과 그 주변지역의 인구의 동태·토지의 이용상황 및 산업발전상황 등을 고려하여 5년 이상 20년 이내의 범위 안에서 도시·군관리계획으로 정한다.

　(4) 지정효력의 상실 : 시가화조정구역의 지정에 관한 도시·군관리계획의 결정은 시가화유보기간

이 만료된 날의 다음날로부터 효력을 상실하며 국토교통부장관 또는 시·도지사는 다음과 같이 실효고시하여야 한다.

실효고시 의무자	게재방법	고시 내용
1. 국토교통부장관	국토교통부 ·인터넷 홈페이지	① 실효일자 ② 실효사유 ③ 실효된 도시·군관리계획의 내용
2. 시·도지사	해당 시·도 ·공보 ·인터넷 홈페이지	

【5】 수산자원보호구역 (법
제40조)

해양수산부장관은 직접 또는 관계 행정기관의 장의 요청을 받아 수산자원을 보호·육성하기 위하여 필요한 공유수면이나 그에 인접한 토지에 대한 수산자원보호구역의 지정 또는 변경을 도시·군관리계획으로 결정할 수 있다.

【6】 입지규제최소구역 (법
제40조의2)(법
제80조의3)

(1) 도시·군관리계획의 결정권자는 도시지역에서 복합적인 토지이용을 증진시켜 도시 정비를 촉진하고 지역 거점을 육성할 필요가 있다고 인정되면 다음 각각의 어느 하나에 해당하는 지역과 그 주변지역의 전부 또는 일부를 입지규제최소구역으로 지정할 수 있다.

■ 입지규제최소구역 지정 대상
1. 도시·군기본계획에 따른 도심·부도심 또는 생활권의 중심지역
2. 철도역사, 터미널, 항만, 공공청사, 문화시설 등의 기반시설 중 지역의 거점 역할을 수행하는 시설을 중심으로 주변지역을 집중적으로 정비할 필요가 있는 지역
3. 세 개 이상의 노선이 교차하는 대중교통 결절지로부터 1㎞ 이내에 위치한 지역
4. 「도시 및 주거환경정비법」에 따른 노후·불량건축물이 밀집한 주거지역 또는 공업지역으로 정비가 시급한 지역
5. 「도시재생 활성화 및 지원에 관한 특별법」에 따른 도시재생활성화지역 중 도시경제기반형 활성화계획을 수립하는 지역
6. 그 밖에 창의적인 지역개발이 필요한 지역으로 다음의 지역 ① 「산업입지 및 개발에 관한 법률」에 따른 도시첨단산업단지 ② 「빈집 및 소규모주택 정비에 관한 특례법」에 따른 소규모주택정비사업의 시행구역 ③ 「도시재생 활성화 및 지원에 관한 특별법」에 따른 근린재생형 활성화계획을 수립하는 지역

> **관계법** 「도시재생 활성화 및 지원에 관한 특별법」 제2조 【용어】
> ① 이 법에서 사용하는 용어의 뜻은 다음과 같다. <개정 2020.1.29., 2021.7.20.>
> 1.~4. <생략>
> 5. "도시재생활성화지역"이란 국가와 지방자치단체의 자원과 역량을 집중함으로써 도시재생을 위한 사업의 효과를 극대화하려는 전략적 대상지역으로 그 지정 및 해제를 도시재생전략계획으로 결정하는 지역을 말한다.
> 6. "도시재생활성화계획"이란 도시재생전략계획에 부합하도록 도시재생활성화지역에 대하여 국가, 지방자치단체, 공공기관 및 지역주민 등이 지역발전과 도시재생을 위하여 추진하는 다양한 도시재생사업을 연계하여 종합적으로 수립하는 실행계획을 말하며, 주요 목적 및 성격에 따라 다음 각 목의 유형으로 구분한다.

> 가. 도시경제기반형 활성화계획: 산업단지, 항만, 공항, 철도, 일반국도, 하천 등 국가의 핵심
> 적인 기능을 담당하는 도시·군계획시설의 정비 및 개발과 연계하여 도시에 새로운 기능을
> 부여하고 고용기반을 창출하기 위한 도시재생활성화계획
> 나. 근린재생형 활성화계획: 생활권 단위의 생활환경 개선, 기초생활인프라 확충, 공동체 활성
> 화, 골목경제 살리기 등을 위한 도시재생활성화계획
> 6의2. "도시재생혁신지구"(이하 "혁신지구"라 한다)란 도시재생을 촉진하기 위하여 산업·상업·
> 주거·복지·행정 등의 기능이 집적된 지역 거점을 우선적으로 조성할 필요가 있는 지역으로
> 이 법에 따라 지정·고시되는 지구를 말한다.
> 6의3. "주거재생혁신지구"란 혁신지구 중 다음 각 목의 요건을 모두 갖춘 지구를 말한다.
> 가. 빈집, 노후·불량건축물 등이 밀집하여 주거환경 개선이 시급한 지역으로서 대통령령으로 정
> 하는 지역일 것
> 나. 신규 주택공급이 필요한 지역으로서 지구의 면적이 대통령령으로 정하는 면적 이내일 것

(2) 입지규제최소구역계획에는 입지규제최소구역의 지정 목적을 이루기 위하여 다음 사항이 포함되
어야 한다.

■ 입지규제최소구역계획의 포함 사항
1. 건축물의 용도·종류 및 규모 등에 관한 사항
2. 건축물의 건폐율·용적률·높이에 관한 사항
3. 간선도로 등 주요 기반시설의 확보에 관한 사항
4. 용도지역·용도지구, 도시·군계획시설 및 지구단위계획의 결정에 관한 사항
5. 「주택법」 등 다른 법률 규정 적용의 완화 또는 배제에 관한 사항
6. 그 밖에 입지규제최소구역의 체계적 개발과 관리에 필요한 사항

(3) 위 (1)에 따른 입지규제최소구역의 지정 및 변경과 위 (2)에 따른 입지규제최소구역계획은 다음
의 사항을 종합적으로 고려하여 도시·군관리계획으로 결정한다.

■ 입지규제최소구역의 지정, 변경 및 입지규제최소구역계획 결정시 종합적으로 고려할 사항
1. 입지규제최소구역의 지정 목적
2. 해당 지역의 용도지역·기반시설 등 토지이용 현황
3. 도시·군기본계획과의 부합성
4. 주변 지역의 기반시설, 경관, 환경 등에 미치는 영향 및 도시환경 개선·정비 효과
5. 도시의 개발 수요 및 지역에 미치는 사회적·경제적 파급효과

(4) 입지규제최소구역계획 수립 시 용도, 건폐율, 용적률 등의 건축제한 완화는 기반시설의 확보 현
황 등을 고려하여 적용할 수 있도록 계획하고, 시·도지사, 시장, 군수 또는 구청장은 입지규제최
소구역에서의 개발사업 또는 개발행위에 대하여 입지규제최소구역계획에 따른 기반시설 확보를
위하여 필요한 부지 또는 설치비용의 전부 또는 일부를 부담시킬 수 있다. 이 경우 기반시설의
부지 또는 설치비용의 부담은 건축제한의 완화에 따른 토지가치상승분(「감정평가 및 감정평
가사에 관한 법률」에 따른 감정평가법인등이 건축제한 완화 전·후에 대하여 각각 감정평가한
토지가액의 차이)을 초과하지 않도록 한다.

(5) 도시·군관리계획 결정권자가 위 (3)에 따른 도시·군관리계획을 결정하기 위하여 관계 행정기관의

장과 협의하는 경우 협의 요청을 받은 기관의 장은 그 요청을 받은 날부터 10일(근무일 기준) 이내에 의견을 회신하여야 한다.

(6) 다른 법률에서 도시·군관리계획의 결정을 의제하고 있는 경우에도 이 법에 따르지 아니하고 입지규제최소구역의 지정과 입지규제최소구역계획을 결정할 수 없다.

(7) 입지규제최소구역계획의 수립기준 등 입지규제최소구역의 지정 및 변경과 입지규제최소구역계획의 수립 및 변경에 관한 세부적인 사항은 국토교통부장관이 정하여 고시한다.

【참고】입지규제최소구역 지정 등에 관한 지침(국토교통부고시 제2020-712호, 2020.10.6.)

(8) 입지규제최소구역에서의 행위 제한은 용도지역 및 용도지구에서의 토지의 이용 및 건축물의 용도·건폐율·용적률·높이 등에 대한 제한을 강화하거나 완화하여 따로 입지규제최소구역계획으로 정한다.

【7】 공유수면매립지에 관한 용도지역의 지정 (법 제41조)

(1) 공유수면(바다만 해당)의 매립 목적이 그 매립구역과 이웃하고 있는 용도지역의 내용과 같으면 도시·군관리계획의 입안 및 결정 절차 없이 그 매립준공구역은 그 매립의 준공인가일부터 이와 이웃하고 있는 용도지역으로 지정된 것으로 본다.

(2) 용도지역으로 지정된 경우 관계 특별시장·광역시장·특별자치시장·특별자치도지사·시장 또는 군수는 그 사실을 지체 없이 해당 시·도의 공보와 인터넷 홈페이지에 게재하는 방법으로 고시하여야 한다.

(3) 공유수면의 매립 목적이 그 매립구역과 이웃하고 있는 용도지역의 내용과 다른 경우 및 그 매립구역이 둘 이상의 용도지역에 걸쳐 있거나 이웃하고 있는 경우 그 매립구역이 속할 용도지역은 도시·군관리계획결정으로 지정하여야 한다.

(4) 관계 행정기관의 장은 「공유수면 관리 및 매립에 관한 법률」 에 따른 공유수면 매립의 준공검사를 하면 다음의 서류를 갖추어 지체 없이 관계 특별시장·광역시장·특별자치시장·특별자치도지사·시장 또는 군수(광역시 관할구역 안의 군수 제외)에게 통보하여야 한다.

■ 준공인가의 통보시 제출서류
1. 공유수면매립준공인가통보서(별지 제1호서식)
2. 공유수면매립의 준공인가구역의 범위 및 면적을 표시한 축척1/25,000 이상의 지형도

건축관계법

국토계획법

주차장법

주 택 법

도시및주거
환경정비법

건축사법

장애인시설법

소방시설법

서울시조례

3 도시·군계획시설

① 도시·군계획시설의 설치·관리 (법 제43조)(영 제35조)(규칙 제6조)

건축관계법

【1】기반시설의 설치

지상·수상·공중·수중 및 지하에 기반시설을 설치하고자 하는 때에는 그 시설의 종류·명칭·위치·규모 등을 미리 도시·군관리계획으로 결정하여야 한다.

국토계획법

예외 도시·군관리계획으로 결정없이도 설치할 수 있는 시설

① 도시지역 또는 지구단위계획구역에서 다음의 기반시설을 설치하고자 하는 경우

1. 주차장, 차량검사 및 면허시설, 공공공지, 열공급설비, 방송·통신시설, 시장·공공청사·문화시설·공공필요성이 인정되는 체육시설·연구시설·사회복지시설·공공직업훈련시설·청소년수련시설·저수지·방화설비·방풍설비·방수설비·사방설비·방조설비·장사시설·종합의료시설·빗물저장 및 이용시설·폐차장

주차장법

2. 「도시공원 및 녹지 등에 관한 법률」의 규정에 의하여 점용허가 대상이 되는 공원안의 기반시설

3. 공항 중 「항공시설법 시행령」에 따른 도심공항터미널

4. 여객자동차터미널 중 전세버스운송사업용 여객자동차터미널

5. 광장 중 건축물부설광장

주 택 법

6. 전기공급설비(발전시설, 옥외에 설치하는 변전시설 및 지상에 설치하는 전압 154,000V 이상의 송전선로 제외)

7. 「신에너지 및 재생에너지 개발·이용·보급촉진법」에 따른 신·재생에너지 설비로서 다음에 해당하는 설비
① 「신에너지 및 재생에너지 개발·이용·보급 촉진법 시행규칙」에 따른 연료전지 설비 및 태양에너지 설비
② 「신에너지 및 재생에너지 개발·이용·보급 촉진법 시행규칙」에 해당하는 설비로서 발전용량이 200KW 이하인 설비(전용주거지역 및 일반주거지역 외의 지역에 설치하는 경우로 한정)

도시및주거
환경정비법

8. 다음의 가스공급설비
① 「액화석유가스의 안전관리 및 사업법」에 따라 액화석유가스충전사업의 허가를 받은 자가 설치하는 액화석유가스 충전시설
② 「도시가스사업법」에 따른 자가소비용직수입자나 도시가스사업의 허가를 받은 자 또는 가스공급시설설치자가 설치하는 가스 공급시설
③ 「환경친화적 자동차의 개발 및 보급 촉진에 관한 법률」에 따른 수소연료공급시설
④ 「고압가스 안전관리법」에 따른 저장소로서 자기가 직접 다음의 어느 하나의 용도로 소비할 목적으로 고압가스를 저장하는 저장소

건축사법

　ㄱ 발전용: 전기(電氣)를 생산하는 용도

장애인시설법

　ㄴ 산업용: 제조업의 제조공정용 원료 또는 연료(제조부대시설의 운영에 필요한 연료를 포함한다)로 사용하는 용도

　ㄷ 열병합용: 전기와 열을 함께 생산하는 용도

　ㄹ 열 전용(專用) 설비용: 열만을 생산하는 용도

소방시설법

9. 수도공급설비 중 마을상수도(「수도법」제3조제9호)

10. 유류저장 및 송유설비 중 「위험물 안전관리법」에 따른 제조소 등의 설치허가를 받은 자가 「위험물 안전관리법 시행령」에 따른 인화성액체 중 유류를 저장하기 위하여 설치하는 유류저장시설

서울시조례

11. 다음의 학교
① 유치원(「유아교육법」제2조제2호)
② 특수학교(「장애인 등에 대한 특수교육법」제2조제10호)
③ 대안학교(「초·중등교육법」제60조의3)
④ 방송대학·통신대학 및 방송통신대학(「고등교육법」제2조제5호)

12. 다음의 도축장
   ① 대지면적이 500㎡ 미만인 도축장
   ② 산업단지* 내에 설치하는 도축장(*「산업입지 및 개발에 관한 법률」제2조제8호)
13. 폐기물처리시설 및 재활용시설 중 재활용시설
14. 수질오염방지시설 중 한국광해관리공단[*1]이 광해방지사업[*2]의 일환으로 폐광의 폐수를 처리하기 위하여 설치하는 시설(「건축법」에 따른 건축허가를 받아 건축하여야 하는 시설은 제외)
   (*1「광산피해의 방지 및 복구에 관한 법률」제31조, *2 같은 법 제11조)

② 도시지역 및 지구단위계획구역외의 지역에서 다음의 기반시설을 설치하고자 하는 경우
   1. 위 ①의 1., 2.의 기반시설
   2. 궤도 및 전기공급설비
   3. 자동차정류장
   4. 광장
   5. 유류저장 및 송유설비
   6. 위 ①의 3., 8., 9., 11.~14.까지의 시설

【2】도시·군계획시설의 결정·구조 및 설치의 기준 등

① 도시·군계획시설의 결정·구조 및 설치의 기준 등에 필요한 사항은 국토교통부령*으로 정한다.
② 세부사항은 국토교통부령*으로 정하는 범위에서 시·도의 조례로 정할 수 있다.
*「도시·군계획시설의 결정·구조 및 설치기준에 관한 규칙」
예외 다른 법률에 특별한 규정이 있는 경우에는 그 법률에 따른다.

【3】도시·군계획시설의 관리

설치한 도시·군계획시설의 관리에 관하여 이 법 또는 다른 법률에 특별한 규정이 있는 경우를 제외하고는
① 국가가 관리하는 경우:「국유재산법」에 따른 중앙관서의 장이 관리하고,
② 지방자치단체가 관리하는 경우: 해당 지방자치단체의 조례로 도시·군계획시설의 관리에 관한 사항을 정한다.

② 공동구의 설치·관리 (법 제44조)

【1】공동구의 설치 (법 제44조)(영 제35조의2~제36조, 제38조)

(1) 다음에 해당하는 지역·지구·구역 등(이하 "지역 등"이라 함)이 200만㎡를 초과하는 경우에는 해당 지역 등에서 개발사업을 시행하는 사업시행자는 공동구를 설치하여야 한다.

대상 지역 등	관련 법령
1. 도시개발구역	「도시개발법」제2조제1항
2. 택지개발지구	「택지개발촉진법」제2조제3호
3. 경제자유구역	「경제자유구역의 지정 및 운영에 관한 특별법」제2조제1호
4. 정비구역	「도시 및 주거환경정비법」제2조제1호
5. 공공주택지구	「공공주택 특별법」제2조제2호
6. 도청이전신도시	「도청이전을 위한 도시건설 및 지원에 관한 특별법」제2조제3호

건축관계법

국토계획법

주차장법

주 택 법

도시및주거
환경정비법

건축사법

장애인시설법

소방시설법

서울시조례

(2) 공동구 설치의 타당성 검토

① 도로 관리청은 지하매설물의 빈번한 설치 및 유지관리 등의 행위로 인하여 도로구조의 보전과 안전하고 원활한 도로교통의 확보에 지장을 초래하는 경우 공동구 설치의 타당성을 검토해야 한다.

② 이 경우 재정여건 및 설치 우선순위 등을 고려하여 단계적으로 공동구가 설치될 수 있도록 해야 한다.

(3) 공동구가 설치된 경우 공동구에 수용하여야 할 다음의 시설이 모두 수용되도록 해야 한다.

① 전선로	② 통신선로	③ 수도관
④ 열수송관	⑤ 중수도관	⑥ 쓰레기수송관
⑦ 가스관	⑧ 하수도관, 그 밖의 시설	

※ ①~⑥의 시설은 공동구에 수용하여야 하며,
  ⑦, ⑧의 시설은 공동구협의회의 심의[아래 【3】-(5) 참조]를 거쳐 수용할 수 있다.

(4) 공동구의 설치에 대한 의견 청취

① 개발사업의 시행자는 공동구를 설치하기 전에 다음의 사항을 정하여 공동구에 수용되어야 할 시설을 설치하기 위하여 공동구를 점용하려는 자(이하 "공동구 점용예정자"라 함)에게 미리 통지하여야 한다.

1. 공동구의 위치

2. 공동구의 구조

3. 공동구 점용예정자의 명세

4. 공동구 점용예정자별 점용예정부문의 개요

5. 공동구의 설치에 필요한 비용과 그 비용의 분담에 관한 사항

6. 공사 착수 예정일 및 공사 준공 예정일

② 위 ①에 따라 공동구의 설치에 관한 통지를 받은 공동구 점용예정자는 사업시행자가 정한 기한까지 해당 시설을 개별적으로 매설할 때 필요한 비용 등을 포함한 의견서를 제출해야 한다.

③ 사업시행자가 위 ②의 의견서를 받은 때에는 공동구의 설치계획 등에 대하여 공동구협의회의 심의를 거쳐 그 결과를 개발사업의 실시계획인가(실시계획승인, 사업시행인가 및 지구계획승인을 포함) 신청서에 반영해야 한다.

(5) 위 (1)에 따른 개발사업의 계획을 수립할 경우 공동구 설치에 관한 계획을 포함해야 한다. 이 경우 위 (3)에 따라 공동구에 수용되어야 할 시설을 설치하고자 공동구를 점용하려는 공동구 점용예정자와 설치 노선 및 규모 등에 관하여 미리 협의한 후 공동구협의회의 심의를 거쳐야 한다.

【2】 공동구의 설치비용 등 (영 제38조)

(1) 공동구의 설치(개량하는 경우 포함)에 필요한 비용은 이 법 또는 다른 법률에 특별한 규정이 있는 경우를 제외하고는 공동구 점용예정자와 사업시행자가 부담한다.

■ 공동구 설치에 필요한 비용
1. 설치공사의 비용
2. 내부공사의 비용
3. 설치를 위한 측량·설계비용
4. 공동구의 설치로 인하여 보상의 필요가 있는 때에는 그 보상비용

5. 공동구부대시설의 설치비용

6. 아래 (4)에 따른 융자금이 있는 경우 그 이자에 해당하는 금액

※ 아래 (4)에 따른 보조금이 있는 때에는 그 보조금의 금액을 위 비용에서 공제해야 한다.

(2) 공동구 점용예정자가 부담하여야 하는 공동구 설치비용

공동구 점용예정자가 부담하여야 하는 공동구 설치비용은 해당 시설을 개별적으로 매설할 때 필요한 비용으로 하되, 특별시장·광역시장·특별자치장·특별자치도지사·시장 또는 군수(이하 행정청인 "공동구관리자")가 공동구협의회의 심의를 거쳐 해당 공동구의 위치, 규모 및 주변 여건 등을 고려하여 정한다.

(3) 공동구 설치비용의 납부

① 사업시행자는 공동구의 설치가 포함되는 개발사업의 실시계획인가 등이 있은 후 지체 없이 공동구 점용예정자에게 (1),(2)에 따라 산정된 부담금의 납부를 통지하여야 한다.

② 위 ①에 따른 부담금의 납부통지를 받은 공동구 점용예정자는 공동구설치공사가 착수되기 전에 부담액의 1/3 이상을 납부하여야 하며, 그 나머지 금액은 점용공사기간 만료일(만료일전에 공사가 완료된 경우 그 공사의 완료일)전까지 납부하여야 한다.

(4) 설치비용의 보조, 융자

① 공동구 점용예정자와 사업시행자가 공동구 설치비용을 부담하는 경우 국가, 특별시장·광역시장·특별자치장·특별자치도지사·시장 또는 군수는 공동구의 원활한 설치를 위하여 그 비용의 일부를 보조 또는 융자할 수 있다.

(5) 위 【2】 (3)에 따라 공동구에 수용되어야 하는 시설물의 설치기준 등은 다른 법률에 특별한 규정이 있는 경우를 제외하고는 국토교통부장관이 정한다.

【3】 공동구에의 수용 (영 제37조)

(1) 사업시행자는 공동구의 설치공사를 완료한 때에는 지체 없이 다음의 사항을 공동구 점용예정자에게 개별적으로 통지하여야 한다.

① 공동구에 수용될 시설의 점용공사 기간

② 공동구 설치위치 및 설계도면

③ 공동구에 수용할 수 있는 시설의 종류

④ 공동구 점용공사 시 고려할 사항

(2) 공동구 점용예정자는 위 (1)-①에 따른 점용공사 기간 내에 공동구에 수용될 시설을 공동구에 수용해야 한다.

예외 기간 내에 점용공사를 완료하지 못하는 특별한 사정이 있어서 미리 사업시행자와 협의한 경우

(3) 공동구 점용예정자는 공동구에 수용될 시설을 공동구에 수용함으로써 용도가 폐지된 종래의 시설은 사업시행자가 지정하는 기간 내에 철거해야 하고, 도로는 원상회복해야 한다.

【4】 공동구의 관리·운영 등 (법 제44조의2)(영 제39조 ~ 제39조의2조)

(1) 공동구는 특별시장·광역시장·특별자치시장·특별자치도지사·시장 또는 군수(이하 "공동구관리자)가 관리한다.

예외 공동구의 효율적인 관리·운영을 위하여 필요하다고 인정하는 경우 다음 기관에 그 관리·운영을 위탁할 수 있다.

건축관계법
국토계획법
주차장법
주 택 법
도시및주거
환경정비법
건축사법
장애인시설법
소방시설법
서울시조례

대상 기관	관련 법령
1. 지방공사 또는 지방공단	「지방공기업법」 제49조 또는 제76조
2. 국토안전관리원	「국토안전관리원법」
3. 공동구의 관리·운영에 전문성을 갖춘 기관으로서 특별시·광역시·특별자치시·특별자치도·시 또는 군의 도시·군계획조례로 정하는 기관	

(2) 공동구의 안전 및 유지관리계획

① 공동구의 안전 및 유지관리계획에는 다음의 사항이 모두 포함되어야 한다.

> 1. 공동구의 안전 및 유지관리를 위한 조직·인원 및 장비의 확보에 관한 사항
> 2. 긴급상황 발생 시 조치체계에 관한 사항
> 3. 안전점검 또는 정밀안전진단의 실시계획에 관한 사항
> 4. 해당 공동구의 설계, 시공, 감리 및 유지관리 등에 관련된 설계도서의 수집·보관에 관한 사항
> 5. 그 밖에 공동구의 안전 및 유지관리에 필요한 사항

② 공동구관리자는 5년마다 해당 공동구의 안전 및 유지관리계획을 수립·시행하여야 한다.

③ 공동구관리자가 공동구의 안전 및 유지관리계획을 수립하거나 변경하려면 미리 관계 행정기관의 장과 협의한 후 공동구협의회의 심의를 거쳐야 한다.

④ 공동구관리자가 공동구의 안전 및 유지관리계획을 수립하거나 변경한 경우 관계 행정기관의 장에게 관계 서류를 송부하여야 한다.

(3) 공동구의 안전점검 및 정밀안전점검

① 공동구관리자는 1년에 1회 이상 공동구의 안전점검을 실시하여야 한다.

② 안전점검결과 이상이 있다고 인정되는 때에는 지체 없이 정밀안전진단·보수·보강 등 필요한 조치를 하여야 한다.

③ 공동구관리자는 「시설물의 안전 및 유지관리에 관한 특별법」에 따른 안전점검 및 정밀안전진단을 실시하여야 한다.

(4) 공동구협의회의 구성 및 운영 등

공동구관리자는 공동구의 설치·관리에 관한 주요 사항의 심의 또는 자문을 하게 하기 위하여 공동구협의회를 둘 수 있다.

① 공동구협의회가 심의하거나 자문에 응하는 사항

> 1. 공동구 설치 계획 등에 관한 사항의 심의
> 2. 공동구 설치비용 및 관리비용의 분담 등에 관한 사항의 심의
> 3. 공동구의 안전 및 유지관리계획 등에 관한 사항의 심의
> 4. 공동구 점용·사용의 허가 및 비용부담 등에 관한 사항의 심의
> 5. 그 밖에 공동구 설치·관리에 관한 사항의 심의 또는 자문

② 공동구협의회의 구성

  ㉠ 위원장 및 부위원장 각 1명을 포함한 10명 이상 20명 이하의 위원

  ㉡ 공동구협의회의 위원장은 특별시·광역시·특별자치시·특별자치도·시 또는 군의 부시장·부지사 또는 부군수가 되며, 부위원장은 위원 중에서 호선

  예외 둘 이상의 특별시·광역시·특별자치시·특별자치도·시 또는 군에 공동으로 설치하는 공동

건축관계법

국토계획법

주차장법

주택법

도시및주거환경정비법

건축사법

장애인시설법

소방시설법

서울시조례

구협의회의 위원장은 해당 특별시장·광역시장·특별자치시장·특별자치도지사·시장 또는 군수가 협의하여 정한다.

ⓒ 공동구협의회의 위원은 다음에 해당하는 사람 중에서 특별시장·광역시장·특별자치시장·특별자치도지사·시장 또는 군수가 임명하거나 위촉하되, 둘 이상의 특별시·광역시·특별자치시·특별자치도·시 또는 군에 공동으로 설치하는 공동구협의회의 위원은 해당 특별시장·광역시장·특별자치시장·특별자치도지사·시장 또는 군수가 협의하여 임명하거나 위촉한다. 이 경우 아래 5.에 해당하는 위원의 수는 전체 위원의 1/2 이상이어야 한다.

1. 해당 지방자치단체의 공무원
2. 관할 소방관서의 공무원
3. 사업시행자의 소속 직원
4. 공동구 점용예정자의 소속 직원
5. 공동구의 구조안전 또는 방재업무에 관한 학식과 경험이 있는 사람

ⓓ 위 표의 5.에 해당하는 위원의 임기는 2년으로 한다.

예외 위원의 사임 등으로 인하여 새로 위촉된 위원의 임기는 전임 위원 임기의 남은 기간으로 함

③ 위 ②에서 규정한 사항 외에 공동구협의회의 구성·운영에 필요한 사항은 특별시·광역시·특별자치시·특별자치도·시 또는 군의 도시·군계획조례로 정한다.

④ 국토교통부장관은 공동구의 관리에 필요한 사항을 정할 수 있다.

【참고】공동구 설치 및 관리지침(국토교통부훈령 제1608호, 2023.4.4.)

【5】 공동구의 관리비용 등 $\left(\substack{법\\제44조의3}\right)\left(\substack{영\\제39조의3}\right)$

① 공동구의 관리에 소요되는 비용은 그 공동구를 점용하는 자가 함께 부담하되, 부담비율은 점용면적을 고려하여 공동구관리자가 정한다.

② 공동구관리자는 공동구의 관리에 드는 비용을 연 2회로 분할하여 납부하게 하여야 한다.

③ 공동구 설치비용을 부담하지 아니한 자(부담액을 완납하지 않은 자 포함)가 공동구를 점용하거나 사용하려면 그 공동구를 관리하는 공동구관리자의 허가를 받아야 한다.

④ 공동구를 점용하거나 사용하는 자는 그 공동구를 관리하는 특별시·광역시·특별자치시·특별자치도·시 또는 군의 조례로 정하는 바에 따라 점용료 또는 사용료를 납부하여야 한다.

관계법 「시설물의 안전 및 유지관리에 관한 특별법」

제11조【안전점검의 실시】

① 관리주체는 소관 시설물의 안전과 기능을 유지하기 위하여 정기적으로 안전점검을 실시하여야 한다. 다만, 제6조제1항 단서에 해당하는 시설물의 경우에는 시장·군수·구청장이 안전점검을 실시하여야 한다.

② 관리주체는 시설물의 하자담보책임기간(동일한 시설물의 각 부분별 하자담보책임기간이 다른 경우에는 시설물의 부분 중 대통령령으로 정하는 주요 부분의 하자담보책임기간을 말한다)이 끝나기 전에 마지막으로 실시하는 정밀안전점검의 경우에는 안전진단전문기관이나 국토안전관리원에 의뢰하여 실시하여야 한다. <개정 2020. 6. 9.>

③ 민간관리주체가 어음·수표의 지급불능으로 인한 부도(不渡) 등 부득이한 사유로 인하여 안전점검을 실시하지 못하게 될 때에는 관할 시장·군수·구청장이 민간관리주체를 대신하여 안전점검을 실시할 수 있다. 이 경우 안전점검에 드는 비용은 그 민간관리주체에게 부담하게 할 수 있다.

④ 제3항에 따라 시장·군수·구청장이 안전점검을 대신 실시한 후 민간관리주체에게 비용을 청

건축관계법

국토계획법

주차장법

주 택 법

도시및주거
환경정비법

건축사법

장애인시설법

소방시설법

서울시조례

건축관계법

국토계획법

주차장법

주 택 법

도시및주거
환경정비법

건축사법

장애인시설법

소방시설법

서울시조례

구하는 경우에 해당 민간관리주체가 그에 따르지 아니하면 시장·군수·구청장은 지방세 체납처분의 예에 따라 징수할 수 있다.

⑤ 시설물의 종류에 따른 안전점검의 수준, 안전점검의 실시시기, 안전점검의 실시 절차 및 방법, 안전점검을 실시할 수 있는 자의 자격 등 안전점검 실시에 필요한 사항은 대통령령으로 정한다.

제12조 【정밀안전진단의 실시】

① 관리주체는 제1종시설물에 대하여 정기적으로 정밀안전진단을 실시하여야 한다.

② 관리주체는 제11조에 따른 안전점검 또는 제13조에 따른 긴급안전점검을 실시한 결과 재해 및 재난을 예방하기 위하여 필요하다고 인정되는 경우에는 정밀안전진단을 실시하여야 한다. 이 경우 제13조제7항 및 제17조제4항에 따른 결과보고서 제출일부터 1년 이내에 정밀안전진단을 착수하여야 한다.

③ 관리주체는 「지진·화산재해대책법」 제14조제1항에 따른 내진설계 대상 시설물 중 내진성능평가를 받지 않은 시설물에 대하여 정밀안전진단을 실시하는 경우에는 해당 시설물에 대한 내진성능평가를 포함하여 실시하여야 한다.

④ 국토교통부장관은 내진성능평가가 포함된 정밀안전진단의 실시결과를 제18조에 따라 평가한 결과 내진성능의 보강이 필요하다고 인정되면 내진성능을 보강하도록 권고할 수 있다.

⑤ 정밀안전진단의 실시시기, 정밀안전진단의 실시 절차 및 방법, 정밀안전진단을 실시할 수 있는 자의 자격 등 정밀안전진단 실시에 필요한 사항은 대통령령으로 정한다.

제13조 【긴급안전점검의 실시】

① 관리주체는 시설물의 붕괴·전도 등이 발생할 위험이 있다고 판단하는 경우 긴급안전점검을 실시하여야 한다.

② 국토교통부장관 및 관계 행정기관의 장은 시설물의 구조상 공중의 안전한 이용에 중대한 영향을 미칠 우려가 있다고 판단되는 경우에는 소속 공무원으로 하여금 긴급안전점검을 하게 하거나 해당 관리주체 또는 시장·군수·구청장(제6조제1항 단서에 해당하는 시설물의 경우에 한정한다)에게 긴급안전점검을 실시할 것을 요구할 수 있다. 이 경우 요구를 받은 자는 특별한 사유가 없으면 그 요구를 따라야 한다. <개정 2020.6.9.>

③~⑧ <생략>

관계법 「시설물의 안전 및 유지관리에 관한 특별법 시행령」

[별표 1] 제1종시설물 및 제2종시설물의 종류(제4조 관련)

구분	제1종시설물	제2종시설물
1. 교량		
가. 도로교량	1) 상부구조형식이 현수교, 사장교, 아치교 및 트러스교인 교량 2) 최대 경간장 50미터 이상의 교량(한 경간 교량은 제외한다) 3) 연장 500미터 이상의 교량 4) 폭 12미터 이상이고 연장 500미터 이상인 복개구조물	1) 경간장 50미터 이상인 한 경간 교량 2) 제1종시설물에 해당하지 않는 교량으로서 연장 100미터 이상의 교량 3) 제1종시설물에 해당하지 않는 복개구조물로서 폭 6미터 이상이고 연장 100미터 이상인 복개구조물
나. 철도교량	1) 고속철도 교량 2) 도시철도의 교량 및 고가교 3) 상부구조형식이 트러스교 및 아치교인 교량 4) 연장 500미터 이상의 교량	제1종시설물에 해당하지 않는 교량으로서 연장 100미터 이상의 교량

2. 터널		
가. 도로터널	1) 연장 1천미터 이상의 터널 2) 3차로 이상의 터널 3) 터널구간의 연장이 500미터 이상인 지하차도	1) 제1종시설물에 해당하지 않는 터널로서 고속국도, 일반국도, 특별시도 및 광역시도의 터널 2) 제1종시설물에 해당하지 않는 터널로서 연장 300미터 이상의 지방도, 시도, 군도 및 구도의 터널 3) 제1종시설물에 해당하지 않는 지하차도로서 터널구간의 연장이 100미터 이상인 지하차도
나. 철도터널	1) 고속철도 터널 2) 도시철도 터널 3) 연장 1천미터 이상의 터널	제1종시설물에 해당하지 않는 터널로서 특별시 또는 광역시에 있는 터널
3. 항만		
가. 갑문	갑문시설	
나. 방파제, 파제제 및 호안	연장 1천미터 이상인 방파제	1) 제1종시설물에 해당하지 않는 방파제로서 연장 500미터 이상의 방파제 2) 연장 500미터 이상의 파제제 3) 방파제 기능을 하는 연장 500미터 이상의 호안
다. 계류시설	1) 20만톤급 이상 선박의 하역시설로서 원유부이(BUOY)식 계류시설(부대시설인 해저송유관을 포함한다) 2) 말뚝구조의 계류시설(5만톤급 이상의 시설만 해당한다)	1) 제1종시설물에 해당하지 않는 원유부이식 계류시설로서 1만톤급 이상의 원유부이식 계류시설(부대시설인 해저송유관을 포함한다) 2) 제1종시설물에 해당하지 않는 말뚝구조의 계류시설로서 1만톤급 이상의 말뚝구조의 계류시설 3) 1만톤급 이상의 중력식 계류시설
4. 댐	다목적댐, 발전용댐, 홍수전용댐 및 총저수용량 1천만톤 이상의 용수전용댐	제1종시설물에 해당하지 않는 댐으로서 지방상수도전용댐 및 총저수용량 1백만톤 이상의 용수전용댐
5. 건축물		
가. 공동주택		16층 이상의 공동주택
나. 공동주택 외의 건축물	1) 21층 이상 또는 연면적 5만제곱미터 이상의 건축물 2) 연면적 3만제곱미터 이상의 철도역시설 및 관람장 3) 연면적 1만제곱미터 이상의 지하도상가(지하보도면적을 포함한다)	1) 제1종시설물에 해당하지 않는 건축물로서 16층 이상 또는 연면적 3만제곱미터 이상의 건축물 2) 제1종시설물에 해당하지 않는 건축물로서 연면적 5천제곱미터 이상(각 용도별 시설의 합계를 말한다)의 문화 및 집회시설, 종교시설, 판매시설, 운수시설 중 여객용 시설, 의료시설, 노유자시설, 수련시설, 운동시설, 숙박시설 중 관광숙박시설 및 관광 휴게시설 3) 제1종시설물에 해당하지 않는 철도 역시설로서 고속철도, 도시철도 및 광역철도 역시설 4) 제1종시설물에 해당하지 않는 지하도상가로서 연면적 5천제곱미터 이상의 지하도상가(지하보도면적을 포함한다)

제3편 국토의 계획 및 이용에 관한 법률

도시및주거
환경정비법

6. 하천		
가. 하구둑	1) 하구둑 2) 포용조수량 8천만톤 이상의 방조제	제1종시설물에 해당하지 않는 방조제로서 포용조수량 1천만톤 이상의 방조제
나. 수문 및 통문	특별시 및 광역시에 있는 국가하천의 수문 및 통문(通門)	1) 제1종시설물에 해당하지 않는 수문 및 통문으로서 국가하천의 수문 및 통문 2) 특별시, 광역시, 특별자치시 및 시에 있는 지방하천의 수문 및 통문
다. 제방		국가하천의 제방[부속시설인 통관(通管) 및 호안(護岸)을 포함한다]
라. 보	국가하천에 설치된 높이 5미터 이상인 다기능 보	제1종시설물에 해당하지 않는 보로서 국가하천에 설치된 다기능 보
마. 배수펌프장	특별시 및 광역시에 있는 국가하천의 배수펌프장	1) 제1종시설물에 해당하지 않는 배수펌프장으로서 국가하천의 배수펌프장 2) 특별시, 광역시, 특별자치시 및 시에 있는 지방하천의 배수펌프장
7. 상하수도		
가. 상수도	1) 광역상수도 2) 공업용수도 3) 1일 공급능력 3만톤 이상의 지방상수도	제1종시설물에 해당하지 않는 지방상수도
나. 하수도		공공하수처리시설(1일 최대처리용량 500톤 이상인 시설만 해당한다)
8. 옹벽 및 절토사면		1) 지면으로부터 노출된 높이가 5미터 이상인 부분의 합이 100미터 이상인 옹벽 2) 지면으로부터 연직(鉛直)높이(옹벽이 있는 경우 옹벽 상단으로부터의 높이) 30미터 이상을 포함한 절토부(땅깎기를 한 부분을 말한다)로서 단일 수평연장 100미터 이상인 절토사면
9. 공동구		공동구

[비고]
1. "도로"란 「도로법」 제10조에 따른 도로를 말한다.
2. 교량의 "최대 경간장"이란 한 경간에서 상부구조의 교각과 교각의 중심선 간의 거리를 경간장으로 정의할 때, 교량의 경간장 중에서 최댓값을 말한다. 한 경간 교량에 대해서는 교량 양측 교대의 흉벽 사이를 교량 중심선에 따라 측정한 거리를 말한다.
3. 교량의 "연장"이란 교량 양측 교대의 흉벽 사이를 교량 중심선에 따라 측정한 거리를 말한다.
4. 도로교량의 "복개구조물"이란 하천 등을 복개하여 도로의 용도로 사용하는 모든 구조물을 말한다.
5. "갑문, 방파제, 파제제, 호안"이란 「항만법」 제2조제5호가목(2)에 따른 외곽시설을 말한다.
6. "계류시설"이란 「항만법」 제2조제5호가목(4)에 따른 계류시설을 말한다.
7. "댐"이란 「저수지·댐의 안전관리 및 재해예방에 관한 법률」 제2조제1호에 따른 저수지·댐을 말한다.
8. 위 표 제4호의 용수전용댐과 지방상수도전용댐이 위 표 제7호가목의 제1종시설물 중 광역상수도·공업용수도 또는 지방상수도의 수원지시설에 해당하는 경우에는 위 표 제7호의 상하수도시설로 본다.
9. 위 표의 건축물에는 그 부대시설인 옹벽과 절토사면을 포함하며, 건축설비, 소방설비, 승강기설비 및 전기설비는 포함하지 아니한다.
10. 건축물의 연면적은 지하층을 포함한 동별로 계산한다. 다만, 2동 이상의 건축물이 하나의 구조로 연결된 경우와 둘 이상의 지하도상가가 연속되어 있는 경우에는 연면적의 합계를 말한다.
11. "공동주택 외의 건축물"은 「건축법 시행령」 별표 1에서 정한 용도별 분류를 따른다.
12. 건축물 중 주상복합건축물은 "공동주택 외의 건축물"로 본다.
13. "운수시설 중 여객용 시설"이란 「건축법 시행령」 별표 1 제8호에 따른 운수시설 중 여객자동차터미널, 일반철도역사, 공항청사, 항만여객터미널을 말한다.

건축관계법

국토계획법

주차장법

주 택 법

도시및주거
환경정비법

건축사법

장애인시설법

소방시설법

서울시조례

14. "철도 역시설"이란 「철도건설법」 제2조제6호가목에 따른 역 시설(물류시설은 제외한다)을 말한다. 다만, 선하역사(시설이 선로 아래 설치되는 역사를 말한다)의 선로구간은 연속되는 교량시설물에 포함하고, 지하역사의 선로구간은 연속되는 터널시설물에 포함한다.

15. 하천시설물이 행정구역 경계에 있는 경우 상위 행정구역에 위치한 것으로 한다.

16. "포용조수량"이란 최고 만조(滿潮)시 간척지에 유입될 조수(潮水)의 양을 말한다.

17. "방조제"란 「공유수면 관리 및 매립에 관한 법률」 제37조, 「농어촌정비법」 제2조제6호, 「방조제 관리법」 제2조제1호 및 「산업입지 및 개발에 관한 법률」 제20조제1항에 따라 설치한 방조제를 말한다.

18. 하천의 "통문"이란 제방을 관통하여 설치한 사각형 단면의 문짝을 가진 구조물을 말하며, "통관"이란 제방을 관통하여 설치한 원형 단면의 문짝을 가진 구조물을 말한다.

19. 하천의 "다기능 보"란 용수 확보, 소수력 발전 및 도로(하천 횡단) 등 두 가지 이상의 기능을 갖는 보를 말한다.

20. "배수펌프장"이란 「하천법」 제2조제3호나목에 따른 배수펌프장과 「농어촌정비법」 제2조제6호에 따른 배수장을 말하며, 빗물펌프장을 포함한다.

21. 동일한 관리주체가 소관하는 배수펌프장과 연계되어 있는 수문 및 통문은 배수펌프장에 포함된다.

22. 위 표 제7호의 상하수도의 광역상수도, 공업용수도 및 지방상수도에는 수원지시설, 도수관로·송수관로(터널을 포함한다), 취수시설, 정수장, 취수·가압펌프장 및 배수지를 포함하고, 배수관로 및 급수시설은 제외한다.

23. "공동구"란 「국토의 계획 및 이용에 관한 법률」 제2조제9호에 따른 공동구를 말하며, 수용시설(전기, 통신, 상수도, 냉·난방 등)은 제외한다.

③ 광역시설의 설치·관리 등 (법 제45조)

【1】 광역시설의 설치 및 관리

① 광역시설의 설치 및 관리는 도시·군계획시설의 설치 및 관리(법 제43조) 규정에 따른다.

② 관계 특별시장·광역시장·특별자치시장·특별자치도지사·시장·군수는 협약을 체결하거나 협의회 등을 구성하여 이를 설치·관리할 수 있다.

③ 위 ②에 따른 협의가 이루어 지지 않을 경우 해당 시 또는 군이 동일한 도에 속하는 때에는 관할 도지사가 광역시설을 설치·관리할 수 있다.

④ 국가계획으로 설치하는 광역시설은 해당 광역시설의 설치·관리를 사업목적으로 하거나 사업종목으로 하여 다른 법률에 의하여 설립된 법인이 이를 설치·관리할 수 있다.

【2】 광역시설 설치에 따른 자금지원(영 제40조)

(1) 조건 : 지방자치단체가 다음의 시설을 다른 지방자치단체의 관할구역에 설치하는 경우

1. 환경오염이 심하게 발생되는 광역시설
2. 해당 지역의 개발이 현저하게 위축될 광역시설

(2) 자금지원 : 지방자치단체는 위 (1)의 경우 다음에 해당되는 사업을 해당 지방자치단체와 함께 시행하거나 이에 필요한 자금을 지원하여야 한다.

환경오염의 방지를 위한 사업	녹지·하수도 또는 폐기물처리 및 재활용시설의 설치사업과 대기오염·수질오염·악취·소음 및 진동방지사업 등
지역주민의 편익을 위한 사업	도로·공원·수도공급설비·문화시설·사회복지시설·노인정·하수도·종합의료시설 등의 설치사업 등

예외 다른 법률에 특별한 규정이 있는 경우에는 그 법률에 따른다.

④ **도시·군계획시설의 공중 및 지하에 설치기준과 보상** (법
제46조)

도시·군계획시설을 공중, 수중, 수상 또는 지하에 설치함에 있어서 그 높이 또는 깊이의 기준과 그 설치로 인하여 토지나 건물에 관한 소유권의 행사에 제한을 받는 자에 대한 보상 등에 관하여는 「공익사업을 위한 토지 등의 취득 및 보상에 관한 법률」에서 정한다.

⑤ **도시·군계획시설부지의 매수청구** (법
제47조)

(1) 도시·군계획시설에 대한 도시·군관리계획의 결정 고시일로부터 10년 이내에 해당 도시·군계획시설의 설치에 관한 도시·군계획시설사업이 시행되지 아니하는 경우 해당 도시·군계획시설의 부지로 되어 있는 토지 중 지목(地目)이 대(垈)인 토지의 소유자는 특별시장·광역시장·특별자치시장·특별자치도지사·시장 또는 군수에게 해당 토지의 매수를 청구할 수 있다. 이 경우 토지의 매수를 청구하고자 하는 자는 도시·군계획시설부지 매수청구서(전자문서로된 청구서를 포함)에 대상 토지 및 건물에 대한 등기사항증명서를 첨부하여 매수의무자에게 제출하여야 한다.

단서 매수의무자는 「전자정부법」에 따른 행정정보의 공동이용을 통하여 대상토지 및 건물에 대한 등기부 등본을 확인할 수 있는 경우에는 그 확인으로 첨부서류를 갈음하여야 한다.

■ **다음의 경우 그에 해당하는 자에게 해당 토지의 매수를 청구할 수 있다.**

1. 이 법에 의하여 해당 도시·군계획시설사업의 시행자가 정하여진 경우에는 그 시행자
2. 이 법 또는 다른 법률에 의하여 도시·군계획시설을 설치하거나 관리하여야 할 의무가 있는 자가 있는 경우 그 의무가 있는 자. (도시·군계획시설을 설치하거나 관리하여야 할 의무가 있는 자가 서로 다른 경우 설치해야 할 의무가 있는 자에게 매수청구 함)

> 관계법 「공간정보의 구축 및 관리 등에 관한 법률 시행령」 제58조【지목의 구분】
> 　　8. 대
> 　　　가. 영구적 건축물 중 주거·사무실·점포와 박물관·극장·미술관 등 문화시설과 이에 접속된 정원 및 부속시설물의 부지
> 　　　나. 「국토의 계획 및 이용에 관한 법률」 등 관계 법령에 따른 택지조성공사가 준공된 토지

(2) 매수의무자는 위 (1)에 따라 매수청구를 받은 토지를 매수하는 때에는 현금으로 그 대금을 지급한다.

예외 다음 경우로서 매수의무자가 지방자치단체인 경우 채권(이하 "도시·군계획시설채권")을 발행하여 지급할 수 있다.

1. 토지소유자가 원하는 경우
2. 부재부동산 소유자의 토지 또는 비업무용 토지로서 매수대금이 3천만원을 초과하여 그 초과하는 금액을 지급하는 경우

(3) 도시·군계획시설채권의 상환기간은 10년 이내로 하며, 그 이율은 채권 발행 당시 「은행법」에 따른 인가를 받은 은행 중 전국을 영업으로 하는 은행이 적용하는 1년 만기 정기예금금리의 평균 이상으로서 구체적인 상환기간과 이율은 특별시·광역시·특별자치시·특별자치도·시 또는 군의 조례로 정한다.

(4) 매수청구 된 토지의 매수가격·매수절차 등에 관하여 이 법에 특별한 규정이 있는 경우를 제외하고는 「공익사업을 위한 토지 등의 취득 및 보상에 관한 법률」의 규정을 준용한다.

(5) 도시·군계획시설채권의 발행절차 그 밖의 필요한 사항에 관하여 이 법에 특별한 규정이 있는 경우를 제외하고는 「지방재정법」이 정하는 바에 따른다.

(6) 매수의무자는 매수청구가 있은 날부터 6개월 이내에 매수여부를 결정하여 토지소유자와 특별시장·광역시장·특별자치시·특별자치도·시장 또는 군수에게 통지하여야 하며, 매수하기로 결정한 토지는 매수결정을 통지한 날부터 2년 이내에 매수하여야 한다.

(7) 위의 (1)에 따라 매수청구를 한 토지의 소유자는 다음에 해당하는 사유가 있는 경우 개발행위의 허가를 받아 일정한 건축물 또는 공작물을 설치할 수 있다. 이 경우 지구단위계획구역 안에서의 건축 등(법 제54조)에 관한 규정, 개발행위허가의 기준(법 제58조)과 도시·군계획시설부지에서의 개발행위(법 제64조) 규정은 이를 적용하지 아니한다.

해당 사유	해당 토지에의 허용 행위
1. 매수하지 않기로 결정한 경우 2. 매수 결정을 알린 날부터 2년이 지날 때까지 해당 토지를 매수하지 아니하는 경우	1. 단독주택으로서 3층 이하인 것 2. 제1종 근린생활시설로서 3층 이하인 것 3. 제2종 근린생활시설로서 3층 이하인 것 4. 공작물 예외 다음 시설 제외 ① 단란주점으로서 같은 건축물에 해당 용도로 쓰는 바닥면적의 합계가 150㎡ 미만인 것 ② 안마시술소, 안마원 및 노래연습장 ③ 자원순환 관련 시설(「다중이용업소의 안전관리에 관한 특별법」에 따른 다중이용업 중 다중생활시설업의 시설로서 독립된 주거의 형태를 갖추지 아니한 것을 말한다)으로서 같은 건축물에 해당 용도로 쓰는 바닥면적의 합계가 1,000㎡ 미만인 것

6 도시·군계획시설 결정의 실효 등 (법 제48조)(영 제42조)

【1】 도시·군계획시설 결정의 실효

도시·군계획시설결정이 고시된 도시·군계획시설에 대하여 그 고시일로부터 20년이 경과될 때까지 해당 시설의 설치에 관한 도시·군계획시설사업이 시행되지 아니하는 경우 그 도시·군계획시설결정은 그 고시일로부터 20년이 되는 날의 다음날에 효력을 잃는다.

【2】 실효의 고시

시·도지사 또는 대도시 시장은 도시·군계획시설결정의 효력을 잃으면 다음에 따라 지체 없이 그 사실을 고시하여야 한다.

■ 도시·군계획결정의 실효고시

실효고시자	게재 방법	게재할 내용
1. 국토교통부장관	- 관보 - 국토교통부 인터넷 홈페이지	• 실효일자 • 실효사유 • 실효된 도시·군관리계획 내용
2. 시·도지사 또는 대도시 시장	- 시·도 또는 대도시의 공보 - 인터넷 홈페이지	

건축관계법

국토계획법

주차장법

주택법

도시및주거
환경정비법

건축사법

장애인시설법

소방시설법

서울시조례

【3】해제의 권고 및 결정

(1) 특별시장·광역시장·특별자치시장·특별자치도지사·시장 또는 군수(이하 "지방자치단체의 장")는 도시·군계획시설결정이 고시된 도시·군계획시설을 설치할 필요성이 없어진 경우 또는 그 고시일부터 10년이 지날 때까지 해당 시설의 설치에 관한 도시·군계획시설사업이 시행되지 않는 경우 다음에 따라 그 현황과 단계별집행계획을 해당 지방의회에 보고하여야 한다.

> 예외 국토교통부장관이 결정·고시한 도시·군계획시설 중 관계 중앙행정기관의 장이 직접 설치하기로 한 시설은 제외

① 다음에 해당하는 사항을 매년 해당 지방의회의 「지방자치법 시행령」에 따른 정례회의 또는 임시회의 기간 중에 보고하여야 한다. 이 경우 지방자치단체의 장이 필요하다고 인정하는 경우에는 해당 지방자치단체에 소속된 지방도시계획위원회의 자문을 거치거나 관계 행정기관의 장과 미리 협의를 거칠 수 있다.

1. 장기미집행 도시·군계획시설 등의 전체 현황(시설의 종류, 면적 및 설치비용 등을 말함)
2. 장기미집행 도시·군계획시설 등의 명칭, 고시일 또는 변경고시일, 위치, 규모, 미집행 사유, 단계별 집행계획, 개략 도면, 현황 사진 또는 항공사진 및 해당 시설의 해제에 관한 의견
3. 그 밖에 지방의회의 심의·의결에 필요한 사항

② 지방자치단체의 장은 위 ①에 따라 지방의회에 보고한 장기미집행 도시·군계획시설 중 도시·군계획시설결정이 해제되지 아니한 장기미집행 도시·군계획시설 등에 대하여 최초로 지방의회에 보고한 때부터 2년마다 지방의회에 보고하여야 한다. 이 경우 지방의회의 보고에 관하여는 위 【2】를 준용한다.

(2) 위 (1)에 따라 보고를 받은 지방의회는 다음에 따라 해당 지방자치단체의 장에게 도시·군계획시설결정의 해제를 권고할 수 있다.

① 지방의회는 장기미집행 도시·군계획시설 등에 대하여 해제를 권고하는 경우에는 위 (1)-① 또는 ②에 따른 보고가 지방의회에 접수된 날부터 90일 이내에 해제를 권고하는 서면(도시·군계획시설의 명칭, 위치, 규모 및 해제사유 등이 포함되어야 함)을 지방자치단체의 장에게 보내야 한다.

② 위 ①에 따라 장기미집행 도시·군계획시설 등의 해제를 권고 받은 지방자체단체의 장은 상위 계획과의 연관성, 단계별 집행계획, 교통, 환경 및 주민 의사 등을 고려하여 해제할 수 없다고 인정하는 특별한 사유가 있는 경우를 제외하고는 해당 장기미집행 도시·군계획시설 등의 해제 권고를 받은 날부터 1년 이내에 해제를 위한 도시·군관리계획을 결정하여야 한다. 이 경우 지방자치단체의 장은 지방의회에 해제할 수 없다고 인정하는 특별한 사유를 해제 권고를 받은 날부터 6개월 이내에 소명하여야 한다.

③ 위 ②에도 불구하고 시장 또는 군수는 도지사가 결정한 도시·군관리계획의 해제가 필요한 경우에는 도지사에게 그 결정을 신청하여야 한다.

④ 위 ③에 따라 도시·군계획시설결정의 해제를 신청 받은 도지사는 특별한 사유가 없으면 신청을 받은 날부터 1년 이내에 해당 도시·군계획시설의 해제를 위한 도시·군관리계획결정을 하여야 한다.

7 도시·군계획시설결정의 해제 신청 등 (법 제48조의2)(영 제42조의2)

(1) 도시·군계획시설결정의 고시일부터 10년 이내에 그 도시·군계획시설의 설치에 관한 도시·군계획시설사업이 시행되지 아니한 경우로서 단계별 집행계획상 해당 도시·군계획시설의 실효 시까지 집행계획이 없는 경우 그 도시·군계획시설 부지로 되어 있는 토지의 소유자는 다음 사항이 포함된 신청서를 해당 도시·군계획시설에 대한 도시·군관리계획 입안권자에게 제출해야 한다.

1. 해당 도시·군계획시설부지 내 신청인 소유의 토지(이하 "신청토지") 현황
2. 해당 도시·군계획시설의 개요
3. 해당 도시·군계획시설결정의 해제를 위한 도시·군관리계획 입안(이하 "해제입안") 신청 사유

(2) 도시·군관리계획 입안권자는 위 (1)에 따른 신청을 받은 날부터 3개월 이내에 입안 여부를 결정하여 토지 소유자에게 알려야 하며, 다음에 해당하는 경우가 없으면 그 도시·군계획시설결정의 해제를 위한 도시·군관리계획을 입안해야 한다.

1. 해당 도시·군계획시설결정의 실효 시까지 해당 도시·군계획시설을 설치하기로 집행계획을 수립하거나 변경하는 경우
2. 해당 도시·군계획시설에 대하여 실시계획이 인가된 경우
3. 해당 도시·군계획시설에 대하여 「공익사업을 위한 토지 등의 취득 및 보상에 관한 법률」에 따른 보상계획이 공고된 경우(토지 소유자 및 관계인에게 각각 통지하였으나 단서에 따라 공고를 생략한 경우 포함)
4. 신청토지 전부가 포함된 일단의 토지에 대하여 「공익사업을 위한 토지 등의 취득 및 보상에 관한 법률」의 공익사업을 시행하기 위한 지역·지구 등의 지정 또는 사업계획 승인 등의 절차가 진행 중이거나 완료된 경우
5. 해당 도시·군계획시설결정의 해제를 위한 도시·군관리계획 변경절차가 진행 중인 경우

(3) 위 (1)에 따라 신청을 한 토지 소유자는 다음 각 각의 어느 하나에 해당하는 경우에는 해당 도시·군계획시설에 대한 도시·군관리계획 결정권자에게 그 도시·군계획시설결정의 해제를 신청할 수 있다.

① 입안권자가 위 (2) 각 각의 어느 하나에 해당하지 아니하는 사유로 해제입안을 하지 않기로 정하여 신청인에게 통지한 경우
② 입안권자가 해제입안을 하기로 정하여 신청인에게 통지하고 해제입안을 하였으나 해당 도시·군계획시설에 대한 도시·군관리계획 결정권자가 도시·군관리계획 결정절차를 거쳐 신청토지의 전부 또는 일부를 해제하지 않기로 결정한 경우(위 (2)-5.를 사유로 해제입안을 하지 아니하는 것으로 통지 되었으나 도시·군관리계획 변경절차를 진행한 결과 신청토지의 전부 또는 일부를 해제하지 않기로 결정한 경우 포함)

(4) 도시·군관리계획 결정권자는 위 (3)에 따른 신청을 받은 날부터 2개월 이내에 결정 여부를 정하여 토지 소유자에게 알려야 하며, 특별한 사유가 없으면 그 도시·군계획시설결정을 해제해야 한다.

(5) 위 (3)에 따라 해제 신청을 한 토지 소유자는 다음 각 각의 어느 하나에 해당하는 경우에는 국토교통부장관에게 그 도시·군계획시설결정의 해제 심사를 신청할 수 있다.

① 결정권자가 해당 도시·군계획시설결정의 해제를 하지 아니하기로 정하여 신청인에게 통지한 경우
② 결정권자가 해당 도시·군계획시설결정의 해제를 하기로 정하여 신청인에게 통지하였으나

건축관계법

국토계획법

주차장법

주택법

도시및주거
환경정비법

건축사법

장애인시설법

소방시설법

서울시조례

도시·군관리계획 결정절차를 거쳐 신청토지의 전부 또는 일부를 해제하지 아니하기로 결정한 경우 (국토교통부장관은 해제 심사 신청을 받은 경우에는 입안권자 및 결정권자에게 해제 심사를 위한 관련 서류 등을 제출할 것을 요구할 수 있다.)

(6) 위 (5)에 따라 신청을 받은 국토교통부장관은 중앙도시계획위원회의 심의를 거쳐 해당 도시·군계획시설에 대한 도시·군관리계획 결정권자에게 도시·군계획시설결정의 해제를 권고할 수 있다.

(7) 위 (6)에 따라 해제를 권고받은 도시·군관리계획 결정권자는 특별한 사유가 없으면 그 도시·군계획시설결정을 해제해야 한다.

(8) 위 (2)에 따른 도시·군계획시설결정 해제를 위한 도시·군관리계획의 입안 절차와 위 (4) 및 (7)에 따른 도시·군계획시설결정의 해제 절차는 다음의 규정에 따른다.

① 입안권자가 해제입안을 하기 위하여 해당 지방의회에 의견을 요청한 경우 지방의회는 요청받은 날부터 60일 이내에 의견을 제출해야 한다. 이 경우 60일 이내에 의견이 제출되지 않은 경우 의견이 없는 것으로 본다.

② 도시·군계획시설결정의 해제결정(해제를 하지 않기로 결정하는 것 포함)은 다음 각각의 구분에 따른 날부터 6개월(아래 ③ 본문에 따라 결정하는 경우 2개월) 이내에 이행되어야 한다.

예외 관계 법률에 따른 별도의 협의가 필요한 경우 그 협의에 필요한 기간은 기간계산에서 제외

1. 해당 도시·군계획시설결정의 해제입안을 하기로 통지한 경우	입안권자가 신청인에게 입안하기로 통지한 날
2. 해당 도시·군계획시설결정을 해제하기로 통지한 경우	결정권자가 신청인에게 해제하기로 통지한 날
3. 해당 도시·군계획시설결정을 해제할 것을 권고 받은 경우	결정권자가 해제 권고를 받은 날

③ 결정권자는 해당 도시·군계획시설결정의 해제결정을 하는 경우로서 이전 단계에서 도시·군관리계획 결정절차를 거친 경우 해당 지방도시계획위원회의 심의만을 거쳐 도시·군계획시설결정의 해제결정을 할 수 있다.

예외 결정권자가 입안 내용의 변경이 필요하다고 판단하는 경우에는 그렇지 않다.

④ 규정한 사항 외에 도시·군계획시설결정의 해제를 위한 도시·군관리계획의 입안·해제절차 및 기한 등에 필요한 세부적인 사항은 국토교통부장관이 정한다.

4 지구단위계획

① 지구단위계획의 수립 (법 제49조)(영 제42조의3)

【1】 지구단위계획의 수립

지구단위계획은 다음의 사항을 고려하여 수립한다.
① 도시의 정비·관리·보전·개발 등 지구단위계획구역의 지정 목적
② 주거·산업·유통·관광휴양·복합 등 지구단위계획구역의 중심기능
③ 해당 용도지역의 특성
④ 지역 공동체의 활성화
⑤ 안전하고 지속가능한 생활권의 조성
⑥ 해당 지역 및 인근 지역의 토지 이용을 고려한 토지이용계획과 건축계획의 조화

건축관계법

국토계획법

주차장법

주 택 법

도시및주거
환경정비법

건축사법

장애인시설법

소방시설법

서울시조례

【참고】지구단위계획의 위치

도시·군관리계획	계획의 범위가 특별시·광역시·특별자치시·특별자치도·시 또는 군의 광범위한 영역에 미치고 「국토의 계획 및 이용에 관한 법률」에 따른 용도지역, 용도지구 등 토지이용계획과 기반시설의 정비 등에 중점을 둔다.
지구단위계획	일정 행정구역 내의 일부지역을 대상으로 도시·군관리계획과 건축계획의 중간적 성격의 계획으로 평면적 토지이용계획과 입체적 건축시설계획이 서로 조화를 이루도록 하는데 중점을 둔다.
건축계획	계획의 범위가 특정 필지(대지)에만 미치고 토지이용보다는 건축물의 입체적 시설계획에 중점을 둔다.

【참고】지구단위계획의 형식적 구분 폐지

(1) 지구단위계획을 제1종과 제2종으로 구분함에 따라 도시지역과 계획관리지역의 개발수단으로만 인식하는 한계를 극복하고, 기후변화에 대응한 기존 시가지의 압축도시(Compact City) 개발, 용도지역상의 제한을 넘는 복합용도개발, 유휴부지 및 입지 부적격시설의 이전·재배치를 통한 도심재개발 등 새로운 도시개발방식을 수용하기 위한 제도적 근거를 마련할 필요가 있음.

(2) 제1종 지구단위계획과 제2종 지구단위계획의 형식적 구분을 폐지하는 대신 지구단위계획구역의 지정 목적 및 중심기능, 해당 용도지역의 특성 등을 고려하여 지구단위계획을 수립하도록 하고, 준산업단지, 관광단지, 도시지역 내 복합적인 토지이용 증진을 위한 체계적인 개발이 필요한 지역, 도시지역 내 유휴토지의 효율적 개발 등을 위한 정비가 필요한 지역에도 지구단위계획구역을 지정할 수 있도록 함.

<법제처 제공>

【2】지구단위계획의 수립기준

국토교통부장관은 지구단위계획의 수립기준을 정할 때에는 다음의 사항을 고려해야 한다.

1. 개발제한구역에 지구단위계획을 수립할 때에는 개발제한구역의 지정 목적이나 주변환경이 훼손되지 아니하도록 하고, 「개발제한구역의 지정 및 관리에 관한 특별조치법」을 우선하여 적용할 것

2. 보전관리지역에 지구단위계획을 수립할 때에는 녹지 또는 공원으로 계획하는 등 환경 훼손을 최소화할 것

3. 「문화재보호법」에 따른 역사문화환경 보존지역에서 지구단위계획을 수립하는 경우에는 문화재 및 역사문화환경과 조화되도록 할 것

4. 지구단위계획구역에서 원활한 교통소통을 위하여 필요한 경우에는 지구단위계획으로 건축물부설주차장을 해당 건축물의 대지가 속하여 있는 가구에서 해당 건축물의 대지 바깥에 단독 또는 공동으로 설치하게 할 수 있도록 할 것. 이 경우 대지 바깥에 공동으로 설치하는 건축물부설주차장의 위치 및 규모 등은 지구단위계획으로 정한다.

5. 위 4.에 따라 대지 바깥에 설치하는 건축물부설주차장의 출입구는 간선도로변에 두지 아니하도록 할 것. **예외** 특별시장·광역시장·특별자치시장·특별자치도지사·시장 또는 군수가 해당 지구단위계획구역의 교통소통에 관한 계획 등을 고려하여 교통소통에 지장이 없다고 인정하는 경우

6. 지구단위계획구역에서 공공사업의 시행, 대형건축물의 건축 또는 2필지 이상의 토지소유자의 공동개발 등을 위하여 필요한 경우에는 특정 부분을 별도의 구역으로 지정하여 계획의 상세 정도 등을 따로 정할 수 있도록 할 것

7. 지구단위계획구역의 지정 목적, 향후 예상되는 여건변화, 지구단위계획구역의 관리 방안 등을 고려하여 경미한 사항을 정하는 것이 필요한지를 검토하여 지구단위계획에 반영하도록 할 것

8. 지구단위계획의 내용 중 기존의 용도지역 또는 용도지구를 용적률이 높은 용도지역 또는 용도지구로 변경하는 사항이 포함되어 있는 경우 변경되는 구역의 용적률은 기존의 용도지역 또는 용도지구의 용적률을 적용하되, 공공시설부지의 제공현황 등을 고려하여 용적률을 완화할 수 있도록 계획할 것

9. 건폐율·용적률 등의 완화 범위를 포함하여 지구단위계획을 수립하도록 할 것

10. 도시지역 내 주거·상업·업무 등의 기능을 결합하는 복합적 토지 이용의 증진이 필요한 지역은 지정 목적을 복합용도개발형으로 구분하되, 3개 이상의 중심기능을 포함하여야 하고 중심기능 중 어느 하나에 집중되지 아니하도록 계획할 것

11. 「도시 및 주거환경정비법」에 따라 지정된 정비구역, 「택지개발촉진법」에 따라 지정된 택지개발지구의 지역에서 시행되는 사업이 끝난 후 10년이 지난 지역에 수립하는 지구단위계획의 내용 중 ① 용도지역이나 용도지구를 대통령령으로 정하는 범위에서 세분하거나 변경하는 사항, ② 건축물의 건폐율 또는 용적률, 건축물 높이의 최고한도 또는 최저한도의 사항은 해당 지역에 시행된 사업이 끝난 때의 내용을 유지함을 원칙으로 할 것

12. 도시지역 외의 지역에 지정하는 지구단위계획구역은 해당 구역의 중심기능에 따라 주거형, 산업·유통형, 관광·휴양형 또는 복합형 등으로 지정 목적을 구분할 것

13. 도시지역 외의 지구단위계획구역에서 건축할 수 있는 건축물의 용도·종류 및 규모 등은 해당 구역의 중심기능과 유사한 도시지역의 용도지역별 건축제한 등을 고려하여 지구단위계획으로 정할 것

2 **지구단위계획구역 및 지구단위계획의 결정** (법 제50조)

(1) 지구단위계획구역 및 지구단위계획은 도시·군관리계획으로 결정한다.

■ **지구단위계획구역의 지정절차**

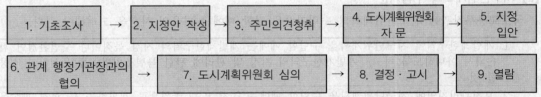

1. 기초조사 → 2. 지정안 작성 → 3. 주민의견청취 → 4. 도시계획위원회 자문 → 5. 지정 입안

6. 관계 행정기관장과의 협의 → 7. 도시계획위원회 심의 → 8. 결정·고시 → 9. 열람

(2) **지구단위계획안에 대한 주민 등의 의견 반영** (영 제49조)

다음에 해당하는 자는 지구단위계획안에 포함시키고자 하는 사항을 특별시장·광역시장·특별자치시장·특별자치도지사·시장 또는 군수에게 제출할 수 있으며, 특별시장·광역시장·특별자치시장·특별자치도지사·시장 또는 군수는 제출된 사항이 타당하다고 인정되는 때에는 이를 지구단위계획안에 반영해야 한다.

1. 지구단위계획구역이 주민의 제안에 의하여 지정된 경우: 그 제안자

2. 지구단위계획구역이 도시개발구역, 정비구역, 택지개발지구, 대지조성사업지구, 산업단지와 준산업단지, 관광단지 및 관광특구에 대하여 지정된 경우: 그 지정근거가 되는 개별 법률에 따른 개발사업의 시행자

건축관계법

국토계획법

주차장법

주 택 법

도시및주거
환경정비법

건 축 사 법

장애인시설법

소방시설법

서울시조례

건축관계법

국토계획법

주차장법

주 택 법

도시및주거
환경정비법

건축사법

장애인시설법

소방시설법

서울시조례

③ 지구단위계획구역의 지정 등 (법 제51조)(영 제43조)

(1) 임의적 지정 대상지역

국토교통부장관, 시·도지사, 시장 또는 군수는 다음의 어느 하나에 해당하는 지역의 전부 또는 일부에 대하여 지구단위계획구역을 지정할 수 있다.

① 이 법에 따라 지정된 용도지구

②「도시개발법」에 따라 지정된 도시개발구역

③「도시 및 주거환경정비법」에 따라 지정된 정비구역

④「택지개발촉진법」에 따라 지정된 택지개발지구

⑤「주택법」에 따른 대지조성사업지구

⑥「산업입지 및 개발에 관한 법률」의 산업단지와 준산업단지

⑦「관광진흥법」에 따라 지정된 관광단지와 관광특구

⑧ 다음 구역 중 계획적인 개발 또는 관리가 필요한 지역

> 1. 개발제한구역·도시자연공원구역·시가화조정구역 또는 공원에서 해제되는 구역
>
> 2. 녹지지역에서 주거·상업·공업지역으로 변경되는 구역
>
> 3. 새로 도시지역으로 편입되는 구역

⑨ 도시지역 내 주거·상업·업무 등의 기능을 결합하는 등 복합적인 토지 이용을 증진시킬 필요가 있는 지역으로서 일반주거지역, 준주거지역, 준공업지역 및 상업지역에서 낙후된 도심 기능을 회복하거나 도시균형발전을 위한 중심지 육성이 필요한 경우로서 다음에 해당하는 지역

> 1. 주요 역세권, 고속버스 및 시외버스 터미널, 간선도로의 교차지 등 양호한 기반시설을 갖추고 있어 대중교통 이용이 용이한 지역
>
> 2. 역세권의 체계적·계획적 개발이 필요한 지역
>
> 3. 세 개 이상의 노선이 교차하는 대중교통 결절지(結節地)로부터 1㎞ 이내에 위치한 지역
>
> 4. 「역세권의 개발 및 이용에 관한 법률」에 따른 역세권개발구역
>
> 5. 「도시재정비 촉진을 위한 특별법」에 따른 고밀복합형 재정비촉진지구로 지정된 지역

⑩ 도시지역 내 유휴토지를 효율적으로 개발하거나 아래 <1>의 시설을 이전 또는 재배치하여 토지 이용을 합리화하고, 그 기능을 증진시키기 위하여 집중적으로 정비가 필요한 아래 <2>의 요건에 해당하는 지역

<1> 해당 시설

> 1. 교정시설, 군사시설
>
> 2. 철도, 항만, 공항, 공장, 병원, 학교, 공공청사, 공공기관, 시장, 운동장 및 터미널
>
> 3. 그 밖에 위 2와 유사한 시설로서 특별시·광역시·특별자치시·특별자치도·시 또는 군의 도시·군계획조례로 정하는 시설

<2> 5천㎡ 이상으로서 도시·군계획조례로 정하는 면적 이상의 유휴토지 또는 대규모 시설의 이전부지로서 다음의 지역

> 1. 대규모 시설의 이전에 따라 도시기능의 재배치 및 정비가 필요한 지역
>
> 2. 토지의 활용 잠재력이 높고 지역거점 육성이 필요한 지역
>
> 3. 지역경제 활성화와 고용창출의 효과가 클 것으로 예상되는 지역

건축관계법

국토계획법

주차장법

주 택 법

도시및주거
환경정비법

건축사법

장애인시설법

소방시설법

서울시조례

3-84

⑪ 도시지역의 체계적·계획적인 관리 또는 개발이 필요한 지역

⑫ 그 밖에 양호한 환경의 확보나 기능 및 미관의 증진 등을 위하여 필요한 지역으로서 다음에 해당하는 지역

1. 경관, 생태, 정보통신, 과학, 문화, 관광 등 분야별시범도시
2. 제한지역·제한사유·제한대상행위 및 제한기간을 미리 고시한 개발행위허가 제한지역
3. 지하 및 공중공간을 효율적으로 개발하고자 하는 지역
4. 용도지역의 지정·변경에 관한 도시·군관리계획을 입안하기 위하여 열람·공고된 지역
5. 주택재건축사업에 의하여 공동주택을 건축하는 지역
6. 지구단위계획구역으로 지정하고자 하는 토지와 접하여 공공시설을 설치하고자 하는 자연녹지지역
7. 그 밖에 양호한 환경의 확보 또는 기능 및 미관의 증진 등을 위하여 필요한 지역으로서 특별시·광역시·특별자치시·특별자치도·시 또는 군의 도시·군계획조례가 정하는 지역

(2) 의무적 지정 대상지역

국토교통부장관, 시·도지사, 시장 또는 군수는 다음의 어느 하나에 해당하는 지역은 지구단위 계획구역으로 지정하여야 한다.

예외　관계 법률에 따라 그 지역에 토지 이용과 건축에 관한 계획이 수립되어 있는 경우

① 정비구역과 택지개발지구(위 (1)-③ 및 ④)에서 시행되는 사업이 끝난 후 10년이 지난 지역

② 위 (1)의 지역 중 체계적·계획적인 개발 또는 관리가 필요한 다음의 지역으로서 그 면적이 30만㎡ 이상인 지역

1. 시가화조정구역 또는 공원에서 해제되는 지역 예외　녹지지역으로 지정 또는 존치되거나 법 또는 다른 법령에 의하여 도시·군계획사업 등 개발계획이 수립되지 아니하는 경우를 제외
2. 녹지지역에서 주거지역·상업지역 또는 공업지역으로 변경되는 지역
3. 그 밖에 특별시·광역시·특별자치시·특별자치도·시 또는 군의 도시·군계획조례로 정하는 지역

(3) 도시지역 외의 지역을 지구단위계획구역으로 지정하려는 경우의 요건 등

① 지정하려는 구역 면적의 50/100 이상이 계획관리지역으로서 다음의 요건에 해당하는 지역

1. 계획관리지역 외에 지구단위계획구역에 포함하는 지역은 생산관리지역 또는 보전관리지역일 것
2. 지구단위계획구역에 보전관리지역을 포함하는 경우 해당 보전관리지역의 면적은 다음의 구분에 따른 요건을 충족할 것. 이 경우 개발행위허가를 받는 등 이미 개발된 토지, 「산지관리법」에 따른 토석채취허가를 받고 토석의 채취가 완료된 토지로서 준보전산지에 해당하는 토지 및 해당 토지를 개발하여도 주변지역의 환경오염·환경훼손 우려가 없는 경우로서 해당 도시계획위원회 또는 공동위원회의 심의를 거쳐 지구단위계획구역에 포함되는 토지의 면적은 다음에 따른 보전관리지역의 면적 산정에서 제외함 ① 전체 지구단위계획구역 면적이 10만㎡ 이하인 경우: 전체 지구단위계획구역 면적의 20% 이내 ② 전체 지구단위계획구역 면적이 10만㎡ 초과 20만㎡ 이하인 경우: 2만㎡ ③ 전체 지구단위계획구역 면적이 20만㎡를 초과하는 경우: 전체 지구단위계획구역 면적의 10% 이내
3. 지구단위계획구역으로 지정하고자 하는 토지의 면적이 다음의 어느 하나에 규정된 면적 요건에 해당할 것 1) 지정하고자 하는 지역에 공동주택 중 아파트 또는 연립주택의 건설계획이 포함되는 경우 30만

건축관계법

국토계획법

주차장법

주 택 법

도시및주거
환경정비법

건축사법

장애인시설법

소방시설법

서울시조례

㎡ 이상일 것. 이 경우 다음 요건에 해당하는 때에는 일단의 토지를 통합하여 하나의 지구단위계획구역으로 지정할 수 있음

㉠ 아파트 또는 연립주택의 건설계획이 포함되는 각각의 토지의 면적이 10만㎡ 이상이고, 그 총면적이 30만㎡ 이상일 것

㉡ 위 ㉠의 각 토지는 국토교통부장관이 정하는 범위 안에 위치하고, 국토교통부장관이 정하는 규모 이상의 도로로 서로 연결되어 있거나 연결도로의 설치가 가능할 것

2) 지정하고자 하는 지역에 공동주택 중 아파트 또는 연립주택의 건설계획이 포함되는 경우로서 다음의 어느 하나에 해당하는 경우에는 10만㎡ 이상일 것

㉠ 지구단위계획구역이 「수도권정비계획법」의 규정에 의한 자연보전권역인 경우

㉡ 지구단위계획구역 안에 초등학교 용지를 확보하여 관할 교육청의 동의를 얻거나 지구단위계획구역 안 또는 지구단위계획구역으로부터 통학이 가능한 거리에 초등학교가 위치하고 학생수용이 가능한 경우로서 관할 교육청의 동의를 얻은 경우

3) 위 1) 및 2)의 경우를 제외하고는 3만㎡ 이상일 것

4. 해당 지역에 도로·수도공급설비·하수도 등 기반시설을 공급할 수 있을 것

5. 자연환경·경관·미관 등을 해치지 아니하고 문화재의 훼손우려가 없을 것

② 개발진흥지구로서 다음 요건에 해당하는 지역

1. 위 ①의 2.~4.의 요건에 해당할 것

2. 해당 개발진흥지구가 다음의 지역에 위치할 것

1) 주거개발진흥지구, 복합개발진흥지구(주거기능이 포함된 경우에 한함) 및 특정개발진흥지구 : 계획관리지역

2) 산업·유통개발진흥지구·유통개발진흥지구 및 복합개발진흥지구(주거기능이 포함되지 않은 경우에 한함) : 계획관리지역·생산관리지역 또는 농림지역

3) 관광·휴양개발진흥지구 : 도시지역외의 지역

※ 국토교통부장관은 지구단위계획구역이 합리적으로 지정될 수 있도록 하기 위하여 필요한 경우 위 ① 및 ②의 지정요건을 세부적으로 정할 수 있다.

③ 용도지구를 폐지하고 그 용도지구에서의 행위 제한 등을 지구단위계획으로 대체하려는 지역

4 지구단위계획의 내용 (법 제52조)

[1] 지구단위계획에 포함될 사항 (영 제45조)

지구단위계획구역의 지정목적을 이루기 위하여 지구단위계획에는 다음의 사항 중 ③과 ⑤의 사항을 포함한 둘 이상의 사항이 포함되어야 한다.

예외 아래 ②를 내용으로 하는 지구단위계획의 경우에는 그렇지 않다.

① 용도지역 또는 용도지구(도시·군계획조례로 세분되는 용도지구는 포함)를 각각의 범위 안에서 세분 또는 변경하는 사항

※ 이 경우 위 3-(1) ⑨ 및 ⑩에 따라 지정된 지구단위계획구역에서는 용도지역 간의 변경을 포함한다.

② 기존의 용도지구를 폐지하고 그 용도지구에서의 건축물이나 그 밖의 시설의 용도·종류 및 규모 등의 제한을 대체하는 사항

건축관계법

국토계획법

주차장법

주 택 법

도시및주거
환경정비법

건축사법

장애인시설법

소방시설법

서울시조례

③ 해당 지구단위계획구역의 지정목적 달성을 위하여 필요한 다음 기반시설의 배치와 규모

> 1. 도시개발구역, 정비구역, 택지개발지구, 대지조성사업지구, 산업단지와 준산업단지, 관광단지와 관광특구인 경우에는 해당 법률에 의한 개발사업으로 설치하는 기반시설

> 2. 기반시설(영 제2조제1항)
> 1) 교통시설 : 도로·철도·항만·공항·주차장·자동차정류장·궤도·차량 검사 및 면허시설
> 2) 공간시설 : 광장·공원·녹지·유원지·공공공지
> 3) 유통·공급시설 : 유통업무설비, 수도·전기·가스·열공급설비, 방송·통신시설, 공동구·시장, 유류저장 및 송유설비
> 4) 공공·문화체육시설 : 학교·공공청사·문화시설·공공필요성이 인정되는 체육시설·연구시설·사회복지시설·공공직업훈련시설·청소년수련시설
> 5) 방재시설 : 하천·유수지·저수지·방화설비·방풍설비·방수설비·사방설비·방조설비
> 6) 보건위생시설 : 장사시설·도축장·종합의료시설
> 7) 환경기초시설 : 하수도·폐기물처리 및 재활용시설·빗물저장 및 이용시설·수질오염방지시설·폐차장
>
> 예외 다음 시설 중 시·도 또는 대도시의 도시·군계획조례로 정하는 기반시설은 제외
> ① 철도   ② 항만   ③ 공항   ④ 궤도
> ⑤ 공원(「도시공원 및 녹지 등에 관한 법률」에 따른 묘지공원으로 한정)
> ⑥ 유원지   ⑦ 방송·통신시설   ⑧ 유류저장 및 송유설비
> ⑨ 학교(「고등교육법」에 따른 학교로 한정)   ⑩ 저수지   ⑪ 도축장

④ 도로로 둘러싸인 일단의 지역 또는 계획적인 개발·정비를 위하여 구획된 일단의 토지의 규모와 조성계획

⑤ 건축물의 용도제한, 건축물의 건폐율 또는 용적률, 건축물 높이의 최고한도 또는 최저한도

⑥ 건축물의 배치·형태·색채 또는 건축선에 관한 계획

⑦ 환경관리계획 또는 경관계획

⑧ 보행안전 등을 고려한 교통처리계획

⑨ 그 밖에 토지 이용의 합리화, 도시나 농·산·어촌의 기능 증진 등에 필요한 사항으로서 다음에 해당하는 사항

> 1. 지하 또는 공중공간에 설치할 시설물의 높이·깊이·배치 또는 규모

> 2. 대문·담 또는 울타리의 형태 또는 색채

> 3. 간판의 크기·형태·색채 또는 재질

> 4. 장애인·노약자 등을 위한 편의시설계획

> 5. 에너지 및 자원의 절약과 재활용에 관한 계획

> 6. 생물서식공간의 보호·조성·연결 및 물과 공기의 순환 등에 관한 계획

> 7. 문화재 및 역사문화환경 보호에 관한 계획

【2】 기반시설의 적절한 조화 (법 제52조제2항)

지구단위계획은 도로·주차장·공원·녹지·공공공지, 수도·전기·가스·열공급설비, 학교(초등학교 및 중학교만 해당)·하수도 및 폐기물처리시설의 처리·공급 및 수용능력이 지구단위계획구역에 있는 건축물의 연면적, 수용인구 등 개발밀도와 적절한 조화를 이룰 수 있도록 하여야 한다.

【3】 지구단위계획구역에서의 완화적용 규정 $\left(\begin{smallmatrix}법\\제52조제3항\end{smallmatrix}\right)$

건축관계법
국토계획법
주차장법
주 택 법
도시및주거환경정비법
건축사법
장애인시설법
소방시설법
서울시조례

관련법	내 용	조 항	관련법	내 용	조 항
「국토의 계획 및 이용에 관한 법률」	용도지역 및 용도지구에서의 건축제한 등	제76조	「건축법」	대지의 조경	제42조
	용도지역에서의 건폐율	제77조		공개공지 등의 확보	제43조
	용도지역에서의 용적률	제78조		대지와 도로와의 관계	제44조
「주차장법」	부설주차장의 설치	제19조		건축물의 높이제한	제60조
	부설주차장 설치계획서	제19조의2		일조 등의 확보를 위한 건축물의 높이제한	제61조

【4】 도시지역 내 지구단위계획구역에서의 완화적용 $\left(\begin{smallmatrix}영\\제46조\end{smallmatrix}\right)$

(1) 공공시설등의 기부채납시 완화적용

　지구단위계획구역(도시지역 내에 지정하는 경우로 한정)에서 건축물을 건축하려는 자가,
① 그 대지의 일부를 공공시설, 기반시설 및 공공임대주택 등(이하 "공공시설등")의 부지로 제공하거나 ② 공공시설등을 설치하여 제공하는 경우[지구단위계획구역 밖의 「하수도법」에 따른 배수구역에 공공하수처리시설을 설치하여 제공하는 경우(지구단위계획구역에 다른 공공시설 및 기반시설이 충분히 설치되어 있는 경우로 한정)]에는,

　그 건축물에 대하여 지구단위계획으로 다음의 구분에 따라 건폐율·용적률 및 높이제한을 완화하여 적용할 수 있다. 이 경우 제공받은 공공시설등은 국유재산 또는 공유재산으로 관리한다.

① 공공시설등의 부지를 제공하는 경우의 완화 적용

1. 완화할 수 있는 건폐율

$$= \text{해당 용도지역에 적용되는 건폐율} \times \left[1 + \frac{\text{공공시설등의 부지로 제공하는 면적}^*}{\text{원래의 대지면적}}\right] \text{ 이내}$$

2. 완화할 수 있는 용적률

$$= \text{해당 용도지역에 적용되는 용적률} +$$
$$\left[1.5 \times \frac{\text{공공시설등의 부지로 제공하는 면적}^* \times \text{공공시설등 제공 부지 용적률}}{\text{공공시설등의 부지 제공 후의 대지면적}}\right] \text{ 이내}$$

3. 완화할 수 있는 높이

$$= \text{「건축법」에 따라 제한된 높이(제60조)} \times \left[1 + \frac{\text{공공시설등의 부지로 제공하는 면적}^*}{\text{원래의 대지면적}}\right] \text{ 이내}$$

※ 위 1., 2., 3.의 공공시설등의 부지로 제공하는 면적
　공공시설등의 부지를 제공하는 자가 용도가 폐지되는 공공시설을 무상으로 양수받은 경우 그 양수받은 부지면적을 빼고 산정

② 공공시설등을 설치하여 제공(그 부지의 제공은 제외)하는 경우의 완화 적용
　공공시설 등을 설치하는 데에 드는 비용에 상응하는 가액(價額)의 부지를 제공한 것으로 보아 위 ①에 따른 비율까지 건폐율·용적률 및 높이제한을 완화하여 적용할 수 있다. 이 경우 공공시설등 설치비용 및 이에 상응하는 부지 가액의 산정 방법 등은 시·도 또는 대도시의 도시·군계획조례로 정한다.

③ 공공시설등을 설치하여 그 부지와 함께 제공하는 경우의 완화 적용
　위 ① 및 ②에 따라 완화할 수 있는 건폐율·용적률 및 높이를 합산한 비율까지 완화하여 적용할 수 있다.

건축관계법

국토계획법

주차장법

주 택 법

도시및주거
환경정비법

건 축 사 법

장애인시설법

소방시설법

서울시조례

(2) 토지보상반환금의 반환시 건폐율 등의 완화적용
　　특별시장·광역시장·특별자치시장·특별자치도지사·시장 또는 군수는 지구단위계획구역에 있는 대지의 일부를 공공시설부지로 제공하고 보상을 받은 자 또는 그 포괄승계인이 반환(보상금액에 이자*를 더한 금액)을 반환하는 경우 해당 지방자치단체의 도시·군계획조례가 정하는 바에 따라 (1)-①의 규정을 적용하여 해당 건축물에 대한 건폐율·용적률 및 높이제한을 완화할 수 있다. 이 경우 그 반환금은 기반시설의 확보에 사용하여야 한다.

　　＊ 보상을 받은 날부터 보상금의 반환일 전일까지의 기간동안 발생된 이자로서 그 이자율은 보상금 반환 당시의 「은행법」에 따른 인가를 받은 금융기관중 전국을 영업구역으로 하는 금융기관이 적용하는 1년만기 정기예금금리의 평균

(3) 공개공지 또는 공개공간의 의무면적 초과설치시 완화적용
　　지구단위계획구역에서 건축물을 건축하고자 하는 자가 공개공지 또는 공개공간을 의무면적을 초과하여 설치한 경우 당해 건축물에 대하여 지구단위계획으로 다음의 비율까지 용적률 및 높이제한을 완화하여 적용할 수 있다.

> 1. 완화할 수 있는 용적률 = 공개공지 또는 공개공간 설치시의 완화된 용적률*+ (해당 용도지역에 적용되는 용적률 × 의무면적을 초과하는 공개공지 또는 공개공간의 면적의 절반 ÷ 대지면적) 이내 　　　　　　　　　*「건축법」제43조제2항
> 2. 완화할 수 있는 높이 = 공개공지 또는 공개공간 설치시의 완화된 높이*1(「건축법」제43조제2항)+ {「건축법」에 따른 높이*2× 의무면적을 초과하는 공개공지 또는 공개공간의 면적의 절반 ÷ 대지면적} 이내 　　　　*1.「건축법」제43조제2항, *2.「건축법」제60조

관계법 「건축법」 제43조【공개 공지 등의 확보】
① 다음 각 호의 어느 하나에 해당하는 지역의 환경을 쾌적하게 조성하기 위하여 대통령령으로 정하는 용도와 규모의 건축물은 일반이 사용할 수 있도록 대통령령으로 정하는 기준에 따라 소규모 휴식시설 등의 공개 공지(空地: 공터) 또는 공개 공간(이하 "공개공지등"이라 한다)을 설치하여야 한다. <개정 2019.4.23.>
　1. 일반주거지역, 준주거지역
　2. 상업지역
　3. 준공업지역
　4. 특별자치시장·특별자치도지사 또는 시장·군수·구청장이 도시화의 가능성이 크거나 노후 산업단지의 정비가 필요하다고 인정하여 지정·공고하는 지역
② 제1항에 따라 공개공지등을 설치하는 경우에는 제55조, 제56조와 제60조를 대통령령으로 정하는 바에 따라 완화하여 적용할 수 있다. <개정 2019.4.23.>
③~⑤ <생략>

관계법 「건축법」 제60조【건축물의 높이 제한】
① 허가권자는 가로구역[(街路區域): 도로로 둘러싸인 일단(一團)의 지역을 말한다. 이하 같다]을 단위로 하여 대통령령으로 정하는 기준과 절차에 따라 건축물의 높이를 지정·공고할 수 있다. 다만, 특별자치시장·특별자치도지사 또는 시장·군수·구청장은 가로구역의 높이를 완화하여 적용할 필요가 있다고 판단되는 대지에 대하여는 대통령령으로 정하는 바에 따라 건축위원회의 심의를 거쳐 높이를 완화하여 적용할 수 있다. <개정 2014.1.14.>
② 특별시장이나 광역시장은 도시의 관리를 위하여 필요하면 제1항에 따른 가로구역별 건축물의 높이를 특별시나 광역시의 조례로 정할 수 있다. <개정 2014.1.14.>
③ 삭제 <2015.5.18.>
④ 허가권자는 제1항 및 제2항에도 불구하고 일조(日照)·통풍 등 주변 환경 및 도시미관에 미치는 영향이 크지 않다고 인정하는 경우에는 건축위원회의 심의를 거쳐 이 법 및 다른 법률에 따른 가로구역의 높이 완화에 관한 규정을 중첩하여 적용할 수 있다. <신설 2022.2.3.>

(4) 주차장 설치기준의 완화

지구단위계획구역의 지정목적이 다음에 해당하는 경우에는 지구단위계획으로 「주차장법」에 따른 주차장 설치기준을 100%까지 완화하여 적용할 수 있다.

건축관계법

1. 한옥마을을 보존하고자 하는 경우

2. 차 없는 거리를 조성하고자 하는 경우(지구단위계획으로 보행자전용도로를 지정하거나 차량의 출입을 금지한 경우를 포함한다)

3. 원활한 교통소통 또는 보행환경 조성을 위하여 도로에서 대지로의 차량통행이 제한되는 차량진입금지구간을 지정한 경우

(5) 그 밖에 지구단위계획구역에서 완화 적용할 수 있는 경우

국토계획법

1. 지구단위계획구역에서는 도시·군계획조례의 규정에 불구하고 지구단위계획으로 용도지역에서의 건폐율(법 제84조) 규정의 범위에서 건폐율을 완화하여 적용할 수 있다.

2. 지구단위계획구역에서는 지구단위계획으로 용도지역에서 건축할 수 있는 건축물(법 제76조)(도시·군계획조례가 정하는 바에 따라 건축할 수 있는 건축물의 경우 도시·군계획조례에서 허용되는 건축물에 한정)의 용도·종류 및 규모 등의 범위에서 이를 완화하여 적용할 수 있다.

주차장법

(6) 용적률의 120% 이내에서 완화 적용하는 경우

다음에 해당하는 경우 지구단위계획으로 해당 용도지역에 적용되는 용적률의 120% 이내에서 용적률을 완화하여 적용할 수 있다.

주 택 법

1. 도시지역에 개발진흥지구를 지정하고 해당 지구를 지구단위계획구역으로 지정한 경우

2. 다음에 해당하는 경우로서 특별시장·광역시장·특별자치시장·특별자치도지사·시장 또는 군수의 권고에 따라 공동개발을 하는 경우
① 지구단위계획에 2필지 이상의 토지에 하나의 건축물을 건축하도록 되어 있는 경우
② 지구단위계획에 합벽건축을 하도록 되어 있는 경우
③ 지구단위계획에 주차장·보행자통로 등을 공동으로 사용하도록 되어 있어 2필지 이상의 토지에 건축물을 동시에 건축할 필요가 있는 경우

도시및주거
환경정비법

건축사법

(7) 건축물 높이의 120% 이내에서 완화 적용하는 경우

도시지역에 개발진흥지구를 지정하고 해당 지구를 지구단위계획구역으로 지정한 경우 지구단위계획으로 건축물의 높이제한(「건축법」 제60조) 규정에 따라 제한된 건축물 높이제한을 120% 이내에서 완화하여 적용할 수 있다.

장애인시설법

(8) 위 (1)-①-2.(대지의 일부를 공공시설등의 부지로 제공하고 반환금을 반환하는 경우의 적용완화의 경우를 포함), (3)-① 및 (6)의 규정은 다음에 해당하는 경우 적용하지 않는다.

1. 개발제한구역·시가화조정구역·녹지지역 또는 공원에서 해제되는 구역과 새로이 도시지역으로 편입되는 구역 중 계획적인 개발 또는 관리가 필요한 지역인 경우

2. 기존의 용도지역 또는 용도지구가 용적률이 높은 용도지역 또는 용도지구로 변경되는 경우로서 기존의 용도지역 또는 용도지구의 용적률을 적용하지 않는 경우

소방시설법

(9) 위 (1)~(3), (5)-1. 및 (6)에 따라 완화하여 적용되는 건폐율 및 용적률은 해당 용도지역 또는 용도지구에 적용되는 건폐율의 150% 및 용적률의 200%를 각각 초과할 수 없다.

(10) 위 (1)에도 불구하고 지구단위계획구역 내 준주거지역(준주거지역으로 변경하는 경우를 포함)에서 건축물을 건축하려는 자가 그 대지의 일부를 공공시설등의 부지로 제공하거나 공공시설등

서울시조례

건축관계법

국토계획법

주차장법

주 택 법

도시및주거
환경정비법

건축사법

장애인시설법

소방시설법

서울시조례

을 설치하여 제공하는 경우 지구단위계획으로 용적률의 140% 이내의 범위에서 용적률을 완화하여 적용할 수 있다. 이 경우 공공시설등의 부지를 제공하거나 공공시설등을 설치하여 제공하는 비용은 용적률 완화에 따른 토지가치 상승분(「감정평가 및 감정평가사에 관한 법률」에 따른 감정평가법인등이 용적률 완화 전후에 각각 감정평가한 토지가액의 차이)의 범위로 하며, 그 비용 중 시·도 또는 대도시의 도시·군계획조례로 정하는 비율 이상은 「공공주택특별법」에 따른 공공임대주택을 제공하는 데에 사용해야 한다.

(11) 지정된 지구단위계획구역 내 준주거지역에서는 지구단위계획으로 「건축법」에 따른 채광(採光) 등의 확보를 위한 건축물의 높이 제한을 200% 이내의 범위에서 완화하여 적용할 수 있다.

(12) 도시·군관리계획의 결정권자는 지구단위계획구역 내 국가첨단전략기술을 보유하고 있는 자가 입주하는(이미 입주한 경우 포함)에 따른 산업단지에 대하여 용적률 완화에 관한 산업통상자원부장관의 요청이 있는 경우 산업입지정책심의회의 심의를 거쳐 지구단위계획으로 용도지역별 용적률 최대한도의 140% 이내의 범위에서 완화하여 적용할 수 있다. <신설 2023.3.21>

【5】 도시지역 외의 지구단위계획구역에서의 건폐율 등의 완화적용(영 제47조)

1. 지구단위계획구역(도시지역 외에 지정하는 경우로 한정)에서는 지구단위계획으로 해당 용도지역 또는 개발진흥지구에 적용되는 건폐율의 150% 및 용적률의 200% 이내에서 건폐율 및 용적률을 완화하여 적용할 수 있다.

2. 지구단위계획구역에서는 지구단위계획으로 건축물의 용도·종류 및 규모 등을 완화하여 적용할 수 있다. ▨예외 개발진흥지구(계획관리지역에 지정된 개발진흥지구 제외)에 지정된 지구단위계획구역에 대하여는 「건축법 시행령」의 공동주택 중 아파트 및 연립주택은 허용되지 않는다.

5 공공시설등의 설치비용 등 (법 제52조의2)(영 제46조의2)

(1) 지역의 전부 또는 일부를 지구단위계획구역으로 지정함에 따라 지구단위계획으로 용도지역이 변경되어 용적률이 높아지거나 건축제한이 완화되는 경우 또는 지구단위계획으로 도시·군계획시설 결정이 변경되어 행위제한이 완화되는 경우에는 해당 지구단위계획구역에서 건축물을 건축하려는 자(도시·군관리계획이 입안되는 경우 입안 제안자를 포함한다)가 용도지역의 변경 또는 도시·군계획시설 결정의 변경 등으로 인한 토지가치 상승분(「감정평가 및 감정평가사에 관한 법률」에 따른 감정평가법인등이 용도지역의 변경 또는 도시·군계획시설 결정의 변경 전·후에 대하여 각각 감정평가한 토지가액의 차이를 말한다)의 범위에서 지구단위계획으로 정하는 바에 따라 해당 지구단위계획구역 안에 다음의 시설(이하 "공공시설등"이라 한다)의 부지를 제공하거나 공공시설등을 설치하여 제공하도록 하여야 한다.

■ 공공시설등

1. 공공시설

2. 기반시설

3. 「공공주택 특별법」에 따른 공공임대주택 또는 「건축법」 및 같은 법 시행령 별표 1에 따른 기숙사 등 공공필요성이 인정되어 해당 시·도 또는 대도시의 조례로 정하는 시설

(2) 위 (1)에도 불구하고 <1> 해당 지구단위계획구역 안의 공공시설등이 충분한 것으로 인정될 때

에는 해당 지구단위계획구역 밖의 관할 특별시·광역시·특별자치시·특별자치도·시 또는 군에 지구단위계획으로 정하는 바에 따라 <2> 다음 사업에 필요한 <3> 비용을 납부하는 것으로 갈음할 수 있다.

<1> 공공시설등의 충분 여부의 인정

지구단위계획구역에 공공시설등의 부지나 공공시설등을 설치하여 제공하는 것을 갈음하여 공공시설등의 설치비용을 납부하게 하려는 경우 지구단위계획구역 안의 공공시설등이 충분한지는 특별시장·광역시장·특별자치시장·특별자치도지사·시장 또는 군수가 해당 지방자치단체에 두는 건축위원회와 도시계획위원회의 공동 심의를 거쳐 인정한다.

■ 심의 및 인정 여부의 결정시의 고려 사항

1. 현재 지구단위계획구역 안의 공공시설등의 확보 현황

2. 개발사업에 따른 인구·교통량 등의 변화와 공공시설등의 수요 변화 등

<2> 대상 사업

1. 도시·군계획시설결정의 고시일부터 10년 이내에 도시·군계획시설사업이 시행되지 아니한 도시·군계획시설의 설치

2. 위 (1)-3.에 따른 시설의 설치

3. 공공시설 또는 위 1.에 해당하지 않는 기반시설의 설치

<3> 납부 비용

1. 감정평가법인등이 지구단위계획에 관한 도시·군관리계획 결정의 고시일을 기준으로 용도지역의 변경 또는 도시·군계획시설 결정의 변경 전·후에 대하여 각각 감정평가한 토지가액 차이의 범위에서 시·도 또는 대도시의 도시·군계획조례로 정하는 금액에서 (1)에 따라 지구단위계획구역 안에 공공시설등의 부지를 제공하거나 공공시설등을 설치하여 제공하는 데 소요된 비용을 공제한 금액으로 한다.

2. 위 1.에 따른 비용은 착공일부터 사용승인 또는 준공검사 신청 전까지 납부하되, 시·도 또는 대도시의 도시·군계획조례로 정하는 바에 따라 분할납부할 수 있다.

(3) 위 (1)에 따른 지구단위계획구역이 특별시 또는 광역시 관할인 경우 위 (2)에 따른 공공시설등의 설치 비용 납부액 중 20/100 이상 30/100분 이하의 범위에서 해당 지구단위계획으로 정하는 비율에 해당하는 금액은 해당 지구단위계획구역의 관할 구(자치구) 또는 군(광역시의 관할 구역에 있는 군)에 귀속된다.

(4) 특별시장·광역시장·특별자치시장·특별자치도지사·시장·군수 또는 구청장은 위 (2)에 따라 납부받거나 위 (3)에 따라 귀속되는 공공시설등의 설치 비용의 관리 및 운용을 위하여 기금을 설치할 수 있다.

(5) 특별시·광역시·특별자치시·특별자치도·시 또는 군은 (2)에 따라 납부받은 공공시설등의 설치 비용의 10/100 이상을 위 (2)-<2>-1.의 사업에 우선 사용하여야 하고, 해당 지구단위계획구역의 관할 구 또는 군은 위 (3)에 따라 귀속되는 공공시설등의 설치 비용 전부를 위 (2)-<2>-1.의 사업에 우선 사용해야 한다. 이 경우 공공시설등의 설치 비용의 사용기준 등 필요한 사항은 해당 시·도 또는 대도시의 조례로 정한다.

건축관계법

국토계획법

주차장법

주 택 법

도시및주거
환경정비법

건축사법

장애인시설법

소방시설법

서울시조례

건축관계법

국토계획법

주차장법

주 택 법

도시및주거
환경정비법

건축사법

장애인시설법

소방시설법

서울시조례

6 **지구단위계획구역의 지정 및 지구단위계획구역에 관한 도시·군관리계획결정의 실효 등** (법 제53조)(영 제50조)

(1) 지구단위계획구역의 지정에 관한 도시·군관리계획결정의 고시일부터 3년 이내에 그 지구단위계획구역에 관한 지구단위계획이 결정·고시되지 않으면 그 3년이 되는 날의 다음날에 그 지구단위계획구역의 지정에 관한 도시·군관리계획결정은 효력을 잃는다.

예외 다른 법률에서 지구단위계획의 결정(결정된 것으로 보는 경우 포함)에 관하여 따로 정한 경우 그 법률에 따라 지구단위계획을 결정할 때까지 지구단위계획구역의 지정은 그 효력을 유지한다.

(2) 지구단위계획(주민이 입안을 제안한 것에 한정)에 관한 도시·군관리계획결정의 고시일부터 5년 이내에 이 법 또는 다른 법률에 따라 허가·인가·승인 등을 받아 사업이나 공사에 착수하지 않으면 그 5년이 된 날의 다음날에 그 지구단위계획에 관한 도시·군관리계획결정은 효력을 잃는다. 이 경우 지구단위계획과 관련한 도시·군관리계획결정에 관한 사항은 해당 지구단위계획구역 지정 당시의 도시·군관리계획으로 환원된 것으로 본다.

(3) 국토교통부장관, 시·도지사 또는 시장·군수가 위 (1) 및 (2)에 따라 지구단위계획구역 지정이 효력을 잃으면 그 사실을 고시하여야 한다.

실효고시자	게재 방법	게재할 내용
1. 국토교통부장관	– 관보 – 국토교통부 인터넷 홈페이지	• 실효일자 • 실효사유 • 실효된 지구단위계획구역의 내용
2. 시·도지사 또는 시장·군수	– 시·도 또는 시·군의 공보 – 인터넷 홈페이지	

7 **지구단위계획구역에서의 건축 등** (법 제54조)

지구단위계획구역에서 건축물(일정 기간 내 철거가 예상되는 경우 등 다음의 가설건축물은 제외)을 건축 또는 용도변경하거나 공작물을 설치하려면 그 지구단위계획에 맞게 하여야 한다.

예외 지구단위계획이 수립되어 있지 않은 경우 그렇지 않다.

■ **지구단위계획이 적용되지 않는 가설건축물**

1. 존치기간(연장된 존치기간을 포함한 총 존치기간)이 3년의 범위에서 해당 특별시·광역시·특별자치시·특별자치도·시 또는 군의 도시·군계획조례로 정한 존치기간 이내인 가설건축물
   ※ 다음 가설건축물의 경우 각각 다음의 기준에 따라 존치기간 연장 가능 <개정 2023.7.18>
   ① 국가 또는 지방자치단체가 공익 목적으로 건축하는 가설건축물 또는 「건축법 시행령」 제15조제5항제4호에 따른 전시를 위한 견본주택이나 그 밖에 이와 비슷한 가설건축물: 횟수별 3년의 범위에서 해당 특별시·광역시·특별자치시·특별자치도·시 또는 군의 도시·군계획조례로 정하는 횟수만큼
   ② 「건축법」 제20조제1항에 따라 특별자치시장·특별자치도지사 또는 시장·군수·구청장의 허가를 받아 도시·군계획시설 및 도시·군계획시설예정지에서 건축하는 가설건축물: 도시·군계획사업이 시행될 때까지
2. 재해복구기간 중 이용하는 재해복구용 가설건축물
3. 공사기간 중 이용하는 공사용 가설건축물

건축관계법

국토계획법

주차장법

주 택 법

도시및주거
환경정비법

건축사법

장애인시설법

소방시설법

서울시조례

5

개발행위의 허가 등

1 개발행위의 허가

① 개발행위의 허가 (법 제56조)

【1】허가대상 행위

도시·군계획사업에 의하지 아니하고 다음에 해당하는 개발행위를 하고자 하는 자는 특별시장·광역시장·특별자치시장·특별자치도지사·시장·군수의 허가(개발행위허가)를 받아야 한다.

개발행위	규제 내용
1. 건축물의 건축	「건축법」에 따른 건축물의 건축
2. 공작물의 설치	인공을 가하여 제작한 시설물(건축물 제외)의 설치
3. 토지의 형질변경	절토(땅깎기)·성토(흙쌓기)·정지(땅고르기)·포장 등의 방법으로 토지의 형상을 변경하는 행위와 공유수면의 매립 예외 경작을 위한 다음의 형질변경 제외 경작을 위한 토지의 형질 변경으로서 조성이 끝난 농지에서 농작물 재배, 농지의 지력 증진 및 생산성 향상을 위한 객토(새 흙 넣기)·환토(흙 바꾸기)·정지(땅고르기) 또는 양수·배수시설 설치를 위한 토지의 형질변경으로서 다음에 해당하지 않는 경우의 형질변경 ① 인접토지의 관개·배수 및 농작업에 영향을 미치는 경우 ② 재활용 골재, 사업장 폐토양, 무기성 오니(오염된 침전물) 등 수질오염 또는 토질오염의 우려가 있는 토사 등을 사용하여 성토하는 경우(「농지법 시행령」에 따른 성토 제외) ③ 지목의 변경을 수반하는 경우(전·답 사이의 변경 제외) ④ 옹벽 설치(허가를 받지 않아도 되는 옹벽 설치 제외) 또는 2m 이상의 절토·성토가 수반되는 경우(절토·성토에 대해서는 2m 이내의 범위에서 특별시·광역시·특별자치시·특별자치도·시 또는 군의 도시·군계획조례로 따로 정할 수 있다)
4. 토석채취	흙·모래·자갈·바위 등의 토석을 채취하는 행위(토지형질변경을 목적으로 하는 행위 제외)

건축관계법
국토계획법
주차장법
주 택 법
도시및주거
환경정비법
건축사법
장애인시설법
소방시설법
서울시조례

5. 토지분할(건축물이 있는 대지의 분할은 제외)	• 녹지지역·관리지역·농림지역 및 자연환경보전지역 안에서 관계법령에 따른 허가·인가 등을 받지 아니하고 행하는 토지의 분할 • 「건축법」에 따른 분할제한면적 미만으로 분할하는 토지의 분할【참고】 • 관계 법령에 따른 허가·인가 등을 받지 아니하고 행하는 너비 5m 이하로의 토지의 분할 예외 다른 법령에 의하여 토지분할에 관한 허가·인가 등을 받은 경우 제외 ※ 아래 【2】참조
6. 물건을 쌓아놓는 행위	• 대상지역 : 녹지지역·관리지역 또는 자연환경보전지역 • 기 간 : 1개월 이상 • 대상토지 : 사용승인을 받은 건축물의 울타리안(적법한 절차에 의하여 조성된 대지에 한함)에 위치하지 아니한 토지

【참고】 대지의 분할제한 (「건축법」제57조제1항, 시행령 제80조)

건축물이 있는 대지는 다음의 범위에서 해당 지방자치단체의 조례로 정하는 면적에 못 미치게 분할할 수 없다.

① 주거지역: 60㎡   ② 상업지역: 150㎡

③ 공업지역: 150㎡   ④ 녹지지역: 200㎡

⑤ 위 ①~④까지의 규정에 해당하지 아니하는 지역: 60㎡

【2】 관련법의 규정에 따름

(1) 위 【1】의 규정에도 불구하고 다음의 사항은 관련법의 규정에 따른다.

개발행위 내용	지 역	세부내용	관 련 법
1. 토지의 형질변경 (경작을 위한 토지의 형질변경 제외)	도시지역 및 계획관리지역의 산림	임도의 설치	「산림자원의 조성 및 관리에 관한 법률」
		사방사업	「사방사업법」
2. 토석의 채취	보전관리지역·생산관리지역·농림지역 및 자연환경보전지역의 산림*		「산지관리법」

* 농업·임업·어업을 목적으로 하는 토지의 형질 변경만 해당

(2) 개발행위허가의 경미한 변경 (영 제52조)

① 개발행위허가 사항을 변경하고자 하는 경우 허가권자의 허가를 받아야 하나 다음의 어느 하나에 해당하는 경우(다른 호에 저촉되지 않는 경우로 한정한다)에는 그러하지 아니하다.

1. 사업기간을 단축하는 경우
2. 부지면적 또는 건축물 연면적을 5%의 범위 안에서 축소[(공작물의 무게, 부피 또는 수평투영면적(하늘에서 내려다보이는 수평 면적을 말한다) 또는 토석채취량을 5% 범위에서 축소하는 경우를 포함한다]하는 경우
3. 관계법령의 개정 또는 도시·군관리계획의 변경에 따라 허가받은 사항을 불가피하게 변경하는 경우
4. 「공간정보의 구축 및 관리 등에 관한 법률」 및 「건축법」에 따라 허용되는 오차를 반영하기 위한 변경
5. 「건축법 시행령」제12조제3항 각 호의 어느 하나에 해당하는 변경(공작물의 위치를 1m 범위에서 변경하는 경우 포함)인 경우

② 개발행위허가를 받은 자는 위의 경미한 사항을 변경한 때에는 지체 없이 그 사실을 특별시장·광역시장·특별자치시장·특별자치도지사·시장 또는 군수에게 통지하여야 한다.

건축관계법

국토계획법

주차장법

주 택 법

도시및주거
환경정비법

건축사법

장애인시설법

소방시설법

서울시조례

관계법 「건축법시행령」 제12조【허가·신고사항의 변경 등】

① ~ ② 〈생략〉

③ 법 제16조제2항에서 "대통령령으로 정하는 사항"이란 다음 각 호의 어느 하나에 해당하는 사항을 말한다. <개정 2016. 1. 19.>

　1. 건축물의 동수나 층수를 변경하지 아니하면서 변경되는 부분의 바닥면적의 합계가 50제곱미터 이하인 경우로서 다음 각 목의 요건을 모두 갖춘 경우

　　가. 변경되는 부분의 높이가 1미터 이하이거나 전체 높이의 10분의 1 이하일 것

　　나. 허가를 받거나 신고를 하고 건축 중인 부분의 위치 변경범위가 1미터 이내일 것

　　다. 법 제14조제1항에 따라 신고를 하면 법 제11조에 따른 건축허가를 받은 것으로 보는 규모에서 건축허가를 받아야 하는 규모로의 변경이 아닐 것

　2. 건축물의 동수나 층수를 변경하지 아니하면서 변경되는 부분이 연면적 합계의 10분의 1 이하인 경우(연면적이 5천 제곱미터 이상인 건축물은 각 층의 바닥면적이 50제곱미터 이하의 범위에서 변경되는 경우만 해당한다). 다만, 제4호 본문 및 제5호 본문에 따른 범위의 변경인 경우만 해당한다.

　3. 대수선에 해당하는 경우

　4. 건축물의 층수를 변경하지 아니하면서 변경되는 부분의 높이가 1미터 이하이거나 전체 높이의 10분의 1 이하인 경우. 다만, 변경되는 부분이 제1호 본문, 제2호 본문 및 제5호 본문에 따른 범위의 변경인 경우만 해당한다.

　5. 허가를 받거나 신고를 하고 건축 중인 부분의 위치가 1미터 이내에서 변경되는 경우. 다만, 변경되는 부분이 제1호 본문, 제2호 본문 및 제4호 본문에 따른 범위의 변경인 경우만 해당한다.

④ <생략>

【3】 허가를 받지 않고 할 수 있는 개발행위 (영 제53조)

다음에 해당하는 행위는 개발행위허가를 받지 아니하고 이를 할 수 있다.

구　　　분	비　　　　　고
1. 재해복구나 재난수습을 위한 응급조치	1월 이내에 특별시장·광역시장·특별자치시장·특별자치도지사·시장·군수에게 이를 신고하여야 한다.
2. 「건축법」에 따라 신고하고 설치할 수 있는 건축물의 개축·증축 또는 재축과 이에 필요한 범위에서의 토지의 형질변경	도시·군계획시설사업이 시행되지 아니하고 있는 도시·군계획시설의 부지인 경우만 가능하다.
3. 건축물의 건축	건축허가 또는 건축신고 및 가설건축물 건축의 허가 또는 가설건축물의 축조신고 대상에 해당하지 아니하는 건축물의 건축
4. 공작물의 설치	① 도시지역 또는 지구단위계획구역에서 무게가 50t 이하, 부피가 50㎥ 이하, 수평투영 면적이 50㎡ 이하인 공작물의 설치. 예외 「건축법 시행령」 제118조제1항의 공작물의 설치는 제외 ② 도시지역·자연환경보전지역 및 지구단위계획구역 외의 지역에서 무게가 150t 이하, 부피가 150㎥ 이하, 수평투영 면적이 150㎡ 이하인 공작물의 설치. 예외 「건축법 시행령」 제118조제1항의 공작물의 설치는 제외 ③ 녹지지역·관리지역 또는 농림지역안에서의 농림어업용 비닐하우스(비닐하우스안에 설치하는 육상어류양식장을 제외)의 설치

건축관계법

국토계획법

주차장법

주 택 법

도시및주거
환경정비법

건축사법

장애인시설법

소방시설법

서울시조례

5. 토지의 형질변경	① 높이 50cm 이내 또는 깊이 50cm 이내의 절토·성토·정지 등(포장을 제외하며, 주거지역·상업지역 및 공업지역외의 지역에서는 지목변경을 수반하지 아니하는 경우에 한한다) ② 도시지역·자연환경보전지역·지구단위계획구역 외의 지역에서 면적이 660㎡ 이하인 토지에 대한 지목변경을 수반하지 아니하는 절토·성토·정지·포장 등(토지의 형질변경 면적은 형질변경이 이루어지는 해당 필지의 총면적을 말한다) ③ 조성이 완료된 기존 대지에 건축물이나 그 밖에 공작물을 설치하기 위한 토지의 형질변경(절토 및 성토 제외) ④ 국가 또는 지방자치단체가 공익상의 필요에 의하여 직접 시행하는 사업을 위한 토지의 형질변경
6. 토석 채취	① 도시지역 또는 지구단위계획구역에서 채취면적이 25㎡ 이하인 토지에서의 부피 50㎥ 이하의 토석채취 ② 도시지역·자연환경보전지역 및 지구단위계획구역외의 지역에서 채취면적이 250㎡ 이하인 토지에서의 부피 500㎥ 이하의 토석채취
7. 토지분할	①「사도법」에 따른 사도개설허가를 받은 토지의 분할 ② 토지의 일부를 공공용지 또는 공용지로 하기 위한 토지의 분할 ③ 행정재산 중 용도폐지되는 부분의 분할 또는 일반재산을 매각·교환 또는 양여하기 위한 분할 ④ 토지의 일부가 도시·군계획시설로 지형도면고시가 된 당해 토지의 분할 ⑤ 너비 5m 이하로 이미 분할된 토지의 「건축법」에 따른 분할제한 면적 이상으로의 분할
8. 물건을 쌓아놓는 행위	① 녹지지역 또는 지구단위계획구역에서 물건을 쌓아놓는 면적이 25㎡ 이하인 토지에 전체무게 50t 이하, 전체부피 50㎥ 이하로 물건을 쌓아놓는 행위 ② 관리지역(지구단위계획구역으로 지정된 지역을 제외)에서 물건을 쌓아놓는 면적이 250㎡ 이하인 토지에 전체무게 500t 이하, 전체부피 500㎥ 이하로 물건을 쌓아놓는 행위

■ 위 3.~ 7.까지에 규정된 범위에서 특별시·광역시·특별자치시·특별자치도·시 또는 군의 도시·군계획조례로 따로 정하는 경우에는 그에 따른다.

② 개발행위의 절차 (법 제57조)

【1】 신청서의 제출

① 개발행위를 하려는 자는 그 개발행위에 따른 기반시설의 설치나 그에 필요한 용지의 확보, 위해(危害) 방지, 환경오염 방지, 경관, 조경 등에 관한 계획서를 첨부한 신청서를 개발행위허가권자에게 제출하여야 한다.

② 위 ①의 경우 개발밀도관리구역 안에서는 기반시설의 설치나 그에 필요한 용지의 확보에 관한 계획서를 제출하지 아니한다.

　　단서 건축물의 건축 또는 공작물의 설치에 따른 행위 중「건축법」의 적용을 받는 건축물의 건축 또는 공작물의 설치를 하려는 자는 「건축법」에서 정하는 절차에 따라 신청서류를 제출하여야 한다.

【2】허가 또는 불허가처분

① 특별시장·광역시장·특별자치시장·특별자치도지사·시장 또는 군수는 개발행위허가의 신청에 대하여 15일(도시계획위원회의 심의를 거쳐야 하거나 관계행정기관의 장과 협의를 하여야 하는 경우 심의 또는 협의기간은 제외) 이내에 허가 또는 불허가의 처분을 하여야 한다.

② 위 ①의 경우 지체 없이 그 신청인에게 허가내용이나 불허가 처분사유를 서면 또는 국토이용정보체계를 통하여 알려야 한다.

【3】조건부 개발행위허가를 하는 경우

특별시장·광역시장·특별자치시장·특별자치도지사·시장 또는 군수는 개발행위허가를 하는 경우에는 해당 개발행위에 따른 기반시설의 설치 또는 그에 필요한 용지의 확보·위해방지·환경오염방지·경관·조경 등에 관한 조치를 할 것을 조건으로 개발행위허가를 할 수 있다. 이 경우 미리 개발행위허가를 신청한 자의 의견을 들어야 한다.

③ 개발행위허가의 기준 $\left(\genfrac{}{}{0pt}{}{법}{제58조}\right)\left(\genfrac{}{}{0pt}{}{영}{제56조의2, 3}\right)$

【1】개발행위허가의 일반적 기준

(1) 특별시장·광역시장·특별자치시장·특별자치도지사·시장 또는 군수는 개발행위허가의 신청내용이 다음의 기준에 적합한 경우에 한하여 개발행위허가 또는 변경허가를 하여야 한다.

1. 용도지역별 특성을 고려하여 아래 【2】에서 정하는 개발행위의 규모에 적합할 것
2. 도시·군관리계획 및 성장관리계획의 내용의 내용에 어긋나지 아니할 것
3. 도시·군계획사업의 시행에 지장이 없을 것
4. 주변지역의 토지이용실태 또는 토지이용계획, 건축물의 높이, 토지의 경사도, 수목의 상태, 물의 배수, 하천·호소·습지의 배수 등 주변 환경 또는 경관과 조화를 이룰 것
5. 해당 개발행위에 따른 기반시설의 설치 또는 그에 필요한 용지의 확보계획이 적정할 것

(2) 특별시장·광역시장·특별자치시장·특별자치도지사·시장 또는 군수는 개발행위허가를 하고자 하는 때에는 해당 개발행위가 도시·군계획사업의 시행에 지장을 주는지의 여부에 관하여 해당 지역안에서 시행되는 도시·군계획사업의 시행자의 의견을 들어야 한다.

(3) 위 (1)에 따라 허가할 수 있는 경우 그 허가의 기준은 다음에 해당하는 용도지역의 특성 및 지역의 개발상황, 기반시설의 현황 등을 고려하여 아래 【3】의 기준에 따른다.

검토 분야	허가 기준
1. 시가화 용도	① 토지의 이용 및 건축물의 용도·건폐율·용적률·높이 등에 대한 용도지역의 제한에 따라 개발행위허가의 기준을 적용하는 주거지역·상업지역 및 공업지역일 것 ② 개발을 유보하는 지역으로서 기반시설의 적정성, 개발이 환경에 미치는 영향, 경관 보호·조성 및 미관훼손의 최소화를 고려할 것
2. 유보 용도	① 도시계획위원회의 심의를 통하여 개발행위허가의 기준을 강화 또는 완화하여 적용할 수 있는 계획관리지역·생산관리지역 및 녹지지역 중 자연녹지지역일 것

건축관계법

국토계획법

주차장법

주 택 법

도시및주거환경정비법

건축사법

장애인시설법

소방시설법

서울시조례

건축관계법

국토계획법

주차장법

주 택 법

도시및주거
환경정비법

건축사법

장애인시설법

소방시설법

서울시조례

	② 지역특성에 따라 개발수요에 탄력적으로 적용할 지역으로서 입지타당성, 기반시설의 적정성, 개발이 환경에 미치는 영향, 경관 보호·조성 및 미관훼손의 최소화를 고려할 것
3. 보전 용도	① 도시계획위원회의 심의를 통하여 개발행위허가의 기준을 강화하여 적용할 수 있는 보전관리지역·농림지역·자연환경보전지역 및 녹지지역 중 생산녹지지역 및 보전녹지지역일 것 ② 개발보다 보전이 필요한 지역으로서 입지타당성, 기반시설의 적정성, 개발이 환경에 미치는 영향, 경관 보호·조성 및 미관훼손의 최소화를 고려할 것

【2】 개발행위허가의 규모(영 제55조)

① 개발행위의 규모라 함은 다음에 해당하는 토지의 형질변경면적을 말한다.

예외 관리지역 및 농림지역에 대하여는 다음 면적의 범위에서 당해 특별시·광역시·특별자치시·특별자치도·시 또는 군의 도시·군계획조례로 따로 정할 수 있다.

1. 도시지역 ① 주거지역·상업지역·자연녹지지역·생산녹지지역 : 10,000㎡ 미만 ② 공업지역 : 30,000㎡ 미만 ③ 보전녹지지역 : 5,000㎡ 미만
2. 관리지역 : 30,000㎡ 미만
3. 농림지역 : 30,000㎡ 미만
4. 자연환경보전지역 : 5,000㎡ 미만

② 위 ①의 규정을 적용함에 있어서 개발행위허가의 대상인 토지가 둘 이상의 용도지역에 걸치는 경우에는 각각의 용도지역에 위치하는 토지부분에 대하여 각각의 용도지역의 개발행위의 규모에 관한 규정을 적용한다.

단서 개발행위허가의 대상인 토지의 총면적이 해당 토지가 걸쳐 있는 용도지역 중 개발행위의 규모가 가장 큰 용도지역의 개발행위의 규모를 초과하여서는 아니 된다.

③ 다음에 해당하는 경우에는 위 ①에 따른 개발행위 규모에 따른 면적제한을 적용하지 아니한다.

1. 지구단위계획으로 정한 가구 및 획지의 범위에서 이루어지는 토지의 형질변경으로서 해당 형질변경과 관련된 기반시설이 이미 설치되었거나 형질변경과 기반시설의 설치가 동시에 이루어지는 경우
2. 해당 개발행위가 「농어촌정비법」에 따른 농어촌정비사업으로 이루어지는 경우
3. 해당 개발행위가 「국방·군사시설 사업에 관한 법률」에 따른 국방·군사시설사업으로 이루어지는 경우
4. 초지조성, 농지조성, 영림 또는 토석채취를 위한 경우
5. 해당 개발행위가 다음의 어느 하나에 해당하는 경우. 이 경우 특별시장·광역시장·특별자치시장·특별자치도지사·시장 또는 군수는 그 개발행위에 대한 허가를 하려면 시·도 도시계획위원회 또는 시·군·구 도시계획위원회 중 대도시에 두는 도시계획위원회의 심의를 거쳐야 하고, 시장(대도시 시장은 제외한다) 또는 군수(특별시장·광역시장의 개발행위허가 권한이 조례로 군수 또는 자치구의 구청장에게 위임된 경우에는 그 군수 또는 자치구의 구청장을 포함한다)는 시·도 도시계획위원회에 심의를 요청하기 전에 해당 지방자치단체에 설치된 지방도시계획위원회에 자문할 수 있다.

제5장 개발행위의 허가 등

5장

건축관계법

국토계획법

주차장법

주 택 법

도시및주거
환경정비법

건축사법

장애인시설법

소방시설법

서울시조례

　　　㉠ 하나의 필지(준공검사를 신청할 때 둘 이상의 필지를 하나의 필지로 합칠 것을 조건으로
　　　　하여 허가하는 경우를 포함하되, 개발행위허가를 받은 후에 매각을 목적으로 하나의 필지
　　　　를 둘 이상의 필지로 분할하는 경우는 제외한다)에 건축물을 건축하거나 공작물을 설치하
　　　　기 위한 토지의 형질변경
　　　㉡ 하나 이상의 필지에 하나의 용도에 사용되는 건축물을 건축하거나 공작물을 설치하기 위
　　　　한 토지의 형질변경

　　6. 건축물의 건축, 공작물의 설치 또는 지목의 변경을 수반하지 아니하고 시행하는 토지복원사업

　　7. 그 밖에 국토교통부령이 정하는 경우

【3】 개발행위허가의 기준 (제56조, [별표 1의2])
　　　　　　　　　　　　　　　　영

개발행위허가의 기준은 다음과 같다. 국토교통부장관은 개발행위허가 기준에 대한 세부적인 검토기
준을 정할 수 있다.

(1) 분야별 검토사항

검토분야	허가기준
1. 공통분야	① 조수류·수목 등의 집단서식지가 아니고, 우량농지 등에 해당하지 아니하여 보전의 필요가 없을 것 ② 역사적·문화적·향토적 가치, 국방상 목적 등에 따른 원형 보전의 필요가 없을 것 ③ 토지의 형질변경 또는 토석채취의 경우에는 다음의 사항 중 필요한 사항에 대하여 도시·군계획조례(특별시·광역시·특별자치시·특별자치도·시 또는 군의 도시·군계획조례를 말한다)로 정하는 기준에 적합할 것 　㉠ 국토교통부령으로 정하는 방법에 따라 산정한 개발행위를 하려는 토지의 경사도 및 임상(林相) 　㉡ 표고, 인근 도로의 높이, 배수(排水) 등 그 밖에 필요한 사항 ④ 위 ③)에도 불구하고 다음의 어느 하나에 해당하는 경우에는 위해 방지, 환경오염 방지, 경관 조성, 조경 등에 관한 조치가 포함된 개발행위내용에 대하여 해당 도시계획위원회(중앙도시계획위원회 또는 시·도도시계획위원회의 심의를 거치는 경우에는 중앙도시계획위원회 또는 시·도도시계획위원회를 말한다)의 심의를 거쳐 도시·군계획조례로 정하는 기준을 완화하여 적용할 수 있다. 　㉠ 골프장, 스키장, 기존 사찰, 풍력을 이용한 발전시설 등 개발행위의 특성상 도시·군계획조례가 정하는 기준을 그대로 적용하는 것이 불합리하다고 인정되는 경우 　㉡ 지형 여건 또는 사업수행상 도시·군계획조례가 정하는 기준을 그대로 적용하는 것이 불합리하다고 인정되는 경우
2. 도시·군관리계획	① 용도지역별 개발행위의 규모 및 건축제한 기준에 적합할 것 ② 개발행위허가 제한지역에 해당하지 아니할 것
3. 도시·군계획사업	① 도시·군계획사업부지에 해당하지 아니할 것(제61조에 따라 허용되는 개발행위를 제외한다) ② 개발시기와 가설시설의 설치 등이 도시·군계획사업에 지장을 초래하지 아니할 것

건축관계법

국토계획법

주차장법

주택법

도시및주거
환경정비법

건축사법

장애인시설법

소방시설법

서울시조례

4. 주변지역 과의 관계	① 개발행위로 건축 또는 설치하는 건축물 또는 공작물이 주변의 자연경관 및 미관을 훼손하지 아니하고, 그 높이·형태 및 색채가 주변건축물과 조화를 이루어야 하며, 도시·군계획으로 경관계획이 수립되어 있는 경우에는 그에 적합할 것 ② 개발행위로 인하여 해당 지역 및 그 주변지역에 대기오염·수질오염·토질오염·소음·진동·분진 등에 따른 환경오염·생태계파괴·위해발생 등이 발생할 우려가 없을 것. 예외 환경오염·생태계파괴·위해발생 등의 방지가 가능하여 환경오염의 방지, 위해의 방지, 조경, 녹지의 조성, 완충지대의 설치 등을 허가의 조건으로 붙이는 경우에는 그러하지 아니하다. ③ 개발행위로 인하여 녹지축이 절단되지 아니하고, 개발행위로 배수가 변경되어 하천·호소·습지로의 유수를 막지 아니할 것
5. 기반시설	① 주변의 교통소통에 지장을 초래하지 아니할 것 ② 너비 4m[「건축법 시행령」의 지형적 조건 등에 따른 도로의 구조와 너비(제3조의3)의 규정에 해당하는 경우를 제외] 이상의 도로를 확보하고, 그 도로는 인근도로와 연결되어야 하며, 대지와 도로의 관계는 「건축법」에 적합할 것 ③ 도시·군계획조례로 정하는 건축물의 용도·규모(대지의 규모를 포함한다)·층수 또는 주택호수 등에 따른 도로의 너비 또는 교통소통에 관한 기준에 적합할 것
6. 그 밖의 사항	① 공유수면매립의 경우 매립목적이 도시·군계획에 적합할 것 ② 토지의 분할 및 물건을 쌓아놓는 행위에 입목의 벌채가 수반되지 아니할 것

(2) 개발행위별 검토사항

검토분야	허가기준
1. 건축물의 건축 또는 공작물의 설치	① 「건축법」의 적용을 받는 건축물의 건축 또는 공작물의 설치에 해당하는 경우 그 건축 또는 설치의 기준에 관하여는 「건축법」의 규정과 법 및 이 영이 정하는 바에 의하고, 그 건축 또는 설치의 절차에 관하여는 「건축법」의 규정에 의할 것. 이 경우 건축물의 건축 또는 공작물의 설치를 목적으로 하는 토지의 형질변경 또는 토석의 채취에 관한 개발행위허가는 「건축법」에 따른 건축 또는 설치의 절차와 동시에 할 수 있다. ② 도로·수도 및 하수도가 설치되지 아니한 지역에 대하여는 건축물의 건축(건축을 목적으로 하는 토지의 형질변경을 포함한다)을 허가하지 아니할 것. 예외 무질서한 개발을 초래하지 아니하는 범위에서 도시·군계획조례가 정하는 경우에는 그러하지 아니하다. ③ 특정 건축물 또는 공작물에 대한 이격거리, 높이, 배치 등에 대한 구체적인 사항은 도시·군계획조례로 정할 수 있다. 다만, 특정 건축물 또는 공작물에 대한 이격거리, 높이, 배치 등에 대하여 다른 법령에서 달리 정하는 경우에는 그 법령에서 정하는 바에 따른다.
2. 토지의 형질변경	① 토지의 지반이 연약한 때에는 그 두께·넓이·지하수위 등의 조사와 지반의 지지력·내려앉음·솟아오름에 관한 시험을 실시하여 흙 바꾸기·다지기·배수 등의 방법으로 이를 개량할 것 ② 토지의 형질변경에 수반되는 성토 및 절토에 따른 비탈면 또는 절개면에 대하여는 옹벽 또는 석축의 설치 등 도시·군계획조례가 정하는 안전조치를 할 것
3. 토석채취	지하자원의 개발을 위한 토석의 채취허가는 시가화대상이 아닌 지역으로서 인근에 피해가 없는 경우에 한하도록 하되, 구체적인 사항은 도시·군계획조례가 정하는 기준에 적합할 것. 예외 국민경제상 중요한 광물자원의 개발을 위한 경우로서 인근의 토지이용에 대한 피해가 최소한에 그치도록 하는 때에는 그러하지 아니하다.

건축관계법

국토계획법

주차장법

주택법

도시및주거
환경정비법

건축사법

장애인시설법

소방시설법

서울시조례

4. 토지분할	① 녹지지역·관리지역·농림지역 및 자연환경보전지역 안에서 관계법령에 따른 허가·인가 등을 받지 아니하고 토지를 분할하는 경우에는 다음의 요건을 모두 갖출 것 　㉠「건축법」에 따른 분할제한면적이상으로서 도시·군계획조례가 정하는 면적 이상으로 분할할 것 　㉡「소득세법 시행령」에 해당하는 지역 중 토지에 대한 투기가 성행하거나 성행할 우려가 있다고 판단되는 지역으로서 국토교통부장관이 지정·고시하는 지역 안에서의 토지분할이 아닐 것. 　예외 다음의 어느 하나에 해당되는 토지의 경우는 예외로 한다. 　　• 다른 토지와의 합병을 위하여 분할하는 토지 　　• 2006년 3월 8일 전에 토지소유권이 공유로 된 토지를 공유지분에 따라 분할하는 토지 　　• 그 밖에 토지의 분할이 불가피한 경우로서 국토교통부령이 정하는 경우에 해당되는 토지 　㉢ 토지분할의 목적이 건축물의 건축 또는 공작물의 설치, 토지의 형질변경인 경우 그 개발행위가 관계법령에 따라 제한되지 아니할 것 　㉣ 이 법 또는 다른 법령에 따른 인가·허가 등을 받지 않거나 기반시설이 갖추어지지 않아 토지의 개발이 불가능한 토지의 분할에 관한 사항은 해당 특별시·광역시·특별자치시·특별자치도·시 또는 군의 도시·군계획조례로 정한 기준에 적합할 것 ② 분할제한면적 미만으로 분할하는 경우에는 다음의 어느 하나에 해당할 것 　㉠ 녹지지역·관리지역·농림지역 및 자연환경보전지역안에서의 기존묘지의 분할 　㉡ 사설도로를 개설하기 위한 분할(사도법에 따른 사도개설허가를 받아 분할하는 경우를 제외한다) 　㉢ 사설도로로 사용되고 있는 토지 중 도로로서의 용도가 폐지되는 부분을 인접토지와 합병하기 위하여 하는 분할 　㉣ 국·공유의 일반재산 중 매각·교환 또는 양여하고자 하는 부분의 분할 　㉤ 토지이용상 불합리한 토지경계선을 시정하여 해당 토지의 효용을 증진시키기 위하여 분할 후 인접토지와 합필하고자 하는 경우에는 다음의 어느 하나에 해당할 것. 이 경우 허가신청인은 분할 후 합필되는 토지의 소유권 또는 공유지분을 보유하고 있거나 그 토지를 매수하기 위한 매매계약을 체결하여야 한다. 　　ⓐ 분할 후 남는 토지의 면적 및 분할된 토지와 인접 토지가 합필된 후의 면적이 분할제한면적에 미달되지 아니할 것 　　ⓑ 분할 전후의 토지면적에 증감이 없을 것 　　ⓒ 분할하고자 하는 기존토지의 면적이 분할제한면적에 미달되고, 분할된 토지 중 하나를 제외한 나머지 분할된 토지와 인접 토지를 합필한 후의 면적이 분할제한면적에 미달되지 아니할 것 ③ 너비 5m 이하로 분할하는 경우로서 토지의 합리적인 이용에 지장이 없을 것
5. 물건을 쌓아 놓는 행위	해당 행위로 인하여 위해발생, 주변 환경오염 및 경관훼손 등의 우려가 없고, 해당 물건을 쉽게 옮길 수 있는 경우로서 도시·군계획조례가 정하는 기준에 적합할 것

사이드탭: 건축관계법 / 국토계획법 / 주차장법 / 주 택 법 / 도시및주거환경정비법 / 건축사법 / 장애인시설법 / 소방시설법 / 서울시조례

④ 성장관리계획구역의 지정 등 (법 제75조의2~4)

【1】 성장관리계획구역의 지정 등 (법 제75조의2)

(1) 특별시장·광역시장·특별자치시장·특별자치도지사·시장 또는 군수는 녹지지역, 관리지역, 농림지역 및 자연환경보전지역 중 다음에 해당하는 지역의 전부 또는 일부에 대하여 성장관리계획구역을 지정할 수 있다.

| 1. 개발수요가 많아 무질서한 개발이 진행되고 있거나 진행될 것으로 예상되는 지역 |
| 2. 주변의 토지이용이나 교통여건 변화 등으로 향후 시가화가 예상되는 지역 |
| 3. 주변지역과 연계하여 체계적인 관리가 필요한 지역 |
| 4. 「토지이용규제 기본법」에 따른 지역·지구등의 변경으로 토지이용에 대한 행위제한이 완화되는 지역 |
| 5. 그 밖에 난개발의 방지와 체계적인 관리가 필요한 지역으로서 대통령령으로 정하는 지역 |

(2) 특별시장·광역시장·특별자치시장·특별자치도지사·시장 또는 군수는 성장관리계획구역을 지정하거나 이를 변경하려면 대통령령으로 정하는 바에 따라 미리 주민과 해당 지방의회의 의견을 들어야 하며, 관계 행정기관과의 협의 및 지방도시계획위원회의 심의를 거쳐야 한다.

예외 대통령령으로 정하는 경미한 사항을 변경하는 경우

(3) 특별시·광역시·특별자치시·특별자치도·시 또는 군의 의회는 특별한 사유가 없으면 60일 이내에 특별시장·광역시장·특별자치시장·특별자치도지사·시장 또는 군수에게 의견을 제시하여야 하며, 그 기한까지 의견을 제시하지 아니하면 의견이 없는 것으로 본다.

(4) 위 (2)에 따라 협의 요청을 받은 관계 행정기관의 장은 특별한 사유가 없으면 요청을 받은 날부터 30일 이내에 특별시장·광역시장·특별자치시장·특별자치도지사·시장 또는 군수에게 의견을 제시하여야 한다.

(5) 특별시장·광역시장·특별자치시장·특별자치도지사·시장 또는 군수가 성장관리계획구역을 지정하거나 이를 변경한 경우에는 관계 행정기관의 장에게 관계 서류를 송부하여야 하며, 대통령령으로 정하는 바에 따라 이를 고시하고 일반인이 열람할 수 있도록 하여야 한다. 이 경우 지형도면의 고시 등에 관하여는 「토지이용규제 기본법」 제8조에 따른다.

(6) 그 밖에 성장관리계획구역의 지정 기준 및 절차 등에 관하여 필요한 사항은 대통령령으로 정한다.

【2】 성장관리계획의 수립 등 (법 제75조의3)

(1) 특별시장·광역시장·특별자치시장·특별자치도지사·시장 또는 군수는 성장관리계획구역을 지정할 때에는 다음의 사항 중 그 성장관리계획구역의 지정목적을 이루는 데 필요한 사항을 포함하여 성장관리계획을 수립하여야 한다.

| 1. 도로, 공원 등 기반시설의 배치와 규모에 관한 사항 |
| 2. 건축물의 용도제한, 건축물의 건폐율 또는 용적률 |
| 3. 건축물의 배치, 형태, 색채 및 높이 |
| 4. 환경관리 및 경관계획 |
| 5. 그 밖에 난개발의 방지와 체계적인 관리에 필요한 사항으로서 대통령령으로 정하는 사항 |

(2) 성장관리계획구역에서는 다음의 구분에 따른 범위에서 성장관리계획으로 정하는 바에 따라 특별시·광역시·특별자치시·특별자치도·시 또는 군의 조례로 정하는 비율까지 건폐율을 완화하여 적용할 수 있다.

1. 계획관리지역	50% 이하
2. 생산관리지역·농림지역 및 대통령령으로 정하는 녹지지역	30% 이하

(3) 성장관리계획구역 내 계획관리지역에서는 125% 이하의 범위에서 성장관리계획으로 정하는 바에 따라 특별시·광역시·특별자치시·특별자치도·시 또는 군의 조례로 정하는 비율까지 용적률을 완화하여 적용할 수 있다.

(4) 성장관리계획의 수립 및 변경에 관한 절차는 위 ④-(2)~(5)의 규정을 준용한다. 이 경우 "성장관리계획구역"은 "성장관리계획"으로 본다.

(5) 특별시장·광역시장·특별자치시장·특별자치도지사·시장 또는 군수는 5년마다 관할 구역 내 수립된 성장관리계획에 대하여 대통령령으로 정하는 바에 따라 그 타당성 여부를 전반적으로 재검토하여 정비하여야 한다.

(6) 그 밖에 성장관리계획의 수립기준 및 절차 등에 관하여 필요한 사항은 대통령령으로 정한다.

【3】 성장관리계획구역에서의 개발행위 등(법 제75조의4)

성장관리계획구역에서 개발행위 또는 건축물의 용도변경을 하려면 그 성장관리계획에 맞게 하여야 한다.

⑤ 개발행위에 대한 도시계획위원회의 심의 (법 제59조)(영 제57조)

【1】 중앙도시계획위원회 또는 지방도시계획위원회의 심의를 거쳐야 하는 경우

(1) 행위내용

1. 건축물 또는 공작물의 설치를 목적으로 하는 토지의 형질변경으로서 다음 규모 이상인 것
   ① 도시지역 ┌ 주거지역·상업지역·자연녹지지역·생산녹지지역 : 1만㎡
              ├ 공업지역 : 3만㎡
              └ 보전녹지지역 : 5천㎡
   ② 관리지역 : 3만㎡
   ③ 농림지역 : 3만㎡
   ④ 자연환경보전지역 : 5천㎡
   ※ 시·도 도시계획위원회 또는 시·군·구 도시계획위원회 중 대도시에 두는 도시계획위원회의 심의를 거치는 토지의 형질변경의 경우는 별도의 심의를 거치지 아니한다.

2. 녹지지역, 관리지역, 농림지역 또는 자연환경보전지역에서 건축물의 건축 또는 공작물의 설치를 목적으로 하는 토지의 형질변경으로서 그 면적이 위 1.의 어느 하나에 해당하는 규모 미만인 경우.
   예외 다음의 어느 하나에 해당하는 경우(방재지구 및 도시·군계획조례로 정하는 지역에서 건축물의 건축 또는 공작물의 설치를 목적으로 하는 토지의 형질변경에 해당하지 아니하는 경우로 한정함)는 제외한다.
   ① 해당 토지가 자연취락지구, 개발진흥지구, 기반시설부담구역, 「산업입지 및 개발에 관한 법률」에 따른 준산업단지 또는 공장입지유도지구에 위치한 경우
   ② 해당 토지가 특별시장·광역시장·특별자치시장·특별자치도지사·시장 또는 군수가 도로 등 기반시설이 이미 설치되어 있거나 설치에 관한 도시·군관리계획이 수립된 지역으로 인정하여 지방도시계획위원회의 심의를 거쳐 해당 지방자치단체의 공보에 고시한 지역에 위치한 경우
   ③ 해당 토지에 건축하려는 건축물 또는 설치하려는 공작물이 다음의 어느 하나에 해당하는 경우로서 특별시·광역시·특별자치시·특별자치도·시 또는 군의 도시·군계획조례로 정하는 용도·규모(대지의 규모를 포함한다)·층수 또는 주택호수 등의 범위에 해당하는 경우

주차장법

주 택 법

도시및주거환경정비법

건축사법

장애인시설법

소방시설법

서울시조례

건축관계법

국토계획법

주차장법

주 택 법

도시및주거
환경정비법

건축사법

장애인시설법

소방시설법

서울시조례

㉠「건축법 시행령」별표 1의 단독주택(「주택법」에 따른 사업계획승인을 받아야 하는 주택은 제외)

㉡「건축법 시행령」별표 1의 공동주택(「주택법」에 따른 사업계획승인을 받아야 하는 주택은 제외)

㉢「건축법 시행령」별표 1 의 제1종 근린생활시설

㉣「건축법 시행령」별표 1의 제2종 근린생활시설(단란주점, 안마시술소 및 노래연습장, 다중생활시설시설은 제외함)

㉤「건축법 시행령」별표 1의 학교 중 유치원(부지면적이 1,500㎡ 미만인 시설로 한정하며, 보전녹지지역 및 보전관리지역에 설치하는 경우는 제외함)

㉥「건축법 시행령」별표 1 의 아동 관련 시설(부지면적이 1,500㎡ 미만인 시설로 한정하며, 보전녹지지역 및 보전관리지역에 설치하는 경우는 제외함)

㉦「건축법 시행령」별표 1 의 노인복지시설(「노인복지법」에 따른 노인여가복지시설로서 부지면적이 1,500㎡ 미만인 시설로 한정하며, 보전녹지지역 및 보전관리지역에 설치하는 경우는 제외함)

㉧「건축법 시행령」별표 1의 창고(농업·임업·어업을 목적으로 하는 경우로서 660㎡ 이내의 토지의 형질변경으로 한정하며, 자연환경보전지역에 설치하는 경우는 제외한다)

㉨「건축법 시행령」별표 1의 동물 및 식물 관련 시설(같은 호 다목·라목의 시설이 포함되지 않은 경우로서 부지면적이 660㎡ 이내의 시설로 한정하며, 자연환경보전지역에 설치하는 경우는 제외한다)

㉩ 기존 부지면적의 10/100(여러 차례에 걸쳐 증축하는 경우 누적하여 산정)이하의 범위에서 증축하려는 건축물

㉪ ㉠~㉩의 규정에 해당하는 건축물의 건축 또는 공작물의 설치를 목적으로 설치하는 진입도로(도로 연장이 50m를 초과하는 경우는 제외한다)

④ 해당 토지에 다음의 요건을 모두 갖춘 건축물을 건축하려는 경우

㉠ 건축물의 집단화를 유도하기 위하여 특별시·광역시·특별자치시·특별자치도·시 또는 군의 도시·군계획조례로 정하는 용도지역 안에 건축할 것

㉡ 특별시·광역시·특별자치시·특별자치도·시 또는 군의 도시·군계획조례로 정하는 용도의 건축물을 건축할 것

㉢ 위 ㉡의 용도로 개발행위가 완료되었거나 개발행위허가 등에 따라 개발행위가 진행 중 이거나 예정된 토지로부터 특별시·광역시·특별자치시·특별자치도·시 또는 군의 도시·군계획조례로 정하는 거리(50m 이내로 하되, 도로의 너비는 제외한다) 이내에 건축할 것

㉣ 위 ㉠의 용도지역에서 ㉡ 및 ㉢의 요건을 모두 갖춘 건축물을 건축하기 위한 기존 개발행위의 전체 면적(개발행위허가 등에 의하여 개발행위가 진행 중이거나 예정된 토지면적을 포함한다)이 특별시·광역시·특별자치시·특별자치도·시 또는 군의 도시·군계획조례로 정하는 규모(위 ③ -【2】-①에 따른 용도지역별 개발행위허가 규모 이상으로 정하되, 난개발이 되지 아니하도록 충분히 넓게 정하여야 한다) 이상일 것

㉤ 기반시설 또는 경관, 그 밖에 필요한 사항에 관하여 특별시·광역시·특별자치시·특별자치도·시 또는 군의 도시·군계획조례로 정하는 기준을 갖출 것

⑤ 계획관리지역(관리지역이 세분되지 아니한 경우에는 관리지역을 말한다) 안에서 다음의 공장 중 부지가 10,000㎡ 미만인 공장의 부지를 종전 부지면적의 50% 범위 안에서 확장하려는 경우. 이 경우 확장하려는 부지가 종전 부지와 너비 8m 미만의 도로를 사이에 두고 접한 경우를 포함한다.

㉠ 2002년 12월 31일 이전에 준공된 공장

㉡ 법률 제6655호「국토의 계획 및 이용에 관한 법률」부칙 제19조에 따라 종전의 「국토이용관리법」,「도시계획법」또는 「건축법」의 규정을 적용받는 공장

㉢ 2002년 12월 31일 이전에 종전의 「공업배치 및 공장설립에 관한 법률」(법률 제6842호 공업배치 및 공장설립에 관한법률 중 개정법률에 따라 개정되기 전의 것을 말한다)에 따라 공장설립 승인을 받은 경우 또는 같은 조에 따라 공장설립 승인을 신청한 경우(별표 19 제2호자목, 별표 20 제1호자목 및 제2호타목에 따른 요건에 적합하지 아니하여 2003년 1월 1일 이후 그 신청이

건축관계법

국토계획법

주차장법

주 택 법

도시및주거
환경정비법

건축사법

장애인시설법

소방시설법

서울시조례

　반려된 경우를 포함한다)로서 2005년 1월 20일까지 「건축법」에 따른 착공신고를 한 공장

　⑥ 건축물의 건축 또는 공작물의 설치를 목적으로 조성이 완료된 대지의 면적을 해당 대지 면적의 10/100 이하의 범위에서 확장하려는 경우(여러 차례에 걸쳐 확장하는 경우 누적하여 산정)

3. 부피 3만㎥ 이상의 토석 채취

예외 도시·군계획사업에 따른 경우는 제외하되, 「택지개발촉진법」 등 다른 법률에서 도시·군계획사업을 의제하는 사업은 그렇지 않다.

(2) 위 (1)-2.-③～⑤까지의 규정에 따라 도시계획위원회의 심의를 거치지 않고 개발행위 허가를 하는 경우로서 그 개발행위의 준공 후 해당 건축물의 용도를 변경(건축할 수 있는 건축물 간의 변경은 제외한다)하려는 경우에는 도시계획위원회의 심의를 거치도록 조건을 붙여야 한다.

(3) 특별시장·광역시장·특별자치시장·특별자치도지사·시장 또는 군수는 위 (1)-2.-④에 따라 건축물의 집단화를 유도하는 지역에 대해서는 도로 및 상수도·하수도 등 기반시설의 설치를 우선적으로 지원할 수 있다.

(4) 위 (1)의 행위내용을 이 법에 의하여 허가 또는 변경허가하거나, 다른 법률에 의하여 인가·허가·승인 또는 협의를 하고자 하는 경우에는 다음의 구분에 따라 도시계획위원회의 심의를 거쳐야 한다.

1. 중앙도시계획위원회의 심의를 거쳐야 하는 사항
　① 면적이 1㎢ 이상인 토지의 형질변경
　② 부피 1백만㎥ 이상의 토석채취

2. 시·도 도시계획위원회 또는 시·군·구 도시계획위원회 중 대도시에 두는 도시계획위원회의 심의를 거쳐야 하는 사항
　① 면적이 30만㎡ 이상 1㎢ 미만인 토지의 형질변경
　② 부피 50만㎥ 이상 1백만㎥ 미만의 토석채취

3. 시·군·구 도시계획위원회(대도시에 두는 도시계획위원회는 제외)의 심의를 거쳐야 하는 사항
　① 면적이 위 (1)-1.의 각각에 해당하는 규모 이상 30만㎡ 미만인 토지의 형질변경
　② 부피 3만㎥ 이상 50만㎥ 미만의 토석채취

① 사항별 위원회의 심의
　㉠ 중앙행정기관의 장이 위 2.·3.의 사항을 허가하거나 다른 법률에 의하여 허가·인가·승인 또는 협의를 하고자 하는 경우 - 중앙도시계획위원회의 심의
　㉡ 위 3의 사항을 시·도지사가 법에 의하여 허가하거나 다른 법률에 의하여 허가·인가·승인 또는 협의를 하고자 하는 경우 - 시·도 도시계획위원회의 심의
② 관계 서류의 제출
　관계 행정기관의 장이 중앙도시계획위원회 또는 지방도시계획위원회의 심의를 받는 때에는 다음의 서류를 국토교통부장관 또는 해당 지방도시계획위원회가 설치된 지방자치단체의 장에게 제출하여야 한다.

1. 개발행위의 목적·필요성·배경·내용·추진절차 등을 포함한 개발행위의 내용(관계 법령에 따라 해당 개발행위를 허가·인가·승인 또는 협의할 때에 포함되어야 하는 내용 포함)

2. 대상지역과 주변지역의 용도지역·기반시설 등을 표시한 축척 1/25,000 토지이용현황도

3. 배치도·입면도(건축물의 건축 및 공작물의 설치의 경우에 한한다) 및 공사계획서

4. 그 밖에 국토교통부령이 정하는 서류

건축관계법

국토계획법

주차장법

주택법

도시및주거
환경정비법

건축사법

장애인시설법

소방시설법

서울시조례

3-106

【2】 중앙도시계획위원회 또는 지방도시계획위원회의 심의를 거치지 않는 경우

다음의 경우 위 【1】 규정에도 불구하고 중앙도시계획위원회 또는 지방도시계획위원회의 심의를 거치지 아니한다.

> 1. 이 법 또는 다른 법률에 따른 도시계획위원회의 심의를 받는 구역에서 하는 개발행위
>
> 2. 지구단위계획 또는 성장관리계획을 수립한 지역에서 하는 개발행위
>
> 3. 주거지역·상업지역·공업지역안에서 시행하는 개발행위 중 특별시·광역시·특별자치시·특별자치도·시 또는 군의 조례로 정하는 규모·위치 등에 해당하지 않는 개발행위
>
> 4. 「환경영향평가법」에 따라 환경영향평가를 받은 개발행위
>
> 5. 「도시교통정비 촉진법」에 따라 교통영향평가에 대한 검토를 받은 개발행위
>
> 6. 「농어촌정비법」에 따른 농어촌정비사업 중 대통령령으로 정하는 사업을 위한 개발행위
>
> 7. 「산림자원의 조성 및 관리에 관한 법률」에 따른 산림사업 및 「사방사업법」에 따른 사방사업을 위한 개발행위

【3】 도시·군계획에 포함되지 아니한 개발행위의 심의

(1) 국토교통부장관 또는 지방자치단체의 장은 위 【2】의 규정에 불구하고 위 표의 2, 4, 5호의 개발행위가 도시·군계획에 포함되지 아니한 경우 관계 행정기관의 장에게 심의가 필요한 사유를 명시하여 중앙도시계획위원회 또는 지방도시계획위원회의 심의를 받도록 요청할 수 있다. 이 경우 관계 행정기관의 장은 특별한 사유가 없는 한 이에 따라야 한다.

(2) 중앙도시계획위원회 또는 지방도시계획위원회의 심의를 받도록 요청받은 관계 행정기관의 장이 중앙행정기관의 장인 경우 중앙도시계획위원회의 심의를 받아야 하며, 지방자치단체의 장인 경우에는 당해 지방자치단체에 설치된 지방도시계획위원회의 심의를 받아야 한다.

【참고】 교통영향평가서의 제출·검토 등 (「도시교통정비 촉진법」 제3조, 제16조 ①)

국토교통부장관은 도시교통의 원활한 소통과 교통편의 증진을 위하여 인구 10만명 이상의 도시와 관계 시장·군수의 요청에 따라 도시교통을 개선하기 위하여 필요하다고 인정하는 지역을 도시교통정비구역 또는 교통권역으로 지정·고시할 수 있으며, 부지면적 5만㎡ 이상의 사업 등을 시행하는 사업자는 대상사업 또는 그 사업계획에 대한 승인·인가·허가 또는 결정 등("승인 등"이라 함)을 받아야 하는 경우에는 그 승인 등을 하는 기관의 장에게 교통영향평가서를 제출하여야 한다.

관계법 「도시교통정비 촉진법」 제15조 【교통영향평가의 실시대상 지역 및 사업】

① 도시교통정비지역 또는 도시교통정비지역의 교통권역에서 다음 각 호의 사업(이하 "대상사업"이라 한다)을 하려는 자(국가와 지방자치단체를 포함하며, 이하 "사업자"라 한다)는 교통영향평가를 실시하여야 한다. <개정 2015.7.24.>

    1. 도시의 개발   2. 산업입지와 산업단지의 조성   3. 에너지 개발

    4. 항만의 건설   5. 도로의 건설   6. 철도(도시철도를 포함한다)의 건설

    7. 공항의 건설   8. 관광단지의 개발   9. 특정지역의 개발   10. 체육시설의 설치

    11. 「건축법」에 따른 건축물 중 대통령령으로 정하는 건축물의 건축, 대수선, 리모델링 및 용도변경

    12. 그 밖에 교통에 영향을 미치는 사업으로서 대통령령으로 정하는 사업

② 제1항에도 불구하고 다음 각 호의 어느 하나에 해당하는 사업에 대하여는 교통영향평가를 실시하지 아니할 수 있다. <개정 2015.7.24.>

건축관계법

국토계획법

주차장법

주 택 법

도시및주거
환경정비법

건축사법

장애인시설법

소방시설법

서울시조례

　1.「재난 및 안전 관리기본법」제37조에 따른 응급조치를 위한 사업
　2. 국방부장관이 군사상의 기밀보호가 필요하거나 군사작전의 긴급한 수행을 위하여 필요하다고 인
　　정하여 국토교통부장관과 협의한 사업
　3. 국가정보원장이 국가안보를 위하여 필요하다고 인정하여 국토교통부장관과 협의한 사업
③ 대상사업의 구체적 범위, 교통영향평가의 평가항목 및 내용 등 세부기준과 그 밖에 필요한 사항은
대통령령으로 정한다. <개정 2015.7.24.>
④ 특별시·광역시·특별자치시·도 또는 특별자치도(이하 "시·도"라 한다)는 도시교통정비지역 또는 도시
교통정비지역의 교통권역에서 제1항이나 제3항에 따른 대상사업 또는 그 범위 기준에 해당하지 아니하
는 경우에도 지역의 특수성 등을 고려하여 교통영향평가를 실시하게 할 필요가 있는 때에는 대통령령
으로 정하는 범위에서 해당 시·도의 조례로 대상사업 또는 그 범위를 달리 정할 수 있다. <개정
2015.7.24.>
※ 다른 사업 등에 관한 것은「도시교통정비 촉진법 시행령」[별표1] 참조 바람

6 개발행위허가의 이행담보 등 (법 제60조) (영 제59조)

(1) 특별시장·광역시장·특별자치시장·특별자치도지사·시장 또는 군수는 기반시설의 설치 또는 그에
　필요한 용지의 확보·위해방지·환경오염방지·경관·조경 등을 위하여 필요하다고 인정되는 경우에
　는 이의 이행을 담보하기 위하여 개발행위허가(다른 법률에 따라 개발행위허가가 의제되는 협의
　를 거친 인가·허가·승인 등을 포함)를 받는 자로 하여금 이행보증금을 예치하게 할 수 있다.

■ 이행담보가 필요한 경우

1. 건축물의 건축 또는 공작물의 설치, 토질의 형질변경, 토석의 채취 등의 개발행위로서 해당 개발행위로 인하여 도로·수도공급설비·하수도 등 기반시설의 설치가 필요한 경우
2. 토지의 굴착으로 인하여 인근의 토지가 붕괴될 우려가 있거나 인근의 건축물 또는 공작물이 손괴될 우려가 있는 경우
3. 토석의 발파로 인한 낙석·먼지 등에 의하여 인근지역에 피해가 발생할 우려가 있는 경우
4. 토석을 운반하는 차량의 통행으로 인하여 통행로 주변의 환경이 오염될 우려가 있는 경우
5. 토지의 형질변경이나 토석의 채취가 완료된 후 비탈면에 조경을 할 필요가 있는 경우

■ 이행담보가 필요 없는 경우

1. 국가 또는 지방자치단체가 시행하는 개발행위
2.「공공기관의 운영에 관한 법률」에 따른 공공기관이 시행하는 개발행위
3. 그 밖에 해당 지방자치단체의 조례가 정하는 공공단체가 시행하는 개발행위

(2) 위 (1)에 따른 이행보증금의 예치금액은 기반시설의 설치나 그에 필요한 용지의 확보, 위해의
　방지, 환경오염의 방지, 경관 및 조경에 필요한 비용의 범위안에서 산정하되 총공사비의 20% 이
　내(산지에서의 개발행위의 경우「산지관리법」에 따른 복구비를 합하여 총공사비의 20% 이내)
　가 되도록 하고, 예치금액의 산정 및 예치방법 등에 관하여 필요한 사항은 특별시·광역시·특별자
　치시·특별자치도·시 또는 군의 도시·군계획조례로 정한다. 이 경우 도시지역 및 계획관리지역안
　의 산지안에서의 개발행위에 대한 이행보증금의 예치금액은「산지관리법」에 따른 복구비를 포
　함하여 정하되, 복구비가 이행보증금에 중복하여 계상되지 않도록 하여야 한다.

건축관계법

국토계획법

주차장법

주 택 법

도시및주거
환경정비법

건축사법

장애인시설법

소방시설법

서울시조례

관계법 「산지관리법」 제38조 【복구비의 예치 등】

① 제37조제1항 각 호의 어느 하나에 해당하는 허가 등의 처분을 받거나 신고 등을 하려는 자는 농림축산식품부령으로 정하는 바에 따라 미리 토사유출의 방지조치, 산사태 또는 인근 지역의 피해 등 재해의 방지나 산지경관 유지에 필요한 조치 또는 복구에 필요한 비용(이하 "복구비"라 한다)을 산림청장등에게 예치하여야 한다. 다만, 산지전용을 하려는 면적이 660제곱미터 미만인 경우 등 대통령령으로 정하는 경우에는 그러하지 아니하다. <개정 2012. 2. 22., 2013. 3. 23., 2018. 3. 20.>

② 산림청장등은 제1항 본문에도 불구하고 제37조제1항제8호에 따른 행정처분을 받으려는 자로 하여금 농림축산식품부령으로 정하는 바에 따라 그 처분을 받고 실제로 산지전용, 산지일시사용 또는 토석채취를 하려는 경우에 산림청장등에게 복구비를 예치하게 할 수 있다. <개정 2012.2.22., 2013.3.23.>

③ 산림청장등은 제1항이나 제2항에 따라 복구비를 예치하여야 하는 자의 산지전용, 산지일시사용 또는 토석채취의 기간이 1년 이상인 경우에는 대통령령으로 정하는 바에 따라 복구비를 재산정하여 제1항이나 제2항에 따라 예치한 복구비가 재산정한 복구비보다 적은 경우에는 그 차액을 추가로 예치하게 하여야 한다. <개정 2012.2.22.>

④ 산림청장등은 산지전용, 산지일시사용 또는 토석채취의 기간 및 면적 등을 고려하여 대통령령으로 정하는 바에 따라 복구비를 분할하여 예치하게 할 수 있다. <개정 2012.2.22.>

⑤ 복구비의 산정기준, 산정방법, 예치 시기 및 절차 등에 관한 사항은 농림축산식품부령으로 정한다. <개정 2013.3.23.>

[전문개정 2010.5.31]

(3) 특별시장·광역시장·특별자치시장·특별자치도지사·시장 또는 군수는 개발행위허가를 받지 아니하고 개발행위를 하거나 허가내용과 다르게 개발행위를 하는 자에 대하여는 그 토지의 원상회복을 명할 수 있다.

(4) 특별시장·광역시장·특별자치시장·특별자치도지사·시장 또는 군수는 위 (3)에 따른 원상회복의 명령을 받은 자가 원상회복을 하지 아니하는 때에는 「행정대집행법」에 따른 행정대집행에 의하여 원상회복을 할 수 있다. 이 경우 「행정대집행법」에 필요한 비용은 개발행위 허가를 받은 자가 예치한 이행보증금을 사용할 수 있다.

(5) 특별시장·광역시장·특별자치시장·특별자치도지사·시장 또는 군수는 원상회복을 명하는 경우 국토교통부령으로 정하는 바에 따라 구체적인 조치내용·기간 등을 정하여 서면 통지해야 한다.

7 **관련 인·허가 등의 의제**(법 제61조)

(1) 개발행위허가 또는 변경허가를 함에 있어서 특별시장·광역시장·특별자치시장·특별자치도지사·시장 또는 군수가 해당 개발행위에 대한 다음의 인가·허가·승인·면허·협의·해제·신고 또는 심사 등에 관하여 미리 관계 행정기관의 장과 협의한 사항에 대하여는 해당 인·허가 등을 받은 것으로 본다.

내 용	관 련 법	조 항
• 공유수면의 점용·사용허가	「공유수면 관리 및 매립에 관한 법률」	제8조
• 점용·사용 실시계획의 승인 또는 신고		제17조
• 공유수면의 매립면허		제28조
• 공유수면매립 실시계획의 승인		제38조
• 채굴계획의 인가	「광업법」	제42조
• 농업생산기반시설의 사용허가	「농어촌정비법」	제23조
• 농지전용의 허가 또는 협의	「농지법」	제34조
• 농지전용의 신고		제35조
• 농지의 타용도 일시사용의 허가 또는 협의		제36조
• 도로관리청이 아닌 자에 대한 도로공사 시행의 허가	「도로법」	제36조
• 도로와 다른 시설의 연결허가		제52조
• 도로점용의 허가		제61조
• 무연분묘의 개장허가	「장사 등에 관한 법률」	제27조 제1항
• 사도 개설의 허가	「사도법」	제4조
• 토지의 형질변경 등의 허가	「사방사업법」	제14조
• 사방지 지정의 해제		제20조
• 공장설립등의 승인	「산업집적활성화 및 공장설립에 관한 법률」	제13조
• 산지전용허가	「산지관리법」	제14조
• 산지전용신고		제15조
• 산지일시 사용 허가·신고		제15조의2
• 토석채취허가·신고		제25조제1,2항
• 입목벌채 등의 허가·신고 등	「산림자원의 조성 및 관리에 관한 법률」	제36조 제1항·제5항
• 소하천공사시행의 허가	「소하천정비법」	제10조
• 소하천의 점용허가		제14조
• 전용상수도설치	「수도법」	제52조
• 전용공업용수도설치의 인가		제54조
• 연안정비사업실시 계획의 승인	「연안관리법」	제25조
• 사업계획의 승인	「체육시설의 설치·이용에 관한 법률」	제12조
• 초지전용의 허가·신고 또는 협의	「초지법」	제23조
• 지도 등의 간행 심사	「공간정보의 구축 및 관리 등에 관한 법률」	제15조 제4항
• 공공하수도에 관한 공사시행의 허가	「하수도법」	제16조
• 공공하수도의 점용허가		제24조
• 하천공사시행의 허가	「하천법」	제30조
• 하천점용의 허가		제33조
• 도시공원의 점용허가	「도시공원 및 녹지 등에 관한 법률」	제24조
• 녹지의 점용허가		제38조

(2) 위 (1)의 표에 따른 인·허가 등의 의제를 받고자 하는 자는 개발행위허가 또는 변경허가의 신청을 하는 때에 해당 법률이 정하는 관련 서류를 함께 제출하여야 한다.

(3) 특별시장·광역시장·특별자치시장·특별자치도지사·시장 또는 군수는 개발행위허가 또는 변경허가를 할 때에 그 내용에 위 (1)의 표에 해당하는 사항이 있으면 미리 관계 행정기관의 장과 협의하여야 한다.

건축관계법

국토계획법

주차장법

주 택 법

도시및주거환경정비법

건축사법

장애인시설법

소방시설법

서울시조례

5장 제3편 국토의 계획 및 이용에 관한 법률

건축관계법

국토계획법

주차장법

주 택 법

도시및주거
환경정비법

건축사법

장애인시설법

소방시설법

서울시조례

(4) 위 (3)에 따라 협의 요청을 받은 관계 행정기관의 장은 요청을 받은 날부터 20일 이내에 의견을 제출하여야 하며, 그 기간 내에 의견을 제출하지 아니하면 협의가 이루어진 것으로 본다.

(5) 국토교통부장관은 위 규정에 의하여 의제되는 인·허가 등의 처리기준을 중앙행정기관으로부터 제출받아 이를 통합하여 고시하여야 한다.

관계법 「장사 등에 관한 법률」 제27조 【타인의 토지 등에 설치된 분묘 등의 처리 등】

① 토지 소유자(점유자나 그 밖의 관리인을 포함한다. 이하 이 조에서 같다), 묘지 설치자 또는 연고자는 다음 각 호의 어느 하나에 해당하는 분묘에 대하여 보건복지부령으로 정하는 바에 따라 그 분묘를 관할하는 시장등의 허가를 받아 분묘에 매장된 시신 또는 유골을 개장할 수 있다.

1. 토지 소유자의 승낙 없이 해당 토지에 설치한 분묘

2. 묘지 설치자 또는 연고자의 승낙 없이 해당 묘지에 설치한 분묘

② 토지 소유자, 묘지 설치자 또는 연고자는 제1항에 따른 개장을 하려면 미리 3개월 이상의 기간을 정하여 그 뜻을 해당 분묘의 설치자 또는 연고자에게 알려야 한다. 다만, 해당 분묘의 연고자를 알 수 없으면 그 뜻을 공고하여야 하며, 공고기간 종료 후에도 분묘의 연고자를 알 수 없는 경우에는 화장한 후에 유골을 일정 기간 봉안하였다가 처리하여야 하고, 이 사실을 관할 시장등에게 신고하여야 한다.

③ 제1항 각 호의 어느 하나에 해당하는 분묘의 연고자는 해당 토지 소유자, 묘지 설치자 또는 연고자에게 토지 사용권이나 그 밖에 분묘의 보존을 위한 권리를 주장할 수 없다.

④ 토지 소유자 또는 자연장지 조성자의 승낙 없이 다른 사람 소유의 토지 또는 자연장지에 자연장을 한 자 또는 그 연고자는 당해 토지 소유자 또는 자연장지 조성자에 대하여 토지사용권이나 그 밖에 자연장의 보존을 위한 권리를 주장할 수 없다.

⑤ 제2항에 따른 봉안기간과 처리방법에 관한 사항은 대통령령으로 정하고, 통지·공고 및 신고에 관한 사항은 보건복지부령으로 정한다. <개정 2015.1.28.>

---

8 개발행위복합민원 일괄협의회 (법 제61조의2)(영 제59조의2)

(1) 특별시장·광역시장·특별자치시장·특별자치도지사·시장 또는 군수는 위 6-(3)에 따라 관계 행정기관의 장과 협의하기 위하여 다음과 같이 개발행위복합민원 일괄협의회를 개최하여야 한다.

① 특별시장·광역시장·특별자치시장·특별자치도지사·시장 또는 군수는 인가·허가·승인·면허·협의·해제·신고 또는 심사 등의 의제의 협의를 위한 개발행위복합민원 일괄협의회를 개발행위허가 신청일로부터 10일 이내에 개최하여야 한다.

② 특별시장·광역시장·특별자치시장·특별자치도지사·시장 또는 군수는 협의회를 개최하기 3일 전까지 협의회 개최 사실을 관계 행정기관의 장에게 알려야 한다.

③ 관계 행정기관의 장은 협의회에서 인·허가 등의 의제에 대한 의견을 제출하여야 한다. 다만, 관계 행정기관의 장은 법령 검토 및 사실 확인 등을 위한 추가 검토가 필요하여 해당 인·허가 등에 대한 의견을 협의회에서 제출하기 곤란한 경우에는 20일 이내에 그 의견을 제출할 수 있다.

④ 위 ①~③까지에서 규정한 사항 외에 협의회의 운영 등에 필요한 사항은 특별시·광역시·특별자치시·특별자치도·시 또는 군의 도시·군계획조례로 정한다.

(2) 협의 요청을 받은 관계 행정기관의 장은 소속 공무원을 위 (1)에 따른 개발행위복합민원 일괄협의회에 참석하게 하여야 한다.

⑨ 준공검사 $\binom{법}{제62조}\binom{규칙}{제11조}$

(1) 건축물의 건축 또는 공작물의 설치, 토지의 형질변경, 토석의 채취 등의 행위에 대한 개발행위 허가를 받은 자는 그 개발행위를 완료한 때에는 다음에 따라 특별시장·광역시장·특별자치시장· 특별자치도지사·시장 또는 군수의 준공검사를 받아야 한다.

예외 건축물의 건축 또는 공작물의 설치에 따른 건축물의 사용승인을 받은 경우

① 공작물의 설치[옹벽 등의 공작물에의 준용(「건축법」 제83조)에 따라 설치되는 것은 제외함], 토지의 형질변경 또는 토석채취를 위한 개발행위허가를 받은 자는 그 개발행위를 완료하였으 면 준공검사를 받아야 한다.

② 위 ①의 규정에 의하여 준공검사를 받아야 하는 자는 해당 개발행위를 완료한 때에는 지체 없 이 개발행위 준공검사 신청서에 다음의 서류를 첨부하여 특별시장·광역시장·특별자치시장·특 별자치도지사·시장 또는 군수에게 제출하여야 한다.

---

1. 준공사진

2. 지적측량성과도(토지분할이 수반되는 경우와 임야를 형질변경 하는 경우로서 「공간정보의 구축 및 관리 등에 관한 법률」에 따라 등록전환신청이 수반되는 경우에 한함)

3. 관계 행정기관의 장과의 협의에 필요한 서류

---

③ 위 ②의 개발행위준공검사신청서 및 첨부서류는 국토이용정보체계를 통하여 제출할 수 있다.

④ 특별시장·광역시장·특별자치시장·특별자치도지사·시장 또는 군수는 위 ①의 규정에 의한 준 공검사결과 허가내용대로 사업이 완료되었다고 인정하는 때에는 개발행위 준공검사 필증을 신청인에게 발급하여야 한다. 이 경우 개발행위준공검사필증은 국토이용정보체계를 통하여 발 급할 수 있다.

관계법 「건축법」 제83조 【옹벽 등의 공작물에의 준용】

① 대지를 조성하기 위한 옹벽, 굴뚝, 광고탑, 고가수조(高架水槽), 지하 대피호, 그 밖에 이와 유 사한 것으로서 대통령령으로 정하는 공작물을 축조하려는 자는 대통령령으로 정하는 바에 따라 특 별자치시장·특별자치도지사 또는 시장·군수·구청장에게 신고하여야 한다. <개정 2014.1.14.>

관계법 「공간정보의 구축 및 관리 등에 관한 법률」 제78조 【등록전환 신청】

토지소유자는 등록전환할 토지가 있으면 대통령령으로 정하는 바에 따라 그 사유가 발생한 날부터 60일 이내에 지적소관청에 등록전환을 신청하여야 한다.

「공간정보의 구축 및 관리 등에 관한 법률 시행령」 제64조 【등록전환 신청】

① 법 제78조에 따라 등록전환을 신청할 수 있는 경우는 다음 각 호와 같다. <개정 2020. 6. 9.>

1. 「산지관리법」에 따른 산지전용허가·신고, 산지일시사용허가·신고, 「건축법」에 따른 건 축허가·신고 또는 그 밖의 관계 법령에 따른 개발행위 허가 등을 받은 경우

2. 대부분의 토지가 등록전환되어 나머지 토지를 임야도에 계속 존치하는 것이 불합리한 경우

3. 임야도에 등록된 토지가 사실상 형질변경되었으나 지목변경을 할 수 없는 경우

4. 도시·군관리계획선에 따라 토지를 분할하는 경우

② 삭제 <2020.6.9.>

③ 토지소유자는 법 제78조에 따라 등록전환을 신청할 때에는 등록전환 사유를 적은 신청서에 국 토교통부령으로 정하는 서류를 첨부하여 지적소관청에 제출하여야 한다.

건축관계법

국토계획법

주차장법

주택법

도시및주거
환경정비법

건축사법

장애인시설법

소방시설법

서울시조례

건축관계법

국토계획법

주차장법

주 택 법

도시및주거
환경정비법

건축사법

장애인시설법

소방시설법

서울시조례

(2) 위 (1)에 따른 준공검사를 받은 때에는 특별시장·광역시장·특별자치시장·특별자치도지사·시장 또는 군수가 의제되는 인·허가 등에 따른 준공검사·준공인가 등에 관하여 관계 행정기관의 장과 협의한 사항에 대하여는 해당 준공검사·준공인가 등을 받은 것으로 본다.

(3) 위 (2)에 따른 준공검사·준공인가 등의 의제를 받고자 하는 자는 준공검사의 신청을 하는 때에 해당 법률이 정하는 관련 서류를 함께 제출하여야 한다.

(4) 특별시장·광역시장·특별자치시장·특별자치도지사·시장 또는 군수는 준공검사를 함에 있어서 그 내용에 의제되는 인·허가 등에 따른 준공검사·준공인가 등에 해당하는 사항이 있는 때에는 미리 관계 행정기관의 장과 협의하여야 한다.

(5) 국토교통부장관은 위 (2)의 규정에 따라 의제되는 준공검사·준공인가 등의 처리기준을 관계중 앙행정기관으로부터 제출받아 이를 통합하여 고시하여야 한다.

10 개발행위허가의 제한 (법 제63조)(영 제60조)

(1) 국토교통부장관, 특별시장·광역시장·특별자치시장·특별자치도지사·시장 또는 군수는 다음의 어 느 하나에 해당되는 지역으로서 도시·군관리계획상 특히 필요하다고 인정되는 지역에 대하여는 중앙도시계획위원회 또는 지방도시계획위원회의 심의를 거쳐 1회에 한하여 3년 이내의 기간 동 안 해당 지방자치단체의 조례가 정하는 바에 따라 개발행위허가를 제한할 수 있다.

---

1. 녹지지역 또는 계획관리지역으로서 수목이 집단적으로 생육되고 있거나 조수류 등이 집단적 으로 서식하고 있는 지역 또는 우량농지 등으로 보전할 필요가 있는 지역

---

2. 개발행위로 인하여 주변의 환경·경관·미관·문화재(→ 미관 및 「국가유산기본법」에 따른 국 가유산) 등이 크게 오염되거나 손상될 우려가 있는 지역 <시행 2024.5.17.>

---

3. 도시·군기본계획 또는 도시·군관리계획을 수립하고 있는 지역으로서 해당 도시·군기본계 획 또는 도시·군관리계획이 결정될 경우 용도지역·용도지구 또는 용도구역의 변경이 예상 되고 그에 따라 개발행위허가의 기준이 크게 달라질 것으로 예상되는 지역

---

4. 지구단위계획구역으로 지정되어 지구단위계획을 수립하고 있는 지역

비고 위 3., 4.에 해당하는 지역에 대하여는 1회에 한하여 2년 이내의 기간 동안 개발행위허가의 제한을 연장할 수 있다.

(2) 개발행위허가를 제한하고자 하는 자가 국토교통부장관인 경우에는 중앙도시계획위원회의 심의 를 거쳐야 하며, 시·도지사 또는 시장·군수인 경우에는 해당 지방자치단체에 설치된 지방도시계 획위원회의 심의를 거쳐야 한다.

(3) 개발행위허가를 제한하고자 하는 자가 국토교통부장관 또는 시·도지사인 경우에는 중앙도시계 획위원회 또는 시·도 도시계획위원회의 심의 전에 미리 제한하고자 하는 지역을 관할하는 시장 또는 군수의 의견을 들어야 한다.

(4) 국토교통부장관, 시·도지사, 시장 또는 군수는 위 (1)의 규정에 의해 개발행위허가를 제한하고자 하는 때에는 제한지역·제한사유·제한대상행위 및 제한기간을 미리 고시하여야 한다.

(5) 개발행위허가를 제한하기 위하여 위(4)에 따라 개발행위허가 제한지역 등을 고시한 국토교통부 장관, 시·도지사, 시장 또는 군수는 해당 지역에서 개발행위를 제한할 사유가 없어진 경우에는 그 제한기간이 끝나기 전이라도 지체 없이 개발행위허가의 제한을 해제하여야 한다. 이 경우 국토교 통부장관, 시·도지사, 시장 또는 군수는 해제지역 및 해제 시기를 고시하여야 한다.

■ 개발행위허가의 제한에 관한 고시	
• 국토교통부장관	관보
• 시·도지사 또는 시장·군수	해당 시·도 또는 시·군의 공보

※ 국토교통부장관, 시·도지사 또는 시장·군수는 고시한 내용을 해당 기관의 인터넷 홈페이지에도 게재하여야 한다.

(6) 국토교통부장관, 시·도지사, 시장 또는 군수가 개발행위허가를 제한하거나 개발행위허가 제한을 연장 또는 해제하는 경우 그 지역의 지형도면 고시, 지정의 효력, 주민 의견 청취 등에 관하여는 「토지이용규제 기본법」에 따른다.

관계법 「토지이용규제 기본법」 제8조 【지역·지구등의 지정 등】

① 중앙행정기관의 장이나 지방자치단체의 장이 지역·지구등을 지정(변경 및 해제를 포함한다. 이하같다)하려면 대통령령으로 정하는 바에 따라 미리 주민의 의견을 들어야 한다. 다만, 다음 각 호의 어느 하나에 해당하거나 대통령령으로 정하는 경미한 사항을 변경하는 경우에는 그러하지 아니하다.

1. 따로 지정절차 없이 법령이나 자치법규에 따라 지역·지구등의 범위가 직접 지정되는 경우
2. 다른 법령 또는 자치법규에 주민의 의견을 듣는 절차가 규정되어 있는 경우
3. 국방상 기밀유지가 필요한 경우
4. 그 밖에 대통령령으로 정하는 경우

② 중앙행정기관의 장이 지역·지구등을 지정하는 경우에는 지적(地籍)이 표시된 지형도에 지역·지구등을 명시한 도면(이하 "지형도면"이라 한다)을 작성하여 관보에 고시하고, 지방자치단체의 장이 지역·지구등을 지정하는 경우에는 지형도면을 작성하여 그 지방자치단체의 공보에 고시하여야 한다. 다만, 대통령령으로 정하는 경우에는 지형도면을 작성·고시하지 아니하거나 지적도 등에 지역·지구등을 명시한 도면을 작성하여 고시할 수 있다.

③ 제2항에 따라 지형도면 또는 지적도 등에 지역·지구등을 명시한 도면(이하 "지형도면등"이라 한다)을 고시하여야 하는 지역·지구등의 지정의 효력은 지형도면등의 고시를 함으로써 발생한다. 다만, 지역·지구등을 지정할 때에 지형도면등의 고시가 곤란한 경우로서 대통령령으로 정하는 경우에는 그러하지 아니하다.

④ 제3항 단서에 해당되는 경우에는 지역·지구등의 지정일부터 2년이 되는 날까지 지형도면등을 고시하여야 하며, 지형도면등의 고시가 없는 경우에는 그 2년이 되는 날의 다음 날부터 그 지정의 효력을 잃는다.

⑤ 제4항에 따라 지역·지구등의 지정이 효력을 잃은 때에는 그 지역·지구등의 지정권자는 대통령령으로 정하는 바에 따라 지체 없이 그 사실을 관보 또는 공보에 고시하고, 이를 관계 특별자치도지사·시장·군수(광역시의 관할 구역에 있는 군의 군수를 포함한다. 이하 같다) 또는 구청장(구청장은 자치구의 구청장을 말하며, 이하 "시장·군수 또는 구청장"이라 한다)에게 통보하여야 한다. 이 경우 시장·군수 또는 구청장은 그 내용을 제12조에 따른 국토이용정보체계(이하 "국토이용정보체계"라 한다)에 등재(登載)하여 일반 국민이 볼 수 있도록 하여야 한다.

⑥ 중앙행정기관의 장이나 지방자치단체의 장은 지역·지구등의 지정을 입안하거나 신청하는 자가 따로 있는 경우에는 그 자에게 제2항에 따른 고시에 필요한 지형도면등을 작성하여 제출하도록 요청할 수 있다.

⑦ 제2항에 따른 지형도면등의 작성에 필요한 구체적인 기준 및 방법 등은 대통령령으로 정한다.

건축관계법

국토계획법

주차장법

주 택 법

도시및주거
환경정비법

건축사법

장애인시설법

소방시설법

서울시조례

건축관계법

국토계획법

주차장법

주 택 법

도시및주거
환경정비법

건축사법

장애인시설법

소방시설법

서울시조례

11 도시·군계획시설부지에서의 개발행위 (법 제64조)

(1) 특별시장·광역시장·특별자치시장·특별자치도지사·시장 또는 군수는 도시·군계획시설의 설치 장소로 결정된 지상·수상·공중·수중 또는 지하에 대하여는 해당 도시·군계획시설이 아닌 건축물의 건축이나 공작물의 설치를 허가하여서는 아니 된다.

예외 건축물의 건축이나 공작물의 설치 허가가 가능한 경우

1. 지상·수상·공중·수중 또는 지하에 일정한 공간적 범위를 정하여 도시·군계획시설이 결정되어 있고, 그 도시·군계획시설의 설치·이용 및 장래의 확장 가능성에 지장이 없는 범위 안에서 도시·군계획시설이 아닌 건축물 또는 공작물을 그 도시·군계획시설인 건축물 또는 공작물의 부지에 설치하는 경우	
2. 도시·군계획시설과 도시·군계획시설이 아닌 시설을 같은 건축물안에 설치한 경우*로서 실시계획인가를 받아 우측 ①, ②에 해당하는 경우	① 건폐율이 증가하지 아니하는 범위 안에서 해당 건축물을 증축 또는 대수선하여 도시·군계획시설이 아닌 시설을 설치하는 경우 ② 도시·군계획시설의 설치·이용 및 장래의 확장 가능성에 지장이 없는 범위 안에서 도시·군계획시설을 도시·군계획시설이 아닌 시설로 변경하는 경우
3. 「도로법」 등 도시·군계획시설의 설치 및 관리에 관하여 규정하고 있는 다른 법률에 의하여 점용허가를 받아 건축물 또는 공작물을 설치하는 경우	
4. 도시·군계획시설의 설치·이용 및 장래의 확장 가능성에 지장이 없는 범위에서 「신에너지 및 재생에너지 개발·이용·보급 촉진법」에 따른 신·재생에너지 설비 중 태양에너지 설비 또는 연료전지 설비를 설치하는 경우	

* 법률 제6243호 「도시계획법」 개정 법률에 의하여 개정되기 전에 설치한 경우를 말한다.

12 개발행위의 예외적 인정 (법 제64조제2항)

특별시장·광역시장·특별자치시장·특별자치도지사·시장 또는 군수는 도시·군계획시설결정의 고시일로부터 2년이 경과할 때까지 해당 시설의 설치에 관한 사업이 시행되지 아니한 도시·군계획시설 중 다음의 도시·군계획시설의 부지에 대하여는 위 ⑨의 규정에 불구하고 다음의 개발행위를 허가할 수 있다.

개발행위 허가대상	허가행위 범위
1. 단계별 집행계획이 수립되지 않은 경우의 부지 2. 제1단계 집행계획에 포함되지 않은 도시·군계획시설의 부지	① 가설건축물의 건축과 이에 필요한 범위 안에서의 토지의 형질변경 ② 도시·군계획시설의 설치에 지장이 없는 공작물의 설치와 이에 필요한 범위에서의 토지의 형질변경 ③ 건축물의 개축 또는 재축과 이에 필요한 범위에서의 토지의 형질변경(「건축법」에 따른 신고대상인 개축·재축·증축과 이에 필요한 범위에서의 토지의 형질변경의 경우는 제외)

13 도시·군계획시설사업 시행에 따른 원상회복 (법 제64조제3항, 제4항)

(1) 특별시장·광역시장·특별자치시장·특별자치도지사·시장 또는 군수는 가설건축물의 건축이나 공작물의 설치를 허가한 토지에 대하여 도시·군계획시설사업이 시행되는 때에는 그 시행예정일 3월전까지 가설건축물이나 공작물의 소유자 부담으로 그의 가설건축물이나 공작물의 철거 등 원상회복에 필요한 조치를 명하여야 한다.

제5장 개발행위의 허가 등　　5장

건축관계법

국토계획법

주차장법

주 택 법

도시및주거
환경정비법

건축사법

장애인시설법

소방시설법

서울시조례

예외 원상회복의 필요가 없다고 인정되는 경우

(2) 특별시장·광역시장·특별자치시장·특별자치도지사·시장 또는 군수는 원상회복의 명령을 받은 자가 원상회복을 하지 아니하는 때에는 「행정대집행법」에 따른 행정대집행에 의하여 원상회복을 할 수 있다.

14 개발행위에 따른 공공시설 등의 귀속 (법 제65조)

개발행위에 따른 공공시설은 다음에 따라 귀속되거나 양도된 것으로 본다.

구 분	개발행위허가를 받은 자	
	행정청인 경우	행정청이 아닌 경우
1. 새로 설치하는 공공시설	그 시설을 관리할 관리청에 무상 귀속	그 시설을 관리할 관리청에 무상 귀속
2. 기존의 공공시설에 대체되는 공공시설을 설치(종래의 공공시설)	개발행위허가를 받은 자에게 무상 귀속	–
3. 개발행위로 용도가 폐지되는 공공시설	–	새로 설치한 공공시설의 설치비용에 상당하는 범위에서 개발행위허가를 받은 자에게 무상으로 양도
4. 준공검사 등	개발행위가 끝나 준공검사를 마친 때는 해당시설의 관리청에 공공시설의 종류와 토지의 세목을 통지할 것	개발행위가 끝나기 전에 해당시설의 관리청에 그 종류 및 토지의 세목(細目)을 통지해야 하고, 준공검사를 한 특별시장·광역시장·특별자치시장·특별자치도지사·시장 또는 군수는 그 내용을 해당시설의 관리청에 통보
5. 관리청과 개발행위허가를 받은 자에 대한 귀속 또는 양도시점	공공시설의 종류 및 토지의 세목을 통지한 날	공공시설의 준공검사를 받은 날

■ 특별시장·광역시장·특별자치시장·특별자치도지사·시장 또는 군수는 공공시설의 귀속에 관한 사항이 포함된 개발행위허가를 하고자 할 때에는 미리 해당 관리청의 의견을 들어야 한다.
① 관리청이 지정되지 않은 경우 : 관리청이 지정된 후 준공 전에 의견 수렴
② 관리청이 불분명한 경우 : (도로 등) 국토교통부장관, (하천) 환경부장관, (그 외의 재산) 기획재정부장관을 관리청으로 봄

2 개발행위에 따른 기반시설의 설치

1 개발밀도관리구역 (법 제66조)

【1】 지정권자

특별시장·광역시장·특별자치시장·특별자치도지사·시장 또는 군수

【2】 대상지역

주거·상업 또는 공업지역에서 개발행위로 인하여 기반시설의 처리·공급 또는 수용능력이 부족할 것으로 예상되는 지역 중 기반시설의 설치가 곤란한 지역

【3】 지정내용 (영 제62조)

특별시장·광역시장·특별자치시장·특별자치도지사·시장 또는 군수는 개발밀도 관리구역 안에서 해

당 용도지역에 적용되는 용적률의 최대한도의 50%의 범위 안에서 강화하여 적용한다.

【4】지방도시계획위원회의 심의

　(1) 특별시장·광역시장·특별자치시장·특별자치도지사·시장 또는 군수는 개발밀도관리구역을 지정 또는 변경하고자 하는 경우 다음 사항을 포함하여 지방도시계획위원회의 심의를 거쳐야 한다.

1. 개발밀도관리구역의 명칭
2. 개발밀도관리구역의 범위
3. 건폐율 또는 용적률의 강화범위

　(2) 개발밀도관리구역을 지정 또는 변경한 경우 해당 지방자치단체의 공보에 게재하는 방법으로 고시하여야 한다.

　(3) 특별시장·광역시장·특별자치시장·특별자치도지사·시장 또는 군수는 제2항에 따라 고시한 내용을 해당 기관의 인터넷 홈페이지에 게재하여야 한다.

【5】개발밀도관리구역의 지정기준 및 관리방법

　국토교통부장관은 개발밀도관리구역의 지정기준 및 관리방법을 정할 때에는 다음 사항을 종합적으로 고려해야 한다.

　1. 개발밀도관리구역은 도로·수도공급설비·하수도·학교 등 기반시설의 용량이 부족할 것으로 예상되는 지역 중 기반시설의 설치가 곤란한 지역으로서 다음에 해당하는 지역에 대하여 지정할 수 있도록 할 것
　　① 해당 지역의 도로서비스 수준이 매우 낮아 차량통행이 현저하게 지체되는 지역. 이 경우 도로서비스 수준의 측정에 관하여는 「도시교통정비 촉진법」에 따른 교통영향평가의 예에 따른다.
　　② 해당 지역의 도로율이 용도지역별 도로율에 20% 이상 미달하는 지역
　　③ 향후 2년 이내에 해당 지역의 수도에 대한 수요량이 수도시설의 시설용량을 초과할 것으로 예상되는 지역
　　④ 향후 2년 이내에 해당 지역의 하수발생량이 하수시설의 시설용량을 초과할 것으로 예상되는 지역
　　⑤ 향후 2년 이내에 해당 지역의 학생수가 학교수용능력을 20% 이상 초과할 것으로 예상되는 지역

　2. 개발밀도관리구역의 경계는 도로·하천 그 밖에 특색 있는 지형지물을 이용하거나 용도지역의 경계선을 따라 설정하는 등 경계선이 분명하게 구분되도록 할 것

　3. 용적률의 강화범위는 해당 지역에 적용되는 용적률의 범위에서 위 1.에 따른 기반시설의 부족정도를 고려하여 결정할 것

　4. 개발밀도관리구역안의 기반시설의 변화를 주기적으로 검토하여 용적률을 강화 또는 완화하거나 개발밀도관리구역을 해제하는 등 필요한 조치를 취하도록 할 것

② 기반시설부담구역의 지정 (법 제67조)(영 제64조 ~ 66조)

【1】기반시설부담구역의 지정

　특별시장·광역시장·특별자치시장·특별자치도지사·시장 또는 군수는 다음의 어느 하나에 해당하는 지역에 대하여는 기반시설부담구역으로 지정하여야 한다.

　(1) 이 법 또는 다른 법령의 제정·개정으로 인하여 행위제한이 완화되거나 해제되는 지역

　(2) 이 법 또는 다른 법령에 따라 지정된 용도지역 등이 변경되거나 해제되어 행위제한이 완화되는 지역

건축관계법
국토계획법
주차장법
주택법
도시및주거환경정비법
건축사법
장애인시설법
소방시설법
서울시조례

(3) 개발행위허가 현황 및 인구증가율 등을 고려하여 기반시설의 설치가 필요하다고 인정하는 다음의 지역

1. 해당 지역의 전년도 개발행위허가 건수가 전전년도 개발행위허가 건수보다 20% 이상 증가한 지역
2. 해당 지역의 전년도 인구증가율이 그 지역이 속하는 특별시·광역시·시 또는 군(광역시의 관할구역에 있는 군은 제외)의 전년도 인구증가율보다 20% 이상 높은 지역

예외 개발행위가 집중되어 특별시장·광역시장·특별자치시장·특별자치도지사·시장 또는 군수가 해당 지역의 계획적 관리를 위하여 필요하다고 인정하는 경우 위에 해당하지 아니하는 경우라도 기반시설부담구역으로 지정할 수 있다.

【2】기반시설부담구역의 지정 또는 변경의 고시

특별시장·광역시장·특별자치시장·특별자치도지사·시장 또는 군수는 기반시설부담구역을 지정 또는 변경하고자 하는 때에는 주민의 의견을 들어야 하며, 해당 지방자치단체에 설치된 지방도시계획위원회의 심의를 거쳐 기반시설부담구역의 명칭·위치·면적 및 지정일자와 관계 도서의 열람 방법을 해당 지방자치단체의 공보와 인터넷 홈페이지에 고시하여야 한다.

【3】기반시설 설치계획의 수립

특별시장·광역시장·특별자치시장·특별자치도지사·시장 또는 군수는 위의 【2】에 따라 기반시설부담구역이 지정된 경우 다음에 따른 기반시설설치계획을 수립하여야 하며, 이를 도시·군관리계획에 반영하여야 한다.

(1) 설치계획 수립시 포함 내용

1. 설치가 필요한 기반시설의 종류, 위치 및 규모
2. 기반시설의 설치 우선순위 및 단계별 설치계획
3. 그 밖에 기반시설의 설치에 필요한 사항

(2) 설치계획 수립시 종합적 고려사항

1. 기반시설의 배치는 해당 기반시설부담구역의 토지이용계획 또는 앞으로 예상되는 개발수요를 고려하여 적절하게 정할 것
2. 기반시설의 설치시기는 재원조달계획, 시설별 우선순위, 사용자의 편의와 예상되는 개발행위의 완료시기 등을 고려하여 합리적으로 정할 것

(3) 위의 (1) 및 (2) 불구하고 지구단위계획을 수립한 경우에는 기반시설설치계획을 수립한 것으로 본다.

(4) 기반시설부담구역의 지정고시일로부터 1년이 되는 날까지 기반시설설치계획을 수립하지 아니하면 그 1년이 되는 날의 다음날에 기반시설부담구역의 지정은 해제된 것으로 본다.

【4】기반시설부담구역의 지정기준

기반시설부담구역의 지정기준 등에 관하여 필요한 사항은 다음에 정하는 바에 따라 국토교통부장관이 정한다.

(1) 기반시설부담구역은 기반시설이 적절하게 배치될 수 있는 규모로서 최소 10만㎡ 이상의 규모가 되도록 지정할 것

건축관계법
국토계획법
주차장법
주택법
도시및주거
환경정비법
건축사법
장애인시설법
소방시설법
서울시조례

5장 제3편 국토의 계획 및 이용에 관한 법률

건축관계법

국토계획법

주차장법

주택법

도시및주거
환경정비법

건축사법

장애인시설법

소방시설법

서울시조례

(2) 소규모 개발행위가 연접하여 시행될 것으로 예상되는 지역의 경우에는 하나의 단위구역으로 묶어서 기반시설부담구역을 지정할 것

(3) 기반시설부담구역의 경계는 도로, 하천, 그 밖의 특색 있는 지형지물을 이용하는 등 경계선이 분명하게 구분되도록 할 것

③ 기반시설 설치비용의 부과대상 및 산정기준 $\left(\substack{\text{법} \\ \text{제68조}}\right)\left(\substack{\text{영} \\ \text{제67조} \sim 70조}\right)$

【1】 기반시설 설치비용의 부과대상

(1) 기반시설부담구역 안에서 기반시설설치비용의 부과대상인 건축행위는 단독주택 및 숙박시설 등의 시설(「건축법 시행령」 [별표 1]에 따른 용도별 건축물을 말함)로서 200㎡ (기존 건축물의 연면적을 포함)를 초과하는 건축물의 신·증축 행위로 한다.

예외 다음에 해당하는 건축물은 기반시설설치비용의 부과대상에 해당하지 않는다.
(시행령 [별표 1]의 건축물, ※ 번호가 누락된 부분은 생략한 부분임)

1. 국가 또는 지방자치단체가 건축하는 건축물
2. 국가 또는 지방자치단체에 기부채납하는 건축물
3. 「산업집적활성화 및 공장설립에 관한 법률」에 따른 공장
4. 「공익사업을 위한 토지 등의 취득 및 보상에 관한 법률」에 따른 이주대책대상자(그 상속인을 포함) 또는 사업시행자가 이주대책을 위하여 건축하는 건축물
8. 「건축법」 또는 「주택법」에 따른 리모델링을 하는 건축물
9. 「건축법 시행령」에 따른 부속용도의 시설 중 주차장
10. 「경제자유구역의 지정 및 운영에 관한 특별법」에 따른 경제자유구역에 「외국인투자촉진법」에 따른 외국인투자기업이 해당 투자사업을 위하여 건축하는 건축물
11. 「혁신도시 조성 및 발전에 관한 특별법」에 따라 이전 공공기관이 혁신도시 외로 개별 이전하여 건축하는 건축물
18. 「도시 및 주거환경정비법」에 따라 공급하는 임대주택
34. 「영유아보육법」의 규정에 따른 어린이집
35. 「건축법 시행령」에 따른 다가구주택에 해당하는 용도로 사용되는 부분
36. 「건축법 시행령」에 따른 다세대주택에 해당하는 용도로 사용되고 세대당 주거전용면적이 60제곱미터 이하인 부분
37. 「건축법 시행령」의 종교집회장
38. 다음의 지역·지구·구역·단지 등에서 지구단위계획을 수립하여 개발하는 토지에 건축하는 건축물 ㉠ 「택지개발촉진법」에 따른 택지개발지구 ㉡ 「산업입지 및 개발에 관한 법률」에 따른 산업단지 ㉢ 「도시개발법」에 따른 도시개발구역 ㉣ 「공공주택건설 등에 관한 특별법」에 따른 공공주택지구 ㉤ 「도시 및 주거환경정비법」의 주거환경개선사업, 주택재개발사업, 주택재건축사업을 위한 정비구역 ㉥ 「물류시설의 개발 및 운영에 관한 법률」에 따른 물류단지 ㉦ 「경제자유구역의 지정 및 운영에 관한 특별법」에 따른 경제자유구역. 예외 같은 구역 안에서의 건축행위가 위 10.에 따라 기반시설설치비용이 면제되는 경우는 제외한다. ㉧ 「관광진흥법」에 따른 관광지 및 관광단지

건축관계법

국토계획법

주차장법

주 택 법

도시및주거
환경정비법

건축사법

장애인시설법

소방시설법

서울시조례

　　㉻ 「기업도시개발 특별법」에 따른 기업도시개발구역
　　㉼ 「신행정수도 후속대책을 위한 연기·공주지역 행정중심복합도시 건설을 위한 특별법」에 따른 행정중심복합도시 예정지역
　　㉾ 「혁신도시 조성 및 발전에 관한 특별법」에 따른 혁신도시개발예정 지구
　　㊀ 「제주특별자치도 설치 및 국제자유도시 조성을 위한 특별법」에 따른 제주첨단과학기술단지

(2) 기존 건축물을 철거하고 신축하는 경우에는 기존 건축물의 건축연면적을 초과하는 건축행위에 대하여만 부과대상으로 한다.

【2】 기반시설 설치비용의 산정 방법

기반시설설치비용은 기반시설을 설치하는데 필요한 기반시설 표준시설비용과 용지비용을 합산한 금액에 위 【1】에 따른 부과대상 건축연면적과 기반시설 설치를 위하여 사용 되는 총비용 중 국가·지방자치단체의 부담 분을 제외하고 민간 개발사업자가 부담하는 부담률을 곱한 금액으로 한다.

【3】 기반시설 표준시설비용의 고시 (영 제68조)

위의 【2】에 따른 기반시설 표준시설비용은 기반시설 조성을 위하여 사용되는 단위당 시설비로서 해당 연도의 생산자물가상승률 등을 고려하여 매년 1월 1일을 기준으로 한 기반시설 표준시설비용을 매년 6월 10일까지 국토교통부장관이 고시한다.

【4】 기반시설 용지비용의 산정기준 (영 제69조)

위의 【2】에 따른 용지비용은 부과대상이 되는 건축행위가 이루어지는 토지를 대상으로 다음의 기준을 곱하여 산정한 가액으로 한다.
① 지역별 기반시설의 설치정도를 고려하여 0.4 범위 내에서 지방자치단체의 조례로 정하는 용지환산계수
② 기반시설부담구역 내 개별공시지가 평균 및 건축물별 기반시설유발계수 (시행령 [별표 1의3])

【참고】 용지환산계수

기반시설부담구역별로 기반시설이 설치된 정도를 고려하여 산정된 기반시설 필요 면적률(기반시설부담구역의 전체 토지면적 중 기반시설이 필요한 토지면적의 비율을 말함)을 건축 연면적당 기반시설 필요 면적으로 환산하는데 사용되는 계수를 말한다.

【5】 민간 개발사업자가 부담하는 부담률

위의 【2】에 따른 민간 개발사업자가 부담하는 부담률은 20%로 하며, 특별시장·광역시장·시장 또는 군수가 건물의 규모, 지역 특성 등을 고려하여 25%의 범위 내에서 부담률을 가감할 수 있다.

【6】 기반시설 설치비용의 감면 등 (영 제70조)

다음에 해당하는 경우에는 이 법에 따른 기반시설 설치비용에서 감면한다.
(1) 납부의무자가 직접 기반시설을 설치하거나 그에 필요한 용지를 확보한 경우에는 기반시설 설치비용에서 직접 기반시설을 설치하거나 용지를 확보하는 데 든 비용을 공제 한다.
(2) 위의 (1)에 따른 공제금액 중 납부의무자가 직접 기반시설을 설치하는 데 든 비용은 다음의 금

액을 합산하여 산정한다.

① 건축허가(다른 법률에 따른 사업승인 등 건축허가가 의제되는 경우에는 그 사업승인)를 받은 날(부과기준시점)을 기준으로 국토교통부장관이 정하는 요건을 갖춘 「부동산가격공시 및 감정평가에 관한 법률」에 따른 감정평가업자 두 명 이상이 감정평가 한 금액을 산술평균한 토지의 가액

② 부과기준시점을 기준으로 국토교통부장관이 매년 고시하는 기반시설별 단위당 표준조성비에 납부의무자가 설치하는 기반시설량을 곱하여 산정한 기반시설별 조성비용.

　　예외 납부의무자가 실제 투입된 조성비용 명세서를 제출하면 국토교통부령으로 정하는 바에 따라 그 조성비용을 기반시설별 조성비용으로 인정할 수 있다.

(3) 위의 (2)에 불구하고 부과기준시점에 다음에 해당하는 금액에 따른 토지의 가액과 위 (2)의 ②에 따른 기반시설별 조성비용을 적용하여 산정된 공제 금액이 기반시설 설치비용을 초과하는 경우에는 그 금액을 납부의무자가 직접 기반시설을 설치하는 데 든 비용으로 본다.

1. 부과기준시점으로부터 가장 최근에 결정·공시된 개별공시지가

2. 국가·지방자치단체·공공기관 또는 지방공기업으로부터 매입한 토지의 가액

3. 공공기관 또는 지방공기업이 매입한 토지의 가액

4. 「공익사업을 위한 토지 등의 취득 및 보상에 관한 법률」에 따른 협의 또는 수용에 따라 취   득한 토지의 가액

5. 해당 토지의 무상 귀속을 목적으로 한 토지의 감정평가금액

(4) 위의 (1)에 따른 공제금액 중 기반시설에 필요한 용지를 확보하는 데 든 비용은 위 (2)의 ①에 따라 산정한다.

(5) 위 (1)의 경우 외에 기반시설 설치비용에서 감면하는 비용 및 감면액은 다음 [별표 1의 4]와 같다.

■ 기반시설 설치비용에서 감면하는 비용 및 감면액 (영 [별표 1의4])

1. 「대도시권 광역교통관리에 관한 특별법」 제11조에 따른 광역교통시설부담금의 10/100에 해당하는 금액

2. 「도로법」 제91조제1항 및 제2항에 따른 원인자부담금 전액

3. 「수도권정비계획법」 제12조에 따른 과밀부담금의 10/100에 해당하는 금액

4. 「수도법」 제71조에 따른 원인자부담금 전액

5. 「하수도법」 제61조에 따른 원인자부담금 전액

6. 「학교용지확보 등에 관한 특례법」 제5조에 따른 학교용지부담금 전액

7. 「자원의 절약과 재활용촉진에 관한 법률」 제19조에 따른 폐기물비용부담금 전액

8. 「지방자치법」 제138조에 의한 공공시설분담금 전액

국토계획법

주차장법

주택법

도시및주거
환경정비법

건축사법

장애인시설법

소방시설법

서울시조례

건축관계법

국토계획법

주차장법

주 택 법

도시및주거
환경정비법

건축사법

장애인시설법

소방시설법

서울시조례

④ 기반시설 설치비용의 납부 및 체납처분 등 $\left(\begin{smallmatrix} 법 \\ 제69조 \end{smallmatrix}\right)\left(\begin{smallmatrix} 영 \\ 제70조의2 \sim 제70조의10 \end{smallmatrix}\right)$

【1】 납부의무자의 기반시설 설치비용의 납부

다음에 해당하는 납부의무자는 기반시설 설치비용을 납부하여야 한다.

| 1. 건축행위를 하는 자 |
| 2. 건축행위를 위탁 또는 도급한 경우에는 그 위탁이나 도급을 한 자 |
| 3. 타인 소유의 토지를 임차하여 건축행위를 하는 경우에는 그 행위자 |
| 4. 건축행위를 완료하기 전에 건축주의 지위나 위의 ② 또는 ③에 해당하는 자의 지위를 승계하는 경우 그 지위를 승계한 자 |

【2】 부과와 납부시기

(1) 부과시기

특별시장·광역시장·특별자치시장·특별자치도지사·시장 또는 군수는 납부의무자가 국가 또는 지방자치단체로부터 건축허가(다른 법률에 따른 사업승인 등 건축허가가 의제되는 경우에는 그 사업 승인)를 받은 날부터 2개월 이내에 기반시설 설치비용을 부과하여야 한다.

(2) 기반시설 설치비용의 예정통지 등

① 특별시장·광역시장·특별자치시장·특별자치도지사·시장 또는 군수는 기반시설 설치비용을 부과하려면 부과기준시점부터 30일 이내에 납부의무자에게 적용되는 부과 기준 및 부과될 기반시설 설치비용을 미리 알려야 한다.

② 위 ①에 따른 통지(이하 "예정 통지")를 받은 납부의무자는 예정 통지된 기반시설 설치 비용에 대하여 이의가 있으면 예정 통지를 받은 날부터 15일 이내에 특별시장·광역시장·특별자치시장·특별자치도지사·시장 또는 군수에게 심사(이하 "고지 전 심사")를 청구할 수 있다.

(3) 기반시설 설치비용의 결정

특별시장·광역시장·특별자치시장·특별자치도지사·시장 또는 군수는 예정 통지에 이의가 없는 경우 또는 고지 전 심사청구에 대한 심사결과를 통지한 경우에는 그 통지한 금액에 따라 기반시설 설치비용을 결정한다.

(4) 납부의 고지

① 특별시장·광역시장·특별자치시장·특별자치도지사·시장 또는 군수는 기반시설 설치비용을 부과하려면 납부의무자에게 납부 고지서를 발급하여야 한다.

② 특별시장·광역시장·특별자치시장·특별자치도지사·시장 또는 군수는 위 ①에 따라 납부고지서를 발급할 때에는 납부금액 및 그 산출 근거, 납부기한과 납부 장소를 명시하여야 한다.

(5) 납부시기

납부의무자는 사용승인(다른 법률에 따라 준공검사 등 사용승인이 의제되는 경우에는 그 준공검사) 신청 시(납부 고지된 납부기한)까지 이를 납부하여야 한다.

【3】 기반시설 설치비용의 물납 $\left(\begin{smallmatrix} 영 \\ 제70조의7 \end{smallmatrix}\right)$

(1) 기반시설 설치비용은 현금, 신용카드 또는 직불카드로 납부하도록 하되, 부과대상 토지 및 이와 비슷한 토지로 하는 납부(이하 "물납"이라 함)를 인정할 수 있다.

(2) 위 (1)에 따라 물납을 신청하려는 자는 납부기한 20일 전까지 기반시설설치비용, 물납 대상 토지의 면적 및 위치, 물납신청 당시 물납 대상 토지의 개별공시지가 등을 적은 물납신청서를 특별시장·광역시장·특별자치시장·특별자치도지사·시장 또는 군수에게 제출하여야 한다.

건축관계법

국토계획법

주차장법

주 택 법

도시및주거
환경정비법

건축사법

장애인시설법

소방시설법

서울시조례

(3) 특별시장·광역시장·특별자치시장·특별자치도지사·시장 또는 군수는 위 (2)에 따른 물납신청서를 받은 날부터 10일 이내에 신청인에게 수납 여부를 서면으로 알려야 한다.

(4) 물납을 신청할 수 있는 토지의 가액은 해당 기반시설설치비용의 부과액을 초과할 수 없으며, 납부의무자는 부과된 기반시설설치비용에서 물납하는 토지의 가액을 뺀 금액을 현금, 신용카드 또는 직불카드로 납부하여야 한다.

(5) 특별시장·광역시장·특별자치시장·특별자치도지사·시장 또는 군수는 물납을 받으면 해당 기반시설부담구역에 설치한 기반시설 특별회계에 귀속시켜야 한다.

【4】 납부기일의 연기 및 분할 납부 (_영 제70조의8)

(1) 특별시장·광역시장·특별자치시장·특별자치도지사·시장 또는 군수는 납부의무자가 다음에 해당하여 기반시설 설치비용을 납부하기가 곤란하다고 인정되면 해당 개발사업 목적에 따른 이용상황 등을 고려하여 1년의 범위에서 납부 기일을 연기하거나 2년의 범위에서 분할 납부를 인정할 수 있다.

1. 재해나 도난으로 재산에 심한 손실을 입은 경우
2. 사업에 뚜렷한 손실을 입은 때
3. 사업이 중대한 위기에 처한 경우
4. 납부의무자나 그 동거 가족의 질병이나 중상해로 장기치료가 필요한 경우

(2) 위 (1)에 따라 기반시설 설치비용의 납부 기일을 연기하거나 분할 납부를 신청하려는 자는 납부고지서를 받은 날부터 15일 이내에 납부 기일 연기신청서 또는 분할 납부 신청서를 특별시장·광역시장·특별자치시장·특별자치도지사·시장 또는 군수에게 제출하여야 한다.

(3) 특별시장·광역시장·특별자치시장·특별자치도지사·시장 또는 군수는 위 (2)에 따른 납부 기일 연기신청서 또는 분할 납부 신청서를 받은 날부터 15일 이내에 납부 기일의 연기 또는 분할 납부 여부를 서면으로 알려야 한다.

(4) 위 (1)에 따라 납부를 연기한 기간 또는 분할 납부로 납부가 유예된 기간에 대하여는 기반시설 설치비용에 「국세기본법 시행령」에 따른 이자를 더하여 징수하여야 한다.

【5】 납부의 독촉과 징수 (_영 제70조의9)

(1) 특별시장 · 광역시장 · 시장 또는 군수는 납부의무자가 사용승인(다른 법률에 따라 준공검사 등 사용승인이 의제되는 경우에는 그 준공검사) 신청 시까지 그 기반시설설치비용을 완납하지 아니하면 납부기한이 지난 후 10일 이내에 독촉장을 보내야 한다.

(2) 특별시장 · 광역시장·특별자치시장·특별자치도지사 · 시장 또는 군수는 납부의무자가 위 【2】의 납부시기까지 기반시설 설치비용을 납부하지 아니하는 때에는 지방세체납처분의 예에 따라 징수할 수 있다.

【6】 환급 (_영 제70조의10)

특별시장 · 광역시장·특별자치시장·특별자치도지사 · 시장 또는 군수는 기반시설 설치비용을 납부한 자가 사용승인 신청 후 해당 건축행위와 관련된 기반시설의 추가 설치 등 기반시설 설치비용을 환급하여야 하는 사유가 발생하는 경우에는 그 사유에 상당하는 기반시설 설치비용을 환급하여야 한다.

⑤ 기반시설 설치비용의 관리 및 사용 등 $\left(\frac{법}{제70조}\right)\left(\frac{영}{제70조의11}\right)$

【1】 기반시설 설치비용의 관리 및 운용

특별시장·광역시장·특별자치시장·특별자치도지사·시장 또는 군수는 기반시설 설치비용의 관리 및 운용을 위하여 기반시설부담구역별로 특별회계를 설치하여야 하며, 그에 필요한 사항은 지방자치단체의 조례로 정한다.

【2】 기반시설 설치비용의 사용

납부한 기반시설 설치비용은 다음의 용도로 사용하여야 한다.

---

1. 기반시설부담구역별 기반시설설치계획 및 기반시설부담계획 수립

---

2. 기반시설부담구역에서 건축물의 신·증축행위로 유발되는 기반시설의 신규 설치, 그에 필요한 용지 확보 또는 기존 기반시설의 개량

---

3. 기반시설부담구역별로 설치하는 특별회계의 관리 및 운영

※ 해당 기반시설부담구역 안에 사용하기가 곤란한 경우로서 해당 기반시설부담구역에 필요한 기반시설을 모두 설치하거나 그에 필요한 용지를 모두 확보한 후에도 잔액이 생기는 경우 해당 기반 시설 부담구역의 기반시설과 연계된 기반시설의 설치 또는 그에 필요한 용지의 확보 등에 사용할 수 있다.

---

⑥ 성장관리계획구역의 지정 등 $\left(\frac{법}{제75조의2\sim4}\right)\left(\frac{영}{제70조의12\sim15}\right)$

【1】 성장관리계획구역의 지정

(1) 특별시장·광역시장·특별자치시장·특별자치도지사·시장 또는 군수는 녹지지역, 관리지역, 농림지역 및 자연환경보전지역 중 다음 지역의 전부 또는 일부에 대하여 성장관리계획구역을 지정할 수 있다.

■ 성장관리계획구역의 지정 대상 지역
1. 개발수요가 많아 무질서한 개발이 진행되고 있거나 진행될 것으로 예상되는 지역
2. 주변의 토지이용이나 교통여건 변화 등으로 향후 시가화가 예상되는 지역
3. 주변지역과 연계하여 체계적인 관리가 필요한 지역
4. 「토지이용규제 기본법」 제2조제1호에 따른 지역·지구등의 변경으로 토지이용에 대한 행위제한이 완화되는 지역

5. 그 밖에 난개발의 방지와 체계적인 관리가 필요한 우측란의 지역	① 인구 감소 또는 경제성장 정체 등으로 압축적이고 효율적인 도시성장 관리가 필요한 지역
	② 공장 등과 입지 분리 등을 통해 쾌적한 주거환경 조성이 필요한 지역
	③ 특별시·광역시·특별자치시·특별자치도·시 또는 군의 도시·군계획조례로 정하는 지역

(2) 주민과 지방의회의 의견청취 등

특별시장·광역시장·특별자치시장·특별자치도지사·시장 또는 군수는 성장관리계획구역을 지정하거나 이를 변경하려면 대통령령으로 정하는 바에 따라 미리 주민과 해당 지방의회의 의견을 들어야 하며, 관계 행정기관과의 협의 및 지방도시계획위원회의 심의를 거쳐야 한다.

예외 성장관리계획구역의 면적을 10% 이내에서 변경하는 경우(성장관리계획구역을 변경하는 부분에 둘 이상의 읍·면 또는 동의 일부 또는 전부가 포함된 경우 해당 읍·면 또는 동 단위로

건축관계법

국토계획법

주차장법

주 택 법

도시및주거
환경정비법

건축사법

장애인시설법

소방시설법

서울시조례

3-124

구분된 지역의 면적을 각각 10% 이내에서 변경하는 경우로 한정)는 제외

① 특별시장·광역시장·특별자치시장·특별자치도지사·시장 또는 군수는 법 제75조의2제2항 본문에 따라 성장관리계획구역의 지정 또는 변경에 관하여 주민의 의견을 들으려면 성장관리계획구역안의 주요 내용을 해당 지방자치단체의 공보나 전국 또는 해당 지방자치단체를 주된 보급지역으로 하는 둘 이상의 일간신문에 게재하고, 해당 지방자치단체의 인터넷 홈페이지 등에 공고해야 한다.

② 특별시장·광역시장·특별자치시장·특별자치도지사·시장 또는 군수는 제1항에 따른 공고를 한 때에는 성장관리계획구역안을 14일 이상 일반이 열람할 수 있도록 해야 한다.

③ 공고된 성장관리계획구역안에 대하여 의견이 있는 사람은 열람기간 내에 특별시장·광역시장·특별자치시장·특별자치도지사·시장 또는 군수에게 의견서를 제출할 수 있다.

④ 특별시장·광역시장·특별자치시장·특별자치도지사·시장 또는 군수는 제출된 의견을 성장관리계획구역안에 반영할 것인지 여부를 검토하여 그 결과를 열람기간이 종료된 날부터 30일 이내에 해당 의견을 제출한 사람에게 통보해야 한다.

⑤ 위 (1)표 5.에 따른 성장관리계획구역의 지정 또는 변경 고시는 해당 특별시·광역시·특별자치시·특별자치도·시 또는 군의 공보와 인터넷 홈페이지에 다음 사항을 게재하는 방법으로 한다.

■ 공보와 홈페이지에 게재할 사항
1. 성장관리계획구역의 지정 또는 변경 목적
2. 성장관리계획구역의 위치 및 경계
3. 성장관리계획구역의 면적 및 규모

(3) 특별시·광역시·특별자치시·특별자치도·시 또는 군의 의회는 특별한 사유가 없으면 60일 이내에 특별시장·광역시장·특별자치시장·특별자치도지사·시장 또는 군수에게 의견을 제시하여야 하며, 그 기한까지 의견을 제시하지 아니하면 의견이 없는 것으로 본다.

(4) 제2항에 따라 협의 요청을 받은 관계 행정기관의 장은 특별한 사유가 없으면 요청을 받은 날부터 30일 이내에 특별시장·광역시장·특별자치시장·특별자치도지사·시장 또는 군수에게 의견을 제시하여야 한다.

(5) 특별시장·광역시장·특별자치시장·특별자치도지사·시장 또는 군수가 성장관리계획구역을 지정하거나 이를 변경한 경우에는 관계 행정기관의 장에게 관계 서류를 송부하여야 하며, 대통령령으로 정하는 바에 따라 이를 고시하고 일반인이 열람할 수 있도록 하여야 한다. 이 경우 지형도면의 고시 등에 관하여는 「토지이용규제 기본법」 제8조에 따른다.

(6) 그 밖에 성장관리계획구역의 지정 기준 및 절차 등에 관하여 필요한 사항은 대통령령으로 정한다.

【2】 성장관리계획의 수립 등

(1) 특별시장·광역시장·특별자치시장·특별자치도지사·시장 또는 군수는 녹지지역, 관리지역, 농림지역 및 자연환경보전지역 중 다음에 해당하는 지역의 전부 또는 일부에 대하여 성장관리계획구역을 지정할 수 있다.

1. 도로, 공원 등 기반시설의 배치와 규모에 관한 사항
2. 건축물의 용도제한, 건축물의 건폐율 또는 용적률
3. 건축물의 배치, 형태, 색채 및 높이

4. 환경관리 및 경관계획	
5. 그 밖에 난개발의 방지와 체계적인 관리에 필요한 사항으로서 우측란에서 정하는 사항	① 성장관리계획구역 내 토지개발·이용, 기반시설, 생활환경 등의 현황 및 문제점
	② 그 밖에 난개발의 방지와 체계적인 관리에 필요한 사항으로서 특별시·광역시·특별자치시·특별자치도·시 또는 군의 도시·군계획조례로 정하는 사항

(2) 성장관리계획구역에서는 제77조제1항에도 불구하고 다음 각 호의 구분에 따른 범위에서 성장관리계획으로 정하는 바에 따라 특별시·광역시·특별자치시·특별자치도·시 또는 군의 조례로 정하는 비율까지 건폐율을 완화하여 적용할 수 있다.

1. 계획관리지역	50% 이하
2. 생산관리지역·농림지역·자연녹지지역 및 생산녹지지역	30% 이하

(3) 성장관리계획구역 내 계획관리지역에서는 제78조제1항에도 불구하고 125% 이하의 범위에서 성장관리계획으로 정하는 바에 따라 특별시·광역시·특별자치시·특별자치도·시 또는 군의 조례로 정하는 비율까지 용적률을 완화하여 적용할 수 있다.

(4) 성장관리계획의 수립 및 변경에 관한 절차는 【1】(2)~(5)의 규정을 준용한다. 이 경우 "성장관리계획구역"은 "성장관리계획"으로 본다.

(5) 특별시장·광역시장·특별자치시장·특별자치도지사·시장 또는 군수는 다음의 경우(다른 호에 저촉되지 않는 경우로 한정)에는 주민과 해당 지방의회의 의견 청취, 관계 행정기관과의 협의 및 지방도시계획위원회의 심의를 거치지 않고 성장관리계획을 변경할 수 있다.

■ 계획변경시 의견청취 및 협의 등의 생략

1. (1)표 5.에 해당하는 변경지역에서 성장관리계획을 변경하는 경우
2. 성장관리계획의 변경이 다음 각 목의 어느 하나에 해당하는 경우
  ① 단위 기반시설부지 면적의 10% 미만을 변경하는 경우
   ※ 도로의 경우 시작지점 또는 끝지점이 변경되지 않는 경우로서 중심선이 종전 도로의 범위를 벗어나지 않는 경우로 한정
  ② 지형사정으로 인한 기반시설의 근소한 위치변경 또는 비탈면 등으로 인한 시설부지의 불가피한 변경인 경우
3. 건축물의 배치·형태·색채 또는 높이의 변경인 경우
4. 그 밖에 특별시·광역시·특별자치시·특별자치도·시 또는 군의 도시·군계획조례로 정하는 경미한 변경인 경우

(6) 성장관리계획의 수립 또는 변경 고시는 해당 특별시·광역시·특별자치시·특별자치도·시 또는 군의 공보와 인터넷 홈페이지에 다음 사항을 게재하는 방법으로 한다.

1. 성장관리계획의 수립 또는 변경 목적
2. 성장관리계획의 수립 또는 변경 내용

(7) 성장관리계획의 타당성 재검토 및 정비
  ① 특별시장·광역시장·특별자치시장·특별자치도지사·시장 또는 군수는 5년마다 관할 구역 내 수립된 성장관리계획에 대하여그 타당성 여부를 전반적으로 재검토하여 정비하여야 한다.
  ② 재검토시에 다음 사항을 포함하여 검토한 후 그 결과를 성장관리계획 입안에 반영해야 한다.

5장 제3편 국토의 계획 및 이용에 관한 법률

건축관계법

국토계획법

주차장법

주택법

도시및주거환경정비법

건축사법

장애인시설법

소방시설법

서울시조례

1. 개발수요의 주변지역으로의 확산 방지 등을 고려한 성장관리계획구역의 면적 또는 경계의 적정성

2. 성장관리계획이 난개발의 방지 및 체계적인 관리 등 성장관리계획구역의 지정목적을 충분히 달성하고 있는지 여부

3. 성장관리계획구역의 지정목적을 달성하는 수준을 초과하여 건축물의 용도를 제한하는 등 토지소유자의 토지이용을 과도하게 제한하고 있는지 여부

4. 향후 예상되는 여건변화

(7) 그 밖에 성장관리계획의 수립기준 및 절차 등에 관하여 필요한 사항은 대통령령으로 정한다.

【3】 성장관리계획구역에서의 개발행위 등

(1) 성장관리계획구역에서 개발행위 또는 건축물의 용도변경을 하려면 그 성장관리계획에 맞게 하여야 한다.

(2) 성장관리계획구역 지정·변경의 기준 및 절차, 성장관리계획 수립·변경의 기준 및 절차 등에 관한 세부적인 사항은 국토교통부장관이 정하여 고시한다.

제6장 용도지역·용도지구 및 용도구역에서의 행위제한   **6장**

건축관계법

국토계획법

주차장법

주 택 법

도시및주거
환경정비법

건축사법

장애인시설법

소방시설법

서울시조례

용도지역·용도지구 및 용도구역에서의 행위제한

1 용도지역 및 용도지구에서의 건축물의 건축제한 등 (법 제76조)

용도지역에서의 건축물이나, 그 밖의 시설의 용도·종류 및 규모 등의 제한에 관한 사항은 다음과 같다.

■ 용도지역·용도지구 안에서의 행위제한의 원칙

(1) 용도지구안에서의 건축물 그 밖의 시설의 용도·종류 및 규모 등의 제한에 관한 사항은 이 법 또는 다른 법률에 특별한 규정이 있는 경우를 제외하고는 특별시·광역시·특별자치시·특별자치도·시 또는 군의 조례로 정할 수 있다.

(2) 건축물이나 그 밖의 시설의 용도·종류 및 규모 등의 제한은 해당 용도지역 및 용도지구의 지정목적에 적합하여야 한다.

(3) 건축물이나 그 밖의 시설의 용도·종류 및 규모 등을 변경하는 경우 변경후의 건축물 그 밖의 시설의 용도·종류 및 규모 등은 용도지역·용도지구의 건축제한에 적합하여야 한다.

(4) 다음에 해당하는 경우의 건축물이나 그 밖의 시설의 용도·종류 및 규모 등의 제한에 관하여는 위 (1)~(3) 까지의 규정에도 불구하고 다음 각각에서 정하는 바에 따른다.

대상 지구, 지역 등 등 〈시행 2024.5.17.〉	근거 법령 〈시행 2024.5.17.〉
1. 취락지구	취락지구의 지정목적 범위에서 시행령 [별표23]
2. 개발진흥지구	개발진흥지구의 지정목적 범위에서 대통령령
3. 복합용도지구	복합용도지구의 지정목적 범위에서 대통령령
4. 농공단지	「산업입지 및 개발에 관한 법률」
5. 농림지역 중 농업진흥지역	「농지법」
6. 보전산지	「산지관리법」
7. 초지	「초지법」
8. 자연환경보전지역 중 공원구역	「자연공원법」
9. 상수원보호구역	「수도법」
10. 지정문화재와 그 보호구역 (→지정문화유산과 그 보호구역)	「문화재보호법」 (→ 「문화 유산의 보존 및 활용에 관한 법률」)

건축관계법

국토계획법

주차장법

주 택 법

도시및주거
환경정비법

건축사법

장애인시설법

소방시설법

서울시조례

11. 천연기념물(→천연기념물등)과 그 보호구역	「자연유산의 보존 및 활용에 관한 법률」
12. 해양보호구역	「해양생태계의 보전 및 관리에 관한 법률」
13. 자연환경보전지역 중 수산자원보호구역	「수산자원관리법」

(5) 보전관리지역이나 생산관리지역에 대하여 농림축산식품부장관·해양수산부·환경부장관 또는 산
림청장이 농지 보전, 자연환경 보전, 해양환경 보전 또는 산림 보전에 필요하다고 인정하는 경우
「농지법」,「자연환경보전법」,「야생생물 보호 및 관리에 관한 법률」,「해양생태계의 보전
및 관리에 관한법률」또는「산림자원의 조성 및 관리에 관한 법률」에 따라 건축물이나 그 밖
의 시설의 용도·종류 및 규모 등을 제한할 수 있다. 이 경우 이 법에 따른 제한의 취지와 형평을
이루도록 해야 한다.

① 용도지역안에서의 건축물의 건축제한 (영 제71조)

【1】 전용주거지역안에서 건축할 수 있는 건축물 (별표2, 별표3 영)

구 분	제1종 전용주거지역	제2종 전용주거지역
1. 건축할 수 있는 건축물의 종류	가. 단독주택(다가구주택 제외) 나. 제1종 근린생활시설 중 가목~바목 및 사목(공중화장실, 대피소, 그 밖에 이와 비슷한 것 및 지역아동센터는 제외)의 해당 용도에 쓰이는 바닥면적의 합계가 1,000㎡ 미만인 것	가. 단독주택 나. 공동주택 다. 제1종 근린생활시설 (해당 용도에 쓰이는 바닥면적의 합계가 1,000㎡ 미만인 것)
2. 도시·군계획조례가 정하는 바에 의하여 건축할 수 있는 건축물의 종류	가. 다가구주택 나. 연립주택 및 다세대주택 다. 제1종 근린생활시설 중 사목(공중화장실·대피소, 그 밖에 이와 비슷한 것 및 지역아동센터만 해당한다) 및 아목의 해당 용도에 쓰이는 바닥면적의 합계가 1,000㎡ 미만인 것 라. 종교집회장(2종 근린생활시설) 마. 문화 및 집회시설 중 전시장[박물관·미술관, 체험관(한옥으로 건축하는 것만 해당함) 및 기념관에 한정함]에 해당하는 것(해당용도에 쓰이는 바닥면적합계가 1,000㎡ 미만인 것 바. 종교시설에 해당하는 것으로서 그 용도에 쓰이는 바닥면적의 합계가 1,000㎡ 미만인 것 사. 교육연구시설 중 초등학교·중학교 및 고등학교 아. 노유자시설 자. 자동차관련시설 중 주차장	※ 제1종 전용주거지역의 기준 라, 마, 바, 사, 아, 자와 동일함.

■ 표 내용 중 시설구분은 「건축법시행령」 [별표1]에 따름 (「건축법」 해설 제1장 ②-③ 참조)

【2】 일반주거지역안에서 건축할 수 있는 건축물(별표4 ~ 별표6 영)

건축관계법
국토계획법
주차장법
주 택 법
도시및주거환경정비법
건축사법
장애인시설법
소방시설법
서울시조례

구 분	제1종 일반주거지역	제2종 일반주거지역	제3종 일반주거지역
1. 건축할 수 있는 건축물의 종류	4층 이하의 건축물(「주택법 시행령」에 따른 단지형 연립주택 및 단지형 다세대주택인 경우에는 5층 이하를 말하며, 단지형 연립주택의 1층 전부를 필로티 구조로 하여 주차장으로 사용하는 경우에는 필로티 부분을 층수에서 제외하고, 단지형 다세대주택의 1층 바닥면적의 1/2 이상을 필로티 구조로 하여 주차장으로 사용하고 나머지 부분을 주택 외의 용도로 쓰는 경우에는 해당 층을 층수에서 제외한다)만 해당 〔예외〕 4층 이하의 범위에서 도시·군계획조례로 따로 층수를 정하는 경우 그 층수 이하의 건축물만 해당 가. 단독주택 나. 공동주택(아파트 제외) 다. 제1종 근린생활시설 라. 교육연구시설 중 유치원·초등학교·중학교·고등학교 마. 노유자시설	(경관관리 등을 위하여 도시·군계획조례로 건축물의 층수를 제한하는 경우에는 그 층수 이하의 건축물로 한정한다) 가. 단독주택 나. 공동주택 다. 제1종 근린생활시설 라. 종교시설 마. 교육연구시설 중 유치원·초등학교·중학교 및 고등학교 바. 노유자시설	(층수 제한 없음) ※ 제2종 일반주거지역과 동일
2. 도시·군계획조례가 정하는 바에 의하여 건축할 수 있는 건축물의 종류	4층 이하의 건축물에 한한다. 〔예외〕 4층 이하의 범위안에서 도시·군계획조례로 따로 층수를 정하는 경우에는 그 층수 이하의 건축물에 한한다. 가. 제2종 근린생활시설(단란주점 및 안마시술소 제외) 나. 문화 및 집회시설(공연장 및 관람장 제외) 다. 종교시설 라. 판매시설 중 소매시장과 상점(일반게임제공업의 시설은 제외함)에 해당하는 것으로서 해당 용도에 쓰이는 바닥면적의 합계가 2,000㎡ 미만(너비 15m 이상의 도로로서 도시·군계획조례가 정하는 너비의 도로에 접한 대지에 건축하는 것에 한함)과 기존의 도매시장 또는 소매시장을 재건축하는 경우로서 인근의 주거환경에 미치는 영향, 시장의 기능회복 등을 고려하여 도시·군계획조례가 정하는 경우에는 해당 용도에 쓰이는 바닥면적의 합계의 4배 이하 또는 대지면적의 2배 이하인 것 마. 의료시설(격리병원제외) 바. 교육연구시설(유치원·초등학교·중학교·고등학교 제외) 사. 수련시설(유스호스텔의 경우 특별시 및 광역시 지역에서는 너비 15m 이상의 도로에 20m 이상 접한 대지에 건	(경관관리 등을 위하여 도시·군계획조례로 건축물의 층수를 제한하는 경우에는 그 층수 이하의 건축물로 한정) 가. 좌측 '가.'와 동일 나. 문화 및 집회시설 (관람장 제외) 다. 좌측 '라.'와 동일 라. 좌측 '마.'와 동일 마. 좌측 '바.'와 동일 바. 좌측 '사.'와 동일	(층수 제한 없음) ※ 제2종 일반주거지역과 동일함

6장

축하는 것에 한하며, 기타 지역에서는 너비 12m 이상의 도로에 접한 대지에 건축하는 것에 한한다) 아. 운동시설(옥외 철탑이 설치된 골프연습장 제외) 자. 업무시설 중 오피스텔로서 해당용도에 쓰이는 바닥면적의 합계가 3,000㎡ 미만인 것 차. 공장 중 인쇄업, 기록매체복제업,봉제업(의류편조업 포함), 컴퓨터 및 주변기기제조업, 컴퓨터 관련 전자제품조립업, 두부제조업, 세탁업의 공장 및 지식산업센터로서 다음에 해당하지 아니하는 것 (1) 「대기환경보전법」 제2조제9호에 따른 특정대기유해물질이 같은 법 시행령 제11조제1항제1호에 따른 기준 이상으로 배출되는 것 (2) 「대기환경보전법」 제2조제9호에 따른 대기오염물질배출시설에 해당하는 시설로서 같은 법 시행령 별표 8에 따른 1종사업장 부터 4종사업장에 해당하는 것 (3) 「물환경보전법」 제2조제8호에 따른 특정수질유해물질이 같은 법 시령 제31조제1항제1호에 따른 기준 이상으로 배출되는 것. (4) 「물환경보전법」 제2조제5호에 따른 폐수배출시설에 해당하는 시설로서 같은 법시행령 별표 1에 따른 1종사업장부터 4종사업장까지에 해당하는 것 (5) 「폐기물관리법」 제2조제4호에 따른 지정폐기물을 배출하는 것 (6) 「소음·진동관리법」 제8조에 따른 배출허용기준의 2배 이상인 것 카. 다음 요건 모두 갖춘 공장(떡 제조업, 빵 제조업) (1) 바닥면적합계 1,000㎡ 미만 (2) 악취방지에 필요한 조치할 것 (3) 차목의 (1)-(6) 중 어느하나에 해당하지 않을 것 (4) 허가권자가 지방도시계획위원회의 심의를 거쳐 인근 주거환경 등에 적다고 인정하였을 것 타. 창고시설 파 위험물저장 및 처리시설(주유소·석유판매소 및 액화가스판매소, 도료류판매소)「대기환경보전법」에 따른 무공해·저공해자동차의 연료공급시설과 시내버스차고지에 설치하는 액화석유가스충전소 및 고압가스충전·저장소)	사. 운동시설(전체) 아. 업무시설 중 오피스텔·금융업소·사무소 및 국가지방자치단체청사와 외국공관의 건축물로서 해당용도의 바닥면적의 합계가 3,000㎡ 미만인 것 자. 공장(전체) 차. 창고시설 카. 좌측 '파.'와 동일 타. 자동차관련 시설 중 「여객자동차운수사업법」 등에 따른 차고 및 주기장과 주차장 및 세차장 파. 동물 및 식물관련시설 중 작물재배사, 종묘배	아. 업무시설로서 그 용도의 바닥 면적의 합계가 3,000㎡ 이하인 것 ※ 제2종 일반주거지역과 동일 함

건축관계법
국토계획법
주차장법
주 택 법
도시및주거
환경정비법
건축사법
장애인시설법
소방시설법
서울시조례

| | 하. 자동차관련시설 중 주차장 및 세차장
거. 동물 및 식물관련시설 중 화초 및 분재 등의 온실
　너. 교정시설
　더. 국방·군사시설
　러. 방송통신시설
　머. 발전시설
　버. 야영장 시설 | 양시설, 화초 및 분재 등의 온실 및 식물과 관련된 이와 유사한 시설(동·식물원 제외)
하. 교정시설
거. 국방·군사시설
너. 방송통신시설
더. 발전시설
러. 야영장 시설 |

- 표 내용 중 시설구분은 「건축법 시행령」 [별표 1]에 따름

【3】 준주거지역안에서 건축할 수 없는 건축물(영 별표7)

구 분	내　　　　　　　　　　　　　　　　용
1. 건축할 수 없는 　건축물의 종류	가. 제2종 근린생활시설 중 단란주점 나. 판매시설 중 상점의 일반게임제공업의 시설 다. 의료시설 중 격리병원 라. 숙박시설{생활숙박시설로서 공원·녹지 또는 지형지물에 따라 주택 밀집지역과 차단되거나 주택 밀집지역으로부터 도시·군계획조례로 정하는 거리(건축물의 각 부분을 기준으로 한다) 밖에 건축하는 것은 제외} 마. 위락시설 바. 공장으로서 별표 4 제2호 차목 (1)~(6)까지의 어느 하나에 해당하는 것 사. 위험물 저장 및 처리 시설 중 시내버스차고지 외의 지역에 설치하는 액화석유가스 충전소 및 고압가스 충전소·저장소(「환경친화적 자동차의 개발 및 보급 촉진에 관한 법률」 제2조제9호의 수소연료공급시설은 제외한다) 아. 자동차 관련 시설 중 폐차장 자. 동물 및 식물 관련 시설 중 축사·도축장·도계장 및 이와 비슷한 시설 차. 자원순환 관련 시설　　카. 묘지 관련 시설
2. 지역 여건 등을 고려하여 도시·군계획조례로 정하는 바에 따라 건축할 수 없는 건축물	가. 제2종 근린생활시설 중 안마시술소 나. 문화 및 집회시설(공연장 및 전시장은 제외) 다. 판매시설 라. 운수시설 마. 숙박시설 중 생활숙박시설{공원·녹지 또는 지형지물에 의하여 주택 밀집지역과 차단되거나 주택 밀집지역으로부터 도시·군계획조례로 정하는 거리(건축물의 각 부분을 기준으로 한다) 밖]에 건축하는 것} 바. 공장(제1호마목에 해당하는 것 제외) 사. 창고시설 아. 위험물 저장 및 처리 시설(제1호바목에 해당하는 것 제외) 자. 자동차 관련 시설(제1호사목에 해당하는 것 제외) 차. 동물 및 식물 관련 시설(제1호아목에 해당하는 것 제외) 카. 교정시설 타. 국방·군사시설 파. 발전시설　　하. 관광 휴게시설　　거. 장례시설

- 표 내용 중 시설구분은 「건축법 시행령」 [별표 1]에 따름

6장　제3편 국토의 계획 및 이용에 관한 법률

건축관계법

국토계획법

주차장법

주 택 법

도시및주거
환경정비법

건축사법

장애인시설법

소방시설법

서울시조례

3-132

【4】 상업지역안에서 건축할 수 없는 건축물(영 별표8~9)

구 분	중심상업지역	일반상업지역
1. 건축할 수 없는 건축물의 종류	가. 단독주택(다른 용도와 복합된 것은 제외) 나. 공동주택[공동주택과 주거용 외의 용도가 복합된 건축물(다수의 건축물이 일체적으로 연결된 하나의 건축물을 포함한다)로서 공동주택 부분의 면적이 연면적의 합계의 90%(도시·군계획조례로 90% 미만의 범위에서 별도로 비율을 정한 경우에는 그 비율) 미만인 것은 제외] 다. 숙박시설 중 일반숙박시설 및 생활숙박시설. 예외 다음의 일반숙박시설 또는 생활숙박시설은 제외한다. (1) 공원·녹지 또는 지형지물에 따라 주거지역과 차단되거나 주거지역으로부터 도시·군계획조례로 정하는 거리(건축물의 각 부분을 기준으로 한다) 밖에 건축하는 일반숙박시설 (2) 공원·녹지 또는 지형지물에 따라 준주거지역 내 주택 밀집지역, 전용주거지역 또는 일반주거지역과 차단되거나 준주거지역 내 주택 밀집지역, 전용주거지역 또는 일반주거지역으로부터 도시·군계획조례로 정하는 거리(건축물의 각 부분을 기준으로 한다) 밖에 건축하는 생활숙박시설 라. 위락시설(공원·녹지 또는 지형지물에 따라 주거지역과 차단되거나 주거지역으로부터 도시·군계획조례로 정하는 거리 밖에 있는 대지에 건축하는 것 제외) 마. 공장(제2호 바목에 해당하는 것 제외) 바. 위험물 저장 및 처리 시설 중 시내버스차고지 외의 지역에 설치하는 액화석유가스 충전소 및 고압가스충전소·저장소(「환경친화적 자동차의 개발 및 보급 촉진에 관한 법률」 제2조제9호의 수소 연료공급시설은 제외한다) 사. 자동차 관련 시설 중 폐차장 아. 동물 및 식물 관련 시설 자. 자원순환 관련 시설 차. 묘지 관련 시설	가. 숙박시설 중 일반숙박시설 및 생활숙박시설 예외 다음의 일반숙박시설 또는 생활숙박시설은 제외 (1) 공원·녹지 또는 지형지물에 따라 주거지역과 차단되거나 주거지역으로부터 도시·군계획조례로 정하는 거리(건축물의 각 부분을 기준으로 한다) 밖에 건축하는 일반숙박시설 (2) 공원·녹지 또는 지형지물에 따라 준주거지역 내 주택 밀집지역, 전용주거지역 또는 일반주거지역과 차단되거나 준주거지역 내 주택 밀집지역, 전용주거지역 또는 일반주거지역으로부터 도시·군계획조례로 정하는 거리(건축물의 각 부분을 기준으로 한다) 밖에 건축하는 생활숙박시설 나. 위락시설(공원·녹지 또는 지형지물에 따라 주거지역과 차단되거나 주거지역으로부터 도시·군계획조례로 정하는 거리(건축물의 각 부분을 기준으로 한다) 밖에 건축하는 것은 제외} 다. 공장으로서 별표 4 제2호차목 (1)~(6)까지의 어느 하나에 해당하는 것 라. 위험물 저장 및 처리 시설 중 시내버스차고지 외의 지역에 설치하는 액석유가스 충전소 및 고압가스 충전소·저장소(「환경친화적 자동차의 개발 및 보급 촉진에 관한 법률」 제2조제9호의 수소 연료공급시설은 제외한다) 마. 자동차 관련 시설 중 폐차장 바. 동물 및 식물 관련 시설 중 같은 호 가목~라목에 해당하는 것 사. 자원순환 관련 시설 아. 묘지 관련 시설
2. 지역여건 등을 고려	가. 단독주택 중 다른 용도와 복합된 것 나. 공동주택(제1호나목에 해당하는 것은 제외)	가. 단독주택 나. 공동주택[공동주택과 주거용 외의 용도가 복합된 건축물(다수의 건축물이 일체적으로 연결된

| 하여 도시·군계획조례로 정하는 바에 따라 건축할 수 없는 건축물 | 다. 의료시설 중 격리병원
라. 교육연구시설 중 학교
마. 수련시설
바. 공장 중 출판업·인쇄업·금은세공업 및 기록매체복제업의 공장으로서 별표 4 제2호 차목 (1)~(6)의 어느 하나에 해당하지 않는 것
사. 창고시설
아. 위험물 저장 및 처리시설(제1호 바목에 해당하는 것 제외)
자. 자동차 관련 시설 중 같은 호 나목 및 라목~아목까지에 해당하는 것
차. 교정시설
카. 관광 휴게시설   타. 장례시설
파. 야영장 시설 | 하나의 건축물을 포함)로서 공동주택 부분의 면적이 연면적의 합계의 90%(도시·군계획조례로 90% 미만의 비율을 정한 경우 그 비율) 미만인 것 제외]
다. 수련시설(야영장시설 포함)
라. 공장(제1호 다목에 해당하는 것 제외)
마. 위험물 저장 및 처리 시설(제1호 라목에 해당하는 것 제외)
바. 자동차 관련 시설 중 같은 호 라목~아목에 해당하는 것
사. 동물 및 식물 관련 시설(제1호바목에 해당하는 것 제외)
아. 교정시설 |

■ 상업지역안에서 건축할 수 없는 건축물($\frac{영}{별표10\sim11}$)

구 분	근린상업지역	유통상업지역
1. 건축할 수 없는 건축물의 종류	가. 의료시설 중 격리병원 나. 숙박시설 중 일반숙박시설 및 생활숙박시설. 예외 다음의 일반숙박시설 또는 생활숙박시설은 제외한다. 　(1) 공원·녹지 또는 지형지물에 따라 주거지역과 차단되거나 주거지역으로부터 도시·군계획조례로 정하는 거리(건축물의 각 부분을 기준으로 한다) 밖에 건축하는 일반숙박 시설 　(2) 공원·녹지 또는 지형지물에 따라 준주거지역 내 주택 밀집지역, 전용주거지역 또는 일반주거지역과 차단되거나 준주거지역 내 주택 밀집지역, 전용주거지역 또는 일반주거지역으로부터 도시·군계획조례로 정하는 거리(건축물의 각 부분을 기준으로 한다) 밖에 건축하는 생활숙박시설 다. 위락시설(공원·녹지 또는 지형지물에 따라 주거지역과 차단되거나 주거지역으로부터 도시·군계획조례로 정하는 거리 밖에 있는 대지에 건축하는 것은 제외) 라. 공장으로서 별표 4 제2호 차목 (1)~(6)의 어느 하나에 해당하는 것 마. 위험물 저장 및 처리 시설 중 시내버스 차고지 외의 지역에 설치하는 액화석유가스 충전소 및 고압가스 충전소·저장소(「환경친화적 자동차의 개발 및 보급 촉진에 관한 법률」의 수소연료공급시설은 제외한다) 바. 자동차 관련 시설 중 같은 호 다목~사목에 해당하는 것	가. 단독주택 나. 공동주택 다. 의료시설 라. 숙박시설 중 일반숙박시설 및 생활숙박시설. 예외 다음의 일반숙박시설 또는 생활숙박시설은 제외한다. 　(1) 공원·녹지 또는 지형지물에 따라 주거지역과 차단되거나 주거지역으로부터 도시·군계획조례로 정하는 거리(건축물의 각 부분을 기준으로 한다) 밖에 건축하는 일반숙박시설 　(2) 공원·녹지 또는 지형지물에 따라 준주거지역 내 주택 밀집지역, 전용주거지역 또는 일반주거지역과 차단되거나 준주거지역 내 주택 밀집지역, 전용주거지역 또는 일반주거지역으로부터 도시·군계획조례로 정하는 거리(건축물의 각 부분을 기준으로 한다) 밖에 건축하는 생활숙박시설 마. 위락시설(공원·녹지 또는 지형지물에 따라 주거지역과 차단되거나 주거지역으로부터 도시·군계획조례로 정하는 거리 밖에 있는 대지에 건축하는 것은 제외) 바. 공장 사. 위험물 저장 및 처리 시설 중 시내버스차고지 외의 지역에 설치하는 액화석유가스 충전소 및 고압가스 충전소·저장소(「환경친화적 자동차의 개발 및 보급 촉진에 관한 법률」의 수소연료공급시설은 제외한다) 아. 동물 및 식물 관련 시설

건축관계법
국토계획법
주차장법
주 택 법
도시및주거환경정비법
건축사법
장애인시설법
소방시설법
서울시조례

건축관계법

국토계획법

주차장법

주택법

도시및주거
환경정비법

건축사법

장애인시설법

소방시설법

서울시조례

	사. 동물 및 식물 관련 시설 중 같은 호 가목~라목에 해당하는 것	자. 자원순환 관련 시설
	아. 자원순환 관련 시설 자. 묘지 관련 시설	차. 묘지 관련 시설
2. 지역 여건 등을 고려하여 도시·군계획조례로 정하는 바에 따라 건축할 수 없는 건축물	가. 공동주택[공동주택과 주거용 외의 용도가 복합된 건축물(다수의 건축물이 일체적으로 연결된 하나의 건축물을 포함한다)로서 공동주택 부분의 면적이 연면적의 합계의 90%(도시·군계획조례로 90% 미만의 범위에서 별도로 비율을 정한 경우에는 그 비율) 미만인 것은 제외] 나. 문화 및 집회시설(공연장 및 전시장은 제외) 다. 판매시설로서 그 용도에 쓰이는 바닥면적의 합계가 3천제곱미터 이상인 것 라. 운수시설로서 그 용도에 쓰이는 바닥면적의 합계가 3천제곱미터 이상인 것 마. 위락시설(제1호다목에 해당하는 것은 제외) 바. 공장(제1호라목에 해당하는 것은 제외) 사. 창고시설 아. 위험물 저장 및 처리 시설(제1호마목에 해당하는 것은 제외) 자. 자동차 관련 시설 중 같은 호 아목에 해당하는 것 차. 동물 및 식물 관련 시설(제1호사목에 해당하는 것은 제외) 카. 교정시설 타. 국방·군사시설 파. 발전시설 하. 관광 휴게시설	가. 제2종 근린생활시설 나. 문화 및 집회시설(공연장 및 전시장은 제외) 다. 종교시설 라. 교육연구시설 마. 노유자시설 바. 수련시설 사. 운동시설 아. 숙박시설(제1호라목에 해당하는 것은 제외) 자. 위락시설(제1호마목에 해당하는 것은 제외) 차. 위험물 저장 및 처리시설(제1호사목에 해당하는 것은 제외) 카. 자동차 관련 시설(주차장 및 세차장은 제외) 타. 교정시설 파. 국방·군사시설 하. 방송 통신시설 거. 발전시설 너. 관광 휴게시설 더. 장례시설 러. 야영장시설

■ 표 내용 중 시설구분은 「건축법 시행령」 [별표 1]에 따름

【5】 전용 및 일반공업지역안에서 건축할 수 있는 건축물(영 별표12~13)

구 분	전용공업지역	일반공업지역
1. 건축할 수 있는 건축물의 종류	가. 제1종 근린생활시설 나. 제2종 근린생활시설[같은 호 아목·자목·타목(기원만 해당한다)·더목 및 러목은 제외한다] 다. 공장 라. 창고시설 마. 위험물저장 및 처리시설 바. 자동차관련시설 사. 자원순환 관련 시설 아. 발전시설	가. 제1종 근린생활시설 나. 제2종 근린생활시설(단란주점 및 안마시술소 제외한다) 다. 판매시설(해당 일반공업지역에 소재하는 공장에서 생산되는 제품을 판매하는 시설에 한한다) 라. 운수시설 마. 공장 바. 창고시설 사. 위험물저장 및 처리시설 아. 자동차관련시설 자. 자원순환 관련 시설 차. 발전시설

2. 도시·군계획조례가 정하는 바에 의하여 건축할 수 있는 건축물의 종류	가. 공동주택 중 기숙사 나. 제2종 근린생활시설 중 같은 호 아목·자목·타목(기원만 해당한다) 및 러목에 해당하는 것 다. 문화집회시설 중 산업전시장 및 박람회장 라. 판매시설(해당 전용공업지역에 소재하는 공장에서 생산되는 제품을 판매하는 경우에 한한다) 마. 운수시설 바. 의료시설 사. 교육연구시설 중 직업훈련소(「근로자직업능력개발법」에 따른 직업능력개발훈련시설과 그 밖에 직업능력개발훈련법인이 직업능력개발훈련을 실시하기 위하여 설치한 시설에 한한다), 학원(기술계학원에 한한다) 및 연구소(공업에 관련된 연구소, 「고등교육법」에 따른 기술대학에 부설되는 것과 공장대지안에 부설되는 것에 한한다) 아. 노유자시설 자. 교정시설 차. 국방·군사시설　　카. 방송통신시설	가. 단독주택 나. 공동주택 중 기숙사 다. 제2종 근린생활시설 중 안마시술소 라. 문화 및 집회시설 중 전시장(박물관·미술관·과학관·기념관·산업전시장·박람회장)에 해당하는 것 마. 종교시설 바. 의료시설 사. 교육연구시설 아. 노유자시설 자. 수련시설 차. 업무시설(일반업무시설로서 「산업집적활성화 및 공장설립에 관한 법률」에 따른 지식산업센터에 입주하는 지원시설에 한정한다) 카. 동물 및 식물관련시설 타. 교정시설 파. 국방·군사시설 하. 방송통신시설 거. 장례시설 너. 야영장시설

■ 표 내용 중 시설구분은 「건축법 시행령」 [별표 1]에 따름 (「건축법」 해설 제1장 **2**-**3** 참조)

【6】 준공업지역안에서 건축할 수 없는 건축물($_{별표14}^{영}$)

구　분	내　　　　　용
1. 건축할 수 없는 건축물의 종류	가. 위락시설 나. 묘지 관련 시설
2. 지역 여건 등을 고려하여 도시·군계획조례로 정하는 바에 따라 건축할 수 없는 건축물	가. 단독주택 나. 공동주택(기숙사는 제외) 다. 제2종 근린생활시설 중 단란주점 및 안마시술소 라. 문화 및 집회시설(공연장 및 전시장은 제외) 마. 종교시설 바. 판매시설(해당 준공업지역에 소재하는 공장에서 생산되는 제품을 판매하는 시설은 제외) 사. 운동시설 아. 숙박시설 자. 공장으로서 해당 용도에 쓰이는 바닥면적의 합계가 5천제곱미터 이상인 것 차. 동물 및 식물 관련 시설 카. 교정 및 군사 시설 타. 관광 휴게시설

【7】 녹지지역안에서 건축할 수 있는 건축물 [별표15]~[별표17]

4층 이하의 건축물에 한한다. 예외 4층 이하의 범위 안에서 도시·군계획조례로 따로 층수를 정하는 경우 그 층수 이하의 건축물에 한함.

구 분	보전녹지지역	생산녹지지역	자연녹지지역
1. 건축할 수 있는 건축물의 종류	가. 교육연구시설 중 초등학교 나. 창고시설(농업·임업·축산업·수산업용에 한한다) 다. 교정 및 군사시설	가. 단독주택 나. 제1종 근린생활시설 다. 교육연구시설 중 초등학교 라. 노유자시설 마. 수련시설 바. 운동시설 중 운동장 사. 창고시설(농업·임업·축산업·수산업용에 한한다) 아. 위험물저장 및 처리시설 중 액화석유가스충전소 및 고압가스충전·저장소 자. 동물 및 식물 관련시설(같은 호 다목 및 라목에 따른 시설과 같은 호 아목에 따른 시설 중 동물과 관련된 다목 및 라목에 따른 시설과 비슷한것은 제외한다) 차. 교정시설 카. 국방·군사시설 타. 방송통신시설 파. 발전시설 하. 야영장시설	가. 단독주택 나. 제1종 근린생활시설 다. 제2종 근린생활시설[같은 호 아목, 자목, 더목 및 러목(안마시술소만 해당한다)은 제외한다] 라. 의료시설(종합병원·병원·치과병원 및 한방병원 제외) 마. 교육연구시설(직업훈련소 및 학원 제외) 바. 노유자시설 사. 수련시설 아. 운동시설 자. 창고시설(농업·임업·축산업·수산업용에 한함) 차. 동물 및 식물관련시설 카. 자원순환 관련 시설 타. 교정시설 파. 국방·군사시설 하. 방송통신시설 거. 발전시설 너. 묘지관련시설 더. 관광휴게시설 러. 장례식장 머. 야영장시설
2. 도시·군계획 조례가 정하는 바에 의하여 건축할 수 있는 건축물의 종류	가. 단독주택(다가구 제외) 나. 제2종 근린생활시설(해당용도에 쓰이는 바닥면적의 합계가 500㎡ 미만인 것) 다. 제2종 근린생활시설 중 종교집회장 라. 문화 및 집회시설중 전시장에 해당하는 것 마. 종교시설 바. 의료시설 사. 교육연구시설 중 중학교 및 고등학교 아. 노유자시설 자. 위험물저장 및 처리시설중 액화석유가스충전소 및 고압가	가. 공동주택(아파트를 제외한다) 나. 제2종 근린생활시설로서 해당용도로 쓰이는 바닥면적의 합계가 1,000㎡ 미만인 것(단란주점을 제외한다) 다. 문화 및 집회시설 중 집회장 및 전시장(박물관·미술관·과학관·기념관·산업전시장·박람회장)에 해당하는 것 라. 판매 및 영업시설(농·임·축·수산업용 판매시설에 한한다) 마. 의료시설 바. 교육연구시설 중 중학교 및 고등학교와 교육원(농·임·축·수산업과 관련된 교	가. 공동주택(아파트를 제외한다) 나. 제4호아목·자목 및 러목(안마시술소만 해당한다)에 따른 제2종 근린생활시설 다. 문화 및 집회시설 라. 종교시설 마. 판매시설 중 다음에 해당하는 것 (1) 「농수산물유통 및 가격안정에 관한 법률」 제2조에 따른 농수산물공판장 (2) 「농수산물유통 및 가격안정에 관한 법률」에 따른 농수산물직판장으로서 바닥면적의 합계가 10,000 ㎡ 미만인 것에 한한다(「농어업·농어촌 및 식품산업 기본법」에 따른 농업인·어업인 및 생산자단체, 후계농어업경영인, 전업농

스충전·저장소 차. 동물 및 식물관련시설(도축장, 도계장 제외) 카. 하수 등 처리시설(「하수도법」에 따른 공공하수처리시설만 해당함) 타. 묘지관련시설 파. 장례시설 하. 야영장 시설	육시설에 한한다) 및 직업훈련소 사. 운동시설(운동장 제외) 아. 공장 중 도정공장·식품공장·제1차산업생산품가공공장 및 첨단업종의 공장[1] 자. 창고시설(농업·임업·축산업·수산업용을 제외한다) 차. 위험물저장 및 처리시설(액화석유가스충전소 및 고압가스충전·저장소를 제외한다) 카. 자동차관련시설 중 같은 호 사목 및 아목에 해당하는 것 타. 동물 및 식물 관련시설 중 다목 및 라목에 따른 시설과 같은 호 아목에 따른 시설 중 동물과 관련된 다목 및 라목에 따른 시설과 비슷한 것 파. 자원순환 관련 시설 하. 묘지관련시설 거. 장례시설	어업인 또는 지방자치단체가 설치·운영하는 것에 한한다) (3) 산업통상자원부장관이 관계 중앙행정기관의 장과 협의하여 고시하는 대형할인점 및 중소기업공동판매시설 바. 의료시설 중 종합병원·병원·치과병원 및 한방병원 사. 교육연구시설 중 직업훈련소 및 학원 아. 숙박시설(「관광진흥법」에 의하여 지정된 관광지 및 관광단지에 건축하는 것) 자. 공장 중[1] 첨단업종의 공장, 지식산업센터·도정공장 및 식품공장과 읍·면지역에 건축하는 제재업의 공장 및 공익사업 및 도시개발사업으로 인하여 동일한 특별시·광역시·시 및 군 지역 내에서 이전하는 레미콘 또는 아스콘 공장 차. 창고시설(농업·임업·축산업·수산업용을 제외한다) 카. 위험물저장 및 처리시설 타. 자동차관련시설

■ 표 내용 중 시설구분은 「건축법 시행령」 [별표 1]에 따름
1) 첨단업종의 공장 중 다음에 해당하지 않는 것
  (1) 「대기환경보전법」 제2조제9호에 따른 특정대기유해물질이 같은 법 시행령 제11조제1항제1호에 따른 기준 이상으로 배출되는 것
  (2) 「대기환경보전법」 제2조제11호에 따른 대기오염물질배출시설에 해당하는 시설로서 같은 법시행령 별표 8에 따른 1종사업장부터 4종사업장까지에 해당하는 것
  (3) 「물환경보전법」 제2조제8호에 따른 특정수질유해물질이 같은 법 시행령 제31조제1항제1호에 따른 기준 이상으로 배출되는 것.
  (4) 「물환경보전법」 제2조제10호에 따른 폐수배출시설에 해당하는 시설로서 같은 법시행령 별표 8에 따른 1종사업장부터 4종사업장까지에 해당하는 것
  (5) 「폐기물관리법」 제2조제4호에 따른 지정폐기물을 배출하는 것

건축관계법

국토계획법

주차장법

주 택 법

도시및주거환경정비법

건축사법

장애인시설법

소방시설법

서울시조례

건축관계법

국토계획법

주차장법

주 택 법

도시및주거
환경정비법

건축사법

장애인시설법

소방시설법

서울시조례

【8】 보전 및 생산관리지역 안에서 건축할 수 있는 건축물 [별표18]~[별표19]

구　분	보전관리지역	생산관리지역
1. 건축할 수 있는 건축물의 종류	가. 단독주택 나. 교육연구시설 중 초등학교 다. 교정시설 라. 국방·군사시설	가. 단독주택 나. 제3호가목, 사목(공중화장실, 대피소, 그 밖에 이와 비슷한 것만 해당한다) 및 아목에 따른 제1종 근린생활시설 다. 교육연구시설 중 초등학교 라. 운동시설 중 운동장 마. 창고시설(농업·임업·축산업·수산업용에 한한다) 바. 동물 및 식물 관련시설 중 마목부터 사목까지의 규정에 따른 시설 및 같은 호 아목에 따른 시설 중 식물과 관련된 마목부터 사목까지의 규정에 따른 시설과 비슷한 것 사. 교정시설 아. 국방·군사시설 자. 발전시설
2. 도시·군계획조례가 정하는 바에 의하여 건축할 수 있는 건축물의 종류	가. 제1종 근린생활시설(휴게음식점을 제외한다) 나. 제2종 근린생활시설(같은 호 아목, 자목, 너목 및 더목은 제외한다) 다. 종교시설 중 종교집회장 라. 의료시설 마. 교육연구시설 중 중학교·고등학교 바. 노유자시설 사. 창고시설(농업·임업·축산업·수산업용에 한한다) 아. 위험물저장 및 처리 시설 자. 동물 및 식물관련시설 중 같은 호 가목 및 마목 부터 아목까지에 해당하는 것 차. 하수 등 처리시설(「하수도법」에 따른 공공하수처리시설만 해당함) 카. 방송통신시설 타. 발전시설 파. 묘지관련시설 하. 장례시설 거. 야영장 시설	가. 공동주택(아파트를 제외한다) 나. 제1종 근린생활시설[같은 호 가목, 나목, 사목(공중화장실, 대피소, 그 밖에 이와 비슷한 것만 해당한다) 및 아목은 제외한다] 다. 제2종 근린생활시설(같은 호 아목, 자목, 너목 및 더목은 제외한다) 라. 판매시설(농업·임업·축산업·수산업용에 한한다.) 마. 의료시설 바. 교육연구시설 중 중학교·고등학교 및 교육원(농업·임업·축산업·수산업과 관련된 교육시설에 한한다) 사. 노유자시설 아. 수련시설 자. 공장[1](제2종근린생활시설중 제조업소를 포함한다)중 도정공장 및 식품공장과 읍·면지역에 건축하는 제재업의 공장 차. 위험물저장 및 처리시설 카. 자동차관련시설 중 같은 호 사목 및 아목에 해당하는 것 타. 동물 및 식물 관련시설 중 가목부터 라목까지의 규정에 따른 시설 및 같은 호 아목에 따른 시설 중 동물과 관련된 가목부터 라목까지의 규정에 따른 시설과 비슷한 것 파. 자원순환 관련 시설 하. 방송통신시설 거. 묘지관련시설 너. 장례식장 더. 야영장시설

1) 공장은 다음에 해당하지 않아야 한다.
 (1) 「대기환경보전법」에 따른 특정대기유해물질이 같은 법 시행령에 따른 기준 이상으로 배출되는 것
 (2) 「대기환경보전법에 따른 대기오염물질배출시설에 해당하는 시설로서 같은 법 시행령 [별표 8]에 따른 1종사업장부터 3종사업장까지에 해당하는 것
 (3) 「물환경보전법」에 따른 특정수질유해물질이 같은 법 시행령에 따른 기준 이상으로 배출되는 것
 (4) 「물환경보전법」에 따른 폐수배출시설에 해당하는 시설로서 같은 법시행령 [별표 8]에 따른 1종사업장부터 4종사업장까지에 해당하는 것

2) 「건축법시행령」[별표1] 제17호의 공장 중 아래 3)의 (1)~ (5)의 어느 하나에 해당하지 아니하는 것(다음의 어느 하나에 해당하는 공장을 기존 공장부지 안에서 증축 또는 개축하거나 부지를 확장하여 증축 또는 개축하는 경우에 한한다. 이 경우 확장하고자 하는 부지가 기존 부지와 너비 8m 미만의 도로를 사이에 두고 접하는 경우를 포함)
 (1) 2002년 12월 31일 이전에 준공된 공장
 (2) 법률 제6655호「국토의 계획 및 이용에 관한 법률」부칙 제19조에 따라 종전의 「국토이용관리법」·「건축법」의 규정을 적용받는 공장

3) 공장은 다음에 해당하지 않아야 한다.
 (1) 별표 19 제2호 자목 (1)부터 (4)까지에 해당하는 것
  예외 인쇄·출판시설이나 사진처리시설로서 「수질 및 수생태계 보전에 관한 법률」제2조제8호에 따라 배출되는 특정수질유해물질을 모두 위탁처리 하는 경우는 제외한다.
 (2) 화학제품제조시설(석유정제시설을 포함한다)
  예외 물·용제류 등 액체성 물질을 사용하지 아니하고 제품의 성분이 용해·용출되지 아니하는 고체성 화학제품제조시설을 제외한다.
 (3) 제1차금속·가공금속제품 및 기계장비제조시설 중 「폐기물관리법 시행령」[별표 1] 제4호에 따른 폐유기용제류를 발생시키는 것
 (4) 가죽 및 모피를 물 또는 화학약품을 사용하여 저장하거나 가공하는 것
 (5) 섬유제조시설 중 감량·정련·표백 및 염색시설
 (6) 「폐기물관리법」에 따른 폐기물처리업 허가를 받은 사업장
  예외 「폐기물관리법」에 따른 폐기물처리업 중 폐기물 중간·최종·종합재활용업으로서 특정수질 유해물질이 배출되지 아니하는 경우는 제외한다.

건축관계법

국토계획법

주차장법

주 택 법

도시및주거
환경정비법

건축사법

장애인시설법

소방시설법

서울시조례

3-140

【9】 계획관리지역 안에서 건축할 수 없는 건축물 [별표 20]

구　분	내　　　용
1. 건축할 수 없는 건축물의 종류	가. 4층을 초과하는 모든 건축물 나. 공동주택 중 아파트 다. 제1종 근린생활시설 중 휴게음식점 및 제과점으로서 국토교통부령으로 정하는 기준에 해당하는 지역에 설치하는 것 라. 제2종 근린생활시설 중 다음의 어느 하나에 해당하는 것 　(1) 휴게음식점·제과점 및 일반음식점으로서 국토교통부령으로 정하는 기준에 해당하는 지역에 설치하는 것 　(2) 제조업소, 수리점 등 시설로서 성장관리방안이 수립되지 않은 지역에 설치하는 것 　(3) 단란주점 마. 판매시설(성장관리방안이 수립된 지역에 설치하는 판매시설로서 그 용도에 쓰이는 바닥면적의 합계가 3,000㎡ 미만인 경우는 제외) 바. 업무시설 사. 숙박시설로서 국토교통부령으로 정하는 기준에 해당하는 지역에 설치하는 것 아. 위락시설 자. 「건축법 시행령」 별표 1 제17호의 공장 중 다음의 어느 하나에 해당하는 것. 다만, 「공익사업을 위한 토지 등의 취득 및 보상에 관한 법률」에 따른 공익사업 및 「도시개발법」에 따른 도시개발사업으로 해당 특별시·광역시·특별자치시·특별자치도·시 또는 군의 관할구역으로 이전하는 레미콘 또는 아스콘 공장과 성장관리방안이 수립된 지역에 설치하는 공장(「대기환경보전법」, 「수질 및 수생태계 보전에 관한 법률」, 「소음·진동관리법」 또는 「악취방지법」에 따른 배출시설의 설치 허가 또는 신고 대상이 아닌 공장으로 한정한다)은 제외한다. 　(1) 별표 19 제2호자목(1)~(4)에 해당하는 것. 다만, 인쇄·출판시설이나 사진처리시설로서 「수질 및 수생태계 보전에 관한 법률」 제2조제8호에 따라 배출되는 특정수질유해물질을 전량 위탁처리하는 경우는 제외한다. 　(2) 화학제품시설(석유정제시설을 포함한다). 다만, 다음의 어느 하나에 해당하는 시설로서 폐수를 「하수도법」에 따른 공공하수처리시설 또는 「수질 및 수생태계 보전에 관한 법률」에 따른 폐수종말처리시설로 전량 유입하여 처리하거나 전량 재이용 또는 전량 위탁처리하는 경우는 제외한다. 　　(가) 물, 용제류 등 액체성 물질을 사용하지 않고 제품의 성분이 용해·용출되는 공정이 없는 고체성 화학제품 제조시설 　　(나) 「화장품법」에 따른 유기농화장품 제조시설 　　(다) 「농약관리법」에 따른 천연식물보호제 제조시설 　　(라) 「친환경농어업 육성 및 유기식품 등의 관리·지원에 관한 법률」에 따른 유기농어업자재 제조시설 　　(마) 동·식물 등 생물을 기원(起源)으로 하는 산물(이하 "천연물"이라 한다)에서 추출된 재료를 사용하는 다음의 시설[「대기환경보전법」 제2조제11호에 따른 대기오염물질배출시설 중 반응시설, 정제시설(분리·증류·추출·여과 시설을 포함한다), 용융·용해시설 및 농축시설을 설치하지 않는 경우로서 「수질 및 수생태계 보전에 관한 법률」 제2조제4호에 따른 폐수의 1일 최대 배출량이 20세제곱미터 이하인 제조시설로 한정한다] 　　　1) 비누 및 세제 제조시설 　　　2) 공중위생용 해충 구제제 제조시설(밀폐된 단순 혼합공정만 있는 제조시설로서 특별시장·광역시장·특별자치시장·특별자치도지사·시장 또는 군수가 해당 지방도시계획위원회의 심의를 거쳐 인근의 주거환경 등에 미치는 영향이 적다고 인정하는 시설로 한정한다)

구　분	내　　　　　　　용
1. 건축할 수 없는 건축물의 종류	(3) 제1차금속, 가공금속제품 및 기계장비 제조시설 중 「폐기물관리법 시행령」 별표 1 제4호에 따른 폐유기용제류를 발생시키는 것 (4) 가죽 및 모피를 물 또는 화학약품을 사용하여 저장하거나 가공하는 것 (5) 섬유제조시설 중 감량·정련·표백 및 염색 시설. 다만, 다음의 기준을 모두 충족하는 염색시설은 제외한다. 　(가) 천연물에서 추출되는 염료만을 사용할 것 　(나) 「대기환경보전법」에 따른 대기오염물질 배출시설 중 표백시설, 정련시설이 없는 경우로서 금속성 매염제를 사용하지 않을 것 　(다) 「수질 및 수생태계 보전에 관한 법률」에 따른 폐수의 1일 최대 배출량이 20㎥ 이하일 것 　(라) 폐수를 「하수도법」에 따른 공공하수처리시설 또는 「수질 및 수생태계 보전에 관한 법률」에 따른 폐수종말처리시설로 전량 유입하여 처리하거나 전량 재이용 또는 전량 위탁 처리할 것 (6) 「수도권정비계획법」에 따른 자연보전권역 외의 지역 및 「환경정책기본법」에 따른 특별대책지역 외의 지역의 사업장 중 「폐기물관리법」에 따른 폐기물처리업 허가를 받은 사업장. 다만, 「폐기물관리법」에 따른 폐기물 중간·최종·종합재활용업으로서 특정수질유해물질이 「수질 및 수생태계 보전에 관한 법률 시행령」에 따른 기준 미만으로 배출되는 경우는 제외한다. (7) 「수도권정비계획법」에 따른 자연보전권역 및 「환경정책기본법」에 따른 특별대책지역에 설치되는 부지면적(둘 이상의 공장을 함께 건축하거나 기존 공장부지에 접하여 건축하는 경우와 둘 이상의 부지가 너비 8m 미만의 도로에 서로 접하는 경우에는 그 면적의 합계를 말한다) 1만㎡ 미만의 것. 다만, 특별시장·광역시장·특별자치시장·특별자치도지사·시장 또는 군수가 1만 5천㎡ 이상의 면적을 정하여 공장의 건축이 가능한 지역으로 고시한 지역 안에 입지하는 경우나 자연보전권역 또는 특별대책지역에 준공되어 운영 중인 공장 또는 제조업소는 제외한다.
2. 지역 여건 등을 고려하여 도시·군계획조례로 정하는 바에 따라 건축할 수 없는 건축물	가. 4층 이하의 범위에서 도시·군계획조례로 따로 정한 층수를 초과하는 모든 건축물 나. 공동주택(제1호나목에 해당하는 것은 제외) 다. 제4호아목, 자목, 너목 및 러목(안마시술소만 해당)에 따른 제2종 근린생활시설 라. 제2종 근린생활시설 중 일반음식점·휴게음식점·제과점으로서 도시·군계획조례로 정하는 지역에 설치하는 것과 안마시술소 및 같은 호 너목에 해당하는 것 마. 문화 및 집회시설 바. 종교시설 사. 운수시설 아. 의료시설 중 종합병원·병원·치과병원 및 한방병원 자. 교육연구시설 중 같은 호 다목~마목에 해당하는 것 차. 운동시설(운동장은 제외) 카. 숙박시설로서 도시·군계획조례로 정하는 지역에 설치하는 것 타. 공장 중 다음의 어느 하나에 해당하는 것 　(1) 「수도권정비계획법」에 따른 자연보전권역 외의 지역 및 「환경정책기본법」에 따른 특별대책지역 외의 지역에 설치되는 경우(제1호자목 및 차목에 해당하는 것은 제외)

건축관계법

국토계획법

주차장법

주택법

도시및주거환경정비법

건축사법

장애인시설법

소방시설법

서울시조례

건축관계법

국토계획법

주차장법

주 택 법

도시및주거
환경정비법

건축사법

장애인시설법

소방시설법

서울시조례

> (2) 「수도권정비계획법」에 따른 자연보전권역 및 「환경정책기본법」 제38조에 따른 특별대책지역에 설치되는 것으로서 제1호자목 및 차목(7)에 해당하지 아니하는 경우
> (3) 「공익사업을 위한 토지 등의 취득 및 보상에 관한 법률」에 따른 공익사업 및 「도시개발법」에 따른 도시개발사업으로 해당 특별시·광역시·특별자치시·특별자치도·시 또는 군의 관할구역으로 이전하는 레미콘 또는 아스콘 공장
> 파. 창고시설(창고 중 농업·임업·축산업·수산업용으로 쓰는 것은 제외)
> 하. 위험물 저장 및 처리 시설
> 거. 자동차 관련 시설
> 너. 관광 휴게시설

■ 계획관리지역에서 휴게음식점 등을 설치할 수 없는 지역 (시행규칙-[별표 2])

다음의 어느 하나에 해당하는 지역

예외 「하수도법」에 따른 공공하수처리시설이 설치·운영되거나 10호 이상의 자연마을이 형성된 지역은 제외한다.

1. 저수를 광역상수원으로 이용하는 댐의 계획홍수위선(계획홍수위선이 없는 경우에는 상시만수위선을 말한다. 이하 같다)으로부터 1km 이내인 집수구역

2. 저수를 광역상수원으로 이용하는 댐의 계획홍수위선으로부터 수계상 상류방향으로 유하거리가 20km 이내인 하천의 양안(兩岸) 중 해당 하천의 경계로부터 1km 이내인 집수구역

3. 제2호의 하천으로 유입되는 지천(제1지류인 하천을 말하며, 계획홍수위선으로부터 20km 이내에서 유입되는 경우에 한정한다. 이하 이 호에서 같다)의 유입지점으로부터 수계상 상류방향으로 유하거리가 10km 이내인 지천의 양안 중 해당 지천의 경계로부터 500m 이내인 집수구역

4. 상수원보호구역으로부터 500m 이내인 집수구역

5. 상수원보호구역으로 유입되는 하천의 유입지점으로부터 수계상 상류방향으로 유하거리가 10km 이내인 하천의 양안 중 해당 하천의 경계로부터 500m 이내인 집수구역

6. 유효저수량이 30만㎥ 이상인 농업용저수지의 계획홍수위선의 경계로부터 200m 이내인 집수구역

7. 「하천법」에 따른 국가하천·지방하천(도시·군계획조례로 정하는 지방하천은 제외한다)의 양안 중 해당 하천의 경계로부터 직선거리가 100m 이내인 집수구역(「하천법」 제10조에 따른 연안구역을 제외한다)

8. 「도로법」에 따른 도로의 경계로부터 50m 이내인 지역(숙박시설을 설치하는 경우만 해당한다)
   예외 다음의 어느 하나에 해당하는 경우는 제외한다.
   ① 제주도 본도 외의 도서(島嶼) 가운데 육지와 연결되지 아니한 도서에 숙박시설을 설치하는 경우
   ② 다음의 어느 하나에 해당하는 숙박시설을 증축 또는 개축하는 경우(2018년 12월 31일까지 증축 또는 개축 허가를 신청한 경우로 한정한다)
   ㉠ 계획관리지역으로 지정될 당시 「건축법 시행령」에 따른 관광숙박시설로 이미 준공된 것
   ㉡ 계획관리지역으로 지정될 당시 관광숙박시설 외의 숙박시설로 이미 준공된 시설로서 관광숙박시설로 용도변경하려는 것

※ 용어 해설
1) "집수구역"이란 빗물이 상수원·하천·저수지 등으로 흘러드는 지역으로서 주변의 능선을 잇는 선으로 둘러싸인 구역을 말한다.
2) "유하거리"란 하천·호소 또는 이에 준하는 수역의 중심선을 따라 물이 흘러가는 방향으로 잰 거리를 말한다.
3) "제1지류"란 본천으로 직접 유입되는 지천을 말한다.

【10】농림지역 · 자연환경보전지역 안에서 건축할 수 있는 건축물　[별표 21], [별표 22]

구　분	농림지역	자연환경보전지역
1. 건축할 수 있는 건축물	가. 단독주택으로서 현저한 자연훼손을 가져오지 아니하는 범위안에서 건축하는 농어가주택(「농지법」에 따른 농업인 주택 및 어업인 주택을 말한다) 나. 제3호사목(공중화장실, 대피소, 그 밖에 이와 비슷한 것만 해당한다) 및 아목에 따른 제1종 근린생활시설 다. 교육연구시설 중 초등학교 라.　창고시설(농업·임업·축산업·수산업용에 한한다) 마. 동물 및 식물 관련시설 중 마목부터 사목까지의 규정에 따른 시설 및 같은 호 아목에 따른 시설 중 식물과 관련된 마목부터 사목까지의 규정에 따른 시설과 비슷한 것 바. 발전시설	가. 단독주택으로서 현저한 자연훼손을 가져오지 아니하는 범위안에서 건축하는 농어가주택 나. 교육연구시설 중 초등학교
2. 도시·군계획조례가 정하는 바에 의하여 건축할 수 있는 건축물	가. 제1종 근린생활시설[같은 호 나목, 사목(공중화장실, 대피소, 그 밖에 이와 비슷한 것만 해당한다) 및 아목은 제외한다] 나. 제2종 근린생활시설[같은 호 아목, 자목, 너목(농기계수리시설은 제외한다), 더목 및 러목(안마시술소만 해당한다)은 제외한다] 다. 문화 및 집회시설 중 같은 호 마목에 해당하는 것 라. 종교시설 마. 의료시설 바. 수련시설 사. 위험물저장 및 처리시설 중 액화석유가스충전소 및 고압가스충전·저장소 아. 동물 및 식물 관련시설 중 가목부터 라목까지의 규정에 따른 시설 및 같은 호 아목에 따른 시설 중 동물과 관련된 가목부터 라목까지의 규정에 따른 시설과 비슷한 것 자. 자원순환 관련 시설 차. 교정시설 카. 국방·군사시설 타. 방송통신시설 파. 묘지관련시설 하. 장례시설 거. 야영장시설	(수질오염 및 경관훼손의 우려가 없다고 인정하여 도시·군계획조례가 정하는 지역내에서 건축하는 것에 한한다) 가. 제1종 근린생활시설 중 같은 호 가목, 바목, 사목(지역아동센터는 제외한다) 및 아목 나. 제2종 근린생활시설 중 종교집회장으로서 지목이 종교용지인 토지에 건축하는 것 다. 종교시설로서 지목이 종교용지인 토지에 건축하는 것 라. 고압가스 충전소·판매소·저장소 중「환경친화적 자동차의 개발 및 보급 촉진에 관한 법률」의 수소연료공급시설 마. 동물 및 식물 관련시설 중 가목에 따른 시설 중 양어시설(양식장을 포함한다. 이하 이 목에서 같다), 같은 호 마목부터 사목까지의 규정에 따른 시설, 같은 호 아목에 따른 시설 중 양어시설과 비슷한 것 및 같은 목 중 식물과 관련된 마목부터 사목까지의 규정에 따른 시설과 비슷한 것 바. 하수 등 처리시설(「하수도법」에 따른 공공하수처리시설만 해당함) 사. 국방·군사 시설 중 관할 시장·군수 또는 구청장이 입지의 불가피성을 인정하는 범위에서 건축하는 시설 아. 발전시설 자. 묘지관련시설

[비고]　「국토의 계획 및 이용에 관한 법률」에 따라 농림지역 중 농업진흥지역, 보전산지 또는 초지인 경우에 건축물이나 그 밖의 시설의 용도·종류 및 규모 등의 제한에 관하여는 각각 「농지법」, 「산지관리법」 또는 「초지법」에서 정하는 바에 따른다.

건축관계법

국토계획법

주차장법

주 택 법

도시및주거
환경정비법

건축사법

장애인시설법

소방시설법

서울시조례

② 용도지구안에서의 건축제한 (영 제72조 ~ 제82조)

【1】 경관지구 안에서의 건축제한 (영 제72조)

구 분	제한기준
1. 건축제한 범위	경관지구 안에서는 그 지구의 경관의 보전·관리·형성에 장애가 된다고 인정하여 도시·군계획조례가 정하는 건축물을 건축할 수 없다. 예외 특별시장·광역시장·특별자치시장·특별자치도지사·시장 또는 군수가 지구의 지정목적에 위배되지 아니하는 범위 안에서 도시·군계획조례가 정하는 기준에 적합하다고 인정하여 해당 지방자치단체에 설치된 도시계획위원회의 심의를 거친 경우
2. 도시·군계획 조례로 정하는 사항	① 건폐율 ④ 건축물의 최대너비 ② 용적률 ⑤ 건축물의 색채 ③ 건축물의 높이 ⑥ 대지안의 조경

■ 위 표에도 불구하고 다음의 어느 하나에 해당하는 경우에는 해당 경관지구의 지정에 관한 도시·군관리계획으로 건축제한의 내용을 따로 정할 수 있다.
① 도시·군계획조례로 정해진 건축제한의 전부를 적용하는 것이 주변지역의 토지이용 상황이나 여건 등에 비추어 불합리한 경우. 이 경우 도시·군관리계획으로 정할 수 있는 건축제한은 도시·군계획조례로 정해진 건축제한의 일부에 한정하여야 한다.
② 도시·군계획조례로 정해진 건축제한을 적용하여도 해당 지구의 위치, 환경, 그 밖의 특성에 따라 경관의 보전·관리·형성이 어려운 경우. 이 경우 도시·군관리계획으로 정할 수 있는 건축제한은 규모(건축물 등의 앞면 길이에 대한 옆면길이 또는 높이의 비율을 포함한다) 및 형태, 건축물 바깥쪽으로 돌출하는 건축설비 및 그 밖의 유사한 것의 형태나 그 설치의 제한 또는 금지에 관한 사항으로 한정한다.

【2】 고도지구 안에서의 건축제한 (영 제74조)

고도지구 안에서는 도시·군관리계획으로 정하는 높이를 초과하는 건축물을 건축할 수 없다.

【3】 방재지구 안에서의 건축제한 (영 제75조)

방재지구 안에서는 풍수해, 산사태, 지반의 붕괴, 지진, 그 밖의 재해예방에 장애가 된다고 인정하여 도시·군계획조례가 정하는 건축물을 건축할 수 없다.
예외 특별시장·광역시장·특별자치시장·특별자치도지사·시장 또는 군수가 지구의 지정목적에 위배되지 아니하는 범위에서 도시·군계획조례가 정하는 기준에 적합하다고 인정하여 해당 지방자치단체에 설치된 도시계획위원회의 심의를 거친 경우에는 그러하지 아니하다.

【4】 보호지구 안에서의 건축제한 (영 제76조)

보호지구 안에서는 다음의 구분에 따른 건축물에 한하여 건축할 수 있다.
예외 특별시장·광역시장·특별자치시장·특별자치도지사·시장 또는 군수가 지구의 지정목적에 위배되지 아니하는 범위 안에서 도시·군계획조례가 정하는 기준에 적합하다고 인정하여 관계행정기관의 장과의 협의와 해당 지방자치단체에 설치된 도시계획위원회의 심의를 거친 경우에는 그러하지 아니하다.

구　분	제　한　기　준
1. 역사문화환경보호지구	「문화재보호법」의 적용을 받는 문화재를 직접 관리·보호하기 위한 건축물과 문화적으로 보존가치가 큰 지역의 보호 및 보존을 저해하지 아니하는 건축물로서 도시·군계획조례가 정하는 건축물
2. 중요시설물보호지구	중요시설물의 보호와 기능 수행에 장애가 되지 아니하는 건축물로서 도시·군계획조례가 정하는 것. 이 경우 공항시설에 관한 보호지구를 세분하여 지정하려는 경우에는 공항시설을 보호하고 항공기의 이·착륙에 장애가 되지 아니하는 범위에서 건축물의 용도 및 형태 등에 관한 건축제한을 포함하여 정할 수 있다.
3. 생태계보호지구	생태적으로 보존가치가 큰 지역의 보호 및 보존을 저해하지 아니하는 건축물로서 도시·군계획조례가 정하는 건축물

【5】취락지구 안에서의 건축제한 (영 제78조)

(1) 자연취락지구 안에서는 취락의 정비에 지장을 준다고 인정하여 도시·군계획조례가 정하는 건축물을 건축할 수 없다.

■ **자연취락지구 안에서 건축할 수 있는 건축물 (영 별표 23)**

4층 이하의 건축물에 한한다.

※ 4층 이하의 범위 안에서 도시·군계획조례로 따로 층수를 정하는 경우 그 층수 이하의 건축물에 한한다.

1. 건축할 수 있는 건축물	2. 도시·군계획조례가 정하는 바에 의하여 건축할 수 있는 건축물
가. 단독주택 나. 제1종 근린생활시설 다. 제2종 근린생활시설 (같은 호 나목에 해당하는 것과 일반음식점·단란주점 및 안마시술소를 제외한다) 라. 운동시설 마. 창고시설(농업·임업·축산업·수산업용에 한한다) 바. 동물 및 식물관련시설 사. 교정 및 군사시설 아. 방송통신시설 자. 발전시설	가. 공동주택(아파트를 제외한다) 나. 제2종 근린생활시설 중 같은 호 나목에 해당하는 것과 일반음식점 및 안마시술소 다. 문화 및 집회시설　라. 종교시설 마. 판매시설 중 다음의 어느 하나에 해당하는 것 　(1) 「농수산물유통 및 가격안정에 관한 법률」 제2조에 따른 농수산물공판장 　(2) 「농수산물유통 및 가격안정에 관한 법률」 제68조제2항에 따른 농수산물직판장으로서 해당 용도에 쓰이는 바닥면적의 합계가 10,000㎡ 미만인 것(「농어촌발전 특별조치법」 제2조제2호·제3호 또는 같은 법 제4조에 해당하는 자나 지방자치단체가 설치·운영하는 것에 한한다) 바. 의료시설 중 종합병원·병원·치과병원·한방병원 및 요양병원 사. 교육연구시설 아. 노유자시설 자. 수련시설 차. 숙박시설로서 「관광진흥법」에 따라 지정된 관광지 및 관광단지에 건축하는 것 카. 공장 중 도정공장 및 식품공장과 읍·면지역에 건축하는 제재업의 공장 및 첨단업종의 공장으로서 [별표 19] 제2호 자목(1)부터 (4)까지의 어느 하나에 해당하지 아니하는 것 타. 위험물저장 및 처리시설 파. 자동차 관련시설 중 주차장 및 세차장　　하. 자원순환 관련 시설 더. 야영장 시설

(2) 집단취락지구 안에서의 건축제한에 대하여는 「개발제한구역의 지정 및 관리에 관한 특별조치법」이 정하는 바에 따른다.

【6】 개발진흥지구에서의 건축제한($\frac{영}{제79조}$)

(1) 지구단위계획 또는 관계 법률에 따른 개발계획을 수립하는 개발진흥지구에서는 지구단위계획 또는 관계 법률에 따른 개발계획에 위반하여 건축물을 건축할 수 없으며, 지구단위계획 또는 개발계획이 수립되기 전에는 개발진흥지구의 계획적 개발에 위배되지 아니하는 범위에서 도시·군계획조례로 정하는 건축물을 건축할 수 있다.

(2) 지구단위계획 또는 관계 법률에 따른 개발계획을 수립하지 아니하는 개발진흥지구에서는 해당 용도지역에서 허용되는 건축물을 건축할 수 있다.

(3) 위 (2)에도 불구하고 산업·유통개발진흥지구에서는 해당 용도지역에서 허용되는 건축물 외에 해당 지구계획(해당 지구의 토지이용, 기반시설 설치 및 환경오염 방지 등에 관한 계획을 말한다)에 따라 다음의 구분에 따른 요건을 갖춘 건축물 중 도시·군계획조례로 정하는 건축물을 건축할 수 있다.

① 계획관리지역: 계획관리지역에서 건축이 허용되지 아니하는 공장 중 다음의 요건을 모두 갖춘 것

1. 「대기환경보전법」, 「수질 및 수생태계 보전에 관한 법률」 또는 「소음·진동관리법」에 따른 배출시설의 설치 허가·신고 대상이 아닐 것

2. 「악취방지법」에 따른 배출시설이 없을 것

3. 「산업집적활성화 및 공장설립에 관한 법률」에 따른 공장설립 가능 여부의 확인 또는 공장설립 등의 승인에 필요한 서류를 갖추어 관계 행정기관의 장과 미리 협의하였을 것

② 자연녹지지역·생산관리지역·보전관리지역 또는 농림지역: 해당 용도지역에서 건축이 허용되지 않는 공장 중 다음의 요건을 모두 갖춘 것

1. 산업·유통개발진흥지구 지정 전에 계획관리지역에 설치된 기존 공장이 인접한 용도지역의 토지로 확장하여 설치하는 공장일 것

2. 해당 용도지역에 확장하여 설치되는 공장부지의 규모가 3,000㎡ 이하일 것
※ 해당 용도지역 내에 기반시설이 설치되어 있거나 기반시설의 설치에 필요한 용지의 확보가 충분하고 주변지역의 환경오염·환경훼손 우려가 없는 경우로서 도시계획위원회의 심의를 거친 경우에는 5,000㎡까지로 할 수 있다

【7】 특정용도제한지구안에서의 건축제한($\frac{영}{제80조}$)

특정용도제한지구안에서는 주거기능 및 교육환경을 훼손하거나 청소년 정서에 유해하다고 인정하여 도시·군계획조례가 정하는 건축물을 건축할 수 없다.

【8】 복합용도지구에서의 건축제한($\frac{영}{제81조}$)

복합용도지구에서는 해당 용도지역에서 허용되는 건축물 외에 다음에 따른 건축물 중 도시·군계획조례가 정하는 건축물을 건축할 수 있다.

건축관계법

국토계획법

주차장법

주택법

도시및주거
환경정비법

건축사법

장애인시설법

소방시설법

서울시조례

지역	허용되는 건축물	제외(건축법상 용도)
1. 일반주거지역	준주거지역에서 허용되는 건축물	① 제2종 근린생활시설 중 안마시술소 ② 관람장 ③ 공장 ④ 위험물 저장 및 처리 시설 ⑤ 동물 및 식물 관련 시설 ⑥ 장례시설
2. 일반공업지역	준공업지역에서 허용되는 건축물	① 아파트 ② (제2종 근린생활시설 중) 　단란주점 및 안마시술소 ③ 노유자시설
3. 계획관리지역	① (제2종 근린생활시설 중) 　일반음식점·휴게음식점·제과점	[별표 20]에 따라 건축할 수 없는 일반음식점·휴게음식점·제과점
	② 판매시설	–
	③ 숙박시설	[별표 20]에 따라 건축할 수 없는 숙박시설
	④ 유원시설업의 시설	–
	⑤ 그 밖에 이와 비슷한 시설	–

※[별표 20] : 계획관리지역에서 건축할 수 없는 건축물

【9】 그 밖의 지구 안에서의 건축제한(영
제82조)

위 ⑦ - 【2】에 따른 용도지구 외의 용도지구 안에서의 건축제한에 관하여는 그 용도지구지정의 목적달성에 필요한 범위 안에서 특별시·광역시·특별자치시·특별자치도·시 또는 군의 도시·군계획조례로 정한다.

【10】 용도지역·용도지구 및 용도구역안에서의 건축제한의 예외 등(영
제83조)

(1) 용도지역·용도지구안에서의 도시·군계획시설

용도지역·용도지구 안에서의 도시·군계획시설에 대하여는 다음의 규정을 적용하지 아니한다.

내　용	법조항	내　용	법조항
용도지역안에서의 건축제한	영 제71조	[삭제 2017. 12. 29]	영 제77조
경관지구안에서의 건축제한	영 제72조	취락지구안에서의 건축제한	영 제78조
[삭제 2017. 12. 29]	영 제73조	개발진흥지구안에서의 건축제한	영 제79조
고도지구안에서의 건축제한	영 제74조	특정용도제한지구안에서의 건축제한	영 제80조
방재지구안에서의 건축제한	영 제75조	복합용도지구에서의 건축제한	영 제81조
보호지구안에서의 건축제한	영 제76조	그 밖의 용도지구안에서의 건축제한	영 제82조

(2) 경관지구 또는 고도지구 안에서 리모델링이 필요한 건축물

경관지구 또는 고도지구 안에서 「건축법 시행령」에 따른 리모델링이 필요한 건축물에 대하여는 지구 안에서의 건축제한 규정에 불구하고 다음에 해당하는 건축물의 높이·규모 등의 제한을 완화하여 제한할 수 있다.

건축관계법
국토계획법
주차장법
주 택 법
도시및주거
환경정비법
건축사법
장애인시설법
소방시설법
서울시조례

건축관계법

국토계획법

주차장법

주 택 법

도시및주거
환경정비법

건축사법

장애인시설법

소방시설법

서울시조례

내　　용	「건축법」조항	내　　용	「건축법」조항
대지의 조경	제42조	방화지구의 건축물	제58조
공개공지 등의 확보	제43조	건축물의 높이제한	제60조
건축선의 지정	제46조	일조 등의 확보를 위한 건축물의 높이제한	제61조
건축물의 건폐율	제55조		
건축물의 용적률	제56조	-	-

(3) 개발제한구역, 도시자연공원구역, 시가화조정구역 및 수산자원보호구역 안에서의 건축제한
다음 각각의 법령 또는 규정에서 정하는 바에 따른다.

내　　용	법령 또는 규정
1. 개발제한구역 안에서의 건축제한	「개발제한구역의 지정 및 관리에 관한 특별조치법」
2. 도시자연공원구역 안에서의 건축제한	「도시공원 및 녹지 등에 관한 법률」
3. 시가화조정구역 안에서의 건축제한	영 제87조~제89조의 규정
4. 수산자원보호구역 안에서의 건축제한	「수산자원관리법」

(4) 공사용 부대시설의 설치허가

용도지역·용도지구 또는 용도구역 안에서 허용되는 건축물 또는 시설물을 설치하기 위하여 공사현장에 설치하는 자재야적장, 레미콘·아스콘생산시설 등 공사용 부대시설은 위 【1】 ~ 【3】 및 개발행위허가의 규모(영 제55조)·개발행위허가의 기준(영 제65조)의 규정에도 불구하고 해당 공사에 필요한 최소한의 면적의 범위 안에서 기간을 정하여 사용 후에 그 시설 등을 설치한 자의 부담으로 원상복구할 것을 조건으로 설치할 수 있다.

(5) 방재지구 안에서의 필로티 구조에 대한 층수 완화

방재지구 안에서는 용도지역 안에서의 건축제한 중 층수 제한에 있어서는 1층 전부를 필로티 구조로 하는 경우 필로티 부분을 층수에서 제외한다.

2 용도지역에서의 건폐율(법 제77조)(영 제84조)

【1】용도지역에서의 건폐율

(1) 용도지역에서 건폐율의 최대한도는 관할구역의 면적 및 인구규모, 용도지역의 특성 등을 고려하여 다음의 범위에서 특별시·광역시·특별자치시·특별자치도·시 또는 군의 조례로 정한다.

건축관계법

국토계획법

주차장법

주 택 법

도시및주거
환경정비법

건축사법

장애인시설법

소방시설법

서울시조례

구분			지역에서의 건폐율		기타
지역		최대 한도	지역의 세분	건폐율의 한도 (시행령 규정)	
도시 지역	주거지역	70%	제1종 전용주거지역	50%	■다음 지역의 건폐율은 80% 이하의 범위 내에서 아래 기준에 따라 특별시·광역시·특별자치시·특별자치도·시 또는 군의 조례로 정함 1. 취락지구 : 60% 이하(집단취락지구의 경우 「개발제한구역의 지정 및 관리에 관한 특별조치법령」에 따름) 2. 개발진흥지구 • 도시지역외의 지역에 지정된 경우: 40% 이하 • 자연녹지지역에 지정된 경우: 40% 이하 3. 수산자원보호구역 : 40% 이하 4. 자연공원 및 공원보호구역(「자연공원법」에 따름) : 60% 이하 5. 농공단지(「산업입지 및 개발에 관한 법률」에 따름) : 70% 이하 6. 공업지역내의 국가산업단지, 일반산업단지, 도시첨단산업단지(「산업입지 및 개발에 관한 법률」에 따름) : 80% 이하
			제2종 전용주거지역	50%	
			제1종 일반주거지역	60%	
			제2종 일반주거지역	60%	
			제3종 일반주거지역	50%	
			준주거지역	70%	
	상업지역	90%	중심상업지역	90%	
			일반상업지역	80%	
			근린상업지역	70%	
			유통상업지역	80%	
	공업지역	70%	전용공업지역	70%	
			일반공업지역	70%	
			준공업지역	70%	
	녹지지역	20%	보전녹지지역	20%	
			생산녹지지역	20%	
			자연녹지지역	20%	
관리 지역	보전관리지역	20%	보전관리지역	20%	
	생산관리지역	20%	생산관리지역	20%	
	계획관리지역	40%	계획관리지역	40%	
농림지역		20%	–	20%	
자연환경보전지역		20%	–	20%	

■ 위 규정에 불구하고 자연녹지지역에 설치되는 도시·군계획시설 중 유원지의 건폐율은 30%의 범위에서 도시·군계획조례로 정하는 비율 이하로 하며, 공원의 건폐율은 20%의 범위에서 도시·군계획조례로 정하는 비율 이하로 한다.

(2) 위 (1)의 규정에 의하여 도시·군계획조례로 용도지역별 건폐율을 정함에 있어서 필요한 경우 해당 지방자치단체의 관할구역을 세분하여 건폐율을 달리 정할 수 있다.

【2】 건폐율의 조정 (법 제77조제4항, 제5항) (영 제84조제4항 ~ 제5항)

(1) 위 【1】의 용도지역에서의 건폐율에도 불구하고 다음의 경우 특별시·광역시·특별자치시·특별자치도·시 또는 군의 조례로 건폐율을 따로 정할 수 있다.

건축관계법

국토계획법

주차장법

주택법

도시및주거
환경정비법

건축사법

장애인시설법

소방시설법

서울시조례

구 분	내 용
1. 토지이용의 과밀화 방지를 위하여 건폐율을 강화할 필요가 있는 경우	특별시장·광역시장·특별자치시장·특별자치도지사·시장 또는 군수는 도시계획위원회의 심의를 거쳐 구역을 정하고, 그 구역에 적용할 건폐율의 최대한도의 40% 이상의 범위에서 도시·군계획조례가 정하는 비율 이하로 한다.
2. 주변여건을 고려하여 토지의 이용도를 높이기 위하여 건폐율을 완화할 필요가 있는 경우	아래 【3】 건폐율의 완화 참조
3. 녹지지역, 보전관리지역, 생산관리지역, 농림지역 또는 자연환경 보전지역에서 농업·임업·어업용 건축물을 건축하고자 하는 경우	특별시장·광역시장·특별자치시장·특별자치도지사·시장 또는 군수는 녹지지역, 보전관리, 생산관리, 농림지역 또는 자연환경보전지역에 설치되는 「농지법」 제32조제1항 각 호에 해당하는 건축물의 건폐율은 60% 이하의 범위에서 도시·군계획조례로 정하는 비율 이하로 한다.
4. 보전관리지역, 생산관리지역, 농림지역 또는 자연환경 보전지역에서 주민생활의 편익증진을 위한 건축물을 건축하고자 하는 경우	
5. 생산녹지지역에 건축할 수 있는 다음의 건축물의 경우 ① 「농지법」에 따른 농수산물의 가공·처리시설[해당 특별시·광역시·특별자치시·특별자치도·시·군 또는 해당 도시·군계획조례가 정하는 연접한 시·군·구(자치구)에서 생산된 농수산물의 가공·처리시설만 해당] 및 농수산업 관련 시험·연구시설 ② 「농지법 시행령」에 따른 농산물 건조·보관시설 ③ 「농지법 시행령」에 따른 산지유통시설(해당 특별시·광역시·특별자치시·특별자치도·시·군 또는 해당 도시·군계획조례가 정하는 연접한 시·군·구에서 생산된 농산물을 위한 산지유통시설만 해당)	해당 생산녹지지역이 위치한 특별시·광역시·특별자치시·특별자치도·시 또는 군의 농어업 인구 현황, 농수산물 가공·처리시설의 수급실태 등을 종합적으로 고려하여 60% 이하의 범위에서 도시·군계획조례로 정하는 비율 이하로 한다.

(2) 생산녹지지역 등에서 기존 공장의 건폐율 ($\frac{영}{제84조의2}$)

① 위 【1】-(1)에도 불구하고 생산녹지지역, 자연녹지지역 또는 생산관리지역에 있는 기존 공장(해당 용도지역으로 지정될 당시 이미 준공된 것으로서 준공 당시의 부지에서 증축하는 경우만 해당)의 건폐율은 40%의 범위에서 최초 건축허가 시 그 건축물에 허용된 비율을 초과해서는 아니 된다. ※ 2020년 12월 31일까지 증축 허가를 신청한 경우로 한정

② 위 【1】-(1)에도 불구하고 생산녹지지역, 자연녹지지역, 생산관리지역 또는 계획관리지역에 있는 기존 공장(해당 용도지역으로 지정될 당시 이미 준공된 것으로 한정)이 부지를 확장하여 건축물을 증축하는 경우(2020년 12월 31일까지 증축허가를 신청한 경우로 한정)로서 다음에 해당하는 경우 그 건폐율은 40%의 범위에서 해당 특별시·광역시·특별자치시·특별자치도·시 또는 군의 도시·군계획조례로 정하는 비율을 초과해서는 아니 된다. 이 경우 아래 ㉠의 경우에는 부지를 확장하여 추가로 편입되는 부지(해당 용도지역으로 지정된 이후에 확장하여 추가로 편입된 부지를 포함)에 대해서만 건폐율 기준을 적용하고, 아래 ㉡의 경우 준공 당시의 부지(해당 용도지역으로 지정될 당시의 부지)와 추가 편입 부지를 하나로 하여 건폐율 기준을 적용한다.
㉠ 추가편입부지에 건축물을 증축하는 경우로서 다음의 요건을 모두 갖춘 경우

1. 추가편입부지의 면적이 3,000m² 이하로서 준공당시부지 면적의 50% 이내일 것
2. 관할 특별시장·광역시장·특별자치시장·특별자치도지사·시장 또는 군수가 해당 지방도시계획위원회의 심의를 거쳐 기반시설의 설치 및 그에 필요한 용지의 확보가 충분하고 주변지역의 환경오염 우려가 없다고 인정할 것

ⓛ 준공당시부지와 추가편입 부지를 하나로 하여 건축물을 증축하려는 경우로서 다음의 요건을 모두 갖춘 경우

1. 위 ㉠의 요건을 모두 갖출 것

2. 관할 특별시장·광역시장·특별자치시장·특별자치도지사·시장 또는 군수가 해당 지방도시계획위원회의 심의를 거쳐 다음의 어느 하나에 해당하는 인증 등을 받기 위하여 준공당시부지와 추가편입 부지를 하나로 하여 건축물을 증축하는 것이 불가피하다고 인정할 것
   ⓐ 「식품위생법」에 따른 식품안전관리인증
   ⓑ 「농수산물 품질관리법」에 따른 위해요소중점관리기준 이행 사실 증명
   ⓒ 「축산물 위생관리법」에 따른 안전관리인증

3. 준공당시부지와 추가편입 부지를 합병할 것. 예외 각 필지의 지번부여지역(地番附與地域)이 서로 다른 경우에 해당하면 합병하지 아니할 수 있다.

【3】 건폐율의 완화 (영 제84조제6항)

다음의 어느 하나에 해당하는 건축물의 경우에 그 건폐율은 다음에서 정하는 비율을 초과할 수 없다.

(1) 준주거지역·일반상업지역·근린상업지역·전용공업지역·일반공업지역·준공업지역 중 방화지구의 건축물로서 주요 구조부와 외벽이 내화구조인 건축물 중 도시·군계획조례로 정하는 건축물: 80% 이상 90% 이하의 범위에서 특별시·광역시·특별자치시·특별자치도·시 또는 군의 도시계획조례로 정하는 비율

(2) 녹지지역·관리지역·농림지역 및 자연환경보전지역의 건축물로서 방재지구의 재해저감대책에 부합하게 재해예방시설을 설치한 건축물: 용도지역에서 건폐율에 따른 해당 용도지역별 건폐율의 150% 이하의 범위에서 도시·군계획조례로 정하는 비율

(3) 자연녹지지역의 기존 공장, 창고시설 또는 연구시설(자연녹지지역으로 지정될 당시 이미 준공된 것으로서 기존 부지에서 증축하는 경우만 해당): 40%의 범위에서 최초 건축허가 시 그 건축물에 허용된 건폐율

(4) 계획관리지역의 기존 공장·창고시설 또는 연구소(2003년 1월 1일 전에 준공되고 기존부지에 증축하는 경우로서 해당 지방도시계획위원회의 심의를 거쳐 도로·상수도·하수도 등의 반시설이 충분히 확보되었다고 인정되거나, 도시·군계획조례로 정하는 기반시설 확보 요건을 충족하는 경우만 해당한다): 50%의 범위에서 도시·군계획조례로 정하는 비율

(5) 녹지지역·보전관리지역·생산관리지역·농림지역 또는 자연환경보전지역의 건축물로서 다음에 해당하는 건축물: 30%의 범위에서 도시·군계획조례로 정하는 비율

1. 「전통사찰의 보존 및 지원에 관한 법률」에 따른 전통사찰

2. 「문화재보호법」에 따른 지정문화재 또는 국가등록문화재

3. 「건축법 시행령」에 따른 한옥

(6) 종전의 「도시계획법」(2000년 1월 28일 법률 제6243호로 개정되기 전의 것을 말함)에 따른 일단의 공업용지조성사업 구역(위 【1】-(1)-6.에 따른 산업단지 또는 준산업 단지와 연접한 것에 한정한다) 내의 공장으로서 관할 특별시장·광역시장·특별자치시장·특별자치도지사·시장 또는 군수가 해당 지방도시계획위원회의 심의를 거쳐 기반시설의 설치 및 그에 필요한 용지의 확보가 충분하고 주변지역의 환경오염 우려가 없다고 인정하는 공장: 80% 이하의 범위에서 도시·군계획조례로 정하는 비율

건축관계법
국토계획법
주차장법
주 택 법
도시및주거
환경정비법
건축사법
장애인시설법
소방시설법
서울시조례

건축관계법

국토계획법

주차장법

주 택 법

도시및주거
환경정비법

건축사법

장애인시설법

소방시설법

서울시조례

(7) 자연녹지지역의 학교(「초·중등교육법」에 따른 학교 및 「고등교육법」의 규정에 따른 학교를 말함)로서 다음의 요건을 모두 충족하는 학교: 30%의 범위에서 도시·군계획조례로 정하는 비율

　　1. 기존 부지에서 증축하는 경우일 것
　　2. 학교 설치 이후 개발행위 등으로 해당 학교의 기존 부지가 건축물, 그 밖의 시설로 둘러싸여 부지 확장을 통한 증축이 곤란한 경우로서 해당 도시계획위원회의 심의를 거쳐 기존 부지에서의 증축이 불가피하다고 인정될 것
　　3. 「고등교육법」의 규정에 따른 학교의 경우 「대학설립·운영 규정」 별표 2에 따른 교육기본시설, 지원시설 또는 연구시설의 증축일 것

(8) 자연녹지지역의 주유소 또는 액화석유가스 충전소로서 다음 각 목의 요건을 모두 충족하는 건축물: 30퍼센트의 범위에서 도시·군계획조례로 정하는 비율

　　1. 2021년 7월 13일 전에 준공되었을 것
　　2. 다음의 요건을 모두 충족하는 「환경친화적 자동차의 개발 및 보급 촉진에 관한 법률」에 따른 수소연료공급시설의 증축이 예정되어 있을 것
　　① 기존 주유소 또는 액화석유가스 충전소의 부지에 증축할 것
　　② 2024년 12월 31일 이전에 증축 허가를 신청할 것

【4】 건폐율의 강화 (영 제84조제4항)

목 적	절 차	기준 값
토지이용의 과밀화 방지	특별시·광역시·특별자치시·특별자치도·시 또는 군의 도시계획위원회의 심의를 거쳐 구역을 정함	그 구역에 적용할 건폐율의 최대한도의 40% 이상의 범위 안에서 도시·군계획조례로 따로 정함

3 용도지역에서의 용적률 (법 제78조)(영 제85조)

【1】 용도지역에서 용적률

(1) 용도지역에서 용적률의 최대한도는 관할구역의 면적 및 인구규모, 용도지역의 특성 등을 감안하여 다음의 범위 안에서 특별시·광역시·특별자치시·특별자치도·시 또는 군의 조례로 정한다.

구 분		용적률의 최고한도	용적률의 세분	용적률의 범위 (시행령 규정)	기 타
도시 지역	주거지역	500%	제1종 전용주거지역	50% 이상 100% 이하	■ 도시·군계획조례로 용도지역별 용적률을 정하는 경우에는 해당지역의 구역별로 용적률을 세분하여 정할 수 있다. ■ 다음의 지역 안에서의 용적률에 대한 기준은 각각의 범위 안에서 특별시·광역시·특별자치시·특별자치도·시 또는 군의 도시·군계획조례가 정하는 비율을 초과하여서는 아니 된다. 1. 도시지역 외의 지역에 지정된 개발진흥지구 : 100% 이하 2. 수산자원보호구역 : 80% 이하
			제2종 전용주거지역	50%~150%	
			제1종 일반주거지역	100%~200%	
			제2종 일반주거지역	100%~250%	
			제3종 일반주거지역	100%~300%	
			준주거지역	200%~500%	
	상업지역	1500%	중심상업지역	200%~1500%	
			일반상업지역	200%~1300%	
			근린상업지역	200%~900%	
			유통상업지역	200%~1100%	

		전용공업지역	150%~300%	
	공업지역	일반공업지역	150%~350%	3. 「자연공원법」에 따른 자연공원 : 100% 이하.
	400%	준공업지역	150%~400%	
		보전녹지지역	50%~80%	4. 「산업입지 및 개발에 관한 법률」에 따른 농공단지(도시지역 외에 한함) : 150% 이하
	녹지지역 100%	생산녹지지역	50%~100%	
		자연녹지지역	50%~100%	
관리지역	보전관리지역 80%	보전관리지역	50%~80%	
	생산관리지역 80%	생산관리지역	50%~80%	
	계획관리지역 100%	계획관리지역	50%~100%	
농림지역	80%	농림지역	50%~80%	
자연환경보전지역	80%	자연환경보존지역	50%~80%	

건축관계법
국토계획법
주차장법
주 택 법
도시및주거환경정비법
건축사법
장애인시설법
소방시설법
서울시조례

(2) 위 (1)의 규정에 의하여 도시·군계획조례로 용도지역별 용적률을 정함에 있어서 필요한 경우에는 해당 지방자치단체의 관할구역을 세분하여 용적률을 달리 정할 수 있다.

【2】 용적률의 완화 (법 제78조제4항, 제6항)

(1) 건축이 금지된 공지에 접한 경우 등에서의 완화 (영 제85조제1항)

건축물의 주위에 공원·광장·도로·하천 등의 건축이 금지된 공지가 있거나 이를 설치하는 경우 특별시·광역시·특별자치시·특별자치도·시 또는 군의 조례가 정하는 비율 이하로 용적률을 완화 적용받을 수 있다.

적용 대상지역	완화기준	완화조건	그림 해설
• 준주거지역 • 상업지역 (중심상업,일반상업, 근린상업) • 공업지역 (전용공업,일반공업, 준공업)	경관·교통·방화 및 위생상 지장이 없다고 인정되는 경우 해당 용적률의 120% 이하의 범위 내에서 완화	건축물의 대지의 전면도로가 공원·광장(교통광장 제외)·하천·건축이 금지된 공지에 접한 경우	
		건축물의 대지가 상기 공원 등에 20m 이상 접한 경우	
		너비 25m 이상인 도로에 20m 이상 접한 대지 안의 건축물로서 건축면적 1,000m' 이상인 경우	

(2) 임대주택과 기숙사에 대한 완화 (영 제85조제3항)

위 【1】에도 불구하고 다음에 해당하는 경우 해당 지역의 용적률을 다음 각각의 구분에 따라 완화할 수 있다.

① 주거지역에서 임대주택(「공공주택 특별법 시행령」에 따른 공공임대주택 또는 임대의무기간

6장 제3편 국토의 계획 및 이용에 관한 법률

건축관계법

국토계획법

주차장법

주 택 법

도시및주거
환경정비법

건축사법

장애인시설법

소방시설법

서울시조례

3-154

이 8년 이상인 「민간임대주택에 관한 특별법」 제2조제1호에 따른 민간임대주택을 건설하는 경우: 위 【1】 의 주거지역에 따른 용적률의 120% 이하의 범위에서 도시·군계획조례로 정하는 비율

② 다음에 해당하는 자가 「고등교육법」 에 따른 학교의 학생이 이용하도록 해당 학교 부지 외에 「건축법 시행령」 별표 1 에 따른 기숙사를 건설하는 경우: 위 【1】 에 따른 용도지역별 최대한도의 범위에서 도시·군계획조례로 정하는 비율

1. 국가 또는 지방자치단체
2. 「사립학교법」 에 따른 학교법인
3. 「한국사학진흥재단법」 에 따른 한국사학진흥재단
4. 한국장학재단 설립 등에 관한 법률」 에 따른 한국장학재단
5. 위 1.~4.의 어느 하나에 해당하는 자가 단독 또는 공동으로 출자하여 설립한 법인

③ 「고등교육법」 에 따른 학교의 학생이 이용하도록 해당 학교 부지에 기숙사를 건설하는 경우: 위 【1】 에 따른 용도지역별 최대한도의 범위에서 도시·군계획조례로 정하는 비율

④ 「영유아보육법」 에 따른 사업주가 직장어린이집을 설치하기 위하여 기존 건축물 외에 별도의 건축물을 건설하는 경우: 위 【1】 에 따른 용도지역별 최대한도의 범위에서 도시·군계획조례로 정하는 비율

⑤ 아래 (6)의 사회복지시설을 국가 또는 지방자치단체가 건설하는 경우: 위 【1】 에 따른 용도지역별 최대한도의 범위에서 도시·군계획조례로 정하는 비율

⑥ 「건축법 시행령」 별표 1 제9호의 의료시설 부지에 「감염병의 예방 및 관리에 관한 법률」 에 따른 감염병관리시설을 설치하는 경우로서 다음 각 각의 요건을 모두 갖춘 경우: (1)의 각 각에 따른 용도지역별 최대한도의 120% 이하의 범위에서 도시·군계획조례로 정하는 비율

1. 질병관리청장이 효율적인 감염병 관리를 위하여 필요하다고 인정하는 시설(이하 "필요감염병관리시설")을 설치하는 경우일 것
2. 필요감염병관리시설 외 시설의 면적은 제1항에 따라 도시·군계획조례로 정하는 용적률에 해당하는 면적 이내일 것

(3) 위 (2)의 규정은 다음에 해당되는 경우 이를 적용하지 아니한다.

① 개발제한구역·시가화조정구역·녹지지역 또는 공원에서 해제되는 구역과 새로이 도시지역으로 편입되는 구역중 계획적인 개발 또는 관리가 필요한 지역인 경우

② 기존의 용도지역 또는 용도지구가 용적률이 높은 용도지역 또는 용도지구로 변경되는 경우로서 기존의 용도지역 또는 용도지구의 용적률을 적용하지 아니하는 경우

(4) 방재지구의 재해저감대책에 부합하게 재해예방시설을 설치하는 건축물의 경우 주거지역, 상업지역, 공업지역에 해당하는 용도지역에서는 해당 용적률의 140% 이하의 범위에서 도시·군계획조례로 정하는 비율로 할 수 있다.

(5) 공공시설 부지로 제공하는 경우의 완화(영 제85조제8항)

적용대상지역	완화조건	완화기준
• 상업지역 • 「도시 및 주거환경정비법」 에 따른 재개발사업 및 재건축사업을 시행하기 위한 정비구역	대지의 일부를 공공시설 부지로 제공하는 경우	기준 용적률의 200% 이하의 범위 안에서 대지면적의 제공비율에 따라 도시·군계획조례가 정한 비율

(6) 사회복지시설을 설치하는 경우의 완화

① 용도지역에서의 용적률 규정(위【1】)에도 불구하고 건축물을 건축하려는 자가 그 대지의 일부에 「사회복지사업법」에 따른 사회복지시설 중 다음에 해당하는 시설을 설치하여 국가 또는 지방자치단체에 기부채납 하는 경우에는 특별시·광역시·특별자치시·특별자치도·시 또는 군의 조례로 해당 용도지역에 적용되는 용적률을 완화할 수 있다.

| 1. 「영유아보육법」에 따른 어린이집 |
| 2. 「노인복지법」에 따른 노인복지관 |
| 3. 그 밖에 특별시장·광역시장·특별자치시장·특별자치도지사·시장 또는 군수가 해당 지역의 사회복지시설 수요를 고려하여 도시·군계획조례로 정하는 사회복지시설 |

② 용도지역에서의 용적률 규정에도 불구하고 건축물을 건축하려는 자가 그 대지의 일부에 사회복지시설을 설치하여 기부하는 경우에는 기부하는 시설의 연면적의 2배 이하의 범위에서 도시·군계획조례로 정하는 바에 따라 추가 건축을 허용할 수 있다.

※ 해당 용적률은 다음의 기준을 초과할 수 없다.

㉠ 도시·군계획조례로 정하는 용적률의 120%

㉡ 용도지역별 용적률의 최대한도

③ 국가나 지방자치단체는 기부 받은 사회복지시설을 위 ①에 따른 시설 외의 시설로 용도변경하거나 그 주요 용도에 해당하는 부분을 분양 또는 임대할 수 없으며, 해당 시설의 면적이나 규모를 확장하여 설치장소를 변경(지방자치단체에 기부한 경우에는 그 관할 구역 내에서의 설치장소 변경을 말함)하는 경우를 제외하고는 국가나 지방자치단체 외의 자에게 그 시설의 소유권을 이전할 수 없다.

(7) 타법률에 따른 용적률 완화의 중첩 적용

① 이 법 및 「건축법」 등 다른 법률에 따른 용적률의 완화에 관한 규정은 이 법 및 다른 법률에도 불구하고 다음 구분에 따른 범위에서 중첩하여 적용할 수 있다.

| 1. 지구단위계획구역 | 지구단위계획으로 정하는 범위 |
| 2. 지구단위계획구역 외의 지역 | 해당 용도지역별 용적률 최대한도의 120% 이하 |

② 위 ①규정 적용시 용적률 완화 규정을 중첩 적용하여 완화되는 용적률이 해당 용도지역별 용적률 최대한도를 초과하는 경우 관할 시·도지사, 시장·군수 또는 구청장이 건축위원회와 도시계획위원회의 공동 심의를 거쳐 기반시설의 설치 및 그에 필요한 용지의 확보가 충분하다고 인정하는 경우에 한정한다.

4 용도지역 미지정 또는 미세분지역에서의 행위제한 등$\left(\begin{smallmatrix}법\\제79조\end{smallmatrix}\right)\left(\begin{smallmatrix}영\\제86조\end{smallmatrix}\right)$

(1) 도시지역·관리지역·농림지역 또는 자연환경보전지역으로 용도가 지정되지 아니한 지역에 대하여는 다음의 법 규정 적용시 자연환경보전지역에 관한 규정 적용한다.

내 용	행 위 제 한	적 용	관련 법조항
용도지역 미지정 지역	용도지역 및 용도지구 안에서의 건축물의 건축제한	자연환경보전지역	제76조
	용도지역 안에서의 건폐율	20%	제77조
	용도지역 안에서의 용적율	50~80% (조례에 따름)	제78조

건축관계법

국토계획법

주차장법

주 택 법

도시및주거
환경정비법

건축사법

장애인시설법

소방시설법

서울시조례

(2) 도시지역 또는 관리지역이 세부용도지역으로 지정되지 아니한 경우 용도지역 및 용도지구 안에서의 건축물의 건축제한, 건폐율 및 용적률의 규정 적용시 다음의 지역에 관한 규정을 적용한다.

미세분 지역	적용 지역	관련 법조항
도시지역	보전녹지지역	제76조 ~ 제78조
관리지역	보전관리지역	

5 개발제한구역 안에서의 행위제한(법 제80조)

개발제한구역 안에서의 행위제한 그 밖에 개발제한구역의 관리에 관하여 필요한 사항은 「개발제한구역의 지정 및 관리에 관한 특별조치법」에 따른다.

6 시가화조정구역 안에서의 행위제한 등(법 제81조)

(1) 시가화조정구역 안에서의 도시·군계획사업은 국방상 또는 공익상 시가화조정구역 안에서의 사업시행이 불가피한 것으로서 관계중앙행정기관의 장의 요청에 의하여 국토교통부장관이 시가화조정구역의 지정목적달성에 지장이 없다고 인정하는 도시·군계획사업에 한하여 이를 시행할 수 있다.

(2) 시가화조정구역 안에서는 위 (1)에 따른 도시·군계획사업에 의하는 경우를 제외하고는 다음에 해당하는 행위에 한하여 특별시장·광역시장·특별자치시장·특별자치도지사·시장 또는 군수의 허가를 받아 그 행위를 할 수 있다.

■ 시가화조정구역안에서 할 수 있는 행위 (영 [별표 24]) 〈개정 2021.1.5.〉

1. 법 제81조제2항제1호의 규정에 의하여 할 수 있는 행위 : 농업·임업 또는 어업을 영위하는 자가 행하는 다음 각 목의 어느 하나에 해당하는 건축물 그 밖의 시설의 건축
　가. 축사　　　　　나. 퇴비사
　다. 잠실　　　　　라. 창고(저장 및 보관시설을 포함한다)
　마. 생산시설(단순가공시설을 포함한다)
　바. 관리용건축물로서 기존 관리용건축물의 면적을 포함하여 33제곱미터 이하인 것
　사. 양어장

2. 법 제81조제2항제2호의 규정에 의하여 할 수 있는 행위
　가. 주택 및 그 부속건축물의 건축으로서 다음의 어느 하나에 해당하는 행위
　　(1) 주택의 증축(기존주택의 면적을 포함하여 100제곱미터 이하에 해당하는 면적의 증축을 말한다)
　　(2) 부속건축물의 건축(주택 또는 이에 준하는 건축물에 부속되는 것에 한하되, 기존건축물의 면적을 포함하여 33제곱미터 이하에 해당하는 면적의 신축·증축·재축 또는 대수선을 말한다)
　나. 마을공동시설의 설치로서 다음의 어느 하나에 해당하는 행위

　　(1) 농로·제방 및 사방시설의 설치
　　(2) 새마을회관의 설치
　　(3) 기존정미소(개인소유의 것을 포함한다)의 증축 및 이축(시가화조정구역의 인접지에서 시행하는 공공사업으로 인하여 시가화조정구역안으로 이전하는 경우를 포함한다)

　　(4) 정자 등 간이휴게소의 설치
　　(5) 농기계수리소 및 농기계용 유류판매소(개인소유의 것을 포함한다)의 설치
　　(6) 선착장 및 물양장(소형선 부두)의 설치
　다. 공익시설·공용시설 및 공공시설 등의 설치로서 다음의 어느 하나에 해당하는 행위

　　(1) 「공익사업을 위한 토지 등의 취득 및 보상에 관한 법률」 제4조에 해당하는 공익사업을 위

건축관계법
국토계획법
주차장법
주 택 법
도시및주거
환경정비법
건축사법
장애인시설법
소방시설법
서울시조례

　　한 시설의 설치

　(2) 문화재의 복원과 문화재관리용 건축물의 설치

　(3) 보건소·경찰파출소·119안전센터·우체국 및 읍·면·동사무소의 설치

　(4) 공공도서관·전신전화국·직업훈련소·연구소·양수장·초소·대피소 및 공중화장실과 예비군운영에 필요한 시설의 설치

　(5) 농업협동조합법에 의한 조합, 산림조합 및 수산업협동조합(어촌계를 포함한다)의 공동구판장·하치장 및 창고의 설치

　(6) 사회복지시설의 설치

　(7) 환경오염방지시설의 설치

　(8) 교정시설의 설치

　(9) 야외음악당 및 야외극장의 설치

3. 법 제81조제2항제3호의 규정에 의하여 할 수 있는 행위

　가. 입목의 벌채, 조림, 육림, 토석의 채취

　나. 다음의 어느 하나에 해당하는 토지의 형질변경

　　(1) 제1호 및 제2호의 규정에 의한 건축물의 건축 또는 공작물의 설치를 위한 토지의 형질변경

　　(2) 「공익사업을 위한 토지 등의 취득 및 보상에 관한 법률」 제4조에 해당하는 공익사업을 수행하기 위한 토지의 형질변경

　　(3) 농업·임업 및 어업을 위한 개간과 축산을 위한 초지조성을 목적으로 하는 토지의 형질변경

　　(4) 시가화조정구역 지정당시 이미 광업법에 의하여 설정된 광업권의 대상이 되는 광물의 개발을 위한 토지의 형질변경

　다. 토지의 합병 및 분할

(3) 특별시장·광역시장·특별자치시장·특별자치도지사·시장 또는 군수는 위 (2)에 따른 허가를 하려면 미리 다음의 어느 하나에 해당하는 자와 협의하여야 한다.

① 아래 (5)의 허가에 관한 권한이 있는 자

② 허가대상행위와 관련이 있는 공공시설의 관리자

③ 허가대상행위에 따라 설치되는 공공시설을 관리하게 될 자

(4) 시가화조정구역 안에서 위 (2)에 따른 허가를 받지 아니하고 건축물의 건축, 토지의 형질 변경 등의 행위를 하는 자에 관하여는 토지의 원상회복 등의 규정을 준용한다.

(5) 위 (2)에 따른 허가가 있는 경우에는 다음의 허가 또는 신고가 있는 것으로 본다.

① 「산지관리법」에 따른 산지전용허가 및 산지전용신고, 산지일시사용허가·신고

② 「산림자원의 조성 및 관리에 관한 법률」에 따른 입목벌채 등의 허가·신고

(6) 시가화조정구역 안에서 행위허가 기준 등 (영 제89조)

1. 특별시장·광역시장·특별자치시장·특별자치도지사·시장 또는 군수는 시가화조정구역의 지정목적달성에 지장이 있거나 해당 토지 또는 주변토지의 합리적인 이용에 지장이 있다고 인정되는 경우에는 허가를 하여서는 아니 된다.

2. 시가화조정구역안에 있는 산림안에서의 입목의 벌채, 조림 및 육림의 허가기준에 관하여는 「산림자원의 조성 및 관리에 관한 법률」의 규정에 따른다.

3. 특별시장·광역시장·특별자치시장·특별자치도지사·시장 또는 군수는 아래 표(영 [별표 25])에 규정된 행위에 대하여는 특별한 사유가 없는 한 허가를 거부하여서는 아니 된다.

4. 특별시장·광역시장·특별자치시장·특별자치도지사·시장 또는 군수는 허가를 함에 있어서 시가화조정구역의 지정목적상 필요하다고 인정되는 때에는 허가조건으로 조경 등 필요한 조치를 하게 할 수 있다.

5. 특별시장·광역시장·특별자치시장·특별자치도지사·시장 또는 군수는 허가의 내용이 시가화조정구역안에서 시행되는 도시·군계획사업에 지장을 주는지의 여부에 관하여 해당 도시·군계획사업시행자의 의견을 들어야 한다.

국토계획법

주차장법

주 택 법

도시및주거
환경정비법

건축사법

장애인시설법

소방시설법

서울시조례

　　6. 개발행위허가의 규모(영 제55조) 및 개발행위허가의 기준(영 제56조)의 규정은 시가화조정구
　　　 역안에서의 허가에 관하여 이를 준용한다.
　　7. 허가를 신청하고자 하는 자는 국토교통부령이 정하는 서류를 특별시장·광역시장·특별자치시
　　　 장·특별자치도지사·시장 또는 군수에게 제출하여야 한다.

■ **시가화조정구역안에서 허가를 거부할 수 없는 행위 (영 [별표 25])**

1. 개발행위허가의 경미한 변경(영 제52조) 및 허가를 받지 아니하여도 되는 경미한 행위(영 제53조)

2. 다음의 어느 하나에 해당하는 행위
　① 축사의 설치 : 1가구(시가화조정구역안에서 주택을 소유하면서 거주하는 경우로서 농업 또는 어업
　　에 종사하는 1세대를 말함)당 기존 축사의 면적을 포함하여 300㎡ 이하(나환자촌의 경우에는 500
　　㎡ 이하). 　예외　 과수원·초지 등의 관리사 인근 100㎡ 이하의 축사는 별도 설치 가능
　② 퇴비사의 설치 : 1가구당 기존퇴비사의 면적을 포함하여 100㎡ 이하
　③ 잠실의 설치 : 뽕나무밭 조성면적 2천㎡ 당 또는 뽕나무 1천800주 당 50㎡ 이하
　④ 창고의 설치 : 시가화조정구역안의 토지 또는 그 토지와 일체가 되는 토지에서 생산되는 생산물의
　　저장에 필요한 것으로서 기존창고면적을 포함하여 그 토지면적의 0.5% 이하.(감귤 저장용 1% 이하)
　⑤ 관리용 건축물의 설치 : 과수원·초지·유실수단지 또는 원예단지안에 설치하되, 생산에 직접 공여되
　　는 토지면적의 0.5% 이하로서 기존관리용 건축물의 면적을 포함하여 33㎡ 이하

3. 「건축법」에 따른 건축신고로서 건축허가를 갈음하는 행위

7　기존 건축물에 대한 특례(법 제82조)(영 제93조)(규칙 제13조의2)

(1) 기존의 건축물이 건폐율·용적률 및 높이 등의 규모 기준에 부적합하게 된 경우에 대한 특례는
　다음과 같다.

부적합 사유	특례사항	관련 법규
1. 법령 또는 도시·군계획조례의 제정·개정 2. 도시·군관리계획의 결정·변경 또는 행정구역의 변경 3. 도시·군계획시설의 설치, 도시·군계획사업의 시행, 「도로법」에 따른 도로의 설치	• 재축 또는 대수선: 부적합한 사유로 부적합하게 된 경우에도 가능 • 증축 또는 개축: 증축 또는 개축하고자 하는 부분이 규모기준에 적합한 경우에 가능	「국토계획법 시행령」 제71조~제80조, 제82조 ~제84조, 제84조의2, 제85조~제89조 「수산자원관리법 시행령」 제40조① (※ 대수선은 건폐율·용적률이 증가되지 아니하는 범위로 한정)

(2) 기존의 건축물이 위 (1)의 부적합 사유로 건축제한 또는 건폐율 규정에 부적합하게 된 경우에도
　기존 부지 내에서 증축 또는 개축하려는 부분이 해당 건축제한 및 용적률 규정에 적합한 경우로
　서 다음의 어느 하나에 해당하는 경우에는 각 구분에 따라 증축 또는 개축을 할 수 있다.
　① 기존의 건축물이 건폐율 기준에 부적합하게 된 경우: 건폐율이 증가하지 아니하는 범위에서의
　　증축 또는 개축
　② 기존의 건축물이 건폐율 기준에 적합한 경우: 건폐율 기준을 초과하지 아니하는 범위에서의
　　증축 또는 개축
(3) 기존의 건축물이 위 (1)의 부적합 사유로 건축제한·건폐율 또는 용적률 규정에 부적합하게 된
　경우에도 부지를 확장하여 추가편입부지에 증축하려는 부분이 해당 건축제한·건폐율 및 용적률

건축관계법

국토계획법

주차장법

주 택 법

도시및주거
환경정비법

건축사법

장애인시설법

소방시설법

서울시조례

규정에 적합한 경우에는 증축을 할 수 있다. 이 경우 추가편입부지에서 증축하려는 건축물에 대한 건폐율과 용적률 기준은 추가편입부지에 대해서만 적용한다.

(4) 기존의 공장이나 제조업소가 위 (1)의 부적합 사유로 건축제한·건폐율 또는 용적률 규정에 부적합하게 된 경우에도 기존 업종보다 오염배출 수준이 같거나 낮은 경우에는 특별시·광역시·특별자치시·특별자치도·시 또는 군의 도시·군계획조례로 정하는 바에 따라 건축물이 아닌 시설을 증설할 수 있다.

(5) 기존의 건축물이 위 (1)의 부적합 사유로 건축제한, 건폐율 또는 용적률 규정에 부적합하게 된 경우에도 해당 건축물의 기존 용도가 국토교통부령(수산자원보호구역의 경우에는 해양수산부령을 말한다)으로 정하는 바에 따라 확인되는 경우(기존 용도에 따른 영업을 폐업한 후 기존 용도 외의 용도로 사용되지 아니한 것으로 확인되는 경우를 포함한다)에는 업종을 변경하지 아니하는 경우에 한하여 기존 용도로 계속 사용할 수 있다. 이 경우 기존의 건축물이 공장이나 제조업소인 경우로서 대기오염물질발생량 또는 폐수배출량이 「대기환경 보전법 시행령」 별표 1 및 「수질 및 수생태계 보전에 관한 법률 시행령」 별표 13에 따른 사업장 종류별 대기오염물질발생량 또는 배출규모의 범위에서 증가하는 경우는 기존 용도로 사용하는 것으로 본다.

(6) 위 (5)의 전단에도 불구하고 기존의 건축물이 공장이나 제조업소인 경우에는 도시·군계획조례로 정하는 바에 따라 대기오염물질발생량 또는 폐수배출량이 증가하지 아니하는 경우에 한하여 기존 용도 범위에서의 업종변경을 할 수 있다.

(7) 기존의 건축물이 위 (1)의 부적합 사유로 건축제한·건폐율 또는 용적률 규정에 적합하지 아니하게 된 경우에도 해당 건축물이 있는 용도지역·용도지구·용도구역에서 허용되는 용도(건폐율·용적률·높이·면적의 제한을 제외한 용도를 말한다)로 변경할 수 있다.

(8) 기존 공장에 대한 특례 $\left(\substack{영\\제93조의2}\right)$

위 (2) 및 (3)에도 불구하고 녹지지역 또는 관리지역에 있는 기존 공장(해당 용도지역으로 지정될 당시 이미 준공된 것에 한정)이 다음의 어느 하나에 해당하는 경우 다음의 구분에 따라 증축 또는 개축할 수 있다.(※ 2020.12.31.까지 증축 또는 개축 허가를 신청한 경우로 한정))

① 기존 부지 내에서 증축 또는 개축하는 경우: 40%의 범위에서 최초 건축허가 시 그 건축물에 허용된 건폐율

② 부지를 확장하여 추가편입부지에 증축하는 경우로서 다음의 요건을 모두 갖춘 경우: 40%를 초과하지 아니하는 범위에서의 건폐율.(※ 추가편입부지에서 증축하려는 건축물에 대한 건폐율 기준은 추가편입부지에 대해서만 적용)

---

1. 추가편입부지의 규모가 3,000㎡ 이하로서 기존 부지면적의 50% 이내일 것

---

2. 다음에 해당하는 건축제한 및 용적률 규정에 적합할 것
   ㉠「국토계획법시행령」제71조∼제80조, 제82조, 제83조, 제85조∼제89조
   ㉡「수산자원관리법 시행령」제40조①

---

3. 관할 특별시장·광역시장·특별자치시장·특별자치도지사·시장 또는 군수가 해당 지방도시계획위원회의 심의를 거쳐 기반시설의 설치 및 그에 필요한 용지의 확보가 충분하고 주변지역의 환경오염 우려가 없다고 인정할 것

건축관계법

국토계획법

주차장법

주 택 법

도시및주거
환경정비법

건축사법

장애인시설법

소방시설법

서울시조례

관리지역에서 자연녹지지역으로 변경된 지역에서의 용도변경 가능여부

건교부 고객만족센타 – 2008.1.15.

질의 건폐율 40%이던 관리지역에서 건폐율 23%로 건축물이 허가 받아 준공 된 이후 건폐율 20%인 자연녹지지역으로 변경된 경우 용도변경 가능여부(단, 건축물의 증축, 개축, 신축, 재축은 없음)

회신 건축법 시행령 제14조 제6항에 의하면 기존의 건축물 또는 대지가 법령의 제정·개정이나 도시관리계획의 결정·변경 등의 사유로 인하여 법령 등의 규정에 부적합하게 된 경우에는 당해 지방자치단체의 조례로 정하는 바에 의하여 용도변경 하고자 하는 부분이 법령 등의 규정에 적합한 범위 안에서 용도변경을 할 수 있도록 하고 있음.

따라서, 질의와 같이 용도지역의 변경으로 인하여 국토의 계획 및 이용에 관한 법률 제77조 및 제78조에서 정하는 건폐율 및 용적률 기준에 적합하지 아니함에 불구하고 동 법률제76조에서 정하는 용도지역 내 건축제한에 적합한 경우라면 당해 지방자치단체의 건축조례에 따라 용도변경의 가능여부를 판단하여야 할 것임

8 도시지역에서의 다른 법률의 적용배제 (법 제83조)

도시지역에 대하여는 다음 법 규정을 적용하지 않는다.

내 용	근거규정	기 타
1. 접도구역	「도로법」 제40조	–
2. 농지취득자격증명	「농지법」 제8조	**예외** 녹지지역 안의 농지로서 도시·군계획시설사업이 필요하지 않은 농지

관계법 「도로법」 제40조 【접도구역의 지정 및 관리】

① 관리청은 도로 구조의 손궤 방지, 미관 보존 또는 교통에 대한 위험을 방지하기 위하여 도로경계선으로부터 20미터를 초과하지 아니하는 범위에서 대통령령으로 정하는 바에 따라 접도구역(접도구역)으로 지정할 수 있다.

② 관리청은 제1항에 따라 접도구역을 지정하면 지체 없이 이를 고시하고, 국토교통부령으로 정하는 바에 따라 그 접도구역을 관리하여야 한다.

③ 접도구역에서는 다음 각 호의 행위를 하여서는 아니 된다. 다만, 대통령령으로 정하는 행위는 그러하지 아니하다.

  1. 토지의 형질을 변경하는 행위

  2. 건축물이나 그 밖의 공작물을 신축·개축 또는 증축하는 행위

④ "생략"

④ <생략>

관계법 「도로법 시행령」 제39조 【접도구역의 지정 등】

① 도로관리청이 법 제40조제1항에 따라 접도구역(接道區域)을 지정할 때에는 소관 도로의 경계선에서 5미터(고속국도의 경우는 30미터)를 초과하지 아니하는 범위에서 지정하여야 한다. 다만, 다음 각 호의 어느 하나에 해당하는 지역에 대해서는 접도구역을 지정하지 아니할 수 있다.

  1. 「국토의 계획 및 이용에 관한 법률」 제51조제3항에 따른 지구단위계획구역

  2. 그 밖에 접도구역의 지정이 필요하지 아니하다고 인정되는 지역으로서 국토교통부령으로 정하는 지역

② 도로관리청은 제1항에 따라 접도구역을 지정하였을 때에는 지체 없이 다음 각 호의 사항을 고시하여야 한다.

1. 도로의 종류·노선번호 및 노선명
2. 접도구역의 지정구간 및 범위
3. 그 밖에 필요한 사항

③ 법 제40조제3항 각 호 외의 부분 단서에서 "대통령령으로 정하는 행위"란 다음 각 호의 어느 하나에 해당하는 행위를 말한다.

1. 다음 각 목의 어느 하나에 해당하는 건축물의 신축
   가. 연면적 10제곱미터 이하의 화장실
   나. 연면적 30제곱미터 이하의 축사
   다. 연면적 30제곱미터 이하의 농·어업용 창고
   라. 연면적 50제곱미터 이하의 퇴비사
2. 증축되는 부분의 바닥면적의 합계가 30제곱미터 이하인 건축물의 증축
3. 건축물의 개축·재축·이전(접도구역 밖에서 접도구역 안으로 이전하는 경우는 제외한다) 또는 대수선
4. 도로의 이용 증진을 위하여 필요한 주차장의 설치
5. 도로 또는 교통용 통로의 설치
6. ~13. "생략"

관계법 「농지법」 제8조【농지취득자격증명의 발급】

① 농지를 취득하려는 자는 농지 소재지를 관할하는 시장(구를 두지 아니한 시의 시장을 말하며, 도농 복합 형태의 시는 농지 소재지가 동지역인 경우만을 말한다), 구청장(도농 복합 형태의 시의 구에서는 농지 소재지가 동지역인 경우만을 말한다), 읍장 또는 면장(이하 "시·구·읍·면의 장"이라 한다)에게서 농지취득자격증명을 발급받아야 한다. 다만, 다음 각 호의 어느 하나에 해당하면 농지취득자격증명을 발급받지 아니하고 농지를 취득 할 수 있다.

1. 제6조제2항제1호·제4호·제6호·제8호 또는 제10호(같은 호 바목은 제외한다)에 따라 농지를 취득하는 경우
2. 농업법인의 합병으로 농지를 취득하는 경우
3. 공유 농지의 분할이나 그 밖에 대통령령으로 정하는 원인으로 농지를 취득하는 경우

② 제1항에 따른 농지취득자격증명을 발급받으려는 자는 다음 각 호의 사항이 모두 포함된 농업경영 계획서를 작성하여 농지 소재지를 관할하는 시·구·읍·면의 장에게 발급신청을 하여야 한다. 다만, 제6조제2항제2호·제3호·제7호·제9호·제9호의2 또는 제10호 바목에 따라 농지를 취득하는 자는 농업경영계획서를 작성하지 아니하고 발급신청을 할 수 있다.

1. 취득 대상 농지의 면적
2. 취득 대상 농지에서 농업경영을 하는 데에 필요한 노동력 및 농업 기계·장비·시설의 확보 방안
3. 소유 농지의 이용 실태(농지 소유자에게만 해당한다)

③ 시·구·읍·면의 장은 농지 투기가 성행하거나 성행할 우려가 있는 지역의 농지를 취득하려는 자 등 농림축산식품부령으로 정하는 자가 농지취득자격증명 발급을 신청한 경우 제44조에 따른 농지위원회의 심의를 거쳐야 한다. <신설 2021.8.17.>

④ 시·구·읍·면의 장은 제1항에 따른 농지취득자격증명의 발급 신청을 받은 때에는 그 신청을 받은 날부터 7일(제2항 단서에 따라 농업경영계획서를 작성하지 아니하고 농지취득자격증명의 발급 신청을 할 수 있는 경우에는 4일, 제3항에 따른 농지위원회의 심의 대상의 경우에는 14일) 이내에 신청인에게 농지취득자격증명을 발급하여야 한다. <신설 2021.8.17.>

⑤ 제1항 본문과 제2항에 따른 신청 및 발급 절차 등에 필요한 사항은 대통령령으로 정한다.

⑥ 제1항 본문과 제2항에 따라 농지취득자격증명을 발급받아 농지를 취득하는 자가 그 소유권에 관한 등기를 신청할 때에는 농지취득자격증명을 첨부하여야 한다.

⑦ 농지취득자격증명의 발급에 관한 민원의 처리에 관하여 이 조에서 규정한 사항을 제외하고 「민원 처리에 관한 법률」이 정하는 바에 따른다. <신설 2021.8.17.>

건축관계법

국토계획법

주차장법

주 택 법

도시및주거
환경정비법

건 축 사 법

장애인시설법

소방시설법

서울시조례

9 입지규제최소구역에서의 다른 법률의 적용 특례 (법 제83조의2)

(1) 입지규제최소구역에 대하여는 다음 각각의 법률 규정을 적용하지 아니할 수 있다.

1. 「주택법」에 따른 주택의 배치, 부대시설·복리시설의 설치기준 및 대지조성기준

2. 「주차장법」에 따른 부설주차장의 설치

3. 「문화예술진흥법」에 따른 건축물에 대한 미술작품의 설치

4. 「건축법」에 따른 공개 공지 등의 확보

(2) 입지규제최소구역계획에 대한 도시계획위원회 심의 시 「학교보건법」에 따른 학교환경위생정화위원회 또는 「문화재보호법」에 따른 문화재위원회와 공동으로 심의를 개최하고, 그 결과에 따라 다음 각각의 법률 규정을 완화하여 적용할 수 있다. 이 경우 다음 각각의 완화 여부는 각각 학교환경위생정화위원회와 문화재위원회의 의결에 따른다.

1. 「학교보건법」에 따른 학교환경위생 정화구역에서의 행위제한

2. 「문화재보호법」에 따른 역사문화환경 보존지역에서의 행위제한 <시행 2024.5.17>
　(→「문화재유산의 보존 및 활용에 관한 법률」 또는 「자연유산의 보존 및 활용에 관한 법률」)

(3) 입지규제최소구역으로 지정된 지역은 「건축법」에 따른 특별건축구역으로 지정된 것으로 본다.

(4) 시·도지사 또는 시장·군수·구청장은 입지규제최소구역에서 건축하는 건축물을 「건축법」에 따라 건축기준 등의 특례사항을 적용하여 건축할 수 있는 건축물에 포함시킬 수 있다.

관계법 「건축법」 제69조 【특별건축구역의 지정】

① 국토교통부장관 또는 시·도지사는 다음 각 호의 구분에 따라 도시나 지역의 일부가 특별건축구역으로 특례 적용이 필요하다고 인정하는 경우에는 특별건축구역을 지정할 수 있다.
　1. 국토교통부장관이 지정하는 경우
　　가. 국가가 국제행사 등을 개최하는 도시 또는 지역의 사업구역
　　나. 관계법령에 따른 국가정책사업으로서 대통령령으로 정하는 사업구역
　2. 시·도지사가 지정하는 경우
　　가. 지방자치단체가 국제행사 등을 개최하는 도시 또는 지역의 사업구역
　　나. 관계법령에 따른 도시개발·도시재정비 및 건축문화 진흥사업으로서 건축물 또는 공간환경을 조성하기 위하여 대통령령으로 정하는 사업구역
　　다. 그 밖에 대통령령으로 정하는 도시 또는 지역의 사업구역

② 다음 각 호의 어느 하나에 해당하는 지역·구역 등에 대하여는 제1항에도 불구하고 특별건축구역으로 지정할 수 없다.
　1. 「개발제한구역의 지정 및 관리에 관한 특별조치법」에 따른 개발제한구역
　2. 「자연공원법」에 따른 자연공원
　3. 「도로법」에 따른 접도구역
　4. 「산지관리법」에 따른 보전산지
　5. 삭제 <2016.2.3.>

③ 국토교통부장관 또는 시·도지사는 특별건축구역으로 지정하고자 하는 지역이 「군사기지 및 군사시설 보호법」에 따른 군사기지 및 군사시설 보호구역에 해당하는 경우에는 국방부장관과 사전에 협의하여야 한다. <신설 2016.2.3.>

관계법 「건축법」 제73조【관계 법령의 적용 특례】
① 특별건축구역에 건축하는 건축물에 대하여는 다음 각 호를 적용하지 아니할 수 있다.
  1. 제42조, 제55조, 제56조, 제58조, 제60조 및 제61조
  2.「주택법」 제21조 중 대통령령으로 정하는 규정
② 특별건축구역에 건축하는 건축물이 제49조, 제50조, 제50조의2, 제51조부터 제53조까지, 제62조 및 제64조와 「녹색건축물 조성 지원법」 제15조에 해당할 때에는 해당 규정에서 요구하는 기준 또는 성능 등을 다른 방법으로 대신할 수 있는 것으로 지방건축위원회가 인정하는 경우에만 해당 규정의 전부 또는 일부를 완화하여 적용할 수 있다.
③ 「소방시설 설치·유지 및 안전관리에 관한 법률」 제9조와 제11조에서 요구하는 기준 또는 성능 등을 대통령령으로 정하는 절차·심의방법 등에 따라 다른 방법으로 대신할 수 있는 경우 전부 또는 일부를 완화하여 적용할 수 있다.

※ 「건축법」 규정 : 제42조(대지의 조경), 제55조(건축물의 건폐율), 제56조(건축물의 용적률), 제58조(대지 안의 공지), 제60조(건축물의 높이 제한), 제61조(일조 등의 확보를 위한 건축물의 높이 제한)
※ 「주택법」 규정: 제21조(대지의 소유권 확보 등)

10 둘 이상의 용도지역·용도지구·용도구역에 걸치는 토지에 대한 적용기준(법 제84조)

구 분	적용기준	예 외
① 하나의 대지가 둘 이상의 용도지역·용도지구 또는 용도구역(이하 용도지역등)에 걸치는 경우로서 각 용도지역등에 걸치는 부분 중 가장 작은 부분의 규모가 330㎡(※ 도로변에 띠 모양으로 지정된 상업지역에 걸치는 경우 660㎡) 이하인 경우에는 전체 대지의 건폐율 및 용적률은 각 부분이 전체 대지면적에서 차지하는 비율을 고려하여 우측란의 적용기준에 따라 각 용도지역등별 건폐율 및 용적률을 가중평균한 값을 적용하고, 그 밖의 건축 제한 등에 관한 사항은 그 대지 중 가장 넓은 면적이 속하는 용도지역등에 관한 규정을 적용	㉠ 가중평균한 건폐율 = (f1x1 + f2x2 + ⋯ + fnxn) / 전체 대지면적 ㉡ 가중평균한 용적률 = (f1x1 + f2x2 + ⋯ + fnxn) / 전체 대지면적 • f1부터 fn까지 : 각 용도지역등에 속하는 토지 부분의 면적 • x1부터 xn까지 : 해당 토지 부분이 속하는 각 용도지역등의 ㉠ 건폐율(㉡ 용적률) • n : 용도지역등에 걸치는 각 토지 부분의 총 개수	건축물이 고도지구에 걸쳐 있는 경우 그 건축물 및 대지의 전부에 대하여 고도지구 안의 건축물 및 대지에 관한 규정 적용
② 하나의 건축물이 방화지구와 그 밖의 용도지역등에 걸쳐 있는 경우	건축물 전부에 대하여 방화지구안의 건축물에 관한 규정을 적용	건축물이 있는 방화지구와 그 밖의 용도지역등의 경계가 방화벽으로 구획된 경우 그 밖의 용도지역등에 있는 부분은 적용 제외
③ 하나의 대지가 녹지지역과 그밖의 용도지역등에 걸치는 경우(규모가 가장 작은 부분이 녹지지역으로서 해당 녹지지역이 330㎡ 이하*인 경우 제외) *도로변에 띠 모양으로 지정된 상업지역에 걸치는 경우 660㎡ 이하	각각의 용도지역등의 건축물 및 토지에 관한 규정을 적용	녹지지역의 건축물이 고도지구 또는 방화지구에 걸쳐 있는 경우 ①의 예외규정이나 ②의 규정에 따름

건축관계법

국토계획법

주차장법

주 택 법

도시및주거
환경정비법

건축사법

장애인시설법

소방시설법

서울시조례

6장 제3편 국토의 계획 및 이용에 관한 법률

건축관계법

국토계획법

주차장법

주 택 법

도시및주거
환경정비법

건축사법

장애인시설법

소방시설법

서울시조례

【참고1】 용도지역·지구제의 장점 및 단점

(1) 장점
　① 서로 어울리지 않는 토지이용을 규제함으로써 토지에 대한 최유효이용이 가능할 수 있도록 한다.
　② 계획적이고 단계적인 토지이용이 될 수 있도록 한다.
　③ 부의 외부효과(Negative External Effect)를 제거하거나 감소시킴으로써 사회의 경제적 자원을 보다 효율적으로 배분하는 효과가 있다.

(2) 단점
　① 토지 상호간의 보완적 기능을 고려한 적절한 용도구분이 용이하지 않다.
　② 토지를 각각 다른 건폐율, 용적률로 용도지정 하므로 토지 상호간에 형평성을 유지하기 어렵다.
　③ 지역지구제가 잘 못 지정되거나 사회적·경제적 여건 등에 신축성 있게 대응하지 못하는 경우 바람직한 토지이용이 되기 어렵다.
　④ 획일적인 규제로 인하여 지역적 특성이 잘 반영되지 않을 수 있다.

　※ 최유효이용(highest and best use)
　최유효이용이란 객관적으로 보아서 양식과 통상의 사용능력을 가진 사람의 합리적이고 합법적인 최고·최선의 사용방법을 말하며 수익성이 최대로 발휘되는 사용방법을 말한다.

　※ 외부효과(External Effect)
　외부효과에는 주변에 바람직한 용도의 건축물이나 시설물 등이 들어서는 정(+)의 외부효과와 바람직하지 않거나 혐오스러운 시설물 등이 들어서는 부(-)의 외부효과로 구분할 수 있으며 이는 토지의 특성 중 부동성(不動性) 및 인접성(隣接性)과 밀접한 관련이 있다.

　■ PIMFY(Please In My Front Yard)
　　연고가 있는 자기 지역에 수익성이 있는 사업을 유치하고자 하는 지역이기주의로 정의 외부효과(Positive External Effect)를 유발하려는 사회적 현상이다.

　■ NIMBY(Not In My Back Yard)
　　공익을 위해서는 필요하지만 자신이 속한 지역에는 이롭지 아니한 일을 반대하는 이기적인 행동으로 부의 외부효과(Negative External Effect)를 제거하려는 사회적 현상이다.

【참고2】 용도지역, 용도지구 및 용도구역의 상호관계

구 분	용도지역	용도지구	용도구역
지정 목적	토지를 경제적·효율적으로 이용하고 공공복리를 도모하기 위하여 지정하는 지역	용도지역의 기능을 증진시키고 경관·안전 등을 도모하기 위하여 지정하는 지역	시가지의 무질서한 확산방지, 계획적이고 단계적인 토지이용의 도모, 토지 이용의 종합적인 조정·관리 등을 위하여 지정하는 지역
공통 사항	도시·군관리계획으로 결정하여 지정		
지정 원칙	모든 토지에 대하여 지정하되, 중복지정은 불가함	필요한 토지에 지정하며, 하나의 토지에 중복지정 가능	필요한 토지에 지정하며, 법령에 명문 규정은 없으나 중복지정도 가능
지정 범위	전국의 모든 토지를 대상으로 함	용도지역 내 일부 토지를 대상으로 함	용도지역, 용도지구와 별도의 규모로 지정 가능

건축관계법

국토계획법

주차장법

주 택 법

도시및주거
환경정비법

건축사법

장애인시설법

소방시설법

서울시조례

도시·군계획시설사업의 시행

1 단계별 집행계획의 수립(법 제85조)

1 수립

특별시장·광역시장·특별자치시장·특별자치도지사·시장 또는 군수는 도시·군계획시설에 대하여 재원조달계획·보상계획 등을 포함하는 단계별집행계획을 수립하여야 한다.

■ 단계별 집행계획

수립권자	내 용
1. 특별시장, 광역시장·특별자치시장, 특별자치도지사, 시장, 군수	일반 도시·군관리계획의 경우
2. 국토교통부장관, 도지사	국토교통부장관 또는 도지사가 직접 도시·군관리계획을 입안한 경우

> 비고 1. 국토교통부장관, 도지사는 단계별 집행계획을 수립한 경우에는 해당 계획을 해당 특별시장·광역시장·특별자치시장·특별자치도지사·시장·군수에게 송부할 수 있다.
>   2. 특별시장·광역시장·특별자치시장·특별자치도지사·시장·군수는 단계별집행계획을 수립하고자 하는 때에는 미리 관계행정기관의 장과 협의하여야 하며, 해당 지방의회의 의견을 들어야 한다.

2 수립시기

① 도시·군계획시설 결정의 고시일로부터 3개월 이내에 수립하여야 한다.
② 다음의 법률에 따라 도시·군관리계획의 결정이 의제되는 경우 해당 도시·군계획시설결정의 고시일부터 2년 이내에 단계별 집행계획을 수립할 수 있다.

1. 「도시 및 주거환경정비법」
2. 「도시재정비 촉진을 위한 특별법」
3. 「도시재생 활성화 및 지원에 관한 특별법」

건축관계법

국토계획법

주차장법

주택법

도시및주거
환경정비법

건축사법

장애인시설법

소방시설법

서울시조례

③ 단계별 집행계획의 구분

구 분	도시·군계획시설사업
제1단계 집행계획	3년 이내에 시행하는 도시·군계획시설사업
제2단계 집행계획	3년 후에 시행하는 도시·군계획시설사업

※ 특별시장·광역시장·특별자치시장·특별자치도지사·시장 또는 군수는 매년 제2단계집행계획을 검토하여 3년 이내에 도시·군계획시설사업을 시행할 도시·군계획시설은 이를 제1단계 집행계획에 포함시킬 수 있다.

④ 공고

특별시장·광역시장·특별자치시장·특별자치도지사·시장 또는 군수는 단계별 집행계획을 수립하거나 송부 받은 경우에는 다음에 따라 지체 없이 그 사실을 공고하여야 한다.

① 해당 지방자치단체의 공보와 인터넷 홈페이지에 게재하는 방법으로 하여야 한다.
② 필요한 경우 전국 또는 해당 지방자치단체를 주된 보급지역으로 하는 일간신문에 게재하는 방법이나 방송 등의 방법을 병행할 수 있다.

⑤ 변경

공고된 단계별집행계획을 변경하는 경우에 위 ①~④의 규정을 준용한다.

예외 경미한 사항의 변경(도시·군관리계획의 변경에 따라 단계별집행계획을 변경하는 경우)은 그러하지 아니하다.

2 도시·군계획시설사업의 시행자 (법 제86조)(영 제96조)

특별시장·광역시장·특별자치시장·특별자치도지사·시장 또는 군수는 특별한 규정이 있는 경우를 제외하고는 관할구역의 도시·군계획시설사업을 시행하여야 하며 그 내용은 다음과 같다.

① 도시·군계획시설사업의 시행자

(1) 도시·군계획시설사업의 시행자는 다음의 구분에 따른다.

구 분		시 행 자
1. 이 법 또는 다른 법률에 특별한 규정이 없는 경우		관할 특별시장·광역시장·특별자치시장·특별자치도지사·시장·군수가 시행
2. 둘 이상의 특별시·광역시·특별자치시·특별자치도·시 또는 군의 관할 구역에 걸쳐 시행하게 될 경우		관계 특별시장·광역시장·특별자치시장·특별자치도지사·시장·군수가 협의하여 지정
3. 2.의 협의가 성립되지 않은 경우	둘 이상의 시·도의 관할구역에 걸칠 때	국토교통부장관이 시행자를 지정
	대상구역이 같은 도의 관할구역에 속할 때	도지사가 시행자를 지정
4. 국가계획과 관련되거나 국토교통부장관이 특히 필요하다고 인정한 경우		관계 특별시장·광역시장·특별자치시장·특별자치도지사·시장·군수의 의견을 들어 국토교통부장관이 직접 시행
5. 광역도시계획과 관련되거나 필요하다고 인정되는 경우		관계 시장·군수의 의견을 들어 도지사가 직접 시행
6. 위의 1~5 이외의 자		국토교통부장관, 시·도지사, 시장 또는 군수로부터 시행자로 지정을 받아 시행

(2) 도시 · 군계획시설사업의 시행자에 대한 세부사항

　① 위 (1)-2., 3., 6.의 경우 국토교통부장관, 시·도지사, 시장 또는 군수는 그 지정내용을 고시하여야 한다.

　② 위 (1)-6.에 따라 도시 · 군계획시설사업의 시행자로 지정받고자 하는 자는 다음 사항을 기재한 신청서를 국토교통부장관, 시·도지사 또는 시장·군수에게 제출하여야 한다.

---

1. 사업의 종류 및 명칭

2. 사업시행자의 성명 및 주소(법인인 경우에는 법인의 명칭 및 소재지와 대표자의 성명 및 주소)

3. 토지 또는 건물의 소재지·지번·지목 및 면적, 소유권과 소유권외의 권리의 명세 및 그 소유자·권리자의 성명·주소

4. 사업의 착수예정일 및 준공예정일

5. 자금조달계획

---

　③ 다음에 해당하지 아니하는 자가 도시 · 군계획시설사업의 시행자로 지정을 받으려면 도시 · 군계획시설사업의 대상인 토지(국·공유지를 제외) 면적의 2/3 이상에 해당하는 토지를 소유하고, 토지소유자 총수의 1/2 이상에 해당하는 동의를 얻어야 한다.

　㉠ 국가 또는 지방자치단체

　㉡ 그 밖에 다음에 해당하는 공공기관

---

1. 「한국농수산식품유통공사법」에 따른 한국농수산식품유통공사

2. 「대한석탄공사법」에 따른 대한석탄공사

3. 「한국토지주택공사법」에 따른 한국토지주택공사

4. 「한국관광공사법」에 따른 한국관광공사

5. 「한국농어촌공사 및 농지관리기금법」에 따른 한국농어촌공사

6. 「한국도로공사법」에 따른 한국도로공사

7. 「한국석유공사법」에 따른 한국석유공사

8. 「한국수자원공사법」에 따른 한국수자원공사

9. 「한국전력공사법」에 따른 한국전력공사

10. 「한국철도공사법」에 따른 한국철도공사

　㉢ 「지방공기업법」에 따른 지방공사 및 지방공단

　㉣ 다른 법률에 의하여 도시 · 군계획시설사업이 포함된 사업의 시행자로 지정된 자

　㉤ 공공시설을 관리할 관리청에 무상으로 귀속되는 공공시설을 설치하고자 하는 자

　㉥ 「국유재산법」 또는 「공유재산 및 물품관리법」에 따라 기부를 조건으로 시설물을 설치하고자 하는 자

　④ 해당 도시 · 군계획시설사업이 다른 법령에 의하여 면허·허가·인가 등을 받아야 하는 사업인 경우에는 그 사업시행에 관한 면허·허가·인가 등의 사실을 증명하는 서류의 사본을 위 (2)-②의 신청서에 첨부하여야 한다.

　⑤ ④의 경우 다른 법령에서 도시 · 군계획시설사업의 시행자지정을 면허·허가·인가 등의 조건으로 하는 경우에는 관계 행정기관의 장의 의견서로 갈음할 수 있다.

건축관계법

국토계획법

주차장법

주 택 법

도시및주거
환경정비법

건축사법

장애인시설법

소방시설법

서울시조례

건축관계법

국토계획법

주차장법

주택법

도시및주거
환경정비법

건축사법

장애인시설법

소방시설법

서울시조례

2 **도시·군계획시설사업의 분할시행**$\left(\frac{법}{제87조}\right)$

도시·군계획시설사업의 시행자는 도시·군계획시설사업의 효율적인 추진을 위하여 필요하다고 인정되면 사업시행대상지역 또는 대상시설을 둘 이상으로 분할하여 도시·군계획시설사업을 시행할 수 있다.

3 **실시계획의 작성 및 인가 등**$\left(\frac{법}{제88조}\right)\left(\frac{영}{제97조}\right)$

【1】 작성 및 인가 등

(1) 도시·군계획시설사업의 시행자(국토교통부장관, 시·도지사와 대도시 시장을 제외)는 해당 도시·군계획시설사업에 관한 실시계획을 작성하여 국토교통부장관, 시·도지사 또는 대도시 시장의 인가를 받아야 한다.

(2) 도시·군계획시설사업의 시행자로 지정을 받은 자는 실시계획을 작성하고자 하는 때 미리 해당 특별시장·광역시장·특별자치시장·특별자치도지사·시장 또는 군수의 의견을 들어야 한다.

(3) 국토교통부장관, 시·도지사 또는 대도시 시장은 실시계획이 「도시·군계획시설의 결정·구조 및 설치의 기준」 등에 적합한 때에는 실시계획을 인가하여야 한다. 이 경우 국토교통부장관, 시·도지사 또는 대도시 시장은 기반시설의 설치 또는 그에 필요한 용지의 확보·위해방지·환경오염방지·경관·조경 등의 조치를 조건으로 실시계획을 인가할 수 있다.

(4) 도시·군계획시설사업의 시행자가 실시계획의 인가를 받고자 하는 경우의 인가권자

시행자	인가권자
1. 국토교통부장관이 지정한 시행자	국토교통부장관
2. 그 밖의 시행자	시·도지사

(5) 실시계획의 포함 사항

1. 사업의 종류 및 명칭
2. 사업의 면적 또는 규모
3. 사업시행자의 성명 및 주소(법인인 경우 법인의 명칭 및 소재지와 대표자의 성명 및 주소)
4. 사업의 착수예정일 및 준공예정일

(6) 도시·군계획시설사업 실시계획의 인가를 받으려는 도시·군계획시설사업의 시행자는 특별한 사유가 없는 한 시행자 지정시에 정한 기일까지 도시·군계획시설사업실시계획인가신청서(별지 제9호서식)에 다음 서류를 첨부하여 국토교통부장관, 시·도지사 또는 대도시* 시장에게 제출하여야 한다.(*서울특별시와 광역시를 제외한 인구 50만 이상의 대도시)

① 첨부 서류

1. 사업시행지의 위치도 및 계획평면도
2. 공사설계도서(건축협의를 하여야 하는 사업인 경우 개략설계도서/「건축법」 제29조)
3. 수용 또는 사용할 토지 또는 건물의 소재지·지번·지목 및 면적, 소유권과 소유권외의 권리의 명세 및 그 소유자·관리자의 성명·주소를 기재한 서류

건축관계법

국토계획법

주차장법

주 택 법

도시및주거
환경정비법

건축사법

장애인시설법

소방시설법

서울시조례

4. 도시·군계획시설사업의 시행으로 새로이 설치하는 공공시설 또는 기존의 공공시설의 조서 및 도면(행정청이 시행하는 경우에 한함)

5. 도시·군계획시설사업의 시행으로 용도폐지되는 국가 또는 지방자치단체의 재산에 대한 2 이상의 감정평가법인등의 감정평가서(행정청이 아닌 자가 시행하는 경우에 한함)

6. 도시·군계획시설사업으로 새로 설치하는 공공시설의 조서 및 도면과 그 설치비용·계산서(새로운 공공시설의 설치에 필요한 토지와 기존의 공공시설이 설치되어 있는 토지가 동일한 토지인 경우 그 토지가격을 뺀 설치비용만 계산). ※ 행정청이 아닌 자가 시행하는 경우에 한함

7. 관계 행정기관의 장과의 협의에 필요한 서류(법 제92조제3항)

8. 특별시장·광역시장·특별자치시장·특별자치도지사·시장 또는 군수의 의견청취 결과(영 제97조제4항)

② 서류를 제출받은 국토교통부장관 또는 시·도지사 또는 대도시 시장은 「전자정부법」에 따른 행정정보의 공동이용을 통하여 수용 또는 사용할 토지 또는 건물의 토지대장·토지등기사항증명서 및 건물 등기사항증명서를 확인하여야 한다.

(7) 인가 받은 실시계획의 변경 또는 폐지
① 위 (1)의 규정을 준용한다.
② 경미한 사항의 변경(【2】)의 경우 (1) 규정을 준용하지 않는다.

(8) 실시계획이 작성(도시·군계획시설사업의 시행자가 국토교통부장관, 시·도지사 또는 대도시 시장인 경우를 말함) 또는 인가된 때에는 그 실시계획에 반영된 경미한 사항(법 제30조제5항 단서)의 범위에서 도시·군관리계획이 변경된 것으로 본다. 이 경우 도시·군관리계획의 변경사항 및 이를 반영한 지형도면을 고시하여야 한다.

【2】 경미한 사항의 변경

준공검사를 받은 후에 해당 도시·군계획시설사업에 대하여 경미한 사항을 변경하기 위하여 실시계획을 작성하는 경우 국토교통부장관, 시·도지사 또는 대도시 시장의 인가를 받지 않는다.

■ 인가를 받지 않는 경미한 변경
1. 사업명칭을 변경하는 경우
2. 구역경계의 변경이 없는 범위에서 행하는 건축물의 연면적* 10% 미만의 변경과 「학교시설사업촉진법」에 따른 학교시설의 변경인 경우 * 구역경계 안에 「건축법 시행령」 별표 1에 따른 용도를 기준으로 그 용도가 동일한 건축물이 <u>2개 이상 있는 경우 각 건축물의 연면적을 모두 합산한 면적</u>
3. 다음의 공작물을 설치하는 경우 ① 도시지역 또는 지구단위계획구역에 설치되는 공작물로서 무게는 50톤, 부피는 50㎥, 수평투영면적은 50㎡를 각각 넘지 않는 공작물 ② 도시지역·자연환경보전지역 및 지구단위계획구역 외의 지역에 설치되는 공작물로서 무게는 150톤, 부피는 150㎥, 수평투영면적은 150㎡를 각각 넘지 않는 공작물
4. 기존 시설의 일부 또는 전부에 대한 용도변경을 수반하지 않는 대수선·재축 및 개축인 경우
5. 도로의 포장 등 기존 도로의 면적·위치 및 규모의 변경을 수반하지 않는 도로의 개량인 경우
6. <u>구역경계의 변경이 없는 범위에서 측량결과에 따라 면적을 변경하는 경우</u>

7장 제3편 국토의 계획 및 이용에 관한 법률

건축관계법

국토계획법

주차장법

주 택 법

도시및주거
환경정비법

건축사법

장애인시설법

소방시설법

서울시조례

【3】실시계획의 효력

(1) 도시·군계획시설결정의 고시일부터 10년 이후에 실시계획을 작성하거나 인가(다른 법률에 따라 의제된 경우 제외) 받은 도시·군계획시설사업의 시행자(이하 "장기미집행 도시·군계획시설사업의 시행자")가 아래 ⑥조에 따른 실시계획 고시일부터 5년 이내에 「공익사업을 위한 토지 등의 취득 및 보상에 관한 법률」에 따른 재결신청을 하지 않은 경우 실시계획 고시일부터 5년이 지난 다음 날에 그 실시계획은 효력을 잃는다.

※ 장기미집행 도시·군계획시설사업의 시행자가 재결신청을 하지 않고 실시계획 고시일부터 5년이 지나기 전에 해당 도시·군계획시설사업에 필요한 토지 면적의 2/3 이상을 소유하거나 사용할 수 있는 권원을 확보하고 실시계획 고시일부터 7년 이내에 재결신청을 하지 않은 경우 실시계획 고시일부터 7년이 지난 다음 날에 그 실시계획은 효력을 잃는다.

(2) 위 (1)에도 불구하고 장기미집행 도시·군계획시설사업의 시행자가 재결신청 없이 도시·군계획시설사업에 필요한 모든 토지·건축물 또는 그 토지에 정착된 물건을 소유하거나 사용할 수 있는 권원을 확보한 경우 그 실시계획은 효력을 유지한다.

(3) 실시계획이 폐지되거나 효력을 잃은 경우 해당 도시·군계획시설결정은 법 제48조제1항*에도 불구하고 다음에서 정한 날 효력을 잃는다. (*도시·군계획시설결정이 고시된 도시·군계획시설에 대하여 그 고시일부터 20년이 지날 때까지 그 시설의 설치에 관한 도시·군계획시설사업이 시행되지 않는 경우 그 도시·군계획시설결정은 그 고시일부터 20년이 되는 날의 다음 날에 그 효력을 잃음)

실효 사유	실효일
1. 도시·군계획시설결정의 고시일부터 20년이 되기 전에 실시계획이 폐지되거나 효력을 잃고 다른 도시·군계획시설사업이 시행되지 아니하는 경우	도시·군계획시설결정의 고시일부터 20년이 되는 날의 다음 날
2. 도시·군계획시설결정의 고시일부터 20년이 되는 날의 다음 날 이후 실시계획이 폐지되거나 효력을 잃은 경우	실시계획이 폐지되거나 효력을 잃은 날

(4) 효력을 잃는 경우 시·도지사 또는 대도시 시장은 해당 시·도 또는 대도시의 공보와 인터넷 홈페이지에 실효일자 및 실효사유와 실효된 도시·군계획의 내용을 게재하는 방법으로 도시·군계획시설결정의 실효고시를 해야 한다.

【참고】실시계획의 수립절차 (시행자 지정을 받은 경우)

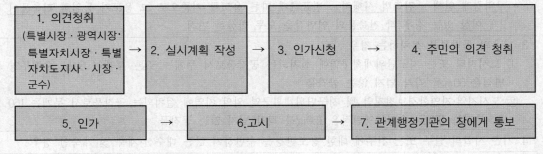

건축관계법

국토계획법

주차장법

주 택 법

도시및주거
환경정비법

건축사법

장애인시설법

소방시설법

서울시조례

4 **도시·군계획시설의 이행담보**(법
제89조)

(1) 특별시장·광역시장·특별자치시장·특별자치도지사·시장 또는 군수는 기반시설의 설치 또는 그에 필요한 용지의 확보·위해방지·환경오염방지·경관·조경 등을 위하여 필요하다고 인정되는 경우로서 다음에 해당하는 경우 그 이행을 담보하기 위하여 도시·군계획시설사업의 시행자로 하여금 이행보증금을 예치하게 할 수 있다.

---

1. 도시·군계획시설사업으로 인하여 도로·수도공급설비·하수도 등 기반시설의 설치가 필요한 경우

---

2. 도시·군계획시설사업으로 인하여 다음의 어느 하나에 해당하는 경우
① 토지의 굴착으로 인하여 인근의 토지가 붕괴될 우려가 있거나 인근의 건축물 또는 공작물이 손괴될 우려가 있는 경우
② 토석의 발파로 인한 낙석·먼지 등에 의하여 인근지역에 피해가 발생할 우려가 있는 경우
③ 토석을 운반하는 차량의 통행으로 인하여 통행로 주변의 환경이 오염될 우려가 있는 경우
④ 토지의 형질변경이나 토석의 채취가 완료된 후 비탈면에 조경을 할 필요가 있는 경우

예외 이행보증금을 예치하지 않는 시행자

---

1. 국가 또는 지방자치단체

---

2. 공공기관(공기업/시장형 공기업, 준시장형 공기업, 위탁집행형 준정부기관)*
   * 「공공기관의 운영에 관한 법률」제5조제4항제1호 또는 제2호나목

---

3. 「지방공기업법」에 따른 지방공사 및 지방공단

※ 이행담보를 위한 예치금액의 산정 및 예치방법은 개발행위허가의 이행담보 등(영 제59조 제2항~제4항)의 규정을 준용한다.

(2) 특별시장·광역시장·특별자치시장·특별자치도지사·시장 또는 군수는 실시계획의 인가를 받지 아니하고 도시·군계획시설사업을 하거나 그 인가내용과 다르게 도시·군계획시설사업을 하는 자에 대하여 그 토지의 원상회복을 명할 수 있다.

(3) 특별시장·광역시장·특별자치시장·특별자치도지사·시장 또는 군수는 원상회복의 명령을 받은 자가 원상회복을 하지 아니하는 때에는 「행정대집행법」에 따른 행정대집행에 따라 원상회복을 할 수 있다. 이 경우 행정대집행에 필요한 비용은 도시·군계획시설사업의 시행자가 예치한 이행보증금으로 충당할 수 있다.

건축관계법

국토계획법

주차장법

주 택 법

도시및주거
환경정비법

건축사법

장애인시설법

소방시설법

서울시조례

5 서류의 열람 $\left(\begin{smallmatrix}법\\제90조\end{smallmatrix}\right)\left(\begin{smallmatrix}영\\제99조\end{smallmatrix}\right)$

(1) 국토교통부장관, 시·도지사 또는 대도시 시장은 실시계획을 인가하고자 하는 때에는 미리 다음과 같이 공고하고, 관계 서류의 사본을 14일 이상 일반이 열람할 수 있도록 하여야 한다.

① 공고 방법

1. 국토교통부장관이 공고하는 경우 : 관보 또는 전국 일간지
2. 시·도지사 또는 대도시 시장이 하는 경우: 해당 시·도 또는 대도시의 공보 또는 해당지역의 일간지와 인터넷 홈페이지

② 공고 사항

1. 인가신청의 요지
2. 열람의 일시 및 장소

예외 다음의 경미한 사항의 변경인 경우 공고 및 열람을 하지 않을 수 있다.

1. 사업시행지의 변경이 수반되지 아니하는 범위안에서의 사업내용변경
2. 사업의 착수예정일 및 준공예정일의 변경. 예외 사업시행에 필요한 토지 등(공공시설은 제외)의 취득이 완료되기 전에 준공예정일을 연장하는 경우는 제외
3. 사업시행자의 주소(사업시행자가 법인인 경우 법인의 소재지와 대표자의 성명 및 주소)의 변경

(2) 도시·군계획시설사업의 시행지구안의 토지·건축물 등의 소유자 및 이해관계인은 열람기간 이내에 국토교통부장관, 시·도지사, 대도시 시장 또는 도시·군계획시설사업의 시행자에게 의견서를 제출할 수 있다.

(3) 국토교통부장관, 시·도지사, 대도시 시장 또는 도시·군계획시설사업의 시행자는 제출된 의견이 타당하다고 인정되는 때에는 이를 실시계획에 반영하여야 한다.

(4) 공고에 소요되는 비용은 도시·군계획시설사업의 시행자가 부담한다.

6 실시계획의 고시 $\left(\begin{smallmatrix}법\\제91조\end{smallmatrix}\right)\left(\begin{smallmatrix}영\\제100조\end{smallmatrix}\right)$

(1) 국토교통부장관, 시·도지사, 대도시 시장은 실시계획을 작성(변경작성 포함)하거나 인가(변경인가 포함), 폐지하거나 실시계획이 효력을 잃은 경우 그 내용을 고시하고, 관계 행정기간의 장에게 통보하여야 한다.

(2) 실시계획의 고시는 국토교통부장관이 하는 경우 관보와 인터넷 홈페이지에, 시·도지사, 또는 대도시 시장이 하는 경우에는 해당 시·도의 공보와 인터넷 홈페이지에 게재한다.

(3) 실시계획의 고시에 게재할 사항

1. 사업시행지의 위치
2. 사업의 종류 및 명칭
3. 면적 또는 규모
4. 시행자의 성명 및 주소(법인인 경우에는 법인의 명칭 및 주소와 대표자의 성명 및 주소)
5. 사업의 착수예정일 및 준공예정일
6. 수용 또는 사용할 토지 또는 건물의 소재지·지번·지목 및 면적, 소유권과 소유권외의 권리의 명세 및 그 소유자·권리자의 성명·주소
7. 공공시설 등의 귀속 및 양도에 관한 사항

7 실시계획 인가에 따른 타법의 의제 (법 제92조)

【1】 실시계획 인가에 따른 타법의 의제

실시계획의 작성 또는 인가를 함에 있어서 국토교통부장관, 시·도지사 또는 대도시 시장이 해당 실시계획에 대한 다음의 인·허가 등에 관하여 관계행정기관의 장과 협의한 사항에 대하여는 해당 인·허가 등을 받은 것으로 보며, 실시계획의 고시가 있은 때에는 관계 법률에 따른 인·허가 등의 고시·공고 등이 있은 것으로 본다.

내　용	관련법	조　항
건축허가	「건축법」	제11조
건축신고		제14조
가설건축물의 허가 또는 신고		제20조
공장설립 등의 승인	「산업집적활성화 및 공장설립에 관한 법률」	제13조
공유수면 매립의 면허	「공유수면 관리 및 매립에 관한 법률」	제9조
실시계획의 인가		제15조
협의 또는 승인		제38조
점용 또는 사용의 허가		제5조
실시계획의 인가 또는 신고		제8조
채굴계획의 인가	「광업법」	제42조
사용·수익의 허가	「국유재산법」	제24조
농업기반시설의 사용허가	「농어촌정비법」	제22조
농지전용의 허가 또는 협의	「농지법」	제34조
농지전용 신고		제35조
농지의 타용도 일시사용의 허가 또는 협의		제36조
도로공사시행의 허가	「도로법」	제34조
도로점용의 허가		제38조
무연분묘의 개장허가	「장사 등에 관한 법률」	제27조제1항
사도개설의 허가	「사도법」	제4조
토지의 형질변경 등의 허가	「사방사업법」	제14조
사방지지정의 해제		제20조
산지전용허가	「산지관리법」	제14조
산지전용신고		제15조
토석채취허가		제25조제1항
토사채취신고		제32조제2항
입목·벌채 등의 허가·신고	「산림자원의 조성 및 관리에 관한 법률」	제36조제1항·제5항
소하천 공사시행의 허가	「소하천정비법」	제10조
소하천의 점용허가		제14조
일반수도사업의 인가	「수도법」	제17조
공업용수도사업의 인가		제49조
전용상수도설치의 인가		제52조
전용공업용수도설치의 인가		제54조
연안정비사업실시계획의 승인	「연안관리법」	제25조

건축관계법
국토계획법
주차장법
주택법
도시및주거환경정비법
건축사법
장애인시설법
소방시설법
서울시조례

건축관계법

국토계획법

주차장법

주 택 법

도시및주거
환경정비법

건축사법

장애인시설법

소방시설법

서울시조례

에너지사용계획의 협의	「에너지이용 합리화법」	제8조
대규모 점포의 개설등록」	「유통산업발전법」	제8조
사용·수익의 허가	「공유재산 및 물품 관리법」	제20조제1항
사업의 착수·변경 또는 완료의 신고	「공간정보의 구축 및 관리 등에 관한 법률」	제86조제1항
집단에너지 공급 타당성에 관한 협의	「집단에너지사업법」	제4조
사업계획의 승인	「체육시설의 설치·이용에 관한 법률」	제12조
초지전용의 허가·신고 또는 협의	「초지법」	제23조
지도 등의 간행 심사	「공간정보의 구축 및 관리 등에 관한 법률」	제15조제4항
공공하수도에 관한 공사시행의 허가	「하수도법」	제16조
공공하수도의 점용허가		제24조
하천공사시행의 허가	「하천법」	제30조
하천점용의 허가		제33조
항만개발사업 시행의 허가	「항만법」	제9조제2항
항만개발사업실시계획의 승인		제10조제2항

【2】 절차의 기준

① 실시계획 인·허가 등의 타법의 의제를 받고자 하는 자는 실시계획인가의 신청을 하는 때에 해당
법률이 정하는 관련서류를 함께 제출하여야 한다.

② 국토교통부장관, 시·도지사 또는 대도시 시장은 실시계획을 작성하거나 이를 인가함에 있어서
타법의 의제에 해당하는 사항이 있는 경우 미리 관계행정기관의 장과 협의하여야 한다.

③ 국토교통부장관은 위 규정에 의해 의제되는 인·허가의 처리기준을 관계중앙행정기관으로부터
제출받아 이를 통합하여 고시하여야 한다.

⑧ 관계서류의 열람 등(법 제93조)

시행자가 도시·군계획시설사업의 시행을 위하여 필요한 때에는 등기소 그 밖에 관계 행정기관의
장에게 무료로 필요한 서류의 열람 또는 등사를 하거나 그 등본 또는 초본의 발급을 청구할 수 있다.

⑨ 서류의 송달(법 제94조)

(1) 시행자가 이해관계인의 주소 또는 거소의 불명, 그 밖의 사유로 인하여 서류의 송달을 할 수 없
는 경우, 「민사소송법」의 공사송달의 예에 의하여 송달에 갈음하여 서류를 공시할 수 있다.

(2) 행정청이 아닌 도시·군계획시설사업의 시행자는 공시송달은 하려는 경우 국토교통부장관, 관
할 시·도지사 또는 대도시 시장의 승인을 받아야 한다.

⑩ 토지 등의 수용 및 사용(법 제95조)

도시·군계획시설사업의 시행자는 도시·군계획시설사업에 필요한 물건 또는 권리를 수용 또는 사
용할 수 있으며 그 내용은 다음과 같다.

【1】토지의 수용·사용대상

수용권자	조 건	수용 및 사용대상
시행자	도시·군계획시설사업에 필요한 경우	1. 토지·건축물 또는 그 토지에 정착된 물건 2. 토지·건축물 또는 그 토지에 정착된 물건에 관한 소유권 이외의 권리

【2】인접 토지 등의 일시 사용

시행자는 도시·군계획시설사업의 시행을 위하여 특히 필요하다고 인정되면 도시·군계획시설에 인접한 다음 물건 또는 권리를 일시 사용할 수 있다.

1. 토지·건축물 또는 그 토지에 정착된 물건

2. 토지·건축물 또는 그 토지에 정착된 물건에 관한 소유권 외의 권리

11 「공익사업을 위한 토지 등의 취득 및 보상에 관한 법률」의 준용 (법 제96조)

(1) 토지 등의 수용 및 사용에 관하여는 이 법에 특별한 규정이 있는 경우 외에는 「공익사업을 위한 토지 등의 취득 및 보상에 관한 법률」을 준용한다.

(2) 위 (1)에 따라 「공익사업을 위한 토지 등의 취득 및 보상에 관한 법률」을 준용할 때에 실시계획을 고시한 경우에는 「공익사업을 위한 토지 등의 취득 및 보상에 관한 법률」에 따른 사업인정 및 그 고시가 있었던 것으로 본다.

(3) 재결신청은 「공익사업을 위한 토지 등의 취득 및 보상에 관한 법률」의 관련 규정에도 불구하고 실시 계획에서 정한 도시·군계획시설사업의 시행기간에 해야 한다.

> **관계법** 「공익사업을 위한 토지 등의 취득 및 보상에 관한 법률」
>
> **제4조【공익사업】**
>
> 이 법에 따라 토지등을 취득하거나 사용할 수 있는 사업은 다음 각 호의 어느 하나에 해당하는 사업이어야 한다.
>
> 1. 국방·군사에 관한 사업
> 2. 관계 법률에 따라 허가·인가·승인·지정 등을 받아 공익을 목적으로 시행하는 철도·도로·공항·항만·주차장·공영차고지·화물터미널·궤도(軌道)·하천·제방·댐·운하·수도·하수도·하수종말처리·폐수처리·사방(砂防)·방풍(防風)·방화(防火)·방조(防潮)·방수(防水)·저수지·용수로·배수로·석유비축·송유·폐기물처리·전기·전기통신·방송·가스 및 기상 관측에 관한 사업
> 3. 국가나 지방자치단체가 설치하는 청사·공장·연구소·시험소·보건시설·문화시설·공원·수목원·광장·운동장·시장·묘지·화장장·도축장 또는 그 밖의 공공용 시설에 관한 사업
> 4. 관계 법률에 따라 허가·인가·승인·지정 등을 받아 공익을 목적으로 시행하는 학교·도서관·박물관 및 미술관 건립에 관한 사업
> 5. 국가, 지방자치단체, 「공공기관의 운영에 관한 법률」 제4조에 따른 공공기관, 「지방공기업법」에 따른 지방공기업 또는 국가나 지방자치단체가 지정한 자가 임대나 양도의 목적으로 시행하는 주택 건설 또는 택지 및 산업단지 조성에 관한 사업
> 6. 제1호부터 제5호까지의 사업을 시행하기 위하여 필요한 통로, 교량, 전선로, 재료 적치장 또는 그 밖의 부속시설에 관한 사업
> 7. 제1호부터 제5호까지의 사업을 시행하기 위하여 필요한 주택, 공장 등의 이주단지 조성에 관

건축관계법

국토계획법

주차장법

주 택 법

도시및주거
환경정비법

건축사법

장애인시설법

소방시설법

서울시조례

건축관계법

국토계획법

주차장법

주 택 법

도시및주거
환경정비법

건축사법

장애인시설법

소방시설법

서울시조례

한 사업

8. 그 밖에 별표에 규정된 법률에 따라 토지등을 수용하거나 사용할 수 있는 사업

제20조【사업인정】

① 사업시행자는 제19조에 따라 토지등을 수용하거나 사용하려면 대통령령으로 정하는 바에 따라 국토교통부장관의 사업인정을 받아야 한다.

② 제1항에 따른 사업인정을 신청하려는 자는 국토교통부령으로 정하는 수수료를 내야 한다.

제22조【사업인정의 고시】

① 국토교통부장관은 제20조에 따른 사업인정을 하였을 때에는 지체 없이 그 뜻을 사업시행자, 토지소유자 및 관계인, 관계 시·도지사에게 통지하고 사업시행자의 성명이나 명칭, 사업의 종류, 사업지역 및 수용하거나 사용할 토지의 세목을 관보에 고시하여야 한다. <개정 2013.3.23.>

② 제1항에 따라 사업인정의 사실을 통지받은 시·도지사(특별자치도지사는 제외한다)는 관계 시장·군수 및 구청장에게 이를 통지하여야 한다.

③ 사업인정은 제1항에 따라 고시한 날부터 그 효력이 발생한다.

12 국·공유지의 처분제한(법 제97조)

(1) 도시·군관리계획결정을 고시한 경우 국공유지로서 도시·군계획시설사업에 필요한 토지는 그 도시·군관리계획으로 정하여진 목적 외의 목적으로 이를 매각하거나 양도할 수 없다.

(2) 위 (1)의 규정에 위반한 행위는 무효로 한다.

13 공사완료 공고 등(법 제98조)

(1) 공사완료보고서 작성 및 준공검사

① 도시·군계획시설사업의 시행자(국토교통부장관, 시·도지사와 대도시 시장은 제외)는 도시·군계획시설사업의 공사를 마친 때에는 공사완료보고서를 작성하여 시·도지사 또는 대도시 시장의 준공검사를 받아야 한다.

② 도시·군계획시설사업의 시행자는 공사를 완료한 때에는 공사를 완료한 날부터 7일 이내에 도시·군계획시설사업공사완료보고서(별지 제10호서식)에 다음 서류를 첨부하여 시·도지사 또는 대도시 시장에게 제출하여야 한다.

1. 준공조서
2. 설계도서
3. 아래 (5)② 규정에 의한 관계 행정기관의 장과의 협의에 필요한 서류

(2) 도시·군계획시설사업에 대하여 다른 법령에 따른 준공검사·준공인가 등을 받은 경우 그 부분에 대하여는 준공검사를 생략할 수 있다. 이 경우 시·도지사 또는 대도시 시장은 다른 법령에 따른 준공검사·준공인가 등을 한 기관의 장에 대하여 그 준공검사·준공인가 등의 내용을 통보하여 줄 것을 요청할 수 있다.

(3) 시·도지사 또는 대도시 시장은 공사완료보고서를 받은 때에는 지체 없이 준공검사를 실시하여 해당 도시·군계획시설사업이 실시계획대로 완료되었다고 인정되는 때에는 시행자에게 준공검사증명서를 발급하고 공사완료공고를 하여야 한다.

(4) 시행자가 국토교통부장관, 시·도지사 또는 대도시 시장인 경우에는 도시·군계획시설사업의 공

사를 완료한 때에 공사완료공고를 하여야 한다.

(5) 준공검사에 따른 타법의 의제

① 준공검사 또는 공사완료공고를 할 때 국토교통부장관, 시·도지사 또는 대도시 시장이 타법 의제되는 인·허가등에 따른 준공검사·준공인가 등에 관하여 관계 행정기관의 장과 협의한 사항에 대하여는 그 준공검사·준공인가 등을 받은 것으로 본다.

② 국토교통부장관, 시·도지사 또는 대도시 시장은 준공검사를 하거나 공사완료 공고를 할 때에 그 내용에 타법 의제되는 인·허가등에 따른 준공검사·준공인가 등에 해당하는 사항이 있으면 미리 관계 행정기관의 장과 협의하여야 한다.

③ 시행자(국토교통부장관, 시·도지사와 대도시 시장은 제외)는 위의 ①.에 따른 준공검사·준공인가 등의 의제를 받으려면 준공검사를 신청할 때에 해당 법률에서 정하는 관련 서류를 함께 제출하여야 한다.

④ 국토교통부장관은 타법 의제되는 준공검사·준공인가 등의 처리기준을 관계 중앙행정기관으로부터 받아 이를 통합하여 고시하여야 한다.

(6) 공사완료 공고는 국토교통부장관이 하는 경우 관보와 국토교통부의 인터넷 홈페이지에, 시·도지사 또는 대도시 시장이 하는 경우 해당 시·도 또는 대도시의 공보와 인터넷 홈페이지에 게재하는 방법으로 한다.

14 도시·군계획시설사업에 따른 공공시설 등의 귀속 (법 제99조)

(1) 도시·군계획시설사업에 의하여 새로 공공시설을 설치하거나 기존의 공공시설에 대체되는 공공시설을 설치한 경우에는 제65조(개발행위에 따른 공공시설 등의 귀속) 규정을 준용한다.

⇨제5장 **1** 14 참조

(2) 이 규정 적용시 문구 수정

관련 조항	...을	...으로
제65조제5항	준공검사를 마친 때	준공검사를 마친 때(시행자가 국토교통부장관, 시·도지사 또는 대도시 시장인 경우에는 제98조제4항에 따른 공사완료 공고를 한 때를 말한다)
제65조제7항	제62조제1항에 따른 준공검사를 받았음을 증명하는 서면	제98조제3항에 따른 준공검사증명서(시행자가 국토교통부장관, 시·도지사 또는 대도시 시장인 경우에는 같은 조 제4항에 따른 공사완료 공고를 하였음을 증명하는 서면을 말한다)

15 다른 법률과의 관계 (법 제100조)

(1) 도시·군계획시설사업으로 인하여 조성된 대지 및 건축물 중 국가 또는 지방자치단체의 소유에 속하는 재산을 처분하려면 「국유재산법」 및 「공유재산 및 물품관리법」에도 불구하고 다음의 순위에 의하여 처분할 수 있다.

건축관계법

국토계획법

주차장법

주 택 법

도시및주거환경정비법

건축사법

장애인시설법

소방시설법

서울시조례

---

1. 해당 도시·군계획시설사업의 시행으로 인하여 수용된 토지 또는 건축물 소유자에의 양도

---

2. 다른 도시·군계획시설사업에 필요한 토지와의 교환

---

(2) 국가 또는 지방자치단체는 위 (1)의 규정에 의하여 도시·군계획시설사업으로 인하여 조성된 대지 및 건축물 중 그 소유에 속하는 재산을 처분하려는 때에는 다음의 사항을 공고하되, 국가가 하는 경우에는 관보와 인터넷 홈페이지에, 지방자치단체가 하는 경우에는 해당 지방자치단체의 공보와 인터넷 홈페이지에 게재하는 방법으로 한다.

① 위 (1)의 각 순위에 의하여 처분한다는 취지

② 처분하고자 하는 대지 또는 건축물의 위치 및 면적

8

비 용

1 비용부담의 원칙 (법 제101조)

광역도시계획 또는 도시·군계획의 수립, 도시·군계획시설사업에 관한 비용은 이 법 또는 다른 법령에 특별한 규정이 있는 경우를 제외하고 다음과 같이 부담한다.

시행자	비용 부담자
1. 국가가 행하는 경우	국가예산에서 부담
2. 지방자치단체가 행하는 경우	지방자치단체가 부담
3. 행정청이 아닌 자가 행하는 경우	행정청이 아닌 자가 부담

2 지방자치단체의 비용부담 (법 제102조)

1 국토교통부장관, 시·도지사가 시행한 도시·군계획사업으로 인해 현저히 이익을 받은 시·도, 시 또는 군

(1) 비용부담의 범위

① 도시·군계획시설사업에 소요된 비용의 50%의 범위에서 이익을 받은 시·도, 시 또는 군 에 부담시킬 수 있다. 이 경우 도시·군계획시설사업에 소요된 비용에는 해당 도시·군계획시설사업의 조사·측량비, 설계비 및 관리비를 포함하지 아니한다.

② 위 ①의 경우 국토교통부장관은 비용을 부담시키기 전에 행정안전부장관과 협의해야 한다.

(2) 시·도지사가 관할 이외의 특별시·광역시·특별자치시·특별자치도·시 또는 군에 비용을 부담시킬 때에는 해당 지방자치단체의 장과 협의해야 하며, 협의가 성립되지 않을 경우에는 행정안전부장관의 결정에 따라야 한다.

건축관계법

국토계획법

주차장법

주 택 법

도시및주거
환경정비법

건축사법

장애인시설법

소방시설법

서울시조례

(3) 국토교통부장관 또는 시·도지사는 도시·군계획시설사업으로 인하여 이익을 받는 시·도 또는 시·군에 비용을 부담시키고자 하는 때에는 도시·군계획시설사업에 소요된 비용총액의 명세와 부담액을 명시하여 해당 시·도지사 또는 시장·군수에게 송부하여야 한다.

2 시장(특별시·광역시·특별자치시·특별자치도는 제외)·군수가 행한 도시·군계획사업으로 인하여 이익을 받은 다른 지방자치단체

(1) 도시·군계획시설사업에 소요된 비용의 50%의 범위에서 이익을 받는 다른 지방자치단체와 협의하여 그 지방자치단체에 이를 부담시킬 수 있다.

(2) 위의 경우 협의가 성립되지 않을 때에는 다음의 결정에 따른다.

이익을 받는 지방자치단체 관할 구역	부담비율 결정자
동일한 도에 속하는 경우	관할 도지사가 결정
다른 시·도에 속하는 경우	행정안전부장관이 결정

3 보조 또는 융자 (법 제104조)

(1) 시·도지사, 시장 또는 군수가 수립하는 광역도시계획 또는 도시·군계획에 관한 기초조사 또는 지형도면의 작성에 소요되는 비용의 80% 이하의 범위 안에서 국가예산으로 보조할 수 있다.

(2) 비용의 보조 및 융자
시행자에 따라 도시·군계획시설사업에 소요되는 비용을 다음과 같이 보조 또는 융자할 수 있다.

시행자 구분	보조 및 융자 범위	재원 등
행정청	당해 도시·군계획시설사업에 소요되는 비용*의 50% 이하	국가예산으로 보조 또는 융자
행정청이 아닌 자	당해 도시·군계획시설사업에 소요되는 비용*의 1/3 이하	국가 또는 지방자치단체가 보조 또는 융자

* 조사·측량비, 설계비 및 관리비를 제외한 공사비와 감정비를 포함한 보상비

(3) 국가 또는 지방자치단체 우선 지원할 수 있는 지역

1. 도로, 상하수도 등 기반시설이 인근지역에 비하여 부족한 지역
2. 광역도시계획에 반영된 광역시설이 설치되는 지역
3. 개발제한구역(집단취락만 해당함)에서 해제된 지역
4. 도시·군계획시설결정의 고시일부터 10년이 경과할 때까지 그 도시·군계획시설의 설치에 관한 도시·군계획시설사업이 시행되지 아니한 경우로서 해당 도시·군계획시설의 설치 필요성이 높은 지역

4 취락지구, 방재지구에 대한 지원 (법 제105조, 제105조의2)

1 취락지구에 대한 지원 (법 제105조)

국가 또는 지방자치단체는 취락지구안의 주민의 생활편익과 복지증진 등을 위한 다음의 사업을 시행하거나 그 사업을 지원할 수 있다.

취락지구 구분	사업 내용
1. 집단취락지구	「개발제한구역의 지정 및 관리에 관한 특별조치법령」에서 정하는 바에 따름
2. 자연취락지구	① 자연취락지구안에 있거나 자연취락지구에 연결되는 도로·수도공급설비·하수도 등의 정비 ② 어린이놀이터·공원·녹지·주차장·학교·마을회관 등의 설치·정비 ③ 쓰레기처리장·하수처리시설 등의 설치·개량 ④ 하천정비 등 재해방지를 위한 시설의 설치·개량 ⑤ 주택의 신축·개량

2 방재지구에 대한 지원 (법 제105조의2)

국가나 지방자치단체는 이 법률 또는 다른 법률에 따라 방재사업을 시행하거나 그 사업을 지원하는 경우 방재지구에 우선적으로 지원할 수 있다.

건축관계법

국토계획법

주차장법

주 택 법

도시및주거
환경정비법

건축사법

장애인시설법

소방시설법

서울시조례

건축관계법

국토계획법

주차장법

주택법

도시및주거
환경정비법

건축사법

장애인시설법

소방시설법

서울시조례

9

도시계획위원회

1 중앙도시계획위원회(법 제106조 ~ 제112조)

【1】설치 및 조직

구 분		내 용	
1. 설 치		국토교통부	
2. 설치목적		① 광역도시계획	국토교통부장관의 권한에 속하는 사항심의
		② 도시·군계획	
		③ 토지거래계약허가구역 등	
		④ 다른 법률에서 심의를 거치도록 한 사항의 심의	
		⑤ 도시·군계획에 관한 조사·연구의 수행	
3. 조직	위 원 장	국토교통부장관이 위원 중에서 임명 또는 위촉	
	부위원장	국토교통부장관이 위원 중에서 임명 또는 위촉	
	위 원 수	위원장 1인, 부위원장 1인	
		위원 : 25인 이상 30인 이하(위원장, 부위원장 각 1인을 포함)	
	위원자격	① 관계 중앙행정기관의 공무원 ② 토지이용·건축·주택·교통·공간정보·환경·법률·복지·방재·문화·농림 등 도시·군계획과 관련된 분야에 관한 학식과 경험이 풍부한 자 중에서 국토교통부장관이 임명 또는 위촉(공무원이 아닌 위원의 수는 10명 이상으로 하고, 임기는 2년으로 한다.) ③ 보궐위원의 임기는 전임자의 임기의 남은 기간으로 한다.	
	위원장 등의 직무	① 위원장은 중앙도시계획위원회의 업무를 총괄하며, 중앙도시계획위원회의 의장이 된다. ② 부위원장은 위원장을 보좌하며, 위원장이 부득이한 사유로 그 직무를 수행하지 못할 때에는 그 직무를 대행한다. ③ 위원장 및 부위원장이 모두 부득이한 사유로 그 직무를 수행하지 못할 때에는 위원장이 미리 지명한 위원이 그 직무를 대행한다.	

건축관계법

국토계획법

주차장법

주택법

도시밎주거
환경정비법

건축사법

장애인시설법

소방시설법

서울시조례

	④ 중앙도시계획위원회에 간사와 서기를 둔다. 간사 및 서기는 국토교통부 소속공무원 중에서 국토교통부장관이 임명한다. 간사는 위원장의 명을 받아 중앙도시계획위원회의 서무를 담당하고, 서기는 간사를 보좌한다.
4. 회의의 소집	국토교통부장관 또는 위원장이 필요하다고 인정하는 경우에 국토교통부장 관 또는 위원장이 이를 소집한다.
5. 의결정족수	• 개의 : 재적위원 과반수 출석 • 의결 : 출석의원 과반수 찬성
6. 운영	① 중앙도시계획위원회는 필요하다고 인정하는 경우에는 관계 행정기관의 장에게 필요한 자료의 제출을 요구할 수 있으며, 도시·군계획에 관하여 학식이 풍부한 자의 설명을 들을 수 있다. ② 관계 중앙행정기관의 장, 시·도지사 또는 군수는 해당 중앙행정기관 또는 지방자치단체의 도시·군계획 관련사항에 관하여 중앙도시계획위 원회에 출석하여 발언할 수 있다. ③ 중앙도시계획위원회의 간사는 회의시마다 회의록을 작성하여 다음 회 의에 보고하고 이를 보관하여야 한다.

【2】 분과위원회 (법 제110조) (령 제109조)

분과위원회는 중앙도시계획위원회에 두며, 그 내용은 다음과 같다.

구 분	내 용
1. 목적	중앙도시계획위원회에서 위임하는 사항 등을 효율적으로 심의하기 위하여 설치
2. 위원회별 소관업무	① 제1분과위원회 　㉠ 토지이용계획에 관한 구역 등의 지정 　㉡ 용도지역 등의 변경계획에 관한 사항의 심의 　㉢ 개발행위에 관한 사항의 심의 ② 제2분과위원회 : 중앙도시계획위원회에서 위임하는 사항의 심의
3. 조직	① 각 분과위원회는 위원장 1인을 포함한 5인 이상 17인 이하의 위원으로 구성 ② 각 분과위원회의 위원은 중앙도시계획위원회가 그 위원 중에서 선출하며, 중앙 도시계획위원회의 위원은 2 이상의 분과위원회의 위원이 될 수 있음 ③ 각 분과위원회의 위원장은 분과위원회의 위원 중에서 호선
4. 기타	분과위원회의 심의는 중앙도시계획위원회의 심의로 본다. ※ 위 2.-②의 경우 중앙도시계획위원회가 분과위원회의 심의를 중앙도시계획위원 회의 심의로 보도록 하는 경우만 해당

【3】 전문위원 (법 제111조)

(1) 도시·군계획 등에 관한 중요사항을 조사·연구하게 하기 위하여 중앙도시계획위원회에, 전문위 원을 둘 수 있다.

(2) 전문위원은 위원장 및 중앙도시계획위원회나 분과위원회의 요구가 있을 때에는 회의에 출석하 여 발언할 수 있다.

(3) 전문위원은 토지이용, 건축, 주택, 교통, 공간정보, 환경, 법률, 복지, 방재, 문화, 농림 등 도시·군 계획과 관련된 분야에 관한 학식과 경험이 풍부한 자 중에서 국토교통부장관이 임명한다.

2 지방도시계획위원회

【1】 지방도시계획위원회의 구성 등 (법 제113조)

(1) 지방도시계획위원회는 특별시·도에 시·도 도시계획위원회를 시·군(광역시에 있는 군 포함) 또는 구에 각각 시·군·구 도시계획위원회를 두며 그 내용은 다음과 같다.

구 분	시·도 도시계획위원회	시·군·구 도시계획위원회
1. 설치목적	시·도지사가 결정하는 도시·군관리계획 등의 심의 또는 자문	도시·군관리계획과 관련된 사항의 심의 및 시장·군수 또는 구청장에 대한 자문
2. 구성 및 운영	① 위원장 및 부위원장 각 1인을 포함한 25인 이상 30인 이하의 위원으로 구성한다. ② 위원장은 위원 중에서 해당 시·도지사가 임명 또는 위촉하며, 부위원장은 위원 중에서 호선한다. ③ 위원은 다음에 해당하는 자중에서 시·도지사가 임명 또는 위촉한다. 이 경우 아래 ⓒ에 해당하는 위원의 수는 전체 위원의 2/3 이상이어야 하고, 농업진흥지역의 해제 또는 보전산지의 지정해제를 할 때에 도시·군관리계획의 변경이 필요하여 시·도 도시계획위원회의 심의를 거쳐야 하는 시·도의 경우에는 농림 분야 공무원 및 농림 분야 전문가가 각각 2명 이상이어야 한다. ㉠ 해당 시·도 지방의회의 의원 ⓛ 해당 시·도 및 도시·군계획과 관련 있는 행정기관의 공무원 ⓒ 토지이용·건축·주택·교통·환경·방재·문화·농림·정보통신 등 도시·군계획과 관련된 분야에 관하여 학식과 경험이 있는 자	① 위원장 및 부위원장 각 1인을 포함한 15인 이상 25인 이하의 위원으로 구성한다. ※ 2 이상의 시·군 또는 구에 공동으로 시·군·구도시계획위원회를 설치하는 경우 그 위원의 수를 30인까지로 할 수 있다. ② 위원장은 해당 시장·군수·구청장이 임명 또는 위촉하며, 부위원장은 위원 중에서 호선한다. ※ 2 이상의 시·군 또는 구에 공동으로 설치하는 시·군·구 도시계획위원회의 위원장은 해당 시장·군수 또는 구청장이 협의하여 정한다. ③ 위원은 다음의 자중에서 시장·군수 또는 구청장이 임명 또는 위촉한다. 이 경우 ⓒ에 해당하는 위원의 수는 위원 총수의 50% 이상이어야 한다. ㉠ 해당 시·군·구 지방의회의 의원 ⓛ 해당 시·군·구 및 도시·군계획과 관련 있는 행정기관의 공무원 ⓒ 토지이용·건축·주택·교통·환경·방재·문화·농림·정보통신 등 도시·군계획과 관련된 분야에 관하여 학식과 경험이 있는 자 ④ 위 ① 및 ③에도 불구하고 시·군·구 도시계획위원회 중 대도시에 두는 도시계획위원회는 위원장 및 부위원장 각 1명을 포함한 20명 이상 25명 이하의 위원으로 구성하며, ③-ⓒ에 해당하는 위원의 수는 전체 위원의 2/3 이상이어야 한다.
(공통사항)	④ 위 2.의 ③-ⓒ에 해당하는 위원의 임기는 2년으로 하되, 연임할 수 있다. ※ 보궐위원의 임기는 전임자의 임기 중 남은 기간으로 한다. ⑤ 위원장은 위원회의 업무를 총괄하며, 위원회를 소집하고 그 의장이 된다. ⑥ 회의는 재적위원 과반수(출석위원의 과반수는 위 ③-ⓒ에 해당하는 위원이어야 한다)의 출석으로 개의하고, 출석위원 과반수의 찬성으로 의결한다. ⑦ 위원회에는 간사 1인과 서기 약간인을 둘 수 있으며, 간사와 서기는 위원장이 임명한다. ⑧ 간사는 위원장의 명을 받아 서무를 담당하고, 서기는 간사를 보좌한다.	

건축관계법

국토계획법

주차장법

주 택 법

도시및주거
환경정비법

건축사법

장애인시설법

소방시설법

서울시조례

3. 심의 또는 자문 내용	① 시·도지사가 결정하는 도시·군관리계획의 심의 등 시·도지사의 권한에 속하는 사항과 다른 법률에서 시·도 도시계획위원회의 심의를 거치도록 한 사항의 심의 ② 국토교통부장관의 권한에 속하는 사항 중 중앙도시계획위원회의 심의대상에 해당하는 사항이 시·도지사에게 위임된 경우 그 위임된 사항의 심의 ③ 도시·군관리계획과 관련하여 시·도지사가 자문하는 사항에 대한 조언 ④ 해당 시·도의 도시·군계획조례의 제정·개정과 관련하여 시·도지사가 자문하는 사항에 대한 조언 ⑤ 개발행위허가에 대한 심의	① 시장 또는 군수가 결정하는 도시·군관리계획의 심의와 국토교통부장관이나 시·도지사의 권한에 속하는 사항 중 시·도도시계획위원회의 심의대상에 해당하는 사항이 시장·군수 또는 구청장에게 위임되거나 재위임된 경우 그 위임되거나 재위임된 사항의 심의 ② 도시·군관리계획과 관련하여 시장·군수 또는 구청장이 자문하는 사항에 대한 조언 ③ 개발행위의 허가 등에 관한 심의 ④ 해당 시·군·구와 관련한 도시·군계획조례의 제정·개정과 관련하여 시장·군수·구청장이 자문하는 사항에 대한 조언 ⑤ 개발행위허가에 대한 심의(대도시에 두는 도시계획위원회에 한정) ⑥ 개발행위허가와 관련하여 시장 또는 군수(특별시장·광역시장의 개발행위허가 권한이 조례로 군수 또는 구청장에게 위임된 경우 그 군수 또는 구청장 포함)가 자문하는 사항에 대한 조언 ⑦ 시범도시사업계획의 수립에 관하여 시장·군수·구청장이 자문하는 사항에 대한 조언
4. 분과 위원회	① 시·도 도시계획위원회 또는 시·군·구 도시계획위원회의 심의사항 중 다음에 정하는 사항을 효율적으로 심의하기 위하여 시·도 도시계획위원회 또는 시·군·구 도시계획위원회에 분과위원회를 둘 수 있다. 　㉠ 용도지역 등의 변경계획에 관한 사항(법 제9조) 　㉡ 지구단위계획구역 및 지구단위계획의 결정 또는 변경결정에 관한 사항(법 제50조) 　㉢ 개발행위에 대한 심의에 관한 사항(법 제59조) 　㉣ 이의신청에 관한 사항(법 제120조) 　㉤ 지방도시계획위원회에서 위임하는 사항 ② 분과위원회에서 심의하는 사항 중 시·도 도시계획위원회 또는 시·군·구 도시계획위원회가 지정하는 사항은 분과위원회의 심의를 시·도 도시계획위원회 또는 시·군·구 도시계획위원회의 심의로 본다.	

(2) 도시·군계획 등에 관한 중요 사항을 조사·연구하기 위하여 지방도시계획위원회에 전문위원을 둘 수 있다. 전문위원을 두는 경우 위 중앙도시계획위원회 전문위원의 관련 규정을 준용한다.

【2】 심의 회의록의 공개 (법 제113조의2)

(1) 공개할 회의록의 내용
　중앙도시계획위원회 및 지방도시계획위원회의 심의 일시·장소·안건·내용·결과 등의 기록
(2) 공개 기간 및 방법
　다음의 기간의 범위에서 해당 지방자치단체의 도시·군계획조례로 지정한 기간이 지난 후 공개 요청이 있는 경우 열람 또는 사본을 제공하는 방법으로 공개해야 한다.

구 분	기 간
1. 중앙도시계획위원회	심의 종결 후 6개월
2. 지방도시계획위원회	6개월 이하의 범위에서 해당 지방자치단체의 도시·군계획조례로 정하는 기간

건축관계법

국토계획법

주차장법

주택법

도시및주거
환경정비법

건축사법

장애인시설법

소방시설법

서울시조례

예외 공개에 의하여 다음 사항의 우려가 있는 경우 제외

1. 부동산 투기 유발 등 공익을 현저히 해칠 우려가 있다고 인정하는 경우
2. 심의·의결의 공정성을 침해할 우려가 있다고 인정되는 이름·주민등록번호·직위 및 주소 등 특정인임을 식별할 수 있는 정보에 관한 부분의 경우

【3】 위원의 제척·회피$\left(\substack{법\\제113조의3}\right)$

(1) 중앙도시계획위원회의 위원 및 지방도시계획위원회의 위원은 다음에 해당하는 경우에 심의·자문에서 제척(除斥)된다.

1. 자기나 배우자 또는 배우자이었던 자가 당사자이거나 공동권리자 또는 공동의무자인 경우
2. 자기가 당사자와 친족관계에 있거나 자기 또는 자기가 속한 법인이 당사자의 법률·경영 등에 대한 자문·고문 등으로 있는 경우
3. 자기 또는 자기가 속한 법인이 당사자 등의 대리인으로 관여하거나 관여하였던 경우
4. 그 밖에 해당 안건에 자기가 이해관계인으로 관여한 경우로서 다음에 해당하는 경우
   ① 자기가 심의하거나 자문에 응한 안건에 관하여 용역을 받거나 그 밖의 방법으로 직접 관여한 경우
   ② 자기가 심의하거나 자문에 응한 안건의 직접적인 이해관계인이 되는 경우

(2) 위원이 위 (1)의 사유에 해당하는 경우에는 스스로 그 안건의 심의·자문에서 회피할 수 있다.

【4】 벌칙 적용 시의 공무원 의제$\left(\substack{법\\제113조의4}\right)$

중앙도시계획위원회의 위원·전문위원 및 지방도시계획위원회의 위원·전문위원 중 공무원이 아닌 위원이나 전문위원은 그 직무상 행위와 관련하여 「형법」 제129조부터 제132조까지의 규정을 적용할 때에는 공무원으로 본다.

【참고】 「형법」 제129조~제132조
- 형법 제129조[수뢰(收賂), 사전수뢰]
- 형법 제130조(제삼자 뇌물제공)
- 형법 제131조(수뢰 후 부정처사, 사후수뢰)
- 형법 제132조(알선수뢰)

3 운영세칙$\left(\substack{법\\제114조}\right)$

(1) 도시계획위원회와 분과위원회의 설치 및 운영에 관한 기준

구 분	설치 및 운영에 관한 기준
1. 중앙도시계획위원회 및 분과위원회	국토교통부장관이 정함
2. 지방도시계획위원회 및 분과위원회	해당 지방자치단체의 도시·군계획조례로 정함

(2) 규정할 운영세칙의 사항

■ 운영세칙 내용
1. 위원의 자격 및 임명·위촉·해촉(解囑) 기준
2. 회의 소집 방법, 의결정족수 등 회의 운영에 관한 사항
3. 위원회 및 분과위원회의 심의·자문 대상 및 그 업무의 구분에 관한 사항
4. 위원의 제척·기피·회피에 관한 사항
5. 안건 처리기한 및 반복 심의 제한에 관한 사항
6. 이해관계자 및 전문가 등의 의견청취에 관한 사항
7. 도시·군계획상임기획단의 구성 및 운영에 관한 사항(법 제116조)

【참고】 중앙도시계획위원회 운영세칙(국토교통부훈령제1125호, 2018.12.21.)

4 도시·군계획상임기획단 (법 제116조)

1. 설 치	해당 지방자치단체의 조례에 따라 지방도시계획위원회에 설치
2. 설치목적	① 지방자치단체의 장이 입안한 도시·군기본계획·광역도시계획 또는 도시·군관리계획의 검토 ② 지방자치단체의 장이 의뢰하는 도시·군기본계획·광역도시계획 또는 도시·군관리계획에 관한 기획·지도 및 조사·연구
3. 구 성	전문위원 등으로 구성

건축관계법

국토계획법

주차장법

주 택 법

도시및주거
환경정비법

건축사법

장애인시설법

소방시설법

서울시조례

건축관계법

국토계획법

주차장법

주 택 법

도시및주거
환경정비법

건축사법

장애인시설법

소방시설법

서울시조례

10

보 칙

1 시범도시의 지정 · 지원 (법 제127조)

(1) 국토교통부장관은 도시의 경제·사회·문화적인 특성을 살려 개성 있고 지속가능한 발전을 촉진하기 위하여 필요한 경우 시범도시를 분야별로 지정할 수 있다.

(2) 국토교통부장관, 관계 중앙행정기관의 장 또는 시·도지사는 지정된 시범도시에 대하여 예산·인력 등 필요한 지원을 할 수 있다.

(3) 국토교통부장관은 관계 중앙행정기관의 장 또는 시·도지사에게 시범도시의 지정 및 지원에 관하여 필요한 자료의 제출을 요청할 수 있다.

(4) 지정권자

---
1. 국토교통부장관이 직접 지정
---
2. 관계 중앙행정기관의 장 또는 시·도지사의 요청에 의하여 국토교통부장관이 지정
---

2 시범도시의 분류 (제126조 영 ①,②,③)

(1) 분야별 시범도시(시범지구 또는 시범단지 포함)의 분류는 다음과 같다.

1. 경 관	7. 교 육
2. 생 태	8. 안 전
3. 정보통신	9. 교 통
4. 과 학	10. 경제 활력
5. 문 화	11. 도시재생
6. 관 광	12. 기후변화

(2) 시범도시의 지정기준

1. 시범도시의 지정이 도시의 경쟁력 향상, 특화발전 및 지역균형발전에 기여할 수 있을 것

2. 시범도시의 지정에 대한 주민의 호응도가 높을 것

3. 시범도시의 지정목적달성에 필요한 사업에 주민이 참여할 수 있을 것

4. 시범도시사업의 재원조달계획이 적정하고 실현가능할 것

(3) 국토교통부장관은 위 (1)에 따른 분야별로 시범도시의 지정에 관한 세부기준을 정할 수 있다.

건축관계법

구토계획버

3 지정절차 (영 제126조 ④,⑤)

(1) 시범도시의 지정절차는 다음과 같다.

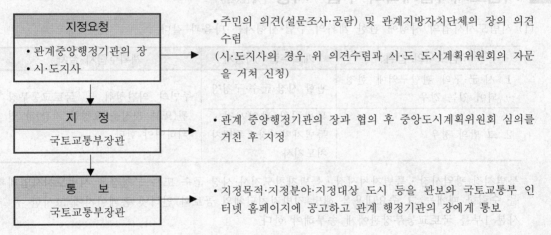

지정요청	• 주민의 의견(설문조사·공람) 및 관계지방자치단체의 장의 의견 수렴
• 관계중앙행정기관의 장 • 시·도지사	(시·도지사의 경우 위 의견수렴과 시·도 도시계획위원회의 자문을 거쳐 신청)

지 정	• 관계 중앙행정기관의 장과 협의 후 중앙도시계획위원회 심의를 거친 후 지정
국토교통부장관	

통 보	• 지정목적·지정분야·지정대상 도시 등을 관보와 국토교통부 인터넷 홈페이지에 공고하고 관계 행정기관의 장에게 통보
국토교통부장관	

(2) 지정요청시 제출서류

① 위 **3**-(2) 및 (3)의 지정기준에 적합함을 설명하는 서류

② 지정을 요청하는 관계 중앙행정기관의 장 또는 시·도지사가 직접 시범도시에 대하여 지원할 수 있는 예산·인력 등의 내역

③ 주민의견청취의 결과와 관계 지방자치단체의 장의 의견

④ 시·도 도시계획위원회에의 자문 결과

4 시범도시의 공모 (영 제127조)(규칙 제31조)

(1) 국토교통부장관은 직접 시범도시를 지정함에 있어서 필요한 경우에는 아래 (2)에 따라 그 대상이 되는 도시를 공모할 수 있다.

(2) 시범도시 공모시 관보에 공고하여야 할 사항
국토교통부장관은 시범도시를 공모하고자 하는 때에는 다음의 사항을 관보와 인터넷 홈페이지에 공고해야 한다.

주차장법

주 택 법

도시및주거
환경정비법

건축사법

장애인시설법

소방시설법

서울시조례

① 시범도시의 지정목적
② 시범도시의 지정분야
③ 시범도시의 지정기준
④ 시범도시의 지원에 관한 내용(그 내용이 미리 정하여져 있는 경우에 한한다) 및 일정
⑤ 시범도시의 지정일정
⑥ 그 밖에 시범도시의 공모에 필요한 사항

(2) 공모에 응모할 수 있는 자는 특별시장·광역시장·특별자치시장·특별자치도지사·시장·군수 또는 구청장으로 한다.

(3) 국토교통부장관은 시범도시의 공모 및 평가 등에 관한 업무를 원활하게 수행하기 위하여 필요한 때에는 전문기관에 자문하거나 조사·연구를 의뢰할 수 있다.

5 시범도시사업계획의 수립 · 시행 (영 제128조)

(1) 시범도시사업의 시행에 관한 계획의 수립·시행자는 다음과 같다.

시범도시의 범위	계획수립 · 시행자	계획수립시 절차
1. 시·군·구의 관할구역에 한정되어 있는 경우	관할 시장·군수·구청장	주민의 의견청취 및 국토교통부장관(또는 지정을 요청한 기관)과 협의하여야 한다.
2. 그 밖의 경우	특별시장·광역시장·특별자치시장·특별자치도지사	

특별시장·광역시장·특별자치시장·특별자치도지사·시장·군수 또는 구청장은 시범도시사업계획을 수립한 때에는 그 주요내용을 해당 지방자치단체의 공보와 인터넷 홈페이지에 고시한 후 그 사본 1부를 국토교통부장관에게 송부해야 한다.

(2) 시범도시사업계획에 포함될 사항

1. 시범도시사업의 목표·전략·특화발전계획 및 추진체제에 관한 사항

2. 시범도시사업의 시행에 필요한 도시·군계획 등 관련계획의 조정·정비에 관한 사항

3. 시범도시사업의 시행에 필요한 도시·군계획사업에 관한 사항

4. 시범도시사업의 시행에 필요한 재원조달에 관한 사항

5. 주민참여 등 지역사회와의 협력체계에 관한 사항

6. 그 밖에 시범도시사업의 원활한 시행을 위하여 필요한 사항

건축관계법
국토계획법
주차장법
주 택 법
도시및주거환경정비법
건축사법
장애인시설법
소방시설법
서울시조례

6 시범도시의 지원기준 (영 제129조)

(1) 시범도시에 대하여 다음의 범위 내에서 보조 또는 융자할 수 있다.

지원자	시범도시에 대하여 보조 · 융자 할 수 있는 금액	기 타
• 국토교통부장관 • 관계 중앙행정기관의 장 • 시·도지사	1. 시범도시사업계획의 수립에 소요되는 비용의 80% 이하 2. 시범도시사업의 시행에 소요되는 비용(보상비를 제외)의 50% 이하	관계 중앙행정기관의 장 또는 시·도지사는 시범도시에 대하여 예산·인력 등을 지원한 때에는 그 지원내역을 국토교통부장관에게 통보하여야 한다.

(2) 관계 중앙행정기관의 장 또는 시·도지사는 시범도시에 대하여 예산·인력 등을 지원한 때에는 그 지원내역을 국토교통부장관에게 통보하여야 한다.

(3) 시장·군수 또는 구청장은 시범도시사업의 시행을 위하여 필요한 경우에는 다음의 사항을 도시·군계획조례로 정할 수 있다.
① 시범도시사업의 예산집행에 관한 사항
② 주민의 참여에 관한 사항

7 시범도시사업의 평가 · 조정 (영 제130조)

(1) 시범도시를 관할하는 특별시장·광역시장·특별자치시장·특별자치도지사·시장·군수 또는 구청장은 매년말까지 해당연도 시범도시사업계획의 추진실적을 국토교통부장관과 해당 시범도시의 지정을 요청한 관계 중앙행정기관의 장 또는 시·도지사에게 제출하여야 한다.

(2) 국토교통부장관, 관계 중앙행정기관의 장 또는 시·도지사는 위 규정에 의하여 제출된 추진실적을 분석한 결과 필요하다고 인정하는 때에는 시범도시사업계획의 조정요청, 지원내용의 축소 또는 확대 등의 조치를 할 수 있다.

8 국토이용정보체계의 활용 (법 제128조)

(1) 국토교통부장관, 시·도지사, 시장 또는 군수가 「토지이용규제 기본법」에 따라 국토이용정보체계를 구축하여 도시·군계획에 관한 정보를 관리하는 경우에는 해당 정보를 도시·군계획을 수립하는 데에 활용하여야 한다.

(2) 특별시장·광역시장·특별자치시장·특별자치도지사·시장 또는 군수는 개발행위허가가 민원 간소화 및 업무의 효율적인 처리를 위하여 국토이용정보체계를 활용하여야 한다.

9 전문기관에 자문 등 (법 제129조)

(1) 국토교통부장관은 필요하다고 인정하는 경우에는 광역도시계획이나 도시·군기본계획의 승인, 그밖에 도시·군계획에 관한 중요 사항에 대하여 도시·군계획에 관한 전문기관에 자문을 하거나 조사·연구를 의뢰할 수 있다.

(2) 국토교통부장관은 위 (1)에 따라 자문을 하거나 조사·연구를 의뢰하는 경우에는 그에 필요한 비용을 예산의 범위에서 해당 전문기관에 지급할 수 있다.

건축관계법

국토계획법

주차장법

주 택 법

도시및주거환경정비법

건축사법

장애인시설법

소방시설법

서울시조례

10 토지에의 출입 등 (법 제130조)

국토교통부장관, 시·도지사, 시장 또는 군수나 도시·군계획시설사업의 시행자는 필요한 때 타인의 토지에 출입하거나 일시 사용할 수 있으며, 그에 관한 세부사항은 다음과 같다.

건축관계법

국토계획법

주차장법

주 택 법

도시및주거
환경정비법

건축사법

장애인시설법

소방시설법

서울시조례

1 타인의 토지이용절차

1. 행위자	• 국토교통부장관, 시·도지사, 시장 또는 군수 • 도시·군계획시설사업의 시행자
2. 행위목적	• 도시·군계획·광역도시계획에 관한 기초조사 • 개발밀도관리구역, 기반시설부담구역, 기반시설설치계획에 관한 기초조사 • 지가의 동향 및 토지거래의 상황에 관한 조사 • 도시·군계획시설사업에 관한 조사·측량 또는 시행
3. 가능한 행위	• 타인의 토지에 출입 • 타인의 토지를 재료적치장 또는 임시통로로 일시 사용 • 나무·흙·돌, 그 밖의 장애물의 변경 및 제거
4. 행위절차	• 특별시장·광역시장·특별자치시장·특별자치도지사·시장 또는 군수의 허가를 받아 출입하고자 하는 날의 7일 전까지 토지소유자·점유자·관리인에게 일시와 장소를 통지 [예외] 행정청인 도시·군계획시설사업의 시행자는 허가를 받지 않고 타인의 토지에 출입할 수 있다.
5. 증표의 제시	타인의 토지를 이용하고자 하는 자는 권한을 표시하는 증표와 허가증을 지니고 관계인(소유자, 점유자, 관리인)에게 제시

2 토지소유자·점유자 또는 관리인에게 동의를 얻어야 할 사항

(1) 타인의 토지를 재료적치장으로 사용하는 경우
(2) 타인의 토지를 임시통로로 일시 사용하는 경우
(3) 나무·흙·돌, 그 밖의 장애물을 변경·제거하는 경우
(4) 위의 (1)~(3)경우 토지 또는 장애물의 소유·점유자 또는 관리인이 현장에 없거나, 주소 또는 거소불명으로 동의를 얻을 수 없는 경우 다음과 같은 조치를 하여야 한다.

> 1. 행정청인 도시·군계획시설사업의 시행자는 관할 특별시장·광역시장·특별자치시장·특별자치도지사·시장·군수에게 통지하여야 한다.
>
> 2. 행정청이 아닌 도시·군계획시설사업의 시행자는 관할특별시장·광역시장·특별자치시장·특별자치도지사·시장·군수의 허가를 받아야 한다.

3 출입제한

일출 전이나 일몰 후에는 그 토지의 점유자의 승낙 없이 택지나 담장 및 울타리로 둘러싸인 타인의 토지에 출입할 수 없다.

4 토지점유자의 의무

토지의 점유자는 정당한 사유 없이 도시·군계획시설사업 시행자의 행위를 방해하거나 거부하지 못한다.

11 토지에의 출입 등에 따른 손실보상 ($\frac{법}{제131조}$)

① 손실보상

타인 토지에의 출입·사용, 장애물의 변경·제거 등의 행위로 인하여 손실을 받은 자가 있을 때에는 그 행위자가 속하는 행정청 또는 도시·군계획사업의 시행자가 그 손실을 보상하여야 한다.

② 손실보상절차

(1) 손실보상에 관하여는 그 손실을 보상할 자와 손실을 받는 자가 협의하여야 한다.
(2) 손실을 보상할 자나 손실을 입은 자는 위 (1)에 따른 협의가 성립되지 아니하거나 협의할 수 없는 경우에는 관할 토지수용위원회에 재결을 신청할 수 있다.
(3) 관할 토지수용위원회의 재결에 관하여는「공익사업을 위한 토지 등의 취득 및 보상에 관한 법률」의 규정(제83조~제87조)을 준용한다.

관계법 「공익사업을 위한 토지 등의 취득 및 보상에 관한 법률」

제83조 【이의 신청】
① 중앙토지수용위원회의 제34조에 따른 재결에 이의가 있는 자는 중앙토지수용위원회에 이의를 신청할 수 있다.
② 지방토지수용위원회의 제34조에 따른 재결에 이의가 있는 자는 해당 지방토지수용위원회를 거쳐 중앙토지수용위원회에 이의를 신청할 수 있다.
③ 제1항 및 제2항에 따른 이의의 신청은 재결서의 정본을 받은 날부터 30일 이내에 하여야 한다.
[전문개정 2011. 8. 4.]

제84조 【이의신청에 대한 재결】
① 중앙토지수용위원회는 제83조에 따른 이의신청을 받은 경우 제34조에 따른 재결이 위법하거나 부당하다고 인정할 때에는 그 재결의 전부 또는 일부를 취소하거나 보상액을 변경할 수 있다.
② 제1항에 따라 보상금이 늘어난 경우 사업시행자는 재결의 취소 또는 변경의 재결서 정본을 받은 날부터 30일 이내에 보상금을 받을 자에게 그 늘어난 보상금을 지급하여야 한다. 다만, 제40조제2항제1호·제2호 또는 제4호에 해당할 때에는 그 금액을 공탁할 수 있다.
[전문개정 2011. 8. 4.]

제85조 【행정소송의 제기】
① 사업시행자, 토지소유자 또는 관계인은 제34조에 따른 재결에 불복할 때에는 재결서를 받은 날부터 90일 이내에, 이의신청을 거쳤을 때에는 이의신청에 대한 재결서를 받은 날부터 60일 이내에 각각 행정소송을 제기할 수 있다. 이 경우 사업시행자는 행정소송을 제기하기 전에 제84조에 따라 늘어난 보상금을 공탁하여야 하며, 보상금을 받을 자는 공탁된 보상금을 소송이 종결될 때까지 수령할 수 없다. <개정 2018. 12. 31.>
② 제1항에 따라 제기하려는 행정소송이 보상금의 증감(增減)에 관한 소송인 경우 그 소송을 제기하는 자가 토지소유자 또는 관계인일 때에는 사업시행자를, 사업시행자일 때에는 토지소유자 또는 관계인을 각각 피고로 한다.
[전문개정 2011. 8. 4.]

제86조 【이의신청에 대한 재결의 효력】
① 제85조제1항에 따른 기간 이내에 소송이 제기되지 아니하거나 그 밖의 사유로 이의신청에 대한 재결이 확정된 때에는 「민사소송법」상의 확정판결이 있은 것으로 보며, 재결서 정본은 집행력 있는 판결의 정본과 동일한 효력을 가진다.

건축관계법

국토계획법

주차장법

주 택 법

도시및주거
환경정비법

건축사법

장애인시설법

소방시설법

서울시조례

② 사업시행자, 토지소유자 또는 관계인은 이의신청에 대한 재결이 확정되었을 때에는 관할 토지수용위원회에 대통령령으로 정하는 바에 따라 재결확정증명서의 발급을 청구할 수 있다.
[전문개정 2011. 8. 4.]

제87조【법정이율에 따른 가산지급】
사업시행자는 제85조제1항에 따라 사업시행자가 제기한 행정소송이 각하·기각 또는 취하된 경우 다음 각 호의 어느 하나에 해당하는 날부터 판결일 또는 취하일까지의 기간에 대하여 「소송촉진 등에 관한 특례법」 제3조에 따른 법정이율을 적용하여 산정한 금액을 보상금에 가산하여 지급하여야 한다.
1. 재결이 있은 후 소송을 제기하였을 때에는 재결서 정본을 받은 날
2. 이의신청에 대한 재결이 있은 후 소송을 제기하였을 때에는 그 재결서 정본을 받은 날
[전문개정 2011. 8. 4.]

12 법률 등의 위반자에 대한 처분 (법 제133조)

1 법령 등의 위반자에 대한 처분

국토교통부장관, 시·도지사, 시장·군수 또는 구청장은 다음의 어느 하나에 해당하는 자에게 이 법에 따른 허가·인가 등의 취소, 공사의 중지, 공작물 등의 개축 또는 이전, 그 밖에 필요한 처분을 하거나 조치를 명할 수 있다.

해당하는 자	법률 규정
1. 신고를 하지 아니하고 사업 또는 공사를 한 자	제31조제2항 단서
2. 도시·군계획시설을 도시·군관리계획의 결정 없이 설치한 자	제43조제1항
3. 공동구의 점용 또는 사용에 관한 허가를 받지 아니하고 공동구를 점용 또는 사용하거나 점용료 또는 사용료를 내지 아니한 자	제44조의3제2항, 제3항
4. 지구단위계획구역에서 해당 지구단위계획에 맞지 아니하게 건축물을 건축 또는 용도변경을 하거나 공작물을 설치한 자	제54조
5. 개발행위허가 또는 변경허가를 받지 아니하고 개발행위를 한 자	제56조
6. 개발행위허가 또는 변경허가를 받고 그 허가받은 사업기간 동안 개발행위를 완료하지 아니한 자	제56조
7. 개발행위허가를 받고 그 개발행위허가의 조건을 이행하지 아니한 자	제57조제4항
8. 이행보증금을 예치하지 아니하거나 토지의 원상회복 명령에 따르지 아니한 자	제60조제1항, 제3항
9. 개발행위를 끝낸 후 준공검사를 받지 아니한 자	제62조
10. 원상회복 명령에 따르지 아니한 자	제64조제3항
11. 성장관리계획구역에서 그 성장관리계획에 맞지 아니하게 개발행위를 하거나 건축물의 용도를 변경한 자	제75조의4
12. 용도지역 또는 용도지구에서의 건축 제한 등을 위반한 자	제76조(제5항 제2호～4호의 규정은 제외함)

건축관계법

국토계획법

주차장법

주 택 법

도시및주거
환경정비법

건축사법

장애인시설법

소방시설법

서울시조례

13. 건폐율을 위반하여 건축한 자	제77조
14. 용적률을 위반하여 건축한 자	제78조
15. 용도지역 미지정 또는 미세분 지역에서의 행위 제한 등을 위반한 자	제79조
16. 시가화조정구역에서의 행위 제한을 위반한 자	제81조
17. 둘 이상의 용도지역 등에 걸치는 대지의 적용 기준을 위반한 자	제84조
18. 도시·군계획시설사업시행자 지정을 받지 아니하고 도시·군계획시설사업을 시행한 자	제86조제5항
19. 도시·군계획시설사업의 실시계획인가 또는 변경인가를 받지 아니하고 사업을 시행한 자	제88조
20. 도시·군계획시설사업의 실시계획인가 또는 변경인가를 받고 그 실시계획에서 정한 사업기간 동안 사업을 완료하지 아니한 자	제88조
21. 실시계획의 인가 또는 변경인가를 받은 내용에 맞지 아니하게 도시·군계획시설을 설치하거나 용도를 변경한 자	제88조
22. 이행보증금을 예치하지 아니하거나 토지의 원상회복명령에 따르지 아니한 자	제89조제1항,제3항
23. 도시·군계획시설사업의 공사를 끝낸 후 준공검사를 받지 아니한 자	제98조
24. 해당 규정을 위반하여 타인의 토지에 출입하거나 그 토지를 일시사용한 자	제130조
25. 부정한 방법으로 다음의 어느 하나에 해당하는 허가·인가·지정 등을 받은 자 　① 개발행위허가 또는 변경허가 　② 개발행위의 준공검사 　③ 시가화조정구역에서의 행위허가 　④ 도시·군계획시설사업의 시행자 지정 　⑤ 실시계획의 인가 또는 변경인가 　⑥ 도시·군계획시설사업의 준공검사	 제56조 제62조 제81조 제86조 제88조 제98조
26. 사정이 변경되어 개발행위 또는 도시·군계획시설사업을 계속적으로 시행하면 현저히 공익을 해칠 우려가 있다고 인정되는 경우의 그 개발행위허가를 받은 자 또는 도시·군계획시설사업의 시행자	-

② 손실보상

(1) 국토교통부장관, 시·도지사, 시장·군수 또는 구청장은 위 표 24.에 해당하는 자에게 필요한 처분을 하거나 조치를 명한 경우에는 이로 인하여 발생한 손실을 보상하여야 한다.

(2) 손실보상에 대한 규정은 위 **11** - ② 의 규정을 준용한다.

13 행정심판 (법
제134조)

(1) 도시·군계획시설사업의 시행자의 처분에 대하여는 「행정심판법」에 따라 행정심판을 제기할 수 있다.

(2) 행정청이 아닌 시행자의 처분에 대하여는 해당 시행자를 지정한 자에게 행정심판을 제기하여야 한다.

건축관계법

국토계획법

주차장법

주 택 법

도시및주거
환경정비법

건축사법

장애인시설법

소방시설법

서울시조례

14 권리·의무의 승계 등 (법 제135조)

(1) 토지 또는 건축물에 관하여 소유권 그 밖의 권리를 가진 자의 도시·군관리계획에 관한 권리·의무와 토지의 소유권자, 지상권자 등에게 발생 또는 부과된 권리·의무는 그 토지 또는 건축물에 관한 소유권 그 밖의 권리의 변동과 동시에 그 승계인에게 이전한다.

(2) 이 법 또는 이 법에 따른 명령에 따른 처분, 그 절차 그 밖의 행위는 그 행위와 관련된 토지 또는 건축물에 대하여 소유권 그 밖의 권리를 가진 자의 승계인에 대하여 효력을 가진다.

15 청 문 (법 제136조)

국토교통부장관, 시·도지사, 시장·군수 또는 구청장은 다음의 어느 하나에 해당하는 처분을 하려면 청문을 하여야 한다.

청 문 사 유	청문실시 의무자
1. 개발시행허가의 취소	국토교통부장관, 시·도지사, 시장·군수 또는 구청장
2. 도시·군계획시설사업 시행자지정의 취소	
3. 실시계획인가의 취소	
4. 토지거래계약허가의 취소	

16 보고 및 검사 등 (법 제137조)

(1) 국토교통부장관(수산자원보호구역의 경우에는 농림식품부장관을 말함), 시·도지사, 시장 또는 군수는 다음의 어느 하나에 해당하는 개발행위허가를 받은 자 또는 도시·군계획시설사업의 시행자에 대하여 감독상 필요한 보고를 하게 하거나 자료의 제출을 명할 수 있으며, 소속공무원으로 하여금 개발행위에 관한 업무사항을 검사하게 할 수 있다.

① 다음의 내용에 대한 이행 여부의 확인이 필요한 경우

㉠ 개발행위허가(법 제56조)의 내용

㉡ 실시계획인가(법 제88조)의 내용

② 위 11 - 1 의 표 5.~9. , 17.~24. 중 어느 하나에 해당한다고 판단하는 경우

③ 그 밖에 해당 개발행위의 체계적 관리를 위하여 관련 자료 및 현장 확인이 필요한 경우

(2) 업무를 검사하는 공무원은 그 권한을 표시하는 증표를 지니고, 이를 관계인에게 내보내야 한다.

17 도시·군계획의 수립 및 운영에 대한 감독 및 조정 (법 제138조)

(1) 국토교통부장관(수산자원보호구역의 경우 농림수산시품부장관을 말함)은 필요한 때에는 시·도지사 또는 시장·군수에게, 시·도지사는 시장·군수에게 도시·군계획의 수립 및 운영실태에 대하여 감독상 필요한 보고를 하게 하거나 자료의 제출을 명할 수 있으며, 소속공무원으로 하여금 도시·군계획에 관한 업무의 상황을 검사하게 할 수 있다.

(2) 국토교통부장관은 도시·군기본계획 및 도시·군관리계획이 국가계획 및 광역도시계획에 부합

하지 아니하거나 도시·군관리계획이 도시·군기본계획에 부합하지 아니하다고 판단하는 경우에는 특별시장·광역시장·특별자치시장·특별자치도지사·시장 또는 군수에게 기한을 정하여 도시·군관리계획의 조정을 요구할 수 있다. 이 경우 특별시장·광역시장·특별자치시장·특별자치도지사·시장 또는 군수는 도시·군관리계획을 재검토하여 이를 정비하여야 한다.

(3) 도지사는 시·군 도시·군관리계획이 광역도시계획이나 도시·군기본계획에 부합하지 아니하다고 판단하는 경우에는 시장 또는 군수에게 기한을 정하여 그 도시·군관리계획의 조정을 요구할 수 있다. 이 경우 시장 또는 군수는 그 도시·군관리계획을 재검토하여 이를 정비하여야 한다.

건축관계법
국토계획법
주차장법
주 택 법
도시및주거환경정비법
건축사법
장애인시설법
소방시설법
서울시조례

18 권한의 위임 및 위탁 (법 제139조)(영 제133)

권한의 위임자	권한의 위임을 받은 자	근거 규정
1. 국토교통부장관 (수산자원보호구역: 해양수산부장관)	시·도지사 (국토교통부장관의 승인을 얻어 위임받은 권한을 시장·군수·구청장에게 재위임할 수 있다.)	시행령 제133조
2. 시·도지사(권한위임 사실을 국토교통부장관에게 보고하여야 한다)	시장·군수·구청장	시·도의 조례

비고 　위 규정에 의하여 권한이 위임 또는 재위임 된 경우

1. 그 위임 또는 재위임 된 사항 중 중앙도시계획위원회 또는 지방도시계획위원회의 심의 또는 시·도에 두는 건축위원회와 지방도시계획위원회가 공동으로 하는 심의를 거쳐야 하는 사항에 대하여는 그 위임 또는 재위임 받은 기관이 속하는 지방자치단체에 설치된 지방도시계획위원회의 심의 또는 시·군·구에 두는 건축위원회와 도시계획위원회가 공동으로 하는 심의를 거쳐야 한다.

2. 그 위임 또는 재위임 된 사항 중 해당 지방의회의 의견을 들어야 하는 사항에 대하여는 그 위임 또는 재위임 받은 기관이 속하는 지방자치단체의 의회의 의견을 들어야 한다.

(1) 국토교통부장관은 다음의 권한을 시·도지사에게 위임한다.

① 도시·군기본계획의 수립 또는 변경에 대한 승인 중 다음의 어느 하나에 해당하는 도시·군기본계획의 수립 또는 변경에 대한 승인

　1. 인구 10만 명 이하인 시·군(수도권에 속하지 아니하는 시·군에 한한다)에 대한 도시·군기본계획의 수립 또는 변경
　2. 도시·군기본계획 중 다음의 사항을 변경하기 위한 도시·군기본계획의 변경
　　① 환경의 보전 및 관리에 관한 사항
　　② 경관에 관한 사항
　　③ 경제·산업·사회·문화의 개발 및 진흥에 관한 사항
　　④ 미관의 관리에 관한 사항
　　⑤ 방재 및 안전에 관한 사항
　　⑥ 재정확충 및 도시·군기본계획의 시행을 위하여 필요한 재원조달에 관한 사항
　3. 위 2.에 규정된 사항의 단계별 추진에 관한 사항을 변경하기 위한 도시·군기본계획의 변경
　4. 도시지역외의 지역에서 「산업입지 및 개발에 관한 법률」에 따른 농공단지의 지정을 위한 도시·군기본계획의 변경

건축관계법

국토계획법

주차장법

주 택 법

도시및주거
환경정비법

건축사법

장애인시설법

소방시설법

서울시조례

　　5. 도시지역외의 지역에서 「체육시설의 설치·이용에 관한 법률」에 따른 체육시설의 입지를 위
　　　한 도시·군기본계획의 변경

　　6. 도시지역외의 지역에서 「자연공원법」에 따른 군립공원의 지정을 위한 도시·군기본계획의
　　　변경

　　7. 도시지역외의 지역에서 「수도법」에 따른 상수원보호구역의 지정을 위한 도시·군기본계획
　　　의 변경

② 시가화조정구역의 지정 및 변경에 관한 도시·군관리계획과 수산자원보호구역의 지정 및 변
　경에 관한 도시·군관리계획에 해당하는 도시·군관리계획 중 1㎢ 미만의 구역의 지정 및 변
　경에 해당하는 도시·군관리계획의 결정

(2) 시·도지사는 위 (1)에 따라 위임받은 업무를 처리한 때에는 다음과 같이 국토교통부장관에게 보
　고하여야 한다.

① 시·도지사는 국토교통부장관으로부터 위임받은 업무를 처리한 때에는 해당 도시·군계획도서
　및 계획설명서 또는 토지거래계약허가구역의 지정 및 변경관련 도서를 15일 이내에 국토교통
　부장관에게 제출하여야 한다.

　예외 국토교통부장관의 승인을 얻어 재위임한 때에는 그러하지 아니하다.

② 시장·군수 또는 구청장은 다음 사항에 관한 매 분기별 현황을 시·도지사에게 제출하여야 하
　고, 시·도지사는 제출된 자료를 취합하여 매 반기별로 국토교통부장관에게 제출하여야 한다.

　　1. 시·군·구 도시계획위원회의 심의실적

　　2. 선매·매수청구 실적 및 토지이용조사에 관한 사항

　　3. 벌칙 위반자에 대한 고발 및 처분실적

건축관계법

국토계획법

주차장법

주 택 법

도시및주거
환경정비법

건축사법

장애인시설법

소방시설법

서울시조례

벌 칙

1 3년 이하의 징역 또는 3천만원 이하의 벌금 (법 제140조)

법 규 정		위 반 내 용
1. 개발행위의 허가	제56조제1항 또는 제2항	허가 또는 변경허가를 받지 아니하거나 거짓 그 밖의 부정한 방법으로 허가 또는 변경허가를 받아 개발행위를 한 자
2. 시가화조정구역에서의 행위 제한 등	제81조제2항	허가를 받지 아니하고 건축물의 건축, 입목의 벌채, 조림, 육림, 토석의 채취 등의 행위를 한 자

【참고】 행정벌의 종류
① 행정 형벌 (형법상 규제) : 징역, 벌금
② 행정 질서벌 : 과태료
③ 행정 강제 : 이행강제금, 대집행(강제집행)
④ 행정 처분 : 허가취소, 등록취소, 자격취소, 자격정지, 업무정지 등

2 3년 이하의 징역 또는 기반시설설치비용의 3배에 상당하는 벌금 (법 제140조의2)

법 규 정		위 반 내 용
기반시설설치비용의 부과대상 및 산정 기준	제68조	면탈·경감할 목적 또는 면탈·경감하게 할 목적으로 거짓 계약을 체결하거나 거짓 자료를 제출한 자는 3년 이하의 징역 또는 면탈·경감하였거나 면탈·경감하고자 한 기반시설설치비용의 3배 이하에 상당하는 벌금에 처한다.
기반시설설치비용의 납부 및 체납처분	제69조	

3 2년 이하의 징역 또는 2천만원 이하의 벌금 (법 제141조)

법 규 정		위 반 내 용
1. 도시·군계획시설의 설치·관리	제43조제1항	도시·군관리계획의 결정 없이 기반시설을 설치한 자
2. 공동구의 설치	제44조제3항	공동구에 수용하여야 하는 시설을 공동구에 수용하지 아니한 자
3. 지구단위계획구역에서의 건축 등	제54조	지구단위계획에 적합하지 아니하게 건축물을 건축하거나 용도를 변경한 자
4. 용도지역 및 용도지구에서의 건축물의 건축제한 등	제76조(같은 조 제5항 제2호 ~ 제4호까지 제외)	용도지역 또는 용도지구에서의 건축물이나 그 밖의 시설의 용도·종류 및 규모 등의 제한을 위반하여 건축물이나 그 밖의 시설을 건축 또는 설치하거나 그 용도를 변경한 자

※ 위 5.의 경우 계약체결 당시의 개별공시지가에 따른 해당 토지가격의 30/100에 해당하는 금액 이하의 벌금에 처한다.

4 1년 이하의 징역 또는 1천만원 이하의 벌금 (법 제142조)

법 규 정		위 반 내 용
법률 등의 위반자에 대한 처분	제133조제1항	허가·인가 등의 취소, 공사의 중지, 공작물 등의 개축 또는 이전 등의 처분 또는 조치명령에 위반한 자

5 양벌규정 (법 제143조)

법인의 대표자나 법인 또는 개인의 대리인·사용인 또는 종업원이 벌칙(법 제140조~제147조)에 해당하는 위반행위를 한 때에는 그 행위자를 벌하는 외에 그 법인 또는 개인에 대하여도 각 해당 조의 벌금형을 과한다.

예외 법인 또는 개인이 그 위반행위를 방지하기 위하여 해당 업무에 관하여 상당한 주의와 감독을 게을리 하지 아니한 경우는 그러하지 아니하다.

6 과태료 (법 제144조)

1 1천만원 이하의 과태료

법 규 정		위 반 내 용	비고
1. 공동구의 관리비용 등	제44조의3제2항	허가를 받지 아니하고 공동구를 점용 또는 사용한 자	▲
2. 토지에의 출입 등	제130조제1항	정당한 사유 없이 토지에의 출입 등의 행위를 방해 또는 거부한 자	●
3. 토지에의 출입 등	제130조 제2항 ~ 제4항	허가 또는 동의를 받지 아니하고 토지에의 출입 등의 행위를 한 자	▲
4. 보고 및 검사 등	제137조제1항	개발행위에 관한 업무사항의 검사를 거부·방해 또는 기피한 자	●

② 500만원 이하의 과태료

법 규 정		위 반 내 용	비고
1. 개발행위의 허가	제56조제4항의 단서	신고사항에 관한 신고를 하지 아니한 자	▲
2. 보고 및 검사 등	제137조제1항	감독상 필요한 보고 또는 자료제출을 하지 아니하거나 허위로 보고 또는 자료제출을 한 자	●

비고 ● : 국토교통부장관, 시·도지사, 시장 또는 군수가 과태료를 부과·징수
　　　 ▲ : 특별시장·광역시장·특별자치시장·특별자치도지사·시장 또는 군수가 과태료를 부과·징수

③ 과태료의 부과기준 (영 제134조)

(1) 과태료의 부과기준은 다음과 같다.

[별표 28] **과태료의 부과 기준** (영 제134조제1항 관련)

위반 행위	해당 법조문	과태료 금액
1. 공동구의 관리비용 등(법 제44조의3제2항)에 따른 허가를 받지 아니하고 공동구를 점용하거나 사용한 자	법 제144조제1항제1호	800만원
2. 개발행위의 허가(법 제56조제4항 단서)에 따른 신고를 하지 아니한 자	법 제144조제2항제1호	200만원
3. 정당한 사유 없이 토지에의 출입 등(법 제130조제1항)에 따른 행위를 방해하거나 거부한 자	법 제144조제1항제2호	600만원
4. 토지에의 출입 등(법 제130조제2항부터 제4항까지)의 규정에 따른 허가 또는 동의를 받지 아니하고 같은 조 제1항에 따른 행위를 한자	법 제144조제1항제3호	500만원
5. 보고 및 검사 등(법 제137조제1항)에 따른 검사를 거부·방해하거나 기피한 자	법 제144조제1항제4호	500만원
6. 보고 및 검사 등(법 제137조제1항)에 따른 보고 또는 자료 제출을 하지 아니하거나, 거짓된 보고 또는 자료 제출을 한 자	법 제144조제2항제2호	300만원

(2) 국토교통부장관(수산자원보호구역의 경우에는 해양수산부장관을 말함), 시·도지사, 시장 또는 군수는 위반행위의 동기·결과 및 횟수 등을 고려하여 위 [별표 28]에 따른 과태료 금액의 1/2의 범위에서 가중하거나 경감할 수 있다.

(3) 위 (2)에 따라 과태료를 가중하여 부과하는 경우에도 과태료 부과금액은 다음의 구분에 따른 금액을 초과할 수 없다.
　① 법 제144조제1항의 경우: 1천만원
　② 법 제144조제2항의 경우: 5백만원

건축관계법
국토계획법
주차장법
주 택 법
도시및주거환경정비법
건축사법
장애인시설법
소방시설법
서울시조례

駐車場法　解說

최종개정 : 주 차 장 법　2024. 1. 9
시 행 령　2023. 4. 25
시 행 규 칙　2023. 12. 1

목 차

건축관계법

국토계획법

주차장법

주 택 법

도시및주거
환경정비법

건축사법

장애인시설법

소방시설법

서울시조례

총 칙

1 목적 (법 제1조)

1 목 적

「주차장법」은 주차장의 설치·정비 및 관리에 관하여 필요한 사항을 정함으로써 자동차 교통을 원활하게 하여 공중(公衆)의 편의와 안전을 도모함을 목적으로 한다.

2 규정내용

① 주차장의 설치에 관한 규정
② 주차장의 정비에 관한 규정
③ 주차장의 관리에 관한 규정

2 정의 (법 제2조)

이 법에서 사용하는 용어의 뜻은 다음과 같다.

1. 주차장: (자동차의 주차를 위한 시설)	① 노상주차장	도로의 노면 또는 교통광장(교차점 광장만 해당)의 일정한 구역에 설치된 주차장으로서 일반의 이용에 제공되는 것
	② 노외주차장	도로의 노면 및 교통광장 외의 장소에 설치된 주차장으로서 일반의 이용에 제공되는 것
	③ 부설주차장	건축물, 골프연습장, 그 밖에 주차수요를 유발하는 시설에 부대(附帶)하여 설치되는 주차장으로서 해당 건축물·시설의 이용자 또는 일반의 이용에 제공되는 것
2. 기계식주차장치		노외주차장 및 부설주차장에 설치하는 주차설비로서 기계장치에 의하여 자동차를 주차할 장소로 이동시키는 설비
3. 기계식주차장		기계식주차장치를 설치한 노외주차장 및 부설주차장

건축관계법

국토계획법

주차장법

주택법

도시및주거
환경정비법

건축사법

장애인시설법

소방시설법

서울시조례

4. 도로	자동차 통행이 가능한 너비 4m 이상의 도로로서 다음의 어느 하나에 해당하는 도로를 말한다. ① 「국토의 계획 및 이용에 관한 법률」, 「도로법」, 「사도법」, 그 밖의 관계 법령에 따라 신설 또는 변경에 관한 고시가 된 도로 ② 건축허가 또는 신고 시에 특별시장·광역시장·도지사·특별자치도지사 또는 시장·군수·구청장(자치구의 구청장을 말한다)이 위치를 지정하여 공고한 도로
5. 자동차	철길이나 가설된 선에 의하지 아니하고 원동기를 사용하여 운전되는 차(견인되는 자동차도 자동차의 일부로 본다)로서 다음에 해당하는 차를 말한다. ① 「자동차관리법」의 규정에 의한 다음의 자동차. 　㉠ 승용자동차　㉡ 승합자동차　㉢ 화물자동차 　㉣ 특수자동차　㉤ 이륜자동차　㉥ 원동기장치자전거 ② 「건설기계관리법」의 규정에 의한 건설기계
6. 주차	운전자가 승객을 기다리거나 화물을 싣거나 고장이나 그 밖의 사유로 인하여 차를 계속하여 정지 상태에 두는 것 또는 운전자가 차로부터 떠나서 즉시 그 차를 운전할 수 없는 상태에 두는 것을 말한다.
7. 주차단위구획	자동차 1대를 주차할 수 있는 구획을 말한다.
8. 주차구획	하나 이상의 주차단위구획으로 이루어진 구획 전체를 말한다.
9. 전용주차구획	경형자동차 등 일정한 자동차에 한하여 주차가 허용되는 주차구획을 말한다.
10. 건축물	토지에 정착(定着)하는 공작물 중 지붕과 기둥 또는 벽이 있는 것과 이에 딸린 시설물, 지하나 고가(高架)의 공작물에 설치하는 사무소·공연장·점포·차고·창고, 그 밖에 대통령령으로 정하는 것을 말한다.
11. 주차전용건축물	건축물의 연면적 중 일정비율 이상이 주차장으로 제공되는 건축물을 말함.
12. 건축	「건축법」상의 건축 및 대수선(용도변경 포함)을 말함 ① 건축 : 건축물을 신축·증축·개축·재축(再築)하거나 건축물을 이전하는 것 ② 대수선 : 건축물의 기둥, 보, 내력벽, 주계단 등의 구조나 외부 형태를 수선·변경하거나 증설하는 것으로서 대통령령으로 정하는 것
13. 기계식주차장치 보수업	기계식주차장의 고장을 수리하거나 고장을 예방하기 위하여 정비를 하는 사업

관계법 【도로교통법】 제2조 【정의】

　이 법에서 사용하는 용어의 뜻은 다음과 같다. <개정 2022.1.11., 2023.10.24.>

　1.~17. <생략>

　18. "자동차"란 철길이나 가설된 선을 이용하지 아니하고 원동기를 사용하여 운전되는 차(견인되는 자동차도 자동차의 일부로 본다)로서 다음 각 목의 차를 말한다.

　　가. 「자동차관리법」 제3조에 따른 다음의 자동차. 다만, 원동기장치자전거는 제외한다.

　　　1) 승용자동차

　　　2) 승합자동차

　　　3) 화물자동차

　　　4) 특수자동차

　　　5) 이륜자동차

　　나. 「건설기계관리법」 제26조제1항 단서에 따른 건설기계

　19. "원동기장치자전거"란 다음 각 목의 어느 하나에 해당하는 차를 말한다.

　　가. 「자동차관리법」 제3조에 따른 이륜자동차 가운데 배기량 125시시 이하(전기를 동력으로 하는 경우에는 최고정격출력 11킬로와트 이하)의 이륜자동차

　　나. 그 밖에 배기량 125시시 이하(전기를 동력으로 하는 경우에는 최고정격출력 11킬로와트 이하)의 원동기를 단 차(「자전거 이용 활성화에 관한 법률」 제2조제1호의2에 따른 전기자전거는 제외한다)

건축관계법

국토계획법

주차장법

주 택 법

도시및주거
환경정비법

건축사법

장애인시설법

소방시설법

서울시조례

【참고 1】주차장의 종류

1. 설치 위치에 따른 분류	2. 이동방식에 따른 분류
① 노상주차장	① 자주식주차장
② 노외주차장	② 기계식주차장
③ 부설주차장	

【참고 2】「주차장법」과 「건축법」상의 '도로'의 차이

「주차장법」에 따른 도로는 「건축법」에 따른 도로로서 정의되나, 「건축법」상의 도로와 다른 점은 자동차통행의 가능 여부이다. 「건축법」에서는 지형적으로 자동차통행이 불가능한 도로도 예외로 인정되는 경우가 있으나 「주차장법」에서는 인정되지 않는다.

① 주차전용건축물의 주차면적비율 (영 제1조의2)

주차전용건축물의 원칙은 주차장으로 사용되는 비율이 연면적의 95% 이상인 것을 말한다. 다만 주차장외의 용도로 사용되는 부분이 근린생활시설 등으로 사용되는 경우 70% 이상으로 할 수 있다.

주차장이외 부분의 용도	주차장면적비율	비 고
• 일반용도	연면적 중 95% 이상	
• 단독주택, 공동주택 • 제1종 및 제2종 근린생활시설 • 문화 및 집회시설 • 종교시설 • 판매시설 • 운수시설 • 운동시설 • 업무시설 • 창고시설 • 자동차 관련시설	연면적 중 70% 이상	특별시장, 광역시장, 특별자치도지사 또는 시장은 조례로 해당 지역 안의 구역별로 제한가능하다.

【참고】주차전용건축물의 연면적 산정기준

일반원칙	「건축법」의 규정에 따름
기계식주차장치	기계식주차장치에 의하여 자동차가 주차할 수 있는 면적과 기계실·관리사무소 등의 면적을 합산하여 산정

② 주차장 수급 및 안전관리 실태조사 (법 제3조)

특별자치시장·특별자치도지사·시장(「제주특별자치도 설치 및 국제자유도시 조성을 위한 특별법」에 따른 시장은 제외 함)·군수 또는 구청장(자치구의 구청장을 말함)은 주차장의 설치 및 관리를 위한 기초자료로 활용하기 위하여 행정구역·용도지역·용도지구 등을 종합적으로 고려한 조사구역을 정하여 정기적으로 조사구열별로 다음의 주차장 수급실태를 조사하여야 한다.

건축관계법

국토계획법

주차장법

주 택 법

도시및주거
환경정비법

건축사법

장애인시설법

소방시설법

서울시조례

구 분	내 용
① 실태조사구역의 설정기준	1. 사각형 또는 삼각형 형태로 조사구역을 설정하되 조사구역 바깥 경계선의 최대거리가 300m를 넘지 아니하도록 한다. 2. 각 조사구역은 「건축법」에 따른 도로를 경계로 구분한다. 3. 아파트단지와 단독주택단지가 혼재된 지역 또는 주거기능과 상업·업무기능이 혼재된 지역의 경우에는 주차시설수급의 적정성, 지역적 특성 등을 고려하여 동일한 특성을 가진 지역별로 조사구역을 설정한다.
② 실태조사의 주기	• 조사주기는 3년으로 한다.
③ 실태조사와 안전 관리실태조사의 방법	1. 시장·군수 또는 구청장은 특별시·광역시·특별자치시 또는 군(광역시의 군은 제외)의 조례가 정하는 바에 따라 위 ①에 따른 기준에 의하여 설정된 조사구역별로 주차수요조사와 주차시설현황조사로 구분하여 실태조사를 하여야 한다. 2. 시장·군수 또는 구청장이 실태조사를 한 때에는 각 조사구역별로 주차수요와 주차시설현황을 대조·확인할 수 있도록 주차실태조사결과입력대장(별지 제1호서식)에 기재(전산프로그램을 제작하여 입력하는 경우를 포함)하여 관리한다. 3. 시장·군수 또는 구청장은 주차장의 안전사고 예방을 위하여 정기적으로 조사구역 내 설치된 주차장의 경사도 등 이용자의 안전에 위해가 되는 요소를 점검하고 그에 따른 안전관리실태를 조사하여야 한다.

③ 주차환경개선지구 (법 제4조)

【1】주차환경개선지구의 지정

① 시장·군수 또는 구청장은 다음의 지역안의 조사구역으로서 주차장 실태조사결과 주차장확보율이 해당 지방자치단체의 조례가 정하는 비율 이하인 조사구역에 대하여는 주차난 완화와 교통의 원활한 소통을 위하여 이를 주차환경개선지구로 지정할 수 있다.

1. 「국토의 계획 및 이용에 관한 법률」에 따른 주거지역

2. 위 1.에 따른 주거지역과 인접한 지역으로서 해당 지방자치단체의 조례가 정하는 지역

$$\blacksquare \ \text{주차장 확보율} = \frac{\text{주차단위구획의 수}}{\text{자동차 등록 대수}}$$

※ 다른 법령에서 일정한 자동차에 대하여 별도로 차고를 확보하도록 하고 있는 경우 그 자동차의 등록대수 및 차고의 수는 비율을 계산할 때 제외한다.

② 위 ①에 따른 주차환경개선지구의 지정은 시장·군수 또는 구청장이 주차환경개선지구 지정·관리계획을 수립하여 이를 결정한다.

③ 시장·군수 또는 구청장은 위 ②에 따라 주차환경개선지구를 지정한 때에는 그 관리에 관한 연차별 목표를 정하고, 매년 주차장 수급실태의 개선효과를 분석하여야 한다.

【2】 주차환경개선지구 지정·관리계획 $\left(\substack{법 \\ 제4조의2}\right)$

① 주차환경개선지구 지정·관리계획에는 다음의 사항이 포함되어야 한다.

1. 주차환경개선지구의 지정구역 및 지정의 필요성

2. 주차환경개선지구의 관리목표 및 방법

3. 주차장의 수급실태 및 이용특성

4. 장단기 주차수요에 대한 예측

5. 연차별 주차장 확충 및 재원조달 계획

6. 노외주차장 우선 공급 등 주차환경개선지구의 지정목적을 달성하기 위하여 필요한 조치

② 시장·군수 또는 구청장은 주차환경개선지구지정·관리계획을 수립하고자 하는 때에는 미리 공청회를 개최하여 지역 주민·관계전문가 등의 의견을 청취하여야 한다. 다음의 중요한 사항을 변경하고자 하는 경우에도 또한 같다.

1. 주차환경개선지구의 지정구역의 10% 이상을 변경하는 경우

2. 예측된 주차수요를 30% 이상 변경하는 경우

③ 시장·군수 또는 구청장은 위 ②에 따라 주차환경개선지구 지정·관리계획을 수립 또는 변경하는 때에는 이를 고시하여야 한다.

【3】 주차환경개선지구 지정의 해제 $\left(\substack{법 \\ 제4조의3}\right)$

시장·군수 또는 구청장은 주차환경개선지구의 지정목적을 달성하였다고 인정하는 경우에는 그 지정을 해제하고, 이를 고시하여야 한다.

3 주차장 설비기준 등 $\left(\substack{법 \\ 제6조}\right)\left(\substack{규칙 \\ 제4조의2}\right)$

1 주차장설치시 관할 경찰서장 등의 의견 청취

① 주차장의 구조·설비 및 안전기준 등에 관하여 필요한 사항은 국토교통부령으로 정한다. 이 경우 다음 자동차는 전용주차구획(환경친화적 자동차의 경우 충전시설 포함)을 일정 비율 이상 정할 수 있다.

■ 전용주차구획 지정 대상	
1. 경형자동차	「자동차관리법」에 따른 배기량 1,000cc 미만의 자동차
2. 환경친화적 자동차	「환경친화적 자동차의 개발 및 보급 촉진에 관한 법률」에 따른 환경친화적자동차
3. 승용차공동이용 자동차	「여객자동차 운수사업법」에 따른 자동차대여사업자가 제공하는 자동차로서 승용차공동이용 서비스를 이용하는 회원이 자동차가 필요할 때 시간단위로 예약하여 이용할 수 있는 자동차 <신설 2024.1.9./시행 2024.7.10.>

건축관계법
국토계획법
주차장법
주 택 법
도시및주거
환경정비법
건축사법
장애인시설법
소방시설법
서울시조례

건축관계법
국토계획법
주차장법
주 택 법
도시및주거
환경정비법
건축사법
장애인시설법
소방시설법
서울시조례

② 특별시·광역시·특별자치시·특별자치도·시(「제주특별자치도 설치 및 국제자유도시 조성을 위한 특별법」에 따른 시는 제외)·군 또는 자치구는 해당 지역의 주차장 실태 등을 고려하여 필요하다고 인정하는 경우 위 ①의 규정에 불구하고 주차장의 구조·설비기준 등에 관하여 필요한 사항을 해당 지방자치단체의 조례로 달리 정할 수 있다.

③ 경사진 곳(주차제동장치가 작동되지 않은 상태에서 자동차의 미끄러짐이 발생하는 곳을 말함)에 주차장을 설치하려는 자는 다음에서 정하는 바에 따라 고임목 등 주차된 차량이 미끄러지는 것을 방지하는 시설과 미끄럼 주의 안내표지를 갖추어야 한다.

　㉠ 경사진 곳에 주차장을 설치하려는 자는 주차된 차량이 미끄러지는 것을 방지하기 위해 고정형 고임목을 설치해야 한다.

　　예외 고정형 고임목 대신 이동형 고임목, 고임돌, 고무, 플라스틱 등 차량의 미끄러짐을 방지하기 위한 물건을 비치할 수 있는 경우

1. 고정형 고임목을 설치할 경우 주차장의 형태·위치 등으로 인하여 주차단위구획으로의 진출입이나 주차가 현저히 곤란한 경우
2. 고정형 고임목을 설치할 경우 보행자 안전 또는 교통 흐름 등에 지장을 초래할 특별한 사정이 있다고 시장·군수·구청정이 인정하는 경우

　㉡ 미끄럼 주의 안내표지에는 다음 사항이 모두 포함되어야 하며, 자동차 운전자가 잘 볼 수 있는 곳에 설치되어야 한다.

1. 주차장이 경사진 곳이라는 사항
2. 차량이 미끄러짐을 방지하기 위해 다음의 조치가 필요하다는 사항 　• 자동차의 주차제동장치를 작동시킬 것 　• 주차장에 비치된 이동형 고임돌 등으로 차량의 미끄럼을 방지하기 위한 조치를 할 것 　• . 조향장치를 가장자리 방향으로 돌려놓을 것

④ 특별시장·광역시장, 시장·군수·구청장은 노상 또는 노외주차장을 설치하는 경우 도시·군관리계획 및 「도시교통정비 촉진법」에 따른 도시교통정비 기본계획에 따라야 하며, 노상주차장을 설치하는 경우에는 미리 관할 경찰서장과 소방서장의 의견을 들어야 한다.

② 주차장의 형태 (규칙 제2조)

① 자주식 주차장 : 운전자가 직접 운전하여 주차장으로 들어가는 형식
② 기계식 주차장 : 기계식주차장치를 설치한 노외주차장 및 부설주차장

【참고】 주차장 형태의 세분

1. 자주식 주차장	① 지하식　　② 지평식　　③ 건축물식(공작물식 포함)
2. 기계식 주차장	① 지하식　　② 건축물식(공작물식 포함)

③ 주차장의 주차단위구획 (규칙 제3조)

• 평행주차형식의 경우		
구 분	너 비	길 이
경 형	1.7m 이상	4.5m 이상
일반형	2.0m 이상	6.0m 이상
보도와 차도의 구분이 없는 주거 지역의 도로	2.0m 이상	5.0m 이상
이륜자동차전용	1.0m 이상	2.3m 이상

• 평행주차형식 외의 경우		
구 분	너 비	길 이
경 형	2.0m 이상	3.6m 이상
일반형	2.5m 이상	5.0m 이상
확장형	2.6m 이상	5.2m 이상
장애인전용	3.3m 이상	5.0m 이상
이륜자동차전용	1.0m 이상	2.3m 이상

※ 경형자동차는 「자동차관리법」에 따른 1,000cc 미만의 자동차를 말한다.
※ 주차단위구획은 백색실선(경형자동차 전용주차구획의 경우 청색실선)으로 표시하여야 한다.
※ 둘 이상의 연속된 주차단위구획의 총 너비 또는 총 길이는 주차단위구획의 너비 또는 길이에 주차단위구획의 개수를 곱한 것 이상이 되어야 한다.

【참고】 주차단위구획 크기의 비교(평행주차형식 외의 경우)(단위 : m)

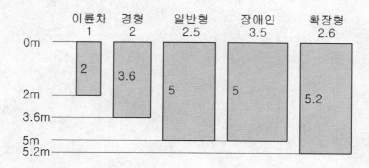

④ 이륜자동차 주차관리대상구역 지정 등 (법 제6조의2)

① 특별시장·광역시장·시장·군수 또는 구청장은 이륜자동차(「도로교통법」에 따른 이륜자동차 및 원동기 장치 자전거를 말함)의 주차 관리가 필요한 지역을 이륜자동차 주차관리대상구역으로 지정할 수 있다.

② 특별시장·광역시장·시장·군수 또는 구청장은 위 ①에 따라 이륜자동차 주차관리대상구역을 지정할 때 해당 지역 주차장의 이륜자동차 전용주차구획을 일정 비율 이상 정하여야 한다.

③ 특별시장·광역시장·시장·군수 또는 구청장은 위 ①에 따라 주차관리대상구역을 지정한 때에는 그 사실을 고시하여야 한다.

기초기계법

국토계획법

주차장법

주 택 법

도시및주거
환경정비법

건축사법

장애인시설법

소방시설법

서울시조례

4-10

⑤ **협회의 설립** (법 제6조의3)

① 주차장 사업을 경영하거나 이와 관련된 업무에 종사하는 자는 관련 제도의 개선 및 사업의 건전한 발전을 위하여 주차장 사업자단체(이하 "협회"라 한다)를 설립할 수 있다.

② 협회는 법인으로 한다.

③ 협회는 국토교통부장관의 인가를 받아 주된 사무소의 소재지에서 설립등기를 함으로써 성립한다.

④ 협회 회원의 자격과 임원에 관한 사항, 협회의 업무 등은 정관으로 정한다.

⑤ 협회에 관하여 이 법에 규정된 사항 외에는 「민법」 중 사단법인에 관한 규정을 준용한다.

건축관계법

국토계획법

주차장법

주 택 법

도시및주거
환경정비법

건축사법

장애인시설법

소방시설법

서울시조례

1 노상주차장의 설치 및 폐지 (법 제7조)

1 노상주차장의 설치

노상주차장은 특별시장·광역시장, 시장·군수 또는 구청장이 이를 설치한다. 이 경우 도시·군관리계획에 따른 도시·군계획시설의 설치(「국토의 계획 및 이용에 관한 법률」 제43조제1항) 규정은 이를 적용하지 아니한다.

> **관계법** 「국토의 계획 및 이용에 관한 법률」 제43조【도시·군계획시설의 설치·관리】
> ① 지상·수상·공중·수중 또는 지하에 기반시설을 설치하려면 그 시설의 종류·명칭·위치·규모 등을 미리 도시·군관리계획으로 결정하여야 한다. 다만, 용도지역·기반시설의 특성 등을 고려하여 대통령령으로 정하는 경우에는 그러하지 아니하다. <개정 2011.4.14.>
> ②~③ <생략>

2 노상주차장의 폐지

다음의 경우 특별시장·광역시장, 시장·군수·구청장은 지체 없이 노상주차장을 폐지하여야 한다.
① 주차로 인하여 대중교통수단의 운행 장애를 유발하는 경우
② 주차로 인하여 교통소통에 장애를 주는 경우
③ 노상주차장을 대신하는 노외주차장의 설치 등으로 인하여 노상주차장이 필요 없게 된 경우
④ 어린이 보호구역으로 지정된 경우

3 하역주차구획의 지정

특별시장·광역시장, 시장·군수 또는 구청장은 노상주차장 중 해당 지역의 교통여건을 참작하여 화물의 하역을 위한 하역주차구획을 지정할 수 있다. 이 경우 특별시장·광역시장, 시장·군수 또는 구청장은 해당 지방자치단체의 조례가 정하는 바에 의하여 하역주차구획에 화물자동차 외의 자동차(「도로교통법」에 따른 긴급자동차를 제외)의 주차를 금지할 수 있다.

2 노상주차장의 설비기준 (규칙 제4조)

① 일반기준

① 노상주차장을 설치하고자 하는 지역에서의 주차수요와 노외주차장 그 밖에 자동차의 주차에 사용되는 시설 또는 장소와의 연관성을 고려하여 유기적으로 대응할 수 있도록 적정하게 분포되어야 한다.

② 노상주차장의 설치시 도로의 너비 또는 교통상황 등을 고려하여 그 도로를 이용하는 자동차의 통행에 지장이 없도록 설치해야 한다.

③ 노상주차장의 주차구획의 설치에 관하여 필요한 사항은 해당 지방자치단체의 조례로 정할 수 있다.

② 노상주차장을 설치 금지 장소

설치 금지 장소	예외(설치가능의 경우)
• 주간선도로	분리대, 그 밖에 도로의 부분으로서 도로교통에 크게 지장을 가져오지 아니하는 부분
• 너비 6m 미만의 도로	보행자의 통행이나 연도(沿道: 옆길)의 이용에 지장이 없는 경우로서 조례로 정하는 경우
• 종단경사도*가 4%를 초과하는 도로 ＊자동차 진행방향의 기울기를 말함	종단경사도가 6% 이하의 도로로서 ① 보도와 차도의 구별이 되어 있고, 그 차도의 너비가 13m 이상인 도로에 설치하는 경우 ② 해당 시장·군수 또는 구청장이 안전에 지장이 없다고 인정하는 도로에 주거지역에 설치되어 있는 노상주차장으로서 인근 주민의 자동차를 위한 경우
• 고속도로·자동차전용도로 또는 고가도로	–
• 「도로교통법」에 따른 주·정차금지장소에 해당하는 도로의 부분	–

> **관계법** 「도로교통법」 제32조 【정차 및 주차의 금지】
> 모든 차의 운전자는 다음 각 호의 어느 하나에 해당하는 곳에서는 차를 정차하거나 주차하여서는 아니 된다. 다만, 이 법이나 이 법에 따른 명령 또는 경찰공무원의 지시를 따르는 경우와 위험방지를 위하여 일시정지하는 경우에는 그러하지 아니하다. <개정 2021.11.30.>
> 1. 교차로·횡단보도·건널목이나 보도와 차도가 구분된 도로의 보도(「주차장법」에 따라 차도와 보도에 걸쳐서 설치된 노상주차장은 제외한다)
> 2. 교차로의 가장자리나 도로의 모퉁이로부터 5미터 이내인 곳
> 3. 안전지대가 설치된 도로에서는 그 안전지대의 사방으로부터 각각 10미터 이내인 곳
> 4. 버스여객자동차의 정류지(停留地)임을 표시하는 기둥이나 표지판 또는 선이 설치된 곳으로부터 10미터 이내인 곳. 다만, 버스여객자동차의 운전자가 그 버스여객자동차의 운행시간 중에 운행노선에 따르는 정류장에서 승객을 태우거나 내리기 위하여 차를 정차하거나 주차하는 경우에는 그러하지 아니하다.
> 5. 건널목의 가장자리 또는 횡단보도로부터 10미터 이내인 곳

6. 다음 각 목의 곳으로부터 5미터 이내인 곳
　가.「소방기본법」 제10조에 따른 소방용수시설 또는 비상소화장치가 설치된 곳
　나.「소방시설 설치 및 관리에 관한 법률」 제2조제1항제1호에 따른 소방시설로서 대통령령으로 정하는 시설이 설치된 곳
7. 지방경찰청장이 도로에서의 위험을 방지하고 교통의 안전과 원활한 소통을 확보하기 위하여 필요하다고 인정하여 지정한 곳

「도로교통법」 제33조【주차금지의 장소】

모든 차의 운전자는 다음 각 호의 어느 하나에 해당하는 곳에 차를 주차해서는 아니 된다.
1. 터널 안 및 다리 위
2. 다음 각 목의 곳으로부터 5미터 이내인 곳
　가. 도로공사를 하고 있는 경우에는 그 공사 구역의 양쪽 가장자리
　나.「다중이용업소의 안전관리에 관한 특별법」에 따른 다중이용업소의 영업장이 속한 건축물로 소방본부장의 요청에 의하여 지방경찰청장이 지정한 곳
3. 지방경찰청장이 도로에서의 위험을 방지하고 교통의 안전과 원활한 소통을 확보하기 위하여 필요하다고 인정하여 지정한 곳

③ 장애인 전용주차구획의 설치 (규칙 제4조제1항제8호)

노상주차장에는 다음의 구분에 따라 장애인 전용주차구획을 설치하여야 한다.
① 주차대수 규모가 20대 이상 50대 미만인 경우: 한 면 이상
② 주차대수 규모가 50대 이상인 경우: 주차대수의 2%~4%의 범위에서 장애인의 주차수요를 고려하여 해당 지방자치단체의 조례로 정하는 비율 이상

3 노상주차장의 관리 (법 제8조)

① 관리자

(1) 노상주차장의 관리자는 다음과 같다.

1. 설치자(특별시장·광역시장·시장·군수 및 구청장)
2. 설치자로부터 그 관리를 위탁받은 자

(2) 노상주차장 관리수탁자의 자격 그 밖에 노상주차장의 관리에 관한 사항은 지방자치단체의 조례로 정한다.
(3) 노상주차장 관리수탁자와 그 관리를 직접 담당하는 자는 「형법」 제129조부터 제132조까지의 적용에 있어서 이를 공무원으로 본다.

【참고】형법

내　　용	조　항
수뢰, 사전수뢰	제129조
제삼자 뇌물제공	제130조
수뢰 후 부정처사, 사후수뢰	제131조
알선수뢰	제132조

건축관계법
국토계획법
주차장법
주 택 법
도시및주거환경정비법
건축사법
장애인시설법
소방시설법
서울시조례

건축관계법

국토계획법

주차장법

주 택 법

도시및주거
환경정비법

건축사법

장애인시설법

소방시설법

서울시조례

2 노상주차장에서의 주차행위제한 등 (법 제8조의2)

특별시장·광역시장·시장·군수 또는 구청장은 다음의 경우, 해당 자동차의 운전자 또는 관리책임이 있는 자에 대하여 주차방법을 변경하거나 다른 곳으로 이동할 것을 명할 수 있다.

구 분	비 고
1. 하역주차구획에 화물자동차가 아닌 자동차를 주차하는 경우	① 긴급자동차는 예외 ② 특별시장·광역시장, 시장·군수·구청장은 해당 자동차의 운전자 또는 관리책임자가 현장에 없는 경우 주차장의 효율적 이용 및 주차장 이용자의 안전과 도로의 원활한 소통을 위하여 필요한 범위내에서 주차방법을 변경하거나 변경에 필요한 조치를 할 수 있다. ③ 「도로교통법」에 따른 주차위반에 대한 조치(제35조제3항~제7항) 및 차의 견인 및 보관 업무 등의 대행(제36조)의 규정은 위 ②의 규정에 의하여 자동차를 이동시키는 경우에 이를 준용한다.
2. 정당한 사유 없이 주차요금을 납부하지 아니하고 주차하는 경우	
3. 노상주차장의 사용제한(법 제10조제1항)에 위반하여 주차하는 경우	
4. 주차장안의 지정된 주차구획 외의 곳에 주차하는 경우	
5. 주차장을 주차장 외의 목적으로 이용하는 경우	
6. 주차요금이 징수되지 아니하는 노상주차장에 정당한 사유 없이 대통령령으로 정하는 기간 이상 계속하여 고정적으로 주차하는 경우 <신설 2024.1.9./시행 2024.7.10.>	

관계법 「도로교통법」 제2조 【정의】

이 법에서 사용하는 용어의 뜻은 다음과 같다. <개정 2023.10.24.>

1.~21. 〈생략〉

22. "긴급자동차"라 함은 다음 각목의 자동차로서 그 본래의 긴급한 용도로 사용되고 있는 자동차를 말한다.
　가. 소방차　　　　나. 구급차　　　다. 혈액 공급차량
　라. 그 밖에 대통령령으로 정하는 자동차

「도로교통법 시행령」 제2조 【긴급자동차의 종류】

① 「도로교통법」(이하 "법"이라 한다) 제2조제22호라목에서 "대통령령으로 정하는 자동차"란 긴급한 용도로 사용되는 다음 각 호의 어느 하나에 해당하는 자동차를 말한다. 다만, 제6호부터 제11호까지의 자동차는 이를 사용하는 사람 또는 기관 등의 신청에 의하여 시·도경찰청장이 지정하는 경우로 한정한다. <개정 2020.12.31.>

1. 경찰용 자동차 중 범죄수사, 교통단속, 그 밖의 긴급한 경찰업무 수행에 사용되는 자동차
2. 국군 및 주한 국제연합군용 자동차 중 군 내부의 질서 유지나 부대의 질서 있는 이동을 유도(誘導)하는 데 사용되는 자동차
3. 수사기관의 자동차 중 범죄수사를 위하여 사용되는 자동차
4. 다음 각 목의 어느 하나에 해당하는 시설 또는 기관의 자동차 중 도주자의 체포 또는 수용자, 보호관찰 대상자의 호송·경비를 위하여 사용되는 자동차
　가. 교도소·소년교도소 또는 구치소
　나. 소년원 또는 소년분류심사원
　다. 보호관찰소
5. 국내외 요인(要人)에 대한 경호업무 수행에 공무(公務)로 사용되는 자동차

건축관계법
국토계획법
주차장법
주 택 법
도시및주거
환경정비법
건축사법
장애인시설법
소방시설법
서울시조례

6. 전기사업, 가스사업, 그 밖의 공익사업을 하는 기관에서 위험 방지를 위한 응급작업에 사용되는 자동차
7. 민방위업무를 수행하는 기관에서 긴급예방 또는 복구를 위한 출동에 사용되는 자동차
8. 도로관리를 위하여 사용되는 자동차 중 도로상의 위험을 방지하기 위한 응급작업에 사용되거나 운행이 제한되는 자동차를 단속하기 위하여 사용되는 자동차
9. 전신·전화의 수리공사 등 응급작업에 사용되는 자동차
10. 긴급한 우편물의 운송에 사용되는 자동차
11. 전파감시업무에 사용되는 자동차
② 제1항 각 호에 따른 자동차 외에 다음 각 호의 어느 하나에 해당하는 자동차는 긴급자동차로 본다.
1. 제1항제1호에 따른 경찰용 긴급자동차에 의하여 유도되고 있는 자동차
2. 제1항제2호에 따른 국군 및 주한 국제연합군용의 긴급자동차에 의하여 유도되고 있는 국군 및 주한 국제연합군의 자동차
3. 생명이 위급한 환자 또는 부상자나 수혈을 위한 혈액을 운송 중인 자동차

③ 노상주차장의 주차요금징수 등 (법 제9조)

① 노상주차장관리자는 주차장에 자동차를 주차하는 자로부터 주차요금을 받을 수 있다.

예외 1. 긴급자동차 주차시 : 주차요금 면제
2. 경형자동차 및 환경친화적 자동차 주차시 : 주차요금의 50/100 이상을 감면
② 주차요금의 요율 및 징수방법은 지방자치단체의 조례로 정한다.

④ 노상주차장의 사용제한 등 (법 제10조)

노상주차장설치자는 교통의 원활한 소통과 노상주차장의 효율적인 이용을 위하여 필요한 경우에는 다음의 제한조치를 할 수 있다.

내 용	설 치 자	비 고
• 노상주차장의 전부나 일부에 대한 일시적인 사용제한 • 자동차별 주차시간의 제한 • 자동차와 경형자동차, 환경친화적 자동차(→환경친화적 자동차 및 승용차 공동이용자동차 <개정 2024.1.9./시행 2024.7.10.>)를 위한 전용주차구획의 설치	특별시장·광역시장, 시장·군수·구청장	제한조치시 그 내용을 미리 공고 또는 게시

예외 긴급자동차의 경우 제한조치에 관계없이 주차가능

【참고】 노상주차장의 전용주차구획의 설치 (규칙 제6조의2)

다음의 경우 및 경형자동차의 경우 노상주차장의 일부에 대하여 전용주차구획을 설치할 수 있다.

건축관계법

국토계획법

주차장법

주 택 법

도시및주거
환경정비법

건축사법

장애인시설법

소방시설법

서울시조례

구 분	필요사항의 규정
1. 주거지역에 설치된 노상주차장으로서 인근주민의 자동차를 위한 경우	• 전용주차구획의 설치·운영에 필요한 사항은 해당 지방자치단체의 조례로 정한다.
2. 하역주차구획으로서 인근이용자의 화물자동차를 위한 경우	
3. 대한민국에 주재하는 외교공관 및 외교관의 자동차를 위한 경우	
4. 「도시교통정비 촉진법」에 따른 승용차공동이용 지원을 위하여 사용되는 자동차를 위한 경우	
5. 그 밖에 해당 지방자치단체의 조례로 정하는 자동차를 위한 경우	

② ① 따른 제한조치를 하려는 경우에는 그 내용을 미리 공고하거나 게시하여야 한다.
③ 특별시장·광역시장, 시장·군수 또는 구청장이 지역별 주차환경 등을 고려하여 ①에 따라 전용주차구획을 지정하는 경우 그 지정구역의 규모, 지정의 방법 및 절차 등은 해당 지방자치단체의 조례로 정한다. <신설 2024.1.9./시행 2024.7.10.>

5 노상주차장관리자의 책임 (법 제10조의2)

노상주차장관리자는 해당 지방자치단체의 조례가 정하는 바에 의하여 주차장을 성실히 관리·운영하여야 하며, 주차장 이용자의 안전과 시설의 적정한 유지관리를 위하여 노력하여야 한다.

6 노상주차장의 표지 (법 제11조)

노상주차장관리자는 노상주차장에 주차장표지(전용주차구획의 표지를 포함)와 구획선을 설치하여야 한다.

노외주차장

건축관계법

국토계획법

주차장법

주택법

도시및주거
환경정비법

건축사법

장애인시설법

소방시설법

서울시조례

1 　노외주차장의 설치 등 $\binom{법}{제12조}$

1　노외주차장의 설치 및 폐지 통보

(1) 노외주차장을 설치 또는 폐지한 자는 그 날부터 30일 이내에 주차장소재지 관할 시장·군수·구청장에게 통보해야 하며 설치통보사항의 변경의 경우에도 또한 같다.

(2) 특별시장·광역시장, 시장·군수 또는 구청장은 노외주차장을 설치한 경우, 해당 노외주차장에 <mark>화물자동차</mark>(→ 화물자동차 또는 승용차공동이용 자동차<개정 2024.1.9./시행 2024.7.10>)의 주차 공간이 필요하다고 인정하는 때에 지방자치단체의 조례가 정하는 바에 따라 <mark>화물자동차</mark>(→ 화물자동차 또는 승용차공동이용 자동차<개정 2024.1.9./시행 2024.7.10>)의 주차를 위한 구역을 지정할 수 있다. 이 경우 지정규모, 지정방법 및 지정절차 등은 해당 지방자치단체의 조례로 정함.

2　노외주차장 또는 부설주차장의 설치제한 $\binom{법}{제12조제6항}\binom{법}{제19조제10항}$

제한권자	설치제한 지역의 지정	설치 제한 기준	
		노외주차장	부설주차장
특별시장·광역시장·특별자치시장·특별자치도지사·시장	노외주차장 또는 부설주차장의 설치를 제한할 수 있는 지역은 다음의 지역으로서(주택 및 오피스텔의 부설주차장 제외) 도시철도 등 대중교통수단의 이용이 편리한 지역으로서 국토교통부장관이 정하는 기준에 해당하는 지역으로 한다. 1. 자동차 교통이 혼잡한 상업지역 또는 준주거지역 2.「도시교통정비 촉진법」에 따른 교통혼잡 특별관리구역(제42조)으로서 도시철도 등 대중교통수단의 이용이 편리한 지역	그 지역의 자동차 교통 여건을 감안하여 정함	부설주차장 설치제한의 기준은 최고한도로 정하되, 최고한도는「주차장법시행령」별표1의 설치기준 이내로 한다. 예외 2.의 경우 설치기준의 1/2 이내로 한다.

- 부설주차장 설치제한의 기준은 시설물의 종류·규모별 또는 해당 지역 안의 구역별로 각각 다르게 정할 수 있다.
- 조례로 부설주차장 설치제한의 기준을 정할 때에는 화물의 하역(荷役)을 위한 주차 또는 장애인 등 교통약자나 긴급자동차 등의 주차를 위한 최소한의 주차구획을 확보하도록 하여야 한다.

건축관계법

국토계획법

주차장법

주 택 법

도시및주거
환경정비법

건축사법

장애인시설법

소방시설법

서울시조례

2 노외주차장인 주차전용건축물에 대한 특례 $\left(\dfrac{\text{법}}{\text{제12조의2}}\right)$

노외주차장인 주차전용건축물의 건폐율, 용적률, 대지면적의 최소한도 및 높이 제한 등 건축제한에 대하여는 「국토의 계획 및 이용에 관한 법률」에 따른 용도지역 및 용도지구에서의 건축물의 건축제한 등(제76조), 용도지역의 건폐율(제77조), 용도지역에서의 용적률(제78조)과 「건축법」에 따른 대지의 분할제한(제57조) 및 건축물의 높이 제한(제60조)에도 불구하고 다음의 기준에 따른다.

구 분	내 용	
1. 건폐율	90% 이하	
2. 용적률	1,500% 이하	
3. 대지면적의 최소한도	45m² 이상	
4. 높이제한 (대지가 2이상의 도로에 접할 경우 가장 넓은 도로를 기준으로 한다.)	대지가 접한 도로의 폭	건축물의 각 부분의 높이
	① 12m 미만인 경우	그 부분으로부터 대지에 접한 도로의 반대쪽 경계선까지의 수평거리의 3배
	② 12m 이상인 경우	그 부분으로부터 대지에 접한 도로의 반대쪽 경계선까지의 수평거리의 $$\dfrac{36}{\text{도로의 폭}}\text{배}$$ 다만, 배율이 1.8배 미만인 경우 1.8배로 한다.

【참고】 주차전용 건축물에 대한 높이제한의 예시

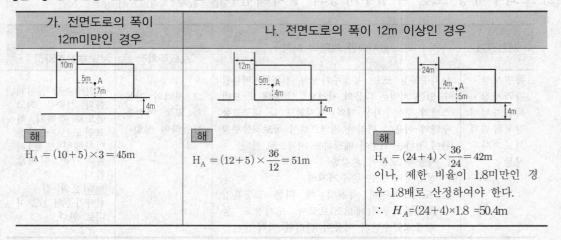

가. 전면도로의 폭이 12m미만인 경우	나. 전면도로의 폭이 12m 이상인 경우	
[해] $H_A = (10+5) \times 3 = 45m$	[해] $H_A = (12+5) \times \dfrac{36}{12} = 51m$	[해] $H_A = (24+4) \times \dfrac{36}{24} = 42m$ 이나, 제한 비율이 1.8미만인 경우 1.8배로 산정하여야 한다. $\therefore\ H_A = (24+4) \times 1.8 = 50.4m$

3 단지조성사업 등에 따른 노외주차장 (^법제12조의3)(^영제4조)

(1) 택지개발사업, 산업단지개발사업, 항만배후단지개발사업, 도시재개발사업, 도시철도건설사업, 그 밖에 단지 조성 등을 목적으로 하는 사업(이하 "단지조성사업등")을 시행할 때에는 일정 규모 이상의 노외주차장을 설치해야 한다.

(2) 단지조성사업 등의 종류와 규모, 노외주차장의 규모와 관리방법은 해당 지방자치단체의 조례로 정한다.

(3) 단지조성사업 등으로 설치되는 노외주차장에는 경형자동차 및 환경친화적 자동차를 위한 전용 주차구획을 다음의 비율이 모두 충족되도록 설치해야 한다.

1. 경형자동차를 위한 전용주차구획과 환경친화적 자동차를 위한 전용주차구획을 합한 주차구획	총주차대수의 10/100 이상
2. 환경친화적 자동차를 위한 전용주차구획	총주차대수의 5/100 이상

4 노외주차장의 관리기준 등

☐ 관리 (^법제13조)

① 노외주차장은 해당 노외주차장을 설치한 자가 관리한다.

② 특별시장·광역시장, 시장·군수·구청장이 노외주차장을 설치한 경우 그 관리를 시장·군수·구청장 외의 자에게 위탁할 수 있다.

③ 특별시장·광역시장, 시장·군수·구청장의 위탁을 받아 노외주차장을 관리 할 수 있는 자의 자격은 해당 지방자치단체의 조례로 정한다.

② 주차요금의 징수 (^법제14조)

① 노외주차장을 관리하는 자는 주차장에 자동차를 주차하는 자로부터 주차요금을 받을 수 있다.

② 특별시장·광역시장, 시장·군수·구청장이 설치한 노외주차장의 주차요금 요율과 징수방법에 관하여 필요한 사항은 해당 지방자치단체의 조례로 정한다.

　　예외 경형자동차 및 환경친화적 자동차는 주차요금의 50/100 이상 감면

③ 특별시장·광역시장, 시장·군수 또는 구청장인 노외주차장관리자는 아래 ③-②의 경우에 주차요금등을 강제 징수할 수 있다. 이 경우 제2장의 **3**-③ 을 준용한다.

③ 관리방법 (^법제15조)

① 특별시장·광역시장, 시장·군수 또는 구청장이 설치한 노외주차장의 관리·운영에 관하여 필요한 사항은 해당 지방자치단체의 조례로 정한다.

② 다음 각각의 경우에는 노상주차장의 행위제한 등(제2장 **3** - ② 참조)의 규정을 준용한다.

1. 정당한 사유 없이 주차요금을 내지 아니하고 주차하는 경우
2. 노외주차장을 주차장 외의 목적으로 이용하는 경우
3. 노외주차장의 지정된 주차구획 외의 곳에 주차하는 경우
4. 주차요금이 징수되지 아니하는 노외주차장에 정당한 사유 없이 대통령령으로 정하는 기간 이상 계속하여 고정적으로 주차하는 경우 <신설 2024.1.9./시행 2024.7.10.>

건축관계법

국토계획법

주차장법

주 택 법

도시및주거
환경정비법

건축사법

장애인시설법

소방시설법

서울시조례

④ 노외주차장관리자의 책임 등 (법 제17조)

① 노외주차장관리자는 조례가 정하는 바에 의하여 주차장을 성실히 관리·운영하여야 하며 주차장 이용자의 안전과 시설의 적정한 유지관리를 위하여 노력하여야 한다.

② 노외주차장관리자는 주차장의 공용기간에 정당한 사유 없이 그 이용을 거절할 수 없다.

③ 노외주차장관리자는 주차장에 주차하는 자동차의 보관에 관하여 선량한 관리자의 주의업무를 태만히 하지 아니하였음을 증명한 경우를 제외하고는 그 자동차의 멸실 또는 훼손으로 인한 손해배상의 책임을 면하지 못한다.

⑤ 노외주차장의 표지 (법 제18조)

① 노외주차장관리자는 주차장 이용자의 편의를 도모하기 위하여 필요한 표지(전용주차구획의 표지 포함)를 설치하여야 한다.

② 위 ①에 따른 표지의 종류, 서식, 그 밖에 표지의 설치에 관하여 필요한 사항은 해당 지방자치단체의 조례로 정한다.

5 노외주차장의 설치에 대한 계획기준 (규칙 제5조)

① 설치대상지역

① 노외주차장의 유치권은 노외주차장을 설치하고자 하는 지역에 있어서의 토지이용현황, 노외주차장이용자의 보행거리 및 보행자를 위한 도로상황 등을 참작하여 이용자의 편의를 도모할 수 있도록 정하여야 한다.

② 노외주차장의 규모는 유치권 안에 있어서의 전반적인 주차수요와 이미 설치되었거나 장래에 설치할 계획인 자동차의 주차에 사용하는 시설 또는 장소와의 연관성을 참작하여 적정한 규모로 하여야 한다.

③ 노외주차장은 녹지지역이 아닌 지역에 설치한다.

  예외 다음에 해당하는 경우 자연녹지지역 내에도 설치 가능

1. 하천구역 및 공유수면(단, 주차장 설치로 인해 해당 하천 및 공유수면의 관리에 지장이 없는 경우)
2. 토지의 형질변경 없이 주차장 설치가 가능한 지역
3. 주차장 설치를 목적으로 토지의 형질변경 허가를 받은 지역
4. 특별시장·광역시장, 시장·군수 또는 구청장이 특히 주차장의 설치가 필요하다고 인정하는 지역

② 노외주차장의 출구 및 입구의 설치기준

① 노외주차장의 입구와 출구(노외주차장의 차로의 노면이 도로의 노면에 접하는 부분)를 설치할 수 없는 곳

건축관계법

국토계획법

주차장법

주 택 법

도시및주거
환경정비법

건축사법

장애인시설법

소방시설법

서울시조례

1. 「도로교통법」 제32조제1호부터 제4호까지, 제5호(건널목의 가장자리만 해당) 및 같은 법 제33
조제1호부터 제3호까지의 규정에 해당하는 도로의 부분

2. 육교 및 지하 횡단보도를 포함한 횡단보도에서 5m 이내의 도로부분

3. 너비 4m 미만의 도로(주차대수 200대 이상인 경우에는 너비 6m 미만의 도로)와 종단기울기
가 10%를 초과하는 도로

4. 유아원·유치원·초등학교·특수학교·노인복지시설·장애인 복지시설 및 아동전용시설 등의
출입구로부터 20m 이내의 도로부분

② 출구 및 입구의 설치위치
노외주차장과 연결되는 도로가 2이상인 경우에는 자동차 교통에 미치는 지장이 적은 도로에 노외주
차장의 출구와 입구를 설치하여야 한다.

예외 보행자의 교통에 지장을 가져올 우려가 있거나 그 밖의 특별한 이유가 있는 경우

③ 출구와 입구의 분리설치
주차대수 400대를 초과하는 규모의 노외주차장의 경우에는 노외주차장의 출구와 입구는 각각 따로
설치하여야 한다.

예외 출입구의 너비의 합이 5.5m 이상으로서 출구와 입구가 차선 등으로 분리되는 경우 함께 설치
할 수 있다.

④ 경사진 곳에 노외주차장을 설치하는 경우에는 미끄럼 방지시설 및 미끄럼 주의 안내표지 설치 등
안전대책을 마련해야 한다.

③ **장애인 전용주차구획 설치**

특별시장·광역시장, 시장·군수 또는 구청장이 설치하는 노외주차장의 주차대수 규모가 50대 이상
인 경우에는 주차대수의 2%~4%의 범위에서 장애인의 주차수요를 고려하여 지방자치단체의 조례
로 정하는 비율 이상의 장애인 전용주차구획을 설치하여야 한다.

6 **노외주차장의 구조 및 설비기준** (규칙 제6조)

1 노외주차장(일반적인 경우)의 구조 및 설비기준

【1】 출입구

① 노외주차장의 입구와 출구는 자동차의 회전을 용이하게 하기 위해 필요한 경우에는 차로와 도로
가 접하는 부분을 곡선형으로 하여야 한다.

② 노외주차장의 출구부분의 구조는 해당 출구로부터 2m (이륜자동차전용 출구의 경우에는 1.3m)
후퇴한 노외주차장 차로의 중심선상 1.4m의 높이에서 도로의 중심선에 직각으로 향한 왼쪽·오른
쪽 각각 60°의 범위 안에서 해당 도로를 통행하는 자를 확인할 수 있도록 하여야 한다.

③ 노외주차장의 출입구의 너비는 3.5m 이상으로 하여야 한다.

④ 주차대수 규모가 50대 이상인 경우에는 출구와 입구를 분리하거나 폭 5.5m 이상의 출입구를 설
치하여 소통이 원활하도록 하여야 한다.

[2] 차로의 구조기준

① 주차부분의 긴 변과 짧은 변 중 한 변 이상이 차로에 접하여야 한다.

② 차로의 폭은 주차형식 및 출입구(지하식, 건축물식 주차장 출입구 포함)의 개수에 따라 다음 표에 따른 기준이상으로 하여야 한다.

㉠ 이륜자동차전용 노외주차장

주차형식	차로의 폭(B)	
	출입구가 2개 이상인 경우	출입구가 1개인 경우
평행주차	2.25m	3.5m
직각주차	4.0m	4.0m
45°대향주차	2.3m	3.5m

㉡ 위 ㉠ 외의 노외주차장

주차형식	차로의 폭(B)	
	출입구가 2개 이상인 경우	출입구가 1개인 경우
평행주차	3.3m	5.0m
직각주차	6.0m	6.0m
60°대향주차	4.5m	5.5m
45°대향주차	3.5m	5.0m
교차주차	3.5m	5.0m

■ 주차형식 및 차로의 폭(B)

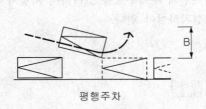

평행주차

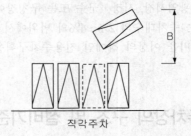

직각주차

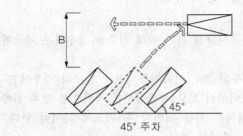

45° 주차

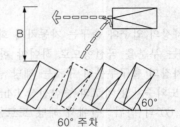

60° 주차

건축관계법

국토계획법

주차장법

주 택 법

도시및주거
환경정비법

건축사법

장애인시설법

소방시설법

서울시조례

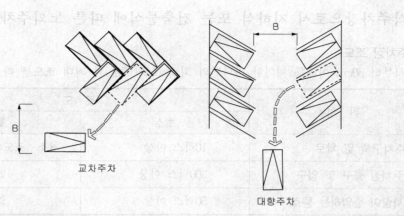

교차주차

대항주차

【3】 노외주차장내 주차부분의 높이

노외주차장의 주차부분의 높이는 주차 바닥면으로부터 2.1m 이상으로 하여야 한다.

【4】 노외주차장 내부공간의 환기

내부공간의 일산화탄소(CO) 농도는 차량이용이 빈번한 시각의 앞뒤 8시간의 평균치가 50ppm 이하 (다중이용시설 등의 「실내공기질 관리법」에 따른 실내주차장은 25ppm 이하)로 유지되어야 한다.

【5】 경보장치

노외주차장에는 다음에서 정하는 바에 따라 경보장치를 설치해야 한다.

① 주차장의 출입구로부터 3m 이내의 장소로서 보행자가 경보장치의 작동을 식별할 수 있는 곳에 위치해야 한다.

② 경보장치는 자동차의 출입 시 경광(警光)과 50dB 이상의 경보음이 발생하도록 해야 한다.

【6】 과속방지턱 등 안전관리시설

주차대수 400대를 초과하는 규모의 노외주차장의 경우에는 주차장 내에서 안전한 보행을 위하여 과 속방지턱, 차량의 일시정지선 등 보행안전을 확보하기 위한 시설을 설치해야 한다.

【7】 침수방지시설

노외주차장의 설치에 대한 계획기준에 따른 지역에 설치되는 주차장에는 홍수 등으로 인한 자동차 침수를 방지하기 위하여 다음의 시설을 모두 설치해야 한다.

1. 차량 출입을 통제하기 위한 주차 차단기
2. 주차장 전체를 볼 수 있는 폐쇄회로 텔레비전 또는 네트워크 카메라
3. 차량 침수가 발생할 우려가 있는 경우에 차량 대피를 안내할 수 있는 방송설비 또는 전광판

건축관계법

국토계획법

주차장법

주 택 법

도시및주거
환경정비법

건축사법

장애인시설법

소방시설법

서울시조례

2 자주식주차장으로서 지하식 또는 건축물식에 따른 노외주차장

【1】 노외주차장 조도

벽면에서부터 50cm 이내를 제외한 바닥면의 최소 조도(照度)와 최대 조도를 다음과 같이 한다.

위 치	조 도	
	최소	최대
1. 주차구획 및 차로	10럭스 이상	최소 조도의 10배 이내
2. 주차장 출구 및 입구	300럭스 이상	없음
3. 사람이 출입하는 통로	50럭스 이상	없음

【2】 차로의 구조

지하식 또는 건축물식 노외주차장의 차로는 다음 아래에 정한다.
① 노외주차장의 차로의 구조기준을 적용한다.(위 1 - 【2】 참조)
② 높이 : 주차 바닥면으로부터 2.3m 이상으로 하여야 한다.
③ 경사로의 곡선 부분 : 자동차가 6m(같은 경사로를 이용하는 주차장의 총 주차대수가 50대 이하인 경우: 5m, 이륜자동차전용 노외주차장의 경우: 3m) 이상의 내변 반경으로 회전할 수 있도록 해야 한다.
④ 경사로의 차로 너비

1. 직선인 경우	3.3m 이상 (2차로인 경우 6m 이상)
2. 곡선인 경우	3.6m 이상 (2차로인 경우 6.5m 이상)

⑤ 경사로의 종단경사도

1. 직선부분	17% 이하
2. 곡선부분	14% 이하

㉠ 경사로의 양측벽면으로부터 30cm 이상의 지점에 높이 10cm 이상 15cm 미만의 연석을 설치해야 한다. 이 경우 연석(경계석)부분은 차로의 너비에 포함되는 것으로 본다.
㉡ 경사로의 노면은 거친면으로 하여야 한다.

⑥ 오르막 경사로로서 도로와 접하는 부분으로부터 3미터 이내인 경사로의 종단경사도 <시행 2024.12.2.>

1. 직선부분	8.57% 이하
2. 곡선부분	7% 이하

⑦ 주차대수 규모가 50대 이상인 경우의 경사로
㉠ 너비 6m 이상인 2차로를 확보하거나 진입차로와 진출차로를 분리하여야 한다.
㉡ 완화구간의 설치기준에서 정하는 바에 따라 완화구간을 설치하여야 한다. <시행2024.12.2.>

건축관계법

국토계획법

주차장법

주 택 법

도시및주거
환경정비법

건축사법

장애인시설법

소방시설법

서울시조례

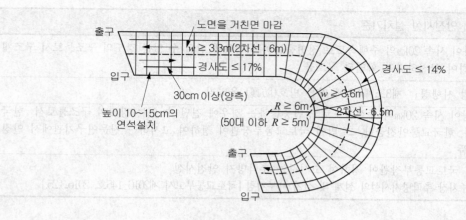

[주차장 차로의 구조]

【3】 자동차용 승강기의 설치

① 대상 : 자동차용 승강기로 운반된 자동차가 주차구획까지 자주식으로 들어가는 노외주차장
② 설치기준 : 주차대수 30대마다 1대의 자동차용 승강기를 설치
③ 준용규정 : 기계식주차장의 설치에 대한 다음의 규정(제6장 **1**-①및 ②)
　㉠ 기계식 주차장치의 앞면에 자동차 회전용 전면공지, 방향전환장치 설치 규정
　㉡ 기계식 주차장의 진입로 또는 정류장 설치 규정
④ 준용규정의 예외적용 :
　㉠ 자동차용 승강기의 출구와 입구가 따로 설치되어 있거나,
　㉡ 주차장의 내부에서 자동차가 방향전환을 할 수 있을 때
　진입로를 설치하고, 자동차 회전용 전면공지 또는 방향전환장치(위 ③-㉠)를 설치하지 않을 수 있다.

【4】 방범설비

① 대상 : 주차대수 30대 초과하는 규모의 자주식주차장으로서 지하식 또는 건축물식에 따른 노외주차장
② 설치기준 : 관리사무소에서 주차장 내부 전체를 볼 수 있는 폐쇄회로 텔레비전(녹화장치를 포함) 또는 네트워크 카메라를 포함하는 방범설비를 설치·관리하여야 함
③ 준수사항 :

1. 방범설비는 주차장 바닥면에서 170cm 높이에 있는 사물을 알아볼 수 있도록 설치하여야 한다.

2. 폐쇄회로 텔레비전 또는 네트워크 카메라와 녹화장치의 화면 수가 같아야 한다.

3. 선명한 화질이 유지될 수 있도록 관리하여야 한다.

4. 촬영된 자료는 컴퓨터보안시스템을 설치하여 1개월 이상 보관하여야 한다.

④ 시장·군수 또는 구청장은 위 ③의 준수사항에 대하여 매년 한번 이상 지도점검을 실시

【5】 추락방지용 안전시설

2층 이상의 건축물식 주차장 및 특별시장·광역시장·특별자치도지사·시장·군수가 정하여 고시하는 주차장에는 자동차의 추락방지 안전시설을 다음의 기준에 따라 설치하여야 한다.

건축관계법

국토계획법

주차장법

주 택 법

도시및주거
환경정비법

건축사법

장애인시설법

소방시설법

서울시조례

■ 추락방지 안전시설 설치기준

1. 2톤 차량이 시속 20㎞의 주행속도로 정면충돌하는 경우에 견딜 수 있는 강도의 구조물로서 구조계산에 의하여 안전하다고 확인된 구조물

2. 「도로법 시행령」 제3조제4호에 따른 방호(防護) 울타리

3. 2톤 차량이 시속 20㎞의 주행속도로 정면충돌하는 경우에 견딜 수 있는 강도의 구조물로서 한국도로공사, 한국교통안전공단, 그 밖에 국토교통부장관이 정하여 고시하는 전문연구기관에서 인정하는 제품

4. 그 밖에 국토교통부장관이 정하여 고시하는 추락방지 안전시설
【참고】 주차장 추락방지시설의 설계 및 설치 세부지침 [국토교통부고시 제2016-145호, 2016.3.25.]

【6】 주차단위구획의 설치장소 등

① 노외주차장의 주차단위구획의 설치장소: 평평한 장소

예외 경사도가 7% 이하인 경우로서 시장·군수 또는 구청장이 안전에 지장이 없다고 인정하는 경우 제외

② 특정 주차구획의 확보

종 류	확보 기준	비 고
1. 확장형 주차단위구획	주차단위구획 총수*의 30% 이상	* 평행주차형식의 주차단위구획수 제외
2. 환경친화적 자동차의 전용주차구획	총주차대수의 5/100 이상	지역별 주차환경을 고려하여 시장·군수 또는 구청장이 조례로 의무설치비율을 5/100보다 상향조정 가능

7 노외주차장에 설치할 수 있는 부대시설 (규칙 제6조제4항)

【1】 노외주차장에 설치할 수 있는 부대시설 종류 및 설치비율

① 부대시설의 종류

1. 관리사무소·휴게소 및 공중화장실

2. 간이매점, 자동차 장식품 판매점 및 전기자동차 충전시설, 태양광발전시설, 집배송시설

3. 「석유 및 석유대체연료 사업법 시행령」에 따른 주유소(특별시장·광역시장, 시장·군수 또는 구청장이 설치한 노외주차장만 해당)

4. 노외주차장의 관리·운영상 필요한 편의시설

5. 특별자치도·시·군 또는 자치구의 조례로 정하는 이용자 편의시설

② 설치비율 :
전기자동차충전시설을 제외한 부대시설의 총면적은 주차장 총시설면적의 20%를 초과 금지

【2】 공공시설의 특례

① 공공시설의 종류

공공시설의 종류	노외주차장 구분
1. 도로, 광장, 공원, 초등학교·중학교·고등학교·공용의 청사·주차장 및 운동장	지하에 설치하는 노외주차장
2. 공용의 청사·하천·유수지(遊水池)·주차장 및 운동장	지상에 설치하는 노외주차장

② 부대시설 기준의 조례 지정

【1】 에도 불구하고 다음 사항을 특별시·광역시, 시·군 또는 구의 조례로 정할 수 있다.

1. 노외주차장에 설치할 수 있는 부대시설의 종류	-
2. 주차장 총시설면적 중 부대시설이 차지하는 비율	- 총시설면적의 40% 초과 금지

【3】 도시·군계획시설을 부대시설로 중복 설치시의 특례

① 설치권자 : 시장·군수 또는 구청장
② 대상 : 노외주차장 내에 도시·군계획시설을 부대시설로서 중복하여 설치의 경우
③ 노외주차장 외의 용도로 사용하고자 하는 도시·군계획시설이 차지하는 면적의 비율: 부대시설을 포함하여 주차장 총시설면적의 40% 초과 금지

건축관계법

국토계획법

주차장법

주 택 법

도시및주거
환경정비법

건축사법

장애인시설법

소방시설법

서울시조례

4

부설주차장

1 부설주차장의 설치 · 지정 (법 제19조)

부설주차장 설치대상 지역 안에서 건축물 · 골프연습장 등의 시설물(이하 "시설물"이라 한다)을 건축 또는 설치하고자 하는 자는 그 시설물의 내부 또는 그 부지 안에 부설주차장(화물의 하역 그 밖의 사업수행을 위한 주차장 포함)을 설치하여야 한다.

1 부설주차장의 설치대상 및 이용자의 범위

설치 대상지역 (「국토의 계획 및 이용에 관한 법률」 규정에 의함)	설치대상	설치위치	사용자의 범위
• 도시지역 • 지구단위계획구역 • 관리지역(지방자치단체의 조례가 정하는 지역)	건축물 · 골프연습장 등의 시설물	해당 시설물의 내부 또는 부지안	• 해당 시설물 이용자 • 일반인 이용자

2 부설주차장 설치계획서의 제출 (법 제19조의2)

(1) 부설주차장을 설치하여야 하는 자는 시설물의 건축 또는 설치에 관한 허가 신청 또는 신고시에 서류(전자문서 포함) 및 도면을 첨부한 부설주차장(인근)설치계획서를 제출해야 한다.

(2) 시설물의 용도변경의 경우 용도변경 신고시(용도변경신고의 대상이 아닌 경우 용도변경하기 전)에 부설주차장 설치계획서를 제출해야 한다.

(3) 첨부 서류 및 도면

1. 부설주차장의 배치도

2. 공사설계도서(공사가 필요한 경우만 해당)

3. 시설물의 부지와 주차장의 설치 부지를 포함한 지역의 토지이용상황을 판단할 수 있는 축척 1/1,200 이상의 지형도

4. 토지의 지번·지목 및 면적이 기재된 토지조서(건축물식 주차장인 경우 건축면적·건축연면적·층수 및 높이와 주차형식이 적힌 건물조서를 포함)

5. 경사진 주차장을 건설하는 경우 미끄럼 방지시설 및 미끄럼 주의 안내표지 설치계획

■ 위 2~4까지의 서류는 시설물의 부지 인근에 부설주차장을 설치하는 경우만 첨부한다.

(4) 부설주차장 설치계획서를 제출받은 시장·군수 또는 구청장은 시설물의 부지 인근에 부설주차장을 설치하는 경우만 「전자정부법」에 따른 행정정보의 공동이용을 통하여 토지등기부 등본(건축물식 주차장인 경우 건물등기부 등본 포함)을 확인해야 한다.

③ 부설주차장의 설치기준 ($\frac{영}{제6조}$)

부설주차장을 설치하여야 할 시설물의 종류와 부설주차장의 설치기준은 다음과 같다.

【1】 부설주차장의 설치대상 종류 및 부설주차장 설치기준 ($_{[별표 1]}^{영}$)

시설물	설치기준
① 위락시설	• 시설면적 100m²당 1대(시설면적/100m²)
② • 문화 및 집회시설(관람장 제외) 　• 종교시설 　• 판매시설 　• 운수시설 　• 의료시설(정신병원·요양소·격리병원 제외) 　• 운동시설(골프장·골프연습장·옥외수영장 제외) 　• 업무시설(외국공관·오피스텔 제외) 　• 방송통신시설 중 방송국 　• 장례식장	• 시설면적 150m²당 1대(시설면적/150m²)
③ • 제1종 근린생활시설 　예외 다음에 해당하는 제1종 근린생활시설은 제외 　　- 지역자치센터·파출소·지구대·소방서·우체국·전신전화국·방송국·보건소·공공도서관·지역건강보험조합 등 동일 건축물안에서 해당 용도 바닥면적 합계가 1천m² 미만인 것 　　- 마을회관·마을공동작업소·마을공동구판장, 그 밖에 이와 비슷한 것 　• 제2종 근린생활시설 　• 숙박시설	• 시설면적 200m²당 1대(시설면적/200m²)
④ 단독주택(다가구주택 제외)	• 시설면적 50m² 초과 150m² 이하 : 1대 • 시설면적 150m² 초과 : 1대에 150m²를 초과하는 100m²당 1대를 더한 대수 [1+{(시설면적-150m²)/ 100m²}]

4장

제4편 주차장법

건축관계법

국토계획법

주차장법

주 택 법

도시및주거
환경정비법

건축사법

장애인시설법

소방시설법

서울시조례

⑤ • 다가구주택 • 공동주택(기숙사 제외) • 업무시설 중 오피스텔	• 「주택건설기준 등에 관한 규정」에 따라 산정된 주차대수(제27조제1항). 이 경우 다가구주택 및 오피스텔의 전용면적은 공동주택의 전용면적 산정방법을 따른다.
⑥ • 골프장, 골프연습장 • 옥외수영장 • 관람장	• 골프장 : 1홀당 10대(홀의 수×10) • 골프연습장 : 1타석당 1대(타석의 수×1) • 옥외수영장 : 정원 15명당 1대(정원/15명) • 관람장 : 정원 100명당 1대(정원/100명)
⑦ • 수련시설 • 공장(아파트형 제외) • 발전시설	• 시설면적 350m²당 1대(시설면적/350m²)
⑧ 창고시설	• 시설면적 400m²당 1대(시설면적/400m²)
⑨ 학생용 기숙사	• 시설면적 400m²당 1대(시설면적/400m²)
⑩ 방송통신시설 중 데이터센터	• 시설면적 400m²당 1대(시설면적/400m²)
⑪ 그 밖의 건축물	• 시설면적 300m²당 1대(시설면적/300m²)

관계법 「주택건설기준 등에 관한 규정」**제27조【주차장】**

① 주택단지에는 다음 각 호의 어느 하나에 해당하는 주택은 해당 호에서 정하는 기준(소수점 이하 의 끝수는 이를 한 대로 본다)에 따라 주차장을 설치하여야 한다. <개정 2022.2.11., 2023.12.5.>

1. 주택단지에는 주택의 전용면적의 합계를 기준으로 하여 다음 표에서 정하는 면적당 대수의 비율로 산정한 주차대수 이상의 주차장을 설치하되, 세대당 주차대수가 1대(세대당 전용면적이 60제곱미터 이하인 경우에는 0.7대)이상이 되도록 하여야 한다.

주택의 규모별 (전용면적: 제곱미터)	주차장 설치기준(대/제곱미터)			
	가. 특별시	나. 광역시·특별자치시 및 수도권내의 시지역	다. 가목 및 나목 외의 시지역 및 수도권내의 군지역	라. 그 밖의 지역
85이하	1/75	1/85	1/95	1/110
85초과	1/65	1/70	1/75	1/85

2. 소형 주택은 제1호에도 불구하고 전용면적 세대당 주차대수가 0.6대(세대당 전용면적이 30제곱미터 미만인 경우에는 0.5대) 이상이 되도록 주차장을 설치해야 한다. 다만, 다음 각 목의 요건을 모두 갖춘 소형 주택의 경우에는 세대당 주차대수가 0.4대 이상이 되도록 설치할 수 있다.

   가. 상업지역 또는 준주거지역에 건설하는 소형 주택으로서 「민간임대주택에 관한 특별법」 제2조제13호가목에 해당하는 시설로부터 반경 500미터 이내에서 건설하는 소형 주택일 것

   나. 「주차장법」에 따른 주차단위구획의 총 수의 100분의 20 이상을 「도시교통정비 촉진법」 제33조제1항제4호에 따른 승용차 공동이용 지원(승용차공동이용을 위한 전용주차구획을 설치하고 공동이용을 위한 승용자동차를 상시 배치하는 것을 말한다)을 위해 사용할 것

3. 제2호에도 불구하고 소형 주택의 주차장 설치기준은 지역별 차량보유율 등을 고려하여 다음 각 목의 구분에 따라 특별시·광역시·특별자치시·특별자치도·시·군 또는 자치구의 조례로 강화하거나 완화하여 정할 수 있다.

   가. 「민간임대주택에 관한 특별법」 제2조제13호가목 및 나목에 해당하는 시설로부터 통행거리 500미터 이내에 건설하는 소형 주택으로서 다음의 요건을 모두 갖춘 경우: 설치기준의 10분의 7 범위에서 완화

   1) 「공공주택 특별법」 제2조제1호가목의 공공임대주택일 것

건축관계법

국토계획법

주차장법

주 택 법

도시및주거
환경정비법

건축사법

장애인시설법

소방시설법

서울시조례

      2) 임대기간 동안 자동차를 소유하지 않을 것을 임차인 자격요건으로 하여 임대할 것. 다만, 「장애인복지법」 제2조제2항에 따른 장애인 등에 대해서는 특별시·광역시·특별자치시·도·특별자치도의 조례로 자동차 소유 요건을 달리 정할 수 있다.

    나. 그 밖의 경우: 설치기준의 2분의 1 범위에서 강화 또는 완화

② 제1항 각 호에 따른 주차장은 지역의 특성, 전기자동차(「환경친화적 자동차의 개발 및 보급 촉진에 관한 법률」 제2조제3호에 따른 전기자동차를 말한다) 보급정도 및 주택의 규모 등을 고려하여 그 일부를 전기자동차의 전용주차구획으로 구분 설치하도록 특별시·광역시·특별자치시·특별자치도·시 또는 군의 조례로 정할 수 있다. <개정 2023.12.5.>

③ 주택단지에 건설하는 주택(부대시설 및 주민공동시설을 포함한다)외의 시설에 대하여는 「주차장법」이 정하는 바에 따라 산정한 부설주차장을 설치하여야 한다. <개정 2005. 6. 30.>

④ 소형 주택이 다음 각 호의 요건을 모두 갖춘 경우에는 제1항제2호 및 제3호에도 불구하고 임대주택으로 사용하는 기간 동안 용도변경하기 전의 용도를 기준으로 「주차장법」 제19조의 부설주차장 설치기준을 적용할 수 있다. <개정 2022.2.11., 2023.12.5.>

1. 제7조제11항 각 호의 요건을 갖출 것
2. 제1항제2호 및 제3호에 따라 주차장을 추가로 설치해야 할 것
3. 세대별 전용면적이 30제곱미터 미만일 것
4. 임대기간 동안 자동차(「장애인복지법」 제39조제2항에 따른 장애인사용자동차등표지를 발급받은 자동차는 제외한다)를 소유하지 않을 것을 임차인 자격요건으로 하여 임대할 것

⑤ 「노인복지법」에 의하여 노인복지주택을 건설하는 경우 당해 주택단지에는 제1항의 규정에 불구하고 세대당 주차대수가 0.3대(세대당 전용면적이 60제곱미터 이하인 경우에는 0.2대)이상이 되도록 하여야 한다. <개정 2021.1.12.>

⑥ 「철도산업발전기본법」 제3조제2호의 철도시설 중 역시설로부터 반경 500미터 이내에서 건설하는 「공공주택 특별법」 제2조에 따른 공공주택(이하 "철도부지 활용 공공주택"이라 한다)의 경우 해당 주택단지에는 제1항에 따른 주차장 설치기준의 2분의 1의 범위에서 완화하여 적용할 수 있다. <개정 2021.1.12.>

⑦ 제1항부터 제6항까지에서 규정한 사항 외에 주차장의 구조 및 설비의 기준에 관하여 필요한 사항은 국토교통부령으로 정한다. <개정 2021.1.12.>

【2】부설주차장 설치 예외

다음 시설물을 건축 또는 설치하려는 경우에는 부설주차장을 설치하지 않을 수 있다.

① 제1종 근린생활시설 중 변전소·양수장·정수장·대피소·공중화장실, 그 밖의 이와 유사한 시설
② 종교시설 중 수도원·수녀원·제실 및 사당
③ 동물 및 식물관련시설(도축장 및 도계장은 제외한다)
④ 방송통신시설(방송국·전신전화국·통신용시설 및 촬영소만을 말한다) 중 송신·수신 및 중계시설
⑤ 주차전용건축물(노외주차장인 주차전용건축물만을 말한다)에 주차장 외의 용도로 설치하는 시설물(판매시설 중 백화점·쇼핑센터·대형점과 문화 및 집회시설 중 영화관·전시장·예식장은 제외한다)
⑥ 「도시철도법」에 따른 역사(철도건설사업으로 건설되는 역사를 포함한다)
⑦ 「건축법 시행령」에 따른 전통한옥 밀집지역 안에 있는 전통한옥

【3】 복합용도, 용도변경 등의 부설주차장의 설치대수 및 시설면적 산정기준

구 분	내 용	비 고
1. 시설물의 시설면적	공용면적을 포함한 바닥면적의 합계 − 주차를 위한 시설의 바닥면적 제외	하나의 부지내에 2이상의 시설물이 있는 경우에는 각 시설면적의 합계
2. 복합용도의 시설물	용도가 다른 시설물별 설치기준에 따라 산정(위표 【1】 부설주차장설치기준 ⑤의 시설물은 주차대수의 산정대상에서 제외하되, 뒤의 ⑥−①에서 정한 기준을 적용하여 산정된 주차대수는 별도 합산)한 소숫점 이하 첫째자리까지의 주차대수를 합하여 산정	단독주택(다가주택 제외)의 용도로 사용되는 시설의 면적이 50m² 이하인 경우 단독주택의 용도로 사용되는 시설의 면적에 대한 부설주차장의 주차대수는 단독주택의 용도로 사용되는 시설의 면적을 100m²로 나눈 대수
3. 용도변경 또는 증축의 경우	용도변경 부분 또는 증축하는 부분에 대해서만 적용	위 표 【1】 ⑤의 시설물을 증축하는 경우에는 증축후 시설물의 전체면적에 위 【1】 ⑤의 설치기준을 적용하여 산정한 주차대수에 증축전 시설물의 면적에 대하여 증축시점의 위 【1】 ⑤에 따른 설치기준을 적용하여 산정한 주차대수를 뺀 대수

【4】 건축물의 용도를 변경하는 경우

건축물의 용도를 변경하는 경우에는 용도변경 시점의 주차장 설치기준에 따라 변경 후 용도의 주차대수와 변경 전 용도의 주차대수를 산정하여 그 차이에 해당하는 부설주차장을 추가로 확보하여야 한다. 예외 다음의 경우 부설주차장을 추가로 확보하지 아니하고 건축물의 용도를 변경할 수 있다.

대 상	제 외
1. 사용승인 후 5년이 경과된 연면적 1천m² 미만의 건축물의 용도를 변경하는 경우	문화 및 집회시설 중 공연장·집회장·관람장, 위락시설 및 주택 중 다세대주택·다가구주택의 용도로의 변경
2. 해당 건축물 안에서 용도상호 간의 변경을 하는 경우	부설주차장 설치기준이 높은 용도의 면적이 증가하는 경우

④ 시설물소유자의 의무 (영 별표1)

시설물의 소유자는 부설주차장(해당 시설물의 부지에 설치하는 부설주차장을 제외)의 부지의 소유권을 취득하여 이를 주차전용으로 제공하여야 한다. 다만, 주차전용건축물에 부설주차장을 설치하는 경우에는 그 건축물의 소유권을 취득하여야 한다.

⑤ 소숫점 이하부분의 주차대수산정기준 (영 별표1)

【1】 원칙

설치기준(위 ③−【1】의 부설주차장기준 ⑤에 따른 설치기준을 제외한다)에 따라 주차대수를 산정할 때 소수점이하의 수(시설물을 증축하는 경우 먼저 증축하는 부분에 대하여 설치기준을 적용하여 산정한 수가 0.5 미만인 때에는 그 수와 나중에 증축하는 부분들에 대하여 설치기준을 적용하여 산정한 수를 합산한 수의 소수점이하의 수. 이 경우 합산한 수가 0.5 미만인 때에는 0.5 이상이 될 때까지 합산하여야 한다)가 0.5 이상인 경우 이를 1로 본다. 예외 해당 시설물 전체에 대하여 산정된 총주차대수가 1대 미만인 경우 주차대수를 0으로 본다.

【2】용도변경부분에 대한 설치기준

용도변경 되는 부분에 대하여 설치기준을 적용하여 산정한 주차대수가 1대 미만인 경우 주차대수를 0으로 본다. 예외 용도변경 되는 부분에 대하여 설치기준을 적용하여 산정한 주차대수의 합(2회 이상 나누어 용도변경하는 경우를 포함)이 1대 이상인 경우 그렇지 않다.

6 타 법령 등의 규정적용 경우 등 (영 별표1)

① 단독주택 및 공동주택 중 「주택건설기준 등에 관한 규정」이 적용되는 주택에 대하여는 같은 규정에 따른 기준을 적용한다.

② 승용차와 승용차 외의 자동차가 함께 사용하는 부설주차장의 경우에는 승용차외의 자동차의 주차가 가능하도록 해야 하며, 승용차외의 자동차가 더 많이 이용하는 부설주차장의 경우 그 이용빈도에 따라 승용차외의 자동차의 주차에 적합하도록 승용차외의 자동차가 이용할 주차장을 승용차용 주차장과 구분하여 설치해야 한다. 이 경우 주차대수의 산정은 승용차를 기준으로 한다.

③ 「장애인·노인·임산부 등의 편의증진보장에 관한 법률 시행령」 또는 「교통약자의 이동편의증진법 시행령」에 따라 장애인전용 주차구획을 설치하여야 하는 시설물에는 부설주차장 주차대수의 2%~4%까지의 범위에서 장애인의 주차수요를 고려하여 지방자치단체의 조례가 정하는 비율이상을 장애인전용 주차구획으로 구분·설치해야 한다.
예외 부설주차장의 주차대수가 10대 미만인 경우 제외

7 기계식주차장치의 특례

(1) 2008년 1월 1일 전에 설치된 기계식주차장치로서 다음의 기계식주차장치를 설치한 주차장을 다른 형태의 주차장으로 변경하여 설치하는 경우에는 변경 전의 주차대수의 1/2에 해당하는 주차대수를 설치하더라도 변경 전의 주차대수로 인정한다.

① 2단 단순승강 기계식주차장치	주차구획이 2층으로 되어 있고 위층에 주차된 자동차를 출고하기 위하여는 반드시 아래층에 주차되어 있는 자동차를 출고하여야 하는 형태로서, 주차구획 안에 있는 평평한 운반기구를 위·아래로만 이동하여 자동차를 주차하는 기계식주차장치
② 2단 경사승강 기계식주차장치	주차구획이 2층으로 되어 있고 주차구획 안에 있는 경사진 운반기구를 위·아래로만 이동하여 자동차를 주차하는 기계식주차장치

(2) 위 (1)에 따라 기계식주차장치를 설치한 주차장을 변경하여 변경 전의 주차대수로 인정받은 후 해당 시설물의 용도변경 또는 증축 등으로 인하여 주차장을 추가로 설치하여야 하는 경우에는 위 (1)의 ①, ② 기계식주차장치를 설치한 주차장을 변경하면서 경감된 주차대수도 포함하여 설치하여야 한다.

8 부설주차장의 별도의 설치기준의 적용 등 (영 제6조제1항)

다음의 경우 특별시, 광역시, 특별자치도, 시 또는 군의 조례로 시설물의 종류를 세분하거나 부설주차장의 설치기준을 따로 정할 수 있다.

① 오지·벽지·도서지역, 도심지의 간선도로변, 그 밖에 해당 지역의 특수성으로 인하여 기준을 적용하는 것이 현저히 부적합한 경우

건축관계법

국토계획법

주차장법

주 택 법

도시및주거
환경정비법

건축사법

장애인시설법

소방시설법

서울시조례

② 「국토의 계획 및 이용에 관한 법률」에 따른 관리지역으로 주차난이 발생할 우려가 없는 경우

③ 단독주택·공동주택 부설주차장 설치기준을 세대별로 정하거나 숙박시설 또는 업무시설 중 오피스텔의 부설주차장 설치기준을 호실별로 정하려는 경우

④ 기계식주차장을 설치하는 경우로서 해당 지역의 주차장확보율, 주차장 이용실태, 교통여건 등을 고려하여 부설주차장의 설치기준과 다르게 정하고자 하는 경우

⑤ 대한민국주재 외국공관 안의 외교관 또는 그 가족이 거주하는 구역 등 일반인의 출입이 통제되는 구역안에서 주택 등의 시설물을 건축하는 경우

⑥ 시설면적이 10,000㎡ 이상인 공장을 건축하는 경우

⑦ 판매시설, 문화 및 집회시설 등 「자동차관리법에 따른 승합자동차(중형 또는 대형 승합자동차만 해당한다)의 출입이 빈번하게 발생하는 시설물을 건축하는 경우

⑨ 부설주차장의 설치기준의 강화 및 완화 (영 제6조제2항, 제3항)

① 지방자치단체의 조례로 부설주차장의 설치기준을 강화 또는 완화하는 때에는 시설물의 시설면적·홀·타석·정원을 기준으로 한다.

② 경형자동차의 전용주차구획으로 설치된 주차단위구획은 전체 주차단위구획 수의 10%까지 부설주차장의 설치기준에 따라 설치된 것으로 본다.

③ 특별시·광역시·특별자치도·시 또는 군은 주차수요의 특성 또는 증감에 효율적으로 대처 하기 위하여 필요하다고 인정하는 경우에는 부설주차장설치기준(영 [별표1])의 1/2의 범위에서 해당 지방자치단체의 조례로 이를 강화하거나 완화할 수 있다. 이 경우 부설주차장설치기준의 시설물의 종류·규모를 세분하여 각 시설물의 종류·규모 별로 강화 또는 완화의 정도를 다르게 정할 수 있다.

④ 부설주차장의 설치기준을 조례로 정하는 경우 해당 지방자치단체는 해당 지역 안의 구역별로 부설주차장 설치기준을 각각 다르게 정할 수 있다.

⑩ 부설주차장의 설치제한 (법 제19조제10항)

특별시장·광역시장·특별자치시장·특별자치도지사 또는 시장은 노외주차장의 설치로 인하여 교통의 혼잡을 가중시킬 우려가 있는 지역에 대하여는 부설주차장의 설치를 제한할 수 있다. 이 경우 제한지역의 지정 및 설치제한의 기준은 국토교통부령이 정하는 바에 의하여 해당 지방자치단체의 조례로 정한다.

⑪ 기존시설물에 대한 부설주차장의 설치권고 (법 제19조제11항, 제12항)

① 시장·군수 또는 구청장은 설치기준에 적합한 부설주차장이 부설주차장 설치기준의 개정으로 인하여 설치기준에 미달하게 된 기존시설물 중 단독주택·공동주택 또는 오피스텔로서 해당 시설물의 내부 또는 그 부지안에 부설주차장을 추가로 설치할 수 있는 면적이 10㎡ 이상인 시설물에 대하여는 그 소유자에게 그 설치기준에 맞게 부설주차장을 설치하도록 권고할 수 있다.

② 시장·군수 또는 구청장은 부설주차장의 설치권고를 받을 자가 부설주차장을 설치하고자 하는 경우 부설주차장의 설치비용을 우선적으로 보조할 수 있다.

12 개방주차장의 지정 $\left(\begin{smallmatrix} 법 \\ 제19조 제13항 ～ 16항 \end{smallmatrix}\right)\left(\begin{smallmatrix} 영 \\ 제11조의2 \end{smallmatrix}\right)$

건축관계법

① 시장·군수 또는 구청장은 주차난을 해소하기 위하여 필요한 경우 공공기관, 그 밖에 다음에 해당하는 시설물의 부설주차장을 일반이 이용할 수 있는 개방주차장으로 지정할 수 있다.

　㉠ 다음의 어느 하나에 해당하는 시설물로서 시설물을 소유하거나 관리하는 자가 부설주차장을 개방주차장으로 지정하는 데 동의한 시설물

　　　1. 주차난이 심각한 도심·주택가 등에 위치한 시설물로서 판매시설, 문화시설, 체육시설 등 다중이 이용하는 시설물

국토계획법

　　　2. 개방주차장으로 지정할 필요가 있는 시설물로서 시·군 또는 구의 조례에서 정하는 시설물

　㉡ 시설물을 소유하거나 관리하는 자가 부설주차장을 개방주차장으로 지정해줄 것을 요청하는 시설물

② 시장·군수 또는 구청장은 개방주차장을 지정하기 위하여 그 시설물을 관리하는 자에게 협조를 요청할 수 있다. 이 경우 요청을 받은 자는 특별한 사정이 없으면 이에 따라야 한다.

주차장법

③ 개방주차장의 지정에 필요한 절차, 개방시간, 보조금의 지원, 시설물 관리 및 운영에 대한 손해배상책임 등에 관하여 필요한 사항은 해당 지방자치단체의 조례로 정한다.

13 부설주차장의 관리방법 등 $\left(\begin{smallmatrix} 법 \\ 제19조의3 \end{smallmatrix}\right)$

① 부설주차장을 관리하는 자는 주차장에 자동차를 주차하는 사람으로부터 주차요금을 받을 수 있다.

② ①에 따른 부설주차장의 관리자에 대하여는 제17조를 준용한다.

주 택 법

③ 시장·군수 또는 구청장은 다음 의 어느 하나에 해당하는 경우에는 노상주차장에서의 주차행위 제한에 따른 조치를 취할 수 있다.

　　1. 개방주차장의 지정된 주차구획 외의 곳에 주차하는 경우

　　2. 개방주차장의 지정된 개방시간을 위반하여 주차하는 경우

도시및주거환경정비법

　　3. 국가기관의 장 또는 지방자치단체의 장이 설치한 부설주차장 중 개방주차장이 아닌 주차장에 정당한 사유 없이 대통령령으로 정하는 기간 이상 계속하여 고정적으로 주차하는 경우<신설 2024. 1. 9./시행 2024.7.10.>

④ ③에 따라 자동차를 이동시키는 경우에는 「도로교통법」 제35조제3항부터 제7항까지 및 제36조를 준용한다.

건축사법

2 부설주차장의 인근설치 $\left(\begin{smallmatrix} 법 \\ 제19조4항 \end{smallmatrix}\right)\left(\begin{smallmatrix} 영 \\ 제7조 \end{smallmatrix}\right)$

부설주차장이 일정규모 이하인 때에는 시설물의 부지인근에 단독 또는 공동으로 부설주차장을 설치할 수 있다.

장애인시설법

1 부설주차장의 인근설치 대상시설물의 규모

① 부설주차장을 건축물의 부지인근에 설치할 수 있는 설치규모 : 주차대수 300대 이하

② 다음의 경우 부설주차장 설치기준(영 별표1)에 따라 산정한 주차대수에 상당하는 규모

소방시설법

서울시조례

건축관계법

국토계획법

주차장법

주 택 법

도시및주거
환경정비법

건축사법

장애인시설법

소방시설법

서울시조례

1. 「도로교통법」에 따라 차량통행이 금지된 장소의 시설물인 경우

2. 시설물의 부지에 접한 대지나 시설물의 부지와 통로로 연결된 대지에 부설주차장을 설치하는 경우

3. 시설물의 부지가 12m 이하인 도로에 접해 있는 경우 도로의 맞은편 토지(시설물의 부지에 접한 도로의 건너편에 있는 시설물 정면의 필지와 그 좌우에 위치한 필지를 말함)에 부설주차장을 그 도로에 접하도록 설치하는 경우

4. 「산업입지 및 개발에 관한 법률」에 따른 산업단지 안에 있는 공장인 경우

② 부지인근의 범위

시설물의 부지인근의 범위는 다음 범위 안에서 시·군·구의 조례로 정한다.

1. 해당부지 경계선으로부터 부설주차장의 경계선까지
   • 직선거리 – 300m 이내
   • 도보거리 – 600m 이내

2. 해당 시설물의 소재하는 동·리(행정 동·리를 말함)

3. 해당 시설물과의 통행여건이 편리하다고 인정되는 인접 동·리(행정 동·리를 말함)

③ 설치계획서의 제출 (법 제19조의2) (규칙 제12조)

시설물 부지 인근에 부설주차장을 설치하고자 하는 경우 관련 서류를 첨부한 부설주차장 설치계획서(부설주차장 인근설치계획서)를 제출하여야 한다. ⇨ **1** ② 내용 참조

3 부설주차장의 설치의무 면제 (법 제19조제5항) (영 제8조 ~ 제10조)

① 주차장 설치의무의 면제대상

① 다음 기준에 해당할 때 해당 주차장의 설치 비용을 시장·군수·구청장에게 납부하는 것으로 부설주차장의 설치를 갈음할 수 있다.

1. 부설주차장의 규모	• 주차대수 300대 이하 • 차량통행이 금지된 장소에서는 부설주차장 설치기준에 따라 산정한 주차대수에 상당하는 규모	
2. 시설물의 위치	• 차량통행의 금지 또는 주변의 토지이용상황으로 인하여 부설주차장의 설치가 곤란하다고 시장·군수·구청장이 인정하는 장소	
	• 부설주차장의 출입구가 간선도로변 등에 위치하여 교통 혼잡을 가중시킬 우려가 있다고 시장·군수·구청장이 인정하는 장소	• 조례로 정한 화물하역 등 기능유지용 주차장은 설치하여야 한다.
3. 시설의 용도 및 규모	• 연면적 10,000m² 이상의 판매시설 및 운수시설에 해당하지 않는 경우	• 차량통행이 금지된 장소의 시설물인 경우에는 「건축

	• 연면적 15,000m² 이상의 공연장, 집회장, 관람장·위락시설·숙박시설 또는 업무시설에 해당하지 않는 시설물	법」이 정하는 용도별 건축 허용 연면적의 범위안에서 설치하는 시설물을 말한다.

② 시장·군수·구청장은 납부된 비용을 노외주차장의 설치외의 목적으로 사용할 수 없다.

② 주차장 설치의무와 면제신청에 따른 제출서류

부설주차장의 설치의무를 면제받으려는 자는 다음 사항을 기재한 주차장 설치의무 면제신청서를 시장·군수·구청장에게 제출하여야 한다.

1. 시설물의 위치, 용도 및 규모

2. 설치하여야 할 부설주차장의 규모

3. 부설주차장의 설치에 필요한 비용 및 주차장설치 의무가 면제되는 경우 해당 비용의 납부에 관한 사항

4. 신청인의 성명(법인인 경우 명칭 및 대표자의 성명) 및 주소

③ 주차장 설치비용 납부

부설주차장의 설치의무를 면제받으려는 자는 해당 지방자치단체의 조례로 정하는 바에 따라 부설주차장의 설치에 필요한 비용을 다음의 구분에 따라 시장·군수 또는 구청장에게 내야 한다.

구 분	납부 비율
1. 해당 시설물의 건축 또는 설치에 대한 허가·인가 등을 받기 전까지	설치 비용의 50%
2. 해당 시설물의 준공검사(건축물인 경우 「건축법」에 따른 사용승인 또는 임시사용승인) 신청 전까지	설치 비용의 50%

④ 주차장 설치비용 납부자의 주차장 무상사용

시장·군수·구청장은 시설물의 소유자로부터 부설주차장의 설치에 필요한 비용을 받은 경우 다음과 같은 조치를 취한다.

① 주차장 설치비용납부자의 무상사용 주차장의 지정

1. 시 기	시설물 준공검사확인증(건축물인 경우 사용승인서 또는 임시사용승인서)을 발급할 때 해당 시설물소유자가 무상으로 사용할 수 있는 주차장 지정
2. 대상주차장	특별시장·광역시장·시장·군수 또는 구청장이 설치한 노외주차장
3. 대 상 자	주차장 설치비용을 시장·군수·구청장에게 납부한 자

※ 위 ②-②의 범위에 해당하는 시설물의 부지인근에 사용할 수 있는 노외주차장이 없는 경우 지정할 수 없다.

건축관계법

국토계획법

주차장법

주 택 법

도시및주거
환경정비법

건축사법

장애인시설법

소방시설법

서울시조례

② 무상 사용기간 : 납부된 주차장 설치비용을 조례에 따라 시설물 준공검사확인증을 발급할 때의 해당 주차장의 주차요금 징수기준에 따른 징수요금으로 나누어 산정

③ 노외주차장 무상사용권 : 납부한 설치비용에 상응하는 범위에서 노외주차장(특별시장·광역시장, 시장·군수 또는 구청장이 설치한 노외주차장만 해당)을 무상으로 사용할 수 있는 권리

④ 노외주차장 무상사용권을 줄 수 없는 경우 주차장 설치비용을 줄여 줄 수 있다.

⑤ 시설물의 소유자가 변경되는 경우 노외주차장 무상사용권은 새로운 소유자가 승계한다.

⑥ 설치비용의 산정기준 및 감액기준 등에 관하여 필요한 사항은 조례로 정한다.

⑦ 시장 · 군수 또는 구청장은 시설물의 소유자가 무상으로 사용할 수 있는 노외주차장을 지정할 때에는 해당 시설물로부터 가장 가까운 거리에 있는 주차장을 지정하여야 한다. 다만, 그 주차장의 주차난이 심하거나 그 밖에 그 주차장을 이용하게 하기 곤란한 사정이 있는 경우 시설물 소유자의 동의를 받아 그 주차장 외의 다른 주차장을 지정할 수 있다.

⑧ 구청장은 무상사용 주차장으로 지정하려는 노외주차장이 특별시장 또는 광역시장이 설치한 노외주차장인 경우에는 미리 해당 특별시장 또는 광역시장과 협의하여야 한다.

⑨ 특별시장·광역시장·특별자치시장 · 특별자치도지사 또는 시장은 부설주차장을 설치하면 교통 혼잡이 가중될 우려가 있는 지역에는 부설주차장의 설치를 제한할 수 있다. 이 경우 제한지역의 지정 및 설치 제한의 기준은 조례로 정한다.

4 부설주차장의 용도변경 금지 (법 제19조의4)

(1) 부설주차장은 주차장 이외의 용도로 사용할 수 없다.

예외 다음의 경우는 용도를 변경할 수 있다.

1. 시설물의 내부 또는 그 부지(해당 시설물의 부지 인근에 부설주차장을 설치하는 경우 인근 부지) 안에서 주차장의 위치를 변경하는 경우로서 시장·군수 또는 구청장이 주차장의 이용에 지장이 없다고 인정하는 경우

2. 시설물의 내부에 설치된 주차장을 추후 확보된 인근 부지로 위치를 변경하는 경우로서 시장·군수 또는 구청장이 주차장의 이용에 지장이 없다고 인정하는 경우

3. 그 밖에 아래 2 의 경우

(2) 시설물의 소유자 또는 부설주차장의 관리책임이 있는 자(이하 "관리자등")는 해당 시설물의 이용자가 부설주차장을 이용하는데 지장이 없도록 부설주차장 본래의 기능을 유지하여야 한다.

예외 아래 2-(3)의 기준에 해당하는 경우

(3) 시장 · 군수 또는 구청장은 (1), (2)를 위반하여 부설주차장을 다른 용도로 사용하거나 부설주차장 본래의 기능을 유지하지 않는 경우 지체 없이 관리자등에게 원상회복을 명하여야 한다. 이 경우 관리자등이 응하지 않는 때에는 「행정대집행법」에 따라 원상회복을 대집행할 수 있다.

② 부설주차장의 용도변경 등 (영 제12조)

(1) 부설주차장의 용도를 변경할 수 있는 경우는 다음과 같다.

　① 「도로교통법」에 따른 차량통행의 금지 또는 주변의 토지이용상황 등으로 인하여 시장·군수 또는 구청장이 해당 주차장의 이용이 사실상 불가능하다고 인정한 경우. 이 경우 변경후의 용도 는 주차장으로 이용할 수 없는 사유가 소멸되었을 때 즉시 주차장으로 환원하는데 지장이 없는 경우에 한정하고, 변경된 용도로의 사용기간은 주차장으로 이용이 불가능한 기간으로 한정한다.

　② 직거래 장터 개설 등 지역경제 활성화를 위하여 시장·군수 또는 구청장이 정하여 고시하는 바 에 따라 주차장을 일시적으로 이용하려는 경우로서 시장·군수 또는 구청장이 해당 주차장의 이 용에 지장이 없다고 인정하는 경우

　③ 해당 시설물의 부설주차장의 설치기준 또는 설치제한기준을 초과하는 주차장으로서 그 초과 부분에 대하여 시장·군수 또는 구청장의 확인을 받은 경우

　④ 도시·군계획시설사업으로 인하여 그 전부 또는 일부를 사용 할 수 없게 된 주차장으로서 시 장·군수 또는 구청장의 확인을 받은 경우

　⑤ 시설물 부지 인근에 설치한 부설주차장 또는 시설물 내부 또는 그 부지에서 인근 부지로 위치 변경 된 부설주차장을 그 부지 인근의 범위에서 위치 변경하여 설치하는 경우

　⑥ 「산업입지 및 개발에 관한 법률」에 따른 산업단지 안에 있는 공장의 부설주차장을 시설물 부지 인근의 범위에서 위치 변경하여 설치하는 경우

　⑦ 「도시교통정비 촉진법 시행령」에 따른 건축물(「주택건설기준 등에 관한 규정」이 적용되는 공 동주택은 제외)의 주차장이 「도시교통정비 촉진법」에 따른 승용차공동이용 지원(승용차공동이 용을 위한 전용주차구획을 설치하고 공동이용을 위한 승용자동차를 상시 배치하는 것)을 위하여 사용되는 경우로서 다음의 모든 요건을 충족하는지 여부에 대하여 시장·군수 또는 구청장의 확 인을 받은 경우

　　1. 주차장 외의 용도로 사용하는 주차장의 면적이 승용차공동이용 지원을 위하여 설치한 전용주차구획 면적의 2배를 초과하지 아니할 것

　　2. 주차장 외의 용도로 사용하는 주차장의 면적이 해당 주차장의 전체 주차구획 면적의 10/100을 초과하지 아니할 것

　　3. 해당 주차장이 승용차공동이용 지원에 사용되지 아니하는 경우에는 주차장 외의 용도 로 사용하는 부분을 즉시 주차장으로 환원하는 데에 지장이 없을 것

(2) 위 ①-(1)의 1, 2 및 ②-(1)의 ⑤, ⑥의 경우에 종전의 부설주차장은 새로운 부설주차장의 사 용이 시작된 후에 용도변경 해야 한다.
　예외 기존 주차장 부지에 증축되는 건축물 안에 주차장을 설치하는 경우 그렇지 않다.

(3) 위 ①-(2)의 예외 에 따라 부설주차장 본래의 기능을 유지하지 않아도 되는 경우는 위 (1)- ①, ③, ④에 해당하는 경우와 기존 주차장을 보수 또는 증축하는 경우(보수 또는 증축하는 기간 으로 한정)로 한다.

③ 부설주차장의 용도변경신청 등 (규칙 제15조, 제16조)

(1) 부설주차장의 용도를 변경하고자 하는 자는 부설주차장 용도변경신청서에 용도변경을 증명할 수 있는 서류를 첨부하여 해당 부설주차장의 소재지를 관할하는 시장·군수 또는 구청장에게 제 출해야 한다.

건축관계법

국토계획법

주차장법

주 택 법

도시및주거
환경정비법

건축사법

장애인시설법

소방시설법

서울시조례

(2) 시장·군수 또는 구청장은 부설주차장의 다른 용도 사용 등에 대한 관리자등에게 원상회복을 명하는 업무를 수행하기 위하여 필요한 경우 별지 제5호서식의 부설주차장 인근설치 관리대장을 작성하여 관리하여야 한다.

4 임의적 용도변경에 대한 제재

부설주차장을 다른 용도로 사용하거나 기능을 유지하지 않을 때에는 「건축법」에 따른 위반건축물(행정대집행 대상)로 본다.

5 부설주차장의 구조 및 설비기준 (규칙 제11조)

1 부설주차장의 구조 및 설비기준

부설주차장은 노외주차장의 구조 및 설비에 대한 다음의 기준을 준용한다.

예외 단독주택 및 다세대주택으로서 해당 부설주차장을 이용하는 차량의 소통에 지장을 주지 않는다고 시장·군수 또는 구청장이 인정하는 주택의 부설주차장

부설주차장과 연결되는 도로가 2 이상인 경우 자동차 교통이 적은 도로에 출구와 입구를 설치 예외 보행자의 교통에 지장이 있는 경우	규칙 5조	제6호
주차대수 400대를 초과하는 부설주차장은 출구와 입구를 분리 설치		제7호
입구와 출구는 차로와 도로가 접하는 경우 곡선형으로 설치	규칙 6조 ① (제3장-6 노외주차장의 구조 및 설비기준 참조)	제1호
출구부근의 구조		제2호
주차장내의 차로의 설치		제3호
출입구의 너비		제4호
지하식 또는 건축물식 노외주차장의 차로의 기준		제5호
자동차용 승강기 설치기준		제6호
주차장의 주차에 사용되는 부분의 높이		제7호
주차장 내부 공간의 일산화탄소 농도		제8호
경보장치 설치		제10호
2층 이상 건축물식 주차장 등 추락방지용 안전시설의 설치		제12호
주차단위구획의 평평한 장소 설치		제13호
주차대수 400대 초과 주차장에 과속방지턱 등 보행안전확보 시설 설치		제15호
추락방지 안전시설의 설계 및 설치 등에 관한 세부적인 사항은 주차장 추락방지시설의 설계 및 설치 세부지침(국토교통부고시 제2016-145호)에서 정함.	규칙 6조 ⑦	-

② 부설주차장의 조명 및 방범설비 ※다음 용도의 부설주차장의 경우 준용규정

건축물의 용도		조명설비 (규칙 제6조①6.)	방범설비 (규칙 제6조①11.)
1.	주차대수 30대를 초과하는 지하식·건축물식의 자주식 주차장으로 판매시설·숙박시설·운동시설·위락시설·문화 및 집회시설·종교시설 또는 업무시설로 이용되는 건축물의 부설주차장	벽면에서부터 50cm 이를 제외한 바닥면의 최소 조도(照度)와 최대 조도 ① 주차구획 및 차로 : 최소 조도는 10럭스 이상, 최대 조도는 최소 조도의 10배 이내 ② 주차장 출구 및 입구: 최소 조도는 300럭스 이상, 최대 조도는 없음 ③ 사람이 출입하는 통로 : 최소 조도는 50럭스 이상, 최대 조도는 없음	관리사무소에서 볼 수 있는 폐쇄회로 텔레비전(녹화장치 포함) 또는 네트워크 카메라를 포함하는 방범설비 설치·관리
	상기용도와 다른 용도가 복합된 건축물의 부설주차장으로 각각 시설에 대한 부설주차장을 구분하여 사용·관리하는 것이 곤란한 건축물의 부설주차장		
2.	위 1.이 아닌 용도(단독 및 다세대주택 제외)		–

③ 주차대수 50대 이상의 부설주차장에 설치하는 확장형 주차단위구역 (규칙 제11조제4항)

주차대수 50대 이상의 부설주차장에 설치되는 확장형 주차단위구역의 설치기준은 주차단위구획 총수*의 30% 이상으로 한다. (* 평행주차형식의 주차단위구획수 제외)

④ 주차대수가 8대 이하인 경우의 별도기준 (규칙 제11조제5항)

부설주차장의 총주차대수 규모가 8대 이하인 자주식주차장의 구조 및 설비기준은 위 ① 의 규정에 불구하고 다음에 따른다.

① 차로의 너비는 2.5m 이상으로 하되 주차 단위구획과 접하여 있는 차로의 너비는 주차형식에 따라 다음 표에 의한 기준이상으로 하여야 한다.

주차형식	차로의 너비
평행주차	3.0m 이상
직각주차	6.0m 이상
60°대향주차	4.0m 이상
45°대향주차	3.5m 이상
교차주차	

② 보도와 차로의 구분이 없는 너비 12m 미만인 도로에 접한 부설주차장은 그 도로를 차로로 하여 다음과 같이 주차단위구획을 배치할 수 있다.
　㉠ 차로 6m 이상 (평행주차 4m 이상)
　㉡ 도로의 범위 : 중앙선 또는 반대측 경계선

③ 보도와 차도의 구분이 있는 12m 이상의 도로에 접하여 있고 주차대수가 5대 이하인 부설주차장은 해당 주차장의 이용에 지장이 없는 경우에 한하여 그 도로를 차로로 하여 직각주차형식으로 주차단위구획을 배치할 수 있다.

④ 주차대수 5대 이하의 주차단위구획은 차로를 기준으로 하여 세로로 2대까지 접하여 배치할 수 있다.

⑤ 보행인의 통행로가 필요한 경우에는 시설물과 주차단위구획 사이에 0.5m 이상의 거리를 두어야 한다.

⑥ 출입구 너비 : 3m 이상(막다른 도로에 접한 경우로서 시장·군수·구청장이 차량소통에 지장이 없다고 인정하는 경우 2.5m 이상)

5 도로를 차로로 하여 설치한 부설주차장 장애물 설치 금지 $\left(\substack{규칙\\제11조제6항}\right)$

도로와 주차구획선 사이에는 담장 등 주차장의 이용을 곤란하게 하는 장애물을 설치할 수 없다.

총주차대수 5대 이하의 주차형식

(서울시주차계획과-2736, 2004.4.22)

질의 총주차대수 5대 이하인 경우로서 주차형식에 따라 도로를 차로로 하여 주차단위구획을 배치할 수 있는지와 도로를 차로로 하여 주차단위구획을 배치할 경우에 도로의 너비를 확보하여야 하는지 여부

회신 자주식주차장(지평식에 한함)으로서 보도와 차도의 구분이 없는 너비 12m미만의 도로에 접하여 있는 부설주차장은 그 도로를 차로로 하여 주차단위구획을 배치할 수 있고, 이 경우 차로의 너비는 도로를 포함하여 6m이상(평행주차인 경우에는 도로를 포함하여 4m 이상)으로 하여야 하며, 주차대수 5대 이하의 주차단위구획은 차로를 기준으로 하여 세로로 2대까지 접하여 배치할 수 있으며, 또한 당해 도로의 너비에 관한 규정은 건축법 제2조1항 제11호의 규정에 의한 도로로서 자동차의 통행이 가능하여야 함.

【참고】 주차장설치 및 관리에 관한 업무처리지침 (건교부교평 9117-597, 95.8.2)

이 지침은 〃96.7.19자로 폐지되었으나, 이 지침의 내용 중 소규모 부설주차장의 설치 및 부설주차장의 인근설치에 대한 도해를 소개하니 업무에 참고하시기 바랍니다.

1. 소규모 부설주차장 설치기준은 해당 부지안에 설치하여야 할 총주차대수의 규모가 8대 이하인 자주식 주차장(지평식에 한함)에 적용되는 것임. 단, 총주차대수가 8대를 초과하는 주차장을 8대 이하로 나누어 설치하거나 기계식주차장(2, 3단 기계식 등)으로 설치하는 부설주차장은 적용대상이 되지 않음.

2. 총주차대수 8대 이하인 부설주차장 설비기준 적용

【1】 차로의 너비(제1호)

· 차로너비는 2.5m 이상으로 함

다만, 주차단위구획과 접하여 있는 차로너비는 다음 표의 기준 이상으로 함.

주 차 형 식	차 로 의 너 비
평 행 주 차	3.0m
직 각 주 차	6.0m
60°대 향 주 차	4.0m
45°대 향 주 차	3.5m
교 차 주 차	3.5m

〈주차형식별 차로배치 예시도〉

① 직각주차의 경우(1)

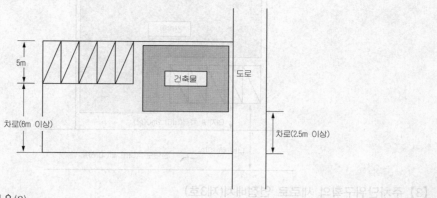

② 직각주차의 경우(2)

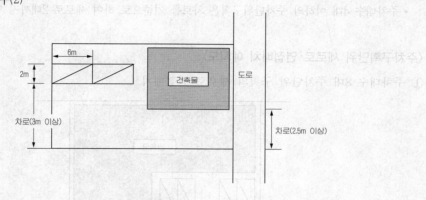

【2】보·차도 구분이 없는 도로의 주차단위구획 배치방법(제2호)
- 보·차도 구분이 없는 12m 미만의 도로에 접하여 있는 부설주차장은 그 도로를 차로로 하여 주차대수 5대 이하의 주차단위구획을 배치할 수 있음
- 도로를 포함한 차로너비의 산정
  - 차로의 너비는 도로를 포함하여 6m 이상(평행 주차단위구획은 4m 이상)으로 하고
  - 도로는 중앙선까지로 하되 중앙선이 없는 경우는 도로 반대측 경계선까지로 한다.

〈주차구획단위 배치 예시도〉

① 도로너비 6m 이상인 도로

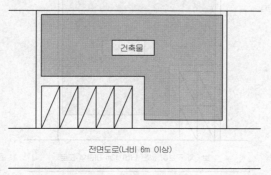

건축관계법

국토계획법

주차장법

주 택 법

도시및주거
환경정비법

건축사법

장애인시설법

소방시설법

서울시조례

건축관계법

국토계획법

주차장법

주 택 법

도시및주거
환경정비법

건축사법

장애인시설법

소방시설법

서울시조례

4-44

② 도로의 너비가 4m 이하인 경우

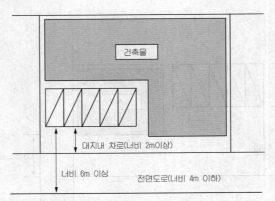

【3】 주차단위구획의 세로로 연접배치(제3호)

- 주차대수 4대 이하의 주차단위구획은 차로를 기준으로 하여 세로로 2대까지 연접배치할 수 있음.

〈주차구획단위 세로로 연접배치 예시도〉

① 주차대수 8대 주차단위 구획의 세로로 연접배치

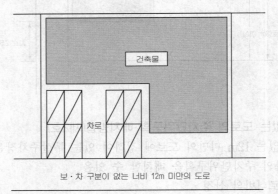

※ 이 경우는 8대의 주차단위구획이므로 주차대수 4대의 주차구획 단위별로 해당 부지내의 차로를 설치하여야 함.

② 주차대수 4대의 주차단위구획의 세로로 연접배치

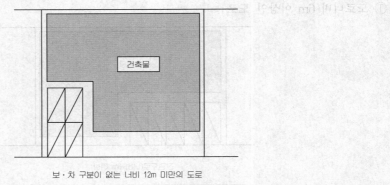

③ 주차대수 5대의 주차단위구획의 연접배치

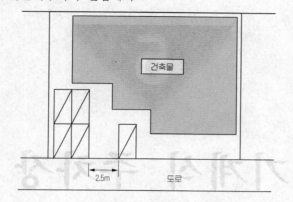

④ 2 이상의 도로에 접한 주차단위구획의 연접배치(주차대수 8대)

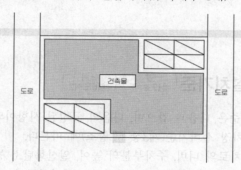

【4】출입구의 설치(제4호)

- 출입구의 너비는 3.0m 이상으로 함.
- 막다른 도로와 접한 부설주차장으로서 해당 시장·군수·구청장이 차량 소통에 지장이 없다고 인정하는 경우의 출입구는 2.5m 이상으로 함.

〈출·입구 설치 예시도〉

① 일반도로의 경우   ② 막다른 도로의 경우

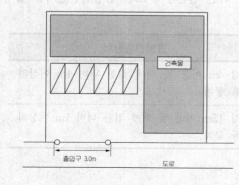
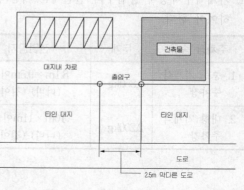

- 일반적인 부설주차장 출입구의 너비는 최하 3.5m로 규정되어 있으나 이 경우에는 3m 또는 2.5m 까지 설치할 수 있음.

건축관계법 / 국토계획법 / 주차장법 / 주택법 / 도시및주거환경정비법 / 건축사법 / 장애인시설법 / 소방시설법 / 서울시조례

기계식 주차장

1 기계식주차장의 설치기준 $\left(\substack{법\\제19조의5}\right)\left(\substack{규칙\\제16조의2}\right)$

(1) 기계식주차장의 설치기준은 다음과 같으며, 다음의 규정된 사항이외의 기계식주차장의 설치기준에 관하여는 노외주차장 설비기준(제3장 **6** 참조)에 따른다.

[예외] 주차형식에 다른 차로의 너비, 주차부분의 높이, 일산화탄소 농도기준의 규정은 제외한다.

(2) 특별시·광역시·특별자치도·시·군 또는 자치구는 지역실정이 고려된 구역을 정하여 다음의 사항을 지방자치단체의 조례로 정할 수 있다.

① 기계식주차장치의 설치대수
② 기계식주차장치의 종류
③ 부설주차장의 주차대수 중 기계식주차장치의 비율

1 출입구의 전면공지 또는 방향전환장치 설치

① 기계식주차장치 출입구의 전면에는 자동차의 회전을 위한 전면공지 또는 방향전환장치를 설치하여야 한다.

주차장 종류	무게	전면공지	방향전환장치
1. 중형 기계식 주차장	1,850kg	8.1m × 9.5m이상 (너비) (길이)	직경 4m 이상 및 이에 접한 너비 1m 이상의 여유 공지
2. 대형 기계식 주차장	2,200kg	10m × 11m이상 (너비) (길이)	직경 4.5m 이상 및 이에 접한 너비 1m 이상의 여유 공지

- **중형기계식주차장**

    - 길이 5.05m 이하, 너비 1.9m 이하, 높이 1.55m 이하, 무게 1,850kg 이하인 자동차를 주차할 수 있는 기계식주차장

- **대형기계식주차장**

    - 길이 5.75m 이하, 너비 2.15m 이하, 높이 1.85m 이하, 무게 2,200kg 이하인 자동차를 주차할 수 있는 기계식주차장

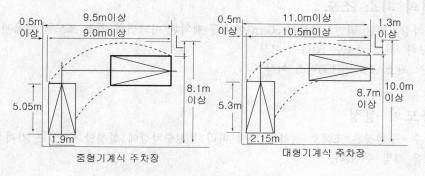

기계식 주차장 출입구 전면공지

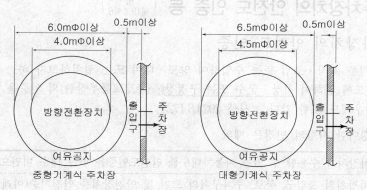

기계식주차장 방향전환장치

② 기계식주차장치의 내부에 방향전환장치를 설치한 경우와 2층 이상으로 주차구획이 배치되어 있고 출입구가 있는 층의 모든 주차구획을 기계식주차장치 출입구로 사용할 수 있는 기계식주차장의 경우에는 위 ①의 규정에 불구하고 노외주차장차로의 기준(제3장 **3** -**1**- **【2】** 참조) 또는 너비 12m 미만의 도로에 접한 부설주차장의 차로 기준(제4장 **5** -**3**-② 참조)의 규정을 준용한다.

2 정류장(자동차 대기장소)의 설치

기계식주차장의 진입로 또는 정류장은 다음과 같이 설치하여야 한다.
① 진입로 : 도로에서 기계식주차장치 출입구까지의 차로
② 정류장 : 전면공지와 접하는 장소에 자동차가 대기할 수 있는 장소

건축관계법

국토계획법

주차장법

주 택 법

도시및주거
환경정비법

건축사법

장애인시설법

소방시설법

서울시조례

건축관계법

국토계획법

주차장법

주 택 법

도시및주거
환경정비법

건축사법

장애인시설법

소방시설법

서울시조례

1. 정류장 확보	주차대수가 20대를 초과하는 매 20대마다 1대분의 정류장 확보
2. 정류장 규모	중형기계주차장 : 5.05m(길이) × 1.9m(너비) 이상
	대형기계주차장 : 5.3m(길이) × 2.15m(너비) 이상
3. 완화규정	• 주차장의 출구와 입구가 따로 설치되어 있거나 • 종단경사도가 6% 이하인 진입로의 너비가 6m 이상인 경우 진입로 6m마다 1대분의 정류장을 확보한 것으로 인정

③ 바닥면의 최소 조도

기계식주차장치에는 벽면으로부터 50cm 이내를 제외한 바닥면의 최소 조도를 다음과 같이 한다.
① 주차구획: 최소 조도는 50럭스 이상
② 출입구: 최소 조도는 150럭스 이상

④ 최소규모의 설정

시장·군수·구청장은 조례로 정하는 바에 따라 부설주차장에 설치할 수 있는 기계식주차장치의 최소규모를 정할 수 있다.

2 기계식주차장치의 안전도 인증 등 (법 제19조의6)

① 기계식주차장치의 안전도 인증

기계식주차장치를 제작·조립 또는 수입하여 양도·대여 또는 설치하고자 하는 자는 해당 기계식주차장의 안전도에 관하여 <u>시장·군수 또는 구청장(→국토교통부장관)</u>의 인증을 받아야 하며, 이를 변경하려는 경우에도 또한 같다. <시행 2024.8.17.>

예외 다음의 경미한 사항의 변경은 제외

1. 기계식주차장치가 수용할 수 있는 자동차대수를 안전도인증을 받은 대수 미만으로 변경하는 경우

2. 기계식주차장치의 출입구, 통로, 주차구획의 크기 및 안전장치를 안전기준(아래의 ④ 참조)의 범위 안에서 변경하는 경우

② 기계식주차장치의 안전도심사

① 기계식주차장치의 안전도인증을 받고자 하는 자는 미리 다음의 서류를 국토교통부장관이 지정·고시하는 검사기관에 제출하여 안전도에 대한 심사를 받아야 한다.

1. 기계식주차장치의 조립도(축척 1/100 이상인 것만 해당)

2. 안전장치의 도면 및 설명서(변경신청의 경우에는 변경된 사항만 해당)

3. 기계식주차장치 사양서

4. 주요구조부의 강도계산서 및 도면(변경신청의 경우에는 변경된 사항만 해당)

5. 기계식주차장치 출입구의 도면 및 설명서(변경신청의 경우에는 변경된 사항만 해당)

② 안전도심사신청을 받은 검사기관은 그 기계식주차장치의 안전도를 심사하여 기계식주차장치 안전도심사서를 발급하여야 한다.

③ 기계식주차장치의 안전도인증신청 등 (영 제12조의2)

기계식주차장치의 안전도에 관한 인증(안전도인증)을 받고자 하거나, 안전도인증을 받은 내용의 변경에 관한 인증(변경인증)을 받고자 하는 제작자 등(기계식주차장치를 제작·조립 또는 수입하여 양도·대여 또는 설치하고자 하는 자)은 기계식주차장치 안전도(변경)인증신청서에 다음의 서류를 첨부하여 사업장소재지를 관할하는 시장·군수·구청장에게 안전도인증 또는 그 변경인증을 신청하여야 한다.

1. 기계식주차장치 사양서
2. 국토교통부장관이 지정·고시한 검사기관의 안전도심사서(변경인증의 경우에는 변경된 사항에 대한 안전도 심사서를 말함)
3. 기계식주차장치 안전도인증서(변경인증의 경우만 해당)

④ 기계식주차장치의 안전기준 (규칙 제16조의5)

(1) 기계식주차장치의 안전기준은 다음과 같다.

① 사용재료	한국산업규격 또는 그 이상으로 할 것
② 출입구의 크기	중형기계식주차장 : 2.3m(너비) × 1.6m(높이) 이상 대형기계식주차장 : 2.4m(너비) × 1.9m(높이) 이상 비고 사람이 통행하는 기계식주차장치의 출입구의 높이는 1.8m 이상
③ 주차구획크기	중형기계식주차장 : 2.2m(너비) × 1.6m(높이) × 5.15m(길이) 이상 대형기계식주차장 : 2.3m(너비) × 1.9m(높이) × 5.3m(길이) 이상 비고 차량의 길이가 5.1m 이상인 경우에는 주차구획의 길이는 차량의 길이보다 최소 0.2m 이상을 확보하여야 한다.
④ 운반기의 크기(자동차가 들어가는 바닥의 너비)	중형기계식주차장 : 1.9m 이상 대형기계식주차장 : 1.95m 이상
⑤ 자동차를 입출고하는 사람의 출입통로	50cm(너비) × 1.8m(높이) 이상

⑥ 기계식주차장치 출입구에는 출입문을 설치하거나 기계식주차장치가 작동하고 있을 때 기계식주차장치 출입구 안으로 사람 또는 자동차가 접근할 경우 즉시 그 작동을 멈추게 할 수 있는 장치를 설치하여야 한다.

⑦ 자동차가 주차구획 또는 운반기 안에서 제자리에 위치하지 아니한 경우에는 기계식주차장치의 작동을 불가능하게 하는 장치를 설치하여야 한다.

⑧ 기계식주차장치에는 자동차의 높이가 주차구획의 높이를 초과하는 경우 작동하지 아니하게 하는 장치를 설치하여야 한다. 예외 다음의 어느 하나에 해당하는 기계식주차장치는 제외한다.

　㉠ 2단식 주차장치: 주차구획이 2층으로 배치되어 있고 출입구가 있는 층의 모든 주차구획을 주차장치 출입구로 사용할 수 있는 구조로서 그 주차구획을 아래·위 또는 수평으로 이동하여 자동차를 주차하는 주차장치

　㉡ 다단식 주차장치: 주차구획이 3층 이상으로 배치되어 있고 출입구가 있는 층의 모든 주차구획을 주차장치 출입구로 사용할 수 있는 구조로서 그 주차구획을 아래·위 또는 수평으로 이동하여 자동차를 주차하는 주차장치

건축관계법

국토계획법

주차장법

주 택 법

도시및주거
환경정비법

건축사법

장애인시설법

소방시설법

서울시조례

ⓒ 수직순환식 주차장치: 주차구획에 자동차가 들어가도록 한 후 그 주차구획을 수직으로 순환이동하여 자동차를 주차하는 주차장치

⑨ 기계식주차장치의 작동 중 위험한 상황이 발생하는 경우 즉시 그 작동을 멈추게 할 수 있는 안전장치를 설치하여야 한다.

⑩ 승강기식 주차장치(운반기에 의하여 자동차를 자동으로 운반하여 주차하는 주차장치를 말한다)에는 운반기 안에 사람이 있는 경우 이를 감지하여 작동하지 아니하게 하는 장치를 설치하여야 한다.

(2) 안전도인증을 받아야 하는 자는 누구든지 국토교통부장관에게 위 (1)에 따른 안전기준의 개정을 신청할 수 있다.

(3) 위 (2)에 따라 안전기준의 개정 신청을 받은 국토교통부장관은 신청일로부터 30일 이내에 이를 검토하여 안전기준의 개정 여부를 신청인에게 통보하여야 한다.

⑤ 안전도인증서의 발급 (법 제19조의7)

(1) 시장·군수 또는 구청장(→국토교통부장관)은 기계식주차장치가 국토교통부령이 정하는 안전기준에 적합하다고 인정되는 경우에는 제작자등에게 기계식주차장치 안전도인증서(영문서식을 포함한다)를 발급해야 한다. <시행 2024.8.17.>

(2) 위 (1)의 규정에 의하여 발급받은 기계식주차장치안전도인증서의 기재내용 중 주소, 법인의 명칭 및 대표자의 변경이 있는 때에는 이를 발급한 시장·군수 또는 구청장에게 신청하여 그의 기재사항 변경에 따른 발급을 받아야 한다. 다만, 주소가 다른 시·군 또는 구로 변경된 경우에는 새로운 주소지를 관할하는 시장·군수 또는 구청장에게 신청하여야 한다.

(3) 기계식주차장치 안전도인증서를 발급한 시장·군수 또는 구청장은 그 내용을 관보에 공고하여야 한다. 기계식주차장치의 안전도인증을 취소한 때에도 또한 같다.

⑥ 안전도인증의 취소 (법 제19조의8)

(1) 시장·군수 또는 구청장(→국토교통부장관)은 제작자 등이 다음에 해당하는 경우에는 안전도인증을 취소할 수 있다. <시행 2024.8.17.>

1. 허위 그 밖의 부정한 방법으로 안전도인증을 받은 경우

2. 안전도인증을 받은 내용과 다른 기계식주차장치를 제작·조립 또는 수입하여 양도·대여 또는 설치한 경우

3. 기계식주차장치 안전기준에 적합하지 아니하게 된 경우

(2) 제작자 등은 안전도인증이 취소된 경우에는 안전도인증서를 반납하여야 한다.

3 기계식주차장의 사용검사 등 (법 제19조의9) (영 제12조의3) (규칙 제16조의8)

• 기계식주차장을 설치하고자 하는 때에는 안전도인증을 받은 기계식주차장치를 사용하여야 한다.
• 기계식주차장을 설치한 자 또는 해당 기계식주차장의 관리자는 해당 기계식주차장에 대하여 시장·군수 또는 구청장이 실시하는 검사를 받아야 한다.

1 기계식주차장의 검사종류

① 검사의 종류

종 류	검 사 내 용	유효기간
1. 사용검사	기계식주차장의 설치를 완료하고 이를 사용하기 전에 실시하는 검사	3년
2. 정기검사	사용검사의 유효기간이 지난 후 계속하여 사용하고자 하는 경우에 주기적으로 실시하는 검사	2년
3. 수시검사 (시행 2024.8.17.)	가. 기계식주차장치의 주요구동부의 부품변경, 운반기 및 철골을 변경한 경우 나. 시장·군수 또는 구청장이 해당 기계식주차장치의 오작동 등에 따른 안전상의 문제가 있어 점검이 필요하다고 판단하는 경우 다. 기계식주차장관리자등이 요청하는 경우	-

② 위 ①에도 불구하고 사용검사 또는 정기검사의 유효기간 만료 전에 정밀안전검사를 받은 경우 정밀안전검사를 받은 날부터 다음 정기검사의 유효기간을 기산한다.

③ 위 ①에 따른 정기검사의 검사기간은 사용검사 또는 정기검사의 유효기간 만료일 전후 각각 31일 이내로 한다. 이 경우 해당 검사기간 이내에 적합판정을 받은 경우에는 사용검사 또는 정기검사의 유효기간 만료일에 정기검사를 받은 것으로 본다.

2 사용 또는 정기검사의 연기

① 아래와 같은 사유가 있을 때에는 검사를 연기할 수 있다.

1. 기계식주차장이 설치된 건축물의 흠으로 인하여 그 건축물과 기계식주차장의 사용이 불가능하게 된 경우

2. 기계식주차장(법 제19조 규정에 의하여 설치가 의무화된 부설주차장인 경우를 제외함)의 사용을 중지한 경우

3. 천재·지변, 그 밖의 정기검사를 받지 못할 부득이한 사유가 발생한 경우

② 위 ①의 규정에 따른 사유로 정기검사를 연기 받고자 하는 자는 그 연기사유를 확인할 수 있는 서류를 첨부하여 해당 기계식주차장의 소재지를 관할하는 시장·군수 또는 구청장에게 사용검사 또는 정기검사의 유효기간이 만료되기 전에 연기신청을 하여야 한다.

③ 위 ②에 따라 정기검사를 연기 받은 자는 해당 사유가 해소된 때에는 그 때부터 2월 이내에 정기검사를 받아야 한다. 이 경우 정기검사가 끝날 때까지 사용검사 또는 정기검사의 유효기간이 연장된 것으로 본다.

3 기계식주차장의 사용검사 등 $\binom{영}{제16조의8}$

① 기계식주차장의 사용검사 또는 정기검사를 받으려는 자는 기계식주차장검사신청서에 다음의 서류를 첨부하여 전문검사기관(검사대행기관)에 신청해야 한다.

건축관계법

국토계획법

주차장법

주 택 법

도시및주거
환경정비법

건축사법

장애인시설법

소방시설법

서울시조례

1. 와이어로프·체인 시험성적서
2. 전동기 시험성적서
3. 감속기 시험성적서
4. 제동기 시험성적서
5. 운반기 계량증명서
6. 설치장소 약도

※1.~5.의 서류는 사용검사의 경우만 첨부
- 안전도심사 신청 시 제출된 주요 구조부의 강도계산서에 포함된 경우 첨부하지 않을 수 있다.

② 검사신청을 받은 검사대행기관은 검사신청을 받은 날부터 20일 이내에 검사를 완료하고 항목별 검사결과를 기계식주차장 관리자 등에게 통보하여야 한다.

③ 위의 ②에 따른 검사결과를 통보받은 기계식주차장 관리자 등은 부적합판정을 받은 검사항목에 대해서는 그 통보를 받은 날부터 3개월 이내에 해당 항목을 보완한 후 재검사를 신청하여야 한다. 이 경우 검사대행기관은 검사신청을 받은 날부터 10일 이내에 검사를 완료하고 그 결과를 기계식주차장 관리자 등에게 통보하여야 한다.

④ 검사대행기관은 보완항목에 대한 검사를 함에 있어서 사진·시험성적서, 그 밖의 증빙서류 등으로 보완된 사실을 확인할 수 있는 경우에는 이의 확인으로 검사를 행할 수 있다. 이 경우 검사대행기관은 검사신청을 받은 날부터 5일 이내에 그 결과를 기계식주차장 관리자 등에게 통보하여야 한다.

⑤ 검사대행기관은 위 ②~④까지에 따른 검사결과를 기계식주차장 관리자 등에게 통보하는 때에는 검사필증 또는 사용금지표지를 함께 발급하고, 해당 기계식주차장의 소재지를 관할하는 시장·군수·구청장에게 그 사실을 통보하여야 한다.

---

4 검사비용의 납부 (법 제19조의11)

위 **2**, **3**의 안전도인증 또는 검사를 받고자 하는 자는 국토교통부령이 정하는 바에 따라 안전도인증 또는 검사에 소요되는 비용을 납부하여야 한다.

4 검사확인증의 발급 등 (법 제19조의10)

① 시장·군수 또는 구청장은 기계식 주차장의 사용검사 및 정기검사에 합격한 자에 대하여는 검사확인증을 발급하고, 불합격한 자에 대하여는 사용을 금지하는 표지를 내주어야 한다.

② 기계식주차장관리자등은 발급받은 검사확인증 또는 기계식주차장의 사용을 금지하는 표지를 기계식주차장에 붙여야 한다.

③ 검사에 불합격한 기계식주차장은 사용할 수 없다.

건축관계법

국토계획법

주차장법

주택법

도시및주거
환경정비법

건축사법

장애인시설법

소방시설법

서울시조례

5 안전도 인증 및 검사업무의 대행 (법 제19조의12)(영 제12조의4) <시행 2024.8.17>

1 안전도 인증 및 발급 업무의 대행

국토교통부장관은 기계식주차장치의 안전도인증 및 안전도인증서의 발급업무를 대통령령으로 정하는 바에 따라 국토교통부장관이 지정하는 전문기관으로 하여금 대행하게 할 수 있다.

1(→2) 검사업무의 대행

시장, 군수 또는 구청장은 기계식주차장의 검사업무를 국토교통부장관이 지정하는 전문검사기관으로 하여금 대행하게 할 수 있다. 또한, 전문검사기관으로 지정 받고자 하는 자는 국토교통부장관에게 지정을 신청해야 한다.

2 전문검사기관의 지정기준

위 1 에 따라 전문검사기관으로 지정 받으려는 자 갖추어야 할 요건(시행령 별표2)

1. 법인형태 및 사무소	비영리법인으로서 수도권(서울특별시·인천광역시·경기도를 말함)에 하나 이상의 사무소를 두고, 수도권을 제외한 광역시·도 또는 특별자치도에 넷 이상의 사무소를 두고 있을 것
2. 기술인력	「국가기술자격법」에 따른 기계·전기 또는 전자분야의 산업기사 이상의 자격을 가진 검사 인력을 15인 이상 보유하고 있을 것
3. 설비기준	가. 전류계 5대 이상 나. 멀티미터(multimeter: 휴대용 전류 전압계) 5대 이상 다. 분당 회전수 측정기(RPM미터) 5대 이상 라. 접지저항계 5대 이상 마. 절연저항계 5대 이상 바. 초시계 5대 이상 사. 아들자 캘리퍼스(버니어캘리퍼스: 아들자가 달려 두께나 지름을 재는 기구) 　　(200mm) 5대 이상 아. 아들자 캘리퍼스(300㎜) 5대 이상 자. 경도측정기 5대 이상 차. 내외경퍼스(안팎 지름 측정기) 1대 이상 카. 줄자 5대 이상

3 검사업무 대행자에 대한 지도 등

국토교통부장관 또는 시장·군수·구청장은 기계식주차장치 안전도인증 및 기계식주차장의 검사업무를 대행하는 자에 대하여 기계식주차장의 안전성을 확보하기 위하여 필요한 범위에서 지도·감독 및 지원을 할 수 있다.

4 지정인증기관 등에 대한 지정취소 등

국토교통부장관은 지정인증기관 및 전문검사기관이 다음의 경우 지정을 취소하거나 1년 이내의 기간을 정하여 업무정지를 명할 수 있다.
※ 1., 2. 중 어느 하나에 해당하는 경우에는 지정 취소

건축관계법

국토계획법

주차장법

주 택 법

도시및주거
환경정비법

건축사법

장애인시설법

소방시설법

서울시조례

1. 거짓이나 그 밖의 부정한 방법으로 지정인증기관 또는 전문검사기관으로 지정을 받은 경우

2. 업무정지명령을 받은 후 그 업무정지기간에 기계식주차장치 안전도인증 또는 기계식주차장 안전검사를 한 경우

3. 정당한 사유 없이 기계식주차장치 안전도인증 또는 기계식주차장 안전검사를 거부하거나 실시하지 아니한 경우

4. 지정기준에 맞지 아니하게 된 경우

5. 기계식주차장치 안전도인증업무 및 기계식주차장 안전검사업무를 게을리한 경우

③(→⑤) 전문검사기관 지정의 취소사유 (영 제12조의4)

① 전문검사기관이 다음에 해당하는 경우 그 지정을 취소할 수 있다.

1. 위 ② 지정기준의 요건에 미달하게 된 경우

2. 부정한 방법으로 지정을 받는 경우

3. 검사 업무를 현저히 게을리 한 경우

② 국토교통부장관은 전문검사기관을 지정하거나 지정을 취소하였을 때 이를 고시해야 한다.

6 기계식주차장치의 철거 (법 제19조의13)

① 기계식주차장 관리자 등은 부설주차장에 설치된 기계식주차장치가 다음에 해당하는 경우에는 철거할 수 있다.

1. 설치한 날로부터 5년 이상 경과되어 기계식주차장치의 노후·고장 등으로 인하여 작동이 불가능한 경우

2. 건축물의 구조 또는 안전상 철거가 불가피한 경우

② 부설주차장을 설치하여야 할 시설물의 소유자는 기계식주차장치를 철거함으로써 부설주차장의 설치기준에 미달하게 되는 때에는 시설물의 부지 인근에 부설주차장을 설치하거나 주차장의 설치에 소요되는 비용을 납부하여야 한다. 이 경우 기계식주차장치가 설치되었던 바닥면적에 해당하는 주차장은 해당 시설물 또는 그 부지 안에 이를 확보하여야 한다.

③ 기계식주차장치를 철거하고자 하는 자는 다음의 서류 또는 도면을 첨부하여 시장·군수 또는 구청장에게 이를 신고하여야 한다.

1. 기계식주차장 사용검사필증 또는 정기검사필증

2. 기계식주차장치가 설치되었던 바닥면적에 해당하는 주차장의 배치계획도

3. 부설주차장 인근설치계획서 또는 부설주차장 설치의무 면제신청서

④ 시장·군수 또는 구청장은 위 ③에 따른 신고를 받은 날부터 7일 이내에 신고수리 여부를 신고 인에게 통지하여야 한다.

⑤ 시장·군수 또는 구청장이 위 ④에서 정한 기간 내에 신고수리 여부 또는 민원 처리 관련 법령 에 따른 처리기간의 연장을 신고인에게 통지하지 아니하면 그 기간(민원 처리 관련 법령에 따라 처리기간이 연장 또는 재연장된 경우에는 해당 처리기간을 말한다)이 끝난 날의 다음 날에 신고 를 수리한 것으로 본다.

⑥ 특별시·광역시·특별자치시·특별자치도·시·군 또는 자치구는 기계식주차장치의 철거를 위 하여 필요한 경우 부설주차장 설치기준을 다음에 따라 해당 지방자치단체의 조례로 완화할 수 있다.

　㉠ 특별시장·광역시장·특별자치도지사·시장·군수 또는 구청장은 기계식주차장의 수급 실태 및 이용 특성 등을 고려하여 기계식주차장치의 철거가 필요하다고 인정하는 경우에는 해당 지방자 치단체의 조례로 정하는 바에 따라 [별표 1]에 따른 부설주차장 설치기준을 철거되는 기계식주 차장치의 종류별로 1/2의 범위에서 완화할 수 있다.

　㉡ 위 ㉠에 따라 완화된 부설주차장 설치기준에 따라 설치한 주차장의 경우 해당 시설물이 증축되 거나 부설주차장 설치기준이 강화되는 용도로 변경될 때에는 그 증축 또는 용도변경 하는 부분 에 대해서는 위 ㉠에도 불구하고 [별표 1]에 따른 부설주차장 설치기준을 적용한다.

7 기계식주차장치보수업의 등록 등 (법 제19조의14)

1 등록

① 기계식주차장치보수업을 하려는 자는 시장·군수 또는 구청장에게 등록하여야 하며, 등록시 기 계식주차장치 보수업 등록신청서에 다음의 서류를 첨부하여 시장·군수 또는 구청장에게 제출하 여야 한다. 이 경우 신청서를 받은 시장·군수 또는 구청장은 「전자정부법」에 따른 행정정보의 공동이용을 통하여 법인 등기사항증명서(신청인이 법인인 경우만 해당)를 확인해야 한다.

1. 자격증사본
2. 경력증명서
3. 보수설비현황

② 시장·군수 또는 구청장은 보수업을 등록한 자에게 기계식주차장치 보수업 등록증을 발급하여 야 한다.

③ 위 ①의 규정에 의하여 보수업의 등록을 하고자 하는 자는 다음의 기술 및 인력과 설비를 갖추 어야 한다.

건축관계법

국토계획법

주차장법

주 택 법

도시및주거
환경정비법

건축사법

장애인시설법

소방시설법

서울시조례

건축관계법

국토계획법

주차장법

주 택 법

도시및주거
환경정비법

건축사법

장애인시설법

소방시설법

서울시조례

■ 보수업의 등록기준 [별표3]

구 분	보 수 설 비	기 술 인 력
등 록 기 준	1. 갭게이지(틈새측정기) 1대 이상 2. 속도계 1대 이상 3. 절연저항계 1대 이상 4. 체인블럭 1대 이상 5. 소음계 1대 이상 6. 진동계 1대 이상 7. 용접기 1대 이상 8. 노트북 1대 이상 9. 전기회로시험기 1대 이상 10. 아들자 캘리퍼스 1대 이상 11. 경도측정기 1대 이상 12. 유압자키 1대 이상 13. 내외경퍼스 1대 이상	• 보수책임자 : 「국가기술자격법」에 따른 기계· 전기 또는 그 밖의 이와 유사한 분야의 산업기사 자격증 이상 소지자로서 실무경력 2년 이상인 자 또는 기능사자격증 소지자로서 실무경력 5년 이상 인자 1인 이상을 상시 보유하고 있을 것 • 실무기술인력 : 「국가기술자격법」에 따른 기 계·전기 또는 그 밖에 이와 유사한 분야의 기능 사 이상의 자격증 소지자 2인 이상을 상시 보유하 고 있을 것

④ 시장·군수 또는 구청장은 위 ①에 따른 등록 신청이 다음의 경우를 제외하고는 등록을 해 주어야 한다.

1. 등록을 신청한 자가 아래 ② 결격사유의 어느 하나에 해당하는 경우

2. 보수업의 등록기준[별표 3]을 갖추지 못한 경우

3. 그 밖에 법 또는 다른 법령에 따른 제한에 위반되는 경우

② 보수업자의 교육 등 <시행2024.8.17.>

① 위 ①-①의 규정에 따라 보수업의 등록을 한 자(이하 "보수업자")는 기계식주차장치를 보수하는 보수원의 사고를 예방하기 위하여 소속 보수원으로 하여금 국토교통부장관이 정하는 기계식주차장치 안전관리에 관한 교육(이하 "보수원 안전교육")을 받도록 해야 한다.

② 보수업자는 고용하고 있는 보수원이 보수원 안전교육을 받는 데 필요한 경비를 부담하며, 이를 이유로 해당 보수원에게 불리한 처분을 해서는 안 된다.

③ 보수원 안전교육의 시간·내용·방법 및 주기 등에 필요한 사항은 국토교통부령으로 정한다.

②(→③) 결격사유 (법 제19조의15)

다음에 해당하는 자는 보수업의 등록을 할 수 없다.

1. 피성년후견인

2. 파산선고를 받은 자로서 복권되지 아니한 자

3. 이 법을 위반하여 징역 이상의 실형의 선고를 받고 그 집행이 종료(집행이 종료된 것으로 보는 경우를 포함)되거나 집행이 면제된 날부터 2년이 경과되지 아니한 자(위 1. 및 2.에 해당하여 등록이 취소된 경우 제외)

건축관계법

국토계획법

주차장법

주 택 법

도시및주거
환경정비법

건축사법

장애인시설법

소방시설법

서울시조례

4. 이 법을 위반하여 징역 이상의 형의 집행유예선고를 받고 그 유예기간이 경과되지 아니한 자

5. 등록이 취소된 후 2년이 경과되지 아니한 자

6. 임원 중에 위 1.~5.에 해당하는 자가 있는 법인

【참고】 피성년후견인 [被成年後見人]
질병, 장애, 노령, 그 밖의 사유로 인한 정신적 제약으로 사무를 처리할 능력이 지속적으로 결여된 사람으로서 가정법원으로부터 성년후견개시의 심판을 받은 사람(민법 10조).

③ 보험가입 (법 제19조의16) <시행 2024.8.17.>

① 보수업의 등록을 한 자는 그 업무를 수행함에 있어서 고의 또는 과실로 타인에게 손해를 입히는 경우 그 손해에 대한 배상을 보장하기 위하여 보험에 가입하여야 한다.

② 대통령령으로 정하는 일정 규모 이상의 기계식주차장치를 운영하는 기계식주차장관리자등은 기계식주차장의 사고로 이용자 등 다른 사람의 생명·신체 또는 재산상의 손해를 발생하게 하는 경우 그 손해에 대한 배상을 보장하기 위하여 보험에 가입하여야 한다.

②(→③) 위 규정에 따른 보험은 보험금액이 다음의 기준을 모두 충족하는 것이어야 한다.

1. 사고당 배상한도액이 1억원 이상일 것

2. 피해자 1인당 배상한도액이 1억원 이상일 것

③(→④) 보수업자는 보수업을 개시하여 최초로 보수계약을 체결하는 날 이전에 위 ②(→③)에 따른 보험에 가입하여야 한다.

④(→⑤) 보수업자는 보험계약을 체결한 때에는 보험계약 체결일부터 30일 이내에 보험계약의 체결을 증명하는 서류를 관할 시장·군수 또는 구청장에게 제출하여야 한다. 보험계약이 변경된 때에도 또한 같다.

⑥ 보험회사는 보수업자 또는 기계식주차장관리자등이 ①, ②에 따른 보험에 가입하려는 때에는 대통령령으로 정하는 사유가 있는 경우 외에는 계약의 체결을 거부할 수 없다.

⑦ 이 법에 따른 보험금을 받을 권리는 압류할 수 없다.

④ 등록사항의 변경 등의 신고 (법 제19조의17) <시행 2024.8.17.>

보수업자는 그 영업을 휴업·폐업 또는 재개업(再開業)한(→다음에 해당하는) 경우 국토교통부령으로 정하는 바에 따라 시장·군수 또는 구청장에게 신고하여야 한다.

1. 7 1 에 따라 등록한 사항 중 상호명, 주소, 보수원 등 기술인력, 사업자등록번호 등 중요 사항을 변경한 경우

2. 그 영업을 휴업·폐업 또는 재개업(再開業)한 경우

3. 그 밖에 국토교통부령으로 정하는 경우

건축관계법

국토계획법

주차장법

주 택 법

도시및주거
환경정비법

건축사법

장애인시설법

소방시설법

서울시조례

⑤ 시정명령 (법 제19조의18)

시장·군수 또는 구청장은 보수업자가 다음에 해당하는 때에는 기간을 정하여 그 시정을 명할 수 있다.

1. 보수업의 등록기준에 미달하게 된 때

2. 보험에 가입하지 아니 한때

⑥ 등록의 취소 (법 제19조의19)

시장·군수 또는 구청장은 보수업자가 다음에 해당하는 때에는 보수업의 등록을 취소하거나 6월 이내의 기간을 정하여 그 영업의 등록을 취소하거나 6월 이내의 기간을 정하여 그 영업의 정지를 명할 수 있다. ※ 아래 1, 2, 3 및 6에 해당하는 경우 등록을 취소할 것

1. 거짓이나 그 밖의 부정한 방법으로 보수업의 등록을 한 때

2. 보수업의 등록을 할 수 없는 결격사유에 해당하는 경우(해당 법인이 그에 해당하게 된 날부터 3월 이내에 그 임원을 바꾸어 임명한 경우 제외)

3. 등록사항 등의 변경 신고를 하지 않은 경우

4. 시정명령을 이행하지 않은 경우

5. 보수의 흠으로 인하여 기계식주차장치의 이용자를 사망하게 하거나 다치게 한 경우 또는 자동차를 파손시킨 경우

6. 영업정지명령을 위반하여 그 영업정지기간 중에 영업을 한 경우

⑦ 기계식주차장치 관리인의 배치 및 교육 등 (법 제19조의20)(영 제12조의10)(규칙 제16조의15～17)

<시행 2024.8.17.>

(1) 기계식주차장관리자등은 수용할 수 있는 자동차 대수가 20대 이상인 기계식주차장치가 설치된 때에는 주차장 이용자의 안전을 위하여 기계식주차장치 관리인을 두어야 한다.

(2)[→(5)] 기계식주차장관리자등은 주차장 이용자가 확인하기 쉬운 위치에 기계식주차장의 이용 방법을 설명하는 안내문을 부쳐야 한다.
　① 안내문의 부착위치 등
　　안내문은 기계식주차장치 이용자가 육안으로 쉽게 확인할 수 있도록 기계식주차장치를 작동하기 위한 스위치 근처에 부착하여야 한다.
　② 안내문에는 다음의 내용이 포함되어야 한다.
　　㉠ 차량의 입고 및 출고 방법
　　㉡ 긴급상황 발생 시 조치 방법
　　㉢ 긴급상황 발생 시 연락처(응급 의료기관 및 기계식주차장치 보수업체 등의 연락처를 포함한다)
　　㉣ 기계식주차장치 관리인의 성명 및 연락처
　　㉤ 기계식주차장의 형식 및 주차 가능 자동차

(3)[→(2)] 기계식주차장관리자등은 주차장 관련 법령, 사고 시 응급처치 방법 등 기계식주차장치의 관리에 필요한 교육(이하 "기계식주차장치 관리인 교육")을 받은 사람을 위 (1)에 따른 기계식주차장치 관리인으로 선임(→선임 또는 변경)하여야 한다. 이 경우 기계식주차장관리자등은 선임(→선임 또는 변경)된 기계식주차장치 관리인으로 하여금 국토교통부령으로 정하는 보수교육을 받도록 하여야 한다.

(4) 기계식주차장치 관리인의 자격은 「한국교통안전공단법」에 따라 설립된 한국교통안전공단이 실시하는 다음에 해당하는 기계식주차장치 관리인 교육을 받은 자로 한다.

① 기계식주차장치 관리인의 교육 내용

   ㉠ 기계식주차장치에 관한 일반지식

   ㉡ 기계식주차장치 관련 법령에 관한 사항

   ㉢ 기계식주차장치 운행 및 취급에 관한 사항

   ㉣ 화재 및 고장 등 긴급상황 발생 시 조치방법에 관한 사항

   ㉤ 그 밖에 기계식주차장치의 안전운행에 필요한 사항

② 기계식주차장치 관리인은 기계식주차장치 관리인 교육을 받은 후 3년(교육을 받은 날부터 3년이 되는 날이 속하는 해의 1월 1일부터 12월 31일까지를 말함)마다 보수교육을 받아야 한다.

③ 기계식주차장치 관리인 교육의 교육시간은 4시간으로 하고, 보수교육의 교육시간은 3시간으로 한다.

④ 한국교통안전공단은 기계식주차장치 관리인 교육 및 보수교육을 받은 사람에게 교육수료증을 발급하여야 한다.

⑤ 한국교통안전공단은 기계식주차장치 관리인 교육 및 보수교육을 받으려는 사람으로부터 교육에 필요한 수강료를 받을 수 있다. 이 경우 수강료의 금액에 대하여 미리 국토교통부장관의 승인을 받아야 한다.

(3) 기계식주차장관리자등은 (1)에 따른 기계식주차장치 관리인을 선임 또는 변경한 경우 선임 또는 변경 후 14일 이내에 시장·군수 또는 구청장에게 통보해야 한다. 기계식주차장치를 직접 관리하는 기계식주차장관리자등이 변경되었을 때에도 또한 같다.

(4) (1)에서 규정하는 일정 규모 이상의 기계식주차장치가 설치되지 않아 직접 기계식주차장치를 관리하는 기계식주차장관리자등은 관리 시작 전에 국토교통부령으로 정하는 기계식주차장치 안전관리교육을 받아야 하며, 관리 시작 이후에는 정기적으로 보수교육을 받아야 한다.

(7) 기계식주차장관리자등은 국토교통부령으로 정한 규격·무게 등 기계식주차장의 설치 기준에 맞는 자동차를 주차하도록 관리하여야 한다.

(8) 기계식주차장관리자등은 주차장치 운행의 안전에 관한 점검(이하 "자체점검")을 월 1회 이상 실시하고 그 점검기록을 기계식주차장 정보망에 입력해야 한다.

(9) 기계식주차장관리자등은 자체점검 결과 해당 기계식주차장치에 결함이 있다는 사실을 알았을 경우 즉시 보수하여야 하며, 보수가 끝날 때까지 운행을 중지해야 한다.

(10) 기계식주차장관리자등은 기계식주차장치에 대한 자체점검을 보수업자에게 대행하도록 할 수 있다.

(11) 자체점검의 항목, 방법, 그 밖에 필요한 사항은 국토교통부령으로 정한다.

건축관계법

국토계획법

주차장법

주택법

도시및주거환경정비법

건축사법

장애인시설법

소방시설법

서울시조례

건축관계법

국토계획법

주차장법

주 택 법

도시및주거
환경정비법

건축사법

장애인시설법

소방시설법

서울시조례

⑧ 기계식주차장 정보망 구축·운영 (법
제19조의21)(영
제12조의11)(규칙
제16조의18) <시행 2024.8.17.>

(1) 국토교통부장관은 기계식주차장의 안전과 관련된 다음에 해당하는 정보를 종합적으로 관리하기 위한 기계식주차장 정보망을 구축·운영할 수 있다.
  ① 위 **③**의 검사의 이력정보
  ② 위 **⑦**-①~⑥의 보수업에 관한 사항
  ③ 보험 가입 현황
  ④ 기계식주차장의 자체점검 기록
  ③(→⑤) 중대한 사고에 관한 정보
  ④(→⑥) 정밀안전검사의 결과에 관한 정보
  ⑤(→⑦) 제6장의 **①**-⑨의 보고, 자료의 제출 및 검사에 관한 정보
  ⑥(→⑧) 그 밖에 기계식주차장의 안전과 관련되는 사항으로서 다음에 해당하는 정보
    ㉠ 기계식주차장치의 안전도인증에 관한 정보
    ㉡ 기계식주차장치 관리인의 배치에 관한 정보
    ㉢ 그 밖에 기계식주차장의 위치 및 주차구획 수 등 기계식 주차장의 현황에 관한 정보
(2) 국토교통부장관은 위 (1)에 따라 수집된 정보를 위 **⑤**에 따른 전문검사기관, **⑦**에 따른 보수업 등록업자, 행정기관에 제공할 수 있다.
(3) 국토교통부장관은 위 (1)에 따른 기계식주차장 정보망의 구축·운영에 관한 업무를 「한국교통안전공단법」에 따른 한국교통안전공단에 위탁 한다.이 경우 그에 필요한 경비의 전부 또는 일부를 지원 할 수 있다.

⑨ 사고 보고 의무 및 사고 조사 (법
제19조의22)(규칙
제16조의20, 제16조의21)

※사고조사판정위원회(→사고조사위원회) <시행 2024.8.17.>
(1) 기계식주차장관리자등은 그가 관리하는 기계식주차장으로 인하여 이용자가 사망하거나 다치는 사고, 자동차 추락 등 국토교통부령으로 정하는 중대한 사고가 발생한 경우에는 즉시 다음에 따라 관할 시장·군수 또는 구청장과 「한국교통안전공단법」에 따른 한국교통안전공단의 장에게 통보하여야 한다. 이 경우 「한국교통안전공단법」에 따른 한국교통안전공단의 장은 통보 받은 사항 중 중대한 사고에 관한 내용을 국토교통부장관, 아래 (5)에 따른 <u>사고조사판정위원회</u>에 보고하여야 한다.
  ① 기계식주차장관리자등은 그가 관리하는 주차장에서 중대한 사고가 발생한 때에는 즉시 서면 또는 전자문서로 건물명, 소재지, 사고발생 일시·장소 및 피해 정도를 관할 시장·군수 또는 구청장과 한국교통안전공단의 장에게 통보하여야 한다.
  ② 한국교통안전공단의 장은 위 ①에 따라 통보를 받은 때에는 지체 없이 기계식주차장 사고현황 보고서(별지 제15호의2서식)를 작성하여 국토교통부장관 및 <u>사고조사판정위원회</u>에 보고하여야 한다.
  ③ 한국교통안전공단의 장은 기계식주차장 사고의 원인 및 경위 등을 조사한 때에는 조사한 달이 속하는 다음 달 15일까지 다음의 사항이 포함된 사고조사보고서를 <u>사고조사판정위원회</u>에 제출하여야 한다.
    ㉠ 사고의 원인 및 경위에 관한 사항
    ㉡ 사고 원인의 분석에 관한 사항
    ㉢ 사고 재발 방지에 관한 사항
    ㉣ 그 밖에 사고와 관련하여 조사·확인된 사항

(2) 기계식주차장관리자등은 중대한 사고가 발생한 경우에는 사고현장 또는 중대한 사고와 관련되는 물건을 이동시키거나 변경 또는 훼손하여서는 아니 된다.

[예외] 인명구조 등 긴급한 사유가 있는 경우에는 그러하지 아니하다.

(3) 통보받은 「한국교통안전공단법」에 따른 한국교통안전공단의 장은 기계식주차장 사고의 재발 방지 및 예방을 위하여 필요하다고 인정하면 기계식주차장 사고의 원인 및 경위 등에 관한 조사를 할 수 있다.

(4) 「한국교통안전공단법」에 따른 한국교통안전공단의 장은 기계식주차장 사고의 효율적인 조사를 위하여 사고조사반을 둘 수 있으며, 사고조사반의 구성 및 운영 등에 관한 사항은 다음과 같다.

① 사고조사반으로 사고발생지역을 관할하는 한국교통안전공단 지역본부에는 초동조사반을, 한국교통안전공단 본부에는 전문조사반을 구성·운영한다.

② 위 ①에 따른 초동조사반은 2명 이내의 사고조사원으로 구성하며, 다음의 업무를 수행한다.
  ㉠ 사고개요 및 원인 등의 조사
  ㉡ 기계식주차장 사고현황 보고서(별지 제15호의2서식)의 작성

③ 위 ①에 따른 전문조사반(이하 "전문조사반"이라 한다)은 조사반장 1명을 포함한 3명 이내의 사고조사원으로 구성하되, 조사반장 및 사고조사원은 한국교통안전공단 소속 직원, 기계식주차장 또는 안전관리 분야에 관한 전문지식을 갖춘 민간 전문가 중에서 한국교통안전공단의 장이 지명하거나 위촉하는 사람으로 한다.

④ 전문조사반은 다음의 업무를 수행한다.
  ㉠ 사고 원인의 조사·분석
  ㉡ 피해 현황에 관한 조사
  ㉢ 그 밖에 전문조사반장이 사고 원인 파악 및 재발 방지 등을 위하여 필요하다고 인정하는 사항의 조사

(5) 국토교통부장관은 「한국교통안전공단법」에 따른 한국교통안전공단이 조사한 기계식주차장 사고의 원인 등을 판정하기 위하여 <u>사고조사판정위원회</u>를 둘 수 있다.

(6) <u>사고조사판정위원회</u>는 기계식주차장 사고의 원인 등을 조사하여 원인과 판정한 결과를 국토교통부에 보고하여야 한다.

(7) 국토교통부는 기계식주차장 사고의 원인 등을 판정한 결과 필요하다고 인정되는 경우 기계식주차장 사고의 재발 방지를 위한 대책을 마련하고 이를 관할 시장·군수 또는 구청장 및 제작자등에게 권고할 수 있다.

(8) <u>사고조사판정위원회</u>의 구성 및 운영과 그 밖에 필요한 사항

① 사고조사판정위원회의 구성 및 운영 ($\frac{영}{제12조의12}$)

  ㉠ 사고조사판정위원회(이하 "위원회"라 함)는 위원장 1명을 포함한 12명 이상 20명 이내의 위원으로 구성한다.

  ㉡ 위원장은 아래 ㉢-2.에 따른 위촉위원 중에서 국토교통부장관이 지명한다.

  ㉢ 위원은 다음의 어느 하나에 해당하는 사람 중에서 국토교통부장관이 임명하거나 위촉한다. 이 경우 아래 1.에 따른 지명위원은 1명으로 한다.

> 1. 지명위원: 기계식주차장 관련 업무를 담당하는 국토교통부의 4급 이상 공무원 또는 고위공무원단에 속하는 일반직공무원
>
> 2. 위촉위원: 기계식주차장에 관한 전문지식이나 경험이 풍부한 사람으로서 다음의 어느 하나에 해당하는 사람

건축관계법
국토계획법
주차장법
주 택 법
도시및주거환경정비법
건축사법
장애인시설법
소방시설법
서울시조례

건축관계법

국토계획법

주차장법

주 택 법

도시및주거
환경정비법

건축사법

장애인시설법

소방시설법

서울시조례

① 변호사의 자격을 취득한 후 5년 이상이 된 사람
② 「고등교육법」에 따른 대학에서 기계·전기 또는 안전관리 분야의 과목을 가르치는 부교수 이상으로 5년 이상 재직하고 있거나 재직하였던 사람
③ 행정기관에서 4급 이상 공무원 또는 고위공무원단에 속하는 일반직공무원으로 2년 이상 재직하였던 사람
④ 한국교통안전공단 또는 지정된 전문검사기관에서 10년 이상 재직하고 있거나 재직하였던 사람
⑤ 기계식주차장 관련 업체에서 설계, 제작, 시공, 유지보수 등의 업무에 10년 이상 종사하고 있거나 종사하였던 사람

ㄹ 위 ㄷ-2.에 따른 위촉위원의 임기는 3년으로 하며, 한 차례만 연임할 수 있다.
ㅁ 위원회의 회의는 위원장, 지명위원과 위촉위원 중 위원장이 회의마다 지정하는 5명의 위원으로 구성한다.
ㅂ 위원회는 필요하다고 인정하면 관계인 또는 관계 전문가를 위원회에 출석시켜 발언하게 하거나 서면으로 의견을 제출하게 할 수 있다.
ㅅ 위원회에 출석한 위원, 관계인 및 관계 전문가에게 예산의 범위에서 수당과 여비를 지급할 수 있다.
ㅇ 위 ㄱ~ㅅ에서 규정한 사항 외에 위원회의 운영에 필요한 사항은 위원회의 의결을 거쳐 위원장이 정한다.

② 위원의 해촉 등 (영 제12조의13)

국토교통부장관은 위원회의 위원이 다음의 어느 하나에 해당하는 경우에는 해당 위원을 해촉(解囑)하거나 그 임명을 철회할 수 있다.
ㄱ 심신장애로 인하여 직무를 수행할 수 없게 된 경우
ㄴ 직무와 관련된 비위사실이 있는 경우
ㄷ 직무태만, 품위손상이나 그 밖의 사유로 인하여 위원으로 적합하지 아니하다고 인정되는 경우
ㄹ 위원 스스로 직무를 수행하는 것이 곤란하다고 의사를 밝히는 경우

③ 위원회의 업무 (영 제12조의14)

위원회의 업무는 다음과 같다.
ㄱ 보고받은 중대한 사고에 관한 내용의 검토
ㄴ 기계식주차장 사고의 재발 방지·예방을 위한 사고의 원인 및 경위 등의 조사
ㄷ 한국교통안전공단이 조사한 기계식주차장 사고의 원인 등에 대한 판정

⑩ 기계식주차장의 정밀안전검사 (법 제19조의23)(영 제12조의15, 제12조의16)

(1) 기계식주차장관리자등은 해당 기계식주차장이 다음의 어느 하나에 해당하는 경우에는 시장·군수 또는 구청장이 실시하는 정밀안전검사를 받아야 한다.
① 검사 결과 결함원인이 불명확하여 사고예방과 안전성 확보를 위하여 정밀안전검사가 필요하다고 인정된 경우
② 기계식주차장의 이용자가 다음에 해당하는 중대한 사고가 발생한 경우
  ㄱ 사망자가 발생한 사고

ⓛ 기계식주차장에서 사고가 발생한 날부터 7일 이내에 실시한 의사의 최초 진단결과 1주 이상의 입원치료 또는 3주 이상의 치료가 필요한 상해를 입은 사람이 발생한 사고

ⓒ 기계식주차장을 이용한 자동차가 전복 또는 추락한 사고

③ 기계식주차장이 설치된 날부터 다음에 해당하는 경우

ⓐ 정밀안전검사를 최초로 받아야 하는 날은 기계식주차장이 설치된 날부터 10년이 속하는 정기검사의 유효기간 만료일(이하 "만료일"이라 함) 전 180일부터 만료일까지이고, 해당 검사기간에 적합판정을 받은 경우에는 만료일에 정밀안전검사를 받은 것으로 본다.

ⓑ 정밀안전검사는 최초 정밀안전검사를 받은 날부터 4년이 되는 날의 전후 각각 31일 이내에 받아야 하고, 해당 검사기간에 적합판정을 받은 경우에는 만료일에 정밀안전검사를 받은 것으로 본다.

④ 그 밖에 기계식주차장치의 성능 저하로 인하여 이용자의 안전을 침해할 우려가 있는 것으로 국토교통부장관이 정한 경우

(2) 기계식주차장관리자등은 정밀안전검사에 불합격한 기계식주차장을 운영할 수 없으며, 다시 운영하기 위해서는 정밀안전검사를 다시 받아야 한다.

(3) 정밀안전검사를 받은 경우 또는 정밀안전검사를 받아야 하는 경우에는 해당 연도의 정기검사를 면제한다.

(4) 시장·군수 또는 구청장은 정밀안전검사에 관한 업무를 「한국교통안전공단법」에 따라 설립된 한국교통안전공단에 대행하게 할 수 있다.

(6) 정밀안전검사의 기준·항목·방법 및 실시시기 등
정밀안전검사의 기준·항목 및 방법 등은 다음의 사항을 모두 고려하여 국토교통부장관이 고시하는 기준·항목 및 방법 등에 따른다.

① 기계식주차장의 설치기준(법 제19조의5)

② 기계식주차장의 안전기준(법 제19조의7)

③ 기계식주차장치의 구조 및 구동방식

④ 기계식주차장에 적용되는 기술의 특성

11 기계식주차장의 운행중지명령 등 (법 제19조의24)

(1) 시장·군수 또는 구청장은 기계식주차장치가 다음의 어느 하나에 해당하는 경우에는 그 사유가 없어질 때까지 해당 기계식주차장치의 운행중지를 명할 수 있다. 다만, ① 또는 ②에 해당하는 경우에는 기계식주차장치의 운행중지를 명하여야 한다.

① 안전검사 및 정밀안전검사를 받지 아니한 경우

② 안전검사 및 정밀안전검사 불합격 기계식주차장치의 운행을 중지하지 아니하는 경우

③ 안전검사 및 정밀안전검사가 연기된 경우

④ 노후화, 사고발생 등으로 인하여 중대한 위해가 발생하였거나 발생 우려가 있는 경우

⑤ ⑦에 따른 기계식주차장치 관리인을 두지 아니한 경우

⑥ 그 밖에 현장조사 또는 안전검사 시 이용자 등에게 위해가 발생할 우려가 있다고 판단되는 경우

(2) 시장·군수 또는 구청장은 (1)에 따라 기계식주차장치의 운행중지를 명할 때에는 기계식주차장 관리자등에게 국토교통부령으로 정하는 바에 따라 운행중지 표지를 발급하여야 한다.

(3) 기계식주차장관리자등은 (2)에 따라 발급받은 표지를 국토교통부령으로 정하는 바에 따라 이용자가 보기 쉬운 곳에 즉시 게시하고 훼손되지 않도록 관리하여야 한다.

건축관계법

국토계획법

주차장법

주 택 법

도시및주거
환경정비법

건축사법

장애인시설법

소방시설법

서울시조례

(4) (1)에 따른 운행중지 명령에 따라 기계식주차장의 운행을 중지한 기계식주차장관리자등이 기계식주차장을 다시 운행하고자 할 경우에는 시장·군수·구청장으로부터 운행중지 사유 등이 해소되었음을 확인받은 후에 운행하여야 한다.

(5) (1)에 따른 운행중지 명령에 따라 운행을 중지한 기계식주차장이 제3장 **3**-(1)에 따른 노외주차장 또는 제4장 **1**-①에 따른 부설주차장에 해당하는 경우, 시장·군수 또는 구청장은 해당 기계식주차장관리자등에게 운행중지 사유 해소 시까지 대통령령으로 정하는 바에 따라 제3장 **3**-(2) 또는 제4장 **1**-③의 기준에 미달하는 주차대수 만큼 인근(시설물 부지 인근을 말한다. 이하 이 항에서 같다) 주차장을 확보하게 하거나 해당 기간동안 인근 주차장의 확보에 드는 비용을 납부하게 할 수 있다. (신설 2023.8.16./시행 2024.8.17.)

건축관계법

국토계획법

주차장법

주 택 법

도시및주거
환경정비법

건축사법

장애인시설법

소방시설법

서울시조례

보칙 및 벌칙

1 보칙

1 부기등기 (법
제19조의25)

(1) 시설물 부지 인근에 설치된 부설주차장 및 위치 변경된 부설주차장은 「부동산등기법」에 따라 시설물과 그에 부대하여 설치된 부설주차장 관계임을 표시하는 내용을 각각 부기등기하여야 한다.

- **부설주차장 인근설치확인서** (규칙
제16조의15)

① 시설물의 소유자는 위 (1)에 따른 부기등기를 위하여 필요한 경우에는 시장·군수 또는 구청장에게 해당 부설주차장이 시설물의 부지 인근에 설치되어 있음을 확인하여 줄 것을 요청할 수 있다.

② 요청을 받은 시장·군수 또는 구청장은 부설주차장 인근 설치 확인서[별지 제15호의2서식]를 발급하여야 한다.

(2) 시설물 부지 인근에 설치된 부설주차장은 용도변경이 인정되어 부설주차장으로서 의무가 면제되지 아니한 경우에는 부기등기를 말소할 수 없다.

(3) 부기등기의 절차 등 (영
제12조의17)

① 시설물의 부지 인근에 부설주차장을 설치한 경우와 시설물의 내부 또는 그 부지에 설치된 주차장을 인근 부지로 위치를 변경한 경우에 시설물의 소유자는 다음의 부기등기를 동시에 하여야 한다.

1. 부설주차장이 시설물의 부지 인근에 설치되었음을 시설물의 소유권등기에 부기등기(이하 "시설물의 부기등기"라 한다)

2. 부설주차장의 용도변경이 금지됨을 부설주차장의 소유권등기에 부기등기(이하 "부설주차장의 부기등기"라 한다)

② 부설주차장을 그 부지 인근의 범위에서 위치 변경하여 설치한 경우에 시설물의 소유자는 다음의 등기를 동시에 하여야 한다.

1. 시설물의 부기등기에 명시된 부설주차장 소재지의 변경등기

2. 새로 이전된 부설주차장의 부기등기

③ 위 ① 및 ②에도 불구하고 시설물의 소유권보존등기를 할 수 없는 시설물인 경우에는 부설주차장의 부기등기만을 하여야 한다.

(3) 부기등기의 내용 (영 제12조의18)

① 시설물의 부기등기에는 ″「주차장법」에 따른 부설주차장이 시설물의 부지 인근에 별도로 설치되어 있음″이라는 내용과 그 부설주차장의 소재지를 명시하여야 한다.

② 부설주차장의 부기등기에는 ″이 토지(또는 건물)는 「주차장법」에 따라 시설물의 부지 인근에 설치된 부설주차장으로서 용도변경이 인정되기 전에는 주차장 외의 용도로 사용할 수 없음″이라는 내용과 그 시설물의 소재지를 명시하여야 한다.

(4) 부기등기의 말소 신청 (영 제12조의19)

① 부기등기한 부설주차장으로서 용도변경이 인정된 경우에 시설물의 소유자는 다음의 구분에 따라 부기등기의 말소를 신청하여야 한다.

㉠ 4장의 **4**-**2**-①·③ 또는 ④ 중 어느 하나에 해당하여 해당 부설주차장 전부에 대한 용도변경이 인정된 경우: 시설물의 부기등기 및 부설주차장의 부기등기의 말소 동시 신청

㉡ 4장의 **4**-**2**-⑤에 해당하여 용도변경이 인정된 경우: 종전 부설주차장의 부기등기의 말소 신청

② 위 ①에도 불구하고 다음의 어느 하나에 해당하는 경우에는 해당 구분에 따라 시설물의 부기등기 또는 부설주차장의 부기등기의 말소를 신청하여야 한다.

1. 시설물의 부기등기가 되어 있지 아니한 경우: 부설주차장의 부기등기만을 말소 신청

2. 시설물의 소유자와 부설주차장이 설치된 토지·건물의 소유자가 다른 경우: 해당 소유자가 시설물의 부기등기 및 부설주차장의 부기등기의 말소를 각자 신청

2 국·공유재산의 처분제한 (법 제20조)

① 국가 또는 지방자치단체 소유의 토지로서 노외주차장설치계획에 따라 노외주차장을 설치하는 데 필요한 토지는 이를 다른 목적으로 매각하거나 양도할 수 없으며, 관계행정청은 노외주차장의 설치에 적극 협조하여야 한다.

② 도로·광장 및 공원과 초등학교·중학교·고등학교·공용의 청사·주차장 및 운동장 등의 공공시설의 지하에 노외주차장을 설치하기 위하여 「국토의 계획 및 이용에 관한 법률」에 따른 도시·군계획시설사업의 실시계획인가를 받은 때에는 「도로법」, 「도시공원법」, 「학교시설사업촉진법」, 그 밖의 관계법령에 따른 점용허가를 받거나 토지형질변경에 대한 협의 등을 한 것으로 보며, 노외주차장으로 사용되는 토지 및 시설물에 대하여는 그 점용료 및 사용료를 감면할 수 있다.

③ 공용의 청사·하천·유수지·주차장 및 운동장 등의 공공시설 지상에 노외주차장을 설치하는 경우 위 ②의 규정을 준용한다.

건축관계법

국토계획법

주차장법

주 택 법

도시및주거
환경정비법

건축사법

장애인시설법

소방시설법

서울시조례

③ 보조 또는 융자 (법
제21조) (영
제14조)

① 국가 또는 지방자치단체는 노외주차장의 설치를 촉진하기 위하여 특히 필요하다고 인정하는 경우에는 다음에 따라 노외주차장의 설치에 관한 비용의 전부 또는 일부를 보조할 수 있다.

노외주차장의 설치자	주차용도에 제공되는 면적	보조범위	
		원 칙	국·공유지의 점유허가를 받아 설치하는 경우
1. 특별시장·광역시장· 시장·군수·구청장	면적에 무관	설치비용 전부 또는 일부	–
2. 행정청이 아닌 자	2,000m² 이상	설치비용의 1/2	설치비용의 1/3
	1,000m² 이상 2,000m² 미만	설치비용의 1/3	설치비용의 1/5

② 국가 또는 지방자치단체는 노외주차장 또는 부설주차장의 설치를 위하여 필요한 경우에는 노외주차장 또는 부설주차장의 설치에 필요한 자금의 융자를 알선할 수 있다.

③ 국가 또는 지방자치단체는 도시환경의 개선 등을 위하여 필요한 경우에는 대통령령 또는 해당 지방자치단체의 조례로 정하는 바에 따라 주차장 환경개선사업의 추진에 필요한 비용의 일부를 보조할 수 있다.

④ 주차장 특별회계의 설치 (법
제21조의2)

특별시장·광역시장, 시장·군수 또는 구청장은 주차장을 효율적으로 설치 및 관리·운영하기 위하여 다음과 같이 주차장특별회계를 설치할 수 있다.

(1) 특별시장·광역시장·특별자치시장·특별자치도지사·시장 또는 군수가 설치하는 주차장특별회계의 재원

① 주차요금 등의 수입금과 노외주차장설치를 위한 비용의 납부금
② 과징금의 징수금
③ 해당 지방자치단체의 일반회계로부터의 전입금
④ 정부의 보조금
⑤ 「지방세법」에 따른 재산세 징수액 중 10%에 해당하는 금액
⑥ 「도로교통법」에 따라 시장 등이 부과·징수한 과태료
⑦ 이행강제금의 징수금
⑧ 보통세 징수액의 100분의 1의 범위에서 광역시의 조례로 정하는 비율에 해당하는 금액(광역시에 한정한다)
⑨ 광역시의 보조금

(2) 구청장이 설치하는 주차장특별회계의 재원

① 위 (1)-①의 수입금 및 납부금 중 해당 구청장이 설치·관리하는 노상주차장 및 노외주차장의 주차요금과 대통령령이 정하는 납부금
② 과징금의 징수금
③ 해당 지방자치단체의 일반회계로부터의 전입금
④ 특별시 또는 광역시의 보조금
⑤ 「도로교통법」에 따라 시장 등이 부과·징수한 과태료

건축관계법

국토계획법

주차장법

주 택 법

도시및주거
환경정비법

건축사법

장애인시설법

소방시설법

서울시조례

⑥ 이행강제금의 징수금

⑦ 「지방세기본법」에 따른 보통세 징수액의 1/100의 범위에서 광역시의 조례로 정하는 비율에 해당하는 금액(광역시에 한함)

비고 위 규정에 따른 주차장특별회계의 설치 및 운용·관리에 관하여 필요한 사항은 해당 지방자치단체의 조례로 정한다.

(3) 주차장특별회계는 다음 각 호의 용도로 사용

① 주차환경개선사업: 주차장조성 및 유지관리, 주차장 수급실태조사 및 주차환경개선지구 지정·관리, 주차장 정보구축, 주차공유 지원사업 등 주차환경개선을 위한 사업

② 주차질서유지사업: 주차질서 홍보 및 교육, 주차단속활동 및 단속장비구입, 단속시스템 구축 등 주차이용 활성화를 위한 사업

③ 주차장특별회계의 조성·운용 및 관리를 위하여 필요한 경비

⑤ 주차관리 전담기구의 설치 (법 제21조의3)

특별시장·광역시장, 시장·군수 또는 구청장은 주차장의 설치 및 효율적인 관리·운영을 위하여 필요한 경우에는 「지방공기업법」에 따른 지방공기업을 설치·경영할 수 있다.

⑥ 주차장 정보망 구축·운영 (법 제21조의4)

(1) 국토교통부장관은 주차장과 관련된 다음의 업무를 효율적으로 관리하기 위하여 주차장 정보망을 구축·운영할 수 있다.

① 다음에 따른 노상주차장에 관한 사항

해당 사항	법 규정
1. 노상주차장의 설치 및 폐지에 관한 사항	제7조
2. 노상주차장의 관리에 관한 사항	제8조
3. 노상주차장의 주차요금 징수 및 사용 제한에 관한 사항	제9조, 제10조

② 다음에 따른 노외주차장에 관한 사항

해당 사항	법 규정
1. 노외주차장의 설치에 관한 사항	제12조, 제12조의2, 제12조의3
2. 노외주차장의 관리 및 주차요금 징수에 관한 사항	제13조, 제14조

③ 다음에 따른 부설주차장에 관한 사항

해당 사항	법 규정
1. 부설주차장의 설치에 관한 사항	제19조,
2. 부설주차장의 주차요금 징수 및 용도변경에 관한 사항	제19의3조, 제19조의4

④ 그 밖에 주차장과 관련되는 사항으로서 국토교통부령으로 정하는 정보

(2) 국토교통부장관은 위 (1)에 따른 주차장 정보망에 필요한 정보를 수집하기 위하여 다음의 자에게 주차장 운영과 관련된 정보를 요청할 수 있으며, 정보제공을 요청 받은 자는 특별한 사정이 없으면 이에 따라야 한다.

해당 사항	법 규정
1. 특별시장·광역시장, 시장·군수 또는 구청장	제7조
2. 노외주차장을 설치한 자	제12조
3. 시설물을 건축하거나 설치하려는 자	제19조

(3) 특별시장·광역시장, 시장·군수 또는 구청장은 제1항에 따른 주차장 정보망을 공동으로 이용할 수 있다.

(4) 국토교통부장관은 위 (1)에 따른 주차장 정보망의 구축·운영 및 (2)에 따른 정보의 수집에 관한 업무를 「한국교통안전공단법」에 따른 한국교통안전공단에 위탁할 수 있다. 이 경우 그에 필요한 경비의 전부 또는 일부를 지원할 수 있다.

(5) 위 (1) 및 (4)에 따른 주차장 정보망의 구축·운영에 필요한 사항은 국토교통부령으로 정한다.

⑦ 주차요금 등의 사용 제한 $\left(\substack{법 \\ 제22조}\right)$

특별시장·광역시장, 시장·군수 또는 구청장이 제9조제1항 및 제3항과 제14조제1항에 따라 받는 주차요금 등은 주차장의 설치·관리 및 운영 외의 용도에 사용할 수 없다.

⑧ 자료의 요청 $\left(\substack{법 \\ 제22조의2}\right)$

① 국토교통부장관은 주차장의 구조·설치기준 등의 제정, 기계식주차장의 안전기준의 제정, 그 밖에 주차장의 설치·정비 및 관리에 관한 정책의 수립을 위하여 필요한 경우에는 노상주차장관리자·노외주차장관리자·기계식주차장관리자 등에게 노상주차장·노외주차장·부설주차장의 설치 현황 및 운영 실태 등에 관한 자료를 요청할 수 있다.

② 제1항에 따른 자료 요청을 받은 자는 특별한 사유가 없으면 이에 따라야 한다.

⑨ 감독 $\left(\substack{법 \\ 제23조}\right)\left(\substack{령 \\ 제16조}\right)$

① 특별시장·광역시장 또는 도지사는 주차장이 공익상 현저히 유해하거나 자동차교통에 현저한 지장을 초래한다고 인정할 때에는 시장·군수 또는 구청장(특별자치시장 및 특별자치도지사는 제외한다)에게 해당 주차장에 대한 시설의 개선·공용의 제한 등 필요한 조치를 취할 것을 명할 수 있으며 그 명령을 받은 시장·군수 또는 구청장은 필요한 조치를 취하여야 한다.

② 시장·군수 또는 구청장은 노외주차장관리자에 대하여 해당 주차장이 공익상 현저히 유해하거나 자동차교통에 현저한 지장을 초래한다고 인정할 때에는 다음의 사항을 기재한 서면에 의하여 시설의 개선·공용의 제한 등 필요한 조치를 취할 것을 명할 수 있다.

건축관계법

국토계획법

주차장법

주 택 법

도시및주거
환경정비법

건축사법

장애인시설법

소방시설법

서울시조례

건축관계법

국토계획법

주차장법

주 택 법

도시및주거
환경정비법

건축사법

장애인시설법

소방시설법

서울시조례

1. 노외주차장의 위치 및 명칭
2. 노외주차장관리자의 성명(법인인 경우에는 법인의 명칭 및 대표자의 성명) 및 주소
3. 명령을 발하는 이유
4. 조치를 요하는 사항의 내용
5. 조치기간
6. 명령불이행에 대한 조치내용

10 영업정지 등 (법 제24조)

시장·군수·구청장이 6월 내 또는 1천만원 이하의 과징금을 부과할 수 있는 경우는 다음과 같다.

위 반 행 위	과징금 금액
1. 주차장의 구조·설비 및 안전기준 규정에 위반된 때	250만원
2. 미끄럼 방지시설과 미끄럼 주의 안내표지를 갖추지 않은 경우	250만원
3. 주차장에 대한 일반의 이용을 거절한 경우	150만원
4. 시장·군수 또는 구청장의 명령에 따르지 아니한 경우(노외주차장의 관리자만 해당)	250만원
5. 검사를 거부·기피 또는 방해한 경우(노외주차장의 관리자만 해당한다)	150만원

비고

1. 시장·군수 또는 구청장은 위반행위의 정도, 위반횟수, 위반행위의 동기와 결과 및 주차장의 규모 등을 고려하여 위 표에 따른 과징금의 1/2 범위에서 그 금액을 늘리거나 줄여 부과할 수 있다. 이 경우 과징금을 늘리는 경우에도 1천만원을 초과할 수 없다.
2. 위 표 3., 5.에 따른 위반행위에 대하여 과태료가 부과된 경우 과징금을 부과하지 아니한다.

11 과징금 처분 (법 제24조의2)

① 제24조에 따른 과징금을 부과하는 위반행위의 종류 및 위반 정도에 따른 과징금의 금액과 그 밖에 필요한 사항은 대통령령으로 정한다.
② 제24조에 따른 과징금은 시장·군수 또는 구청장이 조례로 정하는 바에 따라 지방세 징수의 예에 따라 징수한다.

12 청문 (법 제24조의3)

시·도지사가 안전도인정을 취소하고자 하는 경우와 보수업의 등록을 취소하고자 하는 경우에는 청문을 실시하여야 한다.

13 보고 및 검사 (법 제25조)

(1) 특별시장·광역시장, 시장·군수 또는 구청장은 필요하다고 인정하는 경우에는 노외주차장관리자 또는 전문검사기관을 감독하기 위하여 필요한 보고를 하게 하거나 자료의 제출을 명할 수 있으며, 소속 공무원으로 하여금 주차장·검사장 또는 그 업무와 관계있는 장소에서 주차시설·검사시설 또는 그 업무에 관하여 검사를 하게 할 수 있다.
(2) 위 (1)에 따라 검사를 하는 공무원은 그 권한을 표시하는 증표를 지니고 이를 관계인에게 보여주어야 한다.
(3) 위 (2)에 따른 증표에 관하여 필요한 사항은 국토교통부령으로 정한다.

2 벌칙 등

1 3년 이하의 징역 또는 5천만원이하의 벌금 (법
제29조제1항)

다음에 해당하는 자는 3년 이하의 징역 또는 5천만원 이하의 벌금에 처한다.

1. 부설주차장을 주차장외의 용도로 사용한 자

2. 부설주차장을 설치하지 아니하고 시설물을 건축 또는 설치한 자

3. 정밀안전검사에 불합격한 기계식주차장을 사용에 제공한 자

4. 운행중지명령을 위반한 자 (신설 2023.8.16./시행 2024.8.17.)

2 1년 이하의 징역 또는 천만원이하의 벌금 (법
제29조제2항)

다음에 해당하는 자는 1년 이하의 징역 또는 1천만원 이하의 벌금에 처한다.

1. 노외주차장인 주차전용건축물의 주차장사용비율을 위반하여 사용한 자

2. 정당한 사유 없이 부설주차장 본래의 기능을 유지하지 아니한 자

3. 허위 그 밖의 부정한 방법으로 안전도인증을 받은 자

4. 안전도인증을 받지 아니하고 기계식주차장치를 제작·조립 또는 수입하여 이를 양도·대여 또는 설치한 자

5. 기계식주차장치의 안전도에 대한 심사를 하는 자로서 부정한 심사를 한 자

6. 허위 그 밖의 부정한 방법으로 사용검사 및 정기검사를 받은 자

7. 검사를 받지 아니하고 기계식주차장을 사용에 제공한 자

8. 검사에 불합격한 기계식주차장을 사용에 제공한 자

9. 기계식주차장의 검사대행의 지정을 받은 자 또는 그 종사원으로서 부정한 검사를 한 자

10. 등록을 하지 아니하고 보수업을 한 자

11. 허위 그 밖의 부정한 방법으로 보수업의 등록을 한 자

12. 기계식주차장치 관리인을 두지 아니한 자

13. 정밀안전검사를 받지 아니하고 기계식주차장을 사용에 제공한 자

14. 금지기간 중에 주차장을 일반의 이용에 제공한 자

3 과태료 (법
제30조)

① 다음에 해당하는 자는 500만원 이하의 과태료에 처한다.

1. 배상보험에 가입하지 아니한 자 (신설 2023.8.16./시행 2024.8.17.)

1.(→②) 중대한 사고가 발생한 경우에 통보를 하지 아니하거나 거짓으로 통보한 자<시행 2024.8.17>

2.(→③) 중대한 사고의 현장 또는 중대한 사고와 관련되는 물건을 이동시키거나 변경 또는 훼손한 자<시행 2024.8.17>

② 다음에 해당하는 자는 100만원 이하의 과태료를 부과한다.

1. 주차장에 대한 일반의 이용을 거절한 자

2. 사용검사, 정기검사의 유효기간이 지난 후 검사를 받지 아니한 자(벌칙을 부과 받은 경우 제외)

3. 보수원 안전교육을 받도록 하지 아니한 보수업자(신설 2023.8.16./시행 2024.8.17.)

3.(→4) 등록사항 등의 변경 신고를 하지 아니한 자 <시행 2024.8.17>

4.(→5) 기계식주차장치 관리인 교육을 받지 아니한 사람을 기계식주차장치 관리인으로 선임(→선임 또는 변경)하거나 보수교육을 받게 하지 아니한 자 (신설 2023.8.16./2024.8.17.)

6. 기계식주차장치 안전관리교육 또는 보수교육을 받지 아니한자 (신설 2023.8.16./2024.8.17.)

5.(→11) 정기적 정밀안전검사를 받지 아니한 자(벌칙을 부과받은 경우는 제외한다) <시행 2024.8.17>

7. 기계식주차장의 설치 기준에 맞지 아니하는 자동차를 주차시킨 기계식주차장관리자등

6.(→13) 검사를 거부·기피 또는 방해한 자 <시행 2024.8.17>

8. 자체점검을 하지 아니한 자 <신설 2023.8.16./시행 2024.8.17>

9. 자체점검 결과를 기계식주차장 정보망에 입력하지 아니하거나 거짓으로 입력한 자 <신설 2023.8.16./ 시행 2024.8.17>

10. 기계식주차장 운행을 중지하지 아니한 자 또는 운행의 중지를 방해한 자 <신설 2023.8.16./시행 2024.8.17>

12. 운행중지 표지를 붙이지 아니하거나 잘 볼 수 없는 곳에 붙이거나 훼손되게 관리한 자 <신설 2023.8.16./시행 2024.8.17>

③ 다음에 해당하는 자는 50만원 이하의 과태료를 부과한다.

1. 검사확인증이나 기계식주차장의 사용을 금지하는 표지를 부착하지 아니한 자

2. 기계식주차장치 관리인의 선임 또는 변경 통보를 하지 아니한 자 <신설 2023.8.16./시행 2024.8.17>

2. (→3)기계식주차장의 이용 방법을 설명하는 안내문을 부착하지 아니한 자 <시행 2024.8.17>

④ 과태료는 시장·군수 또는 구청장이 부과·징수한다.

4 양벌규정 (법 제31조)

법인의 대표자나 법인 또는 개인의 대리인, 사용인, 그 밖의 종업원이 그 법인 또는 개인의 업무에 관하여 벌칙(제29조)에 해당하는 위반행위를 하면 그 행위자를 벌하는 외에 그 법인 또는 개인에게도 해당 조문의 벌금형을 과(科)한다. 다만, 법인 또는 개인이 그 위반행위를 방지하기 위하여 해당 업무에 관하여 상당한 주의와 감독을 게을리 하지 아니한 경우에는 그러하지 아니하다.

5 이행강제금 (법 제32조)

① 시장·군수 또는 구청장은 원상회복명령을 받은 후 그 시정기간 이내에 해당 원상회복명령을 이행하지 아니한 시설물의 소유자 또는 부설주차장의 관리책임이 있는 자에 대하여 다음의 한도 안에서 이행강제금을 부과할 수 있다.

1. 부설주차장을 주차장외의 용도로 사용하는 경우 : 위반 주차구획의 설치비용의 20%

2. 부설주차장 본래의 기능을 유지하지 아니하는 경우 : 위반 주차구획의 설치비용의 10%

② 시장·군수 또는 구청장은 위 ①에 따른 이행강제금을 부과하기 전에 상당한 이행기간을 정하여 그 기한까지 이행되지 아니할 때에는 이행강제금을 부과·징수한다는 뜻을 미리 문서로써 계고하여야 한다.

③ 시장·군수 또는 구청장은 위 ①에 따른 이행강제금을 부과하는 때에는 이행강제금의 금액·부과사유·납부기한·수납기관, 이의제기방법 및 이의제기기관 등을 명시한 문서로써 하여야 한다.

④ 시장·군수 또는 구청장은 최초의 원상회복명령이 있은 날을 기준으로 하여 1년에 2회 이내의 범위안에서 원상회복명령이 이행될 때까지 반복하여 위 ①에 따른 이행강제금을 부과·징수할 수 있다.

　※　이행강제금의 총 부과횟수는 해당 시설물의 소유자 또는 부설주차장의 관리책임이 있는 자의 변경여부와 관계없이 5회를 초과할 수 없다.

⑤ 시장·군수 또는 구청장은 원상회복명령을 받은 자가 그 명령을 이행하는 경우에는 새로운 이행강제금의 부과를 중지하되, 이미 부과된 이행강제금은 이를 징수하여야 한다.

⑥ 시장·군수 또는 구청장은 이행강제금부과 처분을 받은 자가 이행강제금을 기한 이내에 납부하지 아니하는 때에는 「지방세외수입금의 징수 등에 관한 법률」에 따라 이를 징수한다.

⑦ 이행강제금의 징수금은 주차장의 설치·관리 및 운영외의 용도에 이를 사용할 수 없다.

건축관계법

국토계획법

주차장법

주 택 법

도시및주거
환경정비법

건축사법

장애인시설법

소방시설법

서울시조례

住宅法 解說

최종개정 :

주택법	2024. 1.16
시행령	2023. 9.12
시행규칙	2023. 1. 2
주택건설기준 등에 관한 규정	2024. 1. 2
주택건설기준 등에 관한 규칙	2023.12.11

목 차

건축관계법

국토계획법

주차장법

주 택 법

도시및주거
환경정비법

건축사법

장애인시설법

소방시설법

서울시조례

총 칙

1　목적 (법 제1조)

이 법은 쾌적하고 살기 좋은 주거환경 조성에 필요한 주택의 건설·공급 및 주택시장의 관리 등에 관한 사항을 정함으로써 국민의 주거안정과 주거수준의 향상에 이바지함을 목적으로 한다.

규정 사항		목적
• 주택의 건설 · 공급	⇨	• 국민의 주거안정
• 주택시장의 관리 등		• 주거수준의 향상

2　정의 (법 제2조)

이 법에서 사용하는 용어의 뜻은 다음과 같다.

【1】 주택

"주택"이란 세대(世帶)의 구성원이 장기간 독립된 주거생활을 할 수 있는 구조로 된 건축물의 전부 또는 일부 및 그 부속 토지를 말하며, 이를 단독주택과 공동주택으로 구분한다.

【2】 단독주택 (영 제2조)

"단독주택"이란 1세대가 하나의 건축물 안에서 독립된 주거생활을 할 수 있는 구조로 된 주택을 말하며, 그 종류와 범위는 다음과 같다.

1. 「건축법 시행령」에 따른 단독주택
2. 「건축법 시행령」에 따른 다중주택
3. 「건축법 시행령」에 따른 다가구주택

건축관계법

국토계획법

주차장법

주 택 법

도시및주거
환경정비법

건축사법

장애인시설법

소방시설법

서울시조례

5-4

【3】 공동주택 (영 제3조)

"공동주택"이란 건축물의 벽·복도·계단이나 그 밖의 설비 등의 전부 또는 일부를 공동으로 사용하는 각 세대가 하나의 건축물 안에서 각각 독립된 주거생활을 할 수 있는 구조로 된 주택을 말하며, 그 종류와 범위는 다음과 같다.

■ 공동주택의 종류와 범위(「건축법 시행령」 [별표 제2호])

구분		내 용	층수 산정의 예외
공동주택	아파트	주택으로 쓰이는 층수가 5개층 이상인 주택	1층 전부를 필로티 구조로 하여 주차장으로 사용시 필로티 부분을 층수에서 제외
	연립주택	주택으로 쓰이는 1개동의 바닥면적(지하주차장 면적 제외)의 합계가 660㎡를 초과하고, 층수가 4개층 이하인 주택	
	다세대주택	주택으로 쓰이는 1개동의 바닥면적(지하주차장 면적 제외)의 합계가 660㎡ 이하이고, 층수가 4개층 이하인 주택	1층 바닥면적의 1/2 이상을 필로티 구조로 하여 주차장으로 사용하고 나머지 부분을 주택외의 용도로 사용시 해당 층을 주택의 층수에서 제외

※ 공동주택은 그 공급기준 및 건설기준 등을 고려하여 국토교통부령으로 그 종류를 세분할 수 있다.

【4】 준주택 (영 제4조)

"준주택"이란 주택 외의 건축물과 그 부속토지로서 주거시설로 이용 가능한 시설 등을 말하며, 그 종류와 범위는 다음과 같다.

1. 「건축법 시행령」에 따른 기숙사
2. 「건축법 시행령」에 따른 다중생활시설
3. 「건축법 시행령」에 따른 노인복지시설 중 「노인복지법」의 노인복지주택
4. 「건축법 시행령」에 따른 오피스텔

【5】 국민주택

(1) "국민주택"이란 다음의 어느 하나에 해당하는 주택으로서 국민주택규모 이하인 주택을 말한다.
① 국가·지방자치단체, 「한국토지주택공사법」에 따른 한국토지주택공사 또는 「지방공기업법」에 따라 주택사업을 목적으로 설립된 지방공사가 건설하는 주택
② 국가·지방자치단체의 재정 또는 「주택도시기금법」에 따른 주택도시기금으로부터 자금을 지원받아 건설되거나 개량되는 주택

【6】 국민주택규모

(1) "국민주택규모"란 주거의 용도로만 쓰이는 면적(이하 "주거전용면적"이라 한다)이 1호(戶) 또는 1세대당 85제곱미터 이하인 주택(「수도권정비계획법」 제2조제1호에 따른 수도권을 제외한 도시지역이 아닌 읍 또는 면 지역은 1호 또는 1세대당 주거전용면적이 100제곱미터 이하인 주택을 말한다)을 말한다. 이 경우 주거전용면적의 산정방법은 국토교통부령으로 정한다.

(2) 위 (1)의 주거전용면적의 산정방법은 다음의 기준에 의한다. (규칙/제2조)

　① 단독주택의 경우에는 그 바닥면적(「건축법 시행령」의 규정에 의한 바닥면적을 말함)에서 지하실(거실로 사용되는 면적을 제외함), 본 건축물과 분리된 창고·차고 및 화장실의 면적을 제외한 면적. 단서 그 주택이 「건축법 시행령」 별표 1의 다가구주택에 해당하는 경우 그 바닥면적에서 본 건축물의 지상층에 있는 부분으로서 복도, 계단, 현관 등 2세대 이상이 공동으로 사용하는 부분의 면적도 제외한다.

　② 공동주택의 경우에는 외벽의 내부선(안목치수)을 기준으로 산정한 면적. 단서 2세대 이상이 공동으로 사용하는 부분으로서 다음의 어느 하나에 해당하는 공용면적을 제외하며, 이 경우 바닥면적에서 주거전용면적을 제외하고 남는 외벽면적은 공용면적에 가산한다.

　　1. 복도·계단·현관 등 공동주택의 지상층에 있는 공용면적

　　2. 위 1.의 공용면적을 제외한 지하층·관리사무소 등 그 밖의 공용면적

【참고】 공급면적(분양면적), 계약면적, 전용률

　공급면적(분양면적) = 주거전용면적 + 주거공용면적

　① 주거전용면적 : 현관 입구에서부터 방, 거실, 부엌 등 소위 주택의 내부 면적
　② 주거공용면적 : 계단실, 복도, 1층 현관, 안목치수 이외의 외벽면적 등의 면적

　계약면적 = 주거전용면적 + 주거공용면적 + 기타 공용면적 + 지하주차장면적
　　　　　 = 공급면적(분양면적) + 기타 공용면적 + 지하주차장면적

　③ 기타 공용면적 : 관리사무소, 노인정, 경비실 등의 면적
　④ 지하주차장면적 : 지하주차장의 면적
　⑤ 서비스 면적 : 발코니의 면적
　⑥ 전용률: 공급면적에서 주거전용면적이 차지하는 비율(%)을 말한다.

$$전용률 = \frac{주거전용면적}{공급면적} \times 100(\%)$$

【7】 민영주택

　"민영주택"이란 국민주택을 제외한 주택을 말한다.

【8】 임대주택

　"임대주택"이란 임대를 목적으로 하는 주택으로서, 「공공주택 특별법」에 따른 공공임대주택과 「민간임대주택에 관한 특별법」에 따른 민간임대주택으로 구분한다.

【9】 토지임대부 분양주택

　토지의 소유권은 사업계획의 승인을 받아 토지임대부 분양주택 건설사업을 시행하는 자가 가지고, 건축물 및 복리시설(福利施設) 등에 대한 소유권[건축물의 전유부분(專有部分)에 대한 구분소유권은 이를 분양받은 자가 가지고, 건축물의 공용부분·부속건물 및 복리시설은 분양받은 자들이 공유한다]은 주택을 분양받은 자가 가지는 주택을 말한다.

건축관계법

국토계획법

주차장법

주 택 법

도시및주거
환경정비법

건축사법

장애인시설법

소방시설법

서울시조례

【10】 사업주체

"사업주체"란 주택건설사업계획 또는 대지조성사업계획의 승인을 받아 그 사업을 시행하는 다음의 자를 말한다.

① 국가·지방자치단체
② 한국토지주택공사
③ 등록한 주택건설사업자 또는 대지조성사업자
④ 그 밖에 이 법에 따라 주택건설사업 또는 대지조성사업을 시행하는 자

【11】 주택조합

"주택조합"이란 많은 수의 구성원이 주택을 마련하거나 리모델링하기 위하여 결성하는 다음의 조합을 말한다.

구 분	내 용
1. 지역주택조합	다음 구분에 따른 지역에 거주하는 주민이 주택을 마련하기 위하여 설립한 조합 ① 서울특별시·인천광역시 및 경기도 ② 대전광역시·충청남도 및 세종특별자치시 ③ 충청북도 ④ 광주광역시 및 전라남도 ⑤ 전북특별자치도 ⑥ 대구광역시 및 경상북도 ⑦ 부산광역시·울산광역시 및 경상남도 ⑧ 강원특별자치도 ⑨ 제주특별자치도
2. 직장주택조합	같은 직장의 근로자가 주택을 마련하기 위하여 설립한 조합
3. 리모델링주택조합	공동주택의 소유자가 그 주택을 리모델링하기 위하여 설립한 조합

【12】 주택단지 (영 제5조)(규칙 제3조)

"주택단지"란 주택건설사업계획 또는 대지조성사업계획의 승인을 받아 주택과 그 부대시설 및 복리시설(福利施設)을 건설하거나 대지를 조성하는 데 사용되는 일단(一團)의 토지를 말한다.

예외 다음의 시설로 분리된 토지는 각각 별개의 주택단지로 본다.

1. 철도·고속도로·자동차전용도로

2. 폭 20m 이상인 일반도로

3. 폭 8m 이상인 도시계획예정도로

4. 보행자 및 자동차의 통행이 가능한 도로로서 다음의 어느 하나에 해당하는 도로
① 「국토의 계획 및 이용에 관한 법률」에 의한 도시·군계획시설인 도로로서 「도시·군계획시설의 결정·구조 및 설치기준에 관한 규칙」의 규정에 의한 주간선도로·보조간선도로·집산도로 및 폭 8m 이상인 국지도로
② 「도로법」에 의한 일반국도·특별시도·광역시도 또는 지방도
③ 그 밖에 관계 법령에 의하여 설치된 도로로서 위 ① 및 ②에 준하는 도로

■ 위 4.에도 불구하고 사업계획승인권자가 다음의 요건을 모두 충족한다고 인정하여 사업계획을 승인한 도로는 주택단지의 구분기준이 되는 도로에서 제외한다.

① 인근 주민의 통행권 확보 및 교통편의 제고 등을 위해 기존의 도로를 다음으로 정하는 기준에 적합하게 유지·변경할 것

1. 「도시·군계획시설의 결정·구조 및 설치기준에 관한 규칙」에 따른 집산도로 또는 국지도로일 것

2. 도로 폭이 15m 미만일 것

3. 설계속도가 30km 이하이거나 자동차 등의 통행속도를 30km 이내로 제한하여 운영될 것.

   예외 유지·변경되는 도로가 「도시·군계획시설의 결정·구조 및 설치기준에 관한 규칙」에 따른 보행자우선도로인 경우는 제외한다.

② 보행자 통행의 편리성 및 안전성을 확보하기 위한 지하도, 육교, 횡단보도, 그 밖에 이와 유사한 시설을 설치할 것

   예외 설치되는 도로가 「도시·군계획시설의 결정·구조 및 설치기준에 관한 규칙」에 따른 보행자우선도로인 경우에는 예외로 할 수 있다.

【13】부대시설 (영 제6조)

"부대시설"이란 주택에 딸린 다음의 시설 또는 설비를 말한다.

1. 주차장, 관리사무소, 담장 및 주택단지 안의 도로

2. 「건축법」에 따른 건축설비

3. 위 1. 및 2.의 시설·설비에 준하는 것으로서 다음에 해당하는 시설 또는 설비
   (※ 제7장 주택건설 기준 등에 관한 규정 기타 부대시설의 내용에 해당함)
   ① 보안등·대문·경비실·자전거보관소
   ② 조경시설·옹벽·축대
   ③ 안내표지판·공중화장실
   ④ 저수시설·지하양수시설·대피시설
   ⑤ 쓰레기수거 및 처리시설·오수처리시설·정화조
   ⑥ 소방시설·냉난방공급시설(지역난방공급시설을 제외한다) 및 방범설비
   ⑦ 「환경친화적 자동차의 개발 및 보급 촉진에 관한 법률」에 따른 전기자동차에 전기를 충전하여 공급하는 시설
   ⑧ 「전기통신사업법」등 다른 법령에 따라 거주자의 편익을 위해 주택단지에 의무적으로 설치해야 하는 시설로서 사업주체 또는 입주자의 설치 및 관리 의무가 없는 시설
   ⑨ 기타 위 ①~⑧까지의 시설 또는 설비와 비슷한 것으로서 사업계획승인권자가 주택의 사용 및 관리를 위해 필요하다고 인정하는 시설 또는 설비

관계법 「건축법」 제2조4호

"건축설비"란 건축물에 설치하는 전기·전화 설비, 초고속 정보통신 설비, 지능형 홈네트워크 설비, 가스·급수·배수(配水)·배수(排水)·환기·난방·냉방·소화(消火)·배연(排煙) 및 오물처리의 설비, 굴뚝, 승강기, 피뢰침, 국기 게양대, 공동시청 안테나, 유선방송 수신시설, 우편함, 저수조(貯水槽), 방범시설, 그 밖에 국토교통부령으로 정하는 설비를 말한다.

건축관계법

국토계획법

주차장법

주 택 법

도시및주거
환경정비법

건축사법

장애인시설법

소방시설법

서울시조례

건축관계법

국토계획법

주차장법

주 택 법

도시및주거
환경정비법

건축사법

장애인시설법

소방시설법

서울시조례

【14】 복리시설 (영 제7조)

"복리시설"이란 주택단지의 입주자 등의 생활복리를 위한 다음의 공동시설을 말한다.

1. 어린이놀이터, 근린생활시설, 유치원, 주민운동시설 및 경로당

2. 그 밖에 입주자 등의 생활복리를 위하여 설치된 다음에 해당하는 공동시설
   (※ 제12장 주택건설 기준 등에 관한 규정 제5조 기타 복리시설의 내용에 해당함)
   ① 「건축법 시행령」에 따른 제1종 근린생활시설 및 제2종 근린생활시설(장의사·총포판매소·단란주점·안마시술소 및 다중생활시설을 제외함), 종교시설, 판매시설 중 소매시장·상점, 교육연구시설, 노유자시설 및 수련시설, 업무시설 중 금융업소,
   ② 공동작업장·지식산업센터·사회복지관(종합사회복지관을 포함)
   ③ 주민공동시설
   ④ 도시·군계획시설인 시장
   ⑤ 그 밖에 위 ①~④의 시설과 비슷한 것으로서 국토교통부령으로 정하는 공동시설 또는 사업계획 승인권자가 거주자의 생활복리 또는 편익을 위하여 필요하다고 인정하는 시설

> **관계법** 「주택건설기준 등에 관한 규정」 제2조 【정의】
> 3. "주민공동시설"이란 해당 공동주택의 거주자가 공동으로 사용하거나 거주자의 생활을 지원하는 시설로서 다음 각 목의 시설을 말한다.
>   가. 경로당   나. 어린이놀이터
>   다. 어린이집   라. 주민운동시설
>   마. 도서실(정보문화시설과 「도서관법」 제2조제4호가목에 따른 작은도서관을 포함한다)
>   바. 주민교육시설(영리를 목적으로 하지 아니하고 공동주택의 거주자를 위한 교육장소를 말한다)
>   사. 청소년 수련시설   아. 주민휴게시설
>   자. 독서실   차. 입주자집회소
>   카. 공용취사장   타. 공용세탁실
>   파. 「공공주택 특별법」 제2조에 따른 공공주택의 단지 내에 설치하는 사회복지시설
>   하. 「아동복지법」 제44조의2의 다함께돌봄센터(이하 "다함께돌봄센터"라 한다)
>   거. 「아이돌봄 지원법」 제19조의 공동육아나눔터
>   너. 그 밖에 가목부터 거목까지의 시설에 준하는 시설로서 「주택법」(이하 "법"이라 한다) 제15조제1항에 따른 사업계획의 승인권자(이하 "사업계획승인권자"라 한다)가 인정하는 시설

【15】 기반시설

「국토의 계획 및 이용에 관한 법률」에 따른 기반시설을 말한다.

> **관계법** 「국토의 계획 및 이용에 관한 법률」 제2조제6호 〈개정 2017.12.26〉
> "기반시설"이란 다음 각 목의 시설로서 대통령령으로 정하는 시설을 말한다.
> 가. 도로·철도·항만·공항·주차장 등 교통시설
> 나. 광장·공원·녹지 등 공간시설
> 다. 유통업무설비, 수도·전기·가스공급설비, 방송·통신시설, 공동구 등 유통·공급시설
> 라. 학교·공공청사·문화시설 및 공공필요성이 인정되는 체육시설 등 공공·문화체육시설
> 마. 하천·유수지(遊水池)·방화설비 등 방재시설
> 바. 장사시설 등 보건위생시설
> 사. 하수도, 폐기물처리 및 재활용시설, 빗물저장 및 이용시설 등 환경기초시설

【16】 기간시설(基幹施設)이란

도로·상하수도·전기시설·가스시설·통신시설·지역난방시설 등을 말한다.

【17】 간선시설(幹線施設)

"간선시설"이란 도로·상하수도·전기시설·가스시설·통신시설 및 지역난방시설 등 주택단지(둘 이상의 주택단지를 동시에 개발하는 경우에는 각각의 주택단지를 말한다) 안의 기간시설(基幹施設)을 그 주택단지 밖에 있는 같은 종류의 기간시설에 연결시키는 시설을 말한다. 다만, 가스시설·통신시설 및 지역난방시설의 경우에는 주택단지 안의 기간시설을 포함한다.

■ 간선시설의 종류별 설치범위(영 [별표 2])

간선시설	설치범위
1. 도로	주택단지 밖의 기간이 되는 도로로부터 주택단지의 경계선(단지의 주된 출입구를 말한다. 이하 같다)까지로 하되, 그 길이가 200m를 초과하는 경우로서 그 초과부분에 한한다.
2. 상하수도시설	주택단지 밖의 기간이 되는 상·하수도시설로부터 주택단지의 경계선까지의 시설로 하되, 그 길이가 200m를 초과하는 경우로서 그 초과부분에 한한다.
3. 전기시설	주택단지 밖의 기간이 되는 시설로부터 주택단지의 경계선까지로 한다. 다만, 지중선로는 사업지구 밖의 기간이 되는 시설로부터 그 사업지구안의 가장 가까운 주택단지(사업지구 안에 1개의 주택단지가 있는 경우에는 그 주택단지를 말한다)의 경계선까지로 하되, 「임대주택법」의 규정에 의한 임대주택을 건설하는 주택단지에 대하여는 국토교통부장관이 산업통상자원부장관과 따로 협의하여 정하는 바에 의한다.
4. 가스공급시설	주택단지 밖의 기간이 되는 가스공급시설로부터 주택단지의 경계선까지로 한다. 다만, 주택단지 안에 취사 및 개별난방용(중앙집중식 난방용을 제외한다)으로 가스를 공급하기 위하여 정압조정실(일정 압력 유지·조정실)을 설치하는 경우에는 그 정압조정실까지로 한다.
5. 통신시설 (세대별 전화시설)	관로시설은 주택단지 밖의 기간이 되는 시설로부터 주택단지 경계선까지, 케이블시설은 주택단지 밖의 기간이 되는 시설로부터 주택단지안의 최초 단자까지로 한다. 다만, 국민주택을 건설하는 주택단지에 설치하는 케이블시설의 경우 그 설치 및 유지·보수에 관하여는 국토교통부장관이 과학기술정보통신부장관 따로 협의하여 정하는 바에 의한다.
6. 지역난방시설	주택단지 밖의 기간이 되는 열수송관의 분기점(해당 주택단지에서 가장 가까운 분기점을 말한다)으로부터 주택단지내의 각 기계실입구 차단밸브까지로 한다.

■ 간선시설의 세부적인 설치기준은 제7장 「주택건설기준 등에 관한 규정」 및 「주택건설기준 등에 관한 규칙」을 참조 바람

【18】 공구 (영 제8조)

"공구"란 하나의 주택단지에서 다음의 기준을 모두 충족하는 기준에 따라 둘 이상으로 구분되는 일단의 구역으로, 착공신고 및 사용검사를 별도로 수행할 수 있는 구역을 말한다.

건축관계법

국토계획법

주차장법

주 택 법

도시및주거환경정비법

건축사법

장애인시설법

소방시설법

서울시조례

건축관계법

국토계획법

주차장법

주 택 법

도시및주거
환경정비법

건축사법

장애인시설법

소방시설법

서울시조례

① 다음의 어느 하나에 해당하는 시설을 설치하거나 공간을 조성하여 6m 이상의 폭으로 공구 간 경계를 설정할 것
  ㉠ 「주택건설기준 등에 관한 규정」(제12장 **5**-②)에 따른 주택단지 안의 도로
  ㉡ 주택단지 안의 지상에 설치되는 부설주차장
  ㉢ 주택단지 안의 옹벽 또는 축대
  ㉣ 식재, 조경이 된 녹지
  ㉤ 그 밖에 어린이놀이터 등 부대시설이나 복리시설로서 사업계획승인권자가 적합하다고 인정하는 시설
② 공구별 세대수는 300세대 이상으로 할 것

【19】 세대구분형 공동주택 (영 제9조)

(1) "세대구분형 공동주택"이란 공동주택의 주택 내부 공간의 일부를 세대별로 구분하여 생활이 가능한 구조로 하되, 그 구분된 공간 일부에 대하여 구분소유를 할 수 없는 주택으로서 다음의 기준에 적합하게 건설된 공동주택을 말한다.
  ① 사업계획의 승인을 받아 건설하는 공동주택의 경우: 다음의 요건을 모두 충족할 것
    ㉠ 세대별로 구분된 각각의 공간마다 별도의 욕실, 부엌과 현관을 설치할 것
    ㉡ 하나의 세대가 통합하여 사용할 수 있도록 세대 간에 연결문 또는 경량구조의 경계벽 등을 설치할 것
    ㉢ 세대구분형 공동주택의 세대수가 해당 주택단지 안의 공동주택 전체 세대수의 1/3을 넘지 않을 것
    ㉣ 세대별로 구분된 각각의 공간의 주거전용면적(주거의 용도로만 쓰이는 면적을 말한다) 합계가 해당 주택단지 전체 주거전용면적 합계의 1/3을 넘지 않는 등 국토교통부장관이 정하여 고시하는 주거전용면적의 비율에 관한 기준을 충족할 것
  ② 「공동주택관리법」에 따른 행위의 허가를 받거나 신고를 하고 설치하는 공동주택의 경우: 다음의 요건을 모두 충족할 것
    ㉠ 구분된 공간의 세대수는 기존 세대를 포함하여 2세대 이하일 것
    ㉡ 세대별로 구분된 각각의 공간마다 별도의 욕실, 부엌과 구분 출입문을 설치할 것
    ㉢ 세대구분형 공동주택의 세대수가 해당 주택단지 안의 공동주택 전체 세대수의 1/10과 해당 동의 전체 세대수의 1/3을 각각 넘지 않을 것.
      예외 특별자치시장, 특별자치도지사, 시장, 군수 또는 구청장(구청장은 자치구의 구청장을 말하며, 이하 "시장·군수·구청장"이라 한다)이 부대시설의 규모 등 해당 주택단지의 여건을 고려하여 인정하는 범위에서 세대수의 기준을 넘을 수 있다.
    ㉣ 구조, 화재, 소방 및 피난안전 등 관계 법령에서 정하는 안전 기준을 충족할 것
(2) 위 (1)에 따라 건설 또는 설치되는 주택과 관련하여 주택건설기준 등을 적용하는 경우 세대구분형 공동주택의 세대수는 그 구분된 공간의 세대에 관계없이 하나의 세대로 산정한다.

【20】 도시형 생활주택 (영 제10조)

(1) "도시형 생활주택"이란 300세대 미만의 국민주택규모에 해당하는 주택으로서 「국토의 계획 및 이용에 관한 법률」에 따른 도시지역에 건설하는 다음의 주택을 말한다.

1. 소형 주택: 다음의 요건을 모두 충족한 주택

① 세대별 주거전용면적은 60제곱미터 이하일 것

② 세대별로 독립된 주거가 가능하도록 욕실 및 부엌을 설치할 것

③ 주거전용면적이 30제곱미터 미만인 경우에는 욕실 및 보일러실을 제외한 부분을 하나의 공간으로 구성할 것

④ 주거전용면적이 30제곱미터 이상인 경우에는 욕실 및 보일러실을 제외한 부분을 세 개 이하의 침실(각각의 면적이 7제곱미터 이상인 것을 말한다. 이하 이 목에서 같다)과 그 밖의 공간으로 구성할 수 있으며, 침실이 두 개 이상인 세대수는 소형 주택 전체 세대수(제2항 단서에 따라 소형 주택과 함께 건축하는 그 밖의 주택의 세대수를 포함한다)의 3분의 1(그 3분의 1을 초과하는 세대 중 세대당 주차대수를 0.7대 이상이 되도록 주차장을 설치하는 경우에는 해당 세대의 비율을 더하여 2분의 1까지로 한다)을 초과하지 않을 것

⑤ 지하층에는 세대를 설치하지 아니할 것

2. 단지형 연립주택: 소형 주택이 아닌 연립주택. 다만, 「건축법」에 따라 같은 법 제4조에 따른 건축위원회의 심의를 받은 경우에는 주택으로 쓰는 층수를 5개층까지 건축할 수 있다.

3. 단지형 다세대주택: 소형 주택이 아닌 다세대주택. 다만, 「건축법」에 따라 같은 법 제4조에 따른 건축위원회의 심의를 받은 경우에는 주택으로 쓰는 층수를 5개층까지 건축할 수 있다.

(2) 하나의 건축물에는 도시형 생활주택과 그 밖의 주택을 함께 건축할 수 없다.

예외 다음의 경우는 예외로 한다.

1. 소형 주택과 주거전용면적이 85㎡를 초과하는 주택 1세대를 함께 건축하는 경우

2. 「국토의 계획 및 이용에 관한 법률 시행령」에 따른 준주거지역 또는 상업지역에서 소형 주택과 도시형 생활주택 외의 주택을 함께 건축하는 경우

(3) 하나의 건축물에는 단지형 연립주택 또는 단지형 다세대주택과 소형 주택을 함께 건축할 수 없다.

【21】 에너지절약형 친환경주택 (영 제11조)

"에너지절약형 친환경주택"이란 저에너지 건물 조성기술 등 「주택건설기준 등에 관한 규정」(제7장 10 - 1)에서 정하는 기술을 이용하여 에너지 사용량을 절감하거나 이산화탄소 배출량을 저감할 수 있도록 건설된 주택을 말하며, 그 종류와 범위는 사업계획의 승인을 받아 건설하는 다음의 공동주택으로 한다.

① 「건축법 시행령」 [별표 1]에 따른 아파트

② 「건축법 시행령」 [별표 1]에 따른 연립주택

③ 「건축법 시행령」 [별표 1]에 따른 다세대주택

【22】 건강친화형 주택 (영 제12조)

"건강친화형 주택"이란 건강하고 쾌적한 실내환경의 조성을 위하여 실내공기의 오염물질 등을 최소화할 수 있도록 「주택건설기준 등에 관한 규정」(제7장 10 - 2)에 따라 건설된 주택을 말한다.

건축관계법

국토계획법

주차장법

주 택 법

도시및주거
환경정비법

건축사법

장애인시설법

소방시설법

서울시조례

건축관계법

국토계획법

주차장법

주 택 법

도시및주거
환경정비법

건 축 사 법

장애인시설법

소방시설법

서울시조례

【23】 장수명 주택

구조적으로 오랫동안 유지·관리될 수 있는 내구성을 갖추고, 입주자의 필요에 따라 내부 구조를 쉽게 변경할 수 있는 가변성과 수리 용이성 등이 우수한 주택을 말한다.

【24】 공공택지

"공공택지"란 다음의 어느 하나에 해당하는 공공사업에 의하여 개발·조성되는 공동주택이 건설되는 용지를 말한다.

대상 공공사업	제한 사항
1. 국민주택건설사업 또는 대지조성사업	–
2. 「택지개발촉진법」에 따른 택지개발사업	주택건설 등 사업자가 활용하는 택지(법 제12조제5항)는 제외한다.
3. 「산업입지 및 개발에 관한 법률」에 따른 산업단지개발사업	–
4. 「공공주택 특별법」에 따른 공공주택지구조성사업	–
5. 「민간임대주택에 관한 특별법」에 따른 공공지원민간임대주택 공급촉진지구 조성사업	시행자가 수용 또는 사용의 방식으로 시행하는 사업만 해당한다.
5. 「도시개발법」에 따른 도시개발사업	수용 또는 사용의 방식으로 시행하는 사업과 혼용방식 중 수용 또는 사용의 방식이 적용되는 구역에서 시행하는 사업만 해당한다.
6. 「경제자유구역의 지정 및 운영에 관한 특별법」에 따른 경제자유구역개발사업	수용 또는 사용의 방식으로 시행하는 사업과 혼용방식 중 수용 또는 사용의 방식이 적용되는 구역에서 시행하는 사업만 해당한다.
7. 「혁신도시 조성 및 발전에 관한 특별법」에 따른 혁신도시개발사업	–
8. 「신행정수도 후속대책을 위한 연기·공주지역 행정중심복합도시 건설을 위한 특별법」에 따른 행정중심복합도시건설사업	–
9. 「공익사업을 위한 토지 등의 취득 및 보상에 관한 법률」에 따른 공익사업으로서 대통령령으로 정하는 사업	–

관계법 「공공주택 특별법」

제1조 【목적】

이 법은 공공주택의 원활한 건설과 효과적인 운영을 위하여 필요한 사항을 규정함으로써 서민의 주거안정 및 주거수준 향상을 도모하여 국민의 쾌적한 주거생활에 이바지함을 목적으로 한다. <개정 2014.1.14., 2015.8.28.>

제2조 【정의】

이 법에서 사용하는 용어의 뜻은 다음과 같다. <개정 2014.1.14., 2015.1.6., 2015.8.28., 2016.1.19., 2021.5.18.,2021.7.20.>

1. "공공주택"이란 제4조제1항 각 호에 규정된 자 또는 제4조제2항에 따른 공공주택사업자가 국가 또는 지방자치단체의 재정이나 「주택도시기금법」에 따른 주택도시기금(이하 "주택도시기금"이라 한다)을 지원받아 이 법 또는 다른 법률에 따라 건설, 매입 또는 임차하여 공급하는 다음 각 목의 어느 하나에 해당하는 주택을 말한다.

가. 임대 또는 임대한 후 분양전환을 할 목적으로 공급하는 「주택법」 제2조제1호에 따른 주택으로서 대통령령으로 정하는 주택(이하 "공공임대주택"이라 한다)

나. 분양을 목적으로 공급하는 주택으로서 「주택법」 제2조제5호에 따른 국민주택규모 이하의 주택(이하 "공공분양주택"이라 한다)

1의2. "공공건설임대주택"이란 제4조에 따른 공공주택사업자가 직접 건설하여 공급하는 공공임대주택을 말한다.

1의3. "공공매입임대주택"이란 제4조에 따른 공공주택사업자가 직접 건설하지 아니하고 매매 등으로 취득하여 공급하는 공공임대주택을 말한다.

1의4. "지분적립형 분양주택"이란 제4조에 따른 공공주택사업자가 직접 건설하거나 매매 등으로 취득하여 공급하는 공공분양주택으로서 주택을 공급받은 자가 20년 이상 30년 이하의 범위에서 대통령령으로 정하는 기간 동안 공공주택사업자와 주택의 소유권을 공유하면서 대통령령으로 정하는 바에 따라 소유 지분을 적립하여 취득하는 주택을 말한다.

1의5. "이익공유형 분양주택"이란 제4조에 따른 공공주택사업자가 직접 건설하거나 매매 등으로 취득하여 공급하는 공공분양주택으로서 주택을 공급받은 자가 해당 주택을 처분하려는 경우 공공주택사업자가 환매하되 공공주택사업자와 처분 손익을 공유하는 것을 조건으로 분양하는 주택을 말한다.

2. "공공주택지구"란 공공주택의 공급을 위하여 공공주택이 전체주택 중 100분의 50 이상이 되고, 제6조제1항에 따라 지정·고시하는 지구를 말한다. 이 경우 제1호 각 목별 주택비율은 전단의 규정의 범위에서 대통령령으로 정한다.

2의2. "도심 공공주택 복합지구"란 도심 내 역세권, 준공업지역, 저층주거지에서 공공주택과 업무시설, 판매시설, 산업시설 등을 복합하여 조성하는 거점으로 제40조의7에 따라 지정·고시하는 지구를 말한다. 이 경우 제1호 각 목별 주택비율은 대통령령으로 정한다.

3. "공공주택사업"이란 다음 각 목에 해당하는 사업을 말한다.

가. 공공주택지구조성사업: 공공주택지구를 조성하는 사업

나. 공공주택건설사업: 공공주택을 건설하는 사업

다. 공공주택매입사업: 공공주택을 공급할 목적으로 주택을 매입하거나 인수하는 사업

라. 공공주택관리사업: 공공주택을 운영·관리하는 사업

4. "분양전환"이란 공공임대주택을 제4조제1항 각 호에 규정된 자가 아닌 자에게 매각하는 것을 말한다.

[법률 제18311호(2021.7.20.) 제2조제2호의2, 같은 조 제3호마목의 개정규정은 같은 법 부칙 제2조의 규정에 의하여 2024년 9월 20일까지 유효함]

제4조【공공주택사업자】

① 국토교통부장관은 다음 각 호의 자 중에서 공공주택사업자를 지정한다. <개정 2014.1.14., 2015.1.20., 2015.8.28., 2021.7.20>

1. 국가 또는 지방자치단체

2. 「한국토지주택공사법」에 따른 한국토지주택공사

3. 「지방공기업법」 제49조에 따라 주택사업을 목적으로 설립된 지방공사

4. 「공공기관의 운영에 관한 법률」 제5조에 따른 공공기관 중 대통령령으로 정하는 기관

5. 제1호부터 제4호까지의 규정 중 어느 하나에 해당하는 자가 총지분의 100분의 50을 초과하여 출자·설립한 법인

6. 주택도시기금 또는 제1호부터 제4호까지의 규정 중 어느 하나에 해당하는 자가 총지분의 전부를 출자(공동으로 출자한 경우를 포함한다)하여 「부동산투자회사법」에 따라 설립한 부동산투자회사

② 국토교통부장관은 제1항제1호부터 제4호까지의 규정 중 어느 하나에 해당하는 자와 「주택법」 제4조에 따른 주택건설사업자를 공동 공공주택사업자로 지정할 수 있다. <개정 2015.1.20., 2015.8.28., 2016.1.19.>

③ 제1항제5호 및 제2항에 따른 공공주택사업자의 선정방법·절차 및 공동시행을 위한 협약 등에 필요한 사항은 국토교통부장관이 정하여 고시한다. <신설 2014.1.14., 2015.8.28.>

[제목개정 2015.8.28.][법률 제18311호(2021. 7. 20.) 부칙 제2조의 규정에 의하여 이 조 제1항제6호는 2024년 9월 20일까지 유효함]

건축관계법

국토계획법

주차장법

주 택 법

도시및주거
환경정비법

건축사법

장애인시설법

소방시설법

서울시조례

건축관계법
국토계획법
주차장법
주 택 법
도시및주거
환경정비법
건축사법
장애인시설법
소방시설법
서울시조례

【25】리모델링 $\left(\begin{smallmatrix}영\\제13조\end{smallmatrix}\right)$

"리모델링"이란 건축물의 노후화 억제 또는 기능 향상 등을 위한 다음의 어느 하나에 해당하는 행위를 말한다.

① 대수선(大修繕)

② 사용검사일(주택단지 안의 공동주택 전부에 대하여 임시사용승인을 받은 경우에는 그 임시사용 승인일을 말함) 또는 「건축법」에 따른 사용승인 일부터 15년[15년 이상 20년 미만의 연수 중 특별시·광역시·특별자치시·도 또는 특별자치도(이하 "시·도"라 함)의 조례로 정하는 경우에는 그 연수로 한다]이 지난 공동주택을 각 세대의 주거전용면적[「건축법」에 따른 건축물대장 중 집합건축물대장의 전유부분(專有部分)의 면적을 말함]의 30% 이내(세대의 주거전용면적이 85㎡ 미만인 경우에는 40% 이내)에서 증축하는 행위. 이 경우 공동주택의 기능향상 등을 위하여 공용부분에 대하여도 별도로 증축할 수 있다.

③ 위 ②에 따른 각 세대의 증축 가능 면적을 합산한 면적의 범위에서 기존 세대수의 15% 이내에서 세대수를 증가하는 증축 행위(이하 "세대수 증가형 리모델링"이라 함).

　단서　수직으로 증축하는 행위(이하 "수직증축형 리모델링"이라 함)는 최대 3개 층 이하로서 다음 요건을 모두 충족하는 경우로 한정한다.

　　㉠ 층수에 따른 증축 한도
　　　• 수직으로 증축하는 행위의 대상이 되는 기존 건축물의 층수가 15층 이상인 경우: 3개 층
　　　• 수직증축형 리모델링의 대상이 되는 기존 건축물의 층수가 14층 이하인 경우: 2개 층
　　㉡ 수직증축형 리모델링의 대상이 되는 기존 건축물의 신축 당시 구조도를 보유하고 있어야 한다.

【26】리모델링 기본계획

"리모델링 기본계획"이란 세대수 증가형 리모델링으로 인한 도시과밀, 이주수요 집중 등을 체계적으로 관리하기 위하여 수립하는 계획을 말한다.

【27】입주자

"입주자"란 다음의 구분에 따른 자를 말한다.

입주자	관련 내용 및 조항
1. 주택을 공급받는 자	• 주택건설사업의 등록말소 등(법 제8조) • 주택의 공급 (법 제54조) • 주택정책관련자료 등의 종합관리(법 제88조) • 체납된 분양대금 등의 강제 징수(법 제91조) • 벌칙(법 제104조)
2. 주택의 소유자 또는 그 소유자를 대리하는 배우자 및 직계존비속(直系尊卑屬)	• 리몰델링의 허가 등(법 제66조)

【28】사용자

"사용자"란 주택을 임차하여 사용하는 자 등을 말한다.

【29】관리주체

"관리주체"란 공동주택을 관리하는 다음에 해당하는 자를 말한다.

1. 자치관리기구의 대표자인 공동주택의 관리사무소장

2. 관리업무를 인계하기 전의 사업주체

3. 주택관리업자

4.「임대주택법」에 따른 임대사업자

3 다른 법률과의 관계 (법 제3조)

주택의 건설 및 공급에 관하여 다른 법률에 특별한 규정이 있는 경우를 제외하고는 이 법에서 정하는 바에 따른다.

건축관계법

국토계획법

주차장법

주 택 법

도시및주거
환경정비법

건축사법

장애인시설법

소방시설법

서울시조례

2

주택의 건설 등

1 주택건설사업자 등

① 주택건설사업 등의 등록$\left(\substack{법\\제4조}\right)$

【1】등록대상$\left(\substack{영\\제14조}\right)$

주택건설사업 또는 대지조성사업을 연간 다음 규모 이상으로 영위하고자 하는 자는 국토교통부장관에게 등록하여야 한다.

구 분		등록대상·규모
1. 주택건설사업	단독주택	연간 20호 이상
	공동주택	연간 20세대 이상 (도시형 생활주택의 경우와 원룸형 주택과 그 밖의 주택 1세대를 함께 건축하는 경우에는 30세대)
2. 대지조성사업		연간 10,000m² 이상

예외 다음 사업주체의 경우에는 그러하지 아니하다.

1. 국가·지방자치단체

2. 한국토지주택공사

3. 지방공사

4. 「공익법인의 설립·운영에 관한 법률」에 의하여 주택건설사업을 목적으로 설립된 공익법인

5. 주택조합설립 규정에 의하여 설립된 주택조합(등록사업자와 공동으로 주택건설사업을 하는 경우에 한함)

6. 근로자를 고용하는 자(등록사업자와 공동으로 주택건설사업을 시행하는 경우에 한함)

【2】 등록기준

(1) 일반적인 등록기준

1. 자본금		3억 이상	※ 개인의 경우 자산평가액 6억 이상
2. 기 술 인 력	주택건설사업자	건축분야 기술인 1인 이상	※ 주택건설사업자와 대지조성사업자를 함께 등록할 경우에는 해당하는 기술 인를 각각 확보해야 한다. ※ 기술인의 기준은 「건설기술 진흥법 시 행령」) [별표 1]에 따른다.
	대지조성사업자	토목분야 기술인 1인 이상	
3. 사무실 면적		사업의 수행에 필요한 사 무장비를 갖출 수 있는 면적	

(2) 다음의 어느 하나에 해당하는 경우에는 해당 각각의 자본금, 기술인력 또는 사무실 면적을 위
(1)의 각각의 기준에 포함하여 산정한다.

① 「건설산업기본법」에 따라 등록한 건설사업자(건축공사업 또는 토목건축공사업으로 등록한
자 만 해당함)가 주택건설사업 또는 대지조성사업의 등록을 하려는 경우: 이미 보유하고 있는
자본금, 기술인력 및 사무실 면적

② 「부동산투자회사법」에 따른 부동산투자회사가 주택건설사업의 등록을 하려는 경우: 「부동
산투자회사법」에 따라 해당 부동산투자회사가 자산의 투자·운용업무를 위탁한 자산관리회
사가 보유하고 있는 기술인력 및 사무실 면적

(3) 주택건설사업을 등록한 자가 대지조성사업을 함께 영위하기 위하여 등록하는 때에는 위 (1)에
따른 대지조성사업의 등록기준에 적합한 기술인을, 대지조성사업을 등록한 자가 주택건설사업
을 함께 영위하기 위하여 등록하는 때에는 위 (1)에 따른 주택건설사업의 등록기준에 적합한 기
술인을 각각 확보하여야 한다.

관계법 「건설산업기본법」제9조【건설업 등록 등】

① 건설업을 하려는 자는 대통령령으로 정하는 업종별로 국토교통부장관에게 등록을 하여야 한다.
다만, 대통령령으로 정하는 경미한 건설공사를 업으로 하려는 경우에는 등록을 하지 아니하고
건설업을 할 수 있다. <개정 2013.3.23.>

② 제1항에 따라 건설업의 등록을 하려는 자는 국토교통부령으로 정하는 바에 따라 국토교통부장
관에게 신청하여야 한다. <개정 2013.3.23.>

③ 국가나 지방자치단체가 자본금의 100분의 50 이상을 출자한 법인이나 영리를 목적으로 하지
아니하는 법인은 다른 법률에 특별한 규정이 있는 경우를 제외하고는 제1항에 따른 건설업 등
록을 신청할 수 없다.

④ 삭제 <2016.2.3.>

「건설산업기본법 시행령」 제7조【건설업의 업종 및 업무내용 등 】

법 제8조에 따른 건설업의 업종과 업종별 업무내용은 별표 1과 같다. <개정 2020.12.29.>

제8조【경미한 건설공사등】

① 법 제9조제1항 단서에서 "대통령령으로 정하는 경미한 건설공사"란 다음 각 호의 어느 하나에
해당하는 공사를 말한다. <개정 2020.12.29.>

　　1. 별표 1에 따른 종합공사를 시공하는 업종과 그 업종별 업무내용에 해당하는 건설공사로서 1
　　건 공사의 공사예정금액[동일한 공사를 2이상의 계약으로 분할하여 발주하는 경우에는 각각

건축관계법

국토계획법

주차장법

주 택 법

도시및주거
환경정비법

건축사법

장애인시설법

소방시설법

서울시조례

건축관계법

국토계획법

주차장법

주 택 법

도시및주거
환경정비법

건축사법

장애인시설법

소방시설법

서울시조례

　　　의 공사예정금액을 합산한 금액으로 하고, 발주자(하도급의 경우에는 수급인을 포함한다)가
　　　재료를 제공하는 경우에는 그 재료의 시장가격 및 운임을 포함한 금액으로 하며, 이하 "공사
　　　예정금액"이라 한다]이 5천만원미만인 건설공사
　　2. 별표 1에 따른 전문공사를 시공하는 업종과 그 업종별 업무내용에 해당하는 건설공사로서 공사
　　　예정금액이 1천5백만원미만인 건설공사. 다만, 다음 각 목의 어느 하나에 해당하는 공사를 제외
　　　한다.
　　　가. 가스시설공사　　　　　　　　　　나. 삭제 <1998.12.31>
　　　다. 철강재설치공사 및 강구조물공사　라. 삭도설치공사
　　　마. 승강기설치공사　　　　　　　　　바. 철도 · 궤도공사
　　　사. 난방공사
　　3. 조립 · 해체하여 이동이 용이한 기계설비 등의 설치공사(당해 기계설비 등을 제작하거나 공급하는
　　　자가 직접 설치하는 경우에 한한다
　② 삭제 <1998. 12. 31.>

【3】 등록절차 (영
제15조)

① 주택건설사업자 또는 대지조성사업자로 등록을 하고자 하는 자는 등록신청서를 국토교통부장관
　에게 제출하여야 한다.
② 국토교통부장관은 등록신청서를 접수한 때에는 등록기준에 적합하다고 인정하는 자에 대하여는
　이를 주택건설사업자 등록부 또는 대지조성사업자 등록부에 등재하고 등록증을 신청인에게 내
　주어야 한다.
③ 등록증을 교부받은 등록사업자는 등록사항에 변경이 있을 때에는 변경사유가 발생한 날로부터
　30일 이내에 국토교통부장관에게 이를 신고하여야 한다.

　　예외 다음의 경미한 사항은 그러하지 않는다.

　　1. 자본금의 증액

　　2. 기술인의 수 또는 사무실의 면적이 증가된 경우

【4】 주택건설사업 등의 등록신청 (규칙
제4조)

① 주택건설사업 또는 대지조성사업 등록을 하려는 자는 등록신청서(별지 제1호 서식)에 다음의 서류를
　첨부하여 주택사업자단체(이하 "협회"라 한다)에 제출(전자문서에 따른 제출을 포함한다)하여야 한다.

　1. 등록기준에 따른 자본금을 보유하고 있음을 증명하는 다음의 구분에 따른 서류
　　① 법인: 납입자본금에 관한 증명서류
　　② 개인: 자산평가서와 그 증명서류

　2. 등록기준에 따른 기술인력의 보유를 증명하는 다음 각 목의 서류
　　①「건설기술진흥법 시행규칙」에 따른 건설기술인 경력증명서 또는 건설기술인 보유증명서
　　② 고용계약서 사본

　3. 건물등기사항증명서, 건물사용계약서 등 사무실의 보유를 증명하는 서류

　4. 향후 1년간의 주택건설사업계획서 또는 대지조성사업계획서

　5. 신청인이 재외국민(「재외국민등록법」에 따른 등록대상자를 말한다)인 경우에는 「재외국민등록법」에
　　따른 재외국민등록부 등본

② 등록신청서를 제출받은 협회는 「전자정부법」에 따른 행정정보의 공동이용을 통하여 다음의 서류를 확인하여야 한다. 다만, 신청인이 아래 2. 및 3.의 서류 확인에 동의하지 아니하는 경우에는 해당 서류를 첨부하도록 하여야 한다.

1. 신청인이 법인(대표자 또는 임원이 외국인인 법인은 제외한다)인 경우: 법인등기사항증명서

2. 신청인이 개인인 경우: 주민등록표 초본. 다만, 신청인이 직접 신청서를 제출하는 경우에는 주민등록증 등 신분증명서의 제시로 갈음한다.

3. 신청인이 외국인이거나 대표자 또는 임원이 외국인인 법인인 경우: 「출입국관리법」에 따른 외국인등록 사실증명. 다만, 신청인이 다음의 어느 하나에 해당하는 서류를 등록신청서에 첨부하여 제출하는 경우에는 외국인등록 사실증명을 확인하지 않는다.
　① 「외국공문서에 대한 인증의 요구를 폐지하는 협약」을 체결한 국가의 경우: 해당 국가의 정부 그 밖에 권한 있는 기관이 발행한 서류 또는 공증인이 공증한 해당 외국인의 진술서로서 해당 국가의 아포스티유(Apostille)확인서 발급 권한이 있는 기관이 그 확인서를 발급한 서류
　② 「외국공문서에 대한 인증의 요구를 폐지하는 협약」을 체결하지 아니한 국가의 경우: 해당 국가의 정부 그 밖에 권한 있는 기관이 발행한 서류 또는 공증인이 공증한 해당 외국인의 진술서로서 해당 국가에 주재하는 우리나라 영사가 확인한 서류

③ 협회는 주택건설사업 또는 대지조성사업의 등록을 한 자(이하 "등록사업자"라 한다)별로 등록사업자대장(별지 제4호 서식)을 작성하여 관리하여야 한다.

④ 등록사업자는 등록사항 변경신고를 하려는 경우에는 변경신고서(별지 제5호 서식)에 변경내용을 증명하는 서류를 첨부하여 협회에 제출하여야 한다.
　예외 등록사업자가 개인인 경우에는 상속의 경우에만 등록한 사업자명의의 변경을 신고할 수 있다.

⑤ 협회는 등록사업자에 대하여 등록증을 발급하거나 등록사항의 변경신고를 받은 때에는 그 내용을 관할 특별시장·광역시장·특별자치시장·도지사 또는 특별자치도지사(이하 "시·도지사"라 한다)에게 통보하고, 분기별로 국토교통부장관에게 보고하여야 한다.

⑥ 등록사업자대장은 전자적 처리가 불가능한 특별한 사유가 없으면 전자적 처리가 가능한 방법으로 작성·관리하여야 한다.

【5】 등록사업자의 결격사유 (법 제6조)

다음에 해당하는 자는 주택건설사업 등의 등록을 할 수 없다.

1. 미성년자·피성년후견인 또는 피한정후견인

2. 파산선고를 받은 자로서 복권되지 아니한 자

3. 「부정수표 단속법」 또는 이 법을 위반하여 금고 이상의 실형의 선고를 받고 그 집행이 종료(집행이 종료된 것으로 보는 경우를 포함)되거나 집행이 면제된 날부터 2년이 지나지 아니한 자

4. 「부정수표 단속법」 또는 이 법을 위반하여 금고 이상의 형의 집행유예선고를 받고 그 유예기간 중에 있는 자

5. 등록이 말소된 후 2년이 지나지 아니한 자

6. 법인의 임원 중 위 1.~5.에 해당되는 자가 있는 법인

건축관계법

국토계획법

주차장법

주 택 법

도시및주거
환경정비법

건축사법

장애인시설법

소방시설법

서울시조례

② 공동사업주체 등 (법 제5조)

【1】 공동사업주체

다음의 경우 등록사업자와 공동으로 사업을 시행할 수 있으며, 또한 각각의 경우 공동사업주체로 본다.

구 분	공동사업주체	비 고
1. 토지소유자가 주택을 건설하는 경우	토지소유자와 등록사업자	등록사업자와 공동으로 사업을 시행할 수 있다.
2. 주택조합(세대수를 증가하지 아니하는 리모델링주택조합 제외)이 그 구성원의 주택을 건설하는 경우	주택조합과 등록사업자(지방자치단체·한국토지주택공사 및 지방공사 포함)	
3. 고용자가 그 근로자의 주택을 건설하는 경우	고용자와 등록사업자	등록사업자와 공동으로 사업을 시행하여야 한다.

【2】 사업계획승인의 신청 (영 제16조)

(1) 공동으로 주택을 건설하려는 토지소유자와 등록사업자는 다음의 요건을 모두 갖추어 사업계획승인을 신청하여야 한다.

① 등록사업자가 다음의 어느 하나에 해당하는 자일 것
  ㉠ 아래【3】-(1)- ①의 요건을 모두 갖춘 자
  ㉡ 「건설산업기본법」에 따른 건설업(건축공사업 또는 토목건축공사업만 해당한다)의 등록을 한 자

② 주택건설대지가 저당권·가등기담보권·가압류·전세권·지상권 등(이하 "저당권등"이라 한다)의 목적으로 되어 있는 경우에는 그 저당권등을 말소할 것.
  예외 저당권등의 권리자로부터 해당 사업의 시행에 대한 동의를 받은 경우는 예외로 한다.

③ 토지소유자와 등록사업자 간에 다음의 사항에 대하여 법 및 이 영이 정하는 범위에서 협약이 체결되어 있을 것
  ㉠ 대지 및 주택(부대시설 및 복리시설을 포함한다)의 사용·처분
  ㉡ 사업비의 부담
  ㉢ 공사기간
  ㉣ 그 밖에 사업 추진에 따르는 각종 책임 등 사업 추진에 필요한 사항

(2) 공동으로 주택을 건설하려는 주택조합(세대수를 늘리지 아니하는 리모델링주택조합은 제외한다)과 등록사업자, 지방자치단체, 한국토지주택공사(「한국토지주택공사법」에 따른 한국토지주택공사를 말한다) 또는 지방공사(「지방공기업법」에 따라 주택건설사업을 목적으로 설립된 지방공사를 말한다)는 다음의 요건을 모두 갖추어 사업계획승인을 신청하여야 한다.

① 등록사업자와 공동으로 사업을 시행하는 경우에는 해당 등록사업자가 제1항제1호의 요건을 갖출 것

② 주택조합이 주택건설대지의 소유권을 확보하고 있을 것. 다만, 지역주택조합 또는 직장주택조합이 등록사업자와 공동으로 사업을 시행하는 경우로서 「국토의 계획 및 이용에 관한 법률」에 따른 지구단위계획의 결정이 필요한 사업인 경우에는 95% 이상의 소유권을 확보하여야 한다.

③ 위 (1)-② 및 ③의 요건을 갖출 것. 이 경우 위 (1)-② 의 요건은 소유권을 확보한 대지에 대해서만 적용한다.

(3) 고용자가 등록사업자와 공동으로 주택을 건설하려는 경우에는 다음의 요건을 모두 갖추어 사업계획승인을 신청하여야 한다.

① 위 (1)-①의 요건을 모두 갖추고 있을 것

② 고용자가 해당 주택건설대지의 소유권을 확보하고 있을 것

【3】 등록사업자의 시공 (법 제7조)

(1) 등록사업자가 사업계획승인(「건축법」에 따른 공동주택 건축허가 포함)을 얻어 분양 또는 임대를 목적으로 주택을 건설하는 경우로서 기술능력·주택건설실적·주택규모 등에 관하여 다음에 해당하는 경우에는 그 등록사업자를 「건설산업기본법」에 따른 건설업사자로 보며 주택건설공사를 시공할 수 있다.

■ 등록사업자의 주택건설공사 시공기준 (영 제17조)

① 건설사업자로 보는 등록사업자가 갖추어야 할 조건

1. 자본금	5억원(개인의 경우 자산평가액 10억원) 이상일 것
2. 기술인 보유	「건설기술 진흥법 시행령」 별표 1에 따른 건축 분야 및 토목 분야 기술인 3명 이상을 보유하고 있을 것. 이 경우 「건설기술 진흥법 시행령」 별표 1에 따른 건설기술인으로서 다음에 해당하는 건설기술인 각 1명이 포함되어야 한다. ① 건축시공 기술사 또는 건축기사 ② 토목 분야 기술인
3. 주택건설실적	최근 5년간 주택건설실적이 100호 또는 100세대 이상일 것

② 등록사업자가 건설할 수 있는 주택의 규모 및 건설공사비의 범위

주택의 규모	5층 이하(각층 거실바닥면적 300㎡ 이내 마다 1개 이상 직통계단을 설치한 경우는 6층) 예외 다음의 어느 하나에 해당하는 등록사업자는 주택으로 쓰는 층수가 6개층 이상인 주택을 건설할 수 있다. ㉠ 주택으로 쓰는 층수가 6개층 이상인 아파트를 건설한 실적이 있는 자 ㉡ 최근 3년간 300세대 이상의 공동주택을 건설한 실적이 있는 자
건설공사비의 범위	등록사업자가 위 【3】-(1)의 주택건설공사를 시공함에 있어서는 해당 건설공사비(총공사비에서 대지구입비를 제외한 금액)가 자본금과 자본준비금·이익준비금을 합한 금액의 10배(개인의 경우에는 자산평가액의 5배)를 초과 건설공사는 시공할 수 없다.

(2) 위 (1)의 규정에 의하여 등록사업자가 주택을 건설하는 경우, 다음의 「건설산업기본법」을 준용한다. 이 경우 '건설사업자'는 '등록사업자'로 본다.

건축관계법

국토계획법

주차장법

주 택 법

도시및주거
환경정비법

건축사법

장애인시설법

소방시설법

서울시조례

건축관계법

국토계획법

주차장법

주 택 법

도시및주거
환경정비법

건축사법

장애인시설법

소방시설법

서울시조례

내 용	법조항
건설기술인의 배치	제40조
건설사업자의 손해배상책임	제44조
벌칙	제93조
벌칙	제94조
양벌규정	제98조
과태료	제99조
과태료	제100조
과태료 규정 적용에 관한 특례	제100조의2
과태료의 부과·징수절차	제101조

【4】 주택건설사업의 등록말소 등 (법 제8조) (영 제19조)

국토교통부장관은 등록사업자가 다음에 해당하는 때에는 그 등록을 말소하거나 1년 이내의 기간을 정하여 영업의 정지를 명할 수 있다.

(1) 등록말소 사유

1. 거짓이나 그 밖의 부정한 방법으로 등록한 때

2. 등록증의 대여 등을 한때

(2) 등록말소 또는 영업정지(1년 이내) 사유

1. 등록기준에 미달하게 된 경우
   예외 「채무자 회생 및 파산에 관한 법률」에 따라 법원이 회생절차개시의 결정을 하고 그 절차가 진행 중이거나 일시적으로 등록기준에 미달하는 등 다음에 해당하는 경우는 예외로 한다.
   ① 자본금 기준에 미달한 경우 중 다음의 어느 하나에 해당하는 경우
      ㉠ 「채무자 회생 및 파산에 관한 법률」에 따라 법원이 회생절차개시의 결정을 하고 그 절차가 진행 중인 경우
      ㉡ 회생계획의 수행에 지장이 없다고 인정되는 경우로서 해당 등록사업자가 「채무자 회생 및 파산에 관한 법률」에 따라 법원으로부터 회생절차종결의 결정을 받고 회생계획을 수행 중인 경우
      ㉢ 「기업구조조정 촉진법」에 따라 채권금융기관이 채권금융기관협의회의 의결을 거쳐 채권금융기관 공동관리절차를 개시하고 그 절차가 진행 중인 경우
   ② 「상법」에 따른 적용대상 법인이 등록기준 미달 당시 직전의 사업연도 말 현재 자산총액의 감소로 인하여 자본금 기준에 미달하게 된 기간이 50일 이내인 경우
   ③ 기술 인력의 사망·실종 또는 퇴직으로 인하여 등록기준에 미달하게 된 기간이 50일(「소상공인기본법」 제2조에 따른 소상공인인 경우에는 180일) 이내인 경우

2. 고의 또는 과실에 따른 공사시공상 하자로 공중에 위해를 끼치거나 입주자에게 재산상의 손해를 가한 경우

3. 등록업자의 결격사유에 해당할 때(등록이 말소된 후 2년이 지나지 않은 경우 제외)
   예외 법인의 임원 중 해당자가 있는 경우 6월 이내에 그 임원을 개임한 경우

4. 이법 또는 이법에 따른 명령·처분에 위반한 때

5. 「건설기술 진흥법」에 따른 다음의 어느 하나에 해당하는 경우
   ① 「건설기술 진흥법」에 따른 시공상세도면의 작성 의무를 위반하거나 건설사업관리를 수행하는 건설기술인 또는 공사감독자의 검토·확인을 받지 아니하고 시공한 경우
   ② 「건설기술 진흥법」에 따른 시정명령을 이행하지 아니한 경우
   ③ 「건설기술 진흥법」에 따른 품질시험 및 검사를 하지 아니한 경우
   ④ 「건설기술 진흥법에 따른 안전점검을 하지 아니한 경우

6. 「택지개발촉진법」을 위반하여 택지를 전매한 경우

7. 「표시·광고의 공정화에 관한 법률」에 따른 처벌을 받은 경우

8. 「약관의 규제에 관한 법률」에 따른 처분을 받은 경우

9. 그 밖에 이 법 또는 이 법에 따른 명령이나 처분을 위반한 경우

관계법 「표시·광고의 공정화에 관한 법률」제17조 【벌칙】
  다음 각 호의 어느 하나에 해당하는 자는 2년 이하의 징역 또는 1억5천만원 이하의 벌금에 처한다.
   1. 제3조제1항을 위반하여 부당한 표시·광고 행위를 하거나 다른 사업자등으로 하여금 하게 한 사업자등
   2. 2. 제6조제3항 또는 제7조제1항에 따른 명령에 따르지 아니한 자
  [전문개정 2011. 9. 15.]

관계법 「약관의 규제에 관한 법률」제34조 【과태료】
  ①~② <생략>
  ③ 다음 각 호의 어느 하나에 해당하는 자에게는 500만원 이하의 과태료를 부과한다.   <개정 2012. 2. 17., 2018. 6. 12.>
   1. 제3조제2항을 위반하여 고객에게 약관의 내용을 밝히지 아니하거나 그 약관의 사본을 내주지 아니한 자
   2. 제3조제3항을 위반하여 고객에게 약관의 중요한 내용을 설명하지 아니한 자
   3. 제19조의3제6항을 위반하여 표준약관과 다르게 정한 주요 내용을 고객이 알기 쉽게 표시하지 아니한 자
  ④~⑤ <생략>

【5】 등록사업자의 등록말소 및 영업정지처분기준 $\left(\begin{smallmatrix}영\\제18조\end{smallmatrix}\right)\left(\begin{smallmatrix}규칙\\제5조\end{smallmatrix}\right)$

(1) 등록사업자의 등록말소 및 영업정지처분에 관한 기준은 시행령 [별표 1]과 같다.
(2) 국토교통부장관은 등록말소 또는 영업정지의 처분을 한 때에는 지체 없이 이를 관보에 고시하여야 한다. 그 처분을 취소한 때에도 또한 같다.
(3) 시·도지사는 등록사업자에 대하여 등록말소 또는 영업정지의 처분을 하였을 때에는 지체 없이 협회에 그 내용을 통보(전자문서에 따른 통보를 포함한다)하여야 하며, 통보받은 협회는 등록사업자대장에 그 내용을 적고 관리하여야 한다.

건축관계법
국토계획법
주차장법
주 택 법
도시및주거환경정비법
건축사법
장애인시설법
소방시설법
서울시조례

건축관계법

국토계획법

주차장법

주 택 법

도시및주거
환경정비법

건축사법

장애인시설법

소방시설법

서울시조례

【6】 등록말소 처분 등을 받은 자의 사업 수행$\left(\frac{\text{법}}{\text{제9조}}\right)$

등록말소 또는 영업정지의 처분을 받은 등록사업자는 그 처분 전에 사업계획승인을 얻은 사업은 이를 계속 수행할 수 있다.

> 예외 등록말소의 처분을 받은 등록사업자가 그 사업을 계속 수행할 수 없는 중대하고 명백한 사유가 있을 경우

【7】 영업실적 등의 제출 $\left(\frac{\text{법}}{\text{제10조}}\right)\left(\frac{\text{규칙}}{\text{제6조}}\right)$

(1) 등록사업자는 다음에 따라 매년 영업실적(개인인 사업자가 해당 사업에 1년 이상 사용한 사업용 자산을 현물출자 하여 법인을 설립한 경우에는 그 개인인 사업자의 영업실적을 포함한 실적을 말하며, 등록말소 후 다시 등록한 경우에는 다시 등록한 이후의 실적을 말한다)과 영업계획 및 기술인력 보유 현황을 국토교통부장관에게 제출하여야 한다.

  ① 등록사업자는 전년도의 영업실적과 해당 연도의 영업계획 및 기술인력 보유현황을 [별지 제6호 서식]에 따라 매년 1월 10일까지 협회에 제출(전자문서에 따른 제출을 포함한다)하여야 한다. 이 경우 보유 기술인력의 명세서를 첨부하여야 한다.

  ② 협회는 위 ①.에 따라 제출받은 영업실적 등을 [별지 제7호 서식]에 따라 종합한 후 매년 1월 31일까지 국토교통부장관에게 제출(전자문서에 따른 제출을 포함한다)하여야 한다.

  ③ 협회는 제출받은 영업실적의 내용 중 주택건설사업 실적에 대하여 등록사업자가 확인을 요청하는 경우에는 [별표 1]의 기준에 따라 확인한 후 [별지 제8호 서식]의 확인서를 발급(전자문서에 따른 발급을 포함한다)할 수 있다.

(2) 등록사업자는 월별 주택분양계획 및 분양실적을 매월 5일까지 협회에 제출(전자문서에 따른 제출을 포함한다)하여야 하며, 협회는 그 내용을 특별시·광역시·특별자치시·도 또는 특별자치도(이하 "시·도"라 한다) 별로 종합하여 매월 15일까지 시·도지사에게 통보(전자문서에 따른 통보를 포함한다)하고 국토교통부장관에게 보고(전자문서에 따른 보고를 포함한다)하여야 한다.

2 주택조합 $\left(\frac{\text{법}}{\text{제11조}}\right)$

1 주택조합의 구분

주택조합이라 함은 다수의 구성원이 주택을 마련하거나 리모델링하기 위하여 결성하는 다음의 조합을 말한다.

구 분	내 용
1. 지역주택조합	다음 구분에 따른 지역에 거주하는 주민이 주택을 마련하기 위하여 설립한 조합 ① 서울특별시·인천광역시 및 경기도 ② 대전광역시·충청남도 및 세종특별자치시 ③ 충청북도　④ 광주광역시 및 전라남도 ⑤ 전라북도　⑥ 대구광역시 및 경상북도 ⑦ 부산광역시·울산광역시 및 경상남도 ⑧ 강원도　⑨ 제주특별자치도
2. 직장주택조합	동일한 직장의 근로자의 주택을 마련하기 위하여 설립한 조합
3. 리모델링주택조합	공동주택의 소유자가 해당주택을 리모델링하기 위하여 설립한 조합

② 주택조합의 설립 등 (법 제11조)(영 제20조)(규칙 제7조)

(1) 많은 수의 구성원이 주택을 마련하거나 리모델링하기 위하여 주택조합을 설립하려는 경우(직장주택조합의 경우는 제외한다)에는 관할 시장·군수·구청장의 인가를 받아야 한다. 인가받은 내용을 변경하거나 주택조합을 해산하려는 경우에도 또한 같다.

① 주택조합의 설립·변경 또는 해산의 인가를 받으려는 자는 신청서에 다음의 구분에 따른 서류를 첨부하여 주택건설대지(리모델링주택조합의 경우에는 해당 주택의 소재지를 말한다)를 관할하는 특별자치시장, 특별자치도지사, 시장, 군수 또는 구청장(구청장은 자치구의 구청장을 말하며, 이하 "시장·군수·구청장"이라 한다)에게 제출하여야 한다.

■ 첨부서류

구 분		내 용
1.설립 인가	지역·직장 주택조합	① 창립총회의 회의록 ② 조합장선출동의서 ③ 조합원 전원이 자필로 연명(連名)한 조합규약 ④ 조합원명부 ⑤ 사업계획서(조합주택건설예정세대수, 조합주택건설예정지의 지번·지목·등기명의자, 도시·군관리계획상의 용도, 대지 및 주변현황을 기재) ⑥ 다음의 요건을 모두 갖추어야 한다. 다만, 인가받은 내용을 변경하거나 주택조합을 해산하려는 경우에 그러하지 아니하다. 　㉠ 해당 주택건설대지의 80% 이상에 해당하는 토지의 사용권원을 확보할 것 　㉡ 해당 주택건설대지의 15퍼센트 이상에 해당하는 토지의 소유권을 확보하였음을 증명하는 서류 ⑦ 그 밖에 다음에 해당하는 서류 　㉠ 고용자가 확인한 근무확인서(직장주택조합의 경우만 해당한다) 　㉡ 조합원 자격이 있는 자임을 확인하는 서류
	리모델링 주택조합	① 위 ①~⑤의 서류 ② 다음의 결의를 증명하는 서류 　㉠ 주택단지전체를 리모델링하는 경우 　- 주택단지전체 및 각동의 구분소유자와 의결권이 2/3 이상의 결의 　㉡ 동을 리모델링하는 경우 　- 해당 동의 구분소유자 및 의결권의 2/3 이상의 결의 ③ 「건축법」의 규정에 의하여 건축기준의 완화적용이 결정된 경우에는 그 증명 서류 ④ 해당 주택이 사용검사일(주택단지 안의 공동주택 전부에 대하여 같은 조에 따라 임시 사용승인을 받은 경우에는 그 임시 사용승인일을 말한다) 또는 「건축법」에 따른 사용승인일 부터 다음의 구분에 따른 기간이 지났음을 증명하는 서류 　㉠ 대수선인 리모델링: 10년 　㉡ 증축인 리모델링: 제1장의 ② - 【25】에 따른 기간
2. 변경인가		·변경의 내용을 증명하는 서류
3. 해산인가		·조합원의 동의를 얻은 정산서

건축관계법

국토계획법

주차장법

주 택 법

도시및주거
환경정비법

건축사법

장애인시설법

소방시설법

서울시조례

건축관계법

국토계획법

주차장법

주 택 법

도시및주거
환경정비법

건축사법

장애인시설법

소방시설법

서울시조례

5-26

② 위 표 1.-③의 조합규약에는 다음의 사항이 포함되어야 한다.

1. 조합의 명칭 및 사무소의 소재지

2. 조합원의 자격에 관한 사항

3. 주택건설대지의 위치 및 면적

4. 조합원의 제명·탈퇴 및 교체에 관한 사항

5. 조합임원의 수·업무범위(권리·의무를 포함)·보수·선임방법·변경 및 해임에 관한 사항

6. 조합원의 비용부담 시기·절차 및 조합의 회계

7. 조합원의 제명·탈퇴에 따른 환급금의 산정방식, 지급시기 및 절차에 관한 사항

8. 조합원의 제명·탈퇴에 따른 환급금의 산정방식, 지급시기 및 절차에 관한 사항

9. 사업의 시행시기 및 시행방법

10. 총회의 소집절차·소집시기 및 조합원의 총회소집요구에 관한 사항

11. 총회의 의결을 요하는 사항과 그 의결정족수 및 의결절차. 이 경우 반드시 총회의 의결을 거쳐야 하는 사항은 국토교통부령으로 정한다.

12. 사업이 종결된 때의 청산절차, 청산금의 징수·지급방법 및 지급절차

13. 조합비의 사용내역과 총회의결사항의 공개 및 조합원에 대한 통지방법

14. 조합규약의 변경절차

15. 그 밖에 주택조합의 사업추진 및 조합의 운영을 위하여 필요한 사항

③ 다음에 해당하는 사항은 반드시 총회의 의결을 거쳐야 한다.

1. 조합규약의 변경

2. 자금의 차입과 그 방법·이자율 및 상환방법

3. 예산으로 정한 사항 외에 조합원에게 부담이 될 계약의 체결

4. 업무대행자의 선정·변경 및 업무대행계약의 체결

5. 시공자의 선정·변경 및 공사계약의 체결

6. 조합임원의 선임 및 해임

7. 사업비의 조합원별 분담내역

8. 사업비의 세부항목별 사용계획이 포함된 예산안

9. 조합해산의 결의 및 해산시의 회계보고

④ 총회의 의결을 하는 경우에는 조합원의 10/100 이상이 직접 출석하여야 한다.
   단서 창립총회 또는 위 ③에 따른 사항을 의결하는 총회의 경우에는 조합원의 20/100 이상이 직접 출석하여야 한다.
⑤ 주택조합(리모델링주택조합은 제외한다)은 주택조합 설립인가를 받는 날부터 사용검사를 받는 날까지 계속하여 다음의 요건을 모두 충족해야 한다.
   ㉠ 주택건설 예정 세대수(설립인가 당시의 사업계획서상 주택건설 예정 세대수를 말하되, 임대주택으로 건설·공급하는 세대수는 제외한다)의 50% 이상의 조합원으로 구성할 것.

건축관계법

국토계획법

주차장법

주 택 법

도시및주거
환경정비법

건축사법

장애인시설법

소방시설법

서울시조례

단서 사업계획승인 등의 과정에서 세대수가 변경된 경우에는 변경된 세대수를 기준으로 한다.
　　ⓛ 조합원은 20명 이상일 것

⑥ 리모델링주택조합 설립에 동의한 자로부터 건축물을 취득한 자는 리모델링주택조합 설립에 동의한 것으로 본다.

⑦ 시장·군수·구청장은 해당 주택건설대지에 대한 다음의 사항을 종합적으로 검토하여 주택조합의 설립인가 여부를 결정하여야 한다. 이 경우 그 주택건설대지가 이미 인가를 받은 다른 주택조합의 주택건설대지와 중복되지 아니하도록 하여야 한다.

　　㉠ 법 또는 관계 법령에 따른 건축기준 및 건축제한 등을 고려하여 해당 주택건설대지에 주택건설이 가능한지 여부

　　㉡ 「국토의 계획 및 이용에 관한 법률」에 따라 수립되었거나 해당 주택건설사업기간에 수립될 예정인 도시·군계획에 부합하는지 여부

　　㉢ 이미 수립되어 있는 토지이용계획

　　㉣ 주택건설대지 중 토지 사용에 관한 권원을 확보하지 못한 토지가 있는 경우 해당 토지의 위치가 사업계획서상의 사업시행에 지장을 줄 우려가 있는지 여부

⑧ 시장·군수·구청장은 주택조합의 설립인가를 한 경우 다음의 사항을 해당 지방자치단체의 인터넷 홈페이지에 공고해야 한다. 이 경우 공고한 내용이 변경인가에 따라 변경된 경우에도 또한 같다.

　　㉠. 조합의 명칭 및 사무소의 소재지

　　㉡　조합설립 인가일

　　㉢ 주택건설대지의 위치

　　㉣ 조합원 수

　　㉤ 토지의 사용권원 또는 소유권을 확보한 면적과 비율

⑨ 주택조합의 설립·변경 또는 해산 인가에 필요한 세부적인 사항은 국토교통부령으로 정한다.

(2) 위 (1)에 따라 주택을 마련하기 위하여 주택조합설립인가를 받으려는 자는 다음의 요건을 모두 갖추어야 한다.

　　예외 인가받은 내용을 변경하거나 주택조합을 해산하려는 경우에는 그러하지 아니하다.

　　① 해당 주택건설대지의 80% 이상에 해당하는 토지의 사용권원을 확보할 것

　　② 해당 주택건설대지의 15% 이상에 해당하는 토지의 소유권을 확보할 것

(3) 위 (1)에 따라 주택을 리모델링하기 위하여 주택조합을 설립하려는 경우에는 다음의 구분에 따른 구분소유자(「집합건물의 소유 및 관리에 관한 법률」에 따른 구분소유자를 말한다)와 의결권(「집합건물의 소유 및 관리에 관한 법률」에 따른 의결권을 말한다)의 결의를 증명하는 서류를 첨부하여 관할 시장·군수·구청장의 인가를 받아야 한다.

　　① 주택단지 전체를 리모델링하고자 하는 경우에는 주택단지 전체의 구분소유자와 의결권의 각 2/3 이상의 결의 및 각 동의 구분소유자와 의결권의 각 과반수의 결의

　　② 동을 리모델링하고자 하는 경우에는 그 동의 구분소유자 및 의결권의 각 2/3 이상의 결의

(4) 주택조합과 등록사업자가 공동으로 사업을 시행하면서 시공할 경우 등록사업자는 시공자로서의 책임뿐만 아니라 자신의 귀책사유로 사업 추진이 불가능하게 되거나 지연됨으로 인하여 조합원에게 입힌 손해를 배상할 책임이 있다.

(5) 국민주택을 공급받기 위하여 직장주택조합을 설립하려는 자는 관할 시장·군수·구청장에게 신고하여야 한다. 신고한 내용을 변경하거나 직장주택조합을 해산하려는 경우에도 또한 같다.

2장 제5편 주택법

건축관계법

국토계획법

주차장법

주 택 법

도시및주거
환경정비법

건축사법

장애인시설법

소방시설법

서울시조례

(6) 주택조합(리모델링주택조합은 제외한다)은 그 구성원을 위하여 건설하는 주택을 그 조합원에게 우선 공급할 수 있으며, 위 (5)에 따른 직장주택조합에 대하여는 사업주체가 국민주택을 그 직장 주택조합원에게 우선 공급할 수 있다.

(7) 조합원은 조합규약으로 정하는 바에 따라 조합에 탈퇴 의사를 알리고 탈퇴할 수 있다.

(8) 탈퇴한 조합원(제명된 조합원을 포함한다)은 조합규약으로 정하는 바에 따라 부담한 비용의 환급을 청구할 수 있다.

③ 주택조합업무의 대행 등 $\binom{법}{제11조의2}\binom{영}{제24조의2}\binom{규칙}{제7조의2}$

(1) 주택조합(리모델링주택조합은 제외한다) 및 주택조합의 발기인은 조합원 모집 등 아래 (2)에 따른 주택조합의 업무를 공동사업주체인 등록사업자 또는 다음의 어느 하나에 해당하는 자로서 법인인 경우 5억원 이상의 자본금을 보유한 자, 개인인 경우 10억원 이상의 자산평가액을 보유한 사람 외의 자에게 대행하게 할 수 없다.

① 등록사업자

② 「공인중개사법」에 따른 중개업자

③ 「도시 및 주거환경정비법」에 따른 정비사업전문관리업자

④ 「부동산개발업의 관리 및 육성에 관한 법률」에 따른 등록사업자

⑤ 「자본시장과 금융투자업에 관한 법률」에 따른 신탁업자

⑥ 그 밖에 다른 법률에 따라 등록한 자로서 대통령령으로 정하는 자

(2) 위 (1)에 따라 업무대행자에게 대행시킬 수 있는 업무 범위는 다음과 같다.

① 조합원 모집, 토지 확보, 조합설립인가 신청 등 조합설립을 위한 업무의 대행

② 사업성 검토 및 사업계획서 작성업무의 대행

③ 설계자 및 시공자 선정에 관한 업무의 지원

④ 사업계획승인 신청 등 사업계획승인을 위한 업무의 대행

⑤ 계약금 등 자금의 보관 및 그와 관련된 업무의 대행

⑥ 그 밖에 총회의 운영업무 지원 및 다음에 해당하는 업무

1. 총회 일시·장소 및 안건의 통지 등 총회 운영업무 지원
2. 조합 임원 선거 관리업무 지원

⑦ 업무대행자는 업무의 실적보고서를 해당 분기의 말일부터 20일 이내에 주택조합 또는 주택조합의 발기인에게 제출해야 한다.

(3) 주택조합 및 주택조합의 발기인은 업무 중 계약금 등 자금의 보관 업무는 신탁업자에게 대행하도록 하여야 한다.

(4) 위 (1)에 따른 업무대행자는 국토교통부령으로 정하는 바에 따라 사업연도별로 분기마다 해당 업무의 실적보고서를 작성하여 주택조합 또는 주택조합의 발기인에게 제출하여야 한다.

(5) 위 (1)~(4)까지의 규정에 따라 주택조합의 업무를 대행하는 자는 신의에 따라 성실하게 업무를 수행하여야 하고, 자신의 귀책사유로 주택조합(발기인을 포함한다) 또는 조합원(주택조합 가입신청자를 포함한다)에게 손해를 입힌 경우에는 그 손해를 배상할 책임이 있다.

(6) 국토교통부장관은 주택조합의 원활한 사업추진 및 조합원의 권리 보호를 위하여 공정거래위원회 위원장과 협의를 거쳐 표준업무대행계약서를 작성·보급할 수 있다.

④ 조합원 모집 신고 및 공개모집 (법 제11조의3)

(1) 지역주택조합 또는 직장주택조합의 설립인가를 받기 위하여 조합원을 모집하려는 자는 해당 주택건설대지의 50% 이상에 해당하는 토지의 사용권원을 확보하여 관할 시장·군수·구청장에게 신고하고, 공개모집의 방법으로 조합원을 모집하여야 한다. 조합 설립인가를 받기 전에 신고한 내용을 변경하는 경우에도 또한 같다.

- ■ 조합원 모집 신고 (규칙 제7조의3)

① 조합원 모집 신고를 하려는 자는 신고서에 다음의 서류를 첨부하여 관할 시장·군수·구청장에게 제출해야 한다.

---

1. 조합 발기인 명단 등 조합원 모집 주체에 관한 자료

2. 주택조합 발기인이 자격이 있음을 증명하는 자료

3. 주택건설예정지의 지번·지목·등기명의자 및 도시·군관리계획상의 용도

4. 해당 주택건설대지의 50% 이상에 해당하는 토지의 사용권원을 확보하였음을 증명하는 서류

5. 다음의 사항이 모두 포함된 조합원 모집공고안
   ① 주택 건설·공급 계획 등이 포함된 사업의 개요
   ② 토지의 사용권원 또는 소유권의 확보 현황(확보면적 및 확보비율 등을 말한다) 및 계획
   ③ 조합 자금관리의 주체 및 계획

6. 조합가입 신청서 및 계약서의 서식

7. 업무대행자를 선정한 경우에는 다음 각 목의 서류
   ① 자본금 또는 자산평가액을 보유하고 있음을 증명하는 서류(자산평가액의 경우에는 자산평가서를 포함한다)
   ② 업무대행계약서

---

② 시장·군수·구청장은 위 ①에 따른 신고를 수리하려는 경우 국토교통부장관에게 「정보통신망 이용촉진 및 정보보호 등에 관한 법률」에 따라 구성된 주택전산망을 이용한 전산검색을 의뢰하여 발기인 자격에 해당하는지를 확인해야 한다.

③ 시장·군수·구청장은 위 ①에 따른 신고서가 접수된 날부터 15일 이내에 신고의 수리 여부를 결정·통지하여야 한다.

④ 위 ①에 따른 신고를 수리하는 경우에는 신고대장에 관련 내용을 적고, 신고인에게 신고필증을 발급하여야 한다.

- ■ 조합원 공개모집 (규칙 제7조의4)

① 조합원을 모집하려는 자는 조합원 모집 신고가 수리된 이후 다음의 구분에 따른 방법으로 모집공고를 하여야 한다.
   ㉠ 지역주택조합: 조합원 모집 대상 지역의 주민이 널리 볼 수 있는 일간신문 및 관할 시·군·자치구의 인터넷 홈페이지에 게시
   ㉡ 직장주택조합: 조합원 모집 대상 직장의 인터넷 홈페이지에 게시

② 조합원 모집공고에는 다음의 사항이 포함되어야 한다.

건축관계법

국토계획법

주차장법

주 택 법

도시및주거
환경정비법

건축사법

장애인시설법

소방시설법

서울시조례

건축관계법

국토계획법

주차장법

도시및주거
환경정비법

건축사법

장애인시설법

소방시설법

서울시조례

5-30

1. 조합 발기인 등 조합원 모집 주체의 성명 및 주소(법인의 경우에는 법인명, 대표자의 성명, 법인의 주소 및 법인등록번호를 말한다)

2. 업무대행자를 선정한 경우에는 업무대행자의 성명 및 주소(법인의 경우에는 법인명, 대표자의 성명, 법인의 주소 및 법인등록번호를 말한다)

3. 주택건설예정지의 지번·지목 및 면적

4. 토지의 사용권원 또는 소유권의 확보 현황(확보면적, 확보비율 등을 말한다) 및 계획

5. 주택건설 예정세대수 및 주택건설 예정기간

6. 조합원 모집세대수 및 모집기간

7. 조합원을 분할하여 모집하는 경우에는 분할 모집시기별 모집세대수 등 조합원 모집에 관한 정보

8. 호당 또는 세대당 주택공급면적 및 대지면적

9. 조합가입 신청자격, 신청시의 구비서류, 신청일시 및 장소

10. 계약금·분담금의 납부시기 및 납부방법 등 조합원의 비용부담에 관한 사항

11. 조합 자금관리의 주체 및 계획

12. 조합원 당첨자 발표의 일시·장소 및 방법

13. 부적격자의 처리 및 계약 취소에 관한 사항

14. 조합가입 계약일·계약장소 등의 계약사항

15. 동·호수의 배정 시기 및 방법 등에 관한 사항

16. 조합설립인가 신청일(또는 신청예정일), 사업계획승인 신청예정일, 착공예정일 및 입주예정일

17. 조합원의 권리·의무에 관한 사항

18. 그 밖에 추가분담금 등 조합가입 시 유의할 사항으로서 시장·군수·구청장이 필요하다고 인정하는 사항

③ 조합원을 모집하려는 자는 위 ②의 사항 외에 조합가입 신청자가 알아야 할 사항 그 밖의 필요한 사항을 조합가입 신청장소에 게시한 후 별도의 안내서를 작성하여 조합가입 신청자에게 교부하여야 한다.

(2) 위 (1)에도 불구하고 공개모집 이후 조합원의 사망·자격상실·탈퇴 등으로 인한 결원을 충원하거나 미달된 조합원을 재모집하는 경우에는 신고하지 아니하고 선착순의 방법으로 조합원을 모집할 수 있다.

(3) 위 (1)에 따른 모집 시기, 모집 방법 및 모집 절차 등 조합원 모집의 신고, 공개모집 및 조합 가입 신청자에 대한 정보 공개 등에 필요한 사항은 국토교통부령으로 정한다.

(4) 위 (1)에 따라 신고를 받은 시장·군수·구청장은 신고내용이 이 법에 적합한 경우에는 신고를 수리하고 그 사실을 신고인에게 통보해야 한다.

(5) 시장·군수·구청장은 다음의 어느 하나에 해당하는 경우에는 조합원 모집 신고를 수리할 수 없다.

① 이미 신고된 사업대지와 전부 또는 일부가 중복되는 경우

② 이미 수립되었거나 수립 예정인 도시·군계획, 이미 수립된 토지이용계획 또는 이 법이나 관계 법령에 따른 건축기준 및 건축제한 등에 따라 해당 주택건설대지에 조합주택을 건설할 수 없는 경우

③ 조합업무를 대행할 수 있는 자가 아닌 자와 업무대행계약을 체결한 경우 등 신고내용이 법령에 위반되는 경우

④ 신고한 내용이 사실과 다른 경우

(6) 위 (1)에 따라 조합원을 모집하려는 주택조합의 발기인은 다음에 해당하는 자격기준을 갖추어야 한다.

① 지역주택조합 발기인인 경우: 다음의 요건을 모두 갖출 것

㉠ 조합원 모집 신고를 하는 날부터 해당 조합설립인가일까지 주택을 소유(주택의 유형, 입주자 선정방법 등을 고려하여 「주택공급에 관한 규칙」에 따른 당첨자(당첨자의 지위를 승계한 자를 포함함)의 지위에 있는 경우를 포함한다)하는지에 대하여 아래 ⑤-(1)-①의 ㉠ 또는 ㉡에 해당할 것

㉡ 조합원 모집 신고를 하는 날의 1년 전부터 해당 조합설립인가일까지 계속하여 해당 지역의 구분에 따른 지역에 거주할 것

② 직장주택조합 발기인인 경우: 다음 각 각의 요건을 모두 갖출 것

㉠ 위 ①의 ㉠에 해당할 것

㉡ 조합원 모집 신고를 하는 날 현재 아래 ⑤-(1)-①의 ㉠ 또는 ㉡에 해당할 것

(7) 위 (6)에 따른 주택조합의 발기인은 조합원 모집 신고를 하는 날 주택조합에 가입한 것으로 본다. 이 경우 주택조합의 발기인은 그 주택조합의 가입 신청자와 동일한 권리와 의무가 있다.

(8) 위 (1)에 따라 조합원을 모집하는 자(조합원 모집 업무를 대행하는 자를 포함한다. 이하 "모집주체"라 한다)와 주택조합 가입 신청자는 다음의 사항이 포함된 주택조합 가입에 관한 계약서를 작성하여야 한다.

① 주택조합의 사업개요

② 조합원의 자격기준

③ 분담금 등 각종 비용의 납부예정금액, 납부시기 및 납부방법

④ 주택건설대지의 사용권원 및 소유권을 확보한 면적 및 비율

⑤ 조합원 탈퇴 및 환급의 방법, 시기 및 절차

⑥ 그 밖에 주택조합의 설립 및 운영에 관한 중요 사항으로서 다음에 해당하는 사항

㉠ 주택조합 발기인과 임원의 성명, 주소, 연락처 및 보수에 관한 사항

㉡ 업무대행자가 선정된 경우 업무대행자의 성명, 주소, 연락처(법인의 경우에는 법인명, 대표자의 성명, 법인의 주소 및 법인등록번호를 말한다) 및 대행 수수료에 관한 사항

㉢ 사업비 명세 및 자금조달계획에 관한 사항

㉣ 사업비가 증액될 경우 조합원이 추가 분담금을 납부할 수 있다는 사항

㉤ 청약 철회 및 가입비등(의 예치·반환 등에 관한 사항

⑤ 조합원의 자격 (영 제21조) (규칙 제8조)

(1) 주택조합의 조합원이 될 수 있는 사람은 다음의 구분에 따른 사람으로 한다.

[예외] 조합원의 사망으로 그 지위를 상속받는 자는 다음의 요건에도 불구하고 조합원이 될 수 있다.

① 지역주택조합 조합원: 다음의 요건을 모두 갖춘 사람

㉠ 조합설립인가 신청일(해당 주택건설대지가 투기과열지구 안에 있는 경우에는 조합설립인가 신청일 1년 전의 날을 말한다)부터 해당 조합주택의 입주 가능일까지 주택을 소유[주택

건축관계법

국토계획법

주차장법

주 택 법

도시및주거
환경정비법

건축사법

장애인시설법

소방시설법

서울시조례

5-31

의 유형, 입주자 선정방법 등을 고려하여 「주택공급에 관한 규칙」에 따른 당첨자(당첨자의 지위를 승계한 자를 포함)를 포함한다] 하지 아니한 세대의 세대주로서 다음의 어느 하나에 해당할 것

1. 「주택공급에 관한 규칙」으로 정하는 기준에 따라 세대주를 포함한 세대원[세대주와 동일한 세대별 주민등록표에 등재되어 있지 아니한 세대주의 배우자 및 그 배우자와 동일한 세대를 이루고 있는 사람을 포함한다. 이하 2.에서 같다] 전원이 주택을 소유하고 있지 아니한 세대의 세대주일 것

2. 「주택공급에 관한 규칙」으로 정하는 기준에 따라 세대주를 포함한 세대원 중 1명에 한정하여 주거전용면적 85㎡ 이하의 주택 1채를 소유한 세대의 세대주일 것

※ 상속·유증 또는 주택소유자와의 혼인으로 주택을 취득하였을 때에는 사업주체로부터 「주택공급에 관한 규칙」에 따라 부적격자로 통보받은 날부터 3개월 이내에 해당 주택을 처분하면 주택을 소유하지 아니한 것으로 본다.

ⓒ 조합설립인가 신청일 현재 지역주택조합의 구분에 따른 지역에 6개월 이상 계속하여 거주하여 온 사람일 것

ⓒ 본인 또는 본인과 같은 세대별 주민등록표에 등재되어 있지 않은 배우자가 같은 또는 다른 지역주택조합의 조합원이거나 직장주택조합의 조합원이 아닐 것

② 직장주택조합 조합원: 다음의 요건을 모두 갖춘 사람

1. 위 ①-ⓒ에 해당하는 사람일 것. 【단서】 국민주택을 공급받기 위한 직장주택조합의 경우에는 ①-ⓒ-1.에 해당하는 세대주로 한정한다.

2. 조합설립인가 신청일 현재 동일한 특별시·광역시·특별자치시·특별자치도·시 또는 군(광역시의 관할구역에 있는 군은 제외한다) 안에 소재하는 동일한 국가기관·지방자치단체·법인에 근무하는 사람일 것

3. 본인 또는 본인과 같은 세대별 주민등록표에 등재되어 있지 않은 배우자가 같은 또는 다른 직장주택조합의 조합원이거나 지역주택조합의 조합원이 아닐 것

③ 리모델링주택조합 조합원: 다음의 어느 하나에 해당하는 사람. 이 경우 해당 공동주택, 복리시설 또는 아래 3.에 따른 공동주택 외의 시설의 소유권이 여러 명의 공유(共有)에 속할 때에는 그 여러 명을 대표하는 1명을 조합원으로 본다.

1. 사업계획승인을 받아 건설한 공동주택의 소유자

2. 복리시설을 함께 리모델링하는 경우에는 해당 복리시설의 소유자

3. 「건축법」에 따른 건축허가를 받아 분양을 목적으로 건설한 공동주택의 소유자(해당 건축물에 공동주택 외의 시설이 있는 경우에는 해당 시설의 소유자를 포함한다)

(2) 주택조합의 조합원이 근무·질병치료·유학·결혼 등 부득이한 사유로 세대주 자격을 일시적으로 상실한 경우로서 시장·군수·구청장이 인정하는 경우에는 위 (1)에 따른 조합원 자격이 있는 것으로 본다.

(3) 시장·군수·구청장은 지역주택조합 또는 직장주택조합에 대하여 다음의 행위를 하려는 경우에는 국토교통부장관에게 「정보통신망 이용촉진 및 정보보호 등에 관한 법률」에 따라 구성된 주택전산망을 이용한 전산검색을 의뢰하여 조합원 자격에 해당하는지를 확인하여야 한다.

① 주택조합 설립인가를 하려는 경우

건축관계법

국토계획법

주차장법

주 택 법

도시및주거
환경정비법

건축사법

장애인시설법

소방시설법

서울시조례

② 해당 주택조합에 대하여 사업계획승인을 하려는 경우

③ 해당 조합주택에 대하여 사용검사 또는 임시 사용승인을 하려는 경우

관계법 「주택공급에 관한 규칙」 제53조【주택소유 여부 판정기준】

주택소유 여부를 판단할 때 분양권등을 갖고 있거나 주택 또는 분양권등의 공유지분을 소유하고 있는 경우에는 주택을 소유하고 있는 것으로 보되, 다음 각 호의 어느 하나에 해당하는 경우에는 주택을 소유하지 아니한 것으로 본다. 다만, 무주택세대구성원에 해당하는지 여부를 판단할 때 제46조 또는 「공공주택 특별법 시행규칙」 별표 6 제2호라목에 따른 특별공급(분양전환공공임대주택은 제외한다)의 경우에는 제6호를 적용하지 않으며, 공공임대주택의 공급의 경우에는 제6호, 제9호 및 제11호를 적용하지 않는다. <개정 2016.5.19., 2016.8.12., 2017.11.24., 2018.12.11., 2023.5.10., 2023.11.10.>

　1. 상속으로 주택의 공유지분을 취득한 사실이 판명되어 사업주체로부터 제52조제3항에 따라 부적격자로 통보받은 날부터 3개월 이내에 그 지분을 처분한 경우

　2. 도시지역이 아닌 지역 또는 면의 행정구역(수도권은 제외한다)에 건축되어 있는 주택으로서 다음 각 목의 어느 하나에 해당하는 주택의 소유자가 해당 주택건설지역에 거주(상속으로 주택을 취득한 경우에는 피상속인이 거주한 것을 상속인이 거주한 것으로 본다)하다가 다른 주택건설지역으로 이주한 경우

　　가. 사용승인 후 20년 이상 경과된 단독주택

　　나. 85제곱미터 이하의 단독주택

　　다. 소유자의 「가족관계의 등록 등에 관한 법률」에 따른 최초 등록기준지에 건축되어 있는 주택으로서 직계존속 또는 배우자로부터 상속 등에 의하여 이전받은 단독주택

　3. 개인주택사업자가 분양을 목적으로 주택을 건설하여 이를 분양 완료하였거나 사업주체로부터 제52조제3항에 따른 부적격자로 통보받은 날부터 3개월 이내에 이를 처분한 경우

　4. 세무서에 사업자로 등록한 개인사업자가 그 소속 근로자의 숙소로 사용하기 위하여 법 제5조제3항에 따라 주택을 건설하여 소유하고 있거나 사업주체가 정부시책의 일환으로 근로자에게 공급할 목적으로 사업계획 승인을 받아 건설한 주택을 공급받아 소유하고 있는 경우

　5. 20제곱미터 이하의 주택 또는 분양권등을 소유하고 있는 경우. 다만, 2호 또는 2세대 이상의 주택 또는 분양권등을 소유하고 있는 사람은 제외한다.

　6. 60세 이상의 직계존속(배우자의 직계존속을 포함한다)이 주택 또는 분양권등을 소유하고 있는 경우

　7. 건물등기부 또는 건축물대장등의 공부상 주택으로 등재되어 있으나 주택이 낡아 사람이 살지 아니하는 폐가이거나 주택이 멸실되었거나 주택이 아닌 다른 용도로 사용되고 있는 경우로서 사업주체로부터 제52조제3항에 따른 부적격자로 통보받은 날부터 3개월 이내에 이를 멸실시키거나 실제 사용하고 있는 용도로 공부를 정리한 경우

　8. 무허가건물[종전의 「건축법」(법률 제7696호 건축법 일부개정법률로 개정되기 전의 것을 말한다) 제8조 및 제9조에 따라 건축허가 또는 건축신고 없이 건축한 건물을 말한다]을 소유하고 있는 경우. 이 경우 소유자는 해당 건물이 건축 당시의 법령에 따른 적법한 건물임을 증명하여야 한다.

　9. 주택공급신청자가 속한 세대가 소형·저가주택등을 1호 또는 1세대만 소유하고 있는 경우

　10. 제27조제5항 및 제28조제10항제1호에 따라 입주자를 선정하고 남은 주택을 선착순의 방법으로 공급받아 분양권등을 소유하고 있는 경우(해당 분양권등을 매수한 사람은 제외한다)

　11. 임차인으로서 보증금의 전부 또는 일부를 돌려받지 못한 사람이 임차주택을 경매 또는 공매로 매수하여 소유하고 있는 경우. 다만, 그 주택이 다음 각 목의 어느 하나에 해당하는 경우는 제외한다.

　　가. 주택가격이 1억5천만원(수도권은 3억원)을 초과하는 경우. 이 경우 주택가격의 산정은 별표 1 제1호가목2)를 준용한다.

　　나. 주거전용면적이 85제곱미터를 초과하는 경우

건축관계법

국토계획법

주차장법

주 택 법

도시및주거
환경정비법

건축사법

장애인시설법

소방시설법

서울시조례

건축관계법

국토계획법

주차장법

주 택 법

도시및주거
환경정비법

건축사법

장애인시설법

소방시설법

서울시조례

6 **설명의무** $\left(\begin{smallmatrix} 법 \\ 제11조의4 \end{smallmatrix}\right)$

(1) 모집주체는 위 4-(8)의 각 각의 사항을 주택조합 가입 신청자가 이해할 수 있도록 설명하여야 한다.

(2) 모집주체는 위 (1)에 따라 설명한 내용을 주택조합 가입 신청자가 이해하였음을 국토교통부령으로 정하는 바에 따라 서면으로 확인을 받아 주택조합 가입 신청자에게 교부하여야 하며, 그 사본을 5년간 보관하여야 한다.

7 **조합원 모집 광고 등에 관한 준수사항** $\left(\begin{smallmatrix} 법 \\ 제11조의5 \end{smallmatrix}\right)\left(\begin{smallmatrix} 영 \\ 제24조의4 \end{smallmatrix}\right)$

(1) 모집주체가 주택조합의 조합원을 모집하기 위하여 광고를 하는 경우에는 다음의 내용이 포함되어야 한다.

① "지역주택조합 또는 직장주택조합의 조합원 모집을 위한 광고"라는 문구

② 조합원의 자격기준에 관한 내용

③ 주택건설대지의 사용권원 및 소유권을 확보한 비율

④ 그 밖에 조합원 보호를 위하여 다음에 해당하는 사항

  ㉠ 조합의 명칭 및 사무소의 소재지

  ㉡ 조합원 모집 신고 수리일

(2) 모집주체가 조합원 가입을 권유하거나 모집 광고를 하는 경우에는 다음의 행위를 하여서는 안 된다.

① 조합주택의 공급방식, 조합원의 자격기준 등을 충분히 설명하지 않거나 누락하여 제한 없이 조합에 가입하거나 주택을 공급받을 수 있는 것으로 오해하게 하는 행위

② 공동사업주체 간의 구체적인 업무·비용 및 책임의 분담 등에 관한 협약이나 사업계획승인을 통하여 확정될 수 있는 사항을 사전에 확정된 것처럼 오해하게 하는 행위

③ 사업추진 과정에서 조합원이 부담해야 할 비용이 추가로 발생할 수 있음에도 주택 공급가격이 확정된 것으로 오해하게 하는 행위

④ 주택건설대지의 사용권원 및 소유권을 확보한 비율을 사실과 다르거나 불명확하게 제공하는 행위

⑤ 조합사업의 내용을 사실과 다르게 설명하거나 그 내용의 중요한 사실을 은폐 또는 축소하는 행위

⑥ 그 밖에 조합원 보호를 위하여 시공자가 선정되지 않았음에도 선정된 것으로 오해하게 하는 행위

(3) 모집주체가 조합원 모집 광고를 하는 방법 및 절차, 그 밖에 필요한 사항은 다음과 같다.

① 모집주체는 조합원 모집 광고를 할 때 다음의 요건을 모두 갖춘 크기로 위 (1)의 각 각의 내용을 표기하여 일반인이 쉽게 인식할 수 있도록 해야 한다.

  ㉠ 9포인트 이상일 것

  ㉡ 제목이 아닌 다른 내용보다 20% 이상 클 것

② 모집주체는 해당 주택조합의 인터넷 홈페이지가 있는 경우 조합원 모집 광고를 시작한 날부터 7일 이내에 광고한 매체 및 기간을 표시하여 그 인터넷 홈페이지에 해당 광고를 게재해야 한다.

8 **지역·직장주택조합 조합원의 교체·신규가입 등** $\left(\begin{smallmatrix} 영 \\ 제22조 \end{smallmatrix}\right)$

(1) 지역주택조합 또는 직장주택조합은 설립인가를 받은 후에는 해당 조합원을 교체하거나 신규로 가입하게 할 수 없다.

예외 다음의 어느 하나에 해당하는 경우에는 예외로 한다.

① 조합원 수가 주택건설 예정 세대수를 초과하지 아니하는 범위에서 시장·군수·구청장으로부터 국토교통부령으로 정하는 바에 따라 조합원 추가모집의 승인을 받은 경우

② 다음의 어느 하나에 해당하는 사유로 결원이 발생한 범위에서 충원하는 경우

---

1. 조합원의 사망

---

2. 사업계획승인 이후[지역주택조합 또는 직장주택조합이 해당 주택건설대지 전부의 소유권을 확보하지 아니하고 사업계획승인을 받은 경우에는 해당 주택건설대지 전부의 소유권(해당 주택건설대지가 저당권등의 목적으로 되어 있는 경우에는 그 저당권등의 말소를 포함한다)을 확보한 이후를 말한다]에 입주자로 선정된 지위(해당 주택에 입주할 수 있는 권리·자격 또는 지위 등을 말한다)가 양도·증여 또는 판결 등으로 변경된 경우 예외 전매가 금지되는 경우는 제외한다.

---

3. 조합원의 탈퇴 등으로 조합원 수가 주택건설 예정 세대수의 50% 미만이 되는 경우

---

4. 조합원이 무자격자로 판명되어 자격을 상실하는 경우

---

5. 사업계획승인 등의 과정에서 주택건설 예정 세대수가 변경되어 조합원 수가 변경된 세대수의 50% 미만이 되는 경우

---

(2) 위 (1)에 따라 조합원으로 추가 모집되거나 충원되는 자가 조합원 자격 요건을 갖추었는지를 판단할 때에는 해당 조합설립인가 신청일을 기준으로 한다.

(3) 위 (1)에 따른 조합원 추가모집의 승인과 조합원 추가모집에 따른 주택조합의 변경인가 신청은 사업계획승인 신청일까지 하여야 한다.

⑨ 주택조합의 사업계획승인 신청 등 (영 제23조)

(1) 주택조합은 설립인가를 받은 날부터 2년 이내에 사업계획승인(사업계획승인 대상이 아닌 리모델링인 경우에는 허가를 말한다)을 신청하여야 한다.

(2) 주택조합은 등록사업자가 소유하는 공공택지를 주택건설대지로 사용해서는 아니 된다.

예외 경매 또는 공매를 통하여 취득한 공공택지는 예외로 한다.

⑩ 직장주택조합의 설립신고 (영 제24조)

(1) 국민주택을 공급받기 위한 직장주택조합을 설립하려는 자는 신고서에 다음의 서류를 첨부하여 관할 시장·군수·구청장에게 제출하여야 한다. 이 경우 시장·군수·구청장은 「전자정부법」에 따른 행정정보의 공동이용을 통하여 주민등록표 등본을 확인하여야 하며, 신고인이 확인에 동의하지 않으면 직접 제출하도록 하여야 한다.

---

1. 조합원 명부

---

2. 조합원이 될 사람이 해당 직장에 근무하는 사람임을 증명할 수 있는 서류(그 직장의 장이 확인한 서류여야 한다)

---

3. 무주택자임을 증명하는 서류

---

(2) 위 (1)에서 정한 사항 외에 국민주택을 공급받기 위한 직장주택조합의 신고절차 및 주택의 공급방법 등은 국토교통부령으로 정한다.

건축관계법

국토계획법

주차장법

주 택 법

도시및주거
환경정비법

건축사법

장애인시설법

소방시설법

서울시조례

11 조합 가입 철회 및 가입비 등의 반환 ($\frac{법}{제11조의6}$)($\frac{영}{제24조의5, 6, 7}$)

(1) 모집주체는 주택조합의 가입을 신청한 자가 주택조합 가입을 신청하는 때에 납부하여야 하는 일체의 금전(이하 "가입비등"이라 한다)을 다음에 해당하는 예치기관에 예치하도록 하여야 한다.

① 가입비등의 예치기관

1. 「은행법에 따른 은행
2. 「우체국예금·보험에 관한 법률」에 따른 체신관서
3. 「보험업법」에 따른 보험회사
4. 「자본시장과 금융투자업에 관한 법률」에 따른 신탁업자

② 모집주체는 위 ①의 예치기관과 가입비등의 예치에 관한 계약을 체결해야 한다.

③ 주택조합의 가입을 신청한 자는 주택조합 가입 계약을 체결하면 예치기관에 국토교통부령으로 정하는 가입비등 예치신청서를 제출해야 한다.

④ 예치기관은 신청서를 제출받은 경우 가입비등을 예치기관의 명의로 예치해야 하고, 이를 다른 금융자산과 분리하여 관리해야 한다.

⑤ 예치기관의 장은 가입비등을 예치한 경우에는 모집주체와 주택조합 가입 신청자에게 국토교통부령으로 정하는 증서를 내주어야 한다.

(2) 주택조합의 가입을 신청한 자는 가입비등을 예치한 날부터 30일 이내에 주택조합 가입에 관한 청약을 철회할 수 있다.

(3) 청약 철회를 서면으로 하는 경우에는 청약 철회의 의사를 표시한 서면을 발송한 날에 그 효력이 발생한다.

(4) 모집주체는 주택조합의 가입을 신청한 자가 청약 철회를 한 경우 청약 철회 의사가 도달한 날부터 7일 이내에 예치기관의 장에게 가입비등의 반환을 요청하여야 한다.

(5) 예치기관의 장은 위 (4)에 따른 가입비등의 반환 요청을 받은 경우 요청일부터 10일 이내에 그 가입비등을 예치한 자에게 반환하여야 한다.

(6) 모집주체는 주택조합의 가입을 신청한 자에게 청약 철회를 이유로 위약금 또는 손해배상을 청구할 수 없다.

(7) 위 (2)에 따른 기간 이내에는 위 ② - (7) 및 (8)의 규정을 적용하지 않는다.

(8) 위 (1)에 따라 예치된 가입비등의 관리, 지급 및 반환과 위 (2)에 따른 청약 철회의 절차 및 방법 등에 관한 사항은 다음과 같다.

① 주택조합 가입에 관한 청약의 철회

㉠ 주택조합 가입 신청자는 주택조합 가입에 관한 청약을 철회하는 경우 국토교통부령으로 정하는 청약 철회 요청서를 모집주체에게 제출해야 한다.

㉡ 모집주체는 위 ㉠에 따른 요청서를 제출받은 경우 이를 즉시 접수하고 접수일자가 적힌 접수증을 해당 주택조합 가입 신청자에게 발급해야 한다.

② 가입비등의 지급 및 반환

㉠ 모집주체는 가입비등의 반환을 요청하는 경우 국토교통부령으로 정하는 요청서를 예치기관의 장에게 제출해야 한다.

㉡ 모집주체는 가입비등을 예치한 날부터 30일이 지난 경우 예치기관의 장에게 가입비등의 지급을 요청할 수 있다. 이 경우 모집주체는 국토교통부령으로 정하는 요청서를 예치기관의 장에게 제출해야 한다.

건축관계법

국토계획법

주차장법

주 택 법

도시및주거
환경정비법

건축사법

장애인시설법

소방시설법

서울시조례

ⓒ 예치기관의 장은 위 ⓛ에 따라 요청서를 받은 경우 요청일부터 10일 이내에 가입비등을 계약금 등 자금의 보관 업무를 대행하는 신탁업자에게 지급해야 한다.

ⓔ 계약금 등 자금의 보관 업무를 대행하는 신탁업자는 위 ⓒ에 따라 지급받은 가입비등을 신탁업자의 명의로 예치해야 하고, 이를 다른 금융자산과 분리하여 관리해야 한다.

ⓜ 예치기관의 장은 정보통신망을 이용하여 가입비등의 예치·지급 및 반환 등에 필요한 업무를 수행할 수 있다. 이 경우 예치기관의 장은 「전자서명법」에 따른 전자서명 및 인증서(서명자의 실제 이름을 확인할 수 있는 것을 말한다)로 신청인의 본인 여부를 확인해야 한다.

⑫ 실적보고 및 관련 자료의 공개 ($\binom{법}{제12조}\binom{영}{제25조}\binom{규칙}{제11조}$)

(1) 주택조합의 발기인 또는 임원은 다음의 사항이 포함된 해당 주택조합의 실적보고서를 사업연도 별로 해당 분기의 말일부터 30일 이내에 작성해야 한다.

① 조합원(주택조합 가입 신청자를 포함한다. 이하 이 조에서 같다) 모집 현황

② 해당 주택건설대지의 사용권원 및 소유권 확보 현황

③ 그 밖에 조합원이 주택조합의 사업 추진현황을 파악하기 위하여 필요한 사항으로서 다음에 해당하는 사항

1. 주택조합사업에 필요한 관련 법령에 따른 신고, 승인 및 인·허가 등의 추진 현황
2. 설계자, 시공자 및 업무대행자 등과의 계약체결 현황
3. 수익 및 비용에 관한 사항
4. 주택건설공사의 진행 현황
5. 자금의 차입에 관한 사항

(2) 주택조합의 발기인 또는 임원은 주택조합사업의 시행에 관한 다음의 서류 및 관련 자료가 작성되거나 변경된 후 15일 이내에 이를 조합원이 알 수 있도록 인터넷과 그 밖의 방법을 병행하여 공개하여야 한다.

1. 조합규약
2. 공동사업주체의 선정 및 주택조합이 공동사업주체인 등록사업자와 체결한 협약서
3. 설계자 등 용역업체 선정 계약서
4. 조합총회 및 이사회, 대의원회 등의 의사록
5. 사업시행계획서 (인터넷으로 공개할 때에는 조합원의 50% 이상의 동의를 얻어 그 개략적인 내용만 공개할 수 있다.)
6. 해당 주택조합사업의 시행에 관한 공문서
7. 회계감사보고서
8. 그 밖에 주택조합사업 시행에 관하여 다음에 해당하는 서류 및 관련 자료 　ⓐ 연간 자금운용 계획서 　ⓑ 월별 자금 입출금 명세서 　ⓒ 월별 공사진행 상황에 관한 서류 　ⓓ 주택조합이 사업주체가 되어 공급하는 주택의 분양신청에 관한 서류 및 관련 자료

(3) 위 (2)에 따른 서류 및 다음을 포함하여 주택조합사업의 시행에 관한 서류와 관련 자료를 조합의 구성원이 열람·복사 요청을 한 경우 주택조합의 발기인 또는 임원은 15일 이내에 그 요청에 따라야 한다. 이 경우 복사에 필요한 비용은 실비의 범위에서 청구인이 부담한다.

1. 조합 구성원 명부

2. 토지사용승낙서 등 토지 확보 관련 자료

3. 그 밖에 다음에 해당하는 서류 및 관련 자료
   ① 연간 자금운용 계획서
   ② 월별 자금 입출금 명세서
   ③ 월별 공사진행 상황에 관한 서류
   ④ 주택조합이 사업주체가 되어 공급하는 주택의 분양신청에 관한 서류 및 관련 자료
   ⑤ 전체 조합원별 분담금 납부내역
   ⑥ 조합원별 추가 분담금 산출내역

(3) 주택조합의 발기인 또는 임원은 원활한 사업추진과 조합원의 권리 보호를 위하여 다음에 해당하는 서류 및 자료를 매년 2월말까지 시장·군수·구청장에게 제출하여야 한다.
   ① 직전 연도의 자금운용 계획 및 자금 집행 실적에 관한 자료
   ② 직전 연도의 등록사업자의 선정 및 변경에 관한 서류
   ③ 직전 연도의 업무대행자의 선정 및 변경에 관한 서류
   ④ 직전 연도의 조합임원의 선임 및 해임에 관한 서류
   ⑤ 직전 연도 12월 31일을 기준으로 토지의 사용권원 및 소유권의 확보 현황에 관한 자료

(4) 위 (2) 및 (3)에 따라 공개 및 열람·복사 등을 하는 경우에는 「개인정보 보호법」에 의하여야 하며, 주택조합 구성원의 열람·복사 요청은 사용목적 등을 적은 서면 또는 전자문서로 하여야 한다.

13 주택조합에 대한 감독 등 ($\frac{법}{제14조}$)($\frac{영}{제26조}$)

(1) 국토교통부장관 또는 시장·군수·구청장은 주택공급에 관한 질서를 유지하기 위하여 특히 필요하다고 인정되는 경우에는 국가가 관리하고 있는 행정전산망 등을 이용하여 주택조합 구성원의 자격 등에 관하여 필요한 사항을 확인할 수 있다.

(2) 시장·군수·구청장은 주택조합 또는 주택조합의 구성원이 다음의 어느 하나에 해당하는 경우에는 주택조합의 설립인가를 취소할 수 있다.
   ① 거짓이나 그 밖의 부정한 방법으로 설립인가를 받은 경우
   ② 사업주체 등에 대한 지도·감독(법 제94조)에 따른 명령이나 처분을 위반한 경우

(3) 시장·군수·구청장은 모집주체가 이 법을 위반한 경우 시정요구 등 필요한 조치를 명할 수 있다.

14 주택조합의 해산 등 ($\frac{법}{제14조의2}$)($\frac{영}{제25조의2}$)($\frac{규칙}{제11조의2}$)

(1) 주택조합은 주택조합의 설립인가를 받은 날부터 3년이 되는 날까지 사업계획승인을 받지 못하는 경우 대통령령으로 정하는 바에 따라 총회의 의결을 거쳐 해산 여부를 결정하여야 한다.

(2) 주택조합의 발기인은 조합원 모집 신고가 수리된 날부터 2년이 되는 날까지 주택조합 설립인가를 받지 못하는 경우 다음에 따라 총회 의결을 거쳐 주택조합 사업의 종결 여부를 결정하도록 해야 한다.
   ① 주택조합 또는 주택조합의 발기인은 주택조합의 해산 또는 주택조합 사업의 종결 여부를 결정하려는 경우에는 다음의 구분에 따른 날부터 3개월 이내에 총회를 개최해야 한다.
     ㉠ 주택조합 설립인가를 받은 날부터 3년이 되는 날까지 사업계획승인을 받지 못하는 경우: 해당 설립인가를 받은 날부터 3년이 되는 날

건축관계법

국토계획법

주차장법

주 택 법

도시및주거
환경정비법

건축사법

장애인시설법

소방시설법

서울시조례

ⓛ 조합원 모집 신고가 수리된 날부터 2년이 되는 날까지 주택조합 설립인가를 받지 못하는
　 경우: 해당 조합원 모집 신고가 수리된 날부터 2년이 되는 날
② 개최하는 총회에서 주택조합 사업의 종결 여부를 결정하는 경우 다음의 사항을 포함해야 한다.
　 ㉠ 사업의 종결 시 회계보고에 관한 사항
　 ㉡ 청산 절차, 청산금의 징수·지급방법 및 지급절차 등 청산 계획에 관한 사항
③ 개최하는 총회는 주택조합 가입 신청자의 2/3 이상의 찬성으로 의결한다. 이 경우 주택조합
　 가입 신청자의 20/100 이상이 직접 출석해야 한다.
④ 주택조합의 해산 또는 사업의 종결을 결의한 경우에는 주택조합의 임원 또는 발기인이 청산
　 인이 된다. 다만, 조합규약 또는 총회의 결의로 달리 정한 경우에는 그에 따른다.

(3) 위 (1) 또는 (2)에 따라 총회를 소집하려는 주택조합의 임원 또는 발기인은 총회가 개최되기 7일
　 전까지 회의 목적, 안건, 일시 및 장소를 정하여 조합원 또는 주택조합 가입 신청자에게 통지하
　 여야 한다.
(4) 위 (1)에 따라 해산을 결의하거나 위 (2)에 따라 사업의 종결을 결의하는 경우 대통령령으로 정
　 하는 바에 따라 청산인을 선임하여야 한다.
(5) 주택조합의 발기인은 위 (2)에 따른 총회의 결과(사업의 종결을 결의한 경우에는 청산계획을 포
　 함한다)를 총회 개최일부터 10일 이내에 서면으로 관할 시장·군수·구청장에게 통지하여야 한다.

15 회계감사 (법 제14조의3)

(1) 주택조합은 대통령령으로 정하는 바에 따라 회계감사를 받아야 하며, 그 감사결과를 관할 시장
　·군수·구청장에게 보고하여야 한다.
(2) 주택조합의 임원 또는 발기인은 계약금등(해당 주택조합사업에 관한 모든 수입에 따른 금전을
　 말한다)의 징수·보관·예치·집행 등 모든 거래 행위에 관하여 장부를 월별로 작성하여 그 증
　 빙서류와 함께 주택조합 해산인가를 받는 날까지 보관하여야 한다. 이 경우 주택조합의 임원 또
　 는 발기인은 「전자문서 및 전자거래 기본법」에 따른 정보처리시스템을 통하여 장부 및 증빙서
　 류를 작성하거나 보관할 수 있다.

16 주택조합사업의 시공보증 (법 제14조의4)(규칙 제11조의3)

(1) 주택조합이 공동사업주체인 시공자를 선정한 경우 그 시공자는 공사의 시공보증(시공자가 공사
　 의 계약상 의무를 이행하지 못하거나 의무이행을 하지 아니할 경우 보증기관에서 시공자를 대신
　 하여 계약이행의무를 부담하거나 총 공사금액의 50% 이하에서 총 공사금액의 30% 이상의 범위
　 에서 주택조합이 정하는 금액을 납부할 것을 보증하는 것을 말한다)을 위하여 다음에 해당하는
　 기관의 시공보증서(조합원에게 공급되는 주택에 대한 보증서를 말함)를 조합에 제출하여야 한다.

1. 「건설산업기본법」에 따른 공제조합이 발행한 보증서
2. 「주택도시기금법」에 따른 주택도시보증공사가 발행한 보증서
3. 「은행법」에 따른 금융기관, 「한국산업은행법」에 따른 한국산업은행, 「한국수출입은행법」에 따른 한국수출입은행, 「중소기업은행법」에 따른 중소기업은행이 발행한 지급보증서
4. 「보험업법」에 따른 보험회사가 발행한 보증보험증권

(2) 사업계획승인권자는 착공신고를 받는 경우에는 위 (1)에 따른 시공보증서 제출 여부를 확인해야
　 한다.

건축관계법

국토계획법

주차장법

주 택 법

도시및주거
환경정비법

건축사법

장애인시설법

소방시설법

서울시조례

3 주택건설사업의 시행

1 사업계획의 승인 (법 제15조)(영 제27조)

사업계획승인은 「건축법」에 따른 건축허가에 갈음하는 효력을 갖게 된다. 또한, 사업계획승인 신청시에는 주택의 공급세대수에 따른 부대시설·복리시설 및 대지조성의 기준에 충족되어야 하며, 건설시공·공사감리·사용검사의 규정도 「주택법」에 따른 기준을 적용받게 된다.

【1】 시·도지사 등의 사업계획승인 대상

(1) 다음 규모 이상의 주택을 건설하거나 대지를 조성하고자 하는 자는 사업계획승인신청서에 주택과 부대시설 및 복리시설의 배치도, 대지공사설계도서 등을 첨부하여 해당 사업계획승인권자에게 제출하고 그 사업계획승인을 얻어야 한다.

① 주택건설사업 또는 대지조성사업으로서 해당 대지면적이 10만㎡ 이상인 경우 : 특별시장·광역시장·특별자치시장·도지사 또는 특별자치도지사 또는 「지방자치법」에 따라 서울특별시·광역시 및 특별자치시를 제외한 인구 50만 이상의 대도시의 시장

② 주택건설사업 또는 대지조성사업으로서 해당 대지 면적이 10만㎡ 미만인 경우 : 특별시장·광역시장·특별자치시장·특별자치도지사 또는 시장·군수

구 분		규 모
주택건설사업	단독주택	30호. **단서** 다음의 어느 하나에 해당하는 주택인 경우에는 50호로 한다. 1. 공공사업에 따라 조성된 용지를 개별 필지로 구분하지 아니하고 일단(一團)의 토지로 공급받아 해당 토지에 건설하는 단독주택 2. 「건축법 시행령」에 따른 한옥
	공동주택	30세대(리모델링의 경우에는 증가하는 세대수가 30세대인 경우를 말한다). **단서** 다음의 어느 하나에 해당하는 주택인 경우에는 50세대로 한다. 1. 다음의 요건을 모두 갖춘 단지형 연립주택 또는 단지형 다세대주택 ① 세대별 주거전용 면적이 30㎡ 이상일 것 ② 해당 주택단지 진입도로의 폭이 6m 이상일 것 **예외** 해당 주택단지의 진입도로가 두 개 이상인 경우에는 다음의 요건을 모두 갖추면 진입도로의 폭을 4m 이상 6m 미만으로 할 수 있다. ㉠ 두 개의 진입도로 폭의 합계가 10m 이상일 것 ㉡ 폭 4m 이상 6m 미만인 진입도로는 주택단지의 구분기준이 되는 도로와 통행거리가 200m 이내일 것 2. 「도시 및 주거환경 정비법」에 따른 정비구역에서 주거환경개선사업(사업시행자가 정비구역에서 정비기반시설 및 공동이용시설을 새로 설치하거나 확대하고 토지등소유자가 스스로 주택을 보전·정비하거나 개량하는 방법으로 시행하는 경우만 해당한다)을 시행하기 위하여 건설하는 공동주택 **예외** 정비기반시설의 설치계획대로 정비기반시설 설치가 이루어지지 아니한 지역으로서 시장·군수·구청장이 지정·고시하는 지역에서 건설하는 공동주택은 제외한다.
	대지조성사업	10,000m² 이상

예외 다음에 해당하는 경우에는 사업계획승인 대상에서 제외(즉, 허가 대상에 해당)한다.

1. 「국토의 계획 및 이용에 관한 법률」에 따른 도시지역 중 상업지역(유통상업지역은 제외 함) 또는 준주거지역 안에서 주택이외의 시설과 300세대 미만의 주택을 동일 건축물로 건축하는 경우로서 다음 요건을 모두 충족하는 경우로서 해당 건축물의 연면적에 대한 주택연면적의 합계의 비율이 90% 미만인 경우

2. 「농어촌주택 개량촉진법」에 따른 농어촌 주거환경개선사업 중 농업협동조합중앙회가 조달하는 자금으로 주택사업을 시행하는 경우

(2) 위 (1)에 의하여 주택건설사업계획의 승인을 얻고자 하는 자는 해당 주택건설대지의 소유권을 확보하여야 한다.

예외 다음에 해당하는 경우에는 그러하지 아니하다.

1. 「국토의 계획 및 이용에 관한 법률」에 따른 지구단위계획의 결정(의제되는 경우를 포함)이 필요한 주택건설사업의 해당 대지면적의 80/100 이상을 사용할 수 있는 권원[등록사업자와 공동으로 사업을 시행하는 주택조합(리모델링주택조합은 제외)의 경우에는 95/100 이상의 소유권을 말함]을 확보하고(국공유지가 포함된 경우에는 해당 토지의 관리청이 해당 토지를 사업주체에게 매각하거나 양여할 것을 확인한 서류를 사업계획승인권자에게 제출하는 경우에는 확보한 것으로 본다), 확보하지 못한 대지가 매도청구 등 및 소유자의 확인이 곤란한 대지 등에 대한 처분에 따른 매도청구 대상이 되는 대지에 해당하는 경우

2. 사업주체가 주택건설대지의 소유권을 확보하지 못하였으나 해당 대지를 사용할 수 있는 권원을 확보한 경우

3. 국가·지방자치단체·한국토지주택공사 또는 지방공사가 주택건설사업을 하는 경우

【2】 국토교통부장관의 사업계획승인 대상

다음의 경우 사업계획승인신청서를 작성하여 국토교통부장관에게 제출하고 그 사업계획승인을 얻어야 한다.

1. 국가·한국토지주택공사가 시행하는 경우

2. 330만m² 이상의 규모로 택지개발사업 또는 도시개발사업을 추진하는 지역 중 국토교통부장관이 지정·고시하는 지역 안에서 주택건설사업을 시행하는 경우

3. 수도권·광역시 지역의 긴급한 주택난 해소가 필요하거나 지역균형개발 또는 광역적 차원의 조정이 필요하여 국토교통부장관이 지정·고시하는 지역 안에서 주택건설사업을 시행하는 경우

3. 다음에 해당하는 자가 단독 또는 공동으로 총지분의 50/100을 초과하여 출자한 부동산투자회사(해당 부동산투자회사의 자산관리회사가 한국토지주택공사인 경우만 해당함)가 주택건설사업을 시행하는 경우
   ① 국가   ② 지방자치단체   ③ 한국토지주택공사   ④ 지방공사

【3】 일단의 주택단지를 수 개의 공구로 분할하여 주택을 건설하는 경우

위 【1】-(1)에 따른 주택건설규모를 산정함에 있어 다음의 각 구분에 따른 동일한 사업주체(「건축법」에 따른 건축주를 포함)가 일단의 주택단지를 수 개의 구역으로 분할하여 주택을 건설하려는 경우에는 전체 구역의 주택건설호수 또는 세대수의 규모를 주택건설규모로 산정한다. 이 경우 주택의 건설기준, 부대시설 및 복리시설의 설치기준과 대지의 조성기준의 적용에 있어서는 전체 구역을 하나의 대지로 본다.

건축관계법
국토계획법
주차장법
주 택 법
도시및주거
환경정비법
건축사법
장애인시설법
소방시설법
서울시조례

건축관계법

국토계획법

주차장법

주 택 법

도시및주거
환경정비법

건축사법

장애인시설법

소방시설법

서울시조례

① 사업주체가 개인인 경우: 개인인 사업주체와 그의 배우자나 직계존비속
② 사업주체가 법인인 경우: 법인인 사업주체와 그 법인의 소속 임원

② 주택건설사업계획승인신청시의 제출서류 (영 제27조)(규칙 제12조)

(1) 주택건설사업계획(주택건설사업에 필요한 대지조성공사를 우선 시행하고자 하는 경우를 포함)의 승인을 얻고자 하는 자는 다음의 서류를 사업계획승인권자(국가·한국토지주택공사가 시행하는 경우에는 국토교통부장관)에게 제출하여야 한다.

제출서류	비 고
1. 신청서	· 규칙 [별지 15호] 서식에 의함
2. 사업계획서	–
3. 주택과 부대시설 및 복리시설의 배치도	–
4. 대지조성 공사설계도서	· 대지조성공사를 우선 시행하고자 하는 경우에 한한다.
5. 다음에 해당하는 사항을 기재한 서류 ① 토지 또는 건물의 소재지·지번·지목 및 면적, 소유권과 소유권 이외의 권리의 명세 및 그 소유자·권리자의 성명·주소 ② 수용 또는 사용할 토지 또는 건물의 소재지·지번·지목 및 면적, 소유권과 소유권이외의 권리의 명세 및 그 소유자·권리자의 성명·주소	· 「국토의 계획 및 이용에 관한 법률 시행령」에 따른 해당 서류 (단, 토지를 수용 또는 사용하고자 하는 경우에 한함)
6. 토지소유자·주택조합 또는 고용자가 등록사업자와 공동으로 주택을 건설하고자 하는 경우 각각의 사실을 증명하는 서류	· 공동사업시행의 경우에 한하며, 주택조합이 단독으로 사업을 시행하는 경우에는 위 **1**-**2**- **【2】**의 ② 및 ③의 사실을 증명하는 서류를 말한다.
7. 사업계획승인절차를 협의하기 위한 서류	–
8. 공공시설의 귀속에 관한 사항의 기재서류	–
9. 주택조합설립인가서	· 주택조합의 경우에 한함
10. 다음에 해당하는 사항을 기재한 서류 ① 건설사업자로 보는 등록사업자가 갖추어야 할 기술능력·주택건설실적 등을 증명하는 서류 ② 조립식 등 공업화공법에 의하여 건설하거나, 새로운 건설기술을 적용하여 건설하는 사실의 증명서류	· 「건설산업기본법」에 따른 건설업 등록을 한 자가 아닌 경우에 한한다.
11. 그 밖에 다음에 해당하는 서류	① 간선시설설치계획도(축척: 1/10,000~1/50,000) ② 사업주체가 토지의 소유권을 확보하지 못한 경우에는 토지사용승낙서(「택지개발촉진법」 등 관계법령에 의하여 택지로 개발·분양하기로 예정된 토지에 대하여 해당 토지를 사용할 수 있는 권원을 확보한 경우에는 그 권원을 증명할 수 있는 서류를 말함) 예외 사업주체가 국가·지방자치단체·한국토지주택공사 또는 지방공사인 경우를 제외한다. ③ 설계도서 중 국토교통부장관이 정하여 고시하는도서 ④ [별표 2]에 규정된 서류(국가·지방자치단체 또는 한국토지주택공사가 사업계획승인을 신청하는 경우에 한함) ⑤ 사업등록수탁기관에서 발급 받은 등록사업자의 행정처분 사실을 확인하는 서류(사업등록수탁기관이 관리하는 전산정보자료를 포함함)

※ 주택조합이 조합주택을 건설하고자 하는 경우에는 위 1.~11.의 서류 이외에 주택조합설립인가서 사본을 첨부하여 제출하여야 한다.

(2) 주택건설사업계획이나 대지조성사업계획의 승인신청을 받은 사업계획승인권자는 「전자정부법」에 따라 행정정보의 공동이용을 통하여 토지 등기사항증명서(사업주체가 국가, 지방자치단체, 한국토지주택공사 또는 지방공사인 경우는 제외한다)와 토지이용계획확인서를 확인하여야 한다.

③ 대지조성사업계획의 승인신청시의 제출서류 (영 제15조) (규칙 제9조)

대지조성사업계획의 승인을 얻고자 하는 자는 다음의 서류를 국토교통부장관 또는 시·도지사에게 제출하여야 한다.

제출서류	비 고
1. 신청서	·규칙 [별지 15호] 서식에 의함
2. 사업계획서	
2. 대지조성 공사설계도서	·사업주체가 국가·지방자치단체 또는 한국토지주택공사인 경우에는 위치도·지형도·평면도와 부대시설설계도를 말한다.
3. 다음에 해당하는 사항을 기재한 서류 ① 토지 또는 건물의 소재지·지번·지목 및 면적, 소유권과 소유권이외의 권리의 명세 및 그 소유자·권리자의 성명·주소 ② 수용 또는 사용할 토지 또는 건물의 소재지·지번·지목 및 면적, 소유권과 소유권이외의 권리의 명세 및 그 소유자·권리자의 성명·주소	·「국토의 계획 및 이용에 관한 법률 시행령」에 따른 해당 서류 (단, 토지를 수용 또는 사용하고자 하는 경우에 한함)
4. 사업계획승인절차를 협의하기 위한 서류	–
5. 공공시설의 귀속에 관한 사항의 기재서류	–
6. 조성한 대지의 공급계획서	다음의 사항이 포함되어야 하며, 이에는 대지의 용도별·공급대상자별 분할도면을 첨부하여야 한다. ① 대지의 위치 및 면적 ② 공급대상자 ③ 대지의 용도 ④ 공급시기·방법 및 조건
7. 그 밖에 다음에 해당하는 서류	위 ②-11.의 ①~⑤까지의 서류

④ 주택단지의 분할 건설·공급 (영 제28조)

(1) 주택건설사업을 시행하려는 자는 해당 주택단지를 다음에 따라 공구별로 분할하여 주택을 건설·공급할 수 있다.
① 전체 세대수가 600세대 이상인 주택단지는 공구별로 분할하여 주택을 건설·공급할 수 있다.
② 위 ①의 경우에 사업계획승인권자는 지역별 인구 및 주택수요 등을 고려하여 위 ①의 각각에 따른 기준의 10/100의 범위에서 해당 시·도 또는 시·군의 조례로 완화하여 정할 수 있다.
③ 위 ① 및 ② 외에 주택단지의 공구별 분할 건설·공급의 절차와 방법에 관한 세부기준은 국토해양부장관이 정하여 고시한다.

건축관계법 / 국토계획법 / 주차장법 / 주 택 법 / 도시및주거환경정비법 / 건축사법 / 장애인시설법 / 소방시설법 / 서울시조례

건축관계법

국토계획법

주차장법

주 택 법

도시및주거
환경정비법

건축사법

장애인시설법

소방시설법

서울시조례

(2) 위 (1)에 따라 주택건설사업을 분할하여 시행하려는 자는 사업계획승인신청서에 위 ②에 따른 서류와 함께 다음의 서류를 첨부하여 사업계획승인권자에게 제출하고 사업계획승인을 받아야 한다.

> 1. 공구별 공사계획서
> 2. 입주자모집계획서
> 3. 사용검사계획서

⑤ 사업계획승인 사항의 변경 (법 제15조 제4항)

【1】 변경승인

승인을 얻은 사업계획을 변경하고자 하는 때에는 변경승인을 받아야 한다.

예외 다음에 해당하는 사항을 변경하는 경우에는 변경승인 없이도 할 수 있다.

> 1. 총사업비의 20%의 범위 안에서의 사업비의 증감. 다만, 국민주택을 건설하는 경우에는 국민주택기금이 증가되는 경우를 제외한다.
> 2. 건축물이 아닌 부대시설 및 복리시설의 설치기준의 변경 중 그 설치기준 이상으로의 변경. 다만, 위치변경의 경우를 제외한다.
> 3. 대지면적의 20%의 범위 안에서의 면적의 증감. 다만, 지구경계의 변경을 수반하거나 토지 또는 토지에 정착된 물건 및 그 토지나 물건에 관한 소유권외의 권리를 수용할 필요를 발생시키는 경우를 제외한다.
> 4. 세대수 또는 세대당 주택공급면적을 변경하지 아니하는 범위 안에서의 내부구조의 위치나 면적의 변경(사업계획승인을 얻은 면적의 10% 범위 안에서의 변경에 한한다)
> 5. 내장재료 및 외장재료의 변경(재료의 품질이 사업계획의 승인을 얻을 당시의 재료와 같거나 그 이상인 경우에 한한다)
> 6. 사업계획승인의 조건으로 부과된 사항을 이행함에 따라 발생되는 변경. 다만, 공공시설설치계획의 변경을 필요로 하는 경우를 제외한다.
> 7. 건축물의 설계와 용도별 위치를 변경하지 아니하는 범위 안에서의 건축물의 배치조정 및 주택단지 내 도로의 선형변경
> 8. 「건축법 시행령」에 따른 허가·신고사항의 변경 등의 어느 하나에 해당하는 사항의 변경
>
> ※ 사업주체는 위 각각의 사항을 변경한 때에는 지체 없이 그 변경내용을 사업계획승인권자에게 통보해야 한다.
> ※ 위 1., 3. 및 7.의 경우 사업주체가 국가·지방자치단체·한국토지주택공사 또는 지방공사인 경우에 한정한다.

【2】 사업계획의 변경승인 신청 (규칙 제13조)

(1) 사업계획의 변경승인을 얻고자 하는 사업주체는 사업계획(변경)승인신청서를 사업계획승인권자에게 제출하여야 한다.
(2) 사업계획승인권자는 사업계획변경승인을 한 때에는 사업계획(변경)승인서를 신청인에게 발급하여야 한다.
(3) 사업계획승인권자는 사업주체가 입주자모집의 공고를 한 후에는 다음에 해당하는 사업계획의 변경을 승인하여서는 아니 된다.

예외 사업주체가 미리 입주예정자에게 사업계획의 변경에 관한 사항을 통보하여 입주예정자 80% 이상의 동의를 얻은 경우에는 그러하지 아니하다.

1. 주택(공급계약이 체결된 주택에 한한다)의 공급가격에 변경을 초래하는 사업비의 증액

2. 호당 또는 세대당 주택공급면적(바닥면적에 산입되는 면적으로서 사업주체가 공급하는 주택의 면적) 및 대지지분의 변경.

　예외 다음에 해당하는 경우를 제외한다.
　　① 호당 또는 세대당 공용면적 또는 대지지분의 2% 이내의 증감(이 경우 대지지분의 감소는 「측량·수로조사 및 지적에 관한 법률」에 따른 지적확정측량에 따라 대지지분의 감소가 부득이하다고 사업계획승인권자가 인정하는 경우로서 사업주체가 입주예정자에게 대지지분의 감소 내용과 사유를 통보한 경우로 한정함)
　　② 입주예정자가 없는 동 단위 공동주택의 세대당 주택공급면적의 변경

(4) 사업주체는 입주자 모집공고를 한 후 사업계획변경승인을 받은 경우에는 14일 이내에 문서로 입주예정자에게 그 내용을 통보하여야 한다.

(5) 사업주체는 위 【1】의 각 각의 사항을 변경하였을 때에는 지체 없이 그 변경내용을 사업계획승인권자에게 통보(전자문서에 따른 통보를 포함한다)하여야 한다. 이 경우 사업계획승인권자는 사업주체로부터 통보받은 변경내용이 위 【1】의 각 각의 범위에 해당하는지를 확인하여야 한다.

(6) 사업계획승인권자(사업계획승인권자와 사용검사권자가 다른 경우만 해당한다)는 다음의 어느 하나에 해당하는 경우 그 변경내용을 사용검사권자(사용검사 또는 임시 사용승인을 하는 시·도지사 또는 시장·군수·구청장을 말한다)에게 통보해야 한다.
　① 위 (2)에 따라 사업계획변경승인서를 발급한 경우
　② 확인한 결과 변경내용이 위 【1】의 각의 범위에 해당하는 경우

⑥ 표본설계도서의 작성·제출 및 승인 (영 제29조)

【1】표본설계도서의 작성·제출 및 승인

(1) 한국토지주택공사·지방공사 또는 등록사업자가 동일한 규모의 주택을 대량으로 건설하고자 하는 경우에는 국토교통부장관에게 주택의 형별로 표본설계도서를 작성·제출하여 그 승인을 얻을 수 있다.

(2) 표본설계도서의 승인을 얻고자 하는 자는 표본설계도서에 다음의 도서를 첨부하여 국토교통부장관에게 제출하여야 한다.

1. 마감표

2. 각층(지하층을 포함한다) 평면도 및 단위평면도

3. 입면도(전후면 및 측면)

4. 단면도(계단부분을 포함한다)

5. 구조도(기둥·보·슬라브 및 기초)

6. 구조계산서

7. 설비도(급수·위생·전기 및 소방)

8. 창호도

건축관계법
국토계획법
주차장법
주택법
도시및주거환경정비법
건축사법
장애인시설법
소방시설법
서울시조례

(3) 국토교통부장관이 표본설계도서의 승인을 하고자 하는 때에는 관계 행정기관의 장과 협해야 하며, 협의요청을 받은 기관은 정당한 사유가 없는 한 15일내에 국토교통부장관에게 의견을 통보해야 한다.

(4) 국토교통부장관은 표본설계도서의 승인을 한 때에는 그 내용을 시·도지사에게 통보해야 한다.

⑦ 사업계획의 승인절차 등 (영 제30조)

사업계획의 승인절차는 다음과 같다.

■ 승인절차

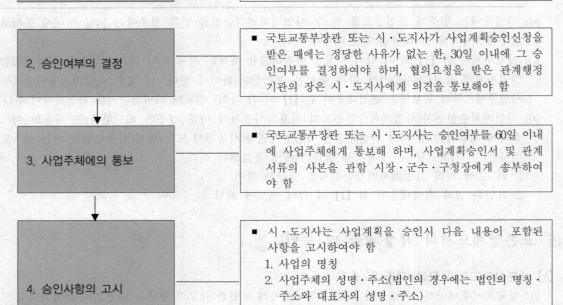

1. 사업계획승인의 신청	■ 주택건설사업 또는 대지조성사업을 시행하고자 하는 자는 사업계획승인신청서를 시·도지사 또는 국토교통부장관에게 제출
2. 승인여부의 결정	■ 국토교통부장관 또는 시·도지사가 사업계획승인신청을 받은 때에는 정당한 사유가 없는 한, 30일 이내에 그 승인여부를 결정하여야 하며, 협의요청을 받은 관계행정기관의 장은 시·도지사에게 의견을 통보해야 함
3. 사업주체에의 통보	■ 국토교통부장관 또는 시·도지사는 승인여부를 60일 이내에 사업주체에게 통보해 하며, 사업계획승인서 및 관계서류의 사본을 관할 시장·군수·구청장에게 송부하여야 함
4. 승인사항의 고시	■ 시·도지사는 사업계획을 승인시 다음 내용이 포함된 사항을 고시하여야 함 1. 사업의 명칭 2. 사업주체의 성명·주소(법인의 경우에는 법인의 명칭·주소와 대표자의 성명·주소) 3. 사업시행지의 위치·면적 또는 규모 4. 사업시행기간 5. 관계 법률에 따른 고시가 의제되는 사항

⑧ 사업계획의 이행 및 취소 등 (법 제16조)

【1】공사의 착수기한

사업계획승인을 얻은 사업주체는 승인을 받은 사업계획대로 사업을 시행하여야 하며 승인을 받은 날부터 다음에 해당하는 기간 이내에 공사에 착수하여야 한다.

(1) 일반적인 사업계획승인을 받은 경우: 승인받은 날부터 5년 이내

(2) 해당 주택단지를 공구별로 분할하여 사업계획승인을 받은 경우

　① 최초로 공사를 진행하는 공구: 승인받은 날부터 5년 이내

　② 최초로 공사를 진행하는 공구 외의 공구: 해당 주택단지에 대한 최초 착공신고일로부터 2년 이내

건축관계법 / 국토계획법 / 주차장법 / 주 택 법 / 도시및주거환경정비법 / 건축사법 / 장애인시설법 / 소방시설법 / 서울시조례

【2】 공사착수기간의 연장 및 착공신고$\left(\frac{영}{제31조}\right)\left(\frac{규칙}{제15조}\right)$

(1) 사업주체는 공사착수기간을 연장하고자 하는 때에는 착공연기신청서를 사업계획승인권자에게 제출(전자문서에 의한 제출을 포함)해야 한다.

> **단서** 시·도지사는 다음에 해당하는 정당한 사유가 있다고 인정하는 경우에는 사업주체의 신청에 따라 그 사유가 종료된 날부터 1년의 범위 안에서 그 공사의 착수기간을 연장할 수 있다.

■ 정당한 사유로서 인정되는 경우

1. 「매장문화재 보호 및 조사에 관한 법률」에 따라 문화재청장의 매장문화재 발굴허가를 받은 경우
2. 해당 사업시행자에 대한 소유권 분쟁(소송절차가 진행 중인 경우에 한함)으로 인하여 공사착수가 지연되는 경우
3. 사업계획승인의 조건으로 부과된 사항을 이행함에 따라 공사 착수가 지연되는 경우
4. 천재지변 또는 사업주체에게 책임이 없는 불가항력적인 사유로 인하여 공사 착수가 지연되는 경우
5. 공공택지의 개발·조성을 위한 계획에 포함된 기반시설의 설치 지연으로 공사착수가 지연되는 경우
6. 해당 지역의 미분양주택 증가 등으로 사업성이 악화될 우려가 있거나 주택건설경기가 침체되는 등 공사에 착수하지 못할 부득이한 사유가 있다고 사업계획승인권자가 인정하는 경우

(2) 사업계획승인을 얻은 사업주체가 공사에 착수하고자 하는 때에는 착공신고서에 다음의 도서를 첨부하여 사업계획승인권자에게 제출해야 한다.

> **예외** 아래 2.~5.의 도서는 주택건설사업의 경우에 한한다.

1. 사업관계자 상호간 계약서 사본
2. 흙막이 구조도면(지하 2층 이상의 지하층을 설치하는 경우에 한함)
3. 국토교통부장관이 정하여 고시하는 도서
4. 감리자(주택건설공사를 감리할 자로 지정받은 자를 말함)의 감리계획서 및 감리의견서
5. 감리자가 검토·확인한 예정공정표

(3) 사업주체가 착공신고 후 공사를 시작하려는 경우 사업계획승인을 받은 해당 주택건설대지에 아래 **5** 에 따른 매도청구 대상이 되는 대지가 포함되어 있으면 해당 매도청구 대상 대지에 대하여는 그 대지의 소유자가 매도에 대하여 합의를 하거나 매도청구에 관한 법원의 승소판결(판결이 확정될 것을 요하지 아니함)을 받은 경우에만 공사를 시작할 수 있다.

(4) 사업계획승인권자는 착공연기신청서 또는 착공신고서를 제출받은 때에는 착공연기확인서 또는 착공신고필증을 신청인 또는 신고인에게 교부해야 한다.

【3】 사업계획승인의 취소$\left(\frac{영}{제32조}\right)$

(1) 사업계획승인권자는 다음의 어느 하나에 해당하는 경우 그 사업계획의 승인을 취소(아래 ② 또는 ③에 해당하는 경우로서 주택분양보증이 된 사업은 제외)할 수 있다.

① 사업주체가 공사착수 기간을 위반하여 공사를 시작하지 아니한 경우

> **예외** 위 【1】-(2)-②에 해당하는 경우는 제외한다.

② 사업주체가 경매·공매 등으로 인하여 대지소유권을 상실한 경우

③ 사업주체의 부도·파산 등으로 공사의 완료가 불가능한 경우

(2) 사업계획승인권자는 위 (1)의 ② 또는 ③의 사유로 사업계획 승인을 취소하고자 하는 경우에는

건축관계법

국토계획법

주차장법

주 택 법

도시및주거
환경정비법

건축사법

장애인시설법

소방시설법

서울시조례

건축관계법

국토계획법

주차장법

주 택 법

도시및주거
환경정비법

건축사법

장애인시설법

소방시설법

서울시조례

사업주체에게 다음에 해당하는 내용이 포함된 사업 정상화 계획을 제출받아 계획의 타당성을 심사한 후 취소 여부를 결정하여야 한다.

| 1. 공사일정, 준공예정일 등 사업계획의 이행에 관한 계획 |
| 2. 사업비 확보 현황 및 방법 등이 포함된 사업비 조달 계획 |
| 3. 해당 사업과 관련된 소송 등 분쟁사항의 처리 계획 |

(3) 위 (1)에도 불구하고 사업계획승인권자는 해당 사업의 시공자 등이 해당 주택건설대지의 소유권 등을 확보하고 사업주체 변경을 위하여 사업계획의 변경승인을 요청하는 경우에 이를 승인할 수 있다.

9 기반시설의 기부채납 (법 제17조)

(1) 사업계획승인권자는 사업계획을 승인할 때 사업주체가 제출하는 사업계획에 해당 주택건설사업 또는 대지조성사업과 직접적으로 관련이 없거나 과도한 기반시설의 기부채납(寄附採納)을 요구하여서는 아니 된다.

(2) 국토교통부장관은 기부채납 등과 관련하여 다음의 사항이 포함된 운영기준을 작성하여 고시할 수 있다.
① 주택건설사업의 기반시설 기부채납 부담의 원칙 및 수준에 관한 사항
② 주택건설사업의 기반시설의 설치기준 등에 관한 사항

(3) 사업계획승인권자는 위 (2)에 따른 운영기준의 범위에서 지역여건 및 사업의 특성 등을 고려하여 자체 실정에 맞는 별도의 기준을 마련하여 운영할 수 있으며, 이 경우 미리 국토교통부장관에게 보고하여야 한다.

10 사업계획의 통합심의 등 (법 제18조)(영 제33조)

【1】 사업계획의 통합심의

(1) 사업계획승인권자는 필요하다고 인정하는 경우에 도시계획·건축·교통 등 사업계획승인과 관련된 다음의 사항을 통합하여 검토 및 심의(이하 "통합심의"라 한다)할 수 있다.
① 「건축법」에 따른 건축심의
② 「국토의 계획 및 이용에 관한 법률」에 따른 도시·군관리계획 및 개발행위 관련 사항
③ 「대도시권 광역교통관리에 관한 특별법」에 따른 광역교통개선대책
④ 「도시교통정비 촉진법」에 따른 교통영향분석·개선대책
⑤ 그 밖에 사업계획승인권자가 필요하다고 인정하여 통합심의에 부치는 사항

(2) 사업계획승인을 받으려는 자가 통합심의를 신청하는 경우 위 (1)과 관련된 서류를 첨부하여야 한다. 이 경우 사업계획승인권자는 통합심의를 효율적으로 처리하기 위하여 필요한 경우 제출기한을 정하여 제출하도록 할 수 있다.

(3) 사업계획승인권자가 통합심의를 하는 경우에는 다음의 어느 하나에 해당하는 위원회에 속하고 해당 위원회의 위원장의 추천을 받은 위원들과 사업계획승인권자가 속한 지방자치단체 소속 공무원으로 소집된 공동위원회를 구성하여 통합심의를 하여야 한다.
① 「건축법」에 따른 중앙건축위원회 및 지방건축위원회
② 「국토의 계획 및 이용에 관한 법률」에 따라 해당 주택단지가 속한 시·도에 설치된 지방도시계획위원회

③ 「대도시권 광역교통관리에 관한 특별법」에 따라 광역교통개선대책에 대하여 심의 권한을
　가진 국가교통위원회
④ 「도시교통정비 촉진법」에 따른 교통영향분석·개선대책심의위원회
(4) 사업계획승인권자는 통합심의를 한 경우 특별한 사유가 없으면 심의 결과를 반영하여 사업계획
　을 승인하여야 한다.
(5) 통합심의를 거친 경우에는 위 (1)에 대한 검토·심의·조사·협의·조정 또는 재정을 거친 것으로 본다.

【2】 공동위원회의 구성

(1) 위 【1】-(3)에 따른 공동위원회는 위원장 및 부위원장 각 1명을 포함하여 25명 이상 30명 이하
　의 위원으로 구성한다.
(2) 공동위원회 위원장은 위 【1】-(3)의 어느 하나에 해당하는 위원회의 위원장의 추천을 받은 위
　원 중에서 호선(互選)한다.
(3) 공동위원회 부위원장은 사업계획승인권자가 속한 지방자치단체 소속 공무원 중에서 위원장이
　지명한다.
(4) 공동위원회 위원은 위 【1】-(3)의 위원회의 위원이 각각 5명 이상이 되어야 한다.

【3】 위원의 제척·기피·회피

(1) 공동위원회 위원이 다음의 어느 하나에 해당하는 경우에는 공동위원회의 심의·의결에서 제척
　(除斥)된다.
　① 위원 또는 그 배우자나 배우자이었던 사람이 해당 안건의 당사자(당사자가 법인·단체 등인
　　경우에는 그 임원을 포함한다)가 되거나 그 안건의 당사자와 공동권리자 또는 공동의무자인 경우
　② 위원이 해당 안건의 당사자와 친족이거나 친족이었던 경우
　③ 위원이 해당 안건에 대하여 자문, 연구, 용역(하도급을 포함한다), 감정 또는 조사를 한 경우
　④ 위원이나 위원이 속한 법인·단체 등이 해당 안건의 당사자의 대리인이거나 대리인이었던 경우
　⑤ 위원이 임원 또는 직원으로 재직하고 있거나 최근 3년 내에 재직하였던 기업 등이 해당 안건
　　에 대하여 자문, 연구, 용역(하도급을 포함한다), 감정 또는 조사를 한 경우
(2) 해당 안건의 당사자는 위원에게 공정한 심의·의결을 기대하기 어려운 사정이 있는 경우에는 공
　동위원회에 기피 신청을 할 수 있고, 공동위원회는 의결로 이를 결정한다. 이 경우 기피 신청의
　대상인 위원은 그 의결에 참여하지 못한다.
(3) 위원이 위 (1)의 각각에 따른 제척 사유에 해당하는 경우에는 스스로 해당 안건의 심의·의결에
　서 회피(回避)하여야 한다.

【4】 통합심의의 방법과 절차

(1) 사업계획을 통합심의하는 경우 사업계획승인권자는 공동위원회를 개최하기 7일 전까지 회의 일
　시, 장소 및 상정 안건 등 회의 내용을 위원에게 알려야 한다.
(2) 공동위원회의 회의는 재적위원 과반수의 출석으로 개의(開議)하고, 출석위원 과반수의 찬성으로
　의결한다.
(3) 공동위원회 위원장은 통합심의와 관련하여 필요하다고 인정하는 경우 또는 사업계획승인권자가
　요청한 경우에는 사업계획승인을 받으려는 자 등 당사자 또는 관계자를 출석하게 하여 의견을
　듣거나 설명하게 할 수 있다.
(4) 공동위원회는 사업계획승인과 관련된 사항, 당사자 또는 관계자 등의 의견 및 설명, 관계 기관의
　의견 등을 종합적으로 검토하여 심의하여야 한다.

건축관계법

국토계획법

주차장법

주 택 법

도시및주거
환경정비법

건축사법

장애인시설법

소방시설법

서울시조례

5-50

(5) 공동위원회는 회의내용을 녹취하고, 다음의 사항을 회의록으로 작성하여 「공공기록물 관리에 관한 법률」에 따라 보존하여야 한다.
① 회의일시·장소 및 공개여부
② 출석위원 서명부
③ 상정된 의안 및 심의결과
④ 그 밖에 주요 논의사항 등

(6) 공동위원회의 회의에 참석한 위원에게는 예산의 범위에서 수당 및 여비를 지급할 수 있다.
예외 공무원인 위원이 그 소관업무와 직접 관련되어 위원회에 출석하는 경우에는 그러하지 아니하다.

(7) 이 영에서 규정한 사항 외에 위원회의 운영에 필요한 사항은 위원회의 의결을 거쳐 위원장이 정한다.

4 다른 법률에 따른 인·허가 등의 의제 등 (법 제19조)

(1) 사업계획승인권자가 사업계획을 승인함에 있어서 관련법 규정에 따른 허가·인가·결정·승인 또는 신고 등에 관하여 관계행정기관의 장과 협의한 사항에 대하여는 해당 인·허가 등을 받은 것으로 보며, 사업계획의 승인고시가 있은 때에는 관계 법률에 따른 고시가 있은 것으로 본다.

(2) 인·허가 등의 의제를 받고자 하는 자는 사업계획승인을 신청하는 때에 해당 법률이 정하는 관계서류를 함께 제출하여야 한다.

(3) 사업계획승인권자는 사업계획을 승인하고자 하는 경우에 그 사업계획에 관련법에 해당하는 사항이 포함되어 있는 경우에는 해당 법률이 정하는 관계서류를 미리 관계행정기관의 장에게 제출하고 협의해야 한다. 이 경우 협의 요청을 받은 관계행정기관의 장은 시·도지사의 협의요청을 받은 날부터 20일 이내에 의견을 제출해야 하며, 그 기간 내에 의견을 제출하지 아니한 경우에는 협의가 완료된 것으로 본다.

(4) 사업계획승인권자의 협의 요청을 받은 관계 행정기관의 장은 해당 법률에서 규정한 인·허가 등의 기준을 위반하여 협의에 응하여서는 아니 된다.

(5) 50% 이상의 국민주택을 건설하는 사업주체가 다른 법률에 따른 인·허가 등을 받은 것으로 보는 경우에는 관계 법률에 의하여 부과되는 수수료 등은 이를 면제한다.

■ 사업계획승인에 따른 관련법 내용

관련법	조 항	내 용
1. 「건축법」	제11조	건축허가
	제14조	건축신고
	제16조	허가·신고사항의 변경
	제20조	가설건축물의 건축허가 또는 신고
2. 「공간정보의 구축 및 관리에 관한 법률」	제15조제4항	지도등의 간행 심사
3. 「공유수면 관리 및 매립에 관한 법률」	제8조	공유수면의 점용·사용허가
	제10조	협의 또는 승인
	제17조	점용·사용 실시계획의 승인 또는 신고
	제28조	공유수면의 매립면허
	제35조	국가 등이 시행하는 매립의 협의 또는 승인
	제38조	공유수면매립실시계획의 승인
4. 「광업법」	제42조	채굴계획의 인가
5. 「국토의 계획 및 이용에 관한 법률의 결정」	제30조	도시·군관리계획
	제56조	개발행위의 허가
	제86조	도시·군계획시설사업시행자의 지정
	제88조	실시계획의 인가
	제130조 제2항	토지에의 출입허가
6. 「농어촌정비법」	제23조	농업생산기반시설의 사용허가
7. 「농지법」	제34조	농지전용의 허가 또는 협의
8. 「도로법」	제36조	도로공사시행의 허가
	제61조	도로점용의 허가
9. 「도시개발법」	제3조	도시개발구역의 지정
	제11조	시행자의 지정
	제17조	실시계획의 인가
	제64조제2항	타인의 토지에의 출입허가
10. 「사도법」	제4조	사도의 개설허가
11. 「사방사업법」	제14조	토지의 형질변경 등의 허가
	제20조	사방지(砂防地) 지정의 해제
12. 「산림보호법」	제9조제1항 및	산림보호구역에서의 행위의 허가·신고
	제2항제1호·제2호	예외 「산림자원의 조성 및 관리에 관한 법률」에 따른 채종림·시험림과 「산림보호법」에 따른 산림유전자원보호구역의 경우
13. 「산림자원의 조성 및 관리에 관한 법률」	제36조제1항·제5항	입목벌채 등의 허가·신고
	제15조의2	
14. 「산지관리법」	제14조·제15조	산지전용허가 및 산지전용신고
	제15조의2	산지일시사용허가·신고
15. 「소하천정비법」	제10조	소하천공사시행의 허가

건축관계법 / 국토계획법 / 주차장법 / 주택법 / 도시및주거환경정비법 / 건축사법 / 장애인시설법 / 소방시설법 / 서울시조례

건축관계법

국토계획법

주차장법

주 택 법

도시및주거
환경정비법

건축사법

장애인시설법

소방시설법

서울시조례

	제14조	소하천의 점용 등의 허가 또는 신고
16. 「수도법」	제17조, 제49조	수도사업의 인가
	제52조	전용상수도설치의 인가
17. 「연안관리법」	제25조	연안정비사업실시계획의 승인
18. 「유통산업 발전법」	제8조	대규모점포의 등록
19. 「장사 등에 관한 법률」	제27조제1항	무연분묘의 개장허가
20. 「지하수법」	제7조, 제8조	지하수개발·이용의 허가 또는 신고
21. 「초지법」	제23조	초지전용의 허가
22. 「택지개발촉진법」	제6조	행위의 허가
23. 「하수도법」	제16조	공공하수도에 관한 공사 시행의 허가
	제34조제2항	개인하수처리시설의 설치신고
24. 「하천법」	제30조	하천공사 시행의 허가 및 하천공사실시계획의 인가
	제33조	하천의 점용허가
	제50조	하천수의 사용허가
25. 「부동산 거래신고 등에 관한 법률」	제11조	토지거래계약에 관한 허가

5 주택건설사업 등에 의한 임대주택의 건설 등 (법 제20조)(영 제37조)

(1) 사업주체(리모델링을 시행하는 자는 제외한다)가 다음의 사항을 포함한 사업계획승인신청서 (「건축법」의 허가신청서를 포함한다)를 제출하는 경우 사업계획승인권자(건축허가권자를 포 함한다)는 「국토의 계획 및 이용에 관한 법률」의 용도지역별 용적률 범위에서 특별시·광역시· 특별자치시·특별자치도·시 또는 군의 조례로 정하는 기준에 따라 용적률을 완화하여 적용할 수 있다.

① 위 3-1-【1】-(1)의 표에 따른 호수 이상의 주택과 주택 외의 시설을 동일 건축물로 건축하는 계획

② 임대주택의 건설·공급에 관한 사항

(2) 위 (1)에 따라 용적률을 완화하여 적용하는 경우 사업주체는 완화된 용적률의 30% 이상 60% 이하의 범위에서 특별시·광역시·특별자치시·도 또는 특별자치도(이하 "시·도"라 한다)의 조례로 정하는 비율 이상에 해당하는 면적을 임대주택으로 공급하여야 한다. 이 경우 사업주체는 임대 주택을 국토교통부장관, 시·도지사, 한국토지주택공사 또는 지방공사(이하 "인수자"라 한다)에 공급하여야 하며 시·도지사가 우선 인수할 수 있다.

예외 시·도지사가 임대주택을 인수하지 아니하는 경우 다음의 구분에 따라 국토교통부장관에게 인수자 지정을 요청하여야 한다.

① 특별시장, 광역시장 또는 도지사가 인수하지 아니하는 경우: 관할 시장, 군수 또는 구청장이 사업계획승인(「건축법」의 건축허가를 포함한다) 신청 사실을 특별시장, 광역시장 또는 도지 사에게 통보한 후 국토교통부장관에게 인수자 지정 요청

② 특별자치시장 또는 특별자치도지사가 인수하지 아니하는 경우: 특별자치시장 또는 특별자치 도지사가 직접 국토교통부장관에게 인수자 지정 요청

㉠ 국토교통부장관은 시장·군수·구청장으로부터 인수자를 지정하여 줄 것을 요청받은 경우에 는 30일 이내에 인수자를 지정하여 시·도지사에게 통보해야 한다.

건축관계법

국토계획법

주차장법

주 택 법

도시및주거
환경정비법

건축사법

장애인시설법

소방시설법

서울시조례

    ⓛ 시·도지사는 위 ⓐ에 따른 통보를 받은 경우에는 지체 없이 국토교통부장관이 지정한 인수
      자와 임대주택의 인수에 관하여 협의해야 한다.

(3) 위 (2)에 따라 공급되는 임대주택의 공급가격은 「공공주택 특별법」에 따른 공공건설임대주택
    의 분양전환가격 산정기준에서 정하는 건축비로 하고, 그 부속 토지는 인수자에게 기부채납한
    것으로 본다.

(4) 사업주체는 사업계획승인을 신청하기 전에 미리 용적률의 완화로 건설되는 임대주택의 규모 등
    에 관하여 인수자와 협의하여 사업계획승인신청서에 반영하여야 한다.

(5) 사업주체는 공급되는 주택의 전부(주택조합이 설립된 경우에는 조합원에게 공급하고 남은 주택
    을 말한다)를 대상으로 공개추첨의 방법에 의하여 인수자에게 공급하는 임대주택을 선정하여야
    하며, 그 선정 결과를 지체 없이 인수자에게 통보해야 한다.

(6) 사업주체는 임대주택의 준공인가(「건축법」의 사용승인을 포함한다)를 받은 후 지체 없이 인
    수자에게 등기를 촉탁 또는 신청하여야 한다. 이 경우 사업주체가 거부 또는 지체하는 경우에는
    인수자가 등기를 촉탁 또는 신청할 수 있다.

6 대지의 소유권 확보 등 (법 제21조)

(1) 주택건설사업계획의 승인을 받으려는 자는 해당 주택건설대지의 소유권을 확보하여야 한다.
   예외 다음의 어느 하나에 해당하는 경우에는 그러하지 아니하다.

    ① 「국토의 계획 및 이용에 관한 법률」에 따른 지구단위계획의 결정(의제되는 경우를 포함한다)
      이 필요한 주택건설사업의 해당 대지면적의 80% 이상을 사용할 수 있는 권원(權原)[등록사업
      자와 공동으로 사업을 시행하는 주택조합(리모델링주택조합은 제외한다)의 경우에는 95% 이
      상의 소유권을 말한다]을 확보하고(국공유지가 포함된 경우에는 해당 토지의 관리청이 해당
      토지를 사업주체에게 매각하거나 양여할 것을 확인한 서류를 사업계획승인권자에게 제출하는
      경우에는 확보한 것으로 본다), 확보하지 못한 대지가 매도청구 대상이 되는 대지에 해당하는
      경우

    ② 사업주체가 주택건설대지의 소유권을 확보하지 못하였으나 그 대지를 사용할 수 있는 권원을
      확보한 경우

    ③ 국가·지방자치단체·한국토지주택공사 또는 지방공사가 주택건설사업을 하는 경우

    ④ 리모델링 결의를 한 리모델링주택조합이 아래 7 - (2)에 따라 매도청구를 하는 경우

(2) 사업주체가 신고한 후 공사를 시작하려는 경우 사업계획승인을 받은 해당 주택건설대지에 매도
    청구 대상이 되는 대지가 포함되어 있으면 해당 매도청구 대상 대지에 대하여는 그 대지의 소유
    자가 매도에 대하여 합의를 하거나 매도청구에 관한 법원의 승소판결(확정되지 아니한 판결을
    포함한다)을 받은 경우에만 공사를 시작할 수 있다.

7 매도청구 등 (법 제22조)

(1) 사업계획승인을 얻은 사업주체는 다음에 따라 해당 주택건설대지 중 사용할 수 있는 권원을 확
    보하지 못한 대지(건축물을 포함)의 소유자에게 그 대지를 시가에 따라 매도할 것을 청구할 수
    있다. 이 경우 매도청구 대상이 되는 대지의 소유자와 사전에 3월 이상의 기간 동안 협의해야 한다.

건축관계법

국토계획법

주차장법

주 택 법

도시및주거
환경정비법

건축사법

장애인시설법

소방시설법

서울시조례

대상 대지	매도청구 대상자
1. 주택건설대지면적 중 95% 이상에 대하여 사용권원을 확보한 경우	사용권원을 확보하지 못한 대지의 모든 소유자
2. 위 1. 외의 경우	사용권원을 확보하지 못한 대지의 소유자 중 지구단위계획구역 결정고시일 10년 이전에 해당 대지의 소유권을 취득하여 계속 보유하고 있는 자(대지의 소유기간 산정 시 대지소유자가 직계비속 직계존속 및 배우자로부터 상속으로 소유권을 취득한 경우에는 피상속인의 소유기간을 합산)를 제외한 소유자

(2) 위 (1)에도 불구하고 리모델링의 허가를 신청하기 위한 동의율을 확보한 경우 리모델링 결의를 한 리모델링주택조합은 그 리모델링결의에 찬성하지 아니하는 자의 주택 및 토지에 대하여 매도청구를 할 수 있다.

(3) 위 (1), (2)에 따른 매도청구는 「집합건물의 소유 및 관리에 관한 법률」에 따른 구분소유권의 매도청구 등의 규정(제48조)을 준용한다. 이 경우 구분소유권 및 대지사용권은 주택건설사업 또는 리모델링사업의 매도청구의 대상이 되는 건축물 또는 토지의 소유권과 그 밖의 권리로 본다.

> **관계법** 「집합건물의 소유 및 관리에 관한 법률」 제48조 【구분소유권 등의 매도청구 등】
> ① 재건축의 결의가 있으면 집회를 소집한 자는 지체 없이 그 결의에 찬성하지 아니한 구분소유자(그의 승계인을 포함한다)에 대하여 그 결의 내용에 따른 재건축에 참가할 것인지 여부를 회답할 것을 서면으로 촉구하여야 한다.
> ② 제1항의 촉구를 받은 구분소유자는 촉구를 받은 날부터 2개월 이내에 회답하여야 한다.
> ③ 제2항의 기간 내에 회답하지 아니한 경우 그 구분소유자는 재건축에 참가하지 아니하겠다는 뜻을 회답한 것으로 본다.
> ④ 제2항의 기간이 지나면 재건축 결의에 찬성한 각 구분소유자, 재건축 결의 내용에 따른 재건축에 참가할 뜻을 회답한 각 구분소유자(그의 승계인을 포함한다) 또는 이들 전원의 합의에 따라 구분소유권과 대지사용권을 매수하도록 지정된 자(이하 "매수지정자"라 한다)는 제2항의 기간 만료일부터 2개월 이내에 재건축에 참가하지 아니하겠다는 뜻을 회답한 구분소유자(그의 승계인을 포함한다)에게 구분소유권과 대지사용권을 시가로 매도할 것을 청구할 수 있다. 재건축 결의가 있은 후에 이 구분소유자로부터 대지사용권만을 취득한 자의 대지사용권에 대하여도 또한 같다.
> ⑤ 제4항에 따른 청구가 있는 경우에 재건축에 참가하지 아니하겠다는 뜻을 회답한 구분소유자가 건물을 명도(明渡)하면 생활에 현저한 어려움을 겪을 우려가 있고 재건축의 수행에 큰 영향이 없을 때에는 법원은 그 구분소유자의 청구에 의하여 대금 지급일 또는 제공일부터 1년을 초과하지 아니하는 범위에서 건물 명도에 대하여 적당한 기간을 허락할 수 있다.
> ⑥ 재건축 결의일부터 2년 이내에 건물 철거공사가 착수되지 아니한 경우에는 제4항에 따라 구분소유권이나 대지사용권을 매도한 자는 이 기간이 만료된 날부터 6개월 이내에 매수인이 지급한 대금에 상당하는 금액을 그 구분소유권이나 대지사용권을 가지고 있는 자에게 제공하고 이들의 권리를 매도할 것을 청구할 수 있다. 다만, 건물 철거공사가 착수되지 아니한 타당한 이유가 있을 경우에는 그러하지 아니하다.
> ⑦ 제6항 단서에 따른 건물 철거공사가 착수되지 아니한 타당한 이유가 없어진 날부터 6개월 이내에 공사에 착수하지 아니하는 경우에는 제6항 본문을 준용한다. 이 경우 같은 항 본문 중 "이 기간이 만료된 날부터 6개월 이내에"는 "건물 철거공사가 착수되지 아니한 타당한 이유가 없어진 것을 안 날부터 6개월 또는 그 이유가 없어진 날부터 2년 중 빠른 날까지"로 본다.
> [전문개정 2010.3.31]

8 소유자의 확인이 곤란한 대지 등에 대한 처분 (법 제23조)

(1) 사업계획승인을 받은 사업주체는 해당 주택건설대지 중 사용할 수 있는 권원을 확보하지 못한 대지의 소유자의 소재확인이 현저히 곤란한 경우에는 전국적으로 배포되는 2 이상의 일간신문에 2회 이상 공고하고, 그 공고한 날부터 30일 이상이 지난 때에는 위 **5** 에 따른 매도청구대상의 대지로 본다.

(2) 사업주체는 위 (1)의 규정에 따른 매도청구대상 대지의 감정평가액에 해당하는 금액을 법원에 공탁하고 주택건설사업을 시행할 수 있다.

(3) 위 (2)에 따른 대지의 감정평가액은 사업계획승인권자가 추천하는 「감정평가 및 감정평가사에 관한 법률」에 따른 감정평가법인등 2인 이상이 평가한 금액을 산술평균하여 산정한다.

9 토지에의 출입 등 (법 제24조)

(1) 국가·지방자치단체·한국토지주택공사 및 지방공사인 사업주체가 사업계획의 수립을 위한 조사 또는 측량을 하려는 경우와 국민주택사업을 시행하기 위하여 필요한 경우에는 다음 의 행위를 할 수 있다.

1. 타인의 토지에 출입하는 행위

2. 특별한 용도로 이용되지 아니하고 있는 타인의 토지를 재료적치장 또는 임시도로로 일시 사용하는 행위

3. 특히 필요한 경우 죽목(竹木)·토석이나 그 밖의 장애물을 변경하거나 제거하는 행위

(2) 위 (1)에 따른 사업주체가 국민주택을 건설하거나 국민주택을 건설하기 위한 대지를 조성하는 경우에는 토지나 토지에 정착한 물건 및 그 토지나 물건에 관한 소유권 외의 권리를 수용하거나 사용할 수 있다.

(3) 위 (1)의 경우에는 「국토의 계획 및 이용에 관한 법률」의 관련 규정을 준용한다. 이 경우 "도시·군계획시설사업의 시행자"는 "사업주체"로 본다.

10 토지에의 출입 등에 따른 손실보상 (법 제25조)

(1) 토지에의 출입행위로 인하여 손실을 받은 자가 있는 때에는 그 행위를 한 사업주체가 그 손실을 보상하여야 한다.

(2) 위 (1)의 규정에 따른 손실보상에 관하여는 그 손실을 보상할 자와 손실을 받은 자가 협의해야 하며, 협의가 성립되지 아니하거나 협의를 할 수 없는 때에는 「공익사업을 위한 토지 등의 취득 및 보상에 관한 법률」에 따른 관할 토지수용위원회에 재결을 신청할 수 있다.

(3) 관할 토지수용위원회의 재결에 관하여는 「공익사업을 위한 토지 등의 취득 및 보상에 관한 법률」의 다음 규정을 준용한다.

건축관계법

국토계획법

주차장법

주 택 법

도시및주거
환경정비법

건축사법

장애인시설법

소방시설법

서울시조례

■ 「공익사업을 위한 토지 등의 취득 및 보상에 관한 법률」

내 용	법 조 항
이의의 신청	제83조
이의신청에 대한 재결	제84조
행정소송의 제기	제85조
이의신청에 대한 재결의 효력	제86조
법정이율에 따른 가산지급	제87조

11 토지매수 업무 등의 위탁 (법 제26조)(영 제38조)

(1) 국가 또는 한국토지주택공사인 사업주체는 주택건설사업 또는 대지조성사업을 위한 토지매수 업무와 손실보상 업무를 관할 지방자치단체의 장에게 위탁할 수 있으며 위탁하는 경우에는 매수 할 토지 및 위탁조건을 명시해야 한다.

(2) 사업주체가 위 (1)에 따라 토지매수 업무와 손실보상 업무를 위탁할 때에는 그 토지매수 금액과 손실보상 금액의 2%의 범위에서 「공익사업을 위한 토지 등의 취득 및 보상에 관한 법률 시행 령」 [별표 1]에 따른 위탁수수료를 해당 지방자치단체에 지급하여야 한다.

12 「공익사업을 위한 토지 등의 취득 및 보상에 관한 법률」의 준용 (법 제27조)

(1) 사업주체가 국민주택을 건설하거나 국민주택을 건설하기 위한 대지를 조성하기 위하여 토지등 을 수용하거나 사용하는 경우에는 이 법에 규정된 것 외에는 「공익사업을 위한 토지 등의 취득 및 보상에 관한 법률」을 준용한다.

(2) 위 (1)에 따라 「공익사업을 위한 토지 등의 취득 및 보상에 관한 법률」을 준용하는 경우에는 "「공익사업을 위한 토지 등의 취득 및 보상에 관한 법률」에 따른 사업인정"을 "사업계획승인" 으로 본다. 다만, 재결신청은 「공익사업을 위한 토지 등의 취득 및 보상에 관한 법률」에도 불 구하고 사업계획승인을 받은 주택건설사업 기간 이내에 할 수 있다.

13 간선시설의 설치 및 비용의 상환 (법 제28조)

【1】간선시설의 설치의무

사업주체가 주택건설사업 또는 대지조성사업을 시행하는 경우에 설치 의무자가 그 해당 간선시설 을 설치하여야 한다.

【2】간선시설의 설치 (영 제39조)

① 주택건설사업 규모가 단독택인 경우 100호, 공동주택인 경우 100세대(리모델링의 경우 늘어나는 세대수를 기준으로 한다.), 16,500m² 이상의 면적의 대지조성사업을 시행하는 경우에는 다음에 정하는 자가 해당 간선시설을 설치하여야 한다.

간선시설의 종류	설치의무자
1. 도로 및 상·하수도시설	지방자치단체
2. 전기시설·통신시설·가스시설·지역난방시설	해당 지역에 전기·통신·가스 또는 난방을 공급하는 자
3. 우체통	국가

예외 도로 및 상·하수도 시설로서 사업주체가 주택건설사업계획 또는 대지조성사업계획에 포함하여 설치하고자 하는 경우에는 그러하지 아니하다.

② 간선시설의 설치는 특별한 사유가 없는 한 사용검사일까지 완료하여야 한다.

③ 지방자치단체의 설치의무 범위에 속하지 아니하는 도로 또는 상·하수도시설(해당 주택건설사업 또는 대지조성사업과 직접적으로 관련이 있는 경우에 한함)로서 사업주체가 그 설치비용을 부담하고자 하는 경우에는 사업주체가 설치를 요청할 경우에는 이에 응할 수 있다.

【3】 간선시설의 설치비용 부담

간선시설의 구분	설치비용의 부담자
1. 위 【2】의 간선시설	설치의무자
2. 도로 및 상·하수도	설치의무자(1/2의 범위 안에서 국가가 보조 가능)
3. 지중선로로 설치하는 전기 간선시설	전기를 공급할 자와 지중에 설치할 것을 요청한 자가 각각 50/100의 비율로 그 설치비용을 부담한다. 단서 사업지구 밖의 기간시설로부터 그 사업지구 안의 가장 가까운 주택단지(사업지구 안에 1개의 주택단지가 있는 경우에는 그 주택단지를 말함)의 경계선까지 전기간선 시설을 설치하는 경우에는 전기를 공급하는 자가 부담한다.

【4】 간선시설의 종류별 설치범위(영
별표2)

구 분	설치범위
1. 도로	주택단지 밖의 기간이 되는 도로로부터 주택단지의 경계선(단지의 주된 출입구를 말함)까지로 하되, 그 길이가 200m를 초과하는 경우로서 그 초과부분에 한한다.
2. 상하수도시설	주택단지 밖의 기간이 되는 상·하수도시설로부터 주택단지의 경계선까지의 시설로 하되, 그 길이가 200m를 초과하는 경우로서 그 초과부분에 한한다.
3. 전기시설	주택단지 밖의 기간이 되는 시설로부터 주택단지의 경계선까지로 한다. 다만, 지중선로는 사업지구 밖의 기간이 되는 시설로부터 그 사업지구안의 가장 가까운 주택단지(사업지구 안에 1개의 주택단지가 있는 경우에는 그 주택단지를 말함)의 경계선까지로 하되, 임대주택을 건설하는 주택단지에 대하여는 국토교통부장관이 산업통상자원부장관과 따로 협의하여 정하는 바에 따른다.

건축관계법

국토계획법

주차장법

주 택 법

도시및주거
환경정비법

건축사법

장애인시설법

소방시설법

서울시조례

건축관계법

국토계획법

주차장법

주 택 법

도시및주거
환경정비법

건축사법

장애인시설법

소방시설법

서울시조례

4. 가스공급시설	주택단지 밖의 기간이 되는 가스공급시설로부터 주택단지의 경계선까지로 한다. 다만, 주택단지 안에 취사 및 개별난방용(중앙집중식 난방용을 제외)으로 가스를 공급하기 위하여 정압조정실을 설치하는 경우에는 그 정압조정실까지로 한다.
5. 통신시설 　(세대별 전화시설)	관로시설은 주택단지 밖의 기간이 되는 시설로부터 주택단지 경계선까지, 케이블시설은 주택단지 밖의 기간이 되는 시설로부터 주택단지안의 최초 단자까지로 한다. 다만, 국민주택을 건설하는 주택단지에 설치하는 케이블시설의 경우 그 설치 및 유지·보수에 관하여는 국토교통부장관이 정보통신부장관과 따로 협의하여 정하는 바에 따른다.
6. 지역난방시설	주택단지 밖의 기간이 되는 열수송관의 분기점(해당 주택단지에서 가장 가까운 분기점을 말함)으로부터 주택단지내의 각 기계실입구 차단밸브까지로 한다.

【5】 간선시설 설치비의 상환 $\left(\begin{smallmatrix} 영 \\ 제40조 \end{smallmatrix}\right)$

(1) 사업주체가 간선시설을 자기부담으로 설치하려는 경우 간선시설 설치의무자는 사업주체와 간선시설의 설치비 상환계약을 체결하여야 한다.

(2) 위 (1)에 따른 상환계약에서 정하는 설치비의 상환기한은 해당 사업의 사용검사일부터 3년 이내로 하여야 한다.

(3) 간선시설 설치의무자가 제1항에 따른 상환계약에 따라 상환하여야 하는 금액은 다음의 금액을 합산한 금액으로 한다.

① 설치비용

② 상환 완료 시까지의 설치비용에 대한 이자. 이 경우 이자율은 설치비 상환계약 체결일 당시의 정기예금 금리(「은행법」에 따라 설립된 은행 중 수신고를 기준으로 한 전국 상위 6개 시중은행의 1년 만기 정기예금 금리의 산술평균을 말한다)로 하되, 상환계약에서 달리 정한 경우에는 그에 따른다.

14 공공시설의 귀속 등 $\left(\begin{smallmatrix} 법 \\ 제29조 \end{smallmatrix}\right)$

(1) 사업주체가 사업계획승인을 얻은 사업지구안의 토지에 새로이 공공시설을 설치하거나 기존의 공공시설에 대체되는 공공시설을 설치하는 경우에 그 공공시설의 귀속에 관하여는 「국토의 계획 및 이용에 관한 법률」의 개발행위에 따른 공공시설 등의 귀속(제65조) 및 공공시설 등의 귀속(제99조)에 관한 규정을 준용한다. 이 경우 '개발행위허가를 받은 자'는 '사업주체'로, '개발행위허가'는 '사업계획승인'으로, '행정청인 시행자'는 '한국토지주택공사 및 지방공사'로 본다.

(2) 한국토지주택공사 및 지방공사를 행정청인 시행자로 보는 경우 그에게 귀속되는 공공시설은 해당 국민주택사업시행 목적 외로는 이를 사용하거나 처분할 수 없다.

【참고】 개발행위에 따른 공공시설 등의 귀속(「국토의 계획 및 이용에 관한 법률」 제65조, 제99조)

시행자	신설 공공시설	용기폐기 된 종전시설
행정청	무상공급	무상귀속
비행정청	무상공급	계상귀속

15 국·공유지 등의 우선 매각 및 임대 (법 제30조)

(1) 국가 또는 지방자치단체는 그가 소유하는 토지를 매각하거나 임대함에 있어서 다음의 목적으로 해당 토지의 매수나 임차를 원하는 자가 있을 때에는 그에게 우선적으로 해당 토지를 매각하거나 임대할 수 있다.

① 국민주택규모의 주택을 해당 대지에 건설하는 주택수의 50% 이상으로 건설하는 주택의 건설

② 주택조합이 건설하는 주택의 건설

③ 위 ①, ②의 주택을 건설하기 위한 대지의 조성

(2) 국가 또는 지방자치단체는 국가 또는 지방자치단체로부터 토지를 매수하거나 임차한 자가 그 매수 또는 임차일로부터 2년 이내에 국민주택규모의 주택 또는 조합주택을 건설하지 아니하거나 그 주택의 건설을 위한 대지조성사업을 시행하지 아니한 때에는 환매하거나 임대계약을 취소할 수 있다.

16 환지방식에 따른 도시개발사업으로 조성된 대지의 활용 (법 제31조)(영 제42조)

(1) 사업주체가 국민주택용지로 사용하기 위하여 도시개발사업시행자(「도시개발법」에 따른 환지방식에 의하여 사업을 시행하는 도시개발사업의 시행자를 말함)에게 체비지의 매각을 요구한 때에는 그 도시개발사업시행자는 체비지의 총면적의 1/2의 범위 안에서 이를 우선적으로 사업주체에게 매각할 수 있다.

(2) 도시개발사업시행자(「도시개발법」에 따른 환지(換地) 방식에 의하여 사업을 시행하는 도시개발사업의 시행자를 말한다)는 체비지(替費地)를 사업주체에게 국민주택용지로 매각하는 경우에는 경쟁입찰로 하여야 한다.

예외 매각을 요구하는 사업주체가 하나일 때에는 수의계약으로 매각할 수 있다.

(3) 위 (1)의 경우에 사업주체가 환지계획의 작성 전에 체비지의 매각을 요구한 때에는 도시개발사업시행자는 사업주체에게 매각할 체비지를 그 환지계획에서 하나의 단지로 정하여야 한다.

(4) 체비지의 양도가격은 「감정평가 및 감정평가사에 관한 법률」에 따른 감정평가법인등이 2인 이상의 감정평가가격을 산술평균한 가격을 기준을 한다.

예외 85㎡ 이하의 임대주택을 건설하거나 주거전용면적 60㎡ 이하의 국민주택을 건설하는 경우에는 「택지개발 촉진법 시행규칙」 [별표]에 따라 산정한 원가를 기준으로 할 수 있다.

【참고】 환지방식과 체비지

(1) 환지와 환지방식

① 환지(換地)

도시개발사업 또는 주택재개발사업 등에 의해 이전에 소유하던 토지(땅) 대신 사업이 완료된 후에 새로이 소유하는 토지를 환지(換地)라고 한다.

② 환지방식 (「도시개발법 시행령」 제43조 제1항)

도시개발사업의 시행방식 중 다음에 해당하는 경우에 적용한다.

㉠ 대지로서의 효용증진과 공공시설의 정비를 위하여 토지의 교환·분합, 그 밖의 구획변경, 지목 또는 형질의 변경이나 공공시설의 설치·변경이 필요한 경우

㉡ 도시개발사업을 시행하는 지역의 지가가 인근의 다른 지역에 비하여 현저히 높아 수용 또는 사용방식으로 시행하는 것이 어려운 경우

건축관계법

국토계획법

주차장법

주 택 법

도시및주거환경정비법

건축사법

장애인시설법

소방시설법

서울시조례

건축관계법

국토계획법

주차장법

주 택 법

도시및주거
환경정비법

건축사법

장애인시설법

소방시설법

서울시조례

③ 입체환지(立體換地) (「도시개발법」 제32조 제1항~제6항)

    ㉠ 시행자는 도시개발사업을 원활히 시행하기 위하여 특히 필요한 경우에는 토지 또는 건축물 소유자의 신청을 받아 건축물의 일부와 그 건축물이 있는 토지의 공유지분을 부여할 수 있다.

    ㉡ ㉠에 따른 입체 환지의 경우 시행자는 제28조에 따른 환지 계획 작성 전에 실시계획의 내용, 환지 계획 기준, 환지 대상 필지 및 건축물의 명세, 환지신청 기간 등 대통령령으로 정하는 사항을 토지 소유자(건축물 소유자를 포함한다.

    ㉢ ㉠에 따른 입체 환지의 신청기간은 통지한 날부터 30일 이상 60일 이하로 하여야 한다. 다만, 시행자는 환지 계획의 작성에 지장이 없다고 판단하는 경우에는 20일의 범위에서 그 신청기간을 연장할 수 있다.

    ㉣ 입체 환지를 받으려는 토지 소유자는 ㉡에 따른 환지신청 기간 이내에 대통령령으로 정하는 방법 및 절차에 따라 시행자에게 환지신청을 하여야 한다.

    ㉤ 입체 환지 계획의 작성에 관하여 필요한 사항은 국토교통부장관이 정할 수 있다.

(2) 보류지와 체비지(「도시개발법」 제34조)

  ① 시행자는 도시개발사업에 필요한 경비에 충당하거나 규약·정관·시행규정 또는 실시계획으로 정하는 목적을 위하여 일정한 토지를 환지로 정하지 아니하고 보류지로 정할 수 있으며, 그 중 일부를 체비지로 정하여 도시개발사업에 필요한 경비에 충당할 수 있다.

  ② 특별자치도지사·시장·군수 또는 구청장은 「주택법」에 따른 공동주택의 건설을 촉진하기 위하여 필요하다고 인정하면 위 ①에 따른 체비지 중 일부를 같은 지역에 집단으로 정하게 할 수 있다.

17 서류의 열람 (법 제32조)

국민주택을 건설·공급하는 사업주체는 주택건설사업 또는 대지조성사업을 시행할 때 필요한 경우에는 등기소나 그 밖의 관계 행정기관의 장에게 필요한 서류의 열람·등사나 그 등본 또는 초본의 발급을 무료로 청구할 수 있다.

18 주택의 설계 및 시공 (법 제33조)(영 제43조)

(1) 사업계획승인을 받아 건설되는 주택(부대시설과 복리시설을 포함한다)을 설계하는 자는 다음에 따라 설계도서 작성기준에 맞게 설계하여야 한다.

  ① 설계도서는 설계도·시방서(示方書)·구조계산서·수량산출서·품질관리계획서 등으로 구분하여 작성할 것

  ② 설계도 및 시방서에는 건축물의 규모와 설비·재료·공사방법 등을 적을 것

  ③ 설계도·시방서·구조계산서는 상호 보완관계를 유지할 수 있도록 작성할 것

  ④ 품질관리계획서에는 설계도 및 시방서에 따른 품질 확보를 위하여 필요한 사항을 정할 것

  ⑤ 국토교통부장관은 위 ①~④에 관한 세부기준을 정하여 고시할 수 있다.

    고시 주택의 설계도서 작성기준 (국토교통부고시 제2022-329호, 2022.6.20)

(2) 시공자와 사업주체는 설계도서에 맞게 시공하여야 한다.

19 주택건설공사의 시공제한 등 $\left(\substack{\text{법} \\ \text{제34조}}\right)\left(\substack{\text{영} \\ \text{제44조}}\right)$

(1) 사업계획승인을 얻은 주택의 건설공사는 「건설산업기본법」에 따른 건설사업자로서 대통령령으로 정하는 자 또는 건설사업자로 간주하는 등록사업자가 아니면 시공할 수 없다.

(2) 공동주택의 방수·위생 및 냉·난방설비공사는 「건설산업기본법」에 따른 건설사업자로서 다음의 어느 하나에 해당하는 건설업등록을 받은 자가 아니면 이를 시공할 수 없다. (특정열사용기자재의 설치·시공하는 경우에는 「에너지이용합리화법」에 따른 시공업자를 말한다)

① 방수설비공사: 도장·습식·방수·석공사업
② 위생설비공사: 기계설비·가스공사업
③ 냉·난방설비공사: 기계설비·가스공사업 또는 가스·난방공사업[가스·난방공사업 중 난방공사 (제1종·제2종 또는 제3종)를 말하며, 난방설비공사로 한정한다]

(3) 국가 또는 지방자치단체인 사업주체는 사업계획승인을 받은 주택건설공사의 설계와 시공을 분리하여 발주하여야 한다. 다만, 주택건설공사 중 대지구입비를 제외한 총공사비가 500억원 이상인 공사로서 기술관리상 설계와 시공을 분리하여 발주할 수 없는 공사의 경우에는 「국가를 당사자로 하는 계약에 관한 법률 시행령」으로 정하는 입찰방법으로 시행할 수 있다.

> [관계법] 「국가를 당사자로 하는 계약에 관한 법률 시행령」 제79조 【정의】
> ① 이 장에서 사용하는 용어의 정의는 다음 각 호와 같다. <개정 2006.5.25., 2007.10.10.>
> 1. ~ 4. <생략>
> 5. "일괄입찰"이라 함은 정부가 제시하는 공사일괄입찰기본계획 및 지침에 따라 입찰시에 그 공사의 설계서 기타 시공에 필요한 도면 및 서류(이하 "도서"라 한다)를 작성하여 입찰서와 함께 제출하는 설계·시공일괄입찰을 말한다.

20 주택의 건설기준 등 $\left(\substack{\text{법} \\ \text{제35조}}\right)$

「주택법」의 사업계획승인을 얻어 건설되는 주택의 건축기준은 「건축법」의 기술기준규정을 준용하되, 「주택법」의 하위규정인 「주택건설기준에 관한 규정」 등에서 그 건축기준을 달리 정하고 있을 때에는 「건축법」의 기준에 불구하고 주택건설기준에 따른다.

1 주택건설기준 $\left(\substack{\text{영} \\ \text{제45조}}\right)$

(1) 다음에 해당하는 사항은 「주택건설기준 등에 관한 규정」으로 정한다.

내 용	법 규정
1. 주택 및 시설의 배치, 주택과의 복합건축 등에 관한 주택건설기준	법 제35조제1항제1호
2. 주택의 구조·설비기준	법 제35조제1항제2호
3. 부대시설의 설치기준	법 제35조제1항제3호
4. 복리시설의 설치기준	법 제35조제1항제4호
5. 대지조성기준	법 제35조제1항제5호
6. 도시형 생활주택의 건설기준	법 제36조
7. 에너지절약형 친환경주택 등의 건설기준	법 제37조

건축관계법
국토계획법
주차장법
주 택 법
도시및주거환경정비법
건축사법
장애인시설법
소방시설법
서울시조례

건축관계법
국토계획법
주차장법
주 택 법
도시및주거
환경정비법
건축사법
장애인시설법
소방시설법
서울시조례

8. 장수명 주택의 건설기준 및 인증제도	법 제38조
9. 공동주택성능등급의 표시	법 제39조
10. 환기시설 설치기준	법 제40조
11. 바닥충격음 성능등급 인정	법 제41조
12. 소음방지대책 수립에 필요한 실외소음도와 실외소음도를 측정하는 기준, 실외소음도 측정기관의 지정 요건 및 측정에 소요되는 수수료 등 실외소음도 측정에 필요한 사항	법 제42조

(2) 지방자치단체는 그 지역의 특성, 주택의 규모 등을 감안하여 주택건설기준 등의 범위 안에서 조례로 구체적인 기준을 정할 수 있다.

(3) 사업주체는 위 (1)의 주택건설기준 및 (2)의 기준에 따라 주택건설사업 또는 대지조성사업을 시행하여야 한다.

② 주택의 규모별 건설비율 $\left(\substack{영 \\ 제46조}\right)$

(1) 국토교통부장관은 적정한 주택 수급을 위하여 필요하다고 인정할 때에 사업주체가 건설하는 주택의 75%(리모델링조합을 제외한 주택조합이나 고용자가 건설하는 주택은 100%)의 범위에서 일정 비율 이상을 국민주택규모로 건설하게 할 수 있다.

(2) 위 규정에 따른 국민주택규모 주택의 건설비율은 주택단지별 사업계획에 적용한다.

21 주택의 감리자 지정 등

① 감리자의 지정 $\left(\substack{법 \\ 제43조}\right)\left(\substack{영 \\ 제47조}\right)$

(1) 사업계획승인권자는 주택건설사업계획을 승인하였을 때와 특별자치시장·특별자치도지사·시장·군수·구청장이 리모델링의 허가를 하였을 때에는 「건축사법」 또는 「건설기술 진흥법」에 따른 감리자격이 있는 자를 다음에 따라 해당 주택건설공사를 감리할 자로 지정하여야 한다.

주택건설공사 규모	감리자의 자격
1. 300세대 미만	㉠ 「건축사법」에 따라 건축사사무소개설신고를 한 자 ㉡ 「건설기술 진흥법」에 따른 건설엔지니어링사업자
2. 300세대 이상	「건설기술 진흥법」에 따른 건설엔지니어링사업자

예외 사업주체가 국가·지방자치단체·한국토지주택공사·지방공사 또는 일정한 요건을 갖춘 위탁관리 부동산투자회사*와 「건축법」에 따라 공사감리를 하는 도시형 생활주택의 경우에는 그러하지 아니하다.

※ 일정한 요건을 갖춘 위탁관리 부동산투자회사

다음에 해당하는 자가 단독 또는 공동으로 총지분의 50%를 초과하여 출자한 부동산투자회사(해당 부동산투자회사의 자산관리회사가 한국토지주택공사인 경우만 해당한다)가 주택건설사업을 시행하는 경우

① 국가 ② 지방자치단체 ③ 한국토지주택공사 ④ 지방공사

(2) 사업주체(리모델링의 허가를 받은 자도 포함)와 감리자 간의 책임 내용 및 범위는 이 법에서

규정한 것 외에는 당사자 간의 계약으로 정한다.

(3) 국토교통부장관은 위 (2)에 따른 계약을 체결할 때 사업주체와 감리자 간에 공정하게 계약이 체결되도록 하기 위하여 감리용역표준계약서를 정하여 보급할 수 있다.

② 감리자의 감리업무 (법 제44조)

【1】 감리자의 배치

(1) 감리자로 지정을 받은 자는 감리자격이 있는 자를 공사현장에 상주시켜 감리하되 공사에 대한 감리업무를 총괄하는 감리원 1인과 공사분야별 감리원을 각각 배치하여야 한다.

■ 감리자격이 있는 자 (규칙 제18조)

위 (1)의 감리자격이 있는 자라 함은 다음의 자를 말한다.

① 감리업무를 총괄하는 총괄감리원의 경우

㉠ 1천세대 미만의 주택건설공사 : 「건설기술 진흥법 시행령」[별표 1]에 따른 건설사업관리 업무를 수행하는 특급기술인 또는 고급기술인.

※ 300세대 미만의 주택건설공사인 경우 : 「건축사법」에 따른 건축사 또는 건축사보로서 「건설기술 진흥법 시행령」[별표 1]에 따른 건설사업관리 업무를 수행하는 특급기술인 또는 고급기술인의 등급에 해당하고 「건설기술 진흥법 시행령」[별표 3]에 따른 기본교육 및 전문 교육을 받은 자를 포함한다.

㉡ 1천세대 이상의 주택건설공사 : 「건설기술 진흥법 시행령」[별표 1]에 따른 건설사업관리 업무를 수행하는 특급기술인

② 공사분야별 감리원의 경우

「건설기술 진흥법 시행령」[별표 1]에 따른 건설사업관리 업무를 수행하는 건설기술인.

※ 300세대 미만의 주택건설공사인 경우 : 「건축사법」에 따른 건축사 또는 건축사보로서 「건설기술 진흥법 시행령」[별표 1]에 따른 건설사업관리 업무를 수행하는 건설기술인 등급에 해당하고 「건설기술 진흥법 시행령」[별표 3]에 따른 기본교육 및 전문교육을 받은 자를 포함한다.

(2) 위 (1)의 경우 공사에 대한 감리업무를 총괄하는 감리원 1인은 주택건설공사의 전 기간에 배치하여야 하며, 공사분야별 감리원은 해당 공사의 기간 동안 배치한다.

【2】 감리원이 수행하여야 할 업무 (법 제44조)(영 제49조)

(1) 감리원이 수행하여야 할 업무는 다음과 같다.

1. 시공자가 설계도서에 맞게 시공하는지 여부의 확인

2. 시공자가 사용하는 건축자재가 관계 법령에 따른 기준에 적합한 건축자재인지 여부의 확인

3. 주택건설공사에 대한 「건설기술 진흥법」에 따른 품질시험의 실시여부의 확인

4. 시공자가 사용하는 마감자재 및 제품이사업주체가 시장·군수·구청장에게 제출한 견본주택 마감자재 목록표, 영상물 등과 동일한지 여부의 확인

건축관계법

국토계획법

주차장법

주 택 법

도시및주거
환경정비법

건축사법

장애인시설법

소방시설법

서울시조례

건축관계법

국토계획법

주차장법

주 택 법

도시및주거
환경정비법

건축사법

장애인시설법

소방시설법

서울시조례

5. 그 밖에 주택건설공사의 시공감리에 관한 사항으로서 다음의 사항
 ① 설계도서가 해당 지형 등에 적합한 지의 확인
 ② 설계변경에 관한 적정성의 확인
 ③ 시공계획, 예정공정표 및 시공도면 등의 검토·확인
 ④ 다음에 해당하는 주요 공정이 예정공정표대로 완료되었는지 여부의 확인
  ㉠ 지하 구조물 공사　　　　　　　㉡ 옥탑층 골조 및 승강로 공사
  ㉢ 세대 내부 바닥의 미장 공사
  ㉣ 승강기 설치 공사　　　　　　　㉤ 지하 관로 매설 공사
 ⑤ 예정공정표보다 공사가 지연된 경우 대책의 검토 및 이행 여부의 확인
 ⑥ 방수·방음·단열시공의 적정성 확보, 재해의 예방, 시공상의 안전관리, 그 밖의 건축공사의 질적
   향상 을 위하여 국토교통부장관이 정하여 고시하는 사항에 대한 검토·확인

※ 국토교통부장관은 주택건설공사의 시공감리에 관한 세부적인 기준을 정하여 고시할 수 있다.
　고시 **주택건설공사 감리업무 세부기준 (국토해양부 고시)**
(2) 감리자는 착공신고, 감리업무의 범위에 속하는 각종 시험 및 자재확인 등을 한 경우, 서명 또는
  날인을 하여야 한다.
(3) 감리자는 사업주체와 협의하여 감리원의 배치계획을 작성한 후 사업계획승인권자 및 사업주체
  에게 각각 이를 보고하여야 한다. 배치계획을 변경하는 경우에도 또한 같다.
(4) 주택건설공사에 대한 감리는 이 법에서 정하는 사항 외에는 「건축사법」 또는 「건설기술 진흥
  법」 에서 정하는 바에 따른다.

③ 감리자의 업무보고

(1) 감리자는 사업계획승인권자 및 사업주체에게 다음의 구분에 따라 감리업무수행사항을 보고하여
  야 하며, 감리업무를 완료한 때에는 최종보고서를 제출하여야 한다.
   ① 주요 공정(위 【2】 -(1)-5.-④)이 예정공정표대로 완료되었는지 여부의 확인의 업무: 예정공
     정표에 따른 해당 주요 공정 각 각의 공정 완료 예정 시기
   ② 예정공정표보다 공사가 지연된 경우 대책의 검토 및 이행 여부의 확인의 업무: 공사 지연이
     발생한 때. 이 경우 국토교통부장관이 정하여 고시하는 기준에 따라 보고해야 한다.
   ③ 위 ① 및 ② 외의 감리업무 수행 상황: 분기별
(2) 감리업무를 수행함에 있어서 위반사항을 발견한 때에는 지체 없이 시공자 및 사업주체에게 위
  반사항을 시정할 것을 통지하고, 7일 이내에 사업계획승인권자에게 그 내용을 보고하여야 한다.

④ 이의신청의 처리 (영 제50조)

(1) 시공자 및 사업주체는 시정통지를 받은 때에는 즉시 해당 공사를 중지하고, 위반사항을 시정한
  후 감리자의 확인을 받아야 하며, 이 경우 감리자의 시정통지에 이의가 있는 때에는 즉시 해당
  공사를 중지하고 사업계획승인권자에게 서면으로 이의신청을 할 수 있다.
(2) 사업계획승인권자는 이의신청서를 받은 날부터 10일 이내에 시공자·사업주체 및 감리자에게
  그 결과를 통보해야 한다.

⑤ 공사감리비의 지급 (규칙 제18조의2)

(1) 사업주체는 계약에 따른 공사감리비를 다음에 따라 사업계획승인권자에게 예치하여야 한다.

① 사업주체는 감리자와 계약을 체결한 경우 사업계획승인권자에게 계약 내용을 통보해야 한다. 이 경우 통보를 받은 사업계획승인권자는 즉시 사업주체 및 감리자에게 공사감리비 예치 및 지급 방식에 관한 내용을 안내해야 한다.

② 사업주체는 해당 공사감리비를 계약에서 정한 지급예정일 14일 전까지 사업계획승인권자에게 예치해야 한다.

(2) 사업계획승인권자는 예치 받은 공사감리비를 감리자에게 다음의 절차 등에 따라 지급하여야 한다.

① 감리자는 계약에서 정한 공사감리비 지급예정일 7일 전까지 사업계획승인권자에게 공사감리비 지급을 요청하여야 하며, 사업계획승인권자는 감리업무 수행 상황을 확인한 후 공사감리비를 지급하여야 한다.

④ 계약에서 선급금의 지급, 계약의 해제·해지 및 감리 용역의 일시중지 등의 사유 발생 시 공사감리비의 예치 및 지급 등에 관한 사항을 별도로 정한 경우에는 그 계약에 따른다.

⑤ 사업계획승인권자는 공사감리비를 지급한 경우 그 사실을 즉시 사업주체에게 통보해야 한다.

⑥ 규정한 사항 외에 공사감리비 예치 및 지급 등에 필요한 사항은 시·도지사 또는 시장·군수가 정한다.

⑥ 감리자 교체 등 (영 제48조)

(1) 사업계획승인권자는 감리자가 감리자의 지정에 관한 서류를 부정 또는 거짓으로 제출하거나 업무수행 중 위반사항을 묵인하는 등 다음 사항에 해당하는 경우에는 감리자를 교체하고, 해당 감리자에 대하여는 1년 범위 안에서 감리업무의 지정을 제한할 수 있다.

1. 감리업무 수행 중 발견한 위반사항을 묵인한 경우
2. 이의신청 결과 시정통지가 3회 이상 잘못된 것으로 판정된 경우
3. 공사기간 중 공사현장에 1월 이상 감리원을 상주시키지 아니한 경우, 이 경우 기간계산은 감리원별로 상주시켜야 하는 기간에 각 감리원이 상주하지 아니한 기간을 합산한다.
4. 감리자의 지정에 관한 서류를 거짓 그 밖의 부정한 방법으로 작성·제출한 경우
5. 감리자 스스로 감리업무 수행의 포기 의사를 밝힌 경우

(2) 사업계획승인권자는 감리자를 교체하고자 하는 때에는 시공자·사업주체 및 해당 감리자의 의견을 들어야 한다.

(3) 사업계획승인권자는 위 (1)-5.에도 불구하고 감리자가 다음의 사유로 감리업무 수행을 포기한 경우에는 그 감리자에 대하여 감리업무 지정제한을 하여서는 아니 된다.

① 사업주체의 부도·파산 등으로 인한 공사 중단

② 1년 이상의 착공 지연

③ 그 밖에 천재지변 등 부득이한 사유

⑦ 감리자의 업무협조 (법 제45조)(영 제51조)

(1) 감리자는 「전력기술관리법」의 설계·감리업자 선정 등(제14조의2), 「정보통신공사업법」의 감리 등(제8조), 「소방시설공사업법」의 공사감리자의 지정 등(제17조)에 따라 감리업무를 수행하는 자와 서로 협력하여 감리업무를 수행하여야 한다.

건축관계법

국토계획법

주차장법

주 택 법

도시및주거
환경정비법

건축사법

장애인시설법

소방시설법

서울시조례

(2) 다른 법률에 따른 감리자는 다음에 해당하는 자료를 감리자에게 제출하여야 하며, 감리자는 제출된 자료를 근거로 다른 법률에 따른 감리자와 협의하여 전체 주택건설공사에 대한 감리계획서를 작성하여야 한다.
① 공정별 감리계획서
② 공정보고서
③ 공사분야별로 필요한 부분에 대한 상세시공도면

(3) 감리자는 주택건설공사의 품질·안전관리 및 원활한 공사 진행을 위하여 다른 법률에 따른 감리자에게 공정보고 및 시정을 요구할 수 있으며, 다른 법률에 따른 감리자는 이에 응하여야 한다.

8 건축구조기술사와의 협력 (법 제46조)(영 제54조)(규칙 제19조)

(1) 수직증축형 리모델링(세대수가 증가되지 아니하는 리모델링을 포함)의 감리자는 감리업무 수행 중에 다음의 어느 하나에 해당하는 사항이 확인된 경우에는 「국가기술자격법」에 따른 건축구조기술사(해당 건축물의 리모델링 구조설계를 담당한 자를 말하며, 이하 "건축구조기술사"라 함)의 협력을 받아야 한다.

> 단서 구조설계를 담당한 건축구조기술사가 다음에 해당하는 사유로 감리자가 협력을 받을 수 없는 경우에는 리모델링주택조합 등 수직증축형 리모델링(세대수가 증가되지 아니하는 리모델링을 포함한다)을 하는 자가 추천하는 건축구조기술사의 협력을 받아야 한다.

1. 구조설계를 담당한 건축구조기술사의 사망 또는 실종으로 감리자가 협력을 받을 수 없는 경우
2. 구조설계를 담당한 건축구조기술사의 해외 체류, 장기 입원 등으로 감리자가 즉시 협력을 받을 수 없는 경우
3. 구조설계를 담당한 건축구조기술사가 「국가기술자격법」에 따라 국가기술자격이 취소되거나 정지되어 감리자가 협력을 받을 수 없는 경우

※ 수직증축형 리모델링의 감리자는 위 단서 의 어느 하나에 해당하는 경우 지체 없이 리모델링주택조합 등에 건축구조기술사 추천을 의뢰하여야 한다. 이 경우 추천의뢰를 받은 리모델링주택조합 등은 지체 없이 건축구조기술사를 추천하여야 한다.

① 수직증축형 리모델링 허가 시 제출한 구조도 또는 구조계산서와 다르게 시공하고자 하는 경우
② 내력벽(耐力壁), 기둥, 바닥, 보 등 건축물의 주요 구조부에 대하여 수직증축형 리모델링 허가 시 제출한 도면보다 상세한 도면 작성이 필요한 경우
③ 내력벽, 기둥, 바닥, 보 등 건축물의 주요 구조부의 철거 또는 보강 공사를 하는 경우로서 다음에 해당하는 경우

1. 내력벽(耐力壁), 기둥, 바닥, 보 등 건축물의 주요 구조부의 철거 공사를 하는 경우로서 철거 범위나 공법의 변경이 필요한 경우
2. 내력벽, 기둥, 바닥, 보 등 건축물의 주요 구조부의 보강 공사를 하는 경우로서 공법이나 재료의 변경이 필요한 경우
3. 내력벽, 기둥, 바닥, 보 등 건축물의 주요 구조부의 보강 공사에 신기술 또는 신공법을 적용하는 경우로서 전문기관의 안전성 검토결과 「국가기술자격법」에 따른 건축구조기술사의 협력을 받을 필요가 있다고 인정되는 경우

④ 그 밖에 건축물의 구조에 영향을 미치는 사항으로서 다음에 해당하는 경우

1. 수직·수평 증축에 따른 골조 공사 시 기존 부위와 증축 부위의 접합부에 대한 공법이나 재료의 변경이 필요한 경우
2. 건축물 주변의 굴착공사로 구조안전에 영향을 주는 경우

(2) 위 (1)에 따라 감리자에게 협력한 건축구조기술사는 분기별 감리보고서 및 최종 감리보고서에 감리자와 함께 서명날인하여야 한다.
(3) 위 (1)에 따라 협력을 요청받은 건축구조기술사는 독립되고 공정한 입장에서 성실하게 업무를 수행하여야 한다.
(4) 수직증축형 리모델링을 하려는 자는 위 (1)에 따라 감리자에게 협력한 건축구조기술사에게 적정한 대가를 지급하여야 한다.

⑨ 부실감리자 등에 대한 조치 (법 제47조)

사업계획승인권자는 지정·배치된 감리자 또는 감리원(다른 법률에 따른 감리자 또는 그에게 소속된 감리원을 포함)이 그 업무를 수행할 때 고의 또는 중대한 과실로 감리를 부실하게 하거나 관계 법령을 위반하여 감리를 함으로써 해당 사업주체 또는 입주자 등에게 피해를 입히는 등 주택건설공사가 부실하게 된 경우에는 그 감리자의 등록 또는 감리원의 면허나 그 밖의 자격인정 등을 한 행정기관의 장에게 등록말소·면허취소·자격정지·영업정지나 그 밖에 필요한 조치를 하도록 요청할 수 있다.

⑩ 감리자에 대한 실태점검 등 (법 제48조)(영 제53조)(규칙 제20조)

(1) 사업계획승인권자는 주택건설공사의 부실방지, 품질 및 안전 확보를 위하여 해당 주택건설공사의 감리자를 대상으로 다음에 해당하는 사항에 대하여 실태점검을 실시할 수 있다.
  ① 감리원의 적정자격 보유 여부 및 상주이행 상태 등 감리원 구성 및 운영에 관한 사항
  ② 시공 상태 확인 등 시공관리에 관한 사항
  ③ 각종 시험 및 자재품질 확인 등 품질관리에 관한 사항
  ④ 안전관리 등 현장관리에 관한 사항
  ⑤ 그 밖에 사업계획승인권자가 실태점검이 필요하다고 인정하는 사항
(2) 사업계획승인권자는 실태점검 결과 감리업무의 소홀이 확인된 경우에는 시정명령을 하거나, 감리자 교체를 하여야 한다.
(3) 사업계획승인권자는 실태점검에 따른 감리자에 대한 시정명령 또는 교체지시 사실을 7일 이내에 국토교통부장관에게 보고하여야 하며, 국토교통부장관은 해당 내용을 종합관리하여 감리자 지정에 관한 기준에 반영할 수 있다.

22 사전방문 등 (법 제48조의2)

【1】 사전방문
(1) 사업주체는 사용검사를 받기 전에 입주예정자가 해당 주택을 방문하여 공사 상태를 미리 점검(이하 "사전방문"이라 한다)할 수 있게 하여야 한다.

건축관계법

국토계획법

주차장법

주 택 법

도시및주거
환경정비법

건축사법

장애인시설법

소방시설법

서울시조례

(2) 사전방문의 절차 및 방법 등 (규칙 제20조의2)

① 사업주체는 사전방문을 주택공급계약에 따라 정한 입주지정기간 시작일 45일 전까지 2일 이상 실시해야 한다.

② 사업주체가 사전방문을 실시하려는 경우에는 사전방문기간 시작일 1개월 전까지 방문기간 및 방법 등 사전방문에 필요한 사항을 포함한 사전방문계획을 수립하여 사용검사권자에게 제출하고, 입주예정자에게 그 내용을 서면(전자문서를 포함한다)으로 알려야 한다.

③ 사업주체는 표준양식을 참고하여 입주예정자에게 사전방문에 필요한 점검표를 제공해야 한다.

【2】 보수공사 등 적절한 조치 요청 (영 제53조의2)

(1) 입주예정자는 사전방문 결과 하자[공사상 잘못으로 인하여 균열·침하(沈下)·파손·들뜸·누수 등이 발생하여 안전상·기능상 또는 미관상의 지장을 초래할 정도의 결함을 말한다. 이하 같다]가 있다고 판단하는 경우 사업주체에게 보수공사 등 적절한 조치를 해줄 것을 요청할 수 있다.

(2) 위 (1)에 따른 하자의 범위는 「공동주택관리법 시행령」의 구분(영 제37조)에 따르며, 하자의 판정기준은 국토교통부장관이 정하여 고시하는 바에 따른다.

(3) 위 (1)에 따라 하자[사용검사권자가 하자가 아니라고 확인한 사항은 제외한다]에 대한 조치 요청을 받은 사업주체는 다음에 따라 보수공사 등 적절한 조치를 하여야 한다.

① 하자에 대한 조치 요청을 받은 사업주체는 다음 의 구분에 따른 시기까지 보수공사 등의 조치를 완료하기 위한 계획(이하 "조치계획"이라 한다)을 아래 (4)에 따라 수립하고, 해당 계획에 따라 보수공사 등의 조치를 완료해야 한다.

㉠ 중대한 하자인 경우: 사용검사를 받기 전. 다만, 아래 【3】 -(2)에 해당하는 사유가 있는 경우에는 입주예정자와 협의(공용부분의 경우에는 입주예정자 3/23 이상의 동의를 받아야 한다)하여 정하는 날로 한다.

㉡ 그 밖의 하자인 경우: 다음의 구분에 따른 시기. 다만, 아래 【3】 -(2)에 해당하는 사유가 있거나 입주예정자와 협의(공용부분의 경우에는 입주예정자 2/3 이상의 동의를 받아야 한다)한 경우에는 입주예정자와 협의하여 정하는 날로 한다.

ⓐ 전유부분: 입주예정자에게 인도하기 전

ⓑ 공용부분: 사용검사를 받기 전

② 조치계획을 수립한 사업주체는 사전방문 기간의 종료일부터 7일 이내에 사용검사권자에게 해당 조치계획을 제출해야 한다.

(4) 조치계획의 작성 방법 (규칙 제20조의3)

사업주체는 조치계획을 수립하는 경우에는 국토교통부장관이 정하여 고시하는 시설공사의 세부 하자 유형별로 다음 의 사항을 포함하여 작성해야 한다.

① 세대별 입주예정자가 조치 요청을 한 하자의 내용

② 중대한 하자인지 여부

③ 하자에 대한 조치방법 및 조치일정

【3】 중대한 하자 등에 대한 조치

(1) 입주예정자가 조치를 요청한 하자 중 다음에 해당하는 중대한 하자(사용검사권자가 중대한 하자라고 인정하는 하자를 말한다)는 특별한 사유가 없으면 사용검사를 받기 전까지 조치를 완료하여야 한다.

① 내력구조부 하자: 다음의 어느 하나에 해당하는 결함이 있는 경우로서 공동주택의 구조안전
상 심각한 위험을 초래하거나 초래할 우려가 있는 정도의 결함이 있는 경우
　　㉠ 철근콘크리트 균열
　　㉡ 「건축법」에 따른 주요구조부의 철근 노출
② 시설공사별 하자: 다음의 어느 하나에 해당하는 결함이 있는 경우로서 입주예정자가 공동주
택에서 생활하는 데 안전상·기능상 심각한 지장을 초래하거나 초래할 우려가 있는 정도의
결함이 있는 경우
　　㉠ 토목 구조물 등의 균열
　　㉡ 옹벽·차도·보도 등의 침하(沈下)
　　㉢ 누수, 누전, 가스 누출
　　㉣ 가스배관 등의 부식, 배관류의 동파
　　㉤ 다음의 어느 하나에 해당하는 기구·설비 등의 기능이나 작동 불량 또는 파손
　　　　ⓐ 급수·급탕·배수·위생·소방·난방·가스 설비 및 전기·조명 기구
　　　　ⓑ 발코니 등의 안전 난간 및 승강기

(2) 위 (1)에서 특별한 사유란 다음의 어느 하나에 해당하여 사용검사를 받기 전까지 중대한 하자에
대한 보수공사 등의 조치를 완료하기 어렵다고 사용검사권자로부터 인정받은 사유를 말한다.
①. 공사 여건상 자재, 장비 또는 인력 등의 수급이 곤란한 경우
② 공정 및 공사의 특성상 사용검사를 받기 전까지 보수공사 등을 하기 곤란한 경우
③ 그 밖에 천재지변이나 부득이한 사유가 있는 경우

【4】 사전방문 결과 하자 여부의 확인 등 $\left(\begin{smallmatrix}영\\제53조의3\end{smallmatrix}\right)$

(1) 사업주체가 하자 여부 확인을 요청하려면 사용검사권자에게 조치계획을 제출할 때 다음의 자료
를 첨부해야 한다.
① 입주예정자가 보수공사 등의 조치를 요청한 내용
② 입주예정자가 보수공사 등의 조치를 요청한 부분에 대한 설계도서 및 현장사진
③ 하자가 아니라고 판단하는 이유
④ 감리자의 의견
⑤ 그 밖에 하자가 아님을 증명할 수 있는 자료
(2) 사용검사권자는 위 (1)에 따라 요청을 받은 경우 위 【2】-(2)의 판정기준에 따라 하자 여부를
판단해야 하며, 하자 여부를 판단하기 위하여 필요한 경우에는 공동주택 품질점검단(이하 "품질
점검단"이라 한다)에 자문할 수 있다.
(3) 사용검사권자는 위 (1)에 따라 확인 요청을 받은 날부터 7일 이내에 하자 여부를 확인하여 해당
사업주체에게 통보해야 한다.
(4) 사업주체는 입주예정자에게 전유부분을 인도하는 날에 다음의 사항을 서면(「전자문서 및 전자
거래 기본법」에 따른 전자문서를 포함한다)으로 알려야 한다.
① 조치를 완료한 사항
② 조치를 완료하지 못한 경우에는 그 사유와 조치계획
③ 위 (1)에 따라 사용검사권자에게 확인을 요청하여 하자가 아니라고 확인받은 사항
(5) 사업주체는 조치계획에 따라 조치를 모두 완료한 때에는 사용검사권자에게 그 결과를 제출해야
한다.

건축관계법

국토계획법

주차장법

주 택 법

도시및주거
환경정비법

건축사법

장애인시설법

소방시설법

서울시조례

건축관계법

국토계획법

주차장법

주 택 법

도시및주거
환경정비법

건축사법

장애인시설법

소방시설법

서울시조례

23 품질점검단의 설치 및 운영 등 $\binom{법}{제48조의3}$

시·도지사는 사전방문을 실시하고 사용검사를 신청하기 전에 공동주택의 품질을 점검하여 사업계획의 내용에 적합한 공동주택이 건설되도록 할 목적으로 주택 관련 분야 등의 전문가로 구성된 공동주택 품질점검단을 설치·운영할 수 있다. 이 경우 시·도지사는 품질점검단의 설치·운영에 관한 사항을 조례로 정하는 바에 따라 대도시 시장에게 위임할 수 있다.

【1】 품질점검단의 구성 및 운영 등 $\binom{영}{제53조의4}$

(1) 품질점검단의 위원(이하 이 조에서 "위원"이라 한다)은 다음의 어느 하나에 해당하는 사람 중에서 시·도지사(권한을 위임받은 대도시 시장을 포함한다)가 임명하거나 위촉한다.
① 「건축사법」에 따른 건축사
② 「국가기술자격법」에 따른 건축 분야 기술사 자격을 취득한 사람
③ 「공동주택관리법」에 따른 주택관리사 자격을 취득한 사람
④ 「건설기술 진흥법 시행령」 별표 1에 따른 특급건설기술인
⑤ 「고등교육법」에 따른 학교 또는 연구기관에서 주택 관련 분야의 조교수 이상 또는 이에 상당하는 직에 있거나 있었던 사람
⑥ 건축물이나 시설물의 설계·시공 관련 분야의 박사학위를 취득한 사람
⑦ 건축물이나 시설물의 설계·시공 관련 분야의 석사학위를 취득한 후 이와 관련된 분야에서 5년 이상 종사한 사람
⑧ 공무원으로서 공동주택 관련 지도·감독 및 인·허가 업무 등에 종사한 경력이 5년 이상인 사람
⑨ 다음의 어느 하나에 해당하는 기관의 임직원으로서 건축물 및 시설물의 설계·시공 및 하자보수와 관련된 업무에 5년 이상 재직한 사람
㉠ 「공공기관의 운영에 관한 법률」의 공공기관
㉡ 「지방공기업법」의 지방공기업
(2) 공무원이 아닌 위원의 임기는 2년으로 하며, 두 차례만 연임할 수 있다.
(3) 위원이 다음의 어느 하나에 해당하는 경우에는 해당 공동주택의 품질점검에서 제척된다.
① 위원 또는 그 배우자나 배우자였던 사람이 해당 주택건설사업의 사업주체, 시공자 또는 감리자(이하 "사업주체등"이라 하며, 사업주체등이 법인·단체 등인 경우 그 임직원을 포함한다)이거나 최근 3년 내에 사업주체등이었던 경우
② 위원이 해당 주택건설사업의 사업주체등의 친족이거나 친족이었던 경우
③ 위원이 해당 주택건설사업에 대하여 자문, 연구, 용역(하도급을 포함한다), 감정 또는 조사를 한 경우
④ 위원이 임직원으로 재직하고 있거나 최근 3년 내에 재직했던 법인·단체 등이 해당 주택건설사업에 대하여 자문, 연구, 용역(하도급을 포함한다), 감정 또는 조사를 한 경우
⑤ 위원이나 위원이 속한 법인·단체 등이 해당 주택건설사업의 사업주체등의 대리인이거나 대리인이었던 경우
⑥ 위원이나 위원의 친족이 해당 주택의 입주예정자인 경우
(4) 위원이 위 (3)의 제척 사유에 해당하는 경우에는 스스로 해당 공동주택의 품질점검에서 회피해야 한다.

(5) 시·도지사는 위원에게 예산의 범위에서 업무수행에 따른 수당, 여비 및 그 밖에 필요한 경비를 지급할 수 있다. 다만, 공무원인 위원이 그 소관 업무와 직접적으로 관련되어 품질점검에 참여하는 경우에는 지급하지 않는다.

(6) 위 (1)~(5)에서 규정한 사항 외에 품질점검단의 구성·운영 등에 필요한 세부적인 사항은 해당 행정구역에 건설하는 주택단지 수 및 세대수 등의 규모를 고려하여 조례로 정한다.

【2】 품질점검단의 점검대상 및 점검방법 등 (영 제53조의5)(규칙 제20조의5)

(1) 품질점검단은 사업주체가 건설하는 300세대 이상인 공동주택(다만, 시·도지사가 필요하다고 인정하는 경우에는 조례로 정하는 바에 따라 300세대 미만인 공동주택으로 정할 수 있다.)의 건축·구조·안전·품질관리 등에 대한 시공품질을 점검하여 그 결과를 시·도지사와 사용검사권자에게 제출하여야 한다.

(2) 품질점검단은 공동주택 관련 법령, 입주자모집공고, 설계도서 및 마감자재 목록표 등 관련 자료를 토대로 다음의 사항을 점검해야 한다.

① 공동주택의 공용부분

② 공동주택 일부 세대의 전유부분

③ 사용검사권자가 하자 여부를 판단하기 위해 품질점검단에 자문을 요청한 사항 중 현장조사가 필요한 사항

(3) 사업주체는 품질점검단의 점검에 협조하여야 하며 이에 따르지 아니하거나 기피 또는 방해해서는 아니 된다.

(4) 사용검사권자는 품질점검단의 시공품질 점검을 위하여 필요한 경우에는 사업주체, 감리자 등 관계자에게 공사개요 및 진행사항 등 공동주택의 공사현황에 관한 자료의 제출을 요청할 수 있다. 이 경우 자료제출을 요청받은 자는 정당한 사유가 없으면 이에 따라야 한다.

(5) 사용검사권자는 제출받은 점검결과를 사용검사가 있은 날부터 2년 이상 보관하여야 하며, 입주자(입주예정자를 포함한다)가 관련 자료의 공개를 요구하는 경우에는 이를 공개하여야 한다.

(6) 위 (1) 및 (2)에서 규정한 사항 외에 품질점검단의 점검절차 등 (규칙 제20조의4)

① 사업주체로부터 사전방문계획을 제출받은 사용검사권자는 해당 공동주택이 위 (1)에 해당하는 경우 지체 없이 시·도지사(권한을 위임받은 경우에는 대도시 시장을 말한다)에게 공동주택 품질점검단의 점검을 요청해야 한다.

② 품질점검을 요청받은 시·도지사는 사전방문기간 종료일부터 10일 이내에 품질점검단이 영 위 (2)에 따라 해당 공동주택의 품질을 점검하도록 해야 한다.

③ 시·도지사는 품질점검단의 점검 시작일 7일 전까지 사용검사권자 및 사업주체에게 점검일시, 점검내용 및 품질점검단 구성 등이 포함된 점검계획을 통보해야 한다.

④ 위 (3)에 따라 점검계획을 통보받은 사용검사권자는 세대의 전유부분 점검을 위하여 3세대 이상을 선정하여 품질점검단에 통보해야 한다. 이 경우 구체적인 점검 세대수 및 세대 선정기준은 공동주택의 규모 등 단지 여건에 따라 시·도(대도시 시장이 권한을 위임받은 경우에는 대도시를 말한다)의 조례로 정한다.

⑤ 품질점검단은 품질점검을 실시한 후 점검 종료일부터 5일 이내에 점검결과를 시·도지사와 사용검사권자에게 제출해야 한다.

건축관계법

국토계획법

주차장법

도시및주거
환경정비법

건축사법

장애인시설법

소방시설법

서울시조례

건축관계법

국토계획법

주차장법

주 택 법

도시및주거
환경정비법

건축사법

장애인시설법

소방시설법

서울시조례

【3】 품질점검단의 점검결과에 대한 조치 등 (영제53조의6)

(1) 사용검사권자는 품질점검단으로부터 점검결과를 제출받은 때에는 사업주체의 의견을 청취하기 위하여 사업주체에게 그 내용을 즉시 통보해야 한다.

(2) 사업주체는 위 (1)에 따라 통보받은 점검결과에 대하여 이견(異見)이 있는 경우 통보받은 날부터 5일 이내에 관련 자료를 첨부하여 사용검사권자에게 의견을 제출할 수 있다.

(3) 사용검사권자는 품질점검단 점검결과 및 위 (2)에 따라 제출받은 의견을 검토한 결과 하자에 해당한다고 판단하는 때에는 위 (2)에 따른 의견 제출일부터 5일 이내에 보수·보강 등의 조치를 명해야 한다.

(4) 사용검사권자는 품질점검단의 점검결과에 대한 사업주체의 의견을 청취한 후 하자가 있다고 판단하는 경우 보수·보강 등 필요한 조치를 명하여야 한다. 이 경우 중대한 하자는 다음이 어느 하나에 해당하는 하자로서 사용검사권자가 중대한 하자라고 인정하는 하자를 말한다.

　① 내력구조부 하자: 다음 각 목의 어느 하나에 해당하는 결함이 있는 경우로서 공동주택의 구조 안전상 심각한 위험을 초래하거나 초래할 우려가 있는 정도의 결함이 있는 경우

　　가. 철근콘크리트 균열

　　나. 「건축법」 제2조제1항제7호의 주요구조부의 철근 노출

　② 시설공사별 하자: 다음 각 목의 어느 하나에 해당하는 결함이 있는 경우로서 입주예정자가 공동주택에서 생활하는 데 안전상·기능상 심각한 지장을 초래하거나 초래할 우려가 있는 정도의 결함이 있는 경우

　　가. 토목 구조물 등의 균열

　　나. 옹벽·차도·보도 등의 침하(沈下)

　　다. 누수, 누전, 가스 누출

　　라. 가스배관 등의 부식, 배관류의 동파

　　마. 다음의 어느 하나에 해당하는 기구·설비 등의 기능이나 작동 불량 또는 파손

　　　1) 급수·급탕·배수·위생·소방·난방·가스 설비 및 전기·조명 기구

　　　2) 발코니 등의 안전 난간 및 승강기

(5) 사용검사권자는 품질점검단의 점검결과에 대한 사업주체의 의견을 청취한 후 하자가 있다고 판단하는 경우 보수·보강 등 필요한 조치를 명하여야 한다. 이 경우 중대한하자는 다음과 같은 특별한 사유가 없으면 사용검사를 받기 전까지 조치하도록 명하여야 한다.

　① 공사 여건상 자재, 장비 또는 인력 등의 수급이 곤란한 경우

　② 공정 및 공사의 특성상 사용검사를 받기 전까지 보수공사 등을 하기 곤란한

(6) 사업주체는 (3)에 따른 사용검사권자의 조치명령에 대하여 다음 각 각의 구분에 따른 시기까지 조치를 완료해야 한다.

　① (4)에 해당하는 중대한 하자인 경우: 사용검사를 받기 전. 다만, (5)의 사유가 있는 경우에는 입주예정자와 협의(공용부분의 경우에는 입주예정자 3분의 2 이상의 동의를 받아야 한다)하여 정하는 날로 한다.

　② 그 밖의 하자인 경우: 다음 각 목의 구분에 따른 시기. 다만, 제5항의 사유가 있거나 입주예정자와 협의(공용부분의 경우에는 입주예정자 3분의 2 이상의 동의를 받아야 한다)한 경우에는 입주예정자와 협의하여 정하는 날로 한다.

　　가. 전유부분: 입주예정자에게 인도하기 전

　　나. 공용부분: 사용검사를 받기 전

(7) "정보시스템"이란 「공동주택관리법 시행령」에 따른 하자관리정보시스템을 말한다.

건축관계법

국토계획법

주차장법

주 택 법

도시및주거
환경정비법

건축사법

장애인시설법

소방시설법

서울시조례

【4】조치명령에 대한 이의신청 등 ($_{\text{제53조의7}}^{\text{영}}$)

(1) 사업주체는 조치명령에 이의신청을 하려는 경우에는 조치명령을 받은 날부터 5일 이내에 사용검사권자에게 다음의 자료를 제출해야 한다.

① 사용검사권자의 조치명령에 대한 이의신청 내용 및 이유

② 이의신청 내용 관련 설계도서 및 현장사진

③ 감리자의 의견

④ 그 밖에 이의신청 내용을 증명할 수 있는 자료

(2) 사용검사권자는 위 (1)에 따라 이의신청을 받은 때에는 신청을 받은 날부터 5일 이내에 사업주체에게 검토결과를 통보해야 한다.

24 사용검사 등

1 사용검사 ($_{\text{제49조}}^{\text{법}}$)($_{\text{제54조}}^{\text{영}}$)

【1】절차

(1) 사업주체는 사업계획의 승인을 받아 시행하는 주택건설사업 또는 대지조성사업을 완료한 경우에는 주택 또는 대지에 대하여 시장·군수·구청장(국가 및 한국토지주택공사가 사업주체인 경우에는 국토교통부장관)의 사용검사를 받아야 한다.

> 단서 공구별로 사업계획을 승인받은 경우에는 완공된 주택에 대하여 공구별로 사용검사("분할사용검사"라 함)를 받을 수 있고, 다음의 어느 하나에 해당하는 사유가 있는 경우에는 공사가 완료된 주택에 대하여 동별로 사용검사를 받을 수 있다.

1. 사업계획승인 조건의 미이행

2. 하나의 주택단지의 입주자를 분할 모집하여 전체 단지의 사용검사를 마치기 전에 입주가 필요한 경우

3. 그 밖에 사업계획승인권자가 동별로 사용검사를 받을 필요가 있다고 인정하는 경우

(2) 사용검사권자는 사용검사를 할 때 다음의 사항을 확인해야 한다.

① 주택 또는 대지가 사업계획의 내용에 적합한지 여부

② 사용검사를 받기 전까지 조치해야 하는 하자를 조치 완료했는지 여부

(3) 사용검사는 그 신청일로부터 15일 이내에 하여야 한다.

【2】신청

① 사용검사를 받거나 임시사용승인을 얻고자 하는 자는 사용검사(임시사용승인)신청서에 다음의 서류를 첨부하여 사용검사권자(사용검사 또는 임시사용승인을 하는 시·도지사 또는 시장·군수·구청장을 말함)에게 제출하여야 한다.

1. 감리자의 감리의견서(주택건설사업의 경우에 한한다)

2. 시공자의 공사확인서(입주예정자대표회의가 사용검사 또는 임시사용승인을 신청하는 경우에 한한다)

② 사용검사권자는 확인을 한 결과 적합한 경우에는 사용검사 또는 임시사용승인을 신청한 자에게 사용검사확인증 또는 임시사용승인서를 발급하여야 한다.

건축관계법

국토계획법

주차장법

도시및주거
환경정비법

건축사법

장애인시설법

소방시설법

서울시조례

【3】 효력

① 사용검사를 받은 경우에는 「건축법」에 따른 사용승인을 받은 것으로 본다.

② 사업주체가 사용검사를 받은 때에는 다른 법률에 따른 인·허가 등에 따른 해당 사업의 사용승인·준공검사 또는 준공인가를 받은 것으로 본다. 이 경우 사용검사를 행하는 시장·군수·구청장은 미리 관계행정기관의 장과 협의해야 한다. (협의요청을 받은 관계행정기관의 장은 정당한 사유가 없는 한 그 요청을 받은 날부터 10일 이내에 그 의견을 제시하여야 한다.)

③ 사업주체 또는 입주예정자는 사용검사를 받은 후가 아니면 주택 또는 대지를 사용하게 하거나 이를 사용할 수 없다.

　　예외 아래 ③에 따라 사용검사권자의 임시사용승인을 얻은 경우에는 그러하지 아니하다.

② 시공보증자 등의 사용검사 (영 제55조)(규칙 제22조)

(1) 사업주체가 공사를 완료하고 시장 등에게 사용검사를 신청하여야 하나, 사업주체가 파산 등으로 사용검사를 받을 수 없는 경우에는 다음에 정하는 바에 따라 잔여공사를 시공하고 사용검사를 받을 수 있다.

사 유	잔여공사 시공자	사용검사 신청자
1. 사업주체가 파산한 경우	·시공을 보증한 자	·시공보증자 ·입주예정자
2. 사업주체가 정당한 이유 없이 사용검사를 위한 절차를 이행하지 아니하는 경우	·시공을 보증한 자 ·해당 주택의 시공자	·시공보증자 ·해당 주택의 시공자 ·입주예정자
3. 시공보증자가 없거나 시공을 보증한자가 파산한 경우	·입주예정자대표회의를 구성한 후 시공자 결정	·입주예정자대표회의

■ 위 2.의 경우

① 시공보증자, 해당 주택의 시공자 또는 입주예정자가 사용검사를 신청하는 경우 사용검사권자는 사업주체에게 사용검사를 받지 아니하는 정당한 이유를 제출할 것을 요청하여야 한다. 이 경우 사업주체는 요청을 받은 날부터 7일 이내에 의견을 통지하여야 한다.

② 사용검사권자는 사업주체가 사용검사를 받지 아니하는 정당한 이유를 밝히지 못하는 한 사용검사를 거부하거나 지연할 수 없다.

■ 위 3.의 경우

사용검사권자는 입주예정자대표회의가 사용검사를 받아야 하는 경우에는 입주예정자로 구성된 대책회의를 소집하여 그 내용을 통보하고, 건축공사현장에 10일 이상 그 사실을 공고하여야 한다. 이 경우 입주예정자는 그 과반수의 동의를 얻어 10인 이내의 입주예정자로 구성된 입주예정자대표회의를 구성하여야 한다.

(2) 위 (1)에 따라 사용검사를 받은 경우에는 사용검사를 받은 자의 구분에 따라 시공보증자 또는 세대별 입주자의 명의로 건축물관리대장 등재 및 소유권보존등기를 할 수 있다.

③ 임시사용승인 등 (영 제56조)

(1) 사업주체 또는 입주예정자는 다음의 경우 사용검사권자의 임시사용승인을 얻어 주택 또는 대지를 사용할 수 있다.

구 분	내 용
1. 주택건설사업의 경우	건축물의 동별로 공사가 완료된 때
2. 대지조성사업의 경우	구획별로 공사가 완료된 때

(2) 임시사용승인을 얻고자 하는 자는 시장·군수·구청장에게 임시사용승인을 신청하여야 한다.

(3) 시장·군수·구청장은 신청서를 접수한 때에는 완성된 건축물이 사업계획승인내용에 적합한 경우에 한하여 임시사용을 승인할 수 있다. 이 경우 임시사용의 승인대상이 공동주택인 경우에는 세대별로 임시사용을 승인할 수 있다.

④ 사용검사 등의 특례에 따른 하자보수보증금 면제 (법 제50조)

(1) 사업주체의 파산 등으로 입주예정자가 사용검사를 받을 때에는 「공동주택관리법」에도 불구하고 입주예정자의 대표회의가 사용검사권자에게 사용검사를 신청할 때 하자보수보증금을 예치하여야 한다.

(2) 위 (1)에 따라 입주예정자의 대표회의가 하자보수보증금을 예치할 경우 제49조제4항에도 불구하고 2015년 12월 31일 당시 사업계획승인을 받아 사실상 완공된 주택에 사업주체의 파산 등으로 사용검사를 받지 아니하고 무단으로 점유하여 거주하는 입주예정자가 2016년 12월 31일까지 사용검사권자에게 사용검사를 신청할 때에는 다음의 구분에 따라 「공동주택관리법」에 따른 하자보수보증금을 면제하여야 한다.

① 무단거주한 날부터 1년이 지난 때: 10%
② 무단거주한 날부터 2년이 지난 때: 35%
③ 무단거주한 날부터 3년이 지난 때: 55%
④ 무단거주한 날부터 4년이 지난 때: 70%
⑤ 무단거주한 날부터 5년이 지난 때: 85%
⑥ 무단거주한 날부터 10년이 지난 때: 100%

(3) 위 (2) 각 각의 무단거주한 날은 주택에 최초로 입주예정자가 입주한 날을 기산일로 한다. 이 경우 입주예정자가 입주한 날은 주민등록 신고일이나 전기, 수도요금 영수증 등으로 확인한다.

(4) 위 (1)에 따라 무단거주하는 입주예정자가 사용검사를 받았을 때에는 의제되는 인·허가 등에 따른 해당 사업의 사용승인·준공검사 또는 준공인가 등을 받은 것으로 본다. 이 경우 "사업주체"를 "무단거주하는 입주예정자"로 본다.

(5) 위 (1)에 따라 입주예정자의 대표회의가 하자보수보증금을 예치한 경우 「공동주택관리법」에 따른 담보책임기간은 위 (2)에 따라 면제받은 기간만큼 줄어드는 것으로 본다.

관계법 「공동주택관리법」 제38조 【하자보수보증금의 예치 및 사용】

① 사업주체는 대통령령으로 정하는 바에 따라 하자보수를 보장하기 위하여 하자보수보증금을 담보책임기간(보증기간은 공용부분을 기준으로 기산한다) 동안 예치하여야 한다. 다만, 국가·지방자치단체·한국토지주택공사 및 지방공사인 사업주체의 경우에는 그러하지 아니하다. <개정 2017.4.18.>

② 입주자대표회의등은 제1항에 따른 하자보수보증금을 제39조에 따른 하자심사·분쟁조정위원회의 하자 여부 판정 등에 따른 하자보수비용 등 대통령령으로 정하는 용도로만 사용하여야 하며, 의무관리대상 공동주택의 경우에는 하자보수보증금의 사용 후 30일 이내에 그 사용내역을 국토교통부령으로 정하는 바에 따라 시장·군수·구청장에게 신고하여야 한다.

건축관계법

국토계획법

주차장법

주 택 법

도시및주거
환경정비법

건축사법

장애인시설법

소방시설법

서울시조례

③ 제1항에 따른 하자보수보증금을 예치받은 자(이하 "하자보수보증금의 보증서 발급기관"이라 한다)는 하자보수보증금을 의무관리대상 공동주택의 입주자대표회의에 지급한 날부터 30일 이내에 지급 내역을 국토교통부령으로 정하는 바에 따라 관할 시장·군수·구청장에게 통보해야 한다. <신설 2017.4.18.>

④ 시장·군수·구청장은 제2항에 따른 하자보수보증금 사용내역과 제3항에 따른 하자보수보증금 지급 내역을 매년 국토교통부령으로 정하는 바에 따라 국토교통부장관에게 제공하여야 한다. <신설 2020. 10. 20.>

⑤ 하자보수보증금의 지급을 위하여 필요한 하자의 조사방법 및 기준, 하자 보수비용의 산정방법 등에 관하여는 제39조제4항에 따라 정하는 하자판정에 관한 기준을 준용할 수 있다. <신설 2020. 12. 8.>

⑥ 제1항부터 제3항까지에서 규정한 사항 외에 하자보수보증금의 예치금액·증서의 보관, 청구요건, 지급시기·기준 및 반환 등에 필요한 사항은 대통령령으로 정한다. <신설 2017. 4. 18., 2020. 10. 20., 2020. 12. 8.>

제36조【하자담보책임】

① 다음 각 호의 사업주체(이하 이 장에서 "사업주체"라 한다)는 공동주택의 하자에 대하여 분양에 따른 담보책임(제3호 및 제4호의 시공자는 수급인의 담보책임을 말한다)을 진다. <개정 2017.4.18.>
1. 「주택법」 제2조제10호 각 목에 따른 자
2. 「건축법」 제11조에 따른 건축허가를 받아 분양을 목적으로 하는 공동주택을 건축한 건축주
3. 제35조제1항제2호에 따른 행위를 한 시공자
4. 「주택법」 제66조에 따른 리모델링을 수행한 시공자

② 제1항에도 불구하고 「공공주택 특별법」 제2조제1호가목에 따라 임대한 후 분양전환을 할 목적으로 공급하는 공동주택(이하 "공공임대주택"이라 한다)을 공급한 제1항제1호의 사업주체는 분양전환이 되기 전까지는 임차인에 대하여 하자보수에 대한 담보책임(제37조제2항에 따른 손해배상책임은 제외한다)을 진다. <신설 2017. 4. 18., 2020. 6. 9.>

③ 제1항 및 제2항에 따른 담보책임의 기간(이하 "담보책임기간"이라 한다)은 하자의 중대성, 시설물의 사용 가능 햇수 및 교체 가능성 등을 고려하여 공동주택의 내력구조부별 및 시설공사별로 10년의 범위에서 대통령령으로 정한다. 이 경우 담보책임기간은 다음 각 호의 날부터 기산한다. <개정 2016. 1. 19., 2017. 4. 18., 2020. 6. 9.>
1. 전유부분: 입주자(제2항에 따른 담보책임의 경우에는 임차인)에게 인도한 날
2. 공용부분: 「주택법」 제49조에 따른 사용검사일(같은 법 제49조제4항 단서에 따라 공동주택의 전부에 대하여 임시 사용승인을 받은 경우에는 그 임시 사용승인일을 말하고, 같은 법 제49조제1항 단서에 따라 분할 사용검사나 동별 사용검사를 받은 경우에는 그 분할 사용검사일 또는 동별 사용검사일을 말한다) 또는 「건축법」 제22조에 따른 공동주택의 사용승인일

④ 제1항의 하자(이하 "하자"라 한다)는 공사상 잘못으로 인하여 균열·침하(沈下)·파손·들뜸·누수 등이 발생하여 건축물 또는 시설물의 안전상·기능상 또는 미관상의 지장을 초래할 정도의 결함을 말하며, 그 구체적인 범위는 대통령령으로 정한다. <개정 2017.4.18.>

25 공업화주택의 인정 등

① 공업화주택의 인정 $\left(\begin{smallmatrix}법\\제51조\end{smallmatrix}\right)\left(\begin{smallmatrix}영\\제57조\end{smallmatrix}\right)$

(1) 국토교통부장관은 다음의 어느 하나에 해당하는 부분을 국토교통부령으로 정하는 성능기준 및 생산기준에 따라 맞춤식 등 공업화공법으로 건설하는 주택을 공업화주택으로 인정할 수 있다.

    ① 주요 구조부의 전부 또는 일부
    ② 세대별 주거 공간의 전부 또는 일부[거실(「건축법」에 따른다)·화장실·욕조 등 일부로서의
       기능이 가능한 단위 공간을 말한다]
(2) 국토교통부장관, 시·도지사 또는 시장·군수는 다음의 구분에 따라 주택을 건설하려는 자에 대하
    여 「건설산업기본법」에도 불구하고 해당 주택을 건설하게 할 수 있다.
    ① 국토교통부장관: 「건설기술 진흥법」에 따라 국토교통부장관이 고시한 새로운 건설기술을
       적용하여 건설하는 공업화주택
    ② 시·도지사 또는 시장·군수: 공업화주택
(3) 공업화주택의 인정 등에 필요한 사항은 「주택건설기준 등에 관한 규정」으로 정한다.

② 공업화주택의 인정 취소 (법 제52조)

국토교통부장관은 공업화주택을 인정받은 자가 다음에 해당하는 행위를 한 때에는 공업화주택의
인정을 취소할 수 있다. 다만, ①에 해당하는 경우에는 그 인정을 취소하여야 한다.
    ① 거짓이나 그 밖의 부정한 방법으로 인정을 받은 경우
    ② 인정을 받은 기준보다 낮은 성능으로 공업화주택을 건설한 경우

③ 공업화주택의 건설 촉진 (법 제53조)

(1) 국토교통부장관, 시·도지사 또는 시장·군수는 사업주체가 건설할 주택을 공업화주택으로 건
    설하도록 사업주체에게 권고할 수 있다.
(2) 공업화주택의 건설 및 품질향상과 관련하여 기술인의 확보 등 기술능력을 갖추고 있는 자가 공
    업화주택을 건설하는 경우에는 다음의 규정을 적용하지 않는다.

내 용	법 조항
주택의 설계 및 시공	법 제33조
주택의 감리자 지정 등	법 제43조
감리자의 업무 등	법 제44조
설계 또는 공사감리 등	「건축사법」 제4조

건축관계법

국토계획법

주차장법

주 택 법

도시및주거
환경정비법

건축사법

장애인시설법

소방시설법

서울시조례

건축관계법

국토계획법

주차장법

주 택 법

도시및주거
환경정비법

건축사법

장애인시설법

소방시설법

서울시조례

3

주택의 공급

1 주택의 공급 (법 제54조) (영 제58조)

【1】 주택의 건설·공급

사업주체(건축허가를 받아 주택외의 시설과 주택을 동일한 건축물로 30호 이상을 건설·공급하는 건축주와 사용검사를 받은 주택을 사업주체로부터 일괄하여 양수받은 자를 포함한다)는 다음에서 정하는 바에 따라 주택을 건설·공급하여야 한다. 이 경우 국가유공자, 보훈보상대상자, 장애인, 철거주택의 소유자, 그 밖에 「주택공급에 관한 규칙」(국토교통부령)으로 정하는 대상자에게는 「주택공급에 관한 규칙」으로 정하는 바에 따라 입주자 모집조건 등을 달리 정하여 별도로 공급할 수 있다.

(1) 사업주체(공공주택사업자는 제외한다)가 입주자를 모집하려는 경우: 「주택공급에 관한 규칙」으로 정하는 바에 따라 시장·군수·구청장의 승인(복리시설의 경우에는 신고를 말한다)을 받을 것

(2) 사업주체가 건설하는 주택을 공급하려는 경우

① 「주택공급에 관한 규칙」으로 정하는 입주자모집의 시기(사업주체 또는 시공자가 영업정지를 받거나 「건설기술 진흥법」에 따른 벌점이 일정 기준에 해당하는 경우 등에 달리 정한 입주자모집의 시기를 포함한다)·조건·방법·절차, 입주금(입주예정자가 사업주체에게 납입하는 주택가격을 말한다)의 납부 방법·시기·절차, 주택공급계약의 방법·절차 등에 적합할 것

② 「주택공급에 관한 규칙」으로 정하는 바에 따라 벽지·바닥재·주방용구·조명기구 등을 제외한 부분의 가격을 따로 제시하고, 이를 입주자가 선택할 수 있도록 할 것

【2】 공급 받는 자의 의무

(1) 주택을 공급받고자 하는 자는 입주자자격·재당첨제한 및 공급순위 등에 적합하게 주택을 공급받아야 한다.

■ 세부적인 사항은 「주택공급에 관한 규칙」에서 정함

(2) 위 (1)의 경우 투기과열지구 및 조정대상지역에서 건설·공급되는 주택을 공급받으려는 자의 입주자자격, 재당첨 제한 및 공급 순위 등은 주택의 수급 상황 및 투기 우려 등을 고려하여 국토교통부령으로 지역별로 달리 정할 수 있다.

【3】 마감자재 목록표 제출 등

(1) 사업주체가 시장·군수·구청장의 승인을 얻고자 하는 경우(사업주체가 국가 지방자치단체 대한주택공사 및 지방공사인 경우에는 견본주택을 건설하는 경우를 말함)에는 건설하는 견본주택에 사용되는 마감자재 목록표와 견본주택의 각 실의 내부를 촬영한 영상물 등을 제작하여 승인권자에게 제출하여야 한다.

(2) 사업주체는 주택공급계약 체결 시 입주예정자에게 다음의 자료 또는 정보를 제공하여야 한다.
   예외 입주자모집공고 안에 이를 표시(인터넷을 통하여 게재하는 경우 포함)한 경우에는 그러하 지 아니하다.
   ① 위 (1)에 따른 견본주택에 사용된 마감자재 목록표
   ② 공동주택 발코니의 세대 간 경계벽에 피난구를 설치하거나 경계벽을 경량구조로 건설한 경우 그에 관한 정보

(3) 시장·군수·구청장은 제출받은 마감자재 목록표와 영상물 등을 사용검사가 있은 날부터 2년 이상 보관하여야 하며, 입주자가 열람을 요구하는 때에는 이를 공개하여야 한다.

(4) 사업주체가 마감자재 생산업체의 부도 등으로 인한 제품의 품귀 등 부득이한 사유로 인하여 사업계획승인 또는 마감자재 목록표의 마감자재와 다르게 시공 설치하고자 하는 경우 당초의 마감자재와 같은 질 이상으로 설치하여야 한다.

(5) 사업주체가 마감자재 목록표의 자재와 다른 마감자재를 시공 설치하고자 하는 경우에는 그 사실을 입주예정자에게 알려야 한다.

(6) 사업주체는 공급하려는 주택에 대하여 「국토의 계획 및 이용에 관한 법률」에 따른 기반시설의 설치·정비 또는 개량에 관한 사항이 포함된 표시 및 광고(「표시·광고의 공정화에 관한 법률」에 따른 표시 또는 광고를 말한다)를 한 경우 해당 표시 또는 광고의 사본을 주택공급계약 체결기간의 시작일부터 30일 이내에 시장·군수·구청장에게 제출하여야 한다. 이 경우 시장·군수·구청장은 제출받은 표시 또는 광고의 사본을 사용검사가 있은 날부터 2년 이상 보관하여야 하며, 입주자가 열람을 요구하는 경우 이를 공개하여야 한다.

관계법 「표시·광고의 공정화에 관한 법률」 제2조 【정의】

이 법에서 사용하는 용어의 뜻은 다음과 같다. <개정 2020.12.29.>
1. "표시"란 사업자 또는 사업자단체(이하 "사업자등"이라 한다)가 상품 또는 용역(이하 "상품등"이라 한다)에 관한 다음 각 목의 어느 하나에 해당하는 사항을 소비자에게 알리기 위하여 상품의 용기·포장(첨부물과 내용물을 포함한다), 사업장 등의 게시물 또는 상품권·회원권·분양권 등 상품등에 관한 권리를 나타내는 증서에 쓰거나 붙인 문자·도형과 상품의 특성을 나타내는 용기·포장을 말한다.
   가. 자기 또는 다른 사업자등에 관한 사항
   나. 자기 또는 다른 사업자등의 상품등의 내용, 거래 조건, 그 밖에 그 거래에 관한 사항
2. "광고"란 사업자등이 상품등에 관한 제1호 각 목의 어느 하나에 해당하는 사항을 「신문 등의 진흥에 관한 법률」 제2조제1호 및 제2호에 따른 신문·인터넷신문, 「잡지 등 정기간행물의 진흥에 관한 법률」 제2조제1호에 따른 정기간행물, 「방송법」 제2조제1호에 따른 방송, 「전기통신기본법」 제2조제1호에 따른 전기통신, 그 밖에 대통령령으로 정하는 방법으로 소비자에게 널리 알리거나 제시하는 것을 말한다.
3. "사업자"란 「독점규제 및 공정거래에 관한 법률」 제2조제1호에 따른 사업자를 말한다.
4. "사업자단체"란 「독점규제 및 공정거래에 관한 법률」 제2조제2호에 따른 사업자단체를 말한다.
5. "소비자"란 사업자등이 생산하거나 제공하는 상품등을 사용하거나 이용하는 자를 말한다.

[전문개정 2011. 9. 15.]

건축관계법

국토계획법

주차장법

주 택 법

도시및주거
환경정비법

건축사법

장애인시설법

소방시설법

서울시조례

2 **주택의 공급업무의 대행 등** $\left(\substack{\text{법} \\ \text{제54조의2}}\right)\left(\substack{\text{영} \\ \text{제58조의2}}\right)$

(1) 사업주체는 주택을 효율적으로 공급하기 위하여 필요하다고 인정하는 경우 주택의 공급업무의 일부를 제3자로 하여금 대행하게 할 수 있다.

(2) 위 (1)에도 불구하고 사업주체가 입주자자격, 공급 순위 등을 증명하는 서류의 확인 등 국토교통부령으로 정하는 업무를 대행하게 하는 경우 국토교통부령으로 정하는 바에 따라 다음의 어느 하나에 해당하는 자(이하 "분양대행자"라 한다)에게 대행하게 하여야 한다.
　① 등록사업자
　② 「건설산업기본법 시행령」 별표 1에 따른 건축공사업 또는 토목건축공사업의 등록을 한 자
　③ 「도시 및 주거환경정비법」에 따른 정비사업전문관리업자
　④ 「부동산개발업의 관리 및 육성에 관한 법률」에 따른 등록사업자
　⑤ 다른 법률에 따라 등록하거나 인가 또는 허가를 받은 자로서 국토교통부령으로 정하는 자

(3) 사업주체가 위 (2) 따라 업무를 대행하게 하는 경우 분양대행자에 대한 교육을 실시하는 등 국토교통부령으로 정하는 관리·감독 조치를 시행하여야 한다.

관계법 「도시 및 주거환경정비법」 제102조 【정비사업전문관리업의 등록】

① 다음 각 호의 사항을 추진위원회 또는 사업시행자로부터 위탁받거나 이와 관련한 자문을 하려는 자는 대통령령으로 정하는 자본·기술인력 등의 기준을 갖춰 시·도지사에게 등록 또는 변경(대통령령으로 정하는 경미한 사항의 변경은 제외한다)등록하여야 한다. 다만, 주택의 건설 등 정비사업 관련 업무를 하는 공공기관 등으로 대통령령으로 정하는 기관의 경우에는 그러하지 아니하다.
1. 조합설립의 동의 및 정비사업의 동의에 관한 업무의 대행
2. 조합설립인가의 신청에 관한 업무의 대행
3. 사업성 검토 및 정비사업의 시행계획서의 작성
4. 설계자 및 시공자 선정에 관한 업무의 지원
5. 사업시행계획인가의 신청에 관한 업무의 대행
6. 관리처분계획의 수립에 관한 업무의 대행
7. 제118조제2항제2호에 따라 시장·군수등이 정비사업전문관리업자를 선정한 경우에는 추진위원회 설립에 필요한 다음 각 목의 업무
　가. 동의서 제출의 접수
　나. 운영규정 작성 지원
　다. 그 밖에 시·도조례로 정하는 사항
② 제1항에 따른 등록의 절차 및 방법, 등록수수료 등에 필요한 사항은 대통령령으로 정한다.
③ 시·도지사는 제1항에 따라 정비사업전문관리업의 등록 또는 변경등록한 현황, 제106조제1항에 따라 정비사업전문관리업의 등록취소 또는 업무정지를 명한 현황을 국토교통부령으로 정하는 방법 및 절차에 따라 국토교통부장관에게 보고하여야 한다.

관계법 「부동산개발업의 관리 및 육성에 관한 법률」 제4조 【부동산개발업의 등록 등】

① 타인에게 공급할 목적으로 건축물의 연면적(「건축법」 제84조에 따른 연면적을 말한다)이 2천 제곱미터 또는 연간 5천제곱미터 이상이거나 토지의 면적이 3천제곱미터 또는 연간 1만제곱미터 이상으로서 대통령령으로 정하는 규모 이상의 부동산개발을 업으로 영위하려는 자는 특별시장·광역시장·특별자치시장·도지사 또는 특별자치도지사(이하 "시·도지사"라 한다)에게 등록을 하여야 한다. 다만, 다음 각 호의 어느 하나에 해당하는 자의 경우에는 그러하지 아니하다.
<개정 2008. 2. 29., 2008. 3. 21., 2012. 12. 18., 2013. 3. 23., 2015. 8. 11., 2016. 1. 19., 2020. 2. 18., 2020. 6. 9.>

건축관계법

국토계획법

주차장법

주 택 법

도시및주거
환경정비법

건축사법

장애인시설법

소방시설법

서울시조례

1. 국가·지방자치단체
2. 한국토지주택공사, 그 밖의 「공공기관의 운영에 관한 법률」에 따른 공공기관 중 대통령령으로 정하는 자
3. 「지방공기업법」에 따른 지방공사 및 지방공단(이하 "지방공기업"이라 한다)
4. 「주택법」 제4조에 따라 등록한 주택건설사업자 또는 대지조성사업자(주택건설사업 또는 대지조성사업을 하는 경우에 한정한다)
5. 다른 법률에 따라 해당 부동산개발을 시행할 수 있는 자로서 대통령령으로 정하는 자
② 제1항에 따라 등록하는 자는 다음 각 호의 요건을 갖추어야 한다. 이 경우 등록절차와 그 밖에 필요한 사항은 대통령령으로 정한다. <개정 2011. 5. 19.>
　1. 자본금이 3억원(개인인 경우에는 영업용자산평가액이 6억원) 이상으로서 대통령령으로 정하는 금액 이상일 것
　2. 대통령령으로 정하는 시설 및 부동산개발 전문인력을 확보할 것
③ 부동산개발업을 영위하려는 자가 부동산개발을 위하여 대통령령으로 정하는 상근 임직원이 없는 특수목적법인을 설립한 경우에는 제2항에도 불구하고 등록요건이나 그 밖에 필요한 사항은 따로 대통령령으로 정하는 바에 따른다.
④ 토지소유자는 제1항에도 불구하고 대통령령으로 정하는 바에 따라 등록사업자와 공동으로 부동산개발을 할 수 있다. 이 경우 토지소유자와 등록사업자를 공동사업주체로 보며, 공동사업주체 간의 구체적인 업무·비용 및 책임의 분담 등에 관하여는 대통령령으로 정한다.
⑤ 부동산개발업을 등록하지 아니한 자가 제2조제1호 각 목의 어느 하나에 해당하는 행위를 하는 중에 다음 각 호의 어느 하나에 해당하는 사유가 발생한 경우에는 타인에게 부동산등을 공급할 수 있다. <신설 2015. 8. 11., 2020. 12. 29.>
　1. 부동산개발 행위자가 사망하거나 파산한 경우
　2. 부동산개발 중인 부동산에 대하여 법원 경매절차가 진행 중인 경우
　3. 직계존비속에게 공급하는 경우
　4. 「독점규제 및 공정거래에 관한 법률」 제2조제12호에 따른 계열회사에 공급하는 경우
　5. 부동산개발 행위자가 대표로 있는 법인에게 공급하는 경우
　6. 과다한 채무로 파산 위기에 처한 기업 또는 개인으로서 인가·허가를 담당하는 행정기관에 그 사유를 구체적이고 객관적으로 소명한 경우
⑥ 부동산개발업을 등록하지 아니한 자가 제5항제6호에 해당하는 경우 제2조제1호 각 목의 어느 하나에 해당하는 행위의 인가·허가 등을 담당하는 행정기관은 필요한 범위에서 변호사·회계사 등에게 자문을 할 수 있고, 소명자에게 필요한 서류의 제출을 요구할 수 있다. <신설 2015. 8. 11.>

3 자료제공의 요청 (법 제55조)

(1) 국토교통부장관은 주택을 공급받으려는 자의 입주자자격, 주택의 소유 여부, 재당첨 제한 여부, 공급 순위 등을 확인하거나 제56조의3에 따라 요청받은 정보를 제공하기 위하여 본인, 배우자, 본인 또는 배우자와 세대를 같이하는 세대원의 주민등록 전산정보(주민등록번호·외국인등록번호 등 고유식별 번호를 포함한다), 가족관계등록사항, 국세, 지방세, 금융, 토지, 건물(건물등기부·건축물대장을 포함한다), 자동차, 건강보험, 국민연금, 고용보험 및 산업재해보상보험 등의 자료 또는 정보의 제공을 관계 기관의 장에게 요청할 수 있다. 이 경우 관계 기관의 장은 특별한 사유가 없으면 이에 따라야 한다.

(2) 국토교통부장관은 「금융실명거래 및 비밀보장에 관한 법률」과 「신용정보의 이용 및 보호에 관한 법률」에도 불구하고 주택을 공급받으려는 자의 입주자자격, 공급순위 등을 확인하기 위하여 본인, 배우자, 본인 또는 배우자와 세대를 같이하는 세대원이 제출한 동의서면을 전자적 형태로 바꾼 문서에 의하여 금융기관 등(「금융실명거래 및 비밀보장에 관한 법률」에 따른 금융회

건축관계법
국토계획법
주차장법
주택법
도시및주거환경정비법
건축사법
장애인시설법
소방시설법
서울시조례

건축관계법

국토계획법

주차장법

주 택 법

도시및주거
환경정비법

건축사법

장애인시설법

소방시설법

서울시조례

사등 및 「신용정보의 이용 및 보호에 관한 법률」에 따른 신용정보집중기관을 말함)의 장에게 다음의 자료 또는 정보의 제공을 요청할 수 있다.

① 「금융실명거래 및 비밀보장에 관한 법률」에 따른 금융자산 및 금융거래의 내용에 대한 자료 또는 정보 중 예금의 평균잔액과 그 밖에 국토교통부장관이 정하는 자료 또는 정보(이하 "금융정보"라 함)

② 「신용정보의 이용 및 보호에 관한 법률」에 따른 신용정보 중 채무액과 그 밖에 국토교통부장관이 정하는 자료 또는 정보(이하 "신용정보"라 함)

③ 「보험업법」에 따른 보험에 가입하여 납부한 보험료와 그 밖에 국토교통부장관이 정하는 자료 또는 정보(이하 "보험정보"라 함)

(3) 국토교통부장관이 위 (2)에 따라 금융정보·신용정보 또는 보험정보(이하 "금융정보 등"이라 함)의 제공을 요청하는 경우 해당 금융정보 등 명의인의 정보제공에 대한 동의서면을 함께 제출하여야 한다. 이 경우 동의서면은 전자적 형태로 바꾸어 제출할 수 있으며, 금융정보 등을 제공한 금융기관 등의 장은 「금융실명거래 및 비밀보장에 관한 법률」과 「신용정보의 이용 및 보호에 관한 법률」에도 불구하고 금융정보 등의 제공사실을 명의인에게 통보하지 아니할 수 있다.

(4) 국토교통부장관 및 사업주체(국가, 지방자치단체, 한국토지주택공사 및 지방공사에 한한다)는 위 (1)과 (2)에 따른 자료를 확인하기 위하여 「사회복지사업법」에 따른 정보시스템을 연계하여 사용할 수 있다.

(5) 국토교통부 소속 공무원 또는 소속 공무원이었던 자와 위 (4)에 따른 사업주체의 소속 임직원은 위 (1)과 (2)에 따라 얻은 정보와 자료를 이 법에서 정한 목적 외의 다른 용도로 사용하거나 다른 사람 또는 기관에 제공하거나 누설하여서는 아니 된다.

4 입주자저축 등 $\binom{법}{제56조}\binom{영}{제58조의3}$

① 입주자저축

(1) 국토교통부장관은 주택을 공급받으려는 자에게 미리 입주금의 전부 또는 일부를 저축(이하 "입주자저축"이라 한다)하게 할 수 있다.

(2) 위 (1)에서 "입주자저축"이란 국민주택과 민영주택을 공급받기 위하여 가입하는 주택청약종합저축을 말한다.

(3) 입주자저축계좌를 취급하는 기관(이하 "입주자저축취급기관"이라 한다)은 「은행법」에 따른 은행 중 국토교통부장관이 지정한다.

(4) 입주자저축은 한 사람이 한 계좌만 가입할 수 있다.

(5) 국토교통부장관은 다음의 업무를 수행하기 위하여 필요한 경우 「금융실명거래 및 비밀보장에 관한 법률」에도 불구하고 입주자저축취급기관의 장에게 입주자저축에 관한 자료 및 정보(이하 "입주자저축정보"라 한다)를 제공하도록 요청할 수 있다.

① 주택을 공급받으려는 자의 입주자자격, 재당첨 제한 여부 및 공급 순위 등 확인 및 정보제공 업무

② 입주자저축 가입을 희망하는 자의 기존 입주자저축 가입 여부 확인 업무

③ 「조세특례제한법」에 따라 세금우대저축 취급기관과 세금우대저축자료 집중기관 상호 간 입주자저축과 관련된 세금우대저축자료를 제공하도록 중계하는 업무

④ 위 ①~③의 규정에 따라 이미 보유하고 있는 정보의 정확성, 최신성을 유지하기 위한 정보요청 업무

(6) 위 (5)에 따라 입주자저축정보의 제공 요청을 받은 입주자저축취급기관의 장은 「금융실명거래 및 비밀보장에 관한 법률」에도 불구하고 입주자저축정보를 제공하여야 한다.

(7) 위 (6)에 따라 입주자저축정보를 제공한 입주자저축취급기관의 장은 「금융실명거래 및 비밀보장에 관한 법률」에도 불구하고 입주자저축정보의 제공사실을 명의인에게 통보하지 아니할 수 있다. 다만, 입주자저축정보를 제공하는 입주자저축취급기관의 장은 입주자저축정보의 명의인이 요구할 때에는 입주자저축정보의 제공사실을 통보해야 한다.

(8) 입주자저축정보의 제공 요청 및 제공은 「정보통신망 이용촉진 및 정보보호 등에 관한 법률」의 정보통신망을 이용하여야 한다.

> **예외** 정보통신망의 손상 등 불가피한 사유가 있는 경우에는 그러하지 아니하다.

(9) 그 밖에 입주자저축의 납입방식·금액 및 조건 등에 필요한 사항은 국토교통부령으로 정한다.

관계법 「금융실명거래 및 비밀보장에 관한 법률」4조 【금융거래의 비밀보장】

① 금융회사등에 종사하는 자는 명의인(신탁의 경우에는 위탁자 또는 수익자를 말한다)의 서면상의 요구나 동의를 받지 아니하고는 그 금융거래의 내용에 대한 정보 또는 자료(이하 "거래정보등" 이라 한다)를 타인에게 제공하거나 누설하여서는 아니 되며, 누구든지 금융회사등에 종사하는 자에게 거래정보등의 제공을 요구하여서는 아니 된다. 다만, 다음 각 호의 어느 하나에 해당하는 경우로서 그 사용 목적에 필요한 최소한의 범위에서 거래정보등을 제공하거나 그 제공을 요구하는 경우에는 그러하지 아니하다. <개정 2013. 5. 28., 2019. 11. 26., 2020. 12. 29.>

1. 법원의 제출명령 또는 법관이 발부한 영장에 따른 거래정보등의 제공
2. 조세에 관한 법률에 따라 제출의무가 있는 과세자료 등의 제공과 소관 관서의 장이 상속·증여 재산의 확인, 조세탈루의 혐의를 인정할 만한 명백한 자료의 확인, 체납자(체납액 5천만원 이상 인 체납자의 경우에는 체납자의 재산을 은닉한 혐의가 있다고 인정되는 다음 각 목에 해당하는 사람을 포함한다)의 재산조회, 「국세징수법」 제9조제1항 각 호의 어느 하나에 해당하는 사유로 조세에 관한 법률에 따른 질문·조사를 위하여 필요로 하는 거래정보등의 제공
   가. 체납자의 배우자(사실상 혼인관계에 있는 사람을 포함한다)
   나. 체납자의 6촌 이내 혈족
   다. 체납자의 4촌 이내 인척
3. 「국정감사 및 조사에 관한 법률」에 따른 국정조사에 필요한 자료로서 해당 조사위원회의 의결에 따른 금융감독원장(「금융위원회의 설치 등에 관한 법률」 제24조에 따른 금융감독원의 원장을 말한다. 이하 같다) 및 예금보험공사사장(「예금자보호법」 제3조에 따른 예금보험공사의 사장을 말한다. 이하 같다)의 거래정보등의 제공
4. 금융위원회(증권시장·파생상품시장의 불공정거래조사의 경우에는 증권선물위원회를 말한다. 이하 이 조에서 같다), 금융감독원장 및 예금보험공사사장이 금융회사등에 대한 감독·검사를 위하여 필요로 하는 거래정보등의 제공으로서 다음 각 목의 어느 하나에 해당하는 경우와 제3호에 따라 해당 조사위원회에 제공하기 위한 경우
   가. 내부자거래 및 불공정거래행위 등의 조사에 필요한 경우
   나. 고객예금 횡령, 무자원(無資源) 입금 기표(記票) 후 현금 인출 등 금융사고의 적발에 필요한 경우
   다. 구속성예금 수입(受入), 자기앞수표 선발행(先發行) 등 불건전 금융거래행위의 조사에 필요한 경우
   라. 금융실명거래 위반, 장부 외 거래, 출자자 대출, 동일인 한도 초과 등 법령 위반행위의 조사에 필요한 경우
   마. 「예금자보호법」에 따른 예금보험업무 및 「금융산업의 구조개선에 관한 법률」에 따라 예

건축관계법

국토계획법

주차장법

주 택 법

도시및주거
환경정비법

건축사법

장애인시설법

소방시설법

서울시조례

건축관계법

국토계획법

주차장법

주 택 법

도시및주거
환경정비법

건축사법

장애인시설법

소방시설법

서울시조례

금보험공사사장이 예금자표(預金者表)의 작성업무를 수행하기 위하여 필요한 경우

5. 동일한 금융회사등의 내부 또는 금융회사등 상호간에 업무상 필요한 거래정보등의 제공

6. 금융위원회 및 금융감독원장이 그에 상응하는 업무를 수행하는 외국 금융감독기관(국제금융감독기구를 포함한다. 이하 같다)과 다음 각 목의 사항에 대한 업무협조를 위하여 필요로 하는 거래정보등의 제공

   가. 금융회사등 및 금융회사등의 해외지점·현지법인 등에 대한 감독·검사

   나. 「자본시장과 금융투자업에 관한 법률」 제437조에 따른 정보교환 및 조사 등의 협조

7. 「자본시장과 금융투자업에 관한 법률」에 따라 거래소허가를 받은 거래소(이하 "거래소"라 한다)가 다음 각 목의 경우에 필요로 하는 투자매매업자·투자중개업자가 보유한 거래정보등의 제공

   가. 「자본시장과 금융투자업에 관한 법률」 제404조에 따른 이상거래(異常去來)의 심리 또는 회원의 감리를 수행하는 경우

   나. 이상거래의 심리 또는 회원의 감리와 관련하여 거래소에 상응하는 업무를 수행하는 외국거래소 등과 협조하기 위한 경우. 다만, 금융위원회의 사전 승인을 받은 경우로 한정한다.

8. 그 밖에 법률에 따라 불특정 다수인에게 의무적으로 공개하여야 하는 것으로서 해당 법률에 따른 거래정보등의 제공

② ~ ⑥ <생략>

4조의2 【거래정보등의 제공사실의 통보】

① 금융회사등은 명의인의 서면상의 동의를 받아 거래정보등을 제공한 경우나 제4조제1항제1호·제2호(조세에 관한 법률에 따라 제출의무가 있는 과세자료 등의 경우는 제외한다)·제3호 및 제8호에 따라 거래정보등을 제공한 경우에는 제공한 날(제2항 또는 제3항에 따라 통보를 유예한 경우에는 통보유예기간이 끝난 날)부터 10일 이내에 제공한 거래정보등의 주요 내용, 사용 목적, 제공받은 자 및 제공일 등을 명의인에게 서면으로 통보해야 한다.

② ~ ⑤ <생략>

② 주택청약업무수행기관 (법 제56조의2)

국토교통부장관은 위 **3**에 따른 입주자자격, 공급 순위 등의 확인과 위 **1**에 따른 입주자저축의 관리 등 주택공급과 관련하여 국토교통부령으로 정하는 업무를 효율적으로 수행하기 위하여 주택청약업무수행기관을 지정·고시할 수 있다.

③ 입주자자격 정보 제공 등 (법 제56조의3)

(1) 국토교통부장관은 주택을 공급받으려는 자가 요청하는 경우 주택공급 신청 전에 입주자자격, 주택의 소유 여부, 재당첨 제한 여부, 공급 순위 등에 관한 정보를 제공할 수 있다.

(2) 위 (1)에 따라 정보를 제공하기 위하여 필요한 경우 국토교통부장관은 정보 제공을 요청하는 자 및 배우자, 정보 제공을 요청하는 자 또는 배우자와 세대를 같이하는 세대원에게 개인정보의 수집·제공 동의를 받아야 한다.

5 주택의 분양가격 제한 등 $\binom{법}{제57조}$

【1】 분양가상한제 적용주택

사업주체가 위 **1** 에 따라 일반인에게 공급하는 공동주택 중 다음의 어느 하나에 해당하는 지역에서 공급하는 주택의 경우에는 아래 【참고】에서 정하는 기준에 따라 산정되는 분양가격 이하로 공급(이에 따라 공급되는 주택을 "분양가상한제 적용주택"이라 한다)하여야 한다.

1. 공공택지

2. 공공택지 외의 택지에서 주택가격 상승 우려가 있어 국토교통부장관이 <u>주거정책심의위원회</u> 심의를 거쳐 지정하는 지역

【참고】 분양가상한제 적용주택의 분양가격 산정방식 등(「공동주택 분양가격의 산정 등에 관한 규칙」 제7조)

① 분양가격 산정방식

> 분양가격=기본형건축비+건축비 가산비용+택지비

② 기본형건축비는 지상층 건축비와 지하층 건축비로 구분한다.

③ 국토교통부장관은 공동주택 건설공사비지수(주택건설에 투입되는 건설자재 등의 가격변동을 고려하여 산정한 지수로서 주택건축비의 등락을 나타내는 지수)와 이를 반영한 기본형건축비를 매년 3월 1일과 9월 15일을 기준으로 고시해야 한다.

고시 분양가상한제 적용주택의 기본형건축비 및 가산비용

【2】 분양가상한제 적용주택의 예외

위 【1】 에도 불구하고 다음의 어느 하나에 해당하는 경우에는 위 【1】 을 적용하지 않는다.

1. 도시형 생활주택

2. 「경제자유구역의 지정 및 운영에 관한 특별법」에 따라 지정·고시된 경제자유구역에서 건설·공급하는 공동주택으로서 경제자유구역위원회에서 외자유치 촉진과 관련이 있다고 인정하여 이 조에 따른 분양가격 제한을 적용하지 아니하기로 심의·의결한 경우

3. 「관광진흥법」에 따라 지정된 관광특구에서 건설·공급하는 공동주택으로서 해당 건축물의 층수가 50층 이상이거나 높이가 150m 이상인 경우

4. 한국토지주택공사 또는 지방공사가 다음의 정비사업의 시행자(「도시 및 주거환경정비법」 및 「빈집 및 소규모주택 정비에 관한 특례법」에 따른 사업시행자를 말한다)로 참여하는 등 대통령령으로 정하는 공공성 요건을 충족하는 경우로서 해당 사업에서 건설·공급하는 주택
   가. 「도시 및 주거환경정비법」에 따른 정비사업으로서 면적, 세대수 등이 대통령령으로 정하는 요건에 해당되는 사업
   나. 「빈집 및 소규모주택 정비에 관한 특례법」에 따른 소규모주택정비사업

5. 「도시 및 주거환경정비법」에 따른 공공재개발사업에서 건설·공급하는 주택

6. 「도시재생 활성화 및 지원에 관한 특별법」에 따른 주거재생혁신지구에서 시행하는 <u>혁신지구재생사업 중 대통령령으로 정하는 면적 또는 세대수 이하의 사업(→혁신재생지구사업)</u>에서 건설·공급하는 주택(시행 2024.3.27.)

7. 「공공주택 특별법」에 따른 도심 공공주택 복합사업에서 건설·공급하는 주택(시행 22024.3.27.)

건축관계법
국토계획법
주차장법
주택법
도시및주거
환경정비법
건축사법
장애인시설법
소방시설법
서울시조례

건축관계법

국토계획법

주차장법

도시및주거
환경정비법

건축사법

장애인시설법

소방시설법

서울시조례

【3】건축비의 산정

건축비는 국토교통부장관이 정하여 고시하는 건축비(기본형건축비)에 국토교통부령이 정하는 바에 따라 가산한 금액으로 한다. 이 경우 기본형건축비는 시장·군수·구청장이 해당 지역의 특성을 감안하여 국토교통부령이 정하는 범위 내에서 따로 정하여 고시할 수 있다.

【4】택지비의 산정

1. 공공택지에서 주택을 공급하는 경우의 택지비	해당 택지의 공급가격에 국토교통부령이 정하는 택지와 관련된 비용을 가산한 금액
2. 공공택지 외의 택지에서 분양가상한제 적용주택을 공급하는 경우의 택지비	「감정평가 및 감정평가사에 관한 법률」에 따라 감정평가 한 가액에 국토교통부령이 정하는 택지와 관련된 비용을 가산한 금액

> **예외** 사업주체가 공공택지외의 택지에서 주택을 공급하는 경우에 다음에 해당하는 매입가격(공공택지 외의 택지를 매입하는데 따른 제세공과금 법정수수료 등 증빙할 수 있는 경비를 포함한 금액)을 시장·군수·구청장에게 제출하여 분양가심사위원회의 심사를 거쳐 분양가상한제 적용주택의 분양가격을 공시하는 경우에는 「감정평가 및 감정평가사에 관한 법률」에 따라 감정평가 한 가액의 120%에 상당하는 금액 또는 개별공시지가의 150%에 상당하는 금액 이내에서 해당 매입가격을 택지비로 볼 수 있다. 매입가격을 택지비로 보는 경우 택지비는 주택단지 전체에 동일하게 적용하여야 한다.
> ① 「민사집행법」, 「국세징수법」 또는 「지방세기본법」에 따른 경·공매 낙찰가격
> ② 국가, 지방자치단체, 공기업, 준정부기관, 기타 공공기관으로 지정된 기관 및 지방 직영기업, 지방공사, 지방공단 등으로부터 매입한 가격
> ③ 그 밖에 실제 매매가격을 확인할 수 있는 경우로서 「부동산등기법」에 따른 부동산등기부 또는 「지방세법 시행령」에 따른 법인장부에 해당 택지의 거래가액이 기록되어 있는 경우

【5】분양가격의 공시

대상주택	공시의무자	시기	분양가격 공시내용
1. 분양가상한제 적용주택으로서 공공택지에서 공급하는 주택	사업주체	입주자모집승인을 얻은 때	① 택지비 ② 공사비 ③ 간접비 ④ 그 밖에 국토교통부령이 정하는 비용
2. 공공택지 외의 택지에서 공급되는 분양가상한제 적용주택 중 분양가상승 우려가 큰 지역 안에서 공급되는 주택	시장·군수·구청장	입주자모집승인을 하는 때	① 택지비 ② 직접공사비 ③ 간접공사비 ④ 설계비 ⑤ 감리비 ⑥ 부대비 ⑦ 그 밖에 국토교통부령이 정하는 비용

【참고】수도권 안의 투기과열지구

- 다음 지역 중 주택정책심의위원회의 심의를 거쳐 국토교통부장관이 지정하는 지역

① 수도권 밖의 투기과열지구 중 그 지역의 주택가격의 상승률, 주택의 청약경쟁률 등을 고려하여 국토교통부장관이 정하여 고시하는 기준에 해당되는 지역

② 해당 지역을 관할하는 시장·군수 또는 구청장이 주택가격의 상승률, 주택의 청약경쟁률이 지나치게 상승할 우려가 크다고 판단하여 국토교통부장관에게 지정을 요청하는 지역

■ 위 2.의 ②~⑥의 금액은 기본형건축비(시·군·구별 기본형건축비가 따로 있는 경우 시·군·구별 기본형건축비)의 항목별 가액으로 한다.

■ 위 【4】의 공시를 함에 있어서 국토교통부령이 정하는 택지비 및 건축비에 가산되는 비용의 공시에 대하여는 분양가심사위원회 심사를 받은 내역과 산출근거를 포함하여야 한다.

【6】 주의문구의 명시 (영 제60조)

사업주체는 입주자 모집을 하는 경우에는 입주자모집공고 안에 "분양가격의 항목별 공시 내용은 사업에 실제 소요된 비용과 다를 수 있다"는 문구를 명시해야 한다.

국토계획법

주차장법

주택법

도시및주거
환경정비법

건축사법

장애인시설법

소방시설법

서울시조례

관계법 「주택공급에 관한 규칙」 제54조【재당첨 제한】

① 다음 각 호의 어느 하나에 해당하는 주택에 당첨된 자의 세대(제47조의3에 따른 당첨자의 경우 주택공급신청자 및 그 배우자만 해당한다. 이하 이 조에서 같다)에 속한 자는 제2항에 따른 재당첨 제한기간 동안 다른 분양주택(분양전환공공임대주택을 포함하되, 투기과열지구 및 청약과열지역이 아닌 지역에서 공급되는 민영주택은 제외한다)의 입주자(사전당첨자를 포함한다)로 선정될 수 없다. <개정 2017.11.24., 2018.5.4., 2018.12.11., 2021.11.16.>

1. 제3조제2항제1호·제2호·제4호·제6호, 같은 항 제7호가목(투기과열지구에서 공급되는 주택으로 한정한다) 및 같은 항 제8호의 주택

2. 제47조에 따라 이전기관 종사자 등에 특별공급되는 주택

3. 분양가상한제 적용주택

4. 분양전환공공임대주택

5. 토지임대주택

6. 투기과열지구에서 공급되는 주택

7. 청약과열지역에서 공급되는 주택

② 제1항에 따른 재당첨 제한기간은 다음 각 호의 구분에 따른다. 이 경우 당첨된 주택에 대한 제한기간이 둘 이상에 해당하는 경우 그 중 가장 긴 제한기간을 적용한다. <개정 2020.4.17.>

1. 당첨된 주택이 제1항제3호 및 제6호에 해당하는 경우: 당첨일부터 10년간

2. 당첨된 주택이 제1항제7호에 해당하는 경우: 당첨일부터 7년간

3. 당첨된 주택이 제1항제5호 및 제3조제2항제7호가목의 주택(투기과열지구에서 공급되는 주택으로 한정한다)인 경우: 당첨일부터 5년간

4. 당첨된 주택이 제1항제2호·제4호 및 제3조제2항제1호·제2호·제4호·제6호·제8호에 해당하는 경우로서 85제곱미터 이하인 경우

　가. 「수도권정비계획법」 제6조제1항에 따른 과밀억제권역(이하 "과밀억제권역"이라 한다)에서 당첨된 경우: 당첨일부터 5년간

　나. 과밀억제권역 외의 지역에서 당첨된 경우: 당첨일부터 3년간

5. 당첨된 주택이 제1항제2호·제4호 및 제3조제2항제1호·제2호·제4호·제6호·제8호에 해당하는 경우로서 85제곱미터를 초과하는 경우

　가. 과밀억제권역에서 당첨된 경우: 당첨일부터 3년간

　나. 과밀억제권역 외의 지역에서 당첨된 경우: 당첨일부터 1년간

③ 전산관리지정기관은 제57조제1항에 따라 통보받은 당첨자명단을 전산검색하여 제2항 각 호의 어느 하나에 해당하는 기간 동안 제1항에 따른 재당첨제한 적용주택의 당첨자가 된 자의 세대에 속한 자의 명단을 발견한 때에는 지체 없이 사업주체에게 그 사실을 통보해야 한다. <개정 2017.11.24.>

④ 제3항에 따라 통보를 받은 사업주체는 이들을 입주자 선정대상에서 제외하거나 주택공급계약을 취소하여야 한다. <개정 2017.11.24.>

건축관계법

국토계획법

주차장법

주 택 법

도시및주거
환경정비법

건축사법

장애인시설법

소방시설법

서울시조례

6 분양가상한제 적용주택 등의 입주자의 거주의무 등 (법 제57조의2)

(1) 다음의 어느 하나에 해당하는 주택의 입주자(상속받은 자는 제외한다. "거주의무자"라 한다)는 해당 주택의 최초 입주가능일부터 5년 이내의 범위에서 해당 주택의 분양가격과 국토교통부장관이 고시한 방법으로 결정된 인근지역 주택매매가격의 비율에 따라 대통령령으로 정하는 기간(이하 "거주의무기간"이라 한다) 동안 계속하여 해당 주택에 거주하여야 한다. 다만, 해외 체류 등 대통령령으로 정하는 부득이한 사유가 있는 경우 그 기간은 해당 주택에 거주한 것으로 본다.
① 사업주체가 「수도권정비계획법」에 따른 수도권에서 건설·공급하는 분양가상한제 적용주택
② 「신행정수도 후속대책을 위한 연기·공주지역 행정중심복합도시 건설을 위한 특별법」 따른 행정중심복합도시 중 투기과열지구에서 건설·공급하는 주택으로서 국토교통부령으로 정하는 기준에 따라 행정중심복합도시로 이전하거나 신설되는 기관 등에 종사하는 사람에게 입주자 모집조건을 달리 정하여 별도로 공급되는 주택
③ 「도시 및 주거환경정비법」에 따른 공공재개발사업(제57조제1항제2호의 지역에 한정한다)에서 건설·공급하는 주택
(2) 거주의무자가 위 (1) 단서에 따른 사유 없이 거주의무기간 이내에 거주를 이전하려는 경우 거주의무자는 대통령령으로 정하는 바에 따라 한국토지주택공사(사업주체가 「공공주택 특별법」에 따른 공공주택사업자인 경우에는 공공주택사업자를 말한다)에 해당 주택의 매입을 신청하여야 한다.
(3) 한국토지주택공사는 위 (2)에 따라 매입신청을 받거나 거주의무자가 위 (1)을 위반하였다는 사실을 알게 된 경우 위반사실에 대한 의견청취를 하는 등 대통령령으로 정하는 절차를 거쳐 대통령령으로 정하는 특별한 사유가 없으면 해당 주택을 매입하여야 한다.
(4) 한국토지주택공사가 위 (3)에 따라 주택을 매입하는 경우 거주의무자에게 그가 납부한 입주금과 그 입주금에 「은행법」에 따른 은행의 1년 만기 정기예금의 평균이자율을 적용한 이자를 합산한 금액(이하 "매입비용"이라 한다)을 지급한 때에는 그 지급한 날에 한국토지주택공사가 해당 주택을 취득한 것으로 본다.
(5) 거주의무자는 거주의무기간 동안 계속하여 거주하여야 함을 소유권에 관한 등기에 부기등기하여야 한다.
(6) 위 (5)에 따른 부기등기는 주택의 소유권보존등기와 동시에 하여야 하며, 부기등기에 포함되어야 할 표기내용 등은 대통령령으로 정한다.
(7) 위 (3) 및 (4)에 따라 한국토지주택공사가 취득한 주택을 국토교통부령으로 정하는 바에 따라 공급받은 사람은 전매제한기간 중 잔여기간 동안 그 주택을 전매할 수 없으며 거주의무기간 중 잔여기간 동안 계속하여 그 주택에 거주하여야 한다.
(8) 한국토지주택공사가 위 (3) 및 (4)에 따라 주택을 취득하거나 (7)에 따라 주택을 공급하는 경우에는 전매제한 규정을 적용하지 않는다.

7 분양가상한제 적용주택 등의 거주실태 조사 등 (법 제57조의3)

(1) 국토교통부장관 또는 지방자치단체의 장은 거주의무자 및 주택을 공급받은 사람(이하 "거주의무자등"이라 한다)의 실제 거주 여부를 확인하기 위하여 거주의무자등에게 필요한 서류 등의 제출을 요구할 수 있으며, 소속 공무원으로 하여금 해당 주택에 출입하여 조사하게 하거나 관계인에게 필요한 질문을 하게 할 수 있다. 이 경우 서류 등의 제출을 요구받거나 해당 주택의 출입·조사 또는 필요한 질문을 받은 거주의무자등은 모든 세대원의 해외출장 등 특별한 사유가 없으면 이에 따라야 한다.

(2) 국토교통부장관 또는 지방자치단체의 장은 위 (1)에 따른 조사를 위하여 필요한 경우 주민등록 전산정보(주민등록번호·외국인등록번호 등 고유식별번호를 포함한다), 가족관계 등록사항 등 실제 거주 여부를 확인하기 위하여 필요한 자료 또는 정보의 제공을 관계 기관의 장에게 요청할 수 있다. 이 경우 자료의 제공을 요청받은 관계 기관의 장은 특별한 사유가 없으면 이에 따라야 한다.

(3) 위 (1)에 따라 출입·조사·질문을 하는 사람은 국토교통부령으로 정하는 증표를 지니고 이를 관계인에게 내보여야 하며, 조사자의 이름·출입시간 및 출입목적 등이 표시된 문서를 관계인에게 교부하여야 한다.

(4) 국토교통부 또는 지방자치단체의 소속 공무원 또는 소속 공무원이었던 사람은 위 (1)과 (2)에 따라 얻은 정보와 자료를 이 법에서 정한 목적 외의 다른 용도로 사용하거나 다른 사람 또는 기관에 제공하거나 누설하여서는 아니 된다.

8 분양가상한제 적용 지역의 지정 및 해제 $\binom{\text{법}}{\text{제58조}}\binom{\text{영}}{\text{제61조}}$

【1】 분양가상한제 적용 지역의 지정

(1) 국토교통부장관은 주택가격상승률이 물가상승률보다 현저히 높은 지역으로서 그 지역의 주택 가격·주택거래 등과 지역 주택시장 여건 등을 고려하였을 때 주택가격이 급등하거나 급등할 우려가 있는 지역 중 다음의 어느 하나에 해당하는 지역에 대하여는 주택정책심의위원회 심의를 거쳐 분양가상한제 적용 지역으로 지정할 수 있다.

  ① 직전월(분양가상한제 적용 지역으로 지정하는 날이 속하는 달의 바로 전 달을 말한다)부터 소급하여 12개월간의 아파트 분양가격상승률이 물가상승률(해당 지역이 포함된 시·도 소비자물가상승률을 말한다)의 2배를 초과한 지역. 이 경우 해당 지역의 아파트 분양가격상승률을 산정할 수 없는 경우에는 해당 지역이 포함된 특별시·광역시·특별자치시·특별자치도 또는 시·군의 아파트 분양가격상승률을 적용한다.

  ② 직전월부터 소급하여 3개월간의 주택매매거래량이 전년 동기 대비 20% 이상 증가한 지역

  ③ 직전월부터 소급하여 주택공급이 있었던 2개월 동안 해당 지역에서 공급되는 주택의 월평균 청약경쟁률이 모두 5대 1을 초과하였거나 해당 지역에서 공급되는 국민주택규모 주택의 월평균 청약경쟁률이 모두 10대 1을 초과한 지역

(2) 국토교통부장관이 위 (1)에 따라 분양가상한제 적용 지역을 지정하는 경우에는 미리 시·도지사의 의견을 들어야 한다.

(3) 국토교통부장관은 위 (1)에 따른 분양가상한제 적용 지역을 지정하였을 때에는 지체 없이 이를 공고하고, 그 지정 지역을 관할하는 시장·군수·구청장에게 공고 내용을 통보해야 한다. 이 경우 시장·군수·구청장은 사업주체로 하여금 입주자 모집공고 시 해당 지역에서 공급하는 주택이 분양가상한제 적용주택이라는 사실을 공고하게 하여야 한다.

(4) 국토교통부장관이 위 (1)에 따른 지정기준을 충족하는 지역 중에서 분양가상한제 적용 지역을 지정하는 경우 해당 지역에서 공급되는 주택의 분양가격 제한 등에 관한 위 5의 규정은 위 (3)의 전단에 따른 공고일 이후 최초로 입주자모집승인을 신청하는 분부터 적용한다.

【2】 분양가상한제 적용 지역의 해제

(1) 국토교통부장관은 위 【1】 - (1)에 따른 분양가상한제 적용 지역으로 계속 지정할 필요가 없다고 인정하는 경우에는 주택정책심의위원회 심의를 거쳐 분양가상한제 적용 지역의 지정을 해제하여야 한다.

건축관계법

국토계획법

주차장법

주 택 법

도시및주거
환경정비법

건축사법

장애인시설법

소방시설법

서울시조례

건축관계법

국토계획법

주차장법

주 택 법

도시및주거
환경정비법

건축사법

장애인시설법

소방시설법

서울시조례

(2) 분양가상한제 적용 지역의 지정을 해제하는 경우에는 위 【1】-(2) 및 (3)을 준용한다. 이 경우 "지정"은 "지정 해제"로 본다.

(3) 분양가상한제 적용 지역으로 지정된 지역의 시·도지사, 시장, 군수 또는 구청장은 분양가상한제 적용 지역의 지정 후 해당 지역의 주택가격이 안정되는 등 분양가상한제 적용 지역으로 계속 지정할 필요가 없다고 인정하는 경우에는 국토교통부장관에게 그 지정의 해제를 요청할 수 있다.

(4) 국토교통부장관은 분양가상한제 적용 지역 지정의 해제를 요청받은 경우에는 주거정책심의위원회의 심의를 거쳐 요청받은 날부터 40일 이내에 해제 여부를 결정하고, 그 결과를 시·도지사, 시장, 군수 또는 구청장에게 통보해야 한다.

9 분양가심사위원회의 운영 등 (법 제59조)

시장·군수·구청장은 주택의 분양가격 등을 심의하기 위하여 분양가심사위원회를 설치 운영하여야 하며, 사업주체가 국가·지방자치단체·한국토지주택공사 또는 지방공사인 경우에는 해당 기관의 장이 위원회를 설치 운영하여야 한다. 시장·군수·구청장은 입주자모집 승인시 분양가심사위원회의 심사결과에 따라 승인여부를 결정하여야 한다.

【1】 분양가심사위원회의 설치·운영 (영 제62조)

시장·군수 또는 구청장은 다음의 신청이 있는 날부터 20일 이내에 분양가심사위원회를 설치·운영한다.

1. 「주택법」에 따른 사업계획승인
2. 「도시 및 주거환경비법」에 따른 사업시행계획인가
3. 「건축법」에 따른 건축허가

【2】 심의사항 (영 제63조)

1. 분양가격 및 발코니 확장비용 산정의 적정성 여부
2. 시·군·구별 기본형건축비 산정의 적정성 여부
3. 분양가격 공시내역의 적정성 여부
4. 분양가상한제 적용주택과 관련된 제2종국민주택채권 매입예정상한액 산정의 적정성 여부
5. 분양가상한제 적용주택의 전매행위 제한과 관련된 인근지역 주택매매가격 산정의 적정성 여부

【3】 위원회의 구성 (영 제64조)

(1) 시장·군수·구청장은 주택건설 또는 주택관리 분야에 관한 학식과 경험이 풍부한 사람으로서 다음 각 호의 어느 하나에 해당하는 사람 6명을 위원회 위원으로 위촉해야 한다. 이 경우 다음에 해당하는 위원을 각각 1명 이상 위촉하되, 등록사업자의 임직원과 임직원이었던 사람으로서 3년이 지나지 않은 사람은 위촉해서는 안 된다.

1. 법학·경제학·부동산학·건축학·건축공학 등 주택분야와 관련된 학문을 전공하고 「고등교육법」에 따른 대학에서 조교수 이상으로 1년 이상 재직한 사람
2. 변호사·회계사·감정평가사 또는 세무사의 자격을 취득한 후 해당 직(職)에 1년 이상 근무한 사람
3. 토목·건축·전기·기계 또는 주택 분야 업무에 5년 이상 종사한 사람
4. 주택관리사 자격을 취득한 후 공동주택 관리사무소장의 직에 5년 이상 근무한 사람
5. 건설공사비 관련 연구 실적이 있거나 공사비 산정업무에 3년 이상 종사한 사람

(2) 시장·군수·구청장은 다음의 어느 하나에 해당하는 사람 4명을 위원으로 임명하거나 위촉해야한다. 이 경우 다음 각 각에 해당하는 위원을 각각 1명 이상 임명 또는 위촉해야 한다.

> 1. 국가 또는 지방자치단체에서 주택사업 인·허가 등 관련 업무를 하는 5급 이상 공무원으로서 해당기관의 장으로부터 추천을 받은 사람.
> 단서 해당 시·군·구에 소속된 공무원은 추천을 필요로 하지 않는다.
> 2. 다음의 어느 하나에 해당하는 기관에서 주택사업 관련 업무에 종사하고 있는 임직원으로서 해당기관의 장으로부터 추천을 받은 사람
> ① 한국토지주택공사
> ② 지방공사
> ③ 「주택도시기금법」에 따른 주택도시보증공사
> ④ 「한국부동산원법」에 따른 한국부동산원

(3) 위 (1)에 따른 위원(이하 "민간위원"이라 한다)의 임기는 2년으로 하며, 두 차례만 연임할 수있다.

(4) 위원회의 위원장은 시장·군수·구청장이 민간위원 중에서 지명하는 자가 된다.

【4】 위원의 의무 등 (영 제68조)

(1) 위원은 회의과정에서 또는 그 밖에 직무를 수행하면서 알게 된 사항으로서 공개하지 아니하기로 한 사항을 누설해서는 아니 되며, 위원회의 품위를 손상하는 행위를 해서는 아니 된다.

(2) 다음의 어느 하나에 해당하는 위원은 해당 심의대상 안건의 심의·의결에서 제척된다.

> 1. 위원 또는 그 배우자나 배우자이었던 사람이 해당 심의안건의 당사자(당사자가 법인·단체 등인 경우에는 그 임원을 포함한다. 이하 제2.에서 같다)가 되거나 그 심의안건의 당사자와 공동권리자 또는 공동의무자인 경우
> 2. 위원이 해당 심의안건 당사자의 친족이거나 친족이었던 경우
> 3. 위원이 해당 심의안건에 대하여 자문, 연구, 용역(하도급을 포함한다), 감정 또는 조사를 한 경우
> 4. 위원이나 위원이 속한 법인·단체 등이 해당 심의안건 당사자의 대리인이거나 대리인이었던 경우
> 5. 위원이 임원 또는 직원으로 재직하고 있거나 최근 3년 내에 재직했던 기업 등이 해당 심의안건에 대하여 자문, 연구, 용역(하도급을 포함한다), 감정 또는 조사를 한 경우

(3) 위 (2) 각 각의 어느 하나에 해당하는 위원은 스스로 해당 안건의 심의에서 회피하여야 하며, 회의 개최일 전까지 이를 간사에게 통보해야 한다.

(4) 시장·군수·구청장은 다음의 어느 하나에 해당하는 민간위원이 있는 경우에는 그 위원을 해촉할수 있으며, 해촉된 위원의 후임으로 위촉된 위원의 임기는 전임자의 잔여기간으로 한다.

> 1. 심신장애로 인하여 직무를 수행할 수 없게 된 경우
> 2. 직무와 관련된 비위사실이 있는 경우
> 3. 직무태만, 품위손상이나 그 밖의 사유로 인하여 위원으로 적합하지 아니하다고 인정되는 경우
> 4. 위원 스스로 직무를 수행하는 것이 곤란하다고 의사를 밝히는 경우
> 5. 법 제59조제4항을 위반한 경우
> 6. 제1항을 위반한 경우
> 7. 제2항 각 호의 어느 하나에 해당하는 데에도 불구하고 회피하지 아니한 경우
> 8. 해외출장, 질병 또는 사고 등으로 6개월 이상 위원회의 직무를 수행할 수 없는 경우

(5) 시장·군수·구청장은 공공위원이 위 (4)의 어느 하나에 해당하는 경우에는 해당 공공위원을 해임하거나 해촉할 수 있다.

(6) 시장·군수·구청장은 위 (5)에 따라 공공위원을 해임하거나 해촉한 경우에는 해당 기관의 장으로부터 위 【3】-(2)에 해당하는 다른 사람을 추천받아 위원으로 임명하거나 위촉할 수 있다.

10 견본주택의 건축기준 (법 제60조)

(1) 사업주체가 주택의 판매 촉진을 위하여 견본주택을 건설하고자 하는 경우 견본주택의 내부에 사용하는 마감자재 및 가구는 사업계획승인 내용과 동일한 마감자재로 시공 설치하여야 한다.

(2) 사업주체는 견본주택의 내부에 사용하는 마감자재를 사업계획승인 또는 마감자재 목록표와 다른 마감자재로 설치하는 다음의 경우 일반인이 알 수 있도록 국토교통부령이 정하는 바에 따라 그 공급가격을 표시하여야 한다.

1. 분양가격에 포함되지 않는 품목을 견본주택에 전시하는 경우

2. 마감자재 생산업체의 부도 등으로 인한 제품의 품귀 등 부득이한 경우

(3) 견본주택에는 마감자재 목록표와 사업계획승인을 받은 서류 중 평면도와 시방서(示方書)를 갖춰 두어야 하며, 견본주택의 배치·구조 및 유지관리 등은 국토교통부령으로 정하는 기준에 맞아야 한다.

11 저당권설정 등의 제한 (법 제61조)

(1) 사업주체는 주택건설사업에 의하여 건설된 주택 및 대지에 대하여는 입주자모집공고승인 신청일(주택조합의 경우에는 사업계획승인 신청일) 이후부터 입주예정자가 해당 주택 및 대지의 소유권이전등기를 신청할 수 있는 날(사업주체가 입주예정자에게 통보한 입주가능일) 이후 60일까지의 기간 동안 입주예정자의 동의 없이 다음에 해당하는 행위를 하여서는 아니 된다.

1. 해당 주택 및 대지에 저당권 또는 가등기담보권 등 담보물권을 설정하는 행위

2. 해당 주택 및 대지에 전세권·지상권 또는 등기되는 부동산임차권을 설정하는 행위

3. 해당 주택 및 대지를 매매 또는 증여 등의 방법으로 처분하는 행위

예외 그 주택의 건설을 촉진하기 위하여 다음에 해당하는 경우에는 그러하지 아니하다.

1. 해당 주택의 입주자에게 주택구입자금의 일부를 융자하여 줄 목적으로 국민주택기금이나 다음의 금융기관으로부터 주택건설자금의 융자를 받는 경우
   ① 「은행법」에 따른 은행
   ② 「중소기업은행법」에 따른 중소기업은행
   ③ 「상호저축은행법」에 따른 상호저축은행
   ④ 「보험업법」에 따른 보험회사
   ⑤ 그 밖의 법률에 따라 금융업무를 행하는 기관으로서 국토교통부령으로 정하는 기관

2. 해당 주택의 입주자에게 주택구입자금의 일부를 융자하여 줄 목적으로 위 1.의 각각의 금융기관으로부터 주택구입자금의 융자를 받는 경우

3. 사업주체가 파산(「채무자 회생 및 파산에 관한 법률」 등에 의한 법원의 결정·인가를 포함)·합병·분할·등록말소·영업정지 등의 사유로 사업을 시행할 수 없게 되어 사업주체가 변경되는 경우

건축관계법

국토계획법

주차장법

주 택 법

도시및주거환경정비법

건축사법

장애인시설법

소방시설법

서울시조례

(2) 위 (1)에 따른 저당권설정 등의 제한을 할 때 사업주체는 해당 주택 또는 대지가 입주예정자의 동의 없이는 양도하거나 제한물권을 설정하거나 압류·가압류·가처분 등의 목적물이 될 수 없는 재산임을 소유권등기에 부기등기(附記登記)하여야 한다.

> 예외 사업주체가 국가·지방자치단체 및 한국토지주택공사 등 공공기관이거나 해당 대지가 사업주체의 소유가 아닌 경우 등에는 그러하지 아니하다.

(3) 위 (2)에 따른 부기등기는 주택건설대지에 대하여는 입주자 모집공고 승인 신청(주택건설대지 중 주택조합이 사업계획승인 신청일 까지 소유권을 확보하지 못한 부분이 있는 경우에는 그 부분에 대한 소유권 이전등기를 말함)과 동시에 하여야 하고, 건설된 주택에 대하여는 소유권보존등기와 동시에 하여야 한다.

(4) 위 (3)에 따른 부기등기일 이후에 해당 대지 또는 주택을 양수하거나 제한물권을 설정 받은 경우 또는 압류·가압류·가처분 등의 목적물로 한 경우에는 그 효력을 무효로 한다.

> 예외 사업주체의 경영부실로 입주예정자가 그 대지를 양수받는 경우 등에는 그러하지 아니하다.

(5) 사업주체의 재무 상황 및 금융거래 상황이 극히 불량한 경우로서 다음에 해당하는 사유에 해당되어 대한주택보증주식회사가 분양보증을 하면서 주택건설대지를 대한주택보증주식회사에 신탁하게 할 경우에는 위 (1)과 (2)에도 불구하고 사업주체는 그 주택건설대지를 신탁할 수 있다.

1. 최근 2년간 연속된 경상손실로 인하여 자기자본이 잠식된 경우
2. 자산에 대한 부채의 비율이 500%를 초과하는 경우
3. 사업주체가 위 (2)에 의한 부기등기를 하지 아니하고 대한주택보증주식회사에 해당 대지를 신탁하고자 하는 경우

(6) 위 (4)에 따른 대한주택보증주식회사의 신탁의 인수에 관하여는 「자본시장과 금융투자업에 관한 법률」을 적용하지 않는다.

(7) 위 (5)에 따라 사업주체가 주택건설대지를 신탁하는 경우 신탁등기일 이후부터 입주예정자가 해당 주택건설대지의 소유권이전등기를 신청할 수 있는 날 이후 60일까지의 기간 동안 해당 신탁의 종료를 원인으로 하는 사업주체의 소유권이전등기청구권에 대한 압류·가압류·가처분 등은 효력이 없음을 신탁계약조항에 포함해야 한다.

(8) 위 (5)에 따른 신탁등기일 이후부터 입주예정자가 해당 주택건설대지의 소유권이전등기를 신청할 수 있는 날 이후 60일까지의 기간 동안 해당 신탁의 종료를 원인으로 하는 사업주체의 소유권이전등기청구권을 압류·가압류·가처분 등의 목적물로 한 경우에는 그 효력을 무효로 한다.

12 투기과열지구의 지정 및 해제 (법 제63조)

【1】 투기과열지구의 지정

국토교통부장관 또는 시·도지사는 주택가격의 안정을 위하여 필요한 경우에 일정한 지역을 주택정책심의위원회(시·도지사의 경우에는 시·도 주택정책심의위원회)의 심의를 거쳐 투기과열지구로 지정하거나 이를 해제할 수 있다. 이 경우 투기과열지구는 그 지정 목적을 달성할 수 있는 최소한의 범위에서 시·군·구 또는 읍·면·동의 지역 단위로 지정하되, 택지개발지구 등 해당 지역 여건을 고려하여 지정 단위를 조정할 수 있다

건축관계법

국토계획법

주차장법

주 택 법

도시및주거
환경정비법

건축사법

장애인시설법

소방시설법

서울시조례

건축관계법

국토계획법

주차장법

주 택 법

도시및주거
환경정비법

건축사법

장애인시설법

소방시설법

서울시조례

【2】 투기과열지구의 지정기준 (규칙 제25조)

투기과열지구는 해당 지역의 주택가격상승률이 물가상승률보다 현저히 높은 지역으로서 그 지역의 청약경쟁률·주택가격·주택보급률 및 주택공급계획 등과 지역 주택시장 여건 등을 고려하였을 때 주택에 대한 투기가 성행하고 있거나 우려되는 지역 중 다음의 기준을 충족하는 곳이어야 한다.

(1) 직전월(투기과열지구로 지정하는 날이 속하는 달의 바로 전 달을 말한다)부터 소급하여 주택공급이 있었던 2개월 동안 해당 지역에서 공급되는 주택의 월평균 청약경쟁률이 모두 5대 1을 초과하였거나 국민주택규모 주택의 월평균 청약경쟁률이 모두 10대 1을 초과한 곳

(2) 다음의 어느 하나에 해당하여 주택공급이 위축될 우려가 있는 곳
① 주택의 분양계획이 지난달보다 30% 이상 감소한 곳
② 주택건설사업계획의 승인이나 건축허가 실적이 지난해보다 급격하게 감소한 곳

(3) 신도시 개발이나 주택의 전매행위 성행 등으로 투기 및 주거불안의 우려가 있는 곳으로서 다음의 어느 하나에 해당하는 곳
① 시·도별 주택보급률이 전국 평균 이하인 경우
② 시·도별 자가주택 비율이 전국 평균 이하인 경우
③ 해당 지역의 주택공급물량이 입주자저축 가입자 중 주택청약 제1순위 자에 비하여 현저하게 적은 경우

【3】 공고 및 통보

국토교통부장관 또는 시·도지사는 투기과열지구를 지정하는 때에는 지체 없이 이를 공고하고, 국토교통부장관은 그 투기과열지구를 관할하는 특별자치시장, 특별자치도지사, 시장, 군수 또는 구청장에게, 특별시장, 광역시장 또는 도지사는 그 투기과열지구를 관할하는 시장, 군수 또는 구청장에게 각각 공고내용을 통보해야 한다. 이 경우 시장·군수·구청장은 사업주체로 하여금 입주자모집 공고 시 해당 주택건설 지역이 투기과열지구에 포함된 사실을 공고하게 하여야 한다. 투기과열지구의 지정을 해제하는 경우에도 또한 같다.

【4】 투기과열지구의 해제 (규칙 제25조의2)

(1) 국토교통부장관 또는 시·도지사는 투기과열지구에서 지정사유가 없어졌다고 인정하는 경우에는 지체 없이 투기과열지구의 지정을 해제하여야 한다.

(2) 투기과열지구 지정을 유지하는 것으로 결정된 지역의 시·도지사 또는 시장·군수·구청장은 특별한 사정이 없으면 그 결정을 통보받은 날부터 6개월 이내에 같은 사유로 해당 지역의 투기과열지구 지정의 해제를 요청할 수 없다.

【5】 의견청취 및 협의

위 【1】에 따라 국토교통부장관이 투기과열지구를 지정하거나 이를 해제할 경우에는 시·도지사의 의견을 듣고 그 의견에 대한 검토의견을 회신하여야하며, 시·도지사가 투기과열지구를 지정하거나 이를 해제할 경우에는 국토교통부장관과 협의해야 한다.

건축관계법

국토계획법

주차장법

주 택 법

도시및주거
환경정비법

건축사법

장애인시설법

소방시설법

서울시조례

【6】재검토

국토교통부장관은 1년마다 주택정책심의위원회의 회의를 소집하여 투기과열지구로 지정된 지역별로 해당 지역의 주택가격 안정여건 변화 등을 고려하여 투기과열지구 지정의 계속 여부를 재검토하여야 한다. 재검토 결과 투기과열지구의 지정해제가 필요하다고 인정되는 경우에는 지체 없이 투기과열지구의 지정을 해제하고 이를 공고해야 한다.

【7】해제의 요청

투기과열지구로 지정받은 지역의 시·도지사, 시장·군수·구청장은 투기과열지구 지정 후 해당 지역의 주택가격이 안정되는 등 지정사유가 해소된 것으로 인정되는 경우에는 국토교통부장관 또는 시·도지사에게 투기과열지구 지정해제를 요청할 수 있으며, 지정해제를 요청받은 국토교통부장관 또는 시·도지사는 40일 내에 주택정책심의위원회의 심의를 거쳐 투기과열지구 지정해제 여부를 결정하여 그 투기과열지구를 관할하는 지방자치단체장에게 심의결과를 통보해야 한다.

【8】해제에 따른 공고

국토교통부장관 또는 시·도지사는 주택정책심의위원회의 심의결과 투기과열지구에서 그 지정사유가 없어졌다고 인정되는 때에는 지체 없이 투기과열지구의 지정을 해제하고 이를 공고하여야 한다.

13 조정대상지역의 지정 및 해제 (법
제63조의2)

【1】조정대상지역의 지정

국토교통부장관은 다음의 어느 하나에 해당하는 지역으로서 국토교통부령으로 정하는 기준을 충족하는 지역을 주거정책심의위원회의 심의를 거쳐 조정대상지역으로 지정할 수 있다. 이 경우 아래 (1)에 해당하는 조정대상지역은 그 지정 목적을 달성할 수 있는 최소한의 범위에서 시·군·구 또는 읍·면·동의 지역 단위로 지정하되, 택지개발지구 등 해당 지역 여건을 고려하여 지정 단위를 조정할 수 있다

(1) 주택가격, 청약경쟁률, 분양권 전매량 및 주택보급률 등을 고려하였을 때 주택 분양 등이 과열되어 있거나 과열될 우려가 있는 지역

- 과열지역[위 (1)에 해당하는 조정대상지역을 말함] (규칙
제25조의2-1.)

  직전월(조정대상지역으로 지정하는 날이 속하는 달의 바로 전 달을 말한다)부터 소급하여 3개월간의 해당 지역 주택가격상승률이 해당 지역이 포함된 시·도 소비자물가상승률의 1.3배를 초과한 지역으로서 다음의 어느 하나에 해당하는 지역을 말한다.

  > 1. 직전월부터 소급하여 주택공급이 있었던 2개월 동안 해당 지역에서 공급되는 주택의 월평균 청약 경쟁률이 모두 5대1을 초과하였거나 국민주택규모 주택의 월평균 청약경쟁률이 모두 10대1을 초과한 지역
  > 2. 직전월부터 소급하여 3개월간의 분양권(주택의 입주자로 선정된 지위를 말한다) 전매거래량이 전년 동기 대비 30% 이상 증가한 지역
  > 3. 시·도별 주택보급률 또는 자가주택비율이 전국 평균 이하인 지역

(2) 주택가격, 주택거래량, 미분양주택의 수 및 주택보급률 등을 고려하여 주택의 분양·매매 등 거래가 위축되어 있거나 위축될 우려가 있는 지역

- 위축지역[위 (2)에 해당하는 조정대상지역을 말함] (규칙
제25조의2-2.)

  직전월부터 소급하여 6개월간의 평균 주택가격상승률이 마이너스 1.0% 이하인 지역으로서 다음의 어느 하나에 해당하는 지역을 말한다.

1. 직전월부터 소급하여 3개월 연속 주택매매거래량이 전년 동기 대비 20% 이상 감소한 지역
2. 직전월부터 소급하여 3개월간의 평균 미분양주택(사업계획승인을 받아 입주자를 모집을 하였으나 입주자가 선정되지 아니한 주택을 말한다)의 수가 전년 동기 대비 2배 이상인 지역
3. 시·도별 주택보급률 또는 자가주택비율이 전국 평균을 초과하는 지역

【2】 관계 기관과 협의
국토교통부장관은 조정대상지역을 지정하는 경우 다음의 사항을 미리 관계 기관과 협의할 수 있다.
(1) 「주택도시기금법」에 따른 주택도시보증공사의 보증업무 및 주택도시기금의 지원 등에 관한 사항
(2) 주택 분양 및 거래 등과 관련된 금융·세제 조치 등에 관한 사항
(3) 그 밖에 주택시장의 안정 또는 실수요자의 주택거래 활성화를 위하여 정하는 사항

【3】 시·도지사의 의견 청취
국토교통부장관은 조정대상지역을 지정하는 경우에는 미리 시·도지사의 의견을 들어야 한다.

【4】 공고 및 통보
국토교통부장관은 조정대상지역을 지정하였을 때에는 지체 없이 이를 공고하고, 그 조정대상지역을 관할하는 시장·군수·구청장에게 공고 내용을 통보해야 한다. 이 경우 시장·군수·구청장은 사업주체로 하여금 입주자 모집공고 시 해당 주택건설 지역이 조정대상지역에 포함된 사실을 공고하게 해야 한다.

【5】 지정의 해제
국토교통부장관은 반기마다 주거정책심의위원회의 회의를 소집하여 조정대상지역으로 지정된 지역별로 해당 지역의 주택가격 안정 여건의 변화 등을 고려하여 조정대상지역 지정의 유지 여부를 재검토하여야 한다. 이 경우 재검토 결과 조정대상지역 지정의 해제가 필요하다고 인정되는 경우에는 지체 없이 조정대상지역 지정을 해제하고 이를 공고하여야 한다.

14 주택의 전매행위 제한 등 (법 제64조)

【1】 전매 및 알선의 제한
사업주체가 건설·공급하는 주택[해당 주택의 입주자로 선정된 지위(입주자로 선정되어 그 주택에 입주할 수 있는 권리·자격·지위 등을 말한다)를 포함한다]으로서 다음의 어느 하나에 해당하는 경우에는 10년 이내의 범위에서 대통령령으로 정하는 <u>기간(→전매제한 기간)</u><시행 2024.6.27.>이 경과하기 전에는 이를 전매(매매·증여 그 밖의 권리의 변동을 수반하는 일체의 행위를 포함하되, 상속의 경우를 제외한다)하거나 이의 전매를 알선할 수 없다. 이 경우 전매제한기간은 주택의 수급 상황 및 투기우려 등을 감안하여 지역별로 달리 정할 수 있다.
(1) 투기과열지구 안에서 건설·공급되는 주택
(2) 조정대상지역에서 건설·공급되는 주택
> **예외** 위 **11**-【1】-(2)에 해당하는 조정대상지역 중 주택의 수급 상황 등을 고려하여 공공택지 외의 택지에서 건설·공급되는 주택은 제외한다.
(3) 분양가상한제 적용주택
> **예외** 「수도권정비계획법」에 따른 수도권 이외의 지역 중 주택의 수급 상황 및 투기 우려 등을 고려하여 광역시가 아닌 지역으로서 투기과열지구가 지정되지 아니하거나 지정 해제된 지역 중 공공택지 외의 택지에서 건설·공급되는 분양가상한제 적용주택은 그러하지 아니하다.

(4) 공공택지 외의 택지에서 건설·공급되는 주택

　　예외 위 **5** - **【2】**의 주택 또는 그 주택의 입주자로 선정된 지위는 지위 및 수도권 외의 지역 중 주택의 수급 상황 및 투기 우려 등을 고려하여 광역시가 아닌 지역으로서 공공택지 외의 택지에서 건설·공급되는 주택은 제외한다.

【2】 전매제한 기간 (영 제73조)[별표 3]

(1) 공통사항

① 전매행위 제한기간은 해당 주택의 입주자로 선정된 날부터 기산한다.

② 주택에 대한 소유권이전등기에는 대지를 제외한 건축물에 대해서만 소유권이전등기를 하는 경우를 포함한다.

③ 주택에 대한 아래 (2)~(5)의 규정에 따른 전매행위 제한기간이 2 이상일 경우에는 그 중 가장 긴 전매행위 제한기간을 적용한다.

　　예외 위 **11** - **【1】** -(2)에 따른 지역에서 건설·공급되는 주택의 경우에는 가장 짧은 전매행위 제한기간을 적용한다.

④ 주택에 대한 아래 (4) 및 (5)에 따른 전매행위 제한기간이 3년을 초과하는 경우로서 3년 이내에 해당 주택에 대한 소유권이전등기를 완료한 경우 소유권이전등기를 완료한 때에 3년이 지난 것으로 본다.

(2) 투기과열지구에서 건설·공급되는 주택의 입주자로 선정된 지위: 해당 주택(위 **【1】** -(3)에 해당하는 경우의 주택은 제외한다)에 대한 소유권이전등기일까지의 기간. 다만 그 기간이 5년을 초과하는 경우에는 5년으로 한다.

(3) 조정대상지역에서 건설·공급되는 주택의 입주자로 선정된 지위: 다음 각 각의 구분에 따른 기간

① 과열지역(위 **11** - **【1】** - (1)에 해당하는 조정대상지역을 말한다)

제1지역	제2지역	제3지역	
		공공택지	공공택지 외의 택지
소유권이전등기일까지. 다만, 그 기간이 3년을 초과하는 경우에는 3년으로 한다.	1년 6개월	1년	6개월

[비고] 제1지역, 제2지역 및 제3지역은 국토교통부장관이 위 **11** - **【1】** 에 따라 지정·공고하는 조정대상지역의 구분에 따른다.

② 위축지역(위 **11** - **【1】** - (2)에 해당하는 조정대상지역을 말한다)

공공택지에서 건설·공급되는 주택	공공택지 외의 택지에서 건설·공급되는 주택
6개월	-

(4) 분양가상한제 적용주택 및 그 주택의 입주자로 선정된 지위: 다음의 구분에 따른 기간. 다만, 전매행위 제한기간이 3년 이내인 경우로서 그 기간이 지나기 전에 해당 주택에 대한 소유권이전등기를 완료한 경우에는 소유권이전등기를 완료하였을 때 그 기간에 도달한 것으로 본다.

① 수도권

구분		투기과열지구	투기과열지구 외의 지역
1) 공공택지에서 건설·공급되는 주택	가) 분양가격이 인근지역 주택매매가격의 100퍼센트 이상인 경우	5년	3년
	나) 분양가격이 인근지역 주택매매가격의 80퍼센트 이상 100퍼센트 미만인 경우	8년	6년
	다) 분양가격이 인근지역 주택매매가격의 80퍼센트 미만인 경우	10년	8년
2) 공공택지 외의 택지에서 건설·공급되는 주택	가) 분양가격이 인근지역 주택매매가격의 100퍼센트 이상인 경우	5년	–
	나) 분양가격이 인근지역 주택매매가격의 80퍼센트 이상 100퍼센트 미만인 경우	8년	–
	다) 분양가격이 인근지역 주택매매가격의 80퍼센트 미만인 경우	10년	–

[비고] 인근지역 주택매매가격 결정방법 등 세부사항은 국토교통부장관이 정하여 고시한다.

② 수도권 외의 지역

㉠ 투기과열지구에서 건설·공급되는 주택으로서 장애인, 신혼부부 등 국토교통부령으로 정하는 사람에게 특별공급하는 주택: 5년

㉡ 그 밖의 경우

구분	투기과열지구	투기과열지구 외의 지역
가) 공공택지에서 건설·공급되는 주택	4년	3년
나) 공공택지 외의 택지에서 건설·공급되는 주택	3년	–

관계법 「주택공급에 관한 규칙」 제47조【이전기관 종사자 등 특별공급】

① 삭제 <2021.7.5.>

② 사업주체는 「도청 이전을 위한 도시건설 및 지원에 관한 특별법」에 따른 도청이전신도시에서 건설하여 공급하는 주택을 다음 각 호의 어느 하나에 해당하는 자에게 한 차례에 한정하여 1세대 1주택의 기준으로 특별공급할 수 있다. <개정 2021.5.24.>

1. 도청이전신도시에 건설되는 도청 및 공공기관에 근무하기 위하여 이주하는 종사자

2. 도청이전신도시로 이전하거나 설립하는 제1항제3호 각 목에 해당하는 교육기관의 교원 또는 종사자

3. 도청이전신도시에 입주하는 기업, 연구기관, 의료기관 및 공익단체의 종사자 중 도시활성화 및 투자 촉진 등을 위하여 특별공급이 필요하다고 도지사가 인정하는 자

③ 사업주체는 제1호 각 목의 지역에서 건설하여 공급하는 주택을 제2호 각 목의 어느 하나에 해당하는 사람에게 한 차례에 한정하여 1세대 1주택의 기준으로 특별공급할 수 있다. 다만, 2주택 이상을 소유한 세대에 속한 사람은 제외한다. <개정 2018.3.27., 2021.5.28.>

1. 공급지역

가. 「혁신도시 조성 및 발전에 관한 특별법」 제6조에 따라 지정되는 혁신도시개발예정지구와 같은 법 제29조제1항 단서에 따라 개별 이전하는 지역(이하 이 항에서 "혁신도시예정지역"이라 한다)

건축관계법
국토계획법
주차장법
주 택 법
도시및주거환경정비법
건축사법
장애인시설법
소방시설법
서울시조례

나. 해당 시 · 도지사가 인정하는 혁신도시예정지역 인근의 주택건설지역

2. 공급대상자

　가. 혁신도시예정지역으로 이전하거나 혁신도시예정지역에 설치하는 국가기관, 지방자치단체 및 공공기관 종사자

　나. 혁신도시예정지역으로 이전하거나 혁신도시예정지역에 설립하는 다음에 해당하는 교육기관의 교원 또는 종사자

　　1) 「유아교육법」 제2조에 따른 유치원

　　2) 「초 · 중등교육법」 제2조에 따른 학교

　　3) 「고등교육법」 제2조에 따른 학교

　다. 혁신도시예정지역에 입주하는 기업, 연구기관 및 의료기관의 종사자 중 도시활성화 및 투자 촉진 등을 위하여 특별공급이 필요하다고 해당 시 · 도지사가 인정하는 자

④~⑪ <생략>

건축관계법

국토계획법

주차장법

주 택 법

도시및주거
환경정비법

건축사법

장애인시설법

소방시설법

서울시조례

(5) 공공택지 외의 택지에서 건설· 공급되는 주택 또는 그 주택의 입주자로 선정된 지위: 다음의 구분에 따른 기간

① 투기과열지구(수도권과 수도권 외의 지역 중 광역시로 한정한다)에서 건설·공급되는 주택으로서 장애인, 신혼부부 등 국토교통부령(「주택공급에 관한 규칙」 제35조~제47조)으로 정하는 사람에게 특별공급하는 주택: 5년

② 위 ①에 해당하는 주택 외의 주택

구분			전매행위 제한기간
1) 수도권	가) 「수도권정비계획법」 제6조제1항제1호 및 제2호에 따른 과밀억제권역 및 성장관리권역		소유권이전등기일까지. 다만, 그 기간이 3년을 초과하는 경우에는 3년으로 한다.
	나) 「수도권정비계획법」 제6조제1항제3호에 따른 자연보전권역		6개월
2) 수도권 외의 지역	가) 광역시	(1) 「국토의 계획 및 이용에 관한 법률」 제36조제1항제1호에 따른 도시지역	소유권이전등기일까지. 다만, 그 기간이 3년을 초과하는 경우에는 3년으로 한다.
		(2) 도시지역 외의 지역	6개월
	나) 그 밖의 지역		—

【참고】 과밀억제권역, 성장관리권역 및 자연보전권역의 범위

3장 제5편 주택법

건축관계법

국토계획법

주차장법

주택법

도시및주거
환경정비법

건축사법

장애인시설법

소방시설법

서울시조례

5-100

■ 「수도권정비계획법 시행령」 제9조 관련 [별표 1] 〈개정 2017.6.20.〉

구 분	지 역
과밀억제권역	1. 서울특별시 2. 인천광역시[강화군, 옹진군, 서구 대곡동·불로동·마전동·금곡동·오류동·왕길동·당하동·원당동, 인천경제자유구역(경제자유구역에서 해제된 지역을 포함한다) 및 남동 국가산업단지는 제외한다] 3. 의정부시　4. 구리시 5. 남양주시(호평동, 평내동, 금곡동, 일패동, 이패동, 삼패동, 가운동, 수석동, 지금동 및 도농동만 해당한다) 6. 하남시　7. 고양시　8. 수원시　9. 성남시　10. 안양시 11. 부천시　12. 광명시　13. 과천시　14. 의왕시　15. 군포시 16. 시흥시[반월특수지역(반월특수지역에서 해제된 지역을 포함한다)은 제외한다]
성장관리권역	1. 인천광역시[강화군, 옹진군, 서구 대곡동·불로동·마전동·금곡동·오류동·왕길동·당하동·원당동, 인천경제자유구역(경제자유구역에서 해제된 지역을 포함한다) 및 남동 국가산업단지만 해당한다] 2. 동두천시　3. 안산시　4. 오산시　5. 평택시　6. 파주시 7. 남양주시(별내동, 와부읍, 진전읍, 별내면, 퇴계원면, 진건읍 및 오남읍만 해당한다) 8. 용인시(신갈동, 하갈동, 영덕동, 구갈동, 상갈동, 보라동, 지곡동, 공세동, 고매동, 농서동, 서천동, 언남동, 청덕동, 마북동, 동백동, 중동, 상하동, 보정동, 풍덕천동, 신봉동, 죽전동, 동천동, 고기동, 상현동, 성복동, 남사면, 이동면 및 원삼면 목신리·죽릉리·학일리·독성리·고당리·문촌리만 해당한다) 9. 연천군　10. 포천시　11. 양주시　12. 김포시　13. 화성시 14. 안성시(가사동, 가현동, 명륜동, 숭인동, 봉남동, 구포동, 동본동, 영동, 봉산동, 성남동, 창전동, 낙원동, 옥천동, 현수동, 발화동, 옥산동, 석정동, 서인동, 인지동, 아양동, 신흥동, 도기동, 계동, 중리동, 사곡동, 금석동, 당왕동, 신모산동, 신소현동, 신건지동, 금산동, 연지동, 대천동, 대덕면, 미양면, 공도읍, 원곡면, 보개면, 금광면, 서운면, 양성면, 고삼면, 죽산면 두교리·당목리·칠장리 및 삼죽면 마전리·미장리·진촌리·기솔리·내강리만 해당한다) 15. 시흥시 중 반월특수지역(반월특수지역에서 해제된 지역을 포함한다)
자연보전권역	1. 이천시　2. 남양주시(화도읍, 수동면 및 조안면만 해당한다) 3. 용인시(김량장동, 남동, 역북동, 삼가동, 유방동, 고림동, 마평동, 운학동, 호동, 해곡동, 포곡읍, 모현면, 백암면, 양지면 및 원삼면 가재월리·사암리·미평리·좌항리·맹리·두창리만 해당한다) 4. 가평군　5. 양평군　6. 여주시　7. 광주시 8. 안성시(일죽면, 죽산면 죽산리·용설리·장계리·매산리·장릉리·장원리·두현리 및 삼죽면 용월리·덕산리·율곡리·내장리·배태리만 해당한다)

【3】 전매제한의 예외

입주자로 선정된 자 또는 주택을 공급받은 자의 생업상의 사정 등으로 전매가 불가피하다고 인정되는 경우로서 다음에 해당하는 경우에는 전매제한을 적용하지 않는다.

단서 위 【1】 -(2)~(3)에 해당하는 주택을 공급받은 자에 대하여는 한국토지주택공사(사업주체가 지방공사인 경우에는 지방공사를 말함)가 해당 주택을 우선 매입할 수 있다.

(1) 세대원(세대주가 포함된 세대의 구성원을 말한다)이 근무 또는 생업상의 사정이나 질병치료·취학·결혼으로 인하여 세대원 전원이 다른 광역시, 시 또는 군(광역시의 관할구역에 있는 군을 제외한다)으로 이전하는 경우. 예외 수도권으로 이전하는 경우를 제외한다.

(2) 상속에 의하여 취득한 주택으로 세대원 전원이 이전하는 경우

(3) 세대원 전원이 해외로 이주하거나 2년 이상의 기간 해외에 체류하고자 하는 경우

(4) 이혼으로 인하여 입주자로 선정된 지위 또는 주택을 그 배우자에게 이전하는 경우

(5) 「공익사업을 위한 토지 등의 취득 및 보상에 관한 법률」에 따라 공익사업의 시행으로 주거용 건축물을 제공한 자가 사업시행자로부터 이주대책용 주택을 공급받은 경우(사업시행자의 알선으로 공급받은 경우를 포함한다)로서 시장·군수 또는 구청장이 확인하는 경우

(6) 분양가상한제 적용주택 및 해당 주택의 입주자로 선정된 지위의 경우 또는 주택공영개발지구에서 분양가격의 제한을 받지 아니하고 공공기관이 건설·공급하는 공동주택 및 해당 주택의 입주자로 선정된 지위의 경우에 해당하는 주택의 소유자가 국가·지방자치단체 및 은행에 대한 채무를 이행하지 못하여 경매 또는 공매가 시행되는 경우

(7) 입주자로 선정된 지위 또는 주택의 일부를 그 배우자에게 증여하는 경우

【4】 전매제한 위반에 대한 조치

(1) 전매제한을 위반하여 주택의 입주자로 선정된 지위의 전매가 이루어진 경우에는 사업주체가 매입비용을 그 매수인에게 지급한 때에는 그 지급한 날에 사업주체가 해당 입주자로 선정된 지위를 취득한 것으로 보며, 한국토지주택공사가 분양가상한제 적용주택을 우선 매입하는 경우에도 매입비용을 준용하되, 해당 주택의 분양가격과 인근지역 주택매매가격의 비율 및 해당 주택의 보유기간 등을 고려하여 대통령령으로 정하는 바에 따라 매입금액을 달리 정할 수 있다.

(2) 국토교통부장관은 위 【1】을 위반한 자에 대하여 10년의 범위에서 국토교통부령으로 정하는 바에 따라 주택의 입주자자격을 제한할 수 있다.

【5】 전매제한의 부기등기

(1) 사업주체가 위 【1】-(2) 및 (3)에 해당하는 주택을 공급하는 경우에는 그 주택의 소유권을 제3자에게 이전할 수 없음을 소유권에 관한 등기에 부기등기 하여야 한다.

(2) 위의 (1)에 따른 부기등기는 주택의 소유권보존등기와 동시에 하여야 하며, 부기등기에는 "이 주택은 최초로 소유권이전등기가 된 후에는 「주택법」에서 정한 전매제한기간이 경과하기 전에 한국토지주택공사(위 【3】의 단서에 따라 한국토지주택공사가 우선 매입한 주택을 공급받는 자를 포함) 외의 자에게 소유권을 이전하는 일체의 행위를 할 수 없음"을 명시해야 한다.

(3) 한국토지주택공사가 위 【3】의 단서에 따라 우선 매입한 주택을 공급하는 경우에는 위 (1)을 준용한다.

【6】 분양가상한제 적용주택 등의 부기등기 말소 신청 $\left(\begin{smallmatrix}\text{규칙}\\\text{제27조}\end{smallmatrix}\right)$

위 【5】에 따라 주택에 대한 부기등기를 한 경우에는 해당 주택의 소유자가 전매행위 제한기간이 지났을 때에 그 부기등기의 말소를 신청할 수 있다.

15 공급질서 교란금지 $\left(\begin{smallmatrix}\text{법}\\\text{제65조}\end{smallmatrix}\right)\left(\begin{smallmatrix}\text{영}\\\text{제74조}\end{smallmatrix}\right)$

(1) 누구든지 이 법에 따라 건설·공급되는 주택을 공급받거나 공급받게 하기 위하여 다음의 어느 하나에 해당하는 증서 또는 지위를 양도·양수(매매·증여나 그 밖에 권리 변동을 수반하는 모든 행위를 포함하되, 상속·저당의 경우는 제외한다) 또는 이를 알선하거나 양도·양수 또는 이를 알선할 목적으로 하는 광고(각종 간행물·인쇄물·전화·인터넷, 그 밖의 매체를 통한 행위를 포함한다)를 하여서는 아니 되며, 누구든지 거짓이나 그 밖의 부정한 방법으로 이 법에 따라 건설·공급되는 증서나 지위 또는 주택을 공급받거나 공급받게 하여서는 아니 된다.

① 주택을 공급받을 수 있는 지위(법 제11조)

건축관계법

국토계획법

주차장법

주 택 법

도시및주거
환경정비법

건축사법

장애인시설법

소방시설법

서울시조례

② 입주자저축 증서(법 제36조)

③ 주택상환사채(법 제80조)

④ 그 밖에 주택을 공급받을 수 있는 증서 또는 지위로서 다음에 해당하는 것

　㉠ 시장·군수·구청장이 발행한 무허가건물 확인서, 건물철거예정 증명서 또는 건물철거 확인서

　㉡ 공공사업의 시행으로 인한 이주대책에 따라 주택을 공급받을 수 있는 지위 또는 이주대책 대상자 확인서

(2) 국토교통부장관 또는 사업주체는 다음의 어느 하나에 해당하는 자에 대하여는 그 주택 공급을 신청할 수 있는 지위를 무효로 하거나 이미 체결된 주택의 공급계약을 취소할 수 있다.

① 위 (1)을 위반하여 증서 또는 지위를 양도하거나 양수한 자

② 위 (1)을 위반하여 거짓이나 그 밖의 부정한 방법으로 증서나 지위 또는 주택을 공급받은 자

(3) 사업주체가 위 (1)을 위반한 자에게 다음의 금액을 합산한 금액에서 감가상각비(「법인세법 시행령」에 따른 정액법에 준하는 방법으로 계산한 금액을 말한다)를 공제한 금액을 지급하였을 때에는 그 지급한 날에 해당 주택을 취득한 것으로 본다.

① 입주금

② 융자금의 상환 원금

③ 위 ① 및 ②의 금액을 합산한 금액에 생산자물가상승률을 곱한 금액

(4) 위 (3)의 경우 사업주체가 매수인에게 주택가격을 지급하거나, 다음의 어느 하나에 해당하는 경우에는 주택가격을 그 주택이 있는 지역을 관할하는 법원에 공탁한 경우에는 그 주택에 입주한 자에게 기간을 정하여 퇴거를 명할 수 있다.

① 매수인을 알 수 없어 주택가격의 수령 통지를 할 수 없는 경우

② 매수인에게 주택가격의 수령을 3회 이상 통지하였으나 매수인이 수령을 거부한 경우. 이 경우 각 통지일 간에는 1개월 이상의 간격이 있어야 한다.

③ 매수인이 주소지에 3개월 이상 살지 아니하여 주택가격의 수령이 불가능한 경우

④ 주택의 압류 또는 가압류로 인하여 매수인에게 주택가격을 지급할 수 없는 경우

(5) 국토교통부장관은 위 (1)을 위반한 자에 대하여 10년의 범위에서 국토교통부령으로 정하는 바에 따라 주택의 입주자자격을 제한할 수 있다.

건축관계법

국토계획법

주차장법

주 택 법

도시및주거
환경정비법

건축사법

장애인시설법

소방시설법

서울시조례

리모델링

1 리모델링의 허가 등 (법 제66조)

【1】 리모델링의 허가 (영 제75조)

(1) 공동주택(부대시설과 복리시설을 포함한다)의 입주자·사용자 또는 관리주체가 공동주택을 리모델링하려고 하는 경우에는 허가와 관련된 면적, 세대수 또는 입주자 등의 동의 비율에 관하여 다음에 해당하는 기준 및 절차 등에 따라 시장·군수·구청장의 허가를 받아야 한다.

(2) 위 (1)에도 불구하고 기준 및 절차 등에 따라 리모델링 결의를 한 리모델링주택조합이나 소유자 전원의 동의를 받은 입주자대표회의(「공동주택관리법」에 따른 입주자대표회의를 말한다)가 시장·군수·구청장의 허가를 받아 리모델링을 할 수 있다.

(3) 리모델링 기본계획 수립 대상지역에서 세대수 증가형 리모델링을 허가하려는 시장·군수·구청장은 해당 리모델링 기본계획에 부합하는 범위에서 허가하여야 한다.

【2】 리모델링의 허가 기준 등 (영 제75조)

(1) 리모델링의 허가 기준은 다음(시행령 [별표 4])과 같다.

구 분	세부 기준
1. 동의 비율	① 입주자 · 사용자 또는 관리주체의 경우 　공사기간, 공사방법 등이 적혀 있는 동의서에 입주자 전체의 동의를 받아야 한다. ② 리모델링주택조합의 경우 　다음의 사항이 적혀 있는 결의서에 주택단지 전체를 리모델링하는 경우에는 주택단지 전체 구분소유자 및 의결권의 각 80% 이상의 동의와 각 동별 구분소유자 및 의결권의 각 50% 이상의 동의를 받아야 하며(리모델링을 하지 않는 별동의 건축물로 입주자 공유가 아닌 복리시설 등의 소유자는 권리변동이 없는 경우에 한정하여 동의비율 산정에서 제외한다), 동을 리모델링하는 경우에는 그 동의 구분소유자 및 의결권의 각 80% 이상의 동의를 받아야 한다. 　㉠ 리모델링 설계의 개요 　㉡ 공사비 　㉢ 조합원의 비용분담 명세 ③ 입주자대표회의 경우 　다음의 사항이 적혀 있는 결의서에 주택단지의 소유자 전원의 동의를 받아야 한다.

건축관계법

국토계획법

주차장법

주택법

도시및주거
환경정비법

건축사법

장애인시설법

소방시설법

서울시조례

	㉠ 리모델링 설계의 개요
	㉡ 공사비
	㉢ 소유자의 비용분담 명세
2. 허용 행위	① 공동주택
	㉠ 리모델링은 주택단지별 또는 동별로 한다.
	㉡ 복리시설을 분양하기 위한 것이 아니어야 한다. 다만, 1층을 필로티 구조로 전용하여 세대의 일부 또는 전부를 부대시설 및 복리시설 등으로 이용하는 경우에는 그렇지 않다.
	㉢ 위 ㉡에 따라 1층을 필로티 구조로 전용하는 경우 수직증축 허용범위를 초과하여 증축하는 것이 아니어야 한다.
	㉣ 내력벽의 철거에 의하여 세대를 합치는 행위가 아니어야 한다.
	② 입주자 공유가 아닌 복리시설 등
	㉠ 사용검사를 받은 후 10년 이상 지난 복리시설로서 공동주택과 동시에 리모델링하는 경우로서 시장·군수·구청장이 구조안전에 지장이 없다고 인정하는 경우로 한정한다.
	㉡ 증축은 기존건축물 연면적 합계의 1/10 이내여야 하고, 증축은 기능향상 등을 고려하여 국토교통부령으로 정하는 규모와 범위에서 하여야 한다.
	단서 주택과 주택 외의 시설이 동일 건축물로 건축된 경우는 주택의 증축 면적비율의 범위 안에서 증축할 수 있다.

(2) 리모델링 허가를 받으려는 자는 허가신청서에 다음에 해당하는 서류를 첨부하여 시장·군수·구청장에게 제출하여야 한다.

① 리모델링하려는 건축물의 종별에 따른 「건축법 시행규칙」의 서류 및 도서. 다만, 증축을 포함하는 리모델링의 경우에는 「건축법 시행규칙」에 따른 건축계획서 중 구조계획서(기존 내력벽, 기둥, 보 등 골조의 존치계획서를 포함한다), 지질조사서 및 시방서를 포함한다.

② 입주자의 동의서 및 매도청구권 행사를 입증할 수 있는 서류

③ 세대를 합치거나 분할하는 등 세대수를 증감시키는 행위를 하는 경우에는 그 동의 변경전과 변경후의 평면도

④ 세대수 증가형 리모델링을 하는 경우에는 권리변동계획서

⑤ 증축형 리모델링을 하는 경우에는 안전진단결과서

⑥ 리모델링주택조합의 경우에는 주택조합설립인가서 사본

(3) 리모델링 허가신청을 받은 시장·군수·구청장은 그 신청이 위 (1)에 따른 기준에 적합한 경우에는 리모델링 허가증명서(별지 [제27호 서식])를 발급하여야 한다.

【3】 시공자 선정 (영 제76조)

(1) 위 【1】 - (2)에 따라 리모델링을 하는 경우 설립인가를 받은 리모델링주택조합의 총회 또는 소유자 전원의 동의를 받은 입주자대표회의에서 「건설산업기본법」에 따른 건설사업자 또는 건설사업자로 보는 등록사업자를 시공자로 선정하여야 한다.

(2) 위 (1)에 따른 시공자를 선정하는 경우에는 국토교통부장관이 정하는 경쟁입찰의 방법으로 하여야 한다.

예외 시공자 선정을 위하여 2회 이상 경쟁입찰을 실시하였으나 입찰자가 하나이거나 입찰자가 없어 경쟁입찰의 방법으로 시공자를 선정할 수 없게 된 경우에는 그러하지 아니하다.

【4】 관련 규정의 준용

(1) 위 【1】 - (1) 또는 (2)에 따른 리모델링에 관하여 시장·군수·구청장이 관계 행정기관의 장과 협의하여 허가받은 사항에 관하여는 다른 법률에 따른 인가·허가 등의 의제 등(법 제19조)에 관한 규정을 준용한다.

(2) 공동주택의 입주자·사용자·관리주체·입주자대표회의 또는 리모델링주택조합이 리모델링에 관하여 시장·군수·구청장의 허가를 받은 후 그 공사를 완료하였을 때에는 시장·군수·구청장의 사용검사를 받아야 하며, 사용검사에 관하여는 사용검사(법 제49조)에 관한 규정을 준용한다.

① 리모델링에 관한 사용검사를 받으려는 자는 신청서(별지 [제28호 서식]) 에 다음의 서류를 첨부하여 시장·군수·구청장에게 제출하여야 한다.

1. 감리자의 감리의견서(「건축법」에 따른 감리대상인 경우만 해당한다)
2. 시공자의 공사확인서

② 시장·군수·구청장은 신청서를 받은 경우에는 사용검사 대상이 허가한 내용에 적합한지를 확인한 후 사용검사필증(별지 [제29호 서식]) 을 발급하여야 한다.

【5】 시·군·구도시계획위원회의 심의

시장·군수·구청장이 세대수 증가형 리모델링(50세대 이상으로 세대수가 증가하는 경우로 한정한다) 을 허가하려는 경우에는 기반시설에의 영향이나 도시·군관리계획과의 부합 여부 등에 대하여 「국토의 계획 및 이용에 관한 법률」에 따라 설치된 시·군·구도시계획위원회의 심의를 거쳐야 한다.

【6】 행위허가의 취소

시장·군수·구청장은 공동주택의 입주자·사용자·관리주체·입주자대표회의 또는 리모델링주택조합에 해당하는 자가 거짓이나 그 밖의 부정한 방법으로 허가를 받은 경우에는 행위허가를 취소할 수 있다.

2 권리변동계획의 수립 (법 제67조)(영 제77조)

(1) 세대수가 증가되는 리모델링을 하는 경우에는 다음에 해당하는 사항에 대한 계획(이하 "권리변동계획"이라 함)을 수립하여 사업계획승인 또는 행위허가를 받아야 한다.
① 리모델링 전후의 대지 및 건축물의 권리변동 명세
② 조합원의 비용분담
③ 사업비
④ 조합원 외의 자에 대한 분양계획
⑤ 그 밖에 리모델링과 관련한 권리 등에 대하여 해당 시·도 또는 시·군의 조례로 정하는 사항
(2) 위 ① 및 ②에 따라 대지 및 건축물의 권리변동 명세를 작성하거나 조합원의 비용분담 금액을 산정하는 경우에는 「감정평가 및 감정평가사에 관한 법률」에 따른 감정평가법인등이 리모델링 전후의 재산 또는 권리에 대하여 평가한 금액을 기준으로 할 수 있다.

3 증축형 리모델링의 안전진단 (법 제68조)(영 제78조)(규칙 제29조)

(1) 증축하는 리모델링(이하 "증축형 리모델링"이라 함)을 하려는 자는 시장·군수·구청장에게 안전진단을 요청하여야 하며, 안전진단을 요청받은 시장·군수·구청장은 해당 건축물의 증축 가능 여부의 확인 등을 위하여 안전진단을 실시하여야 한다.
(2) 시장·군수·구청장은 위 (1)에 따라 안전진단을 실시하는 경우에는 다음에 해당하는 기관에 안전진단을 의뢰하여야 하며, 안전진단을 의뢰받은 기관은 리모델링을 하려는 자가 추천한 건축구조기술사(구조설계를 담당할 자를 말함)와 함께 안전진단을 실시하여야 한다.

건축관계법

국토계획법

주차장법

주 택 법

도시및주거
환경정비법

건축사법

장애인시설법

소방시설법

서울시조례

1. 「시설물의 안전 및 유지관리에 관한 특별법」에 따라 등록한 안전진단전문기관

2. 「국토안전관리원법」에 따른 국토안전관리원

3. 「과학기술분야 정부출연연구기관 등의 설립·운영 및 육성에 관한 법률」에 따른 한국건설기술연구원

(3) 시장·군수·구청장이 위 (1)에 따른 안전진단으로 건축물 구조의 안전에 위험이 있다고 평가하여 「도시 및 주거환경정비법」에 따른 주택재건축사업의 시행이 필요하다고 결정한 건축물에 대하여는 증축형 리모델링을 하여서는 아니 된다.

(4) 시장·군수·구청장은 수직증축형 리모델링을 허가한 후에 해당 건축물의 구조안전성 등에 대한 상세 확인을 위하여 안전진단을 실시하여야 한다. 이 경우 안전진단을 의뢰받은 기관은 위 (2)에 따른 건축구조기술사와 함께 안전진단을 실시하여야 하며, 리모델링을 하려는 자는 안전진단 후 구조설계의 변경 등이 필요한 경우에는 건축구조기술사로 하여금 이를 보완하도록 하여야 한다.

■ 시장·군수 또는 구청장은 안전진단을 실시하려는 경우에는 안전진단을 실시한 기관 외의 기관에 안전진단을 의뢰하여야 한다.

예외 다음의 어느 하나에 해당하는 경우에는 그러하지 아니하다.

1. 안전진단을 실시한 기관이 위 (2)-2. 또는 3.에 해당하는 기관인 경우

2. 안전진단 의뢰(2회 이상 「지방자치단체를 당사자로 하는 계약에 관한 법률」에 따라 입찰에 부치거나 수의계약을 시도하는 경우로 한정한다)에 응하는 기관이 없는 경우

(5) 위 (2) 및 (4)에 따라 안전진단을 의뢰받은 기관은 국토교통부장관이 정하여 고시하는 기준에 따라 안전진단을 실시하고, 국토교통부령으로 정하는 방법 및 절차에 따라 안전진단 결과보고서를 작성하여 안전진단을 요청한 자와 시장·군수·구청장에게 제출하여야 한다.

고시 증축형 리모델링 안전진단 기준 (국토교통부고시)

① 안전진단을 실시한 기관은 다음의 사항이 포함된 안전진단 결과보고서를 작성하여야 한다.

1. 리모델링 대상 건축물의 증축 가능 여부 및 「도시 및 주거환경정비법」에 따른 주택재건축사업의 시행 여부에 관한 의견

2. 건축물의 구조안전성에 관한 상세 확인 결과 및 구조설계의 변경 필요성[위 (4)에 따른 안전진단으로 한정한다]

② 위 (2)-1.에 따른 기관으로부터 안전진단 결과보고서를 제출받은 시장·군수 또는 구청장은 필요하다고 인정하는 경우에는 위 (2)-2. 또는 3.의 기관에 안전진단 결과보고서의 적정성에 대한 검토를 의뢰할 수 있다.

(6) 시장·군수·구청장은 위 (1) 및 (4)에 따라 안전진단을 실시하는 비용의 전부 또는 일부를 리모델링을 하려는 자에게 부담하게 할 수 있다.

4 전문기관의 안전성 검토 등 (법 제69조)(영 제79조)

(1) 시장·군수·구청장은 수직증축형 리모델링을 하려는 자가 「건축법」에 따른 건축위원회의 심의를 요청하는 경우 구조계획상 증축범위의 적정성 등에 대하여 국토안전관리원 또는 한국건설기술연구원에 안전성 검토를 의뢰하여야 한다.

(2) 시장·군수·구청장은 수직증축형 리모델링을 하려는 자의 허가 신청이 있거나 안전진단 결과 국토교통부장관이 정하여 고시하는 설계도서의 변경이 있는 경우 제출된 설계도서상 구조안전의 적정성 여부 등에 대하여 위 (1)에 따라 검토를 수행한 전문기관에 안전성 검토를 의뢰하여야 한다.

(3) 위 (1) 및 (2)에 따라 검토의뢰를 받은 전문기관은 국토교통부장관이 정하여 고시하는 검토기준에 따라 검토한 결과를 안전성 검토를 의뢰받은 날부터 30일 이내에 시장·군수·구청장에게 제출하여야 하며, 시장·군수·구청장은 특별한 사유가 없는 경우 이 법 및 관계 법률에 따른 위원회의 심의 또는 허가 시 제출받은 안전성 검토결과를 반영하여야 한다.

> **단서** 검토 의뢰를 받은 전문기관이 부득이하게 검토기간의 연장이 필요하다고 인정하여 20일의 범위에서 그 기간을 연장(한 차례로 한정한다)한 경우에는 그 연장된 기간을 포함한 기간을 말한다.
>
> ① 검토 의뢰를 받은 전문기관은 검토 의뢰 서류에 보완이 필요한 경우에는 일정한 기간을 정하여 보완하게 할 수 있다.
>
> ② 기간을 산정할 때 위 ①에 따른 보완기간, 공휴일 및 토요일은 산정대상에서 제외한다.

(4) 시장·군수·구청장은 위 (1) 및 (2)에 따른 전문기관의 안전성 검토비용의 전부 또는 일부를 리모델링을 하려는 자에게 부담하게 할 수 있다.

(5) 국토교통부장관은 시장·군수·구청장에게 위 (3)에 따라 제출받은 자료의 제출을 요청할 수 있으며, 필요한 경우 시장·군수·구청장으로 하여금 안전성 검토결과의 적정성에 대하여 「건축법」에 따른 중앙건축위원회의 심의를 받도록 요청할 수 있다.

(6) 시장·군수·구청장은 특별한 사유가 없으면 위 (5)에 따른 심의결과를 반영하여야 한다.

5 수직증축형 리모델링의 구조기준 (법 제70조)

수직증축형 리모델링의 설계자는 국토교통부장관이 정하여 고시하는 구조기준에 맞게 구조설계도서를 작성하여야 한다.

> **고시** 수직증축형 리모델링 구조기준 (국토교통부 고시)

6 리모델링 기본계획의 수립권자 및 대상지역 등 (법 제71조)(영 제80조제1항제2항)

(1) 특별시장·광역시장 및 대도시의 시장은 관할구역에 대하여 다음의 사항을 포함한 리모델링 기본계획을 10년 단위로 수립하여야 한다.

> **예외** 세대수 증가형 리모델링에 따른 도시과밀의 우려가 적은 경우 등 다음에 해당하는 경우에는 리모델링 기본계획을 수립하지 아니할 수 있다.

1. 특별시·광역시: 세대수 증가형 리모델링에 따른 도시과밀이나 이주수요의 일시집중 우려가 적은 경우로서 특별시장·광역시장이 「국토의 계획 및 이용에 관한 법률」 시·도도시계획위원회의 심의를 거쳐 리모델링 기본계획을 수립할 필요가 없다고 인정하는 경우

2. 대도시(「지방자치법」 서울특별시와 광역시를 제외한 인구 50만 이상의 대도시를 말한다): 세대수 증가형 리모델링에 따른 도시과밀이나 이주수요의 일시집중 우려가 적은 경우로서 대도시 시장의 요청으로 도지사가 시·도도시계획위원회의 심의를 거쳐 리모델링 기본계획을 수립할 필요가 없다고 인정하는 경우

① 계획의 목표 및 기본방향

② 도시기본계획 등 관련 계획 검토

건축관계법
국토계획법
주차장법
주 택 법
도시및주거
환경정비법
건축사법
장애인시설법
소방시설법
서울시조례

③ 리모델링 대상 공동주택 현황 및 세대수 증가형 리모델링 수요 예측

④ 세대수 증가에 따른 기반시설의 영향 검토

⑤ 일시집중 방지 등을 위한 단계별 리모델링 시행방안

⑥ 그 밖에 다음에 해당하는 사항

---

1. 리모델링에 따른 도시경관 관리방안

---

2. 도시과밀 방지 등을 위한 계획적 관리와 리모델링의 원활한 추진을 지원하기 위한 사항으로서 특별시·광역시 또는 도의 조례로 정하는 사항

---

(2) 대도시가 아닌 시의 시장은 세대수 증가형 리모델링에 따른 도시과밀이나 일시집중 등이 우려되어 도지사가 리모델링 기본계획의 수립이 필요하다고 인정한 경우 리모델링 기본계획을 수립하여야 한다.

(3) 리모델링 기본계획의 작성기준 및 작성방법 등은 국토교통부장관이 정한다.

> **훈령** 리모델링 기본계획 수립지침 (국토교통부훈령)

7 리모델링 기본계획 수립절차 (법 제72조)(영 제80조제3항)

(1) 특별시장·광역시장 및 대도시의 시장(대도시가 아닌 시의 시장을 포함)은 리모델링 기본계획을 수립하거나 변경하려면 14일 이상 주민에게 공람하고, 지방의회의 의견을 들어야 한다. 이 경우 지방의회는 의견제시를 요청받은 날부터 30일 이내에 의견을 제시하여야 하며, 30일 이내에 의견을 제시하지 아니하는 경우에는 이의가 없는 것으로 본다.

> **예외** 다음에 해당하는 경미한 변경인 경우에는 주민공람 및 지방의회 의견청취 절차를 거치지 아니할 수 있다.

---

1. 세대수 증가형 리모델링 수요 예측 결과에 따른 세대수 증가형 리모델링 수요(세대수 증가형 리모델링을 하려는 주택의 총 세대수를 말한다)가 감소하거나 10% 범위에서 증가하는 경우

---

2. 세대수 증가형 리모델링 수요의 변동으로 기반시설의 영향 검토나 단계별 리모델링 시행방안이 변경되는 경우

---

3. 「국토의 계획 및 이용에 관한 법률」에 따른 도시·군기본계획 등 관련 계획의 변경에 따라 리모델링 기본계획이 변경되는 경우

---

(2) 특별시장·광역시장 및 대도시의 시장은 리모델링 기본계획을 수립하거나 변경하려면 관계 행정기관의 장과 협의한 후 「국토의 계획 및 이용에 관한 법률」에 따라 설치된 시·도도시계획위원회 또는 시·군·구도시계획위원회의 심의를 거쳐야 한다.

(3) 위 (2)에 따라 협의를 요청받은 관계 행정기관의 장은 특별한 사유가 없으면 그 요청을 받은 날부터 30일 이내에 의견을 제시하여야 한다.

(4) 대도시의 시장은 리모델링 기본계획을 수립하거나 변경하려면 도지사의 승인을 받아야 하며, 도지사는 기본계획을 승인하려면 시·도도시계획위원회의 심의를 거쳐야 한다.

8 리모델링 기본계획의 고시 등 (법 제73조)(영 제80조제4항)

(1) 특별시장·광역시장 및 대도시의 시장은 리모델링 기본계획을 수립하거나 변경한 때에는 이를 지체 없이 해당 지방자치단체의 공보에 고시하여야 한다.

건축관계법

국토계획법

주차장법

주 택 법

도시및주거환경정비법

건축사법

장애인시설법

소방시설법

서울시조례

(2) 특별시장·광역시장 및 대도시의 시장은 5년마다 리모델링 기본계획의 타당성을 검토하여 그 결과를 리모델링 기본계획에 반영하여야 한다.

(3) 특별시장·광역시장 및 대도시의 시장(대도시가 아닌 시의 시장을 포함)은 주민공람을 실시할 때에는 미리 공람의 요지 및 장소를 해당 지방자치단체의 공보 및 인터넷 홈페이지에 공고하고, 공람 장소에 관계 서류를 갖추어 두어야 한다.

9 세대수 증가형 리모델링의 시기 조정 (법 제74조)(규칙 제30조)

(1) 국토교통부장관은 세대수 증가형 리모델링의 시행으로 주변 지역에 현저한 주택부족이나 주택시장의 불안정 등이 발생될 우려가 있는 때에는 주택정책심의위원회의 심의를 거쳐 특별시장, 광역시장, 대도시의 시장에게 리모델링 기본계획을 변경하도록 요청하거나, 시장·군수·구청장에게 세대수 증가형 리모델링의 사업계획 승인 또는 허가의 시기를 조정하도록 요청할 수 있으며, 요청을 받은 특별시장, 광역시장, 대도시의 시장 또는 시장·군수·구청장은 특별한 사유가 없으면 그 요청에 따라야 한다.

- 국토교통부장관의 요청을 받은 특별시장, 광역시장, 대도시의 시장 또는 시장·군수·구청장은 그 요청을 받은 날부터 30일 이내에 리모델링 기본계획의 변경 또는 세대수 증가형 리모델링의 사업계획 승인 또는 허가의 시기 조정에 관한 조치계획을 국토교통부장관에게 보고하여야 하며, 그 요청에 따를 수 없는 특별한 사유가 있는 경우에는 그 사유를 통보해야 한다.

(2) 시·도지사는 세대수 증가형 리모델링의 시행으로 주변 지역에 현저한 주택부족이나 주택시장의 불안정 등이 발생될 우려가 있는 때에는 시·도 주택정책심의위원회의 심의를 거쳐 대도시의 시장에게 리모델링 기본계획을 변경하도록 요청하거나, 시장·군수·구청장에게 세대수 증가형 리모델링의 사업계획 승인 또는 허가의 시기를 조정하도록 요청할 수 있으며, 요청을 받은 대도시의 시장 또는 시장·군수·구청장은 특별한 사유가 없으면 그 요청에 따라야 한다.

(3) 위 (1) 및 (2)에 따른 시기조정에 관한 방법 및 절차 등에 관하여 필요한 사항은 국토교통부령 또는 시·도의 조례로 정한다.

10 리모델링 지원센터의 설치·운영 (법 제75조)

(1) 시장·군수·구청장은 리모델링의 원활한 추진을 지원하기 위하여 리모델링 지원센터를 설치하여 운영할 수 있다.

(2) 리모델링 지원센터는 다음의 업무를 수행할 수 있다.

① 리모델링주택조합 설립을 위한 업무 지원

② 설계자 및 시공자 선정 등에 대한 지원

③ 권리변동계획 수립에 관한 지원

④ 그 밖에 지방자치단체의 조례로 정하는 사항

(3) 리모델링 지원센터의 조직, 인원 등 리모델링 지원센터의 설치·운영에 필요한 사항은 지방자치단체의 조례로 정한다.

건축관계법

국토계획법

주차장법

주 택 법

도시및주거
환경정비법

건축사법

장애인시설법

소방시설법

서울시조례

11 공동주택 리모델링에 따른 특례 〔법 제76조〕

(1) 공동주택의 소유자가 리모델링에 의하여 전유부분(「집합건물의 소유 및 관리에 관한 법률」
에 따른 전유부분을 말한다)의 면적이 늘거나 줄어드는 경우에는 「집합건물의 소유 및 관리에
관한 법률」에도 불구하고 대지사용권은 변하지 아니하는 것으로 본다.
예외 세대수 증가를 수반하는 리모델링의 경우에는 권리변동계획에 따른다.

> 관계법 「집합건물의 소유 및 관리에 관한 법률」제2조 【정의】
> 이 법에서 사용하는 용어의 뜻은 다음과 같다.
> 1. "구분소유권"이란 제1조 또는 제1조의2에 규정된 건물부분[제3조제2항 및 제3항에 따라 공용부
>   분(共用部分)으로 된 것은 제외한다]을 목적으로 하는 소유권을 말한다.
> 2. "구분소유자"란 구분소유권을 가지는 자를 말한다.
> 3. "전유부분"(專有部分)이란 구분소유권의 목적인 건물부분을 말한다.
> 4. "공용부분"이란 전유부분 외의 건물부분, 전유부분에 속하지 아니하는 건물의 부속물 및 제3조제
>   2항 및 제3항에 따라 공용부분으로 된 부속의 건물을 말한다.
> 5. "건물의 대지"란 전유부분이 속하는 1동의 건물이 있는 토지 및 제4조에 따라 건물의 대지로 된
>   토지를 말한다.
> 6. "대지사용권"이란 구분소유자가 전유부분을 소유하기 위하여 건물의 대지에 대하여 가지는 권리
>   를 말한다.
> [전문개정 2010.3.31.]
>
> 제12조 【공유자의 지분권】
> ① 각 공유자의 지분은 그가 가지는 전유부분의 면적 비율에 따른다.
> ② 제1항의 경우 일부공용부분으로서 면적이 있는 것은 그 공용부분을 공용하는 구분소유자의 전유
>   부분의 면적 비율에 따라 배분하여 그 면적을 각 구분소유자의 전유부분 면적에 포함한다.
>
> 제20조 【전유부분과 대지사용권의 일체성】
> ① 구분소유자의 대지사용권은 그가 가지는 전유부분의 처분에 따른다.
> ② 구분소유자는 그가 가지는 전유부분과 분리하여 대지사용권을 처분할 수 없다. 다만, 규약으로써
>   달리 정한 경우에는 그러하지 아니하다.
> ③ 제2항 본문의 분리처분금지는 그 취지를 등기하지 아니하면 선의(善意)로 물권을 취득한 제3자
>   에게 대항하지 못한다.
> ④ 제2항 단서의 경우에는 제3조제3항을 준용한다.
> [전문개정 2010.3.31.]

(2) 공동주택의 소유자가 리모델링에 의하여 일부 공용부분(「집합건물의 소유 및 관리에 관한 법
률」에 따른 공용부분을 말한다)의 면적을 전유부분의 면적으로 변경한 경우에는 「집합건물의
소유 및 관리에 관한 법률」에도 불구하고 그 소유자의 나머지 공용부분의 면적은 변하지 아니
하는 것으로 본다.
(3) 위 (1)의 대지사용권 및 (2)의 공용부분의 면적에 관하여는 (1)과 (2)에도 불구하고 소유자가
「집합건물의 소유 및 관리에 관한 법률」에 따른 규약으로 달리 정한 경우에는 그 규약에 따른다.
(4) 임대차계약 당시 다음의 어느 하나에 해당하여 그 사실을 임차인에게 고지한 경우로서 리모델
링 허가를 받은 경우에는 해당 리모델링 건축물에 관한 임대차계약에 대하여 「주택임대차보호
법」 및 「상가건물 임대차보호법」을 적용하지 않는다.

① 임대차계약 당시 해당 건축물의 소유자들(입주자대표회의를 포함한다)이 리모델링주택조합 설립인가를 받은 경우

② 임대차계약 당시 해당 건축물의 입주자대표회의가 직접 리모델링을 실시하기 위하여 관할 시장·군수·구청장에게 안전진단을 요청한 경우

> **관계법** 「주택임대차보호법」 제4조【임대차기간 등】
> ① 기간을 정하지 아니하거나 2년 미만으로 정한 임대차는 그 기간을 2년으로 본다. 다만, 임차인은 2년 미만으로 정한 기간이 유효함을 주장할 수 있다.
> ② 임대차기간이 끝난 경우에도 임차인이 보증금을 반환받을 때까지는 임대차관계가 존속되는 것으로 본다.
>
> 「상가건물 임대차보호법」 제9조【임대차기간 등】
> ① 기간을 정하지 아니하거나 기간을 1년 미만으로 정한 임대차는 그 기간을 1년으로 본다. 다만, 임차인은 1년 미만으로 정한 기간이 유효함을 주장할 수 있다.
> ② 임대차가 종료한 경우에도 임차인이 보증금을 돌려받을 때까지는 임대차 관계는 존속하는 것으로 본다.

(5) 리모델링주택조합의 법인격에 관하여는 「도시 및 주거환경정비법」을 준용한다. 이 경우 "정비사업조합"은 "리모델링주택조합"으로 본다.

(6) 권리변동계획에 따라 소유권이 이전되는 토지 또는 건축물에 대한 권리의 확정 등에 관하여는 「도시 및 주거환경정비법」을 준용한다. 이 경우 "토지등소유자에게 분양하는 대지 또는 건축물"은 "권리변동계획에 따라 구분소유자에게 소유권이 이전되는 토지 또는 건축물"로, "일반에게 분양하는 대지 또는 건축물"은 "권리변동계획에 따라 구분소유자 외의 자에게 소유권이 이전되는 토지 또는 건축물"로 본다.

> **관계법** 「도시 및 주거환경정비법」 제38조【조합의 법인격 등】
> ① 조합은 법인으로 한다.
> ② 조합은 조합설립인가를 받은 날부터 30일 이내에 주된 사무소의 소재지에서 대통령령으로 정하는 사항을 등기하는 때에 성립한다.
> ③ 조합은 명칭에 "정비사업조합"이라는 문자를 사용하여야 한다.
>
> 제87조【대지 및 건축물에 대한 권리의 확정】
> ① 대지 또는 건축물을 분양받을 자에게 제86조제2항에 따라 소유권을 이전한 경우 종전의 토지 또는 건축물에 설정된 지상권·전세권·저당권·임차권·가등기담보권·가압류 등 등기된 권리 및 「주택임대차보호법」 제3조제1항의 요건을 갖춘 임차권은 소유권을 이전받은 대지 또는 건축물에 설정된 것으로 본다.
> ② 제1항에 따라 취득하는 대지 또는 건축물 중 토지등소유자에게 분양하는 대지 또는 건축물은 「도시개발법」 제40조에 따라 행하여진 환지로 본다.
> ③ 제79조제4항에 따른 보류지와 일반에게 분양하는 대지 또는 건축물은 「도시개발법」 제34조에 따른 보류지 또는 체비지로 본다.

건축관계법

국토계획법

주차장법

주 택 법

도시및주거
환경정비법

건축사법

장애인시설법

소방시설법

서울시조례

건축관계법

국토계획법

주차장법

주 택 법

도시및주거
환경정비법

건축사법

장애인시설법

소방시설법

서울시조례

12 부정행위 금지 (법
제77조)

공동주택의 리모델링과 관련하여 다음의 어느 하나에 해당하는 자는 부정하게 재물 또는 재산상의
이익을 취득하거나 제공하여서는 아니 된다.

① 입주자
② 사용자
③ 관리주체
④ 입주자대표회의 또는 그 구성원
⑤ 리모델링주택조합 또는 그 구성원

건축관계법

국토계획법

주차장법

주 택 법

도시및주거
환경정비법

건축사법

장애인시설법

소방시설법

서울시조례

5

보 칙

1 토지임대부 분양주택

1 토지임대부 분양주택의 토지에 관한 임대차 관계 (법 제78조) (영 제81,82조) (규칙 제31조)

(1) 토지임대부 분양주택의 토지에 대한 임대차기간은 40년 이내로 한다. 이 경우 토지임대부 분양주택 소유자의 75% 이상이 계약갱신을 청구하는 경우 40년의 범위에서 이를 갱신할 수 있다.

(2) 토지임대부 분양주택을 공급받은 자가 토지소유자와 임대차계약을 체결한 경우 해당 주택의 구분소유권을 목적으로 그 토지 위에 위 (1)에 따른 임대차기간 동안 지상권이 설정된 것으로 본다.

(3) 토지임대부 분양주택의 토지에 대한 임대차계약을 체결하고자 하는 자는 토지임대부 분양주택의 토지임대차 표준계약서(별지 [제30호 서식])를 사용하여야 한다.

(4) 토지임대부 분양주택을 양수한 자 또는 상속받은 자는 위 (1)에 따른 임대차계약을 승계한다.

(5) 토지임대부 분양주택의 토지임대료는 해당 토지의 조성원가 또는 감정가격 등을 기준으로 산정하되, 구체적인 토지임대료의 책정 및 변경기준, 납부 절차 등에 관한 사항은 다음과 같이 정한다.

① 토지임대부 분양주택의 월별 토지임대료는 다음의 구분에 따라 산정한 금액을 12개월로 분할한 금액 이하로 한다.

㉠ 공공택지에 토지임대주택을 건설하는 경우: 해당 공공택지의 조성원가에 입주자모집공고일이 속하는 달의 전전달의 「은행법」에 따른 은행의 3년 만기 정기예금 평균이자율을 적용하여 산정한 금액

㉡ 공공택지 외의 택지에 토지임대주택을 건설하는 경우: 「감정평가 및 감정평가사에 관한 법률」에 따라 감정평가한 가액에 입주자모집공고일이 속하는 달의 전전달의 「은행법」에 따른 은행의 3년 만기 정기예금 평균이자율을 적용하여 산정한 금액. 이 경우 감정평가액의 산정시기와 산정방법 등은 국토교통부령으로 정한다.

② 토지소유자는 위 ①의 기준에 따라 토지임대주택을 분양받은 자와 토지임대료에 관한 약정(이하 "토지임대료약정"이라 한다)을 체결한 후 2년이 지나기 전에는 토지임대료의 증액을 청구할 수 없다.

③ 토지소유자는 토지임대료약정 체결 후 2년이 지나 토지임대료의 증액을 청구하는 경우에는 시·군·구의 평균지가상승률을 고려하여 증액률을 산정하되, 「주택임대차보호법 시행령」에 따른 차임 등의 증액청구 한도 비율을 초과해서는 아니 된다.

④ 토지소유자는 위 ①에 따라 산정한 월별 토지임대료의 납부기한을 정하여 토지임대주택 소유자에게 고지하되, 구체적인 납부 방법, 연체료율 등에 관한 사항은 표준임대차계약서에서 정하는 바에 따른다.

(6) 위 (5)의 토지임대료는 월별 임대료를 원칙으로 하되, 토지소유자와 주택을 공급받은 자가 합의한 경우 임대료를(→임대료를 선납하거나/시행 2024.6.27.) 보증금으로 전환하여 납부할 수 있으며, 토지임대료를 보증금으로 전환하려는 경우 그 보증금을 산정할 때 적용되는 이자율은 「은행법」에 따른 은행의 3년 만기 정기예금 평균이자율 이상이어야 한다.

(7) 위 (1)~(6)에서 정한 사항 외에 토지임대부 분양주택 토지의 임대차 관계는 토지소유자와 주택을 공급받은 자 간의 임대차계약에 따른다.

(8) 토지임대부 분양주택에 관하여 이 법에서 정하지 아니한 사항은 「집합건물의 소유 및 관리에 관한 법률」, 「민법」 순으로 적용한다.

② 토지임대부 분양주택의 공공매입 $\binom{법}{제78조의2}$

(1) 토지임대부 분양주택을 공급받은 자가 토지임대부 분양주택을 양도하려는 경우에는(→자는 3장 **14** - 【1】에도 불구하고 전매제한기간이 지나기 전에/시행 2024.6.27.) 대통령령으로 정하는 바에 따라 한국토지주택공사에 해당 주택의 매입을 신청하여야 한다.(→할 수 있다./시행 2024.6.27.)

(2) 한국토지주택공사는 위(1)에 따라 매입신청을 받은(→받거나 3장 **14** - 【1】을 위반하여 토지임대부 분양주택의 전매가 이루어진/시행 2024.6.27.) 경우 대통령령으로 정하는 특별한 사유가 없으면 대통령령으로 정하는 절차를 거쳐 해당 주택을 매입하여야 한다.

(3) 한국토지주택공사가 위 (2)에 따라 주택을 매입하는 경우 그 주택을 양도하는 자에게 매입비용을(→다음의 구분에 따른 금액을 그 주택을 양도하는 자에게/시행 2024.6.27.) 지급한 때에는 그 지급한 날에 한국토지주택공사가 해당 주택을 취득한 것으로 본다.

① (1)에 따라 매입신청을 받은 경우: 해당 주택의 매입비용과 보유기간 등을 고려하여 대통령령으로 정하는 금액(신설 2023.12.26./시행 2024.6.27.)

② 3장 **14** - 【1】을 위반하여 전매가 이루어진 경우 : 해당 주택의 매입비용(신설 2023.12.26./시행 2024.6.27.)

(4) 한국토지주택공사가 제2항에 따라 주택을 매입하는 경우에는 제64조제1항을 적용하지 아니한다.

③ 토지임대부 분양주택의 재건축 $\binom{법}{제79조}$

(1) 토지임대부 분양주택의 소유자가 임대차기간이 만료되기 전에 「도시 및 주거환경정비법」 등 도시개발 관련 법률에 따라 해당 주택을 철거하고 재건축을 하고자 하는 경우 「집합건물의 소유 및 관리에 관한 법률」에 따라 토지소유자의 동의를 받아 재건축할 수 있다. 이 경우 토지소유자는 정당한 사유 없이 이를 거부할 수 없다.

(2) 위 (1)에 따라 토지임대부 분양주택을 재건축하는 경우 해당 주택의 소유자를 「도시 및 주거환경정비법」에 따른 토지등소유자로 본다.

(3) 위 (1)에 따라 재건축한 주택은 토지임대부 분양주택으로 한다. 이 경우 재건축한 주택의 준공인가일부터 임대차기간 동안 토지소유자와 재건축한 주택의 조합원 사이에 토지의 임대차기간

건축관계법

국토계획법

주차장법

주 택 법

도시및주거환경정비법

건축사법

장애인시설법

소방시설법

서울시조례

에 관한 계약이 성립된 것으로 본다.

(4) 위 (3)에도 불구하고 토지소유자와 주택소유자가 합의한 경우에는 토지임대부 분양주택이 아닌 주택으로 전환할 수 있다.

> **관계법** 「도시 및 주거환경정비법」 제2조 【정의】
>
> 이 법에서 사용하는 용어의 뜻은 다음과 같다. <개정 2021.4.13.>
>
> 1. ~8. <생략>
> 9. "토지등소유자"란 다음 각 목의 어느 하나에 해당하는 자를 말한다. 다만, 제27조제1항에 따라 「자본시장과 금융투자업에 관한 법률」 제8조제7항에 따른 신탁업자(이하 "신탁업자"라 한다)가 사업시행자로 지정된 경우 토지등소유자가 정비사업을 목적으로 신탁업자에게 신탁한 토지 또는 건축물에 대하여는 위탁자를 토지등소유자로 본다.
>   가. 주거환경개선사업 및 재개발사업의 경우에는 정비구역에 위치한 토지 또는 건축물의 소유자 또는 그 지상권자
>   나. 재건축사업의 경우에는 정비구역에 위치한 건축물 및 그 부속토지의 소유자

2 주택상환사채

① 주택상환사채의 발행 (법 제80조)

【1】 주택상환사채의 발행 (영 제83조)(규칙 제33조)

(1) 한국토지주택공사와 등록사업자는 다음에 따라 주택으로 상환하는 사채(이하 "주택상환사채"라 한다)를 발행할 수 있다.

　① 주택상환사채는 액면 또는 할인의 방법으로 발행한다.

　② 주택상환사채권에는 기호와 번호를 붙이고 다음에 해당하는 사항을 적어야 한다.

　　㉠ 발행 기관

　　㉡ 발행 금액

　　㉢ 발행 조건

　　㉣ 상환의 시기와 절차

　③ 주택상환사채의 발행자는 주택상환사채대장을 갖추어 두고 주택상환사채권의 발행 및 상환에 관한 사항을 적어야 한다.

【2】 등록사업자의 주택상환사채 발행 (영 제84조)

(1) 등록사업자는 자본금·자산평가액 및 기술인력 등이 다음에 해당하는 기준에 맞고 금융기관 또는 주택도시보증공사의 보증을 받은 경우에만 주택상환사채를 발행할 수 있다.

　① 법인으로서 자본금이 5억원 이상일 것

　② 「건설산업기본법」에 따라 건설업 등록을 한 자일 것

　③ 최근 3년간 연평균 주택건설 실적이 300호 이상일 것

(2) 등록사업자가 발행할 수 있는 주택상환사채의 규모는 최근 3년간의 연평균 주택건설 호수 이내로 한다.

【3】 주택상환사채 발행계획의 승인 (영 제85조)

주택상환사채를 발행하려는 자는 주택상환사채발행계획을 수립하여 국토교통부장관의 승인을 받아

건축관계법 / 국토계획법 / 주차장법 / 주택법 / 도시및주거환경정비법 / 건축사법 / 장애인시설법 / 소방시설법 / 서울시조례

건축관계법

국토계획법

주차장법

주 택 법

도시및주거
환경정비법

건축사법

장애인시설법

소방시설법

서울시조례

야 한다.

(1) 주택상환사채발행계획의 승인을 받으려는 자는 주택상환사채발행계획서에 다음의 서류를 첨부하여 국토교통부장관에게 제출하여야 한다. 다만, 제3호의 서류는 주택상환사채 모집공고 전까지 제출할 수 있다.

① 주택상환사채 상환용 주택의 건설을 위한 택지에 대한 소유권 또는 그 밖에 사용할 수 있는 권리를 증명할 수 있는 서류

② 주택상환사채에 대한 금융기관 또는 주택도시보증공사의 보증서

③ 금융기관과의 발행대행계약서 및 납입금 관리계약서

(2) 위 (1)에 따른 주택상환사채발행계획서에는 다음의 사항을 적어야 한다.

① 발행자의 명칭

② 회사의 자본금 총액

③ 발행할 주택상환사채의 총액

④ 여러 종류의 주택상환사채를 발행하는 경우에는 각 주택상환사채의 종류별 금액 및 종류별 발행가액

⑤ 발행조건과 방법

⑥ 분납발행일 때에는 분납금액과 시기

⑦ 상환 절차와 시기

⑧ 주택의 건설위치·형별·단위규모·총세대수·착공예정일·준공예정일 및 입주예정일

⑨ 주택가격의 추산방법

⑩ 할인발행일 때에는 그 이자율과 산정 명세

⑪ 중도상환에 필요한 사항

⑫ 보증부 발행일 때에는 보증기관과 보증의 내용

⑬ 납입금의 사용계획

⑭ 그 밖에 국토교통부장관이 정하여 고시하는 사항

(3) 국토교통부장관은 주택상환사채발행계획을 승인하였을 때에는 주택상환사채발행 대상지역을 관할하는 시·도지사에게 그 내용을 통보해야 한다.

(4) 주택상환사채발행계획을 승인받은 자는 주택상환사채를 모집하기 전에 국토교통부령으로 정하는 바에 따라 주택상환사채 모집공고 안을 작성하여 국토교통부장관에게 제출하여야 한다.

【4】 주택상환사채의 상환 등 $\left(\genfrac{}{}{0pt}{}{영}{제86조}\right)\left(\genfrac{}{}{0pt}{}{규칙}{제35조}\right)$

(1) 주택상환사채의 상환기간은 3년을 초과할 수 없다.

(2) 위 (1)의 상환기간은 주택상환사채 발행일부터 주택의 공급계약체결일까지의 기간으로 한다.

(3) 주택상환사채는 양도하거나 중도에 해약할 수 없다.

예외 다음에 해당하는 부득이한 사유가 있는 경우는 예외로 한다.

1. 세대원(세대주가 포함된 세대의 구성원을 말한다)의 근무 또는 생업상의 사정이나 질병치료·취학·결혼으로 인하여 세대원 전원이 다른 행정구역으로 이전하는 경우
2. 세대원 전원이 상속에 의하여 취득한 주택으로 이전하는 경우
3. 세대원 전원이 해외로 이주하거나 2년 이상 해외에 체류하고자 하는 경우

② 발행책임과 조건 등 $\left(\begin{smallmatrix}법\\제81조\end{smallmatrix}\right)\left(\begin{smallmatrix}영\\제87조\end{smallmatrix}\right)$

(1) 주택상환사채를 발행한 자는 발행조건에 따라 주택을 건설하여 사채권자에게 상환하여야 한다.
(2) 주택상환사채는 기명증권(記名證券)으로 하고, 사채권자의 명의변경은 취득자의 성명과 주소를 사채원부에 기록하는 방법으로 하며, 취득자의 성명을 채권에 기록하지 아니하면 사채발행자 및 제3자에게 대항할 수 없다.
(3) 국토교통부장관은 사채의 납입금이 택지의 구입 등 사채발행 목적에 맞게 사용될 수 있도록 그 사용 방법·절차 등에 관하여 필요한 조치를 하여야 한다.
　① 주택상환사채의 납입금은 다음의 용도로만 사용할 수 있다.
　　㉠ 택지의 구입 및 조성
　　㉡ 주택건설자재의 구입
　　㉢ 건설공사비에의 충당
　　㉣ 그 밖에 주택상환을 위하여 필요한 비용으로서 국토교통부장관의 승인을 받은 비용에의 충당
　② 주택상환사채의 납입금은 해당 보증기관과 주택상환사채발행자가 협의하여 정하는 금융기관에서 관리한다.
　③ 위 ②에 따라 납입금을 관리하는 금융기관은 국토교통부장관이 요청하는 경우에는 납입금 관리 상황을 보고하여야 한다.

③ 주택상환사채의 효력 $\left(\begin{smallmatrix}법\\제82조\end{smallmatrix}\right)$

등록사업자의 등록이 말소된 경우에도 등록사업자가 발행한 주택상환사채의 효력에는 영향을 미치지 않는다.

④ 「상법」의 적용 $\left(\begin{smallmatrix}법\\제83조\end{smallmatrix}\right)$

주택상환사채의 발행에 관하여 이 법에서 규정한 것 외에는 「상법」 중 사채발행에 관한 규정을 적용한다.

　예외 한국토지주택공사가 발행하는 경우와 금융기관 등이 상환을 보증하여 등록사업자가 발행하는 경우에는 「상법」의 규정(제478조제1항)을 적용하지 않는다.

> **관계법** 「상법」 제478조 【채권의 발행】 제1항
> 　① 채권은 사채전액의 납입이 완료한 후가 아니면 이를 발행하지 못한다.

3　국민주택사업특별회계의 설치 등 $\left(\begin{smallmatrix}법\\제84조\end{smallmatrix}\right)\left(\begin{smallmatrix}영\\제88조\end{smallmatrix}\right)$

【1】 국민주택사업특별회계의 설치·운용

(1) 지방자치단체는 국민주택사업을 시행하기 위하여 국민주택사업특별회계를 설치·운용하여야 한다.
(2) 지방자치단체에 설치하는 국민주택사업특별회계의 편성 및 운용에 관하여 필요한 사항은 해당 지방자치단체의 조례로 정할 수 있다.

【2】 재원의 조성

국민주택사업특별회계의 자금은 다음의 재원으로 조성한다.

건축관계법

국토계획법

주차장법

주 택 법

도시및주거
환경정비법

건축사법

장애인시설법

소방시설법

서울시조례

건축관계법

국토계획법

주차장법

주택법

도시및주거
환경정비법

건축사법

장애인시설법

소방시설법

서울시조례

1. 자체 부담금

2. 국민주택기금으로부터의 차입금

3. 정부로부터의 보조금

4. 농협은행으로부터의 차입금

5. 외국으로부터의 차입금

6. 국민주택사업특별회계에 속하는 재산의 매각 대금

7. 국민주택사업특별회계자금의 회수금·이자수입금 및 그 밖의 수익

8. 「재건축초과이익 환수에 관한 법률」에 따른 재건축부담금 중 지방자치단체 귀속분

【3】 운용상황의 보고

국민주택을 건설·공급하는 지방자치단체의 장은 국민주택사업특별회계의 분기별 운용상황을 그 분기가 끝나는 달의 다음 달 20일까지 국토교통부장관에게 보고하여야 한다. 이 경우 시장·군수 또는 구청장의 경우에는 시·도지사를 거쳐(특별자치시장 또는 특별자치도지사가 보고하는 경우는 제외한다) 보고하여야 한다.

4 협회

① 협회의 설립 등 (법 제85조)

(1) 등록사업자는 주택건설사업 및 대지조성사업의 전문화와 주택산업의 건전한 발전을 도모하기 위하여 주택사업자단체를 설립할 수 있다.

(2) 주택관리사 등은 주택관리에 관한 기술·행정 및 법률문제에 관한 연구와 그 업무를 효율적으로 수행하기 위하여 주택관리사단체를 설립할 수 있다.

(3) 주택임대관리업자는 주택임대관리업의 효율적인 업무수행을 위하여 주택임대관리업자 단체를 설립할 수 있다.

(4) 위 (1)과 (3)에 따른 단체(이하 "협회"라 한다)는 각각 법인으로 한다.

(5) 협회는 그 주된 사무소의 소재지에서 설립등기를 함으로써 성립한다.

(6) 이 법에 따라 국토교통부장관, 시·도지사 또는 대도시 시장으로부터 영업 및 자격의 정지처분을 받은 협회 회원의 권리·의무는 그 영업 및 자격의 정지기간 중에는 정지되며, 등록사업자의 등록 및 주택관리사 등의 자격이 말소되거나 취소된 때에는 협회의 회원자격을 상실한다.

② 협회의 설립인가 등 (법 제86조)

(1) 협회를 설립하려면 회원자격을 가진 자 50인 이상을 발기인으로 하여 정관을 마련한 후 창립총회의 의결을 거쳐 국토교통부장관의 인가를 받아야 한다. 협회가 정관을 변경하려는 경우에도 또한 같다.

(2) 국토교통부장관은 위 (1)에 따른 인가를 하였을 때에는 이를 지체 없이 공고하여야 한다.

③ 「민법」의 준용 (법 제87조)

협회에 관하여 이 법에서 규정한 것 외에는 「민법」 중 사단법인에 관한 규정을 준용한다.

5 주택정책 관련 자료 등의 종합관리 (법 제88조)(영 제89조)

건축관계법

【1】주택과 관련된 정보의 종합적 관리

국토교통부장관 또는 시·도지사는 적절한 주택정책의 수립 및 시행을 위하여 주택(준주택을 포함한다)의 건설·공급·관리 및 이와 관련된 자금의 조달, 주택가격 동향 등 이 법에 규정된 주택과 관련된 사항에 관한 정보를 종합적으로 관리하고 이를 관련 기관·단체 등에 제공할 수 있다.

국토계획법

(1) 국토교통부장관은 주택관련 정보 중 다음의 정보를 효율적이고 체계적으로 관리하기 위하여 정보체계를 각각 구축·운영할 수 있다.

1. 공동주택의 안전·유지관리와 관련된 정보
2. 주택거래신고내역 및 주택가격 정보
3. 주택의 건설, 공급 등 주택행정의 업무처리를 위한 인·허가 서류 및 그 부속서류와 관련된 정보

주차장법

■ 공동주택관리정보체계의 구축·운영 (규칙 제37조)

① 국토교통부장관은 다음의 사항을 데이터베이스로 구축하여 운영할 수 있다.

주 택 법

1. 설계도서
2. 행위 허가·신고 및 리모델링의 허가
3. 하자보수
4. 장기수선계획
5. 시설물의 안전관리계획
6. 안전점검
7. 그 밖에 공동주택의 안전 및 유지관리 등에 관하여 필요한 사항

도시밎주거 환경정비법

② 국토교통부장관은 공동주택관리정보체계에 구축되어 있는 위 ①의 각각의 정보를 수요자에게 제공할 수 있다. 이 경우 공동주택관리정보체계의 운영을 위하여 불가피한 사유가 있거나 개인정보의 보호를 위하여 필요하다고 인정하는 경우에는 제공하는 정보의 종류와 내용을 제한할 수 있다.

건축사법

(2) 국토교통부장관은 위 (1)의 각각의 규정에 의한 정보체계의 구축·운영업무의 전부 또는 일부를 관련전문기관을 지정하여 위탁할 수 있다.

(3) 국토교통부장관은 국토교통부령이 정하는 바에 의하여 업무처리에 관련된 서류 등을 디스켓·디스크 또는 정보통신망을 통하여 제출받을 수 있다.

장애인시설법

【2】자료의 요청

국토교통부장관 또는 시·도지사는 위 (1)에 따른 주택 관련 정보를 종합관리하기 위하여 필요한 사항에 대하여 관련 기관·단체 등에 자료를 요청할 수 있다. 이 경우 관계 행정기관 등은 특별한 사유가 없으면 요청에 따라야 한다.

소방시설법

서울시조례

건축관계법

국토계획법

주차장법

주 택 법

도시및주거
환경정비법

건축사법

장애인시설법

소방시설법

서울시조례

【3】 자료의 제공 또는 확인 요청

사업주체 또는 관리주체는 주택을 건설·공급·관리할 때 이 법과 이 법에 따른 명령에 따라 필요한 다음에 해당하는 사항에 대하여 관계 기관·단체 등에 자료 제공 또는 확인을 요청할 수 있다.

1. 주택의 소유 여부 확인
2. 입주자의 자격 확인
3. 지방자치단체·한국토지주택공사 등 공공기관이 법, 「택지개발촉진법」 및 그 밖의 법률에 따라 개발·공급하는 택지의 현황, 공급계획 및 공급일정
4. 주택이 건설되는 해당 지역과 인근지역에 대한 입주자저축의 가입자현황
5. 주택이 건설되는 해당 지역과 인근지역에 대한 주택건설사업계획승인 현황
6. 주택관리업자 등록 현황

6 권한의 위임·위탁 (법 제89조)

【1】 권한의 위임 (영 제90조)

국토교통부장관은 다음의 권한을 시·도지사에게 위임한다.

내 용	법 조항
1. 주택건설사업자 및 대지조성사업자의 등록말소 및 영업의 정지	제8조
2. 사업계획의 승인·변경승인·승인취소 및 착공신고의 접수 예외 다음에 해당하는 경우는 제외한다. ① 330만㎡ 이상의 규모로 「택지개발촉진법」에 의한 택지개발사업 또는 「도시개발법」에 의한 도시개발사업을 추진하는 지역중 국토교통부장관이 지정·고시하는 지역안에서 주택건설사업을 시행하는 경우 중 택지개발사업을 추진하는 지역 안에서 주택건설사업을 시행하는 경우 ② 한국토지주택공사가 총지분의 50%를 초과하여 출자한 부동산투자회사가 주택건설사업을 시행하는 경우에 따른 주택건설사업을 시행하는 경우(착공신고의 접수는 제외함)	제15조, 제16조
3. 사용검사 및 임시사용승인	제49조
4. 새로운 건설기술을 적용하여 건설하는 주택에 관한 권한	제51조제2항제1호
5. 보고·검사	제93조
6. 청문	제96조제1호 및 제2호

【2】 업무의 위탁 (영 제91조)

(1) 국토교통부장관 또는 지방자치단체의 장은 이 법에 따른 권한 중 다음의 권한을 주택산업 육성과 주택관리의 전문화, 시설물의 안전관리 및 자격검정 등을 목적으로 설립된 법인 또는 「주택도시기금법」에 따라 주택도시기금 운용·관리에 관한 사무를 위탁받은 자 중 국토교통부장관 또는 지방자치단체의 장이 인정하는 자에게 위탁할 수 있다.

내 용	법 조항
1. 주택건설사업 등의 등록	제4조
2. 영업실적 등의 접수	제10조
3. 부실감리자 현황에 대한 종합관리	제48조제3항
4. 주택정책 관련 자료의 종합관리	제88조

① 국토교통부장관은 다음의 업무를 주택사업자단체(이하 "협회"라 한다)에 위탁한다.

내 용	법 조항
1. 주택건설사업 및 대지조성사업의 등록	제4조
2. 영업실적 등의 접수	제10조

② 국토교통부장관은 주택관련 정보의 종합관리업무를 다음의 구분에 따른 기관에 위탁한다.

　1. 주택거래 관련 정보체계의 구축·운용: 한국부동산원

　2. 주택공급 관련 정보체계의 구축·운용: 한국토지주택공사

　3. 주택가격의 동향 조사: 한국감정원

(2) 국토교통부장관은 관계 기관의 장에 대한 자료제공 요청에 관한 사무를 보건복지부장관 또는 지방자치단체의 장에게 위탁할 수 있다.

(3) 국토교통부장관은 다음의 사무를 지정·고시된 주택청약업무수행기관에 위탁할 수 있다.

　1. 주민등록 전산정보 및 주택의 소유 여부 확인을 위한 자료의 제공 요청

　2. 입주자저축정보의 제공 요청

　3. 제공받은 자료 또는 정보를 활용한 입주자자격, 주택의 소유 여부, 재당첨 제한 여부, 공급 순위 등의 확인 및 해당 정보의 제공

7 등록증 등의 대여 등 금지 (법 제90조)

(1) 등록사업자는 다른 사람에게 자기의 성명 또는 상호를 사용하여 이 법에서 정한 사업이나 업무를 수행 또는 시공하게 하거나 그 등록증 또는 자격증을 대여하여서는 아니 된다.

(2) 누구든지 등록사업자로부터 그 성명이나 상호를 빌리거나 허락 없이 등록사업자의 성명 또는 상호로 이 법에서 정한 사업이나 업무를 수행 또는 시공하거나 그 등록증을 빌려서는 아니 된다. <신설 2024.1.16./시행 2024.7.17.>

(3) 누구든지 제1항 및 제2항에서 금지된 행위를 알선하여서는 아니 된다. <신설 2024.1.16./시행 2024.7.17.>

건축관계법
국토계획법
주차장법
주 택 법
도시및주거환경정비법
건축사법
장애인시설법
소방시설법
서울시조례

5장 제5편 주택법

건축관계법

국토계획법

주차장법

주택법

도시및주거
환경정비법

건축사법

장애인시설법

소방시설법

서울시조례

(4) 등록사업자, 제2조제11호에 따른 주택조합의 임원(발기인을 포함한다) 및 제11조의2에 따른 업무대행자는 이 법에서 정한 사업이나 업무를 수행 또는 시공하기 위하여 제2항의 행위를 교사하거나 방조하여서는 아니 된다. <신설 2024.1.16./시행 2024.7.17.>

8 체납된 분양대금 등의 강제징수 (법 제91조)

(1) 국가 또는 지방자치단체인 사업주체가 건설한 국민주택의 분양대금·임대보증금 및 임대료가 체납된 경우에는 국가 또는 지방자치단체가 국세 또는 지방세 체납처분의 예에 따라 강제징수할 수 있다.

> 예외 입주자가 장기간의 질병이나 그 밖의 부득이한 사유로 분양대금·임대보증금 및 임대료를 체납한 경우에는 강제징수하지 아니할 수 있다.

(2) 한국토지주택공사 또는 지방공사는 그가 건설한 국민주택의 분양대금·임대보증금 및 임대료가 체납된 경우에는 주택의 소재지를 관할하는 시장·군수·구청장에게 그 징수를 위탁할 수 있다.

(3) 위 (2)에 따라 징수를 위탁받은 시장·군수·구청장은 지방세 체납처분의 예에 따라 이를 징수하여야 한다. 이 경우 한국토지주택공사 또는 지방공사는 시장·군수·구청장이 징수한 금액의 2%에 해당하는 금액을 해당 시·군·구에 위탁수수료로 지급하여야 한다.

9 분양권 전매 등에 대한 신고포상금 (법 제92조)

시·도지사는 주택의 전매행위 제한 등(법 제64조)의 규정을 위반하여 분양권 등을 전매하거나 알선하는 자를 주무관청에 신고한 자에게 다음에 따라 포상금을 지급할 수 있다.

【1】 신고포상금의 지급 (영 제92조)

(1) 분양권 등을 전매하거나 알선하는 행위(이하 "부정행위"라 한다)를 하는 자를 신고하려는 자는 신고서에 부정행위를 입증할 수 있는 자료를 첨부하여 시·도지사에게 신고하여야 한다.

(2) 시·도지사는 위 (1)에 따른 신고를 받은 경우에는 관할 수사기관에 수사를 의뢰하여야 하며, 수사기관은 해당 수사결과(벌칙 부과 등 확정판결의 결과를 포함한다)를 시·도지사에게 통보해야 한다.

(3) 시·도지사는 위 (2)에 따른 수사결과를 신고자에게 통지하여야 한다.

(4) 위 (3)에 따른 통지를 받은 신고자는 신청서에 다음의 서류를 첨부하여 시·도지사에게 포상금 지급을 신청할 수 있다. 이 경우 시·도지사는 신청일부터 30일 이내에 국토교통부령으로 정하는 지급기준에 따라 포상금을 지급하여야 한다.

1. 수사결과통지서 사본 1부
2. 통장 사본 1부

【2】 포상금의 지급 기준 등 (규칙 제38조)

(1) 포상금은 1천만원 이하의 범위에서 지급하되, 구체적인 지급 기준 및 지급 기준액은 (규칙 [별표 4])와 같다.

(2) 다음의 어느 하나에 해당하는 경우에는 포상금을 지급하지 아니할 수 있다.

(3) 시·도지사는 위 (2)에 따라 포상금을 지급하지 아니하는 경우에는 그 사유를 신고한 자에게 통지하여야 한다.

> 1. 신고 받은 전매행위 또는 이의 알선행위가 언론매체 등에 이미 공개된 내용이거나 이미 수사 중인 경우
> 2. 관계행정기관이 사실조사 등을 통하여 신고 받은 전매행위 또는 이의 알선행위를 이미 알게 된 경우

10 보고·검사 등

1 보고·검사 등 (법 제93조)

(1) 국토교통부장관 또는 지방자치단체의 장은 필요하다고 인정할 때에는 이 법에 따른(다음과 같은) 인가·승인 또는 등록을 한 자에게 필요한 보고를 하게 하거나, 관계 공무원으로 하여금 사업장에 출입하여 필요한 검사를 하게 할 수 있다.

가. 이 법에 따른 신고·인가·승인 또는 등록을 한 자 <개정 2024.1.16./시행 2024.7.17.>

나. 관할구역에서 공공택지를 공급받은 자(제4조제1항 단서에 해당하는 자는 제외한다)<개정 2024.1.16./시행 2024.7.17.>

단서 공공택지를 공급하기 위하여 한국토지주택공사등이 등록기준 관련 검사를 요청하는 경우 요청 받은 지방자치단체의 장은 검사요청을 받은 날부터 30일 이내에 검사결과를 통보하여야 한다.

(2) 위 (1)에 따른 검사를 할 때에는 검사 7일 전까지 검사 일시, 검사 이유 및 검사 내용 등 검사계획을 검사를 받을 자에게 알려야 한다.

예외 긴급한 경우나 사전에 통지하면 증거인멸 등으로 검사 목적을 달성할 수 없다고 인정하는 경우에는 그러하지 아니하다.

(3) 위 (1)에 따라 검사를 하는 공무원은 그 권한을 나타내는 증표를 지니고 이를 관계인에게 내보여야 한다.

(4) 위 (1)에 따라 보고·검사 등에서 조치가 필요하다고 판단되는 다른 지방자치단체 등록사업자가 있는 경우 관할 시·도지사에게 통보하여야 한다. <신설 2024.1.16./시행 2024.7.17.>

2 보고·검사 등에 따른 자료요청 (법 제93조의2)

(1) 국토교통부장관 또는 지방자치단체의 장은 제93조에 따른 보고·검사 등에 필요한 자료로서 기술인력에 해당하는 자의 고용보험, 국민연금보험, 국민건강보험, 산업재해보상보험, 건설근로자 퇴직공제 및 경력증명, 사업자등록증명, 소득금액증명, 법인등기임원에 관한 자료를 관계 기관의 장에게 요청할 수 있다. 이 경우 자료의 제공을 요청받은 관계 기관의 장은 특별한 사유가 없으면 이에 따라야 한다.

(2) 국토교통부장관 또는 지방자치단체의 장은 제1항의 자료를 확인하기 위하여 필요하면 「전자정부법」 제36조제1항에 따라 행정정보를 공동이용할 수 있다.

건축관계법

국토계획법

주차장법

주 택 법

도시및주거
환경정비법

건축사법

장애인시설법

소방시설법

서울시조례

11 지도 · 감독

1 사업주체 등에 대한 지도 · 감독 (법 제94조) (영 제93조)

(1) 국토교통부장관 또는 지방자치단체의 장은 사업주체 및 공동주택의 입주자·사용자·관리주체·입주자대표회의나 그 구성원 또는 리모델링주택조합이 이 법 또는 이 법에 따른 명령이나 처분을 위반한 경우에는 공사의 중지, 원상복구 또는 그 밖에 필요한 조치를 명할 수 있다.

(2) 지방자치단체의 장은 사업주체 등에게 공사의 중지, 원상복구 또는 그 밖에 필요한 조치를 명하였을 때에는 즉시 국토교통부장관에게 그 사실을 보고하여야 한다.

2 협회 등에 대한 지도 · 감독 (법 제95조)

(1) 국토교통부장관은 협회를 지도·감독한다.

(2) 국토교통부장관은 감독상 필요한 때에는 협회에 대하여 다음의 사항을 보고하게 할 수 있다.

1. 총회 또는 이사회의 의결사항

2. 회원의 실태파악을 위하여 필요한 사항

3. 협회의 운영계획 등 업무와 관련된 중요사항

4. 그 밖에 주택정책 및 주택관리와 관련하여 필요한 사항

12 고유식별정보의 처리 (영 제95조)

국토교통부장관(국토교통부장관의 권한을 위임받거나 업무를 위탁받은 자를 포함한다), 시·도지사, 시장, 군수, 구청장(해당 권한이 위임·위탁된 경우에는 그 권한을 위임·위탁받은 자를 포함한다) 또는 사업주체(주택조합 업무대행자, 주택 청약접수 및 입주자 선정 업무를 위탁받은 자를 포함한다)는 다음의 사무를 수행하기 위하여 불가피한 경우 「개인정보 보호법 시행령」에 따른 주민등록번호, 여권번호 또는 외국인등록번호가 포함된 자료를 처리할 수 있다.

내 용	법 조항
1. 주택건설사업 또는 대지조성사업의 등록에 관한 사무	제4조제1항
2. 등록사업자의 결격사유 확인에 관한 사무	제6조
3. 주택조합의 발기인 또는 임원의 결격사유 확인에 관한 사무	제13조제1항
4. 사용검사 또는 임시 사용승인에 관한 사무	제49조
5. 주택 공급에 관한 사무	제54조
6. 입주자자격 제한에 관한 사무	제65조제5항
7. 조합원의 자격 확인에 관한 사무	제21조제1항
8. 주택정보체계의 구축 및 운영에 관한 사무	제89조제1항

13 청문 $\left(\begin{smallmatrix}법\\제96조\end{smallmatrix}\right)$

국토교통부장관 또는 지방자치단체의 장은 다음의 어느 하나에 해당하는 처분을 하려면 청문을 하여야 한다.

내 용	법 조항
1. 주택건설사업 등의 등록말소	제8조제1항
2. 주택조합의 설립인가취소	제14조제2항
3. 사업계획승인의 취소	제16조제4항
4. 행위허가의 취소	제66조제8항

14 벌칙 적용에서 공무원 의제 $\left(\begin{smallmatrix}법\\제97조\end{smallmatrix}\right)$

다음의 어느 하나에 해당하는 자는 「형법」 제129조부터 제132조까지의 규정을 적용할 때에는 공무원으로 본다.

내 용	법 조항
1. 감리업무를 수행하는 자	제44조, 제45조
2. 품질점검단의 위원 중 공무원이 아닌 자	제48조의3제1항
3. 분양가심사위원회의 위원 중 공무원이 아닌 자	제59조

관계법 「형법」

제129조【수뢰, 사전수뢰】
① 공무원 또는 중재인이 그 직무에 관하여 뇌물을 수수, 요구 또는 약속한 때에는 5년 이하의 징역 또는 10년 이하의 자격정지에 처한다.
② 공무원 또는 중재인이 될 자가 그 담당할 직무에 관하여 청탁을 받고 뇌물을 수수, 요구 또는 약속한 후 공무원 또는 중재인이 된 때에는 3년 이하의 징역 또는 7년 이하의 자격정지에 처한다.

제130조【제삼자뇌물제공】
공무원 또는 중재인이 그 직무에 관하여 부정한 청탁을 받고 제3자에게 뇌물을 공여하게 하거나 공여를 요구 또는 약속한 때에는 5년 이하의 징역 또는 10년 이하의 자격정지에 처한다.

제131조【수뢰후부정처사, 사후수뢰】
① 공무원 또는 중재인이 전2조의 죄를 범하여 부정한 행위를 한 때에는 1년 이상의 유기징역에 처한다.
② 공무원 또는 중재인이 그 직무상 부정한 행위를 한 후 뇌물을 수수, 요구 또는 약속하거나 제삼자에게 이를 공여하게 하거나 공여를 요구 또는 약속한 때에도 전항의 형과 같다.
③ 공무원 또는 중재인이었던 자가 그 재직중에 청탁을 받고 직무상 부정한 행위를 한 후 뇌물을 수수, 요구 또는 약속한 때에는 5년 이하의 징역 또는 10년 이하의 자격정지에 처한다.
④ 전3항의 경우에는 10년 이하의 자격정지를 병과할 수 있다.

제132조【알선수뢰】
공무원이 그 지위를 이용하여 다른 공무원의 직무에 속한 사항의 알선에 관하여 뇌물을 수수, 요구 또는 약속한 때에는 3년 이하의 징역 또는 7년 이하의 자격정지에 처한다.

건축관계법

국토계획법

주차장법

주 택 법

도시및주거
환경정비법

건축사법

장애인시설법

소방시설법

서울시조례

6

벌 칙

1 벌칙

1 10년 이하의 징역 등 (법 제98조)

(1) 다음에 해당하는 사항을 위반하여 설계·시공 또는 감리를 함으로써 「공동주택관리법」에 따른 담보책임기간에 공동주택의 내력구조부에 중대한 하자를 발생시켜 일반인을 위험에 처하게 한 설계자·시공자·감리자·건축구조기술사 또는 사업주체는 10년 이하의 징역에 처한다.

해당 사항	법 조항
1. 주택의 설계 및 시공	제33조
2. 주택의 감리자 지정 등	제43조
3. 감리자의 업무 등	제44조
4. 건축구조기술사와의 협력	제46조
5. 수직증축형 리모델링의 구조기준	제70조

(2) 위 (1)의 죄를 범하여 사람을 죽음에 이르게 하거나 다치게 한 자는 무기징역 또는 3년 이상의 징역에 처한다.

2 업무상 과실 (법 제99조)

(1) 업무상 과실로 위 1 -(1)의 죄를 범한 자는 5년 이하의 징역이나 금고 또는 5천만원 이하의 벌금에 처한다.

(2) 업무상 과실로 위 1 -(2)의 죄를 범한 자는 10년 이하의 징역이나 금고 또는 1억원 이하의 벌금에 처한다.

③ 5년 이하의 징역 또는 3천만원 이하의 벌금 (법 제100조)

국토교통부 소속 공무원 또는 소속 공무원이었던 자와 사업주체의 소속 임직원이 해당 업무와 관련하여 얻은 정보와 자료를 이 법에서 정한 목적 외의 다른 용도로 사용하거나 다른 사람 또는 기관에 제공하거나 누설하는 자는 5년 이하의 징역 또는 5천만원 이하의 벌금에 처한다.

④ 3년 이하의 징역 또는 3천만원 이하의 벌금 (법 제101조)

다음의 어느 하나에 해당하는 자는 3년 이하의 징역 또는 3천만원 이하의 벌금에 처한다.

> 단서 아래 3. 및 4.에 해당하는 자로서 그 위반행위로 얻은 이익의 3배에 해당하는 금액이 3천만원을 초과하는 자는 3년 이하의 징역 또는 그 이익의 3배에 해당하는 금액 이하의 벌금에 처한다.

내 용	법 조항
1. 조합업무를 대행하게 한 주택조합, 주택조합의 발기인 및 조합업무를 대행한 자	제11조의2제1항
2. 고의로 주택의 설계 및 시공에 관한 규정을 위반하여 설계하거나 시공함으로써 사업주체 또는 입주자에게 손해를 입힌 자	제33조
3. 주택을 전매하거나 이의 전매를 알선한 자	제64조제1항
4. 규정된 공급질서를 교란한 자	제65조제1항
5, 리모델링주택조합이 설립인가를 받기 전에 또는 입주자대표회의가 소유자 전원의 동의를 받기 전에 시공자를 선정한 자 및 시공자로 선정된 자	제66조제3항
6. 경쟁입찰의 방법에 의하지 아니하고 시공자를 선정한 자 및 시공자로 선정된 자	제66조제4항

⑤ 2년 이하의 징역 또는 2천만원 이하의 벌금 (법 제102조)

다음의 어느 하나에 해당하는 자는 2년 이하의 징역 또는 2천만원 이하의 벌금에 처한다.

> 단서 아래 5., 18.에 해당하는 자로서 그 위반행위로 얻은 이익의 50%에 해당하는 금액이 2천만원을 초과하는 자는 2년 이하의 징역 또는 그 이익의 2배에 해당하는 금액 이하의 벌금에 처한다.

내 용	법 조항
1. 등록을 하지 아니하거나, 거짓이나 그 밖의 부정한 방법으로 등록을 하고 같은 조의 사업을 한 자	제4조
2. 신고하지 아니하고 조합원을 모집하거나 조합원을 공개로 모집하지 아니한 자	제11조의3제1항
2-2. 규정을 위반하여 조합원 가입을 권유하거나 조합원을 모집하는 광고를 한 자	제11조의5
2-3. 규정을 위반하여 가입비등을 예치하도록 하지 아니한 자	제11조의6제1항
2-4. 규정을 위반하여 가입비등의 반환을 요청하지 아니한 자	제11조의6제4항
3. 서류 및 관련 자료를 거짓으로 공개한 주택조합의 발기인 또는 임원	제12조제2항
4. 열람·복사 요청에 대하여 거짓의 사실이 포함된 자료를 열람·복사하여 준 주택조합의 발기인 또는 임원	제12조제3항
5. 사업계획의 승인 또는 변경승인을 받지 아니하고 사업을 시행하는 자	제15조제1항·제3항·제4항

건축관계법

국토계획법

주차장법

주 택 법

도시및주거
환경정비법

건축사법

장애인시설법

소방시설법

서울시조례

내 용	법 조항
6. 과실로 주택의 설계 및 시공에 관한 규정을 위반하여 설계하거나 시공함으로써 사업주체 또는 입주자에게 손해를 입힌 자	제33조
7. 해당 규정을 위반하여 주택건설공사를 시행하거나 시행하게 한 자	제34조제1항
8. 주택건설기준등을 위반하여 사업을 시행한 자	제35조
9. 해당 규정을 위반하여 공동주택성능에 대한 등급을 표시하지 아니하거나 거짓으로 표시한 자	제39조
10. 환기시설을 설치하지 아니한 자	제40조
11. 고의로 감리업무를 게을리 하여 위법한 주택건설공사를 시공함으로써 사업주체 또는 입주자에게 손해를 입힌 자	제44조제1항
12. 사용검사에 관한 규정을 위반하여 주택 또는 대지를 사용하게 하거나 사용한 자	제49조제4항 (제66조제7항 포함)
13. 주택의 공급에 관한 규정을 위반하여 주택을 건설·공급한 자(주택의 공급업무를 대행한 자를 포함한다)	54조제1항 제54조의2
14. 견본주택에 관한 규정을 위반하여 건축물을 건설·공급한 자	제54조제3항
14-2. 견본주택에 관한 규정을 위반하여 주택의 공급업무를 대행하게 한 자	제54조의2제2항
15. 주택의 분양가격 제한에 관한 규정을 위반하여 주택을 공급한 자	제57조제1항·제5항
16. 견본주택의 건축기준을 위반하여 견본주택을 건설하거나 유지관리한 자	제60조제1항, 제3항
17. 저당권설정 등의 제한 규정을 위반하여 해당하는 행위를 한 자	제61조제1항
18. 해당 규정을 위반하여 부정하게 재물 또는 재산상의 이익을 취득하거나 제공한 자	제77조
19. 주택상환사채의 발행 목적에 맞게 사용될 수 있도록 그 사용 방법·절차 등에 관한 규정을 위반한 자	제81조제3항

6 2년 이하의 징역 또는 1천만원 이하의 벌금 (법 제103조)

분양가심사위원회의 위원이 업무를 수행할 때에는 신의와 성실로써 공정하게 심사를 하여야 하는 규정을 위반하여 고의로 잘못된 심사를 한 자는 2년 이하의 징역 또는 2천만원 이하의 벌금에 처한다.

7 1년 이하의 징역 또는 1천만원 이하의 벌금 (법 제104조)

다음의 어느 하나에 해당하는 자는 1년 이하의 징역 또는 1천만원 이하의 벌금에 처한다.

내 용	법 조항
1. 주택건설사업의 등록말소 등에 관한 규정을 위반하여 영업정지기간에 영업을 한 자	제8조
2. 규정을 위반하여 실적보고서를 제출하지 아니한 업무대행자	제11조의2제4항
3. 규정을 위반하여 실적보고서를 작성하지 아니하거나 규정에 따른 해당 사항을 포함하지 않고 작성한 주택조합의 발기인 또는 임원	제12조제1항 제12조제1항
4. 주택조합사업의 시행에 관련한 서류 및 자료를 공개하지 아니한 자	제12조제1항
5. 조합 구성원의 열람·복사 요청에 따르지 아니한 주택조합의 발기인 또는 임원	제12조제2항
6. 시정요구 등의 명령을 위반한 자	제14조제4항
7. 규정을 위반하여 총회의 개최를 통지하지 아니한 자	제14조의2제3항

8. 주택조합에 대한 감독 등에 따른 회계감사를 받지 아니한 자	제14조제3항
9. 감리업무를 게을리 하여 위법한 주택건설공사를 시공함으로써 사업주체 또는 입주자에게 손해를 입힌 자	제44조제1항
10. 해당 규정을 위반하여 시정 통지를 받고도 계속하여 주택건설공사를 시공한 시공자 및 사업주체	제44조제4항
11. 건축구조기술사의 협력, 안전진단기준, 검토기준 또는 구조기준을 위반하여 사업주체, 입주자 또는 사용자에게 손해를 입힌 자	제46조제1항, 제68조제5항 또는 제69조제3항
12. 시정명령에도 불구하고 필요한 조치를 하지 아니하고 감리를 한 자	제48조제2항
13. 거주의무기간 중에 실제로 거주하지 아니하고 거주한 것으로 속인 자	제57조의2제1항 및 제7항
14. 리모델링의 허가 등에 관한 규정을 위반한 자	제66조제1항, 제2항
15. 등록증의 대여 등을 한 자	제90조
16. 등록증의 대여 등 금지 규정에 따른 등록사업자의 성명이나 상호를 빌리거나 허락 없이 등록사업자의 성명이나 상호로 이 법에서 정한 사업이나 업무를 수행 또는 시공하거나 등록증을 빌린 자 <시행 2024.7.17.>	제90조제2항
17. 등록증의 대여 등 금지 규정에 따른 규정을 위반하여 알선한 자 <시행 2024.7.17.>	제90조제3항
18. 등록증의 대여 등 금지 규정에 따른 규정을 위반하여 알선의 행위를 교사하거나 방조한 자 <시행 2024.7.17.>	제90조제4항
19. 보고·검사 등을 거부·방해 또는 기피한 자	제93조제1항
20. 사업주체 등에 대한 지도·감독 등에 따른 공사 중지 등의 명령을 위반한 자	제94조

건축관계법
국토계획법
주차장법
주택법
도시및주거환경정비법
건축사법
장애인시설법
소방시설법
서울시조례

2 양벌규정 (법 제105조)

(1) 법인의 대표자나 법인 또는 개인의 대리인, 사용인, 그 밖의 종업원이 그 법인 또는 개인의 업무에 관하여 위 **1**-①(법 제98조)의 위반행위를 하면 그 행위자를 벌하는 외에 그 법인 또는 개인에게도 10억원 이하의 벌금에 처한다.

> 예외 법인 또는 개인이 그 위반행위를 방지하기 위하여 해당 업무에 관하여 상당한 주의와 감독을 게을리 하지 아니한 경우에는 그러하지 아니하다.

(2) 법인의 대표자나 법인 또는 개인의 대리인, 사용인, 그 밖의 종업원이 그 법인 또는 개인의 업무에 관하여 위 **1**-②, ④, ⑤, ⑦(법 제99조, 제101조, 제102조, 제104조)의 어느 하나에 해당하는 위반행위를 하면 그 행위자를 벌하는 외에 그 법인 또는 개인에도 해당 조문의 벌금형을 과(科)한다.

> 예외 법인 또는 개인이 그 위반행위를 방지하기 위하여 해당 업무에 관하여 상당한 주의와 감독을 게을리 하지 아니한 경우에는 그러하지 아니하다.

건축관계법

국토계획법

주차장법

주 택 법

도시및주거
환경정비법

건축사법

장애인시설법

소방시설법

서울시조례

3 과태료

① 2천만원 이하의 과태료 (법 제106조제1항)

다음의 어느 하나에 해당하는 자에게는 2천만원 이하의 과태료를 부과한다.

내 용	법 조항
1. 규정을 위반하여 사전방문을 실시하게 하지 아니한 자	제48조의2제1항
2. 규정을 위반하여 점검에 따르지 아니하거나 기피 또는 방해한 자	제48조의3제3항
3. 토지임대부 분양주택의 토지에 대한 표준임대차계약서를 사용하지 아니하거나 표준임대차계약서의 내용을 이행하지 아니한 자	제78조제3항
4. 토지임대부 분양주택의 토지에 관한 임대료에 관한 기준을 위반하여 토지를 임대한 자	제78조제5항

② 1천만원 이하의 과태료 (법 제106조제2항)

① 다음의 어느 하나에 해당하는 자에게는 1천만원 이하의 과태료를 부과한다.

내 용	법 조항
1. 규정을 위반하여 자금의 보관 업무를 대행하도록 하지 아니한 자	제11조의2제5항
2. 규정에 따른 주택조합 가입에 관한 계약서 작성 의무를 위반한 자	제11조의3제8항
3. 규정에 따른 설명의무 또는 확인 및 교부, 보관 의무를 위반한 자	제11조의4제1항, 제2항
4. 규정을 위반하여 겸직한 자	제13조제4항
5. 해당 규정을 위반하여 건축구조기술사의 협력을 받지 아니한 자	제46조제1항
3. 규정에 따른 조치를 하지 아니한 자	제54조의2제3항

③ 5백만원 이하의 과태료 (법 제106조제3항)

다음의 어느 하나에 해당하는 자에게는 5백만원 이하의 과태료를 부과한다.

내 용	법 조항
1. 규정에 따른 서류 및 자료를 제출하지 아니한 주택조합의 발기인 또는 임원	제12조제4항
2. 사업계획 승인에 따른 신고를 하지 아니한 자	제16조제2항
3. 바닥충격음 성능검사 등의 규정을 위반하여 성능검사 결과 또는 조치결과를 입주예정자에게 알리지 아니하거나 거짓으로 알린 자 <시행 2024.7.17.>	제41조의2제8항
4. 감리자의 업무 등에 따른 시공자격 여부의 확인을 하지 아니한 감리자 <시행 2024.7.17.>	제44조제1항제4호의2
5. 감리자가 사업계획승인권자 및 사업주체에게 보고를 하지 아니하거나 거짓으로 보고를 한 감리자	제44조제2항
6. 다른 법률에 따른 감리자와 협의하여 주택건설공사에 대한 감리계획서를 작성하여 감리업무를 착수하기 전에 사업계획승인권자에게 보고를 하지 아니하거나 거짓으로 보고를 한 감리자	제45조제2항

7. 규정을 위반하여 보수공사 등의 조치를 하지 아니한 자	제48조의2제3항
8. 규정을 위반하여 조치결과 등을 입주예정자 및 사용검사권자에게 알리지 아니한 자	제48조의2제5항
9. 규정을 위반하여 자료제출 요구에 따르지 아니하거나 거짓으로 자료를 제출한 자	제48조의3제4항 후단
10. 규정을 위반하여 조치명령을 이행하지 아니한 자	제48조의3제7항
11. 주택의 공급에 관한 규정을 위반하여 주택을 공급받은 자	제54조제2항
12. 규정을 위반하여 해당 사본을 제출하지 아니하거나 거짓으로 제출한 자	제54조제8항
13. 보고 또는 검사의 명령을 위반한 자	제93조제1항

■ 위 ①~③ 에 따른 과태료는 시행령 [별표 5]의 기준에 따라 국토교통부장관 또는 지방자치단체의 장이 부과한다.

④ 3백만원 이하의 과태료 (법 제106조제4항)

내 용	법 조항
• 서류 등의 제출을 거부하거나 해당 주택의 출입·조사 또는 질문을 방해하거나 기피한 자	제57조의3제1항

건축관계법

국토계획법

주차장법

주 택 법

도시및주거
환경정비법

건축사법

장애인시설법

소방시설법

서울시조례

7

주택건설기준 등에 관한 규정 및 규칙

1 목적

1 「주택건설기준 등에 관한 규정」의 목적 (규정 제1조)

이 영은 「주택법」의 규정에 따라 주택의 건설기준, 부대시설·복리시설의 설치기준, 대지조성의 기준, 공동주택성능등급의 표시, 공동주택 바닥충격음 차단구조의 성능등급 인정, 공업화주택의 인정절차, 에너지절약형 친환경 주택과 건강친화형 주택의 건설기준 및 장수명 주택 등에 관하여 위임된 사항과 그 시행에 관하여 필요한 사항을 규정함을 목적으로 한다.

2 「주택건설기준 등에 관한 규칙」의 목적 (규칙 제1조)

이 규칙은 「주택법」의 규정과 주택건설기준 등에 관한 규정에서 위임된 사항과 그 시행에 관하여 필요한 사항을 규정함을 목적으로 한다.

2 총칙

1 정의 (규정 제2조)

(1) 주민공동시설

해당 공동주택의 거주자가 공동으로 사용하거나 거주자의 생활을 지원하는 시설로서 다음에 해당하는 시설을 말한다.

1. 경로당

2. 어린이놀이터

3. 어린이집

4. 주민운동시설

5. 도서실(정보문화시설과 「도서관법」에 따른 작은도서관을 포함)

6. 주민교육시설(영리를 목적으로 하지 아니하고 공동주택의 거주자를 위한 교육장소를 말함)

7. 청소년 수련시설

8. 주민휴게시설

9. 독서실

10. 입주자집회소

11. 공용취사장

12. 공용세탁실

13. 「공공주택 특별법」에 따른 공공주택의 단지 내에 설치하는 사회복지시설

14. 「아동복지법」의 다함께돌봄센터

15. 「아이돌봄 지원법」의 공동육아나눔터

14. 그 밖에 위 1.~15. 까지의 시설에 준하는 시설로서 사업계획의 승인권자가 인정하는 시설

(2) 의료시설

의원·치과의원·한의원·조산소·보건소지소·병원(전염병원등 격리병원을 제외)·한방병원 및 약국을 말한다.

(3) 주민운동시설

거주자의 체육활동을 위하여 설치하는 옥외·옥내운동시설(「체육시설의 설치·이용에 관한 법률」에 따른 신고체육시설업에 해당하는 시설을 포함)·생활체육시설 그 밖에 이와 유사한 시설을 말한다.

> **관계법** 「체육시설의 설치·이용에 관한 법률」제10조 【체육시설업의 구분·종류】
> ① 체육시설업은 다음과 같이 구분한다. <개정 2018. 9. 18., 2020. 5. 19., 2020. 12. 8.>
> 1. 등록 체육시설업 : 골프장업, 스키장업, 자동차 경주장업
> 2. 신고 체육시설업 : 요트장업, 조정장업, 카누장업, 빙상장업, 승마장업, 종합 체육시설업, 수영장업, 체육도장업, 골프 연습장업, 체력단련장업, 당구장업, 썰매장업, 무도학원업, 무도장업, 야구장업, 가상체험 체육시설업, 체육교습업, 인공암벽장업
> ② 제1항 각 호에 따른 체육시설업은 그 종류별 범위와 회원 모집, 시설 규모, 운영 형태 등에 따라 그 세부 종류를 대통령령으로 정할 수 있다.

(4) 독신자용 주택

다음의 어느 하나에 해당하는 주택을 말한다.

① 근로자를 고용하는 자가 그 고용한 근로자 중 독신생활(근로여건상 가족과 임시별거하거나 기숙하는 생활을 포함)을 영위하는 자의 거주를 위하여 건설하는 주택

② 국가·지방자치단체 또는 공공법인이 독신생활을 영위하는 근로자의 거주를 위하여 건설하는 주택

건축관계법

국토계획법

주차장법

주 택 법

도시및주거
환경정비법

건축사법

장애인시설법

소방시설법

서울시조례

7장 제5편 주택법

건축관계법

국토계획법

주차장법

주택법

도시및주거
환경정비법

건축사법

장애인시설법

소방시설법

서울시조례

(5) 기간도로

다음에 해당하는 도로를 말한다.

① 「국토의 계획 및 이용에 관한 법률」에 따른 도시·군계획시설인 도로로서 주간선도로·보조간선도로·집산도로 및 폭 8m 이상인 국지도로

② 「도로법」에 따른 일반국도·특별시도·광역시도 또는 지방도

③ 그 밖에 관계 법령에 따라 설치된 도로로서 위 ①, ②에 준하는 도로

(6) 진입도로

보행자 및 자동차의 통행이 가능한 도로로서 기간도로로부터 주택단지의 출입구에 이르는 도로를 말한다.

(7) 시·군 지역

「수도권정비계획법」에 따른 수도권 외의 지역 중 인구 20만 미만의 시지역과 군지역을 말한다.

② 적용범위 (규정 제3조)

이 영은 「주택법」에 따른 사업주체가 주택건설사업계획의 승인을 얻어 건설하는 주택, 부대시설 및 복리시설과 대지조성사업계획의 승인을 얻어 조성하는 대지에 관하여 이를 적용한다.

③ 단지 안의 시설 (규정 제6조)

(1) 주택단지에는 관계 법령에 따른 지역 또는 지구에도 불구하고 다음의 시설만 건설하거나 설치할 수 있다.

① 부대시설

② 복리시설. 이 경우 「주택법 시행령」의 규정에 따른 수련시설, 업무시설 중 금융업소, 지식산업센터, 사회복지관, 공동작업장 시설은 해당 주택단지에 세대당 전용면적(주거의 용도로만 쓰이는 면적으로서 국토교통부령으로 정하는 바에 따라 산정한 면적을 말한다)이 50m² 이하인 공동주택을 다음의 어느 하나에 해당하는 규모로 건설하는 경우만 해당한다.

㉠ 300세대 이상

㉡ 해당 주택단지 총 세대수의 1/2 이상

③ 간선시설

④ 도시·군관리계획으로 결정된 도시·군계획시설

(2) 다음의 어느 하나에 해당하는 경우에는 위 (1)에 따른 시설 외에 관계 법령에 따라 해당 건축물이 속하는 지역 또는 지구에서 제한되지 아니하는 시설을 건설하거나 설치할 수 있다.

① 「국토의 계획 및 이용에 관한 법률」에 따른 상업지역에 주택을 건설하는 경우

② 폭 12m 이상인 일반도로(주택단지 안의 도로는 제외함)에 연접하여 주택을 주택 외의 시설과 복합건축물로 건설하는 경우

③ 「국토의 계획 및 이용에 관한 법률 시행령」에 따른 준주거지역 또는 준공업지역에 주택과 「관광숙박시설 확충을 위한 특별법」에 따른 호텔시설을 복합건축물로 건설하는 경우

단서 다음에 해당하는 부대시설은 제외한다.

1. 「식품위생법」에 따른 식품접객업(단란주점영업·유흥주점영업만 해당함)

2. 「주세법」에 따른 주류 판매업(주류소매업으로 한정함)

　　3. 「게임산업진흥에 관한 법률」에 따른 게임제공업

　　4. 「음악산업진흥에 관한 법률」에 따른 노래연습장업

④ 적용의 특례 (규정 제7조)(규칙 제2조)

(1) 공업화주택 또는 새로운 건설기술을 적용하여 건설하는 공업화주택의 경우에는 다음에 해당하는 규정을 적용하지 않는다.

해당 내용	관련 규정
④-① 기준척도	제13조
⑤-⑫ 난방설비 등-(1)	제37조제1항

(2) 시장과 주택을 복합건축물로 건설하는 경우 다음에 해당하는 규정을 적용하지 않는다.

해당 내용	관련 규정
③-① 소음방지대책의 수립	제9조
③-② 소음 등으로부터의 보호	제9조의2
③-③ 공동주택의 배치	제10조
④-① 기준척도	제13조
⑤-② 주택단지 안의 도로	제26조
⑤-⑪ 비상급수시설	제35조
⑤-⑫ 난방설비 등	제37조
⑤-⑬ 폐기물 보관시설	제38조
⑥-① 근린생활시설 등	제50조
⑥-② 유치원	제52조
⑥-③ 주민공동시설	제55조의2

(3) 상업지역 안에 주택을 건설하는 경우

　① 다음에 해당하는 규정을 적용하지 않는다.

해당 내용	관련 규정
③-① 소음방지대책의 수립	제9조
③-② 소음 등으로부터의 보호	제9조의2
③-③ 공동주택의 배치	제10조
④-① 기준척도	제13조
⑥-① 근린생활시설 등	제50조
⑥-② 유치원	제52조

　② 다음의 어느 하나에 해당하는 경우에는 아래의 해당 규정을 적용하지 않는다.

건축관계법
국토계획법
주차장법
주택법
도시및주거환경정비법
건축사법
장애인시설법
소방시설법
서울시조례

건축관계법

국토계획법

주차장법

주 택 법

도시및주거
환경정비법

건축사법

장애인시설법

소방시설법

서울시조례

㉠ 폭 12m 이상인 일반도로(주택단지 안의 도로는 제외함)에 연접하여 주택을 주택 외의 시설과 복합건축물로 건설하는 경우로서 다음의 어느 하나에 해당하는 경우
- 준주거지역에 건설하는 경우로서 주택 외의 시설의 바닥면적의 합계가 해당 건축물 연면적의 1/10 이상인 경우
- 준주거지역 외의 지역에 건설하는 경우로서 주택 외의 시설의 바닥면적의 합계가 해당 건축물 연면적의 1/5 이상인 경우
㉡ 준주거지역 또는 준공업지역에 주택과 호텔시설을 복합건축물로 건설하는 경우

해당 내용	관련 규정
③ -① 소음방지대책의 수립	제9조
③ -② 소음 등으로부터의 보호	제9조의2
③ -③ 공동주택의 배치	제10조
④ -① 기준척도	제13조
⑥ -① 근린생활시설 등	제50조

(4) 독신자용 주택(분양하는 주택을 제외)을 건설하는 경우 다음에 해당하는 규정을 적용하지 않는다.

해당 내용	관련 규정
④ -① 기준척도	제13조
⑤ -③ 주차장	제27조
⑤ -⑦ 통신시설-(1)	제32조제1항
⑥ -② 유치원	제52조
⑥ -③ 주민공동시설	제55조의2

(5) 「주택건설기준 등에 관한 규정」에 따라 다음에 해당하는 주택의 건설기준과 부대시설 및 복리시설의 설치기준은 규칙 [별표 1]에 따른다.
① 저소득근로자를 위하여 건설되는 주택으로서 세대당 전용면적 60㎡ 이하인 주택(이하 "근로자주택"이라 한다)
② 다음의 어느 하나에 해당하는 주택
㉠ 「공공주택 특별법 시행령」에 따른 영구임대주택으로서 세대당 전용면적 50㎡ 이하인 주택
㉡ 「공공주택 특별법 시행령」에 따른 행복주택
㉢ 「공공주택 특별법」에 따른 공공매입임대주택으로서 기존주택등을 매입하여 개량한 주택

관계법 「공공주택 특별법 시행령」 제2조【공공임대주택】
① 「공공주택 특별법」(이하 "법"이라 한다) 제2조제1호가목에서 "대통령령으로 정하는 주택"이란 다음 각 호의 주택을 말한다. <개정 2018. 12. 11., 2020. 9. 8., 2020. 10. 19.>
1. 영구임대주택: 국가나 지방자치단체의 재정을 지원받아 최저소득 계층의 주거안정을 위하여 50년 이상 또는 영구적인 임대를 목적으로 공급하는 공공임대주택
2. 국민임대주택: 국가나 지방자치단체의 재정이나 「주택도시기금법」에 따른 주택도시기금(이하 "주택도시기금"이라 한다)의 자금을 지원받아 저소득 서민의 주거안정을 위하여 30년 이상 장기간 임대를 목적으로 공급하는 공공임대주택
3. 행복주택: 국가나 지방자치단체의 재정이나 주택도시기금의 자금을 지원받아 대학생, 사회초년생, 신혼부부 등 젊은 층의 주거안정을 목적으로 공급하는 공공임대주택

건축관계법

국토계획법

주차장법

주택법

도시및주거
환경정비법

건축사법

장애인시설법

소방시설법

서울시조례

> 3의2. 통합공공임대주택: 국가나 지방자치단체의 재정이나 주택도시기금의 자금을 지원받아 최저
> 소득 계층, 저소득 서민, 젊은 층 및 장애인·국가유공자 등 사회 취약계층 등의 주거안정을 목
> 적으로 공급하는 공공임대주택
> 4. 장기전세주택: 국가나 지방자치단체의 재정이나 주택도시기금의 자금을 지원받아 전세계약의
> 방식으로 공급하는 공공임대주택
> 5. 분양전환공공임대주택: 일정 기간 임대 후 분양전환할 목적으로 공급하는 공공임대주택
> 6. 기존주택등매입임대주택: 국가나 지방자치단체의 재정이나 주택도시기금의 자금을 지원받아 제
> 37조제1항 각 호의 어느 하나에 해당하는 주택 또는 건축물(이하 "기존주택등" 이라 한다)을 매
> 입하여 「국민기초생활 보장법」에 따른 수급자 등 저소득층과 청년 및 신혼부부 등에게 공급하
> 는 공공임대주택
> 7. 기존주택전세임대주택: 국가나 지방자치단체의 재정이나 주택도시기금의 자금을 지원받아 기존
> 주택을 임차하여 「국민기초생활 보장법」에 따른 수급자 등 저소득층과 청년 및 신혼부부 등에
> 게 전대(轉貸)하는 공공임대주택
> ② 제1항 각 호에 따른 임대주택의 입주자격에 관한 세부 기준은 국토교통부령으로 정한다.

**[별표 1] 근로자주택 및 영구임대주택, 행복주택 및 기존주택등매입 후 개량주택의 건설기준과 부대시설
및 복리시설의 설치기준(제2조 관련)**

1. 진입도로(근로자주택 및 영구임대주택만 해당한다)
   가. 주택단지가 기간도로와 접하는 너비 또는 진입도로의 너비

주택단지의 총세대수	기간도로와 접하는 너비 또는 진입도로의 너비
300세대 미만	6미터 이상
300세대 이상 1천세대 미만	8미터 이상
1천세대 이상 2천세대 미만	12미터 이상
2천세대 이상	15미터 이상

나. 주택단지의 진입도로가 둘 이상인 경우로서 다음 표의 기준에 적합한 경우에는 가.의 기준을 적용하지
아니할 수 있다. 이 경우 너비 6m미만의 도로는 기간도로와 통행거리 200m 이내인 경우에만 이를 진입
도로로 본다.

주택단지의 총세대수	기간도로와 접하는 너비 또는 진입도로의 너비
300세대 이상 1천세대 미만	12미터 이상
1천세대 이상 2천세대 미만	16미터 이상
2천세대 이상	20미터 이상

2. 주택단지 안의 도로(근로자주택 및 영구임대주택만 해당한다)
   주택단지에는 다음 표의 기준에 의한 도로를 설치하여야 한다. 다만, 해당 도로를 이용하는 주택의 세대수가
   100세대 미만인 경우라도 막다른 도로로서 그 길이가 35m를 넘는 경우에는 그 너비를 6m 이상으로 하여야 한다.

기간도로 또는 진입도로에 이르는 경로에 따라 단지안의 도로(최단거리의 것을 말한다)를 이용하는 공동주택의 세대수	도로의 너비
100세대 미만	4미터 이상
100세대 이상 500세대 미만	6미터 이상
500세대 이상 1천세대 미만	8미터 이상
1천세대 이상	12미터 이상

3. 주차장(영구임대주택, 행복주택 및 기존주택매입 후 개량주택에 설치하는 주차장의 경우에 한한다)
주택단지에는 주택의 전용면적의 합계를 기준으로 하여 다음 표에서 정하는 면적당 대수의 비율로 산정한
주차 대수(1대 이하의 단수는 이를 1대로 본다)이상의 주차장을 설치하여야 한다.

주차장 설치기준(대/제곱미터)		
서울특별시	광역시 및 수도권내 시지역	시지역 및 수도권내 군지역과 기타 지역
1/160	1/180	1/200

4. 1. 및 2. 외에 100세대 이상의 근로자주택을 건설하는 경우 그 부대시설 및 복리시설의 설치기준

시설의 종류		시설의 규모				비고
		100세대 이상 300세대 미만	300세대 이상 1천세대미만	1천세대 이상 2천500세대 미만	2천500세대 이상	
1. 복지후생을 위한 시설	• 관리사무소 • 주민공동시설 • 노인정 • 탁아소	100제곱미터 이상	매 세대당 0.4제곱미터 이상. 다만, 탁아소는 50제곱미터에 300세대를 초과하는 매 세대당 0.2제곱미터의 비율로 산정한 면적을 더한 면적 이상(300제곱미터를 초과하는 경우에는 300제곱미터까지로 할 수 있다)을 확보하여야 한다.			• 복지후생을 위한 시설은 될 수 있는 대로 동일한 건축물안에 설치하고, 각 시설의 규모는 거주자의 인적구성등에 따라 합리적으로 배분한다. • 탁아소에는 유아놀이에 적합한 시설을 갖춘 100제곱미터이상의 옥외놀이터를 설치하여야 한다.
2. 생활편익을 위한 시설	• 근린 생활 시설	영 제50조에 따라 설치한다.				
3. 체육을 위한 시설	• 운동장 등	200제곱미터 이상	영 제53조의 규정에 의하여 설치한다. 다만, 300세대이상 500세대 미만인 경우에는 250제곱미터 이상으로 한다.			• 체력단련실등 실내운동시설은 복지 후생을 위한 시설·생활편익을 위한 시설 또는 공동주택과 동일한 건축물안에 설치할 수 있다.
	• 체력단련실 등	1개소 이상		2개소 이상		
	• 어린이 놀이터	영 제46조의 규정에 의하여 설치한다.				
4. 근린공공시설	• 경찰관파출소 (경찰지서를 포함한다)	–		3천 내지 4천세대당 1개소		• 근린공공시설은 관계기관과의 협의에 따라 그 시설의 설치에 필요한 부지를 확보한다.
	• 동사무소	–		3천 내지 5천세대당 1개소		
	• 우체국	–		3천 내지 6천 세대당 1개소		
5. 유치원		–	영 제 52조의 규정에 의하여 설치한다.			

※ 비 고 : 2천 500세대 이상의 주택을 건설하는 경우에는 위의 부대시설 및 복리시설외에 관계기관과 협의하여 도시계획시설 기준에 관한 규칙에 적합한 학교(초등학교·중학교·고등학교)의 부지를 확보한다.

건축관계법
국토계획법
주차장법
주택법
도시및주거환경정비법
건축사법
장애인시설법
소방시설법
서울시조례

5. 1. 내지 3. 외에 100세대 이상의 영구임대주택을 건설하는 경우 그 부대시설 및 복리시설의 설치기준

시설의 종류		시설의 규모				비고
		100세대 이상 300세대 미만	300세대 이상 1천세대 미만	1천세대 이상 2천500세대 미만	2천5백세대 이상	
1. 복지후생을 위한 시설	• 관리사무소 • 주민공동시설 • 노인정	50제곱미터이상	매 세대당 0.3제곱미터이상			• 복지후생을 위한 시설은 될 수 있는 대로 동일한 건축물 안에 사회복지관과 통합하여 설치하고, 각 시설의 규모는 거주자의 인적구성에 따라 합리적으로 배분한다. • 사회복지관에는 상담실·목욕장·탁아소·유아교육시설·공동작업장·직업훈련소·취업안내소·보건소지소·도서실·청소년교양시설 등을 포함한다.
	• 사회복지관	100제곱미터 이상	300제곱미터이상(500세대이상인 때에는 500제곱미터이상)	1천제곱미터이상(1천500세대 이상인 때에는 1천500제곱미터이상)	2천제곱미터이상(5천세대이상인때에는 3천제곱미터이상)	
2. 주민소득을 위한시설	• 아파트형공장	–		산업통상자원부장관의 설치 계획에 따라 부지를 확보한다.		• 주변에 수림대등 인근 주거환경의 보호를 위한 시설을 설치하는 경우에는 영 제9조제2항의 규정을 적용하지 않는다.
3. 생활편익을 위한시설	• 근린생활시설	영 제50조에 따라 설치한다.				• 5천세대 이상의 단지에는 보건복지가족부장관의 설치계획에 따라 병원부지를 확보한다.
4. 체육을 위한 시설	• 운동장 등	200제곱미터이상	영 제53조의 규정에 의하여 설치한다. 다만, 300세대 이상 500세대 미만인 경우에는 250제곱미터이상으로 한다.			• 체력단련실등 실내운동시설은 복지후생을 위한 시설·생활편익을 위한 시설 또는 공동주택과 동일한 건축물안에 설치할 수 있다. • 5천세대 이상인 단지에는 문화체육관광부장관의 설치계획에 따라 생활체육시설 부지를 확보한다.
	• 체력단련실 등	1개소 이상		2개소 이상		
	• 어린이놀이터	영 제46조의 규정에 의하여 설치한다.				
5. 근린공공시설	• 경찰관파출소(경찰지서를 포함한다.)	–			3천 내지 4천세대당 1개소	• 근린공공시설은 관계기관과의 협의에 따라 그 시설의 설치에 필요한 부지를 확보한다.
	• 주민자치센터	–			3천 내지 5천세대당 1개소	
	• 우체국	–			3천 내지 6천세대당 1개소	
6. 유치원		–	영 제52조의 규정에 의하여 설치한다.			

(6) 「도시 및 주거환경정비법 시행령」에 따른 재건축사업의 경우로서 사업시행 인가권자가 주거환경에 위험하거나 해롭지 아니하다고 인정하는 경우에는 다음에 해당하는 규정을 적용하지 않는다.

해당 내용	관련 규정
3 - **2** 소음 등으로부터의 보호-(1)	제9의2제1항

(7) 「노인복지법」에 따라 노인복지주택을 건설하는 경우에는 다음에 해당하는 규정을 적용하지 않는다.

해당 내용	관련 규정
5 - **4** 관리사무소 등	제28조
5 - **10** 가스공급시설	제34조
6 - **2** 유치원	제52조
6 - **3** 주민공동시설	제55조의2

(8) 「신행정수도 후속대책을 위한 연기·공주지역 행정중심복합도시 건설을 위한 특별법」에 따른 행정중심복합도시와 「도시재정비 촉진을 위한 특별법」에 따른 재정비촉진지구안에서 주택단지 인근에 주민공동시설 설치를 갈음하여 사업계획승인권자(재정비촉진지구의 경우에는 사업시행인가권자 또는 실시계획인가권자를 말함)가 다음의 요건을 충족하는 것으로 인정하는 시설을 설치하는 경우에는 아래 표에 해당하는 규정을 적용하지 않는다.
① 주민공동시설에 상응하거나 그 수준을 웃도는 규모와 기능을 갖출 것
② 접근의 용이성과 이용효율성 등의 측면에서 단지 안에 설치하는 주민공동시설과 큰 차이가 없을 것

해당 내용	관련 규정
6 - **3** 주민공동시설	제55조의2

(9) 도시형 생활주택을 건설하는 경우에는 다음에 해당하는 규정을 적용하지 않는다.

해당 내용	관련 규정
3 - **1** 소음방지대책의 수립	제9조
3 - **2** 소음 등으로부터의 보호	제10조제2항
4 - **1** 기준척도	제13조
5 - **6** 안내표지판 등	제31조
5 - **11** 비상급수시설	제35조
6 - **3** 주민공동시설	제55조의2

단서 150세대 이상으로서 「주택법 시행령」에 따른 도시형 생활주택을 건설하는 경우에는 **6** - **3** 주민공동시설에 대한 규정을 적용한다.

(10) 다음 요건을 모두 충족하는 도시형 생활주택의 경우에는 위 (9)의 적용을 제외하는 규정 외에 그 주택을 임대주택으로 사용하는 기간 동안 아래의 표에 관한 규정도 적용하지 않는다.

건축관계법

국토계획법

주차장법

주 택 법

도시및주거
환경정비법

건축사법

장애인시설법

소방시설법

서울시조례

① 「건축법 시행령」 별표 1 제3호·제4호·제11호·제12호·제14호 또는 제15호의 제1종 근린생활시설·제2종 근린생활시설·노유자시설·수련시설·업무시설 또는 숙박시설을 「주택법 시행령」에 따른 원룸형 주택으로 용도변경 할 것

② 다음의 어느 하나에 해당하는 임대주택으로 사용할 것

　㉠ 장기공공임대주택 입주자 삶의 질 향상 지원법」의 장기공공임대주택

　㉡ 「민간임대주택에 관한 특별법」의 공공지원민간임대주택

해당 내용	관련 규정
3 - 2 소음 등으로부터의 보호	제9조의2
3 - 3 공동주택의 배치-(3), (4)	제10조제3항·제4항
3 - 5 주택과의 복합건축-(2)	제12조제2항
4 - 5 승강기 등	제15조
4 - 6 계단-(1), (2)	제16조제1항·제2항
5 - 12 난방설비 등-(5)	제37조제5항
6 - 1 근린생활시설 등	제50조
7 - 1 에너지절약형 친환경 주택의 건설기준 등	제64조

(11) 리모델링을 하는 경우에는 다음에 따른다.

① 다음에 해당하는 규정을 적용하지 않는다.

해당 내용	관련 규정
3 - 1 소음방지대책의 수립	제9조
3 - 2 소음 등으로부터의 보호	제9조의2
4 - 2 세대간의 경계벽 등	제14조
4 - 3 바닥구조	제14조의2
4 - 5 승강기 등	제15조
5 - 1 에너지절약형 친환경 주택의 건설기준 등	제64조

예외 수직으로 증축하거나 별도의 동으로 증축하는 부분에 대해서는 다음에 해당하는 규정을 적용한다.

해당 내용	관련 규정
3 - 1 소음방지대책의 수립	제9조
4 - 2 세대간의 경계벽 등	제14조
4 - 3 바닥구조	제14조의2
4 - 5 승강기 등(별도의 동으로 증축하는 경우만 해당한다)	제15조

② 사업계획승인권자가 리모델링 후의 주민공동시설이 리모델링의 대상이 되는 주택의 사용검사 당시의 주민공동시설에 상응하거나 그 수준을 웃도는 규모와 기능을 갖췄다고 인정하는 경우에는 6 - 3 주민공동시설(규정 제55조의2)의 규정을 적용하지 않는다.

건축관계법

국토계획법

주차장법

주 택 법

도시및주거
환경정비법

건축사법

장애인시설법

소방시설법

서울시조례

5 **다른 법령과의 관계** (규정 제8조)

(1) 주택단지는 이를 하나의 대지로 본다.

　　단서 복리시설의 설치를 위하여 따로 구획·양여하는 토지는 이를 별개의 대지로 본다.

(2) 위 (1)의 경우에 주택단지에서 도·군시계획시설로 결정된 도로·광장 및 공원용지의 면적은 건폐율 또는 용적률의 산정을 위한 대지면적에 이를 산입하지 않는다.

(3) 주택의 건설기준, 부대시설·복리시설의 설치기준에 관하여 이 영에서 규정한 사항 외에는 「건축법」, 「수도법」, 「하수도법」, 「장애인·노인·임산부 등의 편의증진보장에 관한 법률」, 「소방시설 설치 및 관리에 관한 법률」 및 그 밖의 관계 법령이 정하는 바에 따른다.

3 **시설의 배치 등**

1 **소음방지대책의 수립** (규정 제9조)

(1) 사업주체는 공동주택을 건설하는 지점의 소음도(이하 "실외소음도"라 함)가 65dB 미만이 되도록 하되, 65dB 이상인 경우에는 방음벽·방음림(소음막이숲) 등의 방음시설을 설치하여 해당 공동주택의 건설지점의 소음도가 65dB 미만이 되도록 소음방지대책을 수립해야 한다.

　　예외 공동주택이 「국토의 계획 및 이용에 관한 법률」에 따른 도시지역(주택단지 면적이 30만㎡ 미만인 경우로 한정한다) 또는 「소음·진동관리법」에 따라 지정된 지역에 건축되는 경우로서 다음의 기준을 모두 충족하는 경우에는 그 공동주택의 6층 이상인 부분에 대하여 본문을 적용하지 않는다.

　　　1. 세대 안에 설치된 모든 창호를 닫은 상태에서 거실에서 측정한 소음도("실내소음도"라 함)가 45dB 이하일 것

　　　2. 공동주택의 세대 안에 「건축법 시행령」에 따른 기준에 적합한 환기설비를 갖출 것

(2) 위 (1)에 따른 실외소음도와 실내소음도의 소음측정기준은 국토교통부장관이 환경부장관과 협의하여 고시한다.

(3) "주택건설지역이 도로와 인접한 경우"란 다음의 어느 하나에 해당하는 경우를 말한다.

　　예외 주택건설지역이 「환경영향평가법 시행령」의 사업구역에 포함된 경우로서 환경영향평가를 통하여 소음저감대책을 수립한 후 해당 도로의 관리청과 협의를 완료하고 개발사업의 실시계획을 수립한 경우는 제외한다.

　　① 「도로법」에 따른 고속국도로부터 300m 이내에 주택건설지역이 있는 경우

　　② 「도로법」에 따른 일반국도(자동차 전용도로 또는 왕복 6차로 이상인 도로만 해당함)와 같은 법에 따른 특별시도·광역시도(자동차 전용도로만 해당함)로부터 150m 이내에 주택건설지역이 있는 경우

(4) 위 (3)의 각각의 거리를 계산할 때에는 도로의 경계선(보도가 설치된 경우에는 도로와 보도와의 경계선을 말함)부터 가장 가까운 공동주택의 외벽면까지의 거리를 기준으로 한다.

② 소음 등으로부터의 보호 (규정 제9조의2)

(1) 공동주택·어린이놀이터·의료시설(약국은 제외함)·유치원·어린이집·다함께돌봄센터 및 경로당(이하 "공동주택 등"이라 함)은 다음의 시설로부터 수평거리 50m 이상 떨어진 곳에 배치해야 한다.

> 단서 위험물 저장 및 처리 시설 중 주유소(석유판매취급소를 포함한다) 또는 시내버스 차고지에 설치된 자동차용 천연가스 충전소(가스저장 압력용기 내용적의 총합이 20㎥ 이하인 경우만 해당함)의 경우에는 해당 주유소 또는 충전소로부터 수평거리 25m 이상 떨어진 곳에 공동주택 등(유치원 및 어린이집 및 다함께돌봄센터는 제외함)을 배치할 수 있다.

① 다음의 어느 하나에 해당하는 공장[「산업집적활성화 및 공장설립에 관한 법률」에 따라 이전이 확정되어 인근에 공동주택 등을 건설하여도 지장이 없다고 사업계획승인권자가 인정하여 고시한 공장은 제외하며, 「국토의 계획 및 이용에 관한 법률」에 따른 주거지역 또는 같은 법에 따른 지구단위계획구역(주거형만 해당함) 안의 경우에는 사업계획승인권자가 주거환경에 위해하다고 인정하여 고시한 공장만 해당함]

> 1. 「대기환경보전법」에 따른 특정대기유해물질을 배출하는 공장

> 2. 「대기환경보전법」에 따른 대기오염물질배출시설이 설치되어 있는 공장으로서 같은 법 시행령 [별표 1]에 따른 제1종사업장부터 제3종사업장까지의 규모에 해당하는 공장

> 3. 「대기환경보전법 시행령」 [별표 1의3]에 따른 제4종사업장 및 제5종사업장 규모에 해당하는 공장으로서 국토교통부장관이 산업통상자원부장관 및 환경부장관과 협의하여 고시한 업종의 공장
>
>> 예외 「도시 및 주거환경정비법」에 따른 재건축사업(1982년 6월 5일 전에 법률 제6916호 주택법중개정법률로 개정되기 전의 「주택건설촉진법」에 따라 사업계획승인을 신청하여 건설된 주택에 대한 재건축사업으로 한정함)에 따라 공동주택등을 건설하는 경우로서 제5종사업장 규모에 해당하는 공장 중에서 해당 공동주택등의 주거환경에 위험하거나 해롭지 아니하다고 사업계획승인권자가 인정하여 고시한 공장은 제외한다.

> 4. 「소음·진동관리법」에 따른 소음배출시설이 설치되어 있는 공장.
>
>> 예외 공동주택 등을 배치하려는 지점에서 소음·진동관리 법령으로 정하는 바에 따라 측정한 해당 공장의 소음도가 50dB 이하로서 공동주택 등에 영향을 미치지 아니하거나 방음벽·수림대 등의 방음시설을 설치하여 50dB 이하가 될 수 있는 경우는 제외한다.

② 「건축법 시행령」 별표 1에 따른 위험물 저장 및 처리 시설

③ 그 밖에 사업계획승인권자가 주거환경에 특히 위해하다고 인정하는 시설(설치계획이 확정된 시설을 포함)

(2) 위 (1)에 따라 공동주택 등을 배치하는 경우 공동주택 등과 위 (1)의 각각의 시설 사이의 주택단지 부분에는 수림대를 설치하여야 한다.

> 예외 다른 시설물이 있는 경우에는 그러하지 아니하다.

③ 공동주택의 배치 (규정 제10조)

(1) 도로(주택단지의 도로를 포함하되, 필로티에 설치되어 보도로만 사용되는 도로는 제외한다) 및 주차장(지하, 필로티, 그 밖에 이와 비슷한 구조에 설치하는 주차장 및 차로는 제외한다)의 경계선으로부터 공동주택의 외벽(발코니나 그 밖에 이와 비슷한 것을 포함)까지의 거리는 2m 이상 띄워야 하며, 그 띄운 부분에는 식재 등 조경에 필요한 조치를 하여야 한다.

건축관계법

국토계획법

주차장법

주 택 법

도시및주거
환경정비법

건축사법

장애인시설법

소방시설법

서울시조례

건축관계법

국토계획법

주차장법

주 택 법

도시및주거
환경정비법

건축사법

장애인시설법

소방시설법

서울시조례

예외 다음의 어느 하나에 해당하는 도로로서 보도와 차도로 구분되어 있는 경우에는 그렇지 않다.

1. 공동주택의 1층이 필로티 구조인 경우 필로티에 설치하는 도로(사업계획승인권자가 인정하는 보행자 안전시설이 설치된 것에 한정한다)

2. 주택과 주택 외의 시설을 동일 건축물로 건축하고, 1층이 주택 외의 시설인 경우 해당 주택 외의 시설에 접하여 설치하는 도로(사업계획승인권자가 인정하는 보행자 안전시설이 설치된 것에 한정한다)

3. 공동주택의 외벽이 개구부(開口部)가 없는 측벽인 경우 해당 측벽에 접하여 설치하는 도로

(2) 주택단지에는 화재 등 재난발생 시 공동주택의 각 세대로 소방자동차의 접근이 가능하도록 통로를 설치하여 소방 활동에 지장이 없도록 하여야 한다.

(3) 주택단지는 화재 등 재난발생 시 소방활동에 지장이 없도록 다음의 요건을 갖추어 배치해야 한다.
  ① 공동주택의 각 세대로 소방자동차의 접근이 가능하도록 통로를 설치할 것
  ② 주택단지 출입구의 문주(문기둥) 또는 차단기는 소방자동차의 통행이 가능하도록 설치할 것

(4) 주택단지의 각 동의 높이와 형태 등은 주변의 경관과 어우러지고 해당 지역의 미관을 증진시킬 수 있도록 배치되어야 하며, 국토교통부장관은 공동주택의 디자인 향상을 위하여 주택단지의 배치 등에 필요한 사항을 정하여 고시할 수 있다.

4 지하층의 활용 (규정 제11조)

공동주택을 건설하는 주택단지에 설치하는 지하층은 근린생활시설(변전소·정수장 및 양수장을 제외한다. 다만, 변전소의 경우 「전기사업법」에 따른 전기사업자가 자신의 소유 토지에 「전원개발촉진법 시행령」에 따른 시설의 설치·운영에 종사하는 자를 위하여 건설하는 공동주택의 변전소를 포함)·주차장·주민공동시설 및 주택(사업계획승인권자가 해당 주택의 주거환경에 지장이 없다고 인정하는 경우로서 1층 세대의 주거전용부분으로 사용되는 구조만 해당함) 그 밖에 관계법령에 따라 허용되는 용도로 사용할 수 있으며, 그 구조 및 설비는 「건축법」의 지하층에 따른 기준(법제53조)에 적합하여야 한다.

5 주택과의 복합건축 (규정 제12조)

(1) 숙박시설(상업지역, 준주거지역 또는 준공업지역에 건설하는 호텔시설은 제외함)·위락시설·공연장·공장이나 위험물저장 및 처리시설 그 밖에 사업계획승인권자가 주거환경에 지장이 있다고 인정하는 시설은 주택과 복합건축물로 건설하여서는 아니 된다.

예외 다음의 어느 하나에 해당하는 경우는 예외로 한다.
  ① 「도시 및 주거환경정비법」에 따른 재개발사업(상업지역·공업지역 등으로서 토지의 효율적 이용과 도심 또는 부도심 등 도시기능의 회복이나 상권활성화 등이 필요한 지역에서 도시환경을 개선하기 위하여 시행하는 사업)에 따라 복합건축물을 건설하는 경우
  ② 위락시설·숙박시설 또는 공연장을 주택과 복합건축물로 건설하는 경우로서 다음 각 각의 요건을 모두 갖춘 경우
    ㉠ 해당 복합건축물은 층수가 50층 이상이거나 높이가 150m 이상일 것
    ㉡ 위락시설을 주택과 복합건축물로 건설하는 경우에는 다음의 요건을 모두 갖출 것

ⓐ 위락시설과 주택은 구조가 분리될 것

ⓑ 사업계획승인권자가 주거환경 보호에 지장이 없다고 인정할 것

③ 「물류시설의 개발 및 운영에 관한 법률」에 따른 도시첨단물류단지 내에 공장을 주택과 복합건축물로 건설하는 경우로서 다음 각 목의 요건을 모두 갖춘 경우

㉠ 해당 공장은 위 ②-(1)-① 각 각의 어느 하나에 해당하는 공장이 아닐 것

㉡ 해당 복합건축물이 건설되는 주택단지 내의 물류시설은 지하층에 설치될 것

㉢ 사업계획승인권자가 주거환경 보호에 지장이 없다고 인정할 것

(2) 주택과 주택외의 시설(주민공동시설을 제외)을 동일건축물에 복합하여 건설하는 경우에는 주택의 출입구·계단 및 승강기 등을 주택외의 시설과 분리된 구조로 하여 사생활보호·방범 및 방화등 주거의 안전과 소음·악취 등으로부터 주거환경이 보호될 수 있도록 하여야 한다.

> **예외** 층수가 50층 이상이거나 높이가 150m 이상인 복합건축물을 건축하는 경우로서 사업계획승인권자가 사생활보호·방범 및 방화등 주거의 안전과 소음·악취 등으로부터 주거환경이 보호될 수 있다고 인정하는 숙박시설과 공연장의 경우에는 그러하지 아니하다.

4 주택의 구조·설비 등

1 기준척도 (규정 제13조) (규칙 제3조)

주택의 평면 및 각 부위의 치수는 다음의 치수 및 기준척도에 적합하여야 한다.

> 1. 치수 및 기준척도는 안목치수를 원칙으로 할 것. 다만, 한국산업표준이 정하는 모듈정합의 원칙에 의한 모듈격자 및 기준면의 설정방법 등에 따라 필요한 경우에는 중심선치수로 할 수 있다.
>
> 2. 거실 및 침실의 평면 각 변의 길이는 5cm를 단위로 한 것을 기준척도로 할 것
>
> 3. 부엌·식당·욕실·화장실·복도·계단 및 계단참 등의 평면 각 변의 길이 또는 너비는 5cm를 단위로 한 것을 기준척도로 할 것. 다만, 한국산업표준에서 정하는 주택용 조립식 욕실을 사용하는 경우에는 한국산업표준에서 정하는 표준모듈호칭치수에 따른다.
>
> 4. 거실 및 침실의 반자높이(반자를 설치하는 경우만 해당)는 2.2m 이상으로 하고 층높이는 2.4m 이상으로 하되, 각각 5cm를 단위로 한 것을 기준척도로 할 것
>
> 5. 창호설치용 개구부의 치수는 한국산업표준이 정하는 창호개구부 및 창호부품의 표준모듈호칭치수에 의할 것. 다만, 한국산업표준이 정하지 아니한 사항에 대하여는 국토교통부장관이 정하여 공고하는 건축표준상세도에 따른다.
>
> 6. 위 1.~5.에서 규정한 사항 외의 구체적인 사항은 국토교통부장관이 정하여 고시하는 기준에 적합할 것

> **예외** 사업계획승인권자가 인정하는 특수한 설계·구조 또는 자재로 건설하는 주택의 경우에는 그러하지 아니하다.

2 세대 간의 경계벽 등 (규정 제14조)

(1) 공동주택 각 세대 간의 경계벽 및 공동주택과 주택 외의 시설 간의 경계벽은 내화구조로서 다음의 어느 하나에 해당하는 구조로 해야 한다.

① 철근콘크리트조 또는 철골·철근콘크리트조로서 그 두께(시멘트모르타르, 회반죽, 석고 프라스터, 그 밖에 이와 유사한 재료를 바른 후의 두께를 포함한다)가 15cm 이상인 것

건축관계법

국토계획법

주차장법

주 택 법

도시및주거
환경정비법

건축사법

장애인시설법

소방시설법

서울시조례

② 무근콘크리트조·콘크리트블록조·벽돌조 또는 석조로서 그 두께(시멘트모르터·회반 죽·석고프라스터, 그 밖에 이와 유사한 재료를 바른 후의 두께를 포함)가 20cm 이상인 것

③ 조립식주택부재인 콘크리트판으로서 그 두께가 12cm 이상인 것

④ 위 ①~③의 것 외에 국토교통부장관이 정하여 고시하는 기준에 따라 한국건설기술연구원장이 차음성능을 인정하여 지정하는 구조인 것

(2) 위의 (1)에 따른 경계벽은 이를 지붕 밑 또는 바로 윗층 바닥판까지 닿게 하여야 하며, 소리를 차단하는데 장애가 되는 부분이 없도록 설치하여야 한다. 이 경우 경계벽의 구조가 벽돌조인 경우에는 줄눈 부위에 빈틈이 생기지 아니하도록 시공하여야 한다.

(3) 공동주택의 3층 이상인 층의 발코니에 세대간 경계벽을 설치하는 경우에는 위의 (1) 및(2)의 규정에 불구하고 화재 등의 경우에 피난용도로 사용할 수 있는 피난구를 경계벽에 설치하거나 경계벽의 구조를 파괴하기 쉬운 경량구조 등으로 할 수 있다.

▸ 예외 경계벽에 창고 그 밖에 이와 유사한 시설을 설치하는 경우에는 그러하지 아니하다.

(4) 위 (4)에 따라 피난구를 설치하거나 경계벽의 구조를 경량구조 등으로 하는 경우에는 그에 대한 정보를 포함한 표지 등을 식별하기 쉬운 위치에 부착 또는 설치하여야 한다.

③ 바닥구조 (규정 제14조의2)

공동주택의 세대 내의 층간바닥(화장실의 바닥은 제외함)은 다음의 기준을 모두 충족해야 한다.

① 콘크리트 슬래브 두께는 210mm[라멘구조(보와 기둥을 통해서 내력이 전달되는 구조를 말함)의 공동주택은 150mm] 이상으로 할 것

▸ 예외 인정받은 공업화주택의 층간바닥은 예외로 한다.

② 각 층간 바닥의 경량충격음(비교적 가볍고 딱딱한 충격에 의한 바닥충격음을 말한다) 및 중량충격음(무겁고 부드러운 충격에 의한 바닥충격음을 말한다)이 각각 49데시벨 이하인 구조일 것.

▸ 예외 다음의 어느 하나에 해당하는 층간바닥은 예외로 한다.

㉠ 라멘구조의 공동주택(인정받은 공업화주택은 제외한다)의 층간바닥

㉡ 위 ㉠의 공동주택 외의 공동주택 중 다음에 해당하는 부분의 층간바닥

1. 발코니
2. 현관
3. 세탁실
4. 대피공간
5. 벽으로 구획된 창고
6. 위 1.~5.에서 규정한 사항 외에 「주택법」에 따른 사업계획승인권자가 층간소음으로 인한 피해가능성이 적어 바닥충격음 성능기준 적용이 불필요하다고 인정하는 공간

④ 벽체 및 창호 등 (규정 제14조의3)

(1) 500세대 이상의 공동주택을 건설하는 경우 벽체의 접합부위나 난방설비가 설치되는 공간의 창호는 국토교통부장관이 정하여 고시하는 기준에 적합한 결로(結露)방지 성능을 갖추어야 한다.

(2) 위 (1)에 해당하는 공동주택을 건설하려는 자는 세대 내의 거실·침실의 벽체와 천장의 접합부위(침실에 옷방 또는 붙박이 가구를 설치하는 경우에는 옷방 또는 붙박이 가구의 벽체와 천장의 접합부위를 포함한다), 최상층 세대의 천장부위, 지하주차장·승강기홀의 벽체부위 등 결로 취약부위에 대한 결로방지 상세도를 설계도서에 포함하여야 한다.

(3) 국토교통부장관은 위 (2)에 따른 결로방지 상세도의 작성내용 등에 관한 구체적인 사항을 정하여 고시할 수 있다.

⑤ 승강기등 (규정 제15조)(규칙 제4조)

(1) 6층 이상인 공동주택에는 다음의 기준에 따라 대당 6인승 이상인 승용승강기를 설치하여야 한다.

> 예외 「건축법 시행령」에 따른 승용승강기의 설치(제89조)의 규정에 해당하는 공동주택의 경우에는 그러하지 아니하다.

> 1. 계단실형인 공동주택에는 계단실마다 1대(한 층에 3세대 이상이 조합된 계단실형 공동주택이 22층 이상인 경우에는 2대) 이상을 설치하되, 그 탑승인원수는 동일한 계단실을 사용하는 4층 이상인 층의 세대당 0.3명 (독신자용주택의 경우에는 0.15명)의 비율로 산정한 인원수(1명 이하의 단수는 이를 1명으로 본다) 이상일 것

> 2. 복도형인 공동주택에는 1대에 100세대를 넘는 80세대마다 1대를 더한 대수 이상을 설치하되, 그 탑승인원수는 4층 이상인 층의 세대당 0.2명(독신자용주택의 경우에는 0.1명인)의 비율로 산정한 인원수 이상일 것

(2) 10층 이상인 공동주택의 경우에는 위 (1)의 승용승강기를 비상용승강기의 구조로 하여야 한다.

(3) 10층 이상인 공동주택에는 이사짐 등을 운반할 수 있는 다음의 기준에 적합한 화물용승강기를 설치하여야 한다.
  ① 적재하중이 0.9톤 이상일 것
  ② 승강기의 폭 또는 너비 중 한 변은 1.35m 이상, 다른 한 변은 1.6m 이상일 것
  ③ 계단실형인 공동주택의 경우에는 계단실마다 설치할 것
  ④ 복도형인 공동주택의 경우에는 100세대까지 1대를 설치하되, 100세대를 넘는 경우에 는 100세대마다 1대를 추가로 설치할 것

(4) 위 (1) 또는 (2)에 따른 승용승강기 또는 비상용승강기로서 (3)-①~④의 기준에 적합한 것은 화물용승강기로 겸용할 수 있다.

(5) 「건축법」에 따른 승강기(제64조)의 규정은 위 (1)~(3)에 따른 승용승강기·비상용승강기 및 화물용승강기의 구조 및 그 승강장의 구조에 관하여 이를 준용한다.

⑥ 계단 (규정 제16조)

(1) 주택단지안의 건축물 또는 옥외에 설치하는 계단의 각 부위의 치수는 다음 표의 기준에 적합하여야 한다.

계단의 종류	유효 폭	단 높이	단 너비
공동으로 사용하는 계단	120cm 이상	18cm 이하	26cm 이상
건축물의 옥외계단	90cm 이상	20cm 이하	24cm 이상

(2) 위 (1)에 따른 계단은 다음에 정하는 바에 따라 적합하게 설치하여야 한다.
  ① 높이 2m를 넘는 계단(세대내 계단을 제외)에는 2m(기계실 또는 물탱크실의 계단의 경우에는 3m) 이내마다 해당 계단의 유효 폭 이상의 폭으로 너비 120cm 이상인 계단참을 설치할 것
  ② 계단의 바닥은 미끄럼을 방지할 수 있는 구조로 할 것

7장 제5편 주택법

건축관계법

국토계획법

주차장법

주 택 법

도시및주거
환경정비법

건축사법

장애인시설법

소방시설법

서울시조례

(3) 계단실형인 공동주택의 계단실은 다음의 기준에 적합하여야 한다.

① 계단실에 면하는 각 세대의 현관문은 계단의 통행에 지장이 되지 아니하도록 할 것

② 계단실 최상부에는 배연 등에 유효한 개구부를 설치할 것

③ 계단실의 각 층별로 층수를 표시할 것

④ 계단실의 벽 및 반자의 마감(마감을 위한 바탕을 포함)은 불연재료 또는 준불연재료로 할 것

(4) 위 (1)~(3)에 따른 사항 외에 계단의 설치 및 구조에 관한 기준에 관하여는 「건축법 시행령」에 따른 직통계단의 설치(제34조)·피난계단의 설치(제35조) 및 계단·복도 및 출입구의 설치(제48조)의 규정을 준용한다.

⑦ 출입문 (규정 제16조의2)

(1) 주택단지 안의 각 동 출입문에 설치하는 유리는 안전유리(45kg의 추가 75cm 높이에서 낙하하는 충격량에 관통되지 아니하는 유리를 말함)를 사용하여야 한다.

(2) 주택단지 안의 각 동 지상 출입문, 지하주차장과 각 동의 지하 출입구를 연결하는 출입문에는 전자출입시스템(비밀번호나 출입카드 등으로 출입문을 여닫을 수 있는 시스템 등을 말함)을 갖추어야 한다.

(3) 주택단지 안의 각 동 옥상 출입문에는 「소방시설 설치 및 관리에 관한 법률」에 따른 성능인증 및 제품검사를 받은 비상문자동개폐장치를 설치하여야 한다.

> 예외 대피공간이 없는 옥상의 출입문은 제외한다.

(4) 위 (2)에 따라 설치되는 전자출입시스템 및 (3)에 따라 설치되는 비상자동개폐장치는 화재 등 비상시에 소방시스템과 연동(連動)되어 잠김 상태가 자동으로 풀려야 한다.

⑧ 복도 (규정 제17조)

복도형인 공동주택의 복도는 다음의 기준에 적합하여야 한다.

① 외기에 개방된 복도에는 배수구를 설치하고, 바닥의 배수에 지장이 없도록 할 것

② 중복도에는 채광 및 통풍이 원활하도록 40m 이내마다 1개소 이상 외기에 면하는 개구부를 설치할 것

③ 복도의 벽 및 반자의 마감(마감을 위한 바탕을 포함)은 불연재료 또는 준불연재료로 할 것

⑨ 난간 (규정 제18조)(규칙 제5조)

(1) 주택단지 안의 건축물 또는 옥외에 설치하는 난간의 재료는 철근콘크리트, 파손되는 경우에도 날려 흩어지지 않는 안전유리 또는 강도 및 내구성이 있는 재료(금속제인 경우에는 부식되지 않거나 도금 또는 녹막이 등으로 부식방지처리를 한 것만 해당함)를 사용하여 난간이 안전한 구조로 설치될 수 있게 해야 한다.

> 예외 실내에 설치하는 난간의 재료는 목재로 할 수 있다.

(2) 난간의 각 부위의 치수는 다음의 기준에 적합하여야 한다.

① 난간의 높이 : 바닥의 마감면으로부터 120cm 이상. 다만, 건축물내부계단에 설치하는 난간, 계단중간에 설치하는 난간 그 밖에 이와 유사한 것으로 위험이 적은 장소에 설치하는 난간의 경우에는 90cm 이상으로 할 수 있다.

② 난간의 간살의 간격 : 안목치수 10cm 이하

(3) 3층 이상인 주택의 창(바닥의 마감면으로부터 창대 윗면까지의 높이가 110cm 이상이거나 창의 바로 아래에 발코니 그 밖에 이와 유사한 것이 있는 경우를 제외)에는 위의 (1)및 (2)의 규정에 적합한 난간을 설치하여야 한다.

(4) 난간을 외부 공기가 직접 닿는 곳에 설치하는 주택의 경우에는 각 세대마다 국기봉을 꽂을 수 있는 장치를 해당 난간에 하나 이상 설치해야 한다. 다만, 사업계획승인권자가 난간의 재료 등을 고려할 때 해당 장치를 설치하기 어렵다고 인정하는 경우에는 다음 규정에 따라 각 동 지상 출입구에 설치할 수 있다.

- 각 동 지상 출입구에 국기봉을 꽂을 수 있는 장치를 설치하는 경우에는 해당 출입구 위쪽 벽면의 중앙 또는 왼쪽(출입구 앞쪽에서 건물을 바라볼 때의 왼쪽을 말한다)에 설치해야 한다.

10 장애인등의 편의시설 (규정 제22조)

주택단지안의 부대시설 및 복리시설에 설치하여야 하는 장애인관련 편의시설은 「장애인·노인·임산부 등의 편의증진보장에 관한 법률」이 정하는 바에 따른다.

5 부대시설

1 진입도로 (규정 제25조)

(1) 공동주택을 건설하는 주택단지는 기간도로와 접하거나 기간도로로부터 해당 단지에 이르는 진입도로가 있어야 한다. 이 경우 기간도로와 접하는 폭 및 진입도로의 폭은 다음 표와 같다

주택단지의 총세대수	기간도로와 접하는 폭 또는 진입도로의 폭
300세대 미만	6m 이상
300세대 이상 500세대 미만	8m 이상
500세대 이상 1천세대 미만	12m 이상
1천세대 이상 2천세대 미만	15m 이상
2천세대 이상	20m 이상

(2) 주택단지가 2 이상이면서 해당 주택단지의 진입도로가 하나인 경우 그 진입도로의 폭은 해당 진입도로를 이용하는 모든 주택단지의 세대수를 합한 총 세대수를 기준으로 하여 산정한다.

(3) 공동주택을 건설하는 주택단지의 진입도로가 2 이상으로서 다음 표의 기준에 적합한 경우에는 위 (1)의 규정을 적용하지 아니할 수 있다. 이 경우 폭 4m 이상 6m 미만인 도로는 기간도로와 통행거리 200m 이내인 때에 한하여 이를 진입도로로 본다.

건축관계법

국토계획법

주차장법

주 택 법

도시및주거
환경정비법

건축사법

장애인시설법

소방시설법

서울시조례

주택단지의 총세대수	폭 4m 이상의 진입도로 중 2개의 진입도로 폭의 합계
300세대 미만	10m 이상
300세대 이상 500세대 미만	12m 이상
500세대 이상 1천세대 미만	16m 이상
1천세대 이상 2천세대 미만	20m 이상
2천세대 이상	25m 이상

(4) 도시지역 외에서 공동주택을 건설하는 경우 그 주택단지와 접하는 기간도로의 폭 또는 그 주택단지의 진입도로와 연결되는 기간도로의 폭은 위 (1)에 따른 기간도로와 접하는 폭 또는 진입도로의 폭의 기준 이상이어야 하며, 주택단지의 진입도로가 2이상이 있는 경우에는 그 기간도로의 폭은 위 (3)의 기준에 따른 각각의 진입도로의 폭의 기준 이상이어야 한다.

② 주택단지 안의 도로 (규정 제26조) (규칙 제6조)

(1) 공동주택을 건설하는 주택단지에는 폭 1.5m 이상의 보도를 포함한 폭 7m 이상의 도로(보행자전용도로, 자전거도로는 제외함)를 설치하여야 한다.

(2) 위 (1)에도 불구하고 다음의 어느 하나에 해당하는 경우에는 도로의 폭을 4m 이상으로 할 수 있다. 이 경우 해당 도로에는 보도를 설치하지 아니할 수 있다.
   ① 해당 도로를 이용하는 공동주택의 세대수가 100세대 미만이고 해당 도로가 막다른 도로로서 그 길이가 35m 미만인 경우
   ② 그 밖에 주택단지 내의 막다른 도로 등 사업계획승인권자가 부득이하다고 인정하는 경우

(3) 주택단지 안의 도로는 유선형(流線型) 도로로 설계하거나 도로 노면의 요철(凹凸) 포장 또는 과속방지턱의 설치 등을 통하여 도로의 설계속도(도로설계의 기초가 되는 속도를 말함)가 시속 20km 이하가 되도록 하여야 한다.

(4) 500세대 이상의 공동주택을 건설하는 주택단지 안의 도로에는 어린이 통학버스의 정차가 가능하도록 다음의 기준에 적합한 어린이 안전보호구역을 1개소 이상 설치하여야 한다.
   ① 어린이 안전보호구역은 차량의 진출입이 쉬운 곳에 승합자동차의 주차가 가능한 면적 이상의 공간으로 설치하여야 하며,
   ② 어린이 안전보호구역 주변의 도로면 또는 교통안전표지판 등에 차량속도 제한 표시를 하는 등 어린이 안전 확보에 필요한 조치를 하여야 한다.
   ③ 규정한 사항 외에 어린이 안전보호구역의 구체적 설치기준에 관하여 필요한 사항은 특별시·광역시·특별자치시·특별자치도·시 또는 군의 조례로 정할 수 있다.

(5) 주택단지 안에 설치하는 도로의 설치기준은 다음과 같다.
   ① 주택단지 안의 도로 중 차도는 아스팔트·콘크리트·석재, 그 밖에 이와 유사한 재료로 포장하고, 빗물 등의 배수에 지장이 없도록 설치할 것
   ② 주택단지 안의 도로 중 보도는 다음의 기준에 적합할 것

1. 보도블록·석재, 그 밖에 이와 유사한 재료로 포장하고, 빗물 등의 배수에 지장이 없도록 설치할 것

2. 보도는 보행자의 안전을 위하여 차도면보다 10cm 이상 높게 하거나 도로에 화단, 짧은 기둥, 그 밖에 이와 유사한 시설을 설치하여 차도와 구분되도록 설치할 것

3. 보도에 가로수 등 노상시설(路上施設)을 설치하는 경우 보행자의 통행을 방해하지 않도록 설치할 것

③ 주택단지 안의 보도와 횡단보도의 경계부분, 건축물의 출입구 앞에 있는 보도와 차도의 경계부분은 지체장애인의 통행에 편리한 구조로 설치할 것

(6) 주택단지 안에 설치하는 교통안전시설의 설치기준은 다음과 같다.

① 진입도로, 주택단지 안의 교차로, 근린생활시설 및 어린이놀이터 주변의 도로 등 보행자의 안전 확보가 필요한 차도에는 횡단보도를 설치할 것

② 지하주차장의 출입구, 경사형·유선형 차도 등 차량의 속도를 제한할 필요가 있는 곳에는 높이 7.5cm 이상 10cm 이하, 너비 1m 이상인 과속방지턱을 설치하고, 운전자에게 그 시설의 위치를 알릴 수 있도록 반사성 도료(塗料)로 도색한 노면표지를 설치할 것

③ 도로통행의 안전을 위하여 필요하다고 인정되는 곳에는 도로반사경, 교통안전표지판, 방호울타리, 속도측정표시판, 조명시설, 그 밖에 필요한 교통안전시설을 설치할 것. 이 경우 교통안전표지판의 설치기준은 「도로교통법 시행규칙」 제8조제2항 및 [별표 6]을 준용한다.

④ 보도와 횡단보도의 경계부분, 건축물의 출입구 앞에 있는 보도 및 주택단지의 출입구 부근의 보도와 차도의 경계부분 등 차량의 불법 주청차를 방지할 필요가 있는 곳에는 설치 또는 해체가 쉬운 짧은 기둥 등을 보도에 설치할 것. 이 경우 지체장애인의 통행에 지장이 없도록 하여야 한다.

3 **주차장** (규정
제27조)(규칙
제6조의2)

(1) 주택단지에는 다음의 기준(소수점 이하의 끝수는 이를 한 대로 본다)에 따라 주차장을 설치해야 한다.

① 주택단지에는 주택의 전용면적의 합계를 기준으로 하여 다음 표에서 정하는 면적당 대수의 비율로 산정한 주차대수 이상의 주차장을 설치하되, 세대당 주차대수가 1대(세대당 전용면적이 60㎡ 이하인 경우에는 0.7대) 이상이 되도록 해야 한다. 다만, 지역별 차량보유율 등을 고려하여 설치기준의 1/5(세대당 전용면적이 60㎡ 이하인 경우에는 1/2)의 범위에서 특별시·광역시·특별자치시·특별자치도·시·군 또는 자치구의 조례로 강화하여 정할 수 있다.

주택의 규모별 (전용면적)	주차장 설치기준(대/㎡)			
	가. 특별시	나. 광역시·특별자치시 및 수도권 내의 시지역	다. 가. 및 나. 외의 시지역 및 수도권 내의 군지역	라. 그 밖의 지 역
85㎡ 이하	1/75	1/85	1/95	1/110
85㎡ 초과	1/65	1/70	1/75	1/85

② 소형 주택은 위 ①에도 불구하고 전용면적 세대당 주차대수가 0.6대(세대당 전용면적이 30㎡ 미만인 경우에는 0.5대)이상이 되도록 주차장을 설치해야 한다.

건축관계법

국토계획법

주차장법

주 택 법

도시및주거
환경정비법

건축사법

장애인시설법

소방시설법

서울시조례

단서 다음의 요건을 모두 갖춘 소형 주택의 경우에는 세대당 주차대수가 0.4대 이상이 되도록 설치할 수 있다.

　　㉠ 상업지역 또는 준주거지역에 건설하는 소형 주택으로서 「민간임대주택에 관한 특별법」에 해당하는 시설로부터 반경 500미터 이내에서 건설하는 소형 주택일 것

　　㉡ 「주차장법」에 따른 주차단위구획의 총 수의 100분의 20 이상을 「도시교통정비 촉진법」에 따른 승용차 공동이용 지원(승용차공동이용을 위한 전용주차구획을 설치하고 공동이용을 위한 승용자동차를 상시 배치하는 것을 말한다)을 위해 사용할 것

③ ②에도 불구하고 소형 주택의 주차장 설치기준은 지역별 차량보유율 등을 고려하여 다음 각 목의 구분에 따라 특별시·광역시·특별자치시·특별자치도·시·군 또는 자치구의 조례로 강화하거나 완화하여 정할 수 있다.

　㉠ 「민간임대주택에 관한 특별법」에 해당하는 시설로부터 통행거리 500미터 이내에 건설하는 소형 주택으로서 다음의 요건을 모두 갖춘 경우: 설치기준의 10분의 7 범위에서 완화

　　1) 「공공주택 특별법」의 공공임대주택일 것

　　2) 임대기간 동안 자동차를 소유하지 않을 것을 임차인 자격요건으로 하여 임대할 것. 다만, 「장애인복지법」에 따른 장애인 등에 대해서는 특별시·광역시·특별자치시·도·특별자치도의 조례로 자동차 소유 요건을 달리 정할 수 있다.

　㉡ 그 밖의 경우: 설치기준의 2분의 1 범위에서 강화 또는 완화

(2) 위 ① 및 ②, ③에 따른 주차장은 지역의 특성, 전기자동차(「환경친화적 자동차의 개발 및 보급 촉진에 관한 법률」에 따른 전기자동차를 말한다) 보급정도 및 주택의 규모 등을 고려하여 그 일부를 전기자동차의 전용주차구획으로 구분 설치하도록 특별시·광역시·특별자치시·특별자치도·시 또는 군의 조례로 정할 수 있다.

(3) 주택단지에 건설하는 주택(부대시설 및 주민공동시설을 포함)외의 시설에 대하여는 「주차장법」이 정하는 바에 따라 산정한 부설주차장을 설치하여야 한다.

(4) 소형 주택이 다음의 요건을 모두 갖춘 경우에는 위 (1)-②,③에도 불구하고 임대주택으로 사용하는 기간 동안 용도변경하기 전의 용도를 기준으로「주차장법」의 부설주차장 설치기준을 적용할 수 있다.

　① 위 2-④ 적용의 특례-(10)의 각 각의 요건을 갖출 것

　② 위 (1)-②,③에 따라 주차장을 추가로 설치해야 할 것

　③ 세대별 전용면적이 30m² 미만일 것

　④ 임대기간 동안 자동차(「장애인복지법」에 따른 장애인사용자동차등표지를 발급받은 자동차는 제외한다)를 소유하지 않을 것을 임차인 자격요건으로 하여 임대할 것

(5) 「노인복지법」에 따라 노인복지주택을 건설하는 경우 해당 주택단지에는 위 (1)의 규정에 불구하고 세대당 주차대수가 0.3대(세대당 전용면적이 60m² 이하인 경우에는 0.2대) 이상이 되도록 하여야 한다.

(6) 「철도산업발전기본법」의 철도시설 중 역시설로부터 반경 500m 이내에서 건설하는 「공공주택건설 등에 관한 특별법」에 따른 공공주택(이하 "철도부지 활용 공공주택"이라 함)의 경우 해당 주택단지에는 위 (1)에 따른 주차장 설치기준의 1/2의 범위에서 완화하여 적용할 수 있다.

(7) 위의 (1)~(6)에 따른 사항 외에 주차장의 구조 및 설비의 기준에 관하여 필요한 사항은 다음과 같다.

　① 주차장의 주차단위구획은 「주차장법 시행규칙」에 따른 주차구획 기준에 적합할 것

② 「주차장법 시행규칙」의 노외주차장의 구조 및 설비 규정을 준용할 것
③ 「주차장법 시행규칙」 기계식주차장의 설치기준에 적합할 것

> 단서 「국토의 계획 및 이용에 관한 법률 시행령」에 따른 상업지역 또는 준주거지역에서 「주택
> 법 시행령」에 따른 원룸형 주택 또는 기숙사형 주택과 주택 외의 시설을 동일 건축물로 건
> 축하는 경우에 한정한다.

④ 「환경친화적 자동차의 개발 및 보급 촉진에 관한 법률」에 따른 전기자동차의 이동형 충전
기를 이용할 수 있는 콘센트(각 콘센트별 이동형 충전기의 동시 이용이 가능하며, 사용자에게
요금을 부과하도록 설치된 것을 말한다)를 「주차장법」에 따른 주차단위구획 총 수에 4%를
곱한 수(소수점 이하는 반올림한다) 이상 설치할 것.

> 단서 「환경친화적 자동차의 개발 및 보급 촉진에 관한 법률 시행령」에 따른 급속충전시설
> 또는 완속충전시설이 설치된 경우 동일한 개수의 콘센트가 설치된 것으로 본다.

④ 관리사무소 등 (규정 제28조)

(1) 50세대 이상의 공동주택을 건설하는 주택단지에는 다음의 시설을 모두 설치하되, 그 면적의 합
계가 10㎡에 50세대를 넘는 매 세대마다 0.5㎡(500㎠)를 더한 면적 이상이 되도록 설치해야 한다.
다만, 그 면적의 합계가 100㎡를 초과하는 경우에는 설치면적을 100㎡로 할 수 있다.

① 관리사무소

> - 관리사무소 면적(A) = 10㎡ + (세대수-50) × 0.5㎡
> - 50세대 이상인 경우에 설치
> - 그 면적의 합계가 100㎡를 초과하는 경우에는 설치면적을 100㎡로 할 수 있다.

② 경비원 등 공동주택 관리 업무에 종사하는 근로자를 위한 휴게시설

(2) 위 (1)-①의 관리사무소는 관리업무의 효율성과 입주민의 접근성 등을 고려하여 배치해야 한다.
(3) 위 (1) - ②에 따른 휴게시설은 「산업안전보건법」에 따라 설치해야 한다.

⑤ 수해방지 등 (규정 제30조)(규칙 제7조)

(1) 주택단지(단지경계선의 주변 외곽부분을 포함)에 높이 2m 이상의 옹벽 또는 축대("옹벽 등"이
라 함)가 있거나 이를 설치하는 경우에는 그 옹벽 등으로부터 건축물의 외곽부분까지를 해당 옹
벽 등의 높이만큼 띄워야 한다.

> 예외 다음의 어느 하나에 해당하는 경우에는 그러하지 아니하다.

① 옹벽 등의 기초보다 그 기초가 낮은 건축물. 이 경우 옹벽 등으로부터 건축물 외곽부분까지
를 5m(3층 이하인 건축물은 3m) 이상 띄워야 한다.
② 옹벽 등보다 낮은 쪽에 위치한 건축물의 지하부분 및 땅으로부터 높이 1m 이하인 건축물 부분

(2) 주택단지에는 배수구·집수구 및 집수정(물저장고) 등 우수의 배수에 필요한 시설을 설치해야
한다.
(3) 주택단지가 저지대 등 침수의 우려가 있는 지역인 경우에는 주택단지 안에 설치하는 수전실·
전화국선용단자함, 그 밖에 이와 유사한 전기 및 통신설비는 가능한 한 침수가 되지 아니하는 곳
에 이를 설치하여야 한다.

건축관계법
국토계획법
주차장법
주택법
도시및주거
환경정비법
건축사법
장애인시설법
소방시설법
서울시조례

건축관계법

국토계획법

주차장법

주 택 법

도시및주거
환경정비법

건축사법

장애인시설법

소방시설법

서울시조례

(4) 위의 (1)~(3)에 따른 사항 외에 수해방지 등에 관하여 필요한 사항은 다음과 같다.

① 주택단지(단지경계선 주변외곽부분을 포함)에 비탈면이 있는 경우에는 다음에서 정하는 바에 따라 수해방지 등을 위한 조치를 하여야 한다.

1. 석재·합성수지재 또는 콘크리트를 사용한 배수로를 설치하여 토양의 유실을 막을 수 있게 할 것

2. 비탈면의 높이가 3m를 넘는 경우에는 높이 3m 이내마다 그 비탈면의 면적의 1/5 이상에 해당하는 면적의 단을 만들 것. [예외] 사업계획승인권자가 그 비탈면의 토질·경사도 등으로 보아 건축물의 안전상 지장이 없다고 인정하는 경우에는 그러하지 아니하다.

3. 비탈면에는 나무심기와 잔디붙이기를 할 것. 다만, 비탈면의 안전을 위하여 필요한 경우에는 돌붙이기를 하거나 콘크리트격자블록 그 밖에 비탈면보호용구조물을 설치하여야 한다.

② 비탈면과 건축물 등과의 위치관계는 다음에 적합해야 한다.

1. 건축물은 그 외곽부분을 비탈면의 윗가장자리 또는 아랫가장자리로부터 해당 비탈면의 높이만큼 띄울 것. [예외] 사업계획승인권자가 그 비탈면의 토질·경사도 등으로 보아 건축물의 안전상 지장이 없다고 인정하는 경우에는 그러하지 아니하다.

2. 비탈면 아랫부분에 옹벽 또는 축대("옹벽 등"이라 함)가 있는 경우에는 그 옹벽 등과 비탈면 사이에 너비 1m 이상의 단을 만들 것

3. 비탈면 윗부분에 옹벽 등이 있는 경우에는 그 옹벽 등과 비탈면 사이에 너비 1.5m 이상으로서 해당 옹벽 등의 높이의 1/2 이상에 해당하는 너비 이상의 단을 만들 것

6 안내표지판 등 (규정 제31조)

(1) 300세대 이상의 주택을 건설하는 주택단지와 그 주변에는 다음의 기준에 따라 아래 표에 해당하는 규격의 안내표지판을 설치하여야 한다.

① 단지의 출입구 부근의 진입도로변에 단지의 명칭을 표시한 단지입구표지판을 설치할 것
[예외] 해당 사항이 표시된 도로표지판 등이 있는 경우에는 설치하지 아니할 수 있다.

② 단지의 주요출입구마다 단지안의 건축물·도로, 그 밖에 주요시설의 배치를 표시한 단지종합안내판을 설치할 것

(2) 주택단지에 2동 이상의 공동주택이 있는 경우에는 각동 외벽의 보기 쉬운 곳에 동 번호를 표시하여야 한다.

(3) 관리사무소 또는 그 부근에는 거주자에게 공지사항을 알리기 위한 게시판을 설치하여야한다.

7 통신시설 (규정 제32조)

(1) 주택에는 세대마다 전화설치장소(거실 또는 침실을 말함)까지 구내통신선로설비를 설치하여야 하되, 구내통신선로설비의 설치에 필요한 사항은 「방송통신설비의 기술기준에 관한 규정」으로 정한다.

(2) 경비실을 설치하는 공동주택의 각 세대에는 경비실과 통화가 가능한 구내전화를 설치하여야 한다.

(3) 주택에는 세대마다 초고속 정보통신을 할 수 있는 구내통신선로설비를 설치하여야 한다.

관계법 「방송통신설비의 기술기준에 관한 규정」

제17조【구내통신선로설비의 설치대상】

「전기통신사업법」 제69조제1항에 따라 구내통신선로설비 등을 갖추어야 하는 건축물은 「건축법」 제11조제1항에 따라 허가를 받아 건축하는 건축물로 한다. 다만, 야외음악당·축사·차고·창고 등 통신수요가 예상되지 아니하는 비주거용 건축물은 제외한다.
[전문개정 2017.4.25]

제18조【설치방법】

① 구내통신선로설비 및 이동통신구내선로설비는 그 구성과 운영 및 사업용방송통신설비와의 접속이 쉽도록 설치하여야 한다. <개정 2011.1.4>

② 구내통신선로설비의 옥외회선은 지하로 인입(引入)하여야 한다. <개정 2011.1.4, 2017.4.25>

③ 구내통신선로설비를 구성하는 접지설비와 이동통신구내선로설비를 구성하는 접지설비는 공동으로 사용할 수 있도록 설치하여야 한다. <개정 2017.4.25>

④ 구내통신선로설비를 구성하는 배관시설과 이동통신구내선로설비를 구성하는 배관시설은 공동으로 사용할 수 있도록 설치하여야 하며, 설치된 후 배선의 교체 및 증설시공이 쉽게 이루어질 수 있는 구조로 설치하여야 한다. <개정 2011.1.4, 2017.4.25>

⑤ 제1항부터 제4항까지의 규정에 따른 구내통신선로설비 및 이동통신구내선로설비의 구체적인 설치방법 등에 대한 세부기술기준은 과학기술정보통신부장관이 정하여 고시한다. <개정 2011.1.4, 2013.3.23, 2017.4.25, 2017.7.26>
[제목개정 2017.4.25]

제19조【구내통신실의 면적확보】

「전기통신사업법」 제69조제2항에 따른 전기통신회선설비와의 접속을 위한 면적기준은 다음 각 호와 같다. <개정 2011.1.4, 2017.4.25>

1. 업무용건축물에는 국선·국선단자함 또는 국선배선반과 초고속통신망장비, 이동통신망장비 등 각종 구내통신선로설비 및 구내용 이동통신설비를 설치하기 위한 공간으로서 다음 각 목의 구분에 따라 집중구내통신실과 층구내통신실을 확보하여야 한다.
   가. 집중구내통신실: 별표 2에 따른 면적확보 기준을 충족할 것
   나. 층구내통신실: 각 층별로 별표 2에 따른 면적확보 기준을 충족할 것
2. 주거용건축물 중 공동주택에는 별표 3에 따른 면적확보 기준을 충족하는 집중구내통신실을 확보하여야 한다.
3. 하나의 건축물에 업무용건축물과 주거용건축물 중 공동주택이 복합된 건축물에는 각각 별표 2 및 별표 3에 따른 면적확보 기준을 충족하는 집중구내통신실을 용도별로 각각 분리된 공간에 확보하여야 하며, 업무용건축물에 해당하는 부분에는 별표 2에 따른 면적확보 기준을 충족하는 층구내통신실을 확보하여야 한다. 다만, 업무용건축물에 해당하는 부분의 연면적이 500제곱미터 미만인 건축물로서 다음 각 목의 요건을 모두 충족하는 경우에는 집중구내통신실을 용도별로 분리하지 아니하고 통합된 공간에 확보할 수 있다.
   가. 집중구내통신실의 면적이 별표 2와 별표 3에 따른 면적확보 기준을 합산한 면적 이상일 것
   나. 집중구내통신실이 해당 용도별 전기통신회선설비와의 접속기능을 원활히 수행할 수 있을 것

제20조【회선 수】

① 구내통신선로설비에는 다음 각 호의 사항에 지장이 없도록 충분한 회선을 확보하여야 한다.
   1. 구내로 인입되는 국선의 수용
   2. 구내회선의 구성
   3. 단말장치 등의 증설
② 제1항의 규정에 따라 확보하여야 하는 최소 회선 수의 기준은 별표 4와 같다. <개정 2017.4.25>

국토계획법

주차장법

주 택 법

도시및주거
환경정비법

건축사법

장애인시설법

소방시설법

서울시조례

⑧ 지능형 홈네트워크 설비 (규정
제32조의2)

주택에 지능형 홈네트워크 설비(주택의 성능과 주거의 질 향상을 위하여 세대 또는 주택단지 내 지능형 정보통신 및 가전기기 등의 상호 연계를 통하여 통합된 주거서비스를 제공하는 설비를 말함)를 설치하는 경우에는 국토교통부장관, 산업통상자원부장관 및 방송통신위원회가 협의하여 공동으로 고시하는 지능형 홈네트워크 설비 설치 및 기술기준에 적합해야 한다.

⑨ 보안등 (규정
제33조)

(1) 주택단지안의 어린이놀이터 및 도로(폭 15m 이상인 도로의 경우에는 도로의 양측)에는 보안등을 설치하여야 한다. 이 경우 해당 도로에 설치하는 보안등의 간격은 50m 이내로 하여야 한다.
(2) 위의 (1)에 따른 보안등에는 외부의 밝기에 따라 자동으로 켜지고 꺼지는 장치 또는 시간을 조절하는 장치를 부착하여야 한다.

⑩ 가스공급시설 (규정
제34조)

(1) 도시가스의 공급이 가능한 지역에 주택을 건설하거나 액화석유가스를 배관에 따라 공급 하는 주택을 건설하는 경우에는 각 세대까지 가스공급설비를 하여야 하며, 그 밖의 지역에서는 안전이 확보될 수 있도록 외기에 면한 곳에 액화석유가스용기를 보관할 수 있는 시설을 하여야 한다.
(2) 위 (1)에도 불구하고 다음의 요건을 모두 갖춘 경우에는 각 세대까지 가스공급설비를 설치하지 않을 수 있다.
  ① 장기공공임대주택일 것
  ② 세대별 주거전용면적이 50㎡ 이하일 것
  ③ 세대 내 가스사용시설이 설치되어 있지 않고 전기를 사용하는 취사시설이 설치되어 있을 것
  ④ 「건축법 시행령」에 따른 난방을 위한 건축설비를 개별난방방식으로 설치하지 않을 것
(3) 특별시장·광역시장·특별자치시장·특별자치도지사 또는 도지사는 500세대 이상의 주택을 건설하는 주택단지에 대하여는 해당 지역의 가스공급계획에 따라 가스저장시설을 설치하게 할 수 있다.

⑪ 비상급수시설 (규정
제35조)

(1) 공동주택을 건설하는 주택단지에는 「먹는 물 관리법」에 따른 먹는 물의 수질기준에 적합한 비상용수를 공급할 수 있는 지하양수시설 또는 지하저수조시설을 설치하여야 한 다.
(2) 위의 (1)에 따른 지하양수시설 및 지하저수조는 다음의 구분에 따른 설치기준을 갖추어야 한다. 다만, 철도부지 활용 공공주택을 건설하는 주택단지의 경우에는 시·군지역의 기준을 적용한다.
  ① 지하양수시설

1. 1일에 해당 주택단지의 매 세대당 0.2톤(시·군지역은 0.1톤) 이상의 수량을 양수할 수 있을 것
2. 양수에 필요한 비상전원과 이에 따라 가동될 수 있는 펌프를 설치할 것
3. 해당 양수시설에는 매 세대당 0.3톤 이상을 저수할 수 있는 지하저수조(아래 ⑱-(6)에 따른 기준에 적합하여야 한다)를 함께 설치할 것

② 지하저수조

1. 고가수조저수량(매 세대당 0.25톤까지 산입한다)을 포함하여 매 세대당 0.5톤(독신자용 주택은 0.25 톤) 이상의 수량을 저수할 수 있을 것

   단서 지역별 상수도 시설용량 및 세대당 수돗물 사용량 등을 고려하여 설치기준의 1/2의 범위에서 특별시·광역시·특별자치시·특별자치도·시 또는 군의 조례로 완화 또는 강화하여 정할 수 있다.

2. 50세대(독신자용 주택은 100세대)당 1대 이상의 수동식펌프를 설치하거나 양수에 필요한 비상전원과 이에 따라 가동될 수 있는 펌프를 설치할 것

3. 아래 19-(6)에 따른 기준에 적합하게 설치할 것

4. 먹는 물을 해당 저수조를 거쳐 각 세대에 공급할 수 있도록 설치할 것

12 난방설비 등 (규정 제37조) (규칙 제8조)

(1) 6층 이상인 공동주택의 난방설비는 중앙집중난방방식(「집단에너지사업법」에 따른 지역난방공급방식을 포함)으로 하여야 한다.

   예외 「건축물의 설비 기준 등에 관한 규칙」에 따른 개별난방설비(제13조)를 하는 경우에는 그러하지 아니하다.

(2) 공동주택의 난방설비를 중앙집중난방방식으로 하는 경우에는 난방열이 각 세대에 균등하게 공급될 수 있도록 4층 이상 10층 이하의 건축물인 경우에는 2개소 이상, 10층을 넘는 건축물인 경우에는 10층을 넘는 5개층마다 1개소를 더한 수 이상의 난방구획으로 구분하여 각 난방구획마다 따로 난방용·배관을 하여야 한다.

   예외 다음의 어느 하나에 해당하는 경우에는 그러하지 아니하다.
   ① 연구기관 또는 학술단체의 조사 또는 시험에 따라 난방열을 각 세대에 균등하게 공급할 수 있다고 인정되는 시설 또는 설비를 설치한 경우
   ② 난방설비를 「집단에너지사업법」에 따른 지역난방공급방식으로 하는 경우로서 산업통상자원부장관이 정하는 바에 따라 각 세대별로 유량조절장치를 설치한 경우

(3) 난방설비를 중앙집중난방방식으로 하는 공동주택의 각 세대에는 산업통상자원부장관이 정하는 바에 따라 난방열량 또는 난방유량을 계량하는 계량기와 난방온도를 조절하는 장치를 각각 설치하여야 한다.

(4) 공동주택 각 세대에 「건축법 시행령」에 따라 온돌 방식의 난방설비를 하는 경우에는 침실에 포함되는 옷방 또는 붙박이 가구 설치 공간에도 난방설비를 하여야 한다.

(5) 공동주택의 각 세대에는 발코니 등 세대 안에 냉방설비의 배기장치를 설치할 수 있는 공간을 마련하여야 한다.

   예외 중앙집중냉방방식의 경우에는 그러하지 아니하다.

(6) 배기장치 설치공간은 냉방설비의 배기장치가 원활하게 작동할 수 있도록 다음으로 정하는 기준에 따라 설치해야 한다.

① 다음의 요건을 모두 갖춘 것

1. 냉방설비가 작동할 때 주거환경이 악화되지 않도록 거주자가 일상적으로 생활하는 공간과 구분하여 구획할 것. 다만, 배기장치 설치공간을 외부 공기에 직접 닿는 곳에 마련하는 경우에는 그렇지 않다.

2. 세대별 주거전용면적에 적정한 용량인 냉방설비의 배기장치 규격에 배기장치의 설치·유지 및 관리에 필요한 여유 공간을 더한 크기로 할 것

건축관계법

국토계획법

주차장법

주택법

도시및주거
환경정비법

건축사법

장애인시설법

소방시설법

서울시조례

3. 세대별 주거전용면적이 50㎡를 초과하는 경우로서 세대 내 거실 또는 침실이 2개 이상인 경우에는 거실을 포함한 최소 2개의 공간에 냉방설비 배기장치 연결배관을 설치할 것

4. 냉방설비 배기장치 설치공간을 외부 공기에 직접 닿는 곳에 마련하는 경우에는 배기장치 설치공간 주변에 규정에 적합한 난간을 설치할 것

② 위 ①의 2.에 따른 배기장치의 설치·유지 및 관리에 필요한 여유 공간은 다음의 구분에 따른다.

1. 배기장치 설치공간을 외부 공기에 직접 닿는 곳에 마련하는 경우로서 냉방설비 배기장치 설치공간에 출입문을 설치하고, 출입문을 연 상태에서 배기장치를 설치할 수 있는 경우: 가로 0.5m 이상

2. 그 밖의 경우: 가로 0.5m 이상 및 세로 0.7m 이상

13 폐기물보관시설 (규정 제38조)

주택단지에는 생활폐기물보관시설 또는 용기를 설치하여야 하며, 그 설치장소는 차량의 출입이 가능하고 주민의 이용에 편리한 곳이어야 한다.

14 영상정보처리기기의 설치와 그 기준 (규정 제39조)(규칙 제9조)

의무관리 대상 공동주택을 건설하는 주택단지에는 다음의 기준에 따라 보안 및 방범 목적을 위한 영상정보저리기기를 설치하여야 한다.

① 승강기, 어린이놀이터 및 공동주택 각 동의 출입구마다 「개인정보 보호법 시행령」 제3조제1호 또는 제2호에 따른 영상정보처리기기의 카메라를 설치할 것

② 영상정보처리기기의 카메라는 전체 또는 주요 부분이 조망되고 잘 식별될 수 있도록 설치하되, 카메라의 해상도는 130만 화소 이상일 것

③ 영상정보처리기기의 카메라 수와 녹화장치의 모니터 수가 같도록 설치할 것.

　예외　모니터 화면이 다채널로 분할 가능하고 다음의 요건을 모두 충족하는 경우에는 그렇지 않다.

1. 다채널의 카메라 신호를 1대의 녹화장치에 연결하여 감시할 경우에 연결된 카메라 신호가 전부 모니터 화면에 표시돼야 하며 1채널의 감시화면의 대각선방향 크기는 최소한 4인치 이상일 것

2. 다채널 신호를 표시한 모니터 화면은 채널별로 확대감시기능이 있을 것

3. 녹화된 화면의 재생이 가능하며 재생할 경우에 화면의 크기 조절 기능이 있을 것

④ 「개인정보 보호법 시행령」에 따른 네트워크 카메라를 설치하는 경우에는 다음의 요건을 모두 충족할 것

1. 인터넷 장애가 발생하더라도 영상정보가 끊어지지 않고 지속적으로 저장될 수 있도록 필요한 기술적 조치를 할 것

2. 서버 및 저장장치 등 주요 설비는 국내에 설치할 것

3. 「공동주택관리법 시행규칙」 별표 1의 장기수선계획의 수립기준에 따른 수선주기 이상으로 운영될 수 있도록 설치할 것

15 전기시설 (규정 제40조)

(1) 주택에 설치하는 전기시설의 용량은 각 세대별로 3kW(세대당 전용면적이 60㎡ 이상인 경우에는 3kW에 60㎡를 초과하는 10㎡마다 0.5kW를 더한 값)이상이어야 한다.

(2) 주택에는 세대별 전기사용량을 측정하는 전력량계를 각 세대 전용부분 밖의 검침이 용이한 곳에 설치하여야 한다.

> 예외 전기사용량을 자동으로 검침하는 원격검침방식을 적용하는 경우에는 전력량계를 각 세대 전용부분 안에 설치할 수 있다.

(3) 주택단지안의 옥외에 설치하는 전선은 지하에 매설하여야 한다.

> 예외 세대당 전용면적이 60㎡ 이하인 주택을 전체세대수의 1/2 이상 건설하는 단지에 서 폭 8m 이상의 도로에 가설하는 전선은 가공선으로 할 수 있다.

(4) 위의 (1)~(3)에 따른 사항 외에 전기설비의 설치 및 기술기준에 관하여는 「전기사업법」의 기술기준(제67조)을 준용한다.

> 관계법 「전기사업법」 제67조 【기술기준】
> ① 산업통상자원부장관은 원활한 전기공급 및 전기설비의 안전관리를 위하여 필요한 기술기준(이하 "기술기준" 이라 한다)을 정하여 고시하여야 한다. 이를 변경하는 경우에도 또한 같다. <개정 2008. 2. 29., 2013. 3. 23., 2016. 1. 27., 2020. 3. 31.>
> ② 기술기준은 전자파가 인체에 미치는 영향을 고려한 전자파 인체보호기준을 포함하여야 한다. <신설 2016. 1. 27.>
> ③ 산업통상자원부장관은 제1항에 따라 기술기준을 변경하는 경우 기존의 전기설비에 대하여는 변경 전의 기술기준을 적용한다. 다만, 공공의 안전 확보를 위하여 변경된 기술기준을 적용할 수 있다. <신설 2020. 3. 31.>

16 방송수신을 위한 공동수신 설비의 설치 등 (규정 제42조)

(1) 공동주택에는 방송통신위원회가 정하여 고시하는 바에 따라 텔레비전방송·에프엠(FM)라디오방송 공동수신안테나 및 그 부속설비와 종합유선방송의 구내전송선로설비를 설치하여야 한다.

(2) 공동주택의 각 세대에는 「건축법 시행령」에 따라 설치하는 방송 공동수신설비 중 지상파텔레비전방송, 에프엠(FM)라디오방송 및 위성방송의 수신안테나와 연결된 단자를 2개소 이상 설치하여야 한다. 단서 세대당 전용면적이60㎡ 이하인 주택의 경우에는 1개소로 할 수 있다.

17 급·배수시설 (규정 제43조)(규칙 제10조)

(1) 주택에 설치하는 급수·배수용 배관은 콘크리트구조체 안에 매설하여서는 아니 된다.

> 예외 다음의 어느 하나에 해당하는 경우에는 그러하지 아니하다.
> ① 급수·배수용배관이 주택의 바닥면 또는 벽면 등을 직각으로 관통하는 경우
> ② 주택의 구조안전에 지장이 없는 범위에서 콘크리트구조체 안에 덧관을 미리 매설하여 배관을 설치하는 경우
> ③ 콘크리트구조체의 형태 등에 따라 배관의 매설이 부득이하다고 사업계획승인권자가 인정하는 경우로서 배관의 부식을 방지하고 그 수선 및 교체가 쉽도록 하여 배관을 설치하는 경우

(2) 주택의 화장실에 설치하는 급수·배수용 배관은 다음의 기준에 적합해야 한다.

① 급수용 배관에는 감압밸브 등 수압을 조절하는 장치를 설치하여 각 세대별 수압이 일정하게 유지되도록 할 것

건축관계법

국토계획법

주차장법

주 택 법

도시및주거
환경정비법

건축사법

장애인시설법

소방시설법

서울시조례

건축관계법

국토계획법

주차장법

주 택 법

도시및주거
환경정비법

건축사법

장애인시설법

소방시설법

서울시조례

② 배수용 배관은 층상배관공법(배관을 해당 층의 바닥 슬래브 위에 설치하는 공법을 말한다) 또는 층하배관공법(배관을 바닥 슬래브 아래에 설치하여 아래층 세대 천장으로 노출시키는 공법을 말한다)으로 설치할 수 있으며, 층하배관공법으로 설치하는 경우에는 일반용 경질(단단한 재질) 염화비닐관을 설치하는 경우보다 같은 측정조건에서 5데시벨 이상 소음 차단성능이 있는 저소음형 배관을 사용할 것

(3) 공동주택에는 세대별 수도계량기 및 세대마다 2개소 이상의 급수전을 설치하여야 한다.

(4) 주택의 부엌, 욕실, 화장실 및 다용도실 등 물을 사용하는 곳과 발코니의 바닥에는 배수설비를 하여야 한다.

　예외　급수설비를 설치하지 아니하는 발코니인 경우에는 그러하지 아니 하다.

(5) 위 (4)에 따른 배수설비에는 악취 및 배수의 역류를 막을 수 있는 시설을 하여야 한다.

(6) 주택에 설치하는 먹는물의 급수조 및 저수조는 다음의 기준에 접합해야 한다.

① 급수조 및 저수조의 재료는 수질을 오염시키지 아니하는 재료나 위생에 지장이 없는 것으로서 내구성이 있는 도금·녹막이 처리 또는 피막처리를 한 재료를 사용할 것

② 급수조 및 저수조의 구조는 청소 등 관리가 쉬워야 하고, 먹는물 외의 다른 물질이 들어 갈 수 없도록 할 것

(7) 그 밖의 배관설비의 설치와 구조에 관한 기준은 다음과 같다.

① 배수설비는 오수관로에 연결하여야 한다.

② 배관설비의 설치 및 구조의 기준에 관하여는 「건축물의 설비기준 등에 관한 규칙」 의 배관설비(제17조) 및 음용수용 배관설비(제18조)의 규정을 준용한다.

18 배기설비 등 (규정 제44조)(규칙 제11조)

(1) 주택의 부엌·욕실 및 화장실에는 바깥의 공기에 면하는 창을 설치하거나 다음에 해당하는 배기설비를 하여야 한다.

1. 배기구는 반자 또는 반자아래 80cm 이내의 높이에 설치하고, 항상 개방될 수 있는 구조로 할 것
2. 배기통 및 배기구는 외기의 기류에 의하여 배기에 지장이 생기지 아니하는 구조로 할 것
3. 배기통에는 그 최상부 및 배기구를 제외하고는 개구부를 두지 아니할 것
4. 배기통의 최상부는 직접 외기에 개방되게 하되, 빗물 등을 막을 수 있는 설비를 할 것
5. 부엌에 설치하는 배기구에는 전동환기설비를 설치할 것
6. 배기통은 연기나 냄새 등이 실내로 역류하는 것을 방지할 수 있도록 다음의 어느 하나에 해당하는 구조로 할 것 　㉠ 세대 안의 배기통에 자동역류방지댐퍼(세대 안의 배기구가 열리거나 전동환기설비가 가동하는 경우 전기 또는 기계적인 힘에 의하여 자동으로 개폐되는 구조로 된 설비를 말하며, 「산업표준화법」 에 따른 단체표준에 적합한 성능을 가진 제품이어야 한다) 또는 이와 동일한 기능의 배기설비 장치를 설치할 것 　㉡ 세대간 배기통이 서로 연결되지 아니하고 직접 외기에 개방되도록 설치할 것

(2) 공동주택 각 세대의 침실에 밀폐된 옷방 또는 붙박이 가구를 설치하는 경우에는 그 옷방 또는 붙박이 가구에 위 (1)에 따른 배기설비 또는 통풍구를 설치해야 한다.

　예외　외벽 및 욕실에서 떨어뜨려 설치하는 옷방 또는 붙박이 가구에는 배기설비 또는 통풍구를 설치하지 않을 수 있다.

(3) 공동주택의 각 세대에 설치하는 환기시설의 설치기준 등은 「건축법령」 이 정하는 바에 따른다.

6 복리시설

1 근린생활시설 등 (규정 제50조)

하나의 건축물에 설치하는 근린생활시설 및 소매시장·상점을 합한 면적(전용으로 사용되는 면적을 말하며, 같은 용도의 시설이 2개소 이상 있는 경우에는 각 시설의 바닥면적을 합한 면적으로 함)이 1,000㎡ 를 넘는 경우에는 주차 또는 물품의 하역 등에 필요한 공터를 설치하여야 하고, 그 주변에는 소음·악취의 차단과 조경을 위한 식재 그 밖에 필요한 조치를 취하여야 한다.

2 유치원 (규정 제52조)

(1) 2,000 세대 이상의 주택을 건설하는 주택단지에는 유치원을 설치할 수 있는 대지를 확보하여 그 시설의 설치희망자에게 분양하여 건축하게 하거나 유치원을 건축하여 이를 운영하려는 자에게 공급하여야 한다.

　예외 다음의 어느 하나에 해당하는 경우에는 그렇지 않다.

① 해당 주택단지로부터 통행거리 300m 이내에 유치원이 있는 경우
② 해당 주택단지로부터 통행거리 200m 이내에 「교육환경 보호에 관한 법률」에 따른 시설이 있는 경우
③ 해당 주택단지가 노인주택단지·외국인주택단지 등으로서 유치원의 설치가 불필요하다고 사업계획 승인권자가 인정하는 경우
④ 관할 교육감이 해당 주택단지 내 유치원의 설치가 「유아교육법」에 따른 유아배치계획에 적합하지 않다고 인정하는 경우

　관계법 「교육환경 보호에 관한 법률」 제9조【교육환경보호구역에서의 금지행위 등】

누구든지 학생의 보건·위생, 안전, 학습과 교육환경 보호를 위하여 교육환경보호구역에서는 다음 각 호의 어느 하나에 해당하는 행위 및 시설을 하여서는 아니 된다. 다만, 상대보호구역에서는 제14호부터 제29호까지에 규정된 행위 및 시설 중 교육감이나 교육감이 위임한 자가 지역위원회의 심의를 거쳐 학습과 교육환경에 나쁜 영향을 주지 아니한다고 인정하는 행위 및 시설은 제외한다. <개정 2017. 1. 17., 2017. 12. 19., 2019. 12. 3., 2020. 3. 24.>

1. 「대기환경보전법」 제16조제1항에 따른 배출허용기준을 초과하여 대기오염물질을 배출하는 시설
2. 「물환경보전법」 제32조제1항에 따른 배출허용기준을 초과하여 수질오염물질을 배출하는 시설과 제48조에 따른 폐수종말처리시설
3. 「가축분뇨의 관리 및 이용에 관한 법률」 제11조에 따른 배출시설, 제12조에 따른 처리시설 및 제24조에 따른 공공처리시설
4. 「하수도법」 제2조제11호에 따른 분뇨처리시설
5. 「악취방지법」 제7조에 따른 배출허용기준을 초과하여 악취를 배출하는 시설
6. 「소음·진동관리법」 제7조 및 제21조에 따른 배출허용기준을 초과하여 소음·진동을 배출하는 시설
7. 「폐기물관리법」 제2조제8호에 따른 폐기물처리시설(규모, 용도, 기간 및 학습과 학교보건위생에 대한 영향 등을 고려하여 대통령령으로 정하는 시설은 제외한다)
8. 「가축전염병 예방법」 제11조제1항·제20조제1항에 따른 가축 사체, 제23조제1항에 따른 오염물건 및 제33조제1항에 따른 수입금지 물건의 소각·매몰지
9. 「장사 등에 관한 법률」 제2조제8호에 따른 화장시설·제9호에 따른 봉안시설 및 제13호에 따른 자연장지(같은 법 제16조제1항제1호에 따른 개인·가족자연장지와 제2호에 따른 종중·문중 자연장지는 제외한다)

건축관계법

국토계획법

주차장법

주 택 법

도시및주거
환경정비법

건축사법

장애인시설법

소방시설법

서울시조례

10. 「축산물 위생관리법」 제21조제1항제1호에 따른 도축업 시설

11. 「축산법」 제34조제1항에 따른 가축시장

12. 「영화 및 비디오물의 진흥에 관한 법률」 제2조제11호의 제한상영관

13. 「청소년 보호법」 제2조제5호가목7)에 해당하는 업소와 같은 호 가목8), 가목9) 및 나목7)에 따라 여성가족부장관이 고시한 영업에 해당하는 업소

14. 「고압가스 안전관리법」 제2조에 따른 고압가스, 「도시가스사업법」 제2조제1호에 따른 도시가스 또는 「액화석유가스의 안전관리 및 사업법」 제2조제1호에 따른 액화석유가스의 제조, 충전 및 저장하는 시설(관계 법령에서 정한 허가 또는 신고 이하의 시설이라 하더라도 동일 건축물 내에 설치되는 각각의 시설용량의 총량이 허가 또는 신고 규모 이상이 되는 시설은 포함하되, 규모, 용도 및 학습과 학교보건위생에 대한 영향 등을 고려하여 대통령령으로 정하는 시설의 전부 또는 일부는 제외한다)

15. 「폐기물관리법」 제2조제1호에 따른 폐기물을 수집·보관·처분하는 장소(규모, 용도, 기간 및 학습과 학교보건위생에 대한 영향 등을 고려하여 대통령령으로 정하는 장소는 제외한다)

16. 「총포·도검·화약류 등의 안전관리에 관한 법률」 제2조에 따른 총포 또는 화약류의 제조소 및 저장소

17. 「감염병의 예방 및 관리에 관한 법률」 제37조제1항제2호에 따른 격리소·요양소 또는 진료소

18. 「담배사업법」에 의한 지정소매인, 그 밖에 담배를 판매하는 자가 설치하는 담배자동판매기 (「유아교육법」 제2조제2호에 따른 유치원 및 「고등교육법」 제2조 각 호에 따른 학교의 교육환경보호구역은 제외한다)

19. 「게임산업진흥에 관한 법률」 제2조제6호, 제7호 또는 제8호에 따른 게임제공업, 인터넷컴퓨터게임시설제공업 및 복합유통게임제공업(「유아교육법」 제2조제2호에 따른 유치원 및 「고등교육법」 제2조 각 호에 따른 학교의 교육환경보호구역은 제외한다)

20. 「게임산업진흥에 관한 법률」 제2조제6호다목에 따라 제공되는 게임물 시설(「고등교육법」 제2조 각 호에 따른 학교의 교육환경보호구역은 제외한다)

21. 「체육시설의 설치·이용에 관한 법률」 제3조에 따른 체육시설 중 당구장, 무도학원 및 무도장(「유아교육법」 제2조제2호에 따른 유치원, 「초·중등교육법」 제2조제1호에 따른 초등학교, 「초·중등교육법」 제60조의3에 따라 초등학교 과정만을 운영하는 대안학교 및 「고등교육법」 제2조 각 호에 따른 학교의 교육환경보호구역은 제외한다)

22. 「한국마사회법」 제4조에 따른 경마장 및 제6조제2항에 따른 장외발매소, 「경륜·경정법」 제5조에 따른 경주장 및 제9조제2항에 따른 장외매장

23. 「사행행위 등 규제 및 처벌 특례법」 제2조제1항제2호에 따른 사행행위영업

24. 「음악산업진흥에 관한 법률」 제2조제13호에 따른 노래연습장업(「유아교육법」 제2조제2호에 따른 유치원 및 「고등교육법」 제2조 각 호에 따른 학교의 교육환경보호구역은 제외한다)

25. 「영화 및 비디오물의 진흥에 관한 법률」 제2조제16호가목 및 라목에 해당하는 비디오물감상실업 및 복합영상물제공업의 시설(「유아교육법」 제2조제2호에 따른 유치원 및 「고등교육법」 제2조 각 호에 따른 학교의 교육환경보호구역은 제외한다)

26. 「식품위생법」 제36조제1항제3호에 따른 식품접객업 중 단란주점영업 및 유흥주점영업

27. 「공중위생관리법」 제2조제2호에 따른 숙박업 및 「관광진흥법」 제3조제1항제2호가목에 따른 호텔업(「국제회의산업 육성에 관한 법률」 제2조제3호에 따른 국제회의시설에 부속된 숙박시설은 제외한다)

28. 「청소년 보호법」 제2조제5호나목6)에 해당하는 업소(「유아교육법」 제2조제2호에 따른 유치원 및 「고등교육법」 제2조 각 호에 따른 학교의 교육환경보호구역은 제외한다)

29. 「화학물질관리법」 제39조에 따른 사고대비물질의 취급시설 중 대통령령으로 정하는 수량 이상으로 취급하는 시설

(2) 유치원을 유치원외의 용도의 시설과 복합으로 건축하는 경우에는 의료시설·주민운동시설·어린이집·종교집회장 및 근린생활시설(「교육환경 보호에 관한 법률」에 따른 교육환경보호구역에 설치할 수 있는 시설에 한함)에 한하여 이를 함께 설치할 수 있다. 이 경우 유치원 용도의 바닥면적의 합계는 해당 건축물 연면적의 1/2 이상이어야 한다.

(3) 위 (2)에 따른 복합건축물은 유아교육·보육의 환경이 보호될 수 있도록 유치원의 출입구·계단·복도 및 화장실 등을 다른 용도의 시설(어린이집 및 사회복지관을 제외)과 분리된 구조로 하여야 한다.

> **관계법** 「교육환경 보호에 관한 법률」 제8조 【교육환경보호구역의 설정 등】
> ① 교육감은 학교경계 또는 학교설립예정지 경계(이하 "학교경계등"이라 한다)로부터 직선거리 200미터의 범위 안의 지역을 다음 각 호의 구분에 따라 교육환경보호구역으로 설정·고시하여야 한다.
>   1. 절대보호구역: 학교출입문으로부터 직선거리로 50미터까지인 지역(학교설립예정지의 경우 학교경계로부터 직선거리 50미터까지인 지역)
>   2. 상대보호구역: 학교경계등으로부터 직선거리로 200미터까지인 지역 중 절대보호구역을 제외한 지역
> ② 학교설립예정지를 결정·고시한 자나 학교설립을 인가한 자는 학교설립예정지가 확정되면 지체 없이 관할 교육감에게 그 사실을 통보해야 한다.
> ③ 교육감은 제2항에 따라 학교설립예정지가 통보된 날부터 30일 이내에 제1항에 따른 교육환경보호구역을 설정·고시하여야 한다.
> ④ 제1항에 따라 설정·고시된 교육환경보호구역이 다음 각 호의 어느 하나에 해당하게 된 때에는 그 효력을 상실한다.
>   1. 학교가 폐교되거나 이전(移轉)하게 된 때(대통령령으로 정하는 바에 따른 학교설립계획 등이 있는 경우는 제외한다)
>   2. 학교설립예정지에 대한 도시·군관리계획결정의 효력이 상실된 때
>   3. 유치원이나 특수학교 또는 대안학교의 설립계획이 취소되었거나 설립인가가 취소된 때
> ⑤ 제1항에 따른 교육감의 권한은 대통령령으로 정하는 바에 따라 교육장에게 위임할 수 있다.

③ 주민공동시설 (규정 제55조의2)

(1) 100세대 이상의 주택을 건설하는 주택단지에는 다음에 따라 산정한 면적 이상의 주민공동시설을 설치하여야 한다.
> **단서** 지역 특성, 주택 유형 등을 고려하여 특별시·광역시·특별자치시·특별자치도·시 또는 군의 조례로 주민공동시설의 설치면적을 그 기준의 1/4 범위에서 강화하거나 완화하여 정할 수 있다.
  ① 100세대 이상 1,000세대 미만: 세대당 2.5㎡를 더한 면적
  ② 1,000세대 이상: 500㎡에 세대당 2㎡를 더한 면적

(2) 위 (1)에 따른 면적은 각 시설별로 전용으로 사용되는 면적을 합한 면적으로 산정한다. 다만, 실외에 설치되는 시설의 경우에는 그 시설이 설치되는 부지 면적으로 한다.

(3) 위 (1)에 따른 주민공동시설을 설치하는 경우 해당 주택단지에는 다음의 구분에 따른 시설이 포함되어야 한다.
> **단서** 해당 주택단지의 특성, 인근 지역의 시설설치 현황 등을 고려할 때 사업계획승인권자가 설치할 필요가 없다고 인정하는 시설이거나 입주예정자의 과반수가 서면으로 반대하는 다함께돌봄센터는 설치하지 않을 수 있다.

① 150세대 이상: 경로당, 어린이놀이터
② 300세대 이상: 경로당, 어린이놀이터, 어린이집
③ 500세대 이상: 경로당, 어린이놀이터, 어린이집, 주민운동시설, 작은도서관, 다함께돌봄센터

(4) 위 (3)에서 규정한 시설 외에 필수적으로 설치해야 하는 세대수별 주민공동시설의 종류에 대해서는 특별시·광역시·특별자치시·특별자치도·시 또는 군의 지역별 여건 등을 고려하여 조례로 따로 정할 수 있다.

(5) 국토교통부장관은 문화체육관광부장관, 보건복지부장관과 협의하여 위 (3)의 각각에 따른 주민공동시설별 세부 면적에 대한 사항을 정하여 특별시·광역시·특별자치시·특별자치도·시 또는 군에 이를 활용하도록 제공할 수 있다.

(6) 위 (3) 및 (4)에 따라 필수적으로 설치해야 하는 주민공동시설별 세부 면적 기준은 특별시·광역시·특별자치시·특별자치도·시 또는 군의 지역별 여건 등을 고려하여 조례로 정할 수 있다.

(7) 위 (3)의 각각에 따른 주민공동시설은 다음의 기준에 적합하게 설치해야 한다.

① 경로당

1. 일조 및 채광이 양호한 위치에 설치할 것

2. 오락·취미활동·작업 등을 위한 공용의 다목적실과 남녀가 따로 사용할 수 있는 공간을 확보할 것

3. 급수시설·취사시설·화장실 및 부속정원을 설치할 것

② 어린이놀이터

1. 놀이기구 및 그 밖에 필요한 기구를 일조 및 채광이 양호한 곳에 설치하거나 주택단지의 녹지 안에 어우러지도록 설치할 것

2. 실내에 설치하는 경우 놀이기구 등에 사용되는 마감재 및 접착제, 그 밖의 내장재는 「환경기술 및 환경산업 지원법」에 따른 환경표지의 인증을 받거나 그에 준하는 기준에 적합한 친환경 자재를 사용할 것

3. 실외에 설치하는 경우 인접대지경계선(도로·광장·시설녹지, 그 밖에 건축이 허용되지 아니하는 공지에 접한 경우에는 그 반대편의 경계선을 말함)과 주택단지 안의 도로 및 주차장으로부터 3m 이상의 거리를 두고 설치할 것

③ 어린이집

1. 「영유아보육법」의 기준에 적합하게 설치할 것

2. 해당 주택의 사용검사 시까지 설치할 것

④ 주민운동시설

1. 시설물은 안전사고를 방지할 수 있도록 설치할 것

2. 「체육시설의 설치·이용에 관한 법률 시행령」에서 정한 체육시설(별표 1)을 설치하는 경우 해당 종목별 경기규칙의 시설기준에 적합할 것

⑤ 작은도서관은 「도서관법 시행령」의 기준(별표 1 제1호다목)에 적합하게 설치할 것
⑥ 다함께돌봄센터는 「아동복지법」의 기준에 적합하게 설치할 것

관계법 「체육시설의 설치·이용에 관한 법률 시행령」에 따른 체육시설

체육시설의 종류 ([별표 1])

구 분	체육시설종류
운동 종목	골프장, 골프연습장, 궁도장, 게이트볼장, 농구장, 당구장, 라켓볼장, 럭비풋볼장, 롤러스케이트장, 배구장, 배드민턴장, 벨로드롬, 볼링장, 봅슬레이장, 빙상장, 사격장, 세팍타크로장, 수상스키장, 수영장, 무도학원, 무도장, 스쿼시장, 스키장, 승마장, 썰매장, 씨름장, 아이스하키장, 야구장, 양궁장, 역도장, 에어로빅장, 요트장, 육상장, 자동차경주장, 조정장, 체력단련장, 체육도장, 체조장, 축구장, 카누장, 탁구장, 테니스장, 펜싱장, 하키장, 핸드볼장, 그 밖에 국내 또는 국제적으로 치러지는 운동 종목의 시설로서 문화체육관광부장관이 정하는 것
시설 형태	운동장, 체육관, 종합 체육시설

관계법 「도서관법 시행령」

도서관의 종류별 시설 및 도서관자료의 기준(제3조 관련) ([별표 1])

1.- 다. 작은도서관

시설		도서관자료
건물면적	열람석	
33㎡ 이상	6석 이상	1,000권 이상

비고: 건물면적에 현관·휴게실·복도·화장실 및 식당 등의 면적은 포함되지 않는다.

관계법 「아동복지법」

제44조의2 【다함께돌봄센터】 ① 시·도지사 및 시장·군수·구청장은 초등학교의 정규교육 이외의 시간 동안 다음 각 호의 돌봄서비스(이하 "방과 후 돌봄서비스"라 한다)를 실시하기 위하여 다함께돌봄센터를 설치·운영할 수 있다.

1. 아동의 안전한 보호
2. 안전하고 균형 있는 급식 및 간식의 제공
3. 등·하교 전후, 야간 또는 긴급상황 발생 시 돌봄서비스 제공
4. 체험활동 등 교육·문화·예술·체육 프로그램의 연계·제공
5. 돌봄 상담, 관련 정보의 제공 및 서비스의 연계
6. 그 밖에 보건복지부령으로 정하는 방과 후 돌봄서비스의 제공

② 시·도지사 및 시장·군수·구청장은 다함께돌봄센터의 설치·운영을 보건복지부장관이 정하는 법인 또는 단체에 위탁할 수 있다.

③ 국가는 다함께돌봄센터의 설치·운영에 필요한 비용의 일부를 지방자치단체에 지원할 수 있다.

④ 다함께돌봄센터의 장은 시·도지사 및 시장·군수·구청장이 정하는 바에 따라 아동의 보호자에게 제1항 각 호의 방과 후 돌봄서비스 제공에 필요한 비용의 일부를 부담하게 할 수 있다.

⑤ 다함께돌봄센터의 설치기준과 운영, 종사자의 자격 등에 관한 사항은 보건복지부령으로 정한다.

7 대지의 조성

① 대지의 안전 (규정 제56조)

(1) 대지를 조성할 때에는 지반의 붕괴·토사의 유실 등의 방지를 위하여 필요한 조치를 하여야 한다.

(2) 위 (1)에 따른 대지의 조성에 관하여 이 영에서 정하는 사항을 제외하고는 「건축법」에 따른 대지의 안전 등(제40조), 토지 굴착 부분에 대한 조치 등(제41조제1항)을 준용한다.

② 간선시설 (규정 제57조)(규칙 제12조)

사업계획의 승인을 얻어 조성하는 일단의 대지에는 다음에 해당하는 기준 이상인 진입도로(해당 대지에 접하는 기간도로를 포함)·상하수도시설 및 전기시설이 설치되어야 한다.

(1) 간선시설인 진입도로(해당 대지에 접하는 기간도로를 포함), 상하수도시설 및 전기시설의 설치 기준은 다음과 같다.

  ① 진입도로

  ㉠ 진입도로는 다음 표에서 정하는 기준 이상의 도로 너비가 확보되어야 한다.

대지면적	기간도로와 접하는 너비 또는 진입도로의 너비
2만㎡ 미만	8m 이상
2만㎡ 이상 4만㎡ 미만	12m 이상
4만㎡ 이상 8만㎡ 미만	15m 이상
8만㎡ 이상	20m 이상

  ㉡ 진입도로가 2이상으로서 다음 표에서 정하는 기준에 적합한 경우에는 위 ㉠의 규정을 적용하지 아니할 수 있다. 이 경우 너비 6m 미만인 도로는 기간도로와 통행거리 200m 이내인 때에 한하여 이를 진입도로로 본다.

대지면적	너비 4m 이상의 진입도로 중 2개의 진입도로너비의 합계
2만㎡ 미만	12m 이상
2만㎡ 이상 4만㎡ 미만	16m 이상
4만㎡ 이상 8만㎡ 미만	20m 이상
8만㎡ 이상	25m 이상

  ② 상수도시설

  상수도시설은 대지면적 1㎡당 1일 급수량 0.1톤 이상을 해당 대지에 공급할 수 있는 시설이어야 한다.

  ③ 하수도시설

  하수도시설은 대지면적 1㎡당 1일 0.1톤 이상의 오수를 처리할 수 있는 시설이어야 한다.

  ④ 전기시설

  전기시설은 대지면적 1㎡당 35W 이상의 전력을 해당 대지에 공급할 수 있는 송전시설이어야 한다.

(2) 대지조성사업계획(법 제16조)에 주택의 예정세대수 등에 관한 계획이 포함된 경우에는 위 (1)의 규정에 불구하고 진입도로 등의 기준은 다음의 규정에 따를 수 있다.

> 1. 진입도로 : 위 **5** - **1** 의 규정에 따른다.
>
> 2. 상수도시설 및 하수도시설 : 공급·처리 용량이 각각 매세대당 1일 1톤 이상인 시설이어야 한다.
>
> 3. 전기시설 : 매 세대당 3kW(세대당 전용면적이 60㎡ 이상인 경우에는 3kW에 60㎡를 초과하는 10㎡마다 0.5kW를 더한 값) 이상의 전력을 해당 대지에 공급 할 수 있는 송전시설이어야 한다.

③ 공동주택 성능등급의 표시 (규정 제58조)(규칙 제12조의2)

사업주체가 500세대 이상의 공동주택을 공급할 때에는 주택의 성능 및 품질을 입주자가 알 수 있도록 「녹색건축물 조성 지원법」에 따라 공동주택성능에 대한 등급을 발급받아 [별지 제1호]서식의 공동주택성능등급 인증서를 발급받아 「주택공급에 관한 규칙」에 따른 입주자 모집공고에 표시하여야 한다. 이 경우 공동주택성능등급 인증서는 쉽게 알아볼 수 있는 위치에 쉽게 읽을 수 있는 글자 크기로 표시해야 한다.

8 공동주택 바닥충격음 차단구조의 성능등급 인정

① 바닥충격음 성능등급 인정기관 (규정 제60조의2)

(1) 바닥충격음 성능등급 인정기관으로 지정 받으려는 자는 국토교통부령으로 정하는 신청서에 다음의 서류를 첨부하여 국토교통부장관에게 제출해야 한다.
① 임원 명부
② 아래 (2)에 따른 인력 및 장비기준을 증명할 수 있는 서류
③ 바닥충격음 성능등급 인정업무의 추진 계획서
(2) 바닥충격음 성능등급 인정기관의 인력 및 장비기준은 규정 [별표 6]과 같다.
(3) 위 (1)~(2)에 따른 사항 외에 바닥충격음 성능등급 인정기관의 지정에 관하여 필요한 사항은 국토교통부장관이 정하여 고시한다.

② 바닥충격음 성능등급 및 기준 등 (규정 제60조의3)

(1) 바닥충격음 성능등급 인정기관이 인정하는 바닥충격음 성능등급 및 기준에 관하여는 국토교통부장관이 정하여 고시한다.
(2) 바닥충격음 차단성능 인정을 받으려는 자는 국토교통부장관이 정하여 고시하는 방법 및 절차 등에 따라 바닥충격음 성능등급 인정기관으로부터 바닥충격음 차단성능 인정을 받아야 한다.

> **고시** 공동주택 바닥충격음 차단구조인정 및 관리기준 (국토교통부고시)

③ 신제품에 대한 성능등급 인정 (규정 제60조의4)

바닥충격음성능등급인정기관은 위 **4** - **3** 에 따라 고시된 기준을 적용하기 어려운 신개발품이나 인정 규격 외의 신제품에 대한 성능등급 인정의 신청이 있을 때에는 아래 **4** 에 따라 신제품에 대한 별도의 인정기준을 마련하여 성능등급을 인정할 수 있다.

건축관계법

국토계획법

주차장법

주 택 법

도시및주거
환경정비법

건축사법

장애인시설법

소방시설법

서울시조례

건축관계법

국토계획법

주차장법

주 택 법

도시및주거
환경정비법

건축사법

장애인시설법

소방시설법

서울시조례

5-168

4 신제품에 대한 성능등급 인정 절차 (규정 제60조의5)

(1) 바닥충격음성능등급인정기관은 위 3에 따른 별도의 성능등급 인정기준을 마련하기 위해서는 전문위원회의 심의를 거쳐야 한다.

(2) 바닥충격음성능등급인정기관은 신제품에 대한 성능등급 인정의 신청을 받은 날부터 15일 이내에 전문위원회에 심의를 요청하여야 한다.

(3) 바닥충격음성능등급인정기관의 장은 위 (1)에 따른 인정기준을 지체 없이 신청인에게 통보하고, 인터넷 홈페이지 등을 통하여 일반인에게 알려야 한다.

(4) 바닥충격음성능등급인정기관의 장은 위 (1)에 따른 별도의 성능등급 인정기준을 국토교통부장관에게 제출하여야 하며, 국토교통부장관은 이를 관보에 고시하여야 한다.

5 전문위원회 (규정 제60조의6)

(1) 신제품에 대한 인정기준 등에 관한 사항을 심의하기 위하여 바닥충격음성능등급인정기관에 전문위원회를 둔다.

(2) 전문위원회의 구성, 위원의 선임기준 및 임기 등 위원회의 운영에 필요한 구체적인 사항은 해당 바닥충격음성능등급인정기관의 장이 정한다.

6 공동주택 바닥충격음 차단구조의 성능등급 인정의 유효기간 등 (규정 제60조의7)

(1) 공동주택 바닥충격음 차단구조의 성능등급 인정의 유효기간은 그 성능등급 인정을 받은 날부터 5년으로 한다.

(2) 공동주택 바닥충격음 차단구조의 성능등급 인정을 받은 자는 위 (1)에 따른 유효기간이 끝나기 전에 유효기간을 연장할 수 있다. 이 경우 연장되는 유효기간은 연장될 때마다 3년을 초과할 수 없다.

(3) 공동주택 바닥충격음 차단구조의 성능등급 인정에 드는 수수료는 인정 업무와 시험에 사용되는 비용으로 하되, 인정 업무와 시험에 필수적으로 수반되는 비용을 추가할 수 있다.

(4) 위 (1)~(3)에서 규정한 사항 외에 공동주택 바닥충격음 차단구조의 성능등급 인정의 유효기간 연장, 성능등급 인정에 드는 수수료 등에 관하여 필요한 세부적인 사항은 국토교통부장관이 정하여 고시한다.

7 바닥충격음 성능검사기관의 지정 (규정 제60조의8)

(1) 「주택법」에서 "대통령령으로 정하는 지정 요건"이란 다음의 요건을 말한다.

① 「민법」 제32조에 따른 비영리법인이거나 특별법에 따라 설립된 법인(영리법인은 제외한다)일 것

② 별표 6에 따른 인력 및 장비 기준을 충족할 것

③ 바닥충격음성능등급인정기관이 아닐 것

(2) 「주택법」에 따른 바닥충격음 성능검사기관(이하 "바닥충격음성능검사기관"이라 한다)으로 지정받으려는 자는 국토교통부령으로 정하는 신청서에 다음의 서류를 첨부하여 국토교통부장관에게 제출해야 한다. 이 경우 국토교통부장관은 「전자정부법」에 따른 행정정보의 공동이용을 통하여 법인 등기사항증명서를 확인해야 한다.

① 별표 6에 따른 인력 및 장비 기준을 충족함을 증명할 수 있는 서류

② 법 제41조의2제5항에 따른 바닥충격음 차단구조의 성능검사업무 추진계획서

(3) 국토교통부장관은 바닥충격음성능검사기관을 지정하였을 때에는 그 명칭·대표자 및 소재지 등을 관보에 고시해야 한다.

(4) (1)~(3)까지에서 규정한 사항 외에 바닥충격음성능검사기관의 지정에 필요한 세부사항은 국토교통부장관이 정하여 고시한다.

8 바닥충격음차단구조의 성능검사방법 (규정 제60조의9)

(1) 「주택법」에 따른 바닥충격음 차단구조의 성능검사(이하 "성능검사"라 한다)를 받으려는 사업주체는 건설하는 주택의 바닥충격음 차단구조에 대한 시공이 완료된 후 바닥충격음성능검사기관의 장에게 성능검사를 신청해야 한다.

(2) (1)에 따른 신청을 받은 바닥충격음성능검사기관의 장은 주택 각 세대의 평면유형(平面類型), 면적 및 층수 등을 고려하여 구분한 세대단위별로 성능검사를 실시할 세대를 무작위로 선정하여 성능검사를 실시해야 한다.

(3) 바닥충격음성능검사기관의 장은 성능검사를 완료하면 지체 없이 사업주체에게 그 결과를 통보해야 한다.

(4) 바닥충격음성능검사기관의 장은 사업주체가 요청하면 제3항에 따라 성능검사 결과를 통보할 때 「주택법」 따른 사용검사를 하는 시장·군수·구청장(이하 "사용검사권자"라 한다)에게도 이를 통보할 수 있다. 이 경우 「주택법」에 따라 사업주체가 사용검사권자에게 성능검사 결과를 제출한 것으로 본다.

(5) (1)~(4)까지에서 규정한 사항 외에 성능검사 대상 세대 수의 산정 비율 등 성능검사에 필요한 세부사항은 국토교통부장관이 정하여 고시한다.

9 성능검사수수료 (규정 제60조의10)

(1) 성능검사 수수료는 성능검사에 필요한 시험에 드는 비용으로 한다.

(2) (1)의 수수료는 「엔지니어링산업 진흥법」에 따른 엔지니어링사업의 대가 기준을 국토교통부장관이 정하여 고시하는 방법에 따라 적용하여 바닥충격음성능검사기관의 장이 산정한다.

10 사업주체에 대한 권고 (규정 제60조의11)

(1) 사용검사권자는 법 제41조의2제6항에 따라 사업주체에게 보완 시공 등의 조치를 권고하는 경우에는 다음 각 호의 사항을 적은 문서(전자문서를 포함한다)로 해야 한다.

① 권고의 내용 및 이유

② 권고사항에 대한 조치기한

(2) 제1항에 따른 권고를 받은 사업주체는 권고받은 날부터 10일 이내에 사용검사권자에게 권고사항에 대한 조치계획서를 제출해야 한다. 다만, 기술적 검토에 시간이 걸리는 등 불가피한 경우에는 사용검사권자와 협의하여 그 기간을 연장할 수 있다.

(3) 「주택법」에서 "대통령령으로 정하는 기간"이란 (1)-②의 조치기한이 지난 날부터 5일을 말한다.

9 공업화주택

1 공업화주택의 인정 등 (규정 제61조의2)

(1) 공업화주택의 인정을 받고자 하는 자는 국토교통부령이 정하는 공업화주택인정신청서에 다음의 서류를 첨부하여 국토교통부장관에게 제출하여야 한다.
① 설계 및 제품설명서
② 설계도면·제작도면 및 시방서
③ 구조 및 성능에 관한 시험성적서 또는 구조안전확인서(건축구조 분야의 기술사가 구조안전성능 평가가 가능하다고 확인하여 작성한 것만 해당)
④ 생산공정·건설공정·생산능력 및 품질관리계획을 기재한 서류

(2) 국토교통부장관은 위 (1)에 따라 공업화주택의 인정 신청을 받은 경우에는 그 신청을 받은 날부터 60일 이내에 인정 여부를 통보해야 한다.
단서 서류보완 등 부득이한 사유로 처리기간의 연장이 필요한 경우에는 10일 이내의 범위에서 한 번만 연장할 수 있다.

(3) 국토교통부장관은 공업화주택을 인정하는 경우에는 국토교통부령으로 정하는 공업화주택인정서를 신청인에게 발급하고 이를 공고하여야 한다.

(4) 위의 (3)에 따른 공업화주택인정서를 받은 자는 국토교통부령이 정하는 바에 따라 공업화주택의 생산 및 건설실적을 국토교통부장관에게 제출하여야 한다.

(5) 공업화주택 인정의 유효기간은 공고일로부터 5년으로 한다.

(6) 공업화주택 또는 국토교통부장관이 고시한 새로운 건설기술을 적용하여 건설하는 주택을 건설하는 자는 「건설산업기본법」에 따라 건설공사의 현장에 건설기술인을 배치하여야 한다.

2 인정취소의 공고 (규정 제63조)

국토교통부장관은 공업화주택의 인정을 취소한 때에는 이를 관보에 공고하여야 한다.

10 에너지절약형 친환경 주택 등

1 에너지절약형 친환경 주택의 건설기준 등 (규정 제64조)

(1) 에너지절약형 친환경주택의 종류와 범위(「주택법 시행령」 제11조)에 따른 공동주택을 건설하는 경우에는 다음의 어느 하나 이상의 기술을 이용하여 주택의 총 에너지사용량 또는 총 이산화탄소배출량을 절감할 수 있는 에너지절약형친환경 주택으로 건설하여야 한다.
① 고단열·고기능 외피구조, 기밀설계, 일조확보 및 친환경자재 사용 등 저에너지 건물조성기술
② 고효율 열원설비, 제어설비 및 고효율 환기설비 등 에너지 고효율 설비기술
③ 태양열, 태양광, 지열 및 풍력 등 신·재생에너지 이용기술
④ 자연지반의 보존, 생태면적율의 확보 및 빗물의 순환 등 생태적 순환기능 확보를 위한 외부환경 조성기술

⑤ 건물에너지 정보화 기술, 자동제어장치 및 「지능형전력망의 구축 및 이용촉진에 관한 법률」
에 따른 지능형전력망 등 에너지 이용효율을 극대화하는 기술
(2) 위 (1)에 해당하는 주택을 건설하려는 자가 사업계획승인을 신청하는 경우에는 친환경 주택 에
너지 절약계획을 첨부하여야 한다.
(3) 친환경 주택의 건설기준 및 에너지 절약계획에 관하여 필요한 세부적인 사항은 국토교통부장관
이 정하여 고시한다.

> **고시** 에너지절약형 친환경주택의 건설기준 (국토교통부고시)

② 건강친화형 주택의 건설기준 (규정 제65조)

(1) 500세대 이상의 공동주택을 건설하는 경우에는 다음의 사항을 고려하여 세대 내의 실내공기 오
염물질 등을 최소화할 수 있는 건강친화형 주택으로 건설하여야 한다.
① 오염물질을 적게 방출하거나 오염물질의 발생을 억제 또는 저감시키는 건축자재(붙박이 가구
및 붙박이 가전제품을 포함)의 사용에 관한 사항
② 청정한 실내환경 확보를 위한 마감공사의 시공관리에 관한 사항
③ 실내공기의 원활한 환기를 위한 환기설비의 설치, 성능검증 및 유지관리에 관한 사항
④ 환기설비 등을 이용하여 신선한 바깥의 공기를 실내에 공급하는 환기의 시행에 관한 사항
(2) 건강친화형 주택의 건설기준 등에 관하여 필요한 세부적인 사항은 국토교통부장관이 정하여 고
시한다.

> **고시** 건강친화형 주택 건설기준 (국토교통부고시)

③ 장수명 주택의 인증대상 및 인증등급 등

【1】 인증대상 및 인증등급 등 (규정 제65조의2)

(1) 인증제도로 장수명 주택에 대하여 부여하는 등급은 다음과 같이 구분한다.
① 최우수 등급
② 우수 등급
③ 양호 등급
④ 일반 등급
(2) 사업주체가 1,000세대 이상의 주택을 공급하고자 하는 때에는 위 (1)의 인증제도에 따라 '일반
등급' 이상의 등급을 인정받아야 한다.
(3) 인증기관은 「녹색건축물 조성 지원법」에 따라 지정된 인증기관으로 한다.
(4) '우수 등급' 이상의 장수명 주택의 건폐율·용적률은 다음의 구분에 따라 조례로 그 제한을 완화
할 수 있다.
① 건폐율:「국토의 계획 및 이용에 관한 법률」및 같은 법 시행령에 따라 조례로 정한 건폐율의
115/100을 초과하지 아니하는 범위에서 완화.
> **단서** 「국토의 계획 및 이용에 관한 법률」에 따른 건폐율의 최대한도를 초과할 수 없다.

② 용적률:「국토의 계획 및 이용에 관한 법률」및 같은 법 시행령에 따라 조례로 정한 용적률
의 115/100을 초과하지 아니하는 범위에서 완화.
> **단서** 「국토의 계획 및 이용에 관한 법률」에 따른 용적률의 최대한도를 초과할 수 없다.

도시및주거
환경정비법

건축사법

장애인시설법

소방시설법

서울시조례

건축관계법

국토계획법

주차장법

주 택 법

도시및주거
환경정비법

건축사법

장애인시설법

소방시설법

서울시조례

【2】 장수명 주택 인증 신청 (규칙 제16제1항)

사업주체가 1,000세대 이상의 공동주택을 건설하는 경우에는 주택건설사업계획 승인을 신청하기 전에 장수명 주택 인증을 신청하여야 한다.

【3】 장수명 주택 인증기준 (규칙 제18조)

(1) 장수명 주택 인증은 다음의 성능을 평가한 종합점수를 기준으로 심사하여야 한다.

1. 콘크리트 품질 및 철근의 피복두께 등 내구성
2. 벽체재료 및 배관·기둥의 배치 등 가변성
3. 개수·보수 및 점검의 용이성 등 수리 용이성

(2) 위 (1)에 따른 장수명 주택의 인증기준에 관한 세부적인 사항은 국토교통부장관이 정하여 고시한다.

고시 장수명 주택 건설·인증기준 (국토교통부고시)

■ 공동주택관리법 시행령 [별표 3], [별표 4]

■ 공동주택관리법 시행령 [별표 3] <개정 2021.1.5.>

공동주택의 행위허가 또는 신고의 기준(제35조제1항 관련)

구분		허가기준	신고기준
1. 용도변경	가. 공동주택	법령의 개정이나 여건 변동 등으로 인하여 「주택건설기준 등에 관한 규정」에 따른 주택의 건설기준에 부적합하게 된 공동주택의 전유부분을 같은 영에 적합한 시설로 용도를 변경하는 경우로서 전체 입주자 3분의 2 이상의 동의를 받은 경우	
	나. 입주자 공유가 아닌 복리시설		「주택건설기준 등에 관한 규정」에 따른 설치기준에 적합한 범위에서 부대시설이나 입주자 공유가 아닌 복리시설로 용도를 변경하는 경우. 다만, 다음의 어느 하나에 해당하는 경우는 「건축법」 등 관계 법령에 따른다. 1) 「주택법 시행령」 제7조제1호 또는 제2호에 해당하는 시설 간에 용도를 변경하는 경우 2) 시·군·구 건축위원회의 심의를 거쳐 용도를 변경하는 경우
	다. 부대시설 및 입주자 공유인 복리시설	전체 입주자 3분의 2 이상의 동의를 얻어 주민운동시설, 주택단지 안의 도로 및 어린이놀이터를 각각 전체 면적의 2분의 1 범위에서 주차장 용도로 변경하는 경우[2013년 12월 17일 이전에 종전의 「주택건설촉진법」(법률 제6916호 주택건설촉진법개정법률로 개정되기 전의 것을 말한다) 제33조 및 종전의 「주택법」(법률 제13805호 주택법 전부개정법률로 개정되기 전의 것을 말한다) 제16조에 따른 사업계획승인을 신청하거나 「건축법」 제11조에 따른 건축허가를 받아 건축한 20세대 이상의 공동주택으로 한정한다]로	1) 「주택건설기준 등에 관한 규정」에 따른 설치기준에 적합한 범위에서 다음의 구분에 따른 동의요건을 충족하여 부대시설이나 주민공동시설로 용도변경을 하는 경우(영리를 목적으로 하지 않는 경우로 한정한다). 이 경우 필수시설은 어린이집 및 경로당이 아닌 시설만 시·군·구 건축위원회 심의를 거쳐 그 전부를 다른 용도로 변경할 수 있다. 가) 필수시설이나 경비원 등 근로자 휴게시설로 용도변경을 하는 경우: 전체 입주자등 2분의 1 이상의 동의 나) 그 밖의 경우: 전체 입주자

		서 그 용도변경의 필요성을 시장·군수·구청장이 인정하는 경우	등 3분의 2 이상의 동의 2) 2013년 12월 17일 이전에 종전의 「주택법」(법률 제13805호 주택법 전부개정법률로 개정되기 전의 것을 말한다) 제16조 에 따른 사업계획승인을 신청하여 설치한 주민공동시설의 설치면적이 「주택건설기준 등에 관한 규정」 제55조의2제1항 각 호에 따라 산정한 면적기준에 적합하지 않은 경우로서 다음의 구분에 따른 동의요건을 충족하여 주민공동시설을 다른 용도의 주민공동시설로 용도변경을 하는 경우. 이 경우 필수시설은 어린이집 및 경로당이 아닌 시설만 시·군·구 건축위원회 심의를 거쳐 그 전부를 다른 용도로 변경할 수 있다. 가) 필수시설로 용도변경을 하는 경우: 전체 입주자등 2분의 1 이상의 동의 나) 그 밖의 경우: 전체 입주자등 3분의 2 이상의 동의
2. 개축·재축·대수선	가. 공동주택	해당 동(棟) 입주자 3분의 2 이상의 동의를 받은 경우. 다만, 내력벽에 배관설비를 설치하는 경우에는 해당 동에 거주하는 입주자등 2분의 1 이상의 동의를 받아야 한다.	
	나. 부대시설 및 입주자 공유인 복리시설	전체 입주자 3분의 2 이상의 동의를 받은 경우. 다만, 내력벽에 배관설비를 설치하는 경우에는 전체 입주자등 2분의 1 이상의 동의를 받아야 한다.	
3. 파손·철거	가. 공동주택	1) 시설물 또는 설비의 철거로 구조안전에 이상이 없다고 시장·군수·구청장이 인정하는 경우로서 다음의 구분에 따른 동의요건을 충족하는 경우 가) 전유부분의 경우: 해당 동에 거주하는 입주자등 2분의 1 이상의 동의	1) 노약자나 장애인의 편리를 위한 계단의 단층 철거 등 경미한 행위로서 입주자대표회의의 동의를 받은 경우 2) 「방송통신설비의 기술기준에 관한 규정」 제3조제1항제15호의 이동통신구내중계설비(이하 "이동통신구내중계설비"라 한다)를 철

		나) 공용부분의 경우: 해당 동 입주자등 3분의 2 이상의 동의. 다만, 비내력벽을 철거하는 경우에는 해당 동에 거주하는 입주자등 2분의 1 이상의 동의를 받아야 한다. 2) 위해의 방지를 위하여 시장·군수·구청장이 부득이하다고 인정하는 경우로서 해당 동에 거주하는 입주자등 2분의 1 이상의 동의를 받은 경우	거하는 경우로서 입주자대표회의 동의를 받은 경우
	나. 부대시설 및 입주자 공유인 복리시설	1) 건축물인 부대시설 또는 복리시설을 전부 철거하는 경우로서 전체 입주자 3분의 2 이상의 동의를 받은 경우 2) 시설물 또는 설비의 철거로 구조안전에 이상이 없다고 시장·군수·구청장이 인정하는 경우로서 다음의 구분에 따른 동의요건을 충족하는 경우 가) 건축물 내부인 경우: 전체 입주자등 2분의 1 이상의 동의 나) 그 밖의 경우: 전체 입주자등 3분의 2 이상의 동의 3) 위해의 방지를 위하여 시설물 또는 설비를 철거하는 경우에는 시장·군수·구청장이 부득이하다고 인정하는 경우로서 전체 입주자등 2분의 1 이상의 동의를 받은 경우	1) 노약자나 장애인의 편리를 위한 계단의 단층 철거 등 경미한 행위로서 입주자대표회의의 동의를 받은 경우 2) 이동통신구내중계설비를 철거하는 경우로서 입주자대표회의 동의를 받은 경우 3) 국토교통부령으로 정하는 경미한 사항으로서 입주자대표회의의 동의를 받은 경우

4. 세대구분형 공동주택의 설치		「주택법 시행령」 제9조제1항제2호의 요건을 충족하는 경우로서 다음 각 목의 구분에 따른 요건을 충족하는 경우
		 가. 대수선이 포함된 경우
		  1) 내력벽에 배관설비를 설치하는 경우: 해당 동에 거주하는 입주자등 2분의 1 이상의 동의를 받은 경우
		  2) 그 밖의 경우: 해당 동 입주자 3분의 2 이상의 동의를 받은 경우
		 나. 그 밖의 경우: 시장·군수·구청장이 구조안전에 이상이 없다고 인정하는 경우로서 해당 동에	

건축관계법

국토계획법

주차장법

주택법

도시및주거
환경정비법

건축사법

장애인시설법

소방시설법

서울시조례

		거주하는 입주자등 2분의 1 이상의 동의를 받은 경우	
5. 용도폐지	가. 공동주택	1) 위해의 방지를 위하여 시장·군수·구청장이 부득이하다고 인정하는 경우로서 해당 동 입주자 3분의 2 이상의 동의를 받은 경우 2) 「주택법」 제54조에 따 라 공급했으나 전체 세대가 분양되지 않은 경우로서 시장·군수·구청장이 인정하는 경우	
	나. 입주자 공유가 아닌 복리시설	위해의 방지를 위하여 시장·군수·구청장이 부득이하다고 인정하는 경우	
	다. 부대시설 및 입주자 공유인 복리시설	위해의 방지를 위하여 시장·군수·구청장이 부득이하다고 인정하는 경우로서 전체 입주자 3분의 2 이상의 동의를 받은 경우	
6. 증축·증설	가. 공동주택 및 입주자 공유가 아닌 복리시설	1) 다음의 어느 하나에 해당하는 증축의 경우 가) 증축하려는 건축물의 위치·규모 및 용도가 「주택법」 제15조에 따른 사업계획승인을 받은 범위에 해당하는 경우 나) 시·군·구 건축위원회의 심의를 거쳐 건축물을 증축하는 경우 다) 공동주택의 필로티 부분을 전체 입주자 3분의 2 이상 및 해당 동 입주자 3분의 2 이상의 동의를 받아 국토교통부령으로 정하는 범위에서 주민공동시설로 증축하는 경우로서 통행, 안전 및 소음 등에 지장이 없다고 시장·군수·구청장이 인정하는 경우 2) 구조안전에 이상이 없다고 시장·군수·구청장이 인정하는 증설로서 다음의 구분에 따른 동의요건을 충족하는 경우 가) 공동주택의 전유부분인 경우: 해당 동에 거주하는 입주자등 2분의 1 이상의 동의 나) 공동주택의 공용부분인 경우: 해당 동 입주자등 3분의 2 이상의 동의	1) 「주택법」 제49조에 따른 사용검사를 받은 면적의 10퍼센트의 범위에서 유치원을 증축(「주택건설기준 등에 관한 규정」에 따른 설치기준에 적합한 경우로 한정한다)하거나 「장애인·노인·임산부 등의 편의증진 보장에 관한 법률」 제2조제2호의 편의시설을 설치하려는 경우 2) 이동통신구내중계설비를 설치하는 경우로서 입주자대표회의 동의를 받은 경우

나. 부대시설 및 입주자 공유인 복리시설	1) 전체 입주자 3분의 2 이상의 동의를 받아 증축하는 경우 2) 구조안전에 이상이 없다고 시장·군수·구청장이 인정하는 증설로서 다음의 구분에 따른 동의 요건을 충족하는 경우 　가) 건축물 내부의 경우: 전체 입주자등 2분의 1 이상의 동의 　나) 그 밖의 경우: 전체 입주자등 3분의 2 이상의 동의	1) 국토교통부령으로 정하는 경미한 사항으로서 입주자대표회의의 동의를 받은 경우 2) 주차장에 「환경친화적 자동차의 개발 및 보급 촉진에 관한 법률」 제2조제3호의 전기자동차의 고정형 충전기 및 충전 전용 주차구획을 설치하는 행위로서 입주자대표회의의 동의를 받은 경우 3) 이동통신구내중계설비를 설치하는 경우로서 입주자대표회의 동의를 받은 경우

비고
1. "공동주택"이란 법 제2조제1항제1호가목의 공동주택을 말한다.
2. "시·군·구 건축위원회"란 「건축법 시행령」 제5조의5제1항에 따라 시·군·자치구에 두는 건축위원회를 말한다.
3. 삭제 <2021. 1. 5.>
4. "필수시설"이란 「주택건설기준 등에 관한 규정」 제55조의2제3항 각 호 구분에 따라 설치해야 하는 주민공동시설을 말한다.
5. 「건축법」 제11조에 따른 건축허가를 받아 분양을 목적으로 건축한 공동주택 및 같은 조에 따른 건축허가를 받아 주택 외의 시설과 주택을 동일 건축물로 건축한 건축물에 대해서는 위 표 제1호다목의 허가 기준만 적용하고, 그 외의 개축·재축·대수선 등은 「건축법」 등 관계 법령에 따른다.
6. "시설물"이란 다음 각 목의 어느 하나에 해당하는 것을 말한다.
　가. 비내력벽 등 건축물의 주요구조부가 아닌 구성요소
　나. 건축물 내·외부에 설치되는 건축물이 아닌 공작물(工作物)
7. "증설"이란 증축에 해당하지 않는 것으로서 시설물 또는 설비를 늘리는 것을 말한다.
8. 입주자 공유가 아닌 복리시설의 개축·재축·대수선, 파손·철거 및 증설은 「건축법」 등 관계 법령에 따른다.
9. 시장·군수·구청장은 위 표에 따른 행위가 「건축법」 제48조제2항에 따라 구조의 안전을 확인해야 하는 사항인 경우 같은 항에 따라 구조의 안전을 확인했는지 여부를 확인해야 한다.
10. 시장·군수·구청장은 위 표에 따른 행위가 「건축물관리법」 제2조제7호의 해체에 해당하는 경우 같은 법 제30조를 준수했는지 여부를 확인해야 한다.

건축관계법

국토계획법

주차장법

주 택 법

도시및주거환경정비법

건축사법

장애인시설법

소방시설법

서울시조례

건축관계법

국토계획법

주차장법

주택법

도시및주거
환경정비법

건축사법

장애인시설법

소방시설법

서울시조례

■ 공동주택관리법 시행령 [별표 4]

시설공사별 담보책임기간(제36조제1항제2호 관련)

구 분		기간
시설공사	세부공종	
1. 마감공사	가. 미장공사 나. 수장공사(건축물 내부 마무리 공사) 다. 도장공사 라. 도배공사 마. 타일공사 바. 석공사(건물내부 공사) 사. 옥내가구공사 아. 주방기구공사 자. 가전제품	2년
2. 옥외급수·위생 관련 공사	가. 공동구공사 나. 저수조(물탱크)공사 다. 옥외위생(정화조) 관련 공사 라. 옥외 급수 관련 공사	3년
3. 난방·냉방·환기, 공기조화 설비공사	가. 열원기기설비공사 나. 공기조화기기설비공사 다. 닥트설비공사 라. 배관설비공사 마. 보온공사 바. 자동제어설비공사 사. 온돌공사(세대매립배관 포함) 아. 냉방설비공사	
4. 급·배수 및 위생설비공사	가. 급수설비공사 나. 온수공급설비공사 다. 배수·통기설비공사 라. 위생기구설비공사 마. 철 및 보온공사 바. 특수설비공사	
5. 가스설비공사	가. 가스설비공사 나. 가스저장시설공사	
6. 목공사	가. 구조체 또는 바탕재공사 나. 수장목공사	
7. 창호공사	가. 창문틀 및 문짝공사 나. 창호철물공사 다. 창호유리공사 라. 커튼월공사	
8. 조경공사	가. 식재공사 나. 조경시설물공사 다. 관수 및 배수공사 라. 조경포장공사	

	마. 조경부대시설공사 바. 잔디심기공사 사. 조형물공사	
9. 전기 및 전력설비공사	가. 배관·배선공사 나. 피뢰침공사 다. 동력설비공사 라. 수·변전설비공사 마. 수·배전공사 바. 전기기기공사 사. 발전설비공사 아. 승강기설비공사 자. 인양기설비공사 차. 조명설비공사	
10. 신재생 에너지 설비공사	가. 태양열설비공사 나. 태양광설비공사 다. 지열설비공사 라. 풍력설비공사	
11. 정보통신공사	가. 통신·신호설비공사 나. TV공청설비공사 다. 감시제어설비공사 라. 가정자동화설비공사 마. 정보통신설비공사	
12. 지능형 홈네트워크 설비 공사	가. 홈네트워크망공사 나. 홈네트워크기기공사 다. 단지공용시스템공사	
13. 소방시설공사	가. 소화설비공사 나. 제연설비공사 다. 방재설비공사 라. 자동화재탐지설비공사	
14. 단열공사	벽체, 천장 및 바닥의 단열공사	
15. 잡공사	가. 옥내설비공사(우편함, 무인택배시스템 등) 나. 옥외설비공사(담장, 울타리, 안내시설물 등), 금속공사	
16. 대지조성공사	가. 토공사 나. 석축공사 다. 옹벽공사(토목옹벽) 라. 배수공사 마. 포장공사	5년
17. 철근콘크리트공사	가. 일반철근콘크리트공사 나. 특수콘크리트공사 다. 프리캐스트콘크리트공사 라. 옹벽공사(건축옹벽) 마. 콘크리트공사	
18. 철골공사	가. 일반철골공사 나. 철골부대공사	

건축관계법

국토계획법

주차장법

주 택 법

도시및주거
환경정비법

건축사법

장애인시설법

소방시설법

서울시조례

	다. 경량철골공사
19. 조적공사	가. 일반벽돌공사 나. 점토벽돌공사 다. 블록공사 라. 석공사(건물외부 공사)
20. 지붕공사	가. 지붕공사 나. 홈통 및 우수관공사
21. 방수공사	방수공사

[비고] 기초공사·지정공사 등 「집합건물의 소유 및 관리에 관한 법률」 제9조의2제1항제1호에 따른 지반공사의
경우 담보책임기간은 10년

都市 및 住居環境整備法 解說

최종개정 :　도시 및 주거환경정비법　2024. 1. 30
시　행　령　2023.12.　5
시 행 규 칙　2024. 1. 19

목   차

건축관계법

국토계획법

주차장법

주 택 법

도시및주거
환경정비법

건축사법

장애인시설법

소방시설법

서울시조례

총 칙

1 목적 (법/제1조)

이 법은 도시기능의 회복이 필요하거나 주거환경이 불량한 지역을 계획적으로 정비하고 노후·불량건축물을 효율적으로 개량하기 위하여 필요한 사항을 규정함으로써 도시환경을 개선하고 주거생활의 질을 높이는데 이바지함을 목적으로 한다.

2 정의 (법/제2조)

이 법에서 사용하는 용어의 뜻은 다음과 같다.

【1】 정비구역

"정비구역"이란 정비사업을 계획적으로 시행하기 위하여 지정·고시된 구역을 말한다.

【2】 정비사업

"정비사업"이란 이 법에서 정한 절차에 따라 도시기능을 회복하기 위하여 정비구역에서 정비기반시설을 정비하거나 주택 등 건축물을 개량 또는 건설하는 다음의 사업을 말한다.

(1) 주거환경개선사업

도시저소득 주민이 집단거주하는 지역으로서 정비기반시설이 극히 열악하고 노후·불량건축물이 과도하게 밀집한 지역의 주거환경을 개선하거나 단독주택 및 다세대주택이 밀집한 지역에서 정비기반시설과 공동이용시설 확충을 통하여 주거환경을 보전·정비·개량하기 위한 사업

(2) 재개발사업

정비기반시설이 열악하고 노후·불량건축물이 밀집한 지역에서 주거환경을 개선하거나 상업지역·공업지역 등에서 도시기능의 회복 및 상권활성화 등을 위하여 도시환경을 개선하기 위한 사업. 이 경우 다음 요건을 모두 갖추어 시행하는 재개발사업을 "공공재개발사업"이라 한다.

① 특별자치시장, 특별자치도지사, 시장, 군수, 자치구의 구청장, 토지주택공사등(조합과 공동으로 시행하는 경우를 포함한다)이 주거환경개선사업의 시행자, 재개발사업의 시행자나 재개발사업의 대행자일 것

건축관계법

국토계획법

주차장법

주택법

도시및주거
환경정비법

건축사법

장애인시설법

소방시설법

서울시조례

② 건설·공급되는 주택의 전체 세대수 또는 전체 연면적 중 토지등소유자 대상 분양분(제80조에 따른 지분형주택은 제외한다)을 제외한 나머지 주택의 세대수 또는 연면적의 100분의 20 이상 100분의 50 이하의 범위에서 대통령령으로 정하는 기준에 따라 특별시·광역시·특별자치시·도·특별자치도 또는 「지방자치법」 제198조에 따른 서울특별시·광역시 및 특별자치시를 제외한 인구 50만 이상 대도시(이하 "대도시"라 한다)의 조례(이하 "시·도조례"라 한다)로 정하는 비율 이상을 지분형주택, 「공공주택 특별법」에 따른 공공임대주택 또는 공공지원민간임대주택으로 건설·공급할 것. 이 경우 주택 수 산정방법 및 주택 유형별 건설비율은 대통령령으로 정한다.

(3) 재건축사업

정비기반시설은 양호하나 노후·불량건축물에 해당하는 공동주택이 밀집한 지역에서 주거환경을 개선하기 위한 사업. 이 경우 다음 요건을 모두 갖추어 시행하는 재건축사업을 "공공재건축사업"이라 한다.

① 시장·군수등 또는 토지주택공사등(조합과 공동으로 시행하는 경우를 포함한다)이 재건축사업의 시행자나 재건축사업의 대행자(이하 "공공재건축사업 시행자"라 한다)일 것

② 종전의 용적률, 토지면적, 기반시설 현황 등을 고려하여 대통령령으로 정하는 세대수 이상을 건설·공급할 것. 다만, 도시·군기본계획, 토지이용 현황 등 대통령령으로 정하는 불가피한 사유로 해당하는 세대수를 충족할 수 없다고 인정하는 경우에는 그러하지 아니하다.

【3】 노후·불량건축물 (영 제2조)

"노후·불량건축물"이란 다음의 어느 하나에 해당하는 건축물을 말한다.

(1) 건축물이 훼손되거나 일부가 멸실되어 붕괴, 그 밖의 안전사고의 우려가 있는 건축물

(2) 내진성능이 확보되지 아니한 건축물 중 중대한 기능적 결함 또는 부실 설계·시공으로 구조적 결함 등이 있는 건축물로서 건축물을 건축하거나 대수선할 당시 건축법령에 따른 지진에 대한 안전 여부 확인 대상이 아닌 건축물로서 다음의 어느 하나에 해당하는 건축물을 말한다.

① 급수·배수·오수 설비 등의 설비 또는 지붕·외벽 등 마감의 노후화나 손상으로 그 기능을 유지하기 곤란할 것으로 우려되는 건축물

② 안전진단기관이 실시한 안전진단 결과 건축물의 내구성·내하력(耐荷力) 등이 국토교통부장관이 정하여 고시하는 기준에 미치지 못할 것으로 예상되어 구조 안전의 확보가 곤란할 것으로 우려되는 건축물

(3) 다음의 요건을 모두 충족하는 건축물로서 아래의 표에 따라 시·도 조례로 정하는 건축물

① 주변 토지의 이용 상황 등에 비추어 주거환경이 불량한 곳에 위치할 것

② 건축물을 철거하고 새로운 건축물을 건설하는 경우 건설에 드는 비용과 비교하여 효용의 현저한 증가가 예상될 것

■ 일정 요건에 해당하는 건축물

1. 「건축법」에 따라 해당 지방자치단체의 조례가 정하는 면적에 미달되거나 「국토의 계획 및 이용에 관한 법률」의 규정에 의한 도시·군계획시설 등의 설치로 인하여 효용을 다할 수 없게 된 대지에 있는 건축물
2. 공장의 매연·소음 등으로 인하여 위해를 초래할 우려가 있는 지역 안에 있는 건축물
3. 해당 건축물을 준공일 기준으로 40년까지 사용하기 위하여 보수·보강하는데 드는 비용이 철거 후 새로운 건축물을 건설하는 데 드는 비용보다 클 것으로 예상되는 건축물

(4) 도시미관을 저해하거나 노후화된 건축물로서 다음에 해당하는 시·도조례로 정하는 건축물

1. 준공된 후 20년 이상 30년 이하의 범위에서 조례로 정하는 기간이 지난 건축물

2. 「국토의 계획 및 이용에 관한 법률」에 따른 도시·군기본계획의 경관에 관한 사항에 어긋나는 건축물

조례 「서울특별시 도시 및 주거환경 정비조례」 제4조 【노후·불량건축물】

① 영 제2조제3항제1호에 따라 노후·불량건축물로 보는 기준은 다음 각 호와 같다.
  1. 공동주택
    가. 철근콘크리트·철골콘크리트·철골철근콘크리트 및 강구조인 공동주택: 별표 1에 따른 기간
    나. 가목 이외의 공동주택: 20년
  2. 공동주택 이외의 건축물
    가. 철근콘크리트·철골콘크리트·철골철근콘크리트 및 강구조 건축물(「건축법 시행령」 별표 1
        제1호에 따른 단독주택을 제외한다): 30년
    나. 가목 이외의 건축물: 20년
② 영 제2조제2항제1호에 따른 노후·불량건축물은 건축대지로서 효용을 다할 수 없는 과소필지 안
  의 건축물로서 2009년 8월 11일 전에 건축된 건축물을 말한다.
③ 미사용승인건축물의 용도별 분류 및 구조는 건축허가 내용에 따르며, 준공 연도는 재산세 및 수
  도요금·전기요금 등의 부과가 개시된 날이 속하는 연도로 한다.
[전부개정 2018.7.19]

[별표 1] (개정 2016.3.24)

철근콘크리트·철골콘크리트·철골철근콘크리트
및 강구조 공동주택의 노후·불량건축물 기준 (제4조제1항제1호 관련)

구분 준공년도	5층 이상 건축물	4층 이하 건축물
1981.12.31. 이전	20년	20년
1982	22년	21년
1983	24년	22년
1984	26년	23년
1985	28년	24년
1986	30년	25년
1987		26년
1988		27년
1989		28년
1990		29년
1991.1.1. 이후		30년

건축관계법

국토계획법

주차장법

주 택 법

도시및주거
환경정비법

건축사법

장애인시설법

소방시설법

서울시조례

【4】 정비기반시설 $\binom{영}{제3조}$

"정비기반시설"이란 도로·상하수도·구거(溝渠: 도랑)·공원·공용주차장·공동구(「국토의 계획 및 이용에 관한 법률」에 따른 공동구를 말한다), 그 밖에 주민의 생활에 필요한 열·가스 등의 공급시설로서 다음에 해당하는 시설을 말한다.

① 녹지   ② 하천
③ 공공공지   ④ 광장
⑤ 소방용수시설   ⑥ 비상대피시설
⑦ 가스공급시설   ⑧ 지역난방시설
⑨ 주거환경개선사업을 위하여 지정·고시된 정비구역에 설치하는 공동이용시설로서 사업시행계획서에 해당 특별자치시장·특별자치도지사·시장·군수 또는 자치구의 구청장(이하 "시장·군수등"이라 한다)이 관리하는 것으로 포함된 시설

【5】 공동이용시설 $\binom{영}{제4조}$

"공동이용시설"이라 함은 주민이 공동으로 사용하는 놀이터·마을회관·공동작업장 그 밖에 다음에 해당하는 시설을 말한다.
① 공동으로 사용하는 구판장·세탁장·화장실 및 수도
② 탁아소·어린이집·경로당 등 노유자시설
③ 그 밖에 주민이 공동으로 사용하는 시설로서 위 ① 및 ②의 시설과 유사한 용도의 시설로서 시·도 조례로 정하는 시설

【6】 대지

"대지"라 함은 정비사업에 의하여 조성된 토지를 말한다.

【7】 주택단지

주택 및 부대시설·복리시설을 건설하거나 대지로 조성되는 일단의 토지로서 다음의 어느 하나에 해당하는 일단의 토지를 말한다.
① 「주택법」에 따른 사업계획승인을 받아 주택 및 부대시설·복리시설을 건설한 일단의 토지
② 위 ①에 따른 일단의 토지 중 「국토의 계획 및 이용에 관한 법률」 제2조제7호에 따른 도시·군계획시설인 도로나 그 밖에 이와 유사한 시설로 분리되어 따로 관리되고 있는 각각의 토지
③ 위 ①에 따른 일단의 토지 둘 이상이 공동으로 관리되고 있는 경우 그 전체 토지
④ 위 ①에 따라 분할된 토지 또는 분할되어 나가는 토지
⑤ 「건축법」에 따라 건축허가를 받아 아파트 또는 연립주택을 건설한 일단의 토지

【8】 사업시행자

"사업시행자"란 정비사업을 시행하는 자를 말한다.

【9】 토지등소유자

"토지등소유자"라 함은 다음의 어느 하나에 해당하는 자를 말한다.
단서 「자본시장과 금융투자업에 관한 법률」에 따른 신탁업자가 사업시행자로 지정된 경우 토지등소유자가 정비사업을 목적으로 신탁업자에게 신탁한 토지 또는 건축물에 대하여는 위탁자를 토지등소유자로 본다.

(1) 주거환경개선사업 및 재개발사업의 경우에는 정비구역에 위치한 토지 또는 건축물의 소유자 또는 그 지상권자

(2) 재건축사업의 경우에는 정비구역에 위치한 건축물 및 그 부속토지의 소유자

【10】 토지주택공사등

"토지주택공사등"이란 「한국토지주택공사법」에 따라 설립된 한국토지주택공사 또는 「지방공기업법」에 따라 주택사업을 수행하기 위하여 설립된 지방공사를 말한다.

【11】 정관등

"정관등"이란 다음의 것을 말한다.
   ① 조합의 정관
   ② 사업시행자인 토지등소유자가 자치적으로 정한 규약
   ③ 시장·군수등, 토지주택공사등 또는 신탁업자가 작성한 시행규정

3 도시·주거환경정비 기본방침 (법 제3조)

국토교통부장관은 도시 및 주거환경을 개선하기 위하여 10년마다 다음의 사항을 포함한 기본방침을 정하고, 5년마다 타당성을 검토하여 그 결과를 기본방침에 반영해야 한다.

(1) 도시 및 주거환경 정비를 위한 국가 정책 방향

(2) 도시·주거환경정비기본계획의 수립 방향

(3) 노후·불량 주거지 조사 및 개선계획의 수립

(4) 도시 및 주거환경 개선에 필요한 재정지원계획

(5) 그 밖에 도시 및 주거환경 개선을 위하여 필요한 사항으로서 대통령령으로 정하는 사항

건축관계법

국토계획법

주차장법

주 택 법

도시및주거
환경정비법

건축사법

장애인시설법

소방시설법

서울시조례

2

기본계획의 수립 및
정비구역의 지정

1 도시·주거환경정비기본계획의 수립 (법 제4조)

(1) 특별시장·광역시장·특별자치시장·특별자치도지사 또는 시장은 관할 구역에 대하여 도시·주거환경 정비기본계획(이하 "기본계획"이라 한다)을 10년 단위로 수립해야 한다.

예외 도지사가 대도시가 아닌 시로서 기본계획을 수립할 필요가 없다고 인정하는 시에 대하여는 기본계획을 수립하지 아니할 수 있다.

(2) 특별시장·광역시장·특별자치시장·특별자치도지사 또는 시장(이하 "기본계획의 수립권자"라 한다)은 기본계획에 대하여 5년마다 타당성 여부를 검토하여 그 결과를 기본계획에 반영해야 한다.

2 기본계획의 내용 (법 제5조)(영 제5조)

(1) 기본계획에는 다음의 사항이 포함되어야 한다.

① 정비사업의 기본방향
② 정비사업의 계획기간
③ 인구·건축물·토지이용·정비기반시설·지형 및 환경 등의 현황
④ 주거지 관리계획
⑤ 토지이용계획·정비기반시설계획·공동이용시설설치계획 및 교통계획
⑥ 녹지·조경·에너지공급·폐기물처리 등에 관한 환경계획
⑦ 사회복지시설 및 주민문화시설 등의 설치계획
⑧ 도시의 광역적 재정비를 위한 기본방향
⑨ 정비구역으로 지정할 예정인 구역(이하 "정비예정구역"이라 한다)의 개략적 범위
⑩ 단계별 정비사업 추진계획(정비예정구역별 정비계획의 수립시기가 포함되어야 한다)

⑪ 건폐율·용적률 등에 관한 건축물의 밀도계획

⑫ 세입자에 대한 주거안정대책

⑬ 그 밖에 주거환경 등을 개선하기 위하여 필요한 다음에 해당하는 사항

　　㉠ 도시관리·주택·교통정책 등 「국토의 계획 및 이용에 관한 법률」의 도시·군계획과 연계된 도시·주거환경정비의 기본방향

　　㉡ 도시·주거환경정비의 목표

　　㉢ 도심기능의 활성화 및 도심공동화 방지 방안

　　㉣ 역사적 유물 및 전통건축물의 보존계획

　　㉤ 정비사업의 유형별 공공 및 민간부문의 역할

　　㉥ 정비사업의 시행을 위하여 필요한 재원조달에 관한 사항

(2) 기본계획의 수립권자는 기본계획에 다음의 사항을 포함하는 경우에는 위 (1)-⑨ 및 ⑩의 사항을 생략할 수 있다.

　　① 생활권의 설정, 생활권별 기반시설 설치계획 및 주택수급계획

　　② 생활권별 주거지의 정비·보전·관리의 방향

(3) 기본계획의 작성기준 및 작성방법은 국토교통부장관이 정하여 고시한다.

▊3 기본계획 수립을 위한 주민의견청취 등 $\left(\genfrac{}{}{0pt}{}{법}{제6조}\right)\left(\genfrac{}{}{0pt}{}{영}{제6조}\right)$

(1) 기본계획의 수립권자는 기본계획을 수립하거나 변경하려는 경우에는 14일 이상 주민에게 공람하여 의견을 들어야 하며, 제시된 의견이 타당하다고 인정되면 이를 기본계획에 반영해야 한다.

　　① 특별시장·광역시장·특별자치시장·특별자치도지사 또는 시장은 도시·주거환경정비기본계획(이하 "기본계획"이라 한다)을 주민에게 공람하려는 때에는 미리 공람의 요지 및 장소를 해당 지방자치단체의 공보 및 인터넷(이하 "공보등"이라 한다)에 공고하고, 공람장소에 관계 서류를 갖추어 두어야 한다.

　　② 주민은 공람기간 이내에 특별시장·광역시장·특별자치시장·특별자치도지사 또는 시장에게 서면(전자문서를 포함한다)으로 의견을 제출할 수 있다.

　　③ 특별시장·광역시장·특별자치시장·특별자치도지사 또는 시장은 제출된 의견을 심사하여 채택할 필요가 있다고 인정하는 때에는 이를 채택하고, 채택하지 아니한 경우에는 의견을 제출한 주민에게 그 사유를 알려주어야 한다.

(2) 기본계획의 수립권자는 위(1)에 따른 공람과 함께 지방의회의 의견을 들어야 한다. 이 경우 지방의회는 기본계획의 수립권자가 기본계획을 통지한 날부터 60일 이내에 의견을 제시해야 하며, 의견제시 없이 60일이 지난 경우 이의가 없는 것으로 본다.

(3) 위 (1) 및 (2)에도 불구하고 다음에 해당하는 경미한 사항을 변경하는 경우에는 주민공람과 지방의회의 의견청취 절차를 거치지 아니할 수 있다.

　　① 정비기반시설의 규모를 확대하거나 그 면적을 10% 미만의 범위에서 축소하는 경우

　　　　예외 주거환경개선사업을 위하여 지정·고시된 정비구역에 설치하는 공동이용시설로서 사업시행계획서에 시장·군수등이 관리하는 것으로 포함된 시설은 제외한다.

　　② 정비사업의 계획기간을 단축하는 경우

　　③ 공동이용시설에 대한 설치계획을 변경하는 경우

　　④ 사회복지시설 및 주민문화시설 등에 대한 설치계획을 변경하는 경우

건축관계법 / 국토계획법 / 주차장법 / 주택법 / 도시및주거환경정비법 / 건축사법 / 장애인시설법 / 소방시설법 / 서울시조례

2장   제6편 도시 및 주거환경정비법

건축관계법

국토계획법

주차장법

주 택 법

도시및주거
환경정비법

건축사법

장애인시설법

소방시설법

서울시조례

⑤ 구체적으로 면적이 명시된 정비예정구역의 면적을 20% 미만의 범위에서 변경하는 경우

⑥ 단계별 정비사업 추진계획을 변경하는 경우

⑦ 건폐율(「건축법」에 따른 건폐율을 말한다) 및 용적률(「건축법」에 따른 용적률을 말한다)을 각 20% 미만의 범위에서 변경하는 경우

⑧ 정비사업의 시행을 위하여 필요한 재원조달에 관한 사항을 변경하는 경우

⑨ 「국토의 계획 및 이용에 관한 법률」에 따른 도시·군기본계획의 변경에 따라 기본계획을 변경하는 경우

4 기본계획의 확정·고시 등 (법 제7조)

(1) 기본계획의 수립권자(대도시의 시장이 아닌 시장은 제외한다)는 기본계획을 수립하거나 변경하려면 관계 행정기관의 장과 협의한 후 「국토의 계획 및 이용에 관한 법률」에 따른 지방도시계획위원회의 심의를 거쳐야 한다.

　　예외 위 **3**-(3)에 해당하는 경미한 사항을 변경하는 경우에는 관계 행정기관의 장과의 협의 및 지방도시계획위원회의 심의를 거치지 아니한다.

(2) 대도시의 시장이 아닌 시장은 기본계획을 수립하거나 변경하려면 도지사의 승인을 받아야 하며, 도지사가 이를 승인하려면 관계 행정기관의 장과 협의한 후 지방도시계획위원회의 심의를 거쳐야 한다.

　　예외 위 (1)의 예외 에 해당하는 변경의 경우에는 도지사의 승인을 받지 아니할 수 있다.

(3) 기본계획의 수립권자는 기본계획을 수립하거나 변경한 때에는 지체 없이 이를 해당 지방자치단체의 공보에 고시하고 일반인이 열람할 수 있도록 해야 한다.

(4) 기본계획의 수립권자는 기본계획을 고시한 때에는 다음의 방법 및 절차에 따라 국토교통부장관에게 보고해야 한다.

① 특별시장·광역시장·특별자치시장·특별자치도지사 또는 시장(이하 "기본계획의 수립권자"라 한다)은 도시·주거환경정비기본계획(이하 "기본계획"이라 한다)의 수립 또는 변경사실을 고시하는 경우에는 다음의 사항을 포함해야 한다.

㉠ 기본계획의 요지

㉡ 기본계획서의 열람 장소

② 기본계획의 수립권자는 국토교통부장관에게 위 ①에 따른 고시내용에 기본계획서를 첨부하여 보고(전자문서에 의한 보고를 포함한다)해야 한다. 이 경우 시장(대도시의 시장은 제외한다)은 도지사를 거쳐 보고(전자문서에 의한 보고를 포함한다)해야 한다.

5 정비구역의 지정 (법 제8조)(영 제7조)

(1) 특별시장·광역시장·특별자치시장·특별자치도지사·시장 또는 군수(광역시의 군수는 제외하며, 이하 "정비구역의 지정권자"라 한다)는 기본계획에 적합한 범위에서 노후·불량건축물이 밀집하는 등 다음의 요건에 해당하는 구역에 대하여 정비계획을 결정하여 정비구역을 지정(변경지정을 포함한다)할 수 있다.

① 주거환경개선사업을 위한 정비계획은 다음의 어느 하나에 해당하는 지역에 대하여 입안한다.

1. 1985년 6월 30일 이전에 건축된 건축물로서 법률 제3533호 「특정건축물 정리에 관한 특별조치법」에 따른 무허가건축물 또는 위법시공건축물과 노후·불량건축물이 밀집되어 있어 주거지로서의 기능을 다하지 못하거나 도시미관을 현저히 훼손하고 있는 지역

2. 「개발제한구역의 지정 및 관리에 관한 특별조치법」에 따른 개발제한구역으로서 그 구역지정 이전에 건축된 노후·불량건축물의 수가 해당 정비구역의 건축물 수의 50% 이상인 지역

3. 재개발사업을 위한 정비구역의 토지면적의 50% 이상의 소유자와 토지 또는 건축물을 소유하고 있는 자의 50% 이상이 각각 재개발사업의 시행을 원하지 않는 지역

4. 철거민이 50세대 이상 규모로 정착한 지역이거나 인구가 과도하게 밀집되어 있고 기반시설의 정비가 불량하여 주거환경이 열악하고 그 개선이 시급한 지역

5. 정비기반시설이 현저히 부족하여 재해발생 시 피난 및 구조 활동이 곤란한 지역

6. 건축대지로서 효용을 다할 수 없는 과소필지 등이 과다하게 분포된 지역으로서 건축행위 제한 등으로 주거환경이 열악하여 그 개선이 시급한 지역

7. 「국토의 계획 및 이용에 관한 법률」에 따른 방재지구로서 주거환경개선사업이 필요한 지역

8. 단독주택 및 다세대주택 등이 밀집한 지역으로서 주거환경의 보전·정비·개량이 필요한 지역

9. 해제된 정비구역 및 정비예정구역

10. 기존 단독주택 재건축사업 또는 재개발사업을 위한 정비구역 및 정비예정구역의 토지등소유자의 50% 이상이 주거환경개선사업으로의 전환에 동의하는 지역

11. 「도시재정비 촉진을 위한 특별법」에 따른 존치지역 및 재정비촉진지구가 해제된 지역

② 재개발사업을 위한 정비계획은 노후·불량건축물의 수가 전체 건축물의 수의 2/3(시·도조례로 비율의 10% 포인트 범위에서 증감할 수 있다) 이상인 지역으로서 다음의 어느 하나에 해당하는 지역에 대하여 입안한다. 이 경우 순환용주택을 건설하기 위하여 필요한 지역을 포함할 수 있다.

1. 정비기반시설의 정비에 따라 토지가 대지로서의 효용을 다할 수 없게 되거나 과소토지로 되어 도시의 환경이 현저히 불량하게 될 우려가 있는 지역

2. 노후·불량건축물의 연면적의 합계가 전체 건축물의 연면적의 합계의 2/3(시·도조례로 비율의 10% 포인트 범위에서 증감할 수 있다) 이상이거나 건축물이 과도하게 밀집되어 있어 그 구역 안의 토지의 합리적인 이용과 가치의 증진을 도모하기 곤란한 지역

3. 인구·산업 등이 과도하게 집중되어 있어 도시기능의 회복을 위하여 토지의 합리적인 이용이 요청되는 지역

4. 해당 지역의 최저고도지구의 토지(정비기반시설용지를 제외한다)면적이 전체 토지면적의 50%를 초과하고, 그 최저고도에 미달하는 건축물이 해당 지역 건축물의 바닥면적합계의 2/3 이상인 지역

5. 공장의 매연·소음 등으로 인접지역에 보건위생상 위해를 초래할 우려가 있는 공업지역 또는 「산업집적활성화 및 공장설립에 관한 법률」에 따른 도시형공장이나 공해발생정도가 낮은 업종으로 전환하려는 공업지역

6. 역세권 등 양호한 기반시설을 갖추고 있어 대중교통 이용이 용이한 지역으로서 「주택법」에 따라 토지의 고도이용과 건축물의 복합개발을 통한 주택 건설·공급이 필요한 지역

7. 위 ①-4. 또는 위 ①-5.에 해당하는 지역

건축관계법

국토계획법

주차장법

주 택 법

도시및주거
환경정비법

건축사법

장애인시설법

소방시설법

서울시조례

건축관계법

국토계획법

주차장법

주 택 법

도시및주거
환경정비법

건축사법

장애인시설법

소방시설법

서울시조례

관계법 「주택법」 제20조 【주택건설사업 등에 의한 임대주택의 건설 등】

① 사업주체(리모델링을 시행하는 자는 제외한다)가 다음 각 호의 사항을 포함한 사업계획승인신청서(「건축법」 제11조제3항의 허가신청서를 포함한다. 이하 이 조에서 같다)를 제출하는 경우 사업계획승인권자(건축허가권자를 포함한다)는 「국토의 계획 및 이용에 관한 법률」 제78조의 용도지역별 용적률 범위에서 특별시·광역시·특별자치시·특별자치도·시 또는 군의 조례로 정하는 기준에 따라 용적률을 완화하여 적용할 수 있다.

1. 제15조제1항에 따른 호수 이상의 주택과 주택 외의 시설을 동일 건축물로 건축하는 계획

2. 임대주택의 건설·공급에 관한 사항

② 제1항에 따라 용적률을 완화하여 적용하는 경우 사업주체는 완화된 용적률의 60퍼센트 이하의 범위에서 대통령령으로 정하는 비율 이상에 해당하는 면적을 임대주택으로 공급하여야 한다. 이 경우 사업주체는 임대주택을 국토교통부장관, 시·도지사, 한국토지주택공사 또는 지방공사(이하 "인수자"라 한다)에 공급하여야 하며 시·도지사가 우선 인수할 수 있다. 다만, 시·도지사가 임대주택을 인수하지 아니하는 경우 다음 각 호의 구분에 따라 국토교통부장관에게 인수자 지정을 요청하여야 한다.

1. 특별시장, 광역시장 또는 도지사가 인수하지 아니하는 경우: 관할 시장, 군수 또는 구청장이 제1항의 사업계획승인(「건축법」 제11조의 건축허가를 포함한다. 이하 이 조에서 같다)신청 사실을 특별시장, 광역시장 또는 도지사에게 통보한 후 국토교통부장관에게 인수자 지정 요청

2. 특별자치시장 또는 특별자치도지사가 인수하지 아니하는 경우: 특별자치시장 또는 특별자치도지사가 직접 국토교통부장관에게 인수자 지정 요청

③ 제2항에 따라 공급되는 임대주택의 공급가격은 「공공주택 특별법」 제50조의3제1항에 따른 공공건설임대주택의 분양전환가격 산정기준에서 정하는 건축비로 하고, 그 부속토지는 인수자에게 기부채납한 것으로 본다.

④~⑥ <생략>

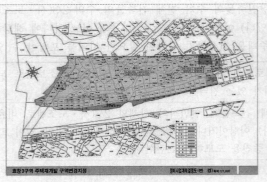

[주택재개발사업구역-용산 효창3구역]

[주택재개발사업구역-용산 효창3구역 투시도]

③ 재건축사업을 위한 정비계획은 위 ① 및 ②에 해당하지 않는 지역으로서 다음의 어느 하나에 해당하는 지역에 대하여 입안한다.

1. 건축물의 일부가 멸실되어 붕괴나 그 밖의 안전사고의 우려가 있는 지역

2. 재해 등이 발생할 경우 위해의 우려가 있어 신속히 정비사업을 추진할 필요가 있는 지역

3. 노후·불량건축물로서 기존 세대수가 200세대 이상이거나 그 부지면적이 10,000㎡ 이상인 지역

4. 셋 이상의 「건축법 시행령」에 따른 아파트 또는 연립주택이 밀집되어 있는 지역으로서 안전진단 실시 결과 전체 주택의 2/3 이상이 재건축이 필요하다는 판정을 받은 지역으로서 시·도 조례로 정하는 면적 이상인 지역

④ 무허가건축물의 수, 노후·불량건축물의 수, 호수밀도, 토지의 형상 또는 주민의 소득 수준 등 정비계획의 입안대상지역 요건은 필요한 경우 위 ①~③에서 규정한 범위에서 시·도조례로 이를 따로 정할 수 있으며, 부지의 정형화, 효율적인 기반시설의 확보 등을 위하여 필요하다고 인정되는 경우에는 지방도시계획위원회의 심의를 거쳐 위 ①~③의 규정에 해당하는 정비구역의 입안대상지역 면적의 110/1000 이하의 범위에서 시·도조례로 정하는 바에 따라 위 ①~③의 규정에 해당하지 않는 지역을 포함하여 정비계획을 입안할 수 있다.

⑤ 건축물의 상당수가 붕괴나 그 밖의 안전사고의 우려가 있거나 상습 침수, 홍수, 산사태, 해일, 토사 또는 제방 붕괴 등으로 재해가 생길 우려가 있는 지역에 대해서는 정비계획을 입안할 수 있다.

(2) 위 (1)에도 불구하고 다음에 따라 정비사업을 시행하려는 경우에는 기본계획을 수립하거나 변경하지 아니하고 정비구역을 지정할 수 있다.
　① 천재지변의 경우
　②「재난 및 안전관리 기본법」 또는 「시설물의 안전 및 유지관리에 관한 특별법」에 따른 사용제한·사용금지, 그 밖의 불가피한 사유로 긴급하게 정비사업을 시행할 필요가 있다고 인정하는 경우

(3) 정비구역의 지정권자는 정비구역의 진입로 설치를 위하여 필요한 경우에는 진입로 지역과 그 인접지역을 포함하여 정비구역을 지정할 수 있다.

(4) 정비구역의 지정권자는 정비구역 지정을 위하여 직접 정비계획을 입안할 수 있다.

(5) 자치구의 구청장 또는 광역시의 군수("구청장등"이라 한다)는 정비계획을 입안하여 특별시장·광역시장에게 정비구역 지정을 신청해야 한다. 이 경우 지방의회의 의견을 첨부해야 한다.

관계법 「재난 및 안전관리 기본법」 제27조 【특정관리대상시설 등의 지정 및 관리 등】
　① 중앙행정기관의 장 또는 지방자치단체의 장은 재난이 발생할 위험이 높거나 재난예방을 위하여 계속적으로 관리할 필요가 있다고 인정되는 지역을 대통령령으로 정하는 바에 따라 특정관리대상지역으로 지정할 수 있다.
　② 재난관리책임기관의 장은 제1항에 따라 지정된 특정관리대상지역에 대하여 대통령령으로 정하는 바에 따라 재난 발생의 위험성을 제거하기 위한 조치 등 특정관리대상지역의 관리·정비에 필요한 조치를 하여야 한다.
　③ 중앙행정기관의 장, 지방자치단체의 장 및 재난관리책임기관의 장은 제1항 및 제2항에 따른 지정 및 조치 결과를 대통령령으로 정하는 바에 따라 행정안전부장관에게 보고하거나 통보하여야 한다. <개정 2017.7.26.>
　④ 행정안전부장관은 제3항에 따라 보고받거나 통보받은 사항을 대통령령으로 정하는 바에 따라 정기적으로 또는 수시로 국무총리에게 보고하여야 한다. <개정 2017.7.26.>
　⑤ 국무총리는 제4항에 따라 보고받은 사항 중 재난을 예방하기 위하여 필요하다고 인정하는 사항에 대해서는 중앙행정기관의 장, 지방자치단체의 장 또는 재난관리책임기관의 장에게 시정조치나 보완을 요구할 수 있다.
　⑥ 제1항부터 제5항까지에서 규정한 사항 외에 특정관리대상지역의 지정, 관리 및 정비에 필요한 사항은 대통령령으로 정한다.
　[전문개정 2017.1.17.]

건축관계법

국토계획법

주차장법

주 택 법

도시및주거
환경정비법

건축사법

장애인시설법

소방시설법

서울시조례

건축관계법

국토계획법

주차장법

주 택 법

도시및주거
환경정비법

건축사법

장애인시설법

소방시설법

서울시조례

관계법 「시설물의 안전 및 유지관리에 관한 특별법」 제23조 【긴급안전조치】
① 관리주체는 시설물의 중대한결함등을 통보받는 등 시설물의 구조상 공중의 안전한 이용에 미치는 영향이 중대하여 긴급한 조치가 필요하다고 인정되는 경우에는 시설물의 사용제한·사용금지·철거, 주민대피 등의 안전조치를 하여야 한다. <개정 2019. 8. 20.>
② 시장·군수·구청장은 시설물의 중대한결함등을 통보받는 등 시설물의 구조상 공중의 안전한 이용에 미치는 영향이 중대하여 긴급한 조치가 필요하다고 인정되는 경우에는 관리주체에게 시설물의 사용제한·사용금지·철거, 주민대피 등의 안전조치를 명할 수 있다. 이 경우 관리주체는 신속하게 안전조치명령을 이행하여야 한다. <개정 2019. 8. 20.>
③ 관리주체는 제1항 또는 제2항에 따른 사용제한 등을 하는 경우에는 즉시 그 사실을 관계 행정기관의 장 및 국토교통부장관에게 통보하여야 하며, 통보를 받은 관계 행정기관의 장은 이를 공고하여야 한다.
④ 시장·군수·구청장은 제2항에 따른 안전조치명령을 받은 자가 그 명령을 이행하지 아니하는 경우에는 그에 대신하여 필요한 안전조치를 할 수 있다. 이 경우 「행정대집행법」을 준용한다.
⑤ 시장·군수·구청장은 제4항에 따른 안전조치를 할 때에는 미리 해당 관리주체에게 서면으로 그 사실을 알려주어야 한다. 다만, 긴급한 경우이거나 알리는 것이 불가능한 경우에는 안전조치를 한 후 그 사실을 통보할 수 있다.
[전부개정 2017.1.17.]

6 정비계획의 내용 (법 제9조)(영 제8조)

(1) 정비계획에는 다음의 사항이 포함되어야 한다.
① 정비사업의 명칭
② 정비구역 및 그 면적
③ 토지등소유자별 분담금 추산액 및 산출근거
④ 도시·군계획시설의 설치에 관한 계획
⑤ 공동이용시설 설치계획
⑥ 건축물의 주용도·건폐율·용적률·높이에 관한 계획
⑦ 환경보전 및 재난방지에 관한 계획
⑧ 정비구역 주변의 교육환경 보호에 관한 계획
⑨ 세입자 주거대책
⑩ 정비사업시행 예정시기
⑪ 정비사업을 통하여 「공공지원민간임대주택을 공급하거나 주택임대관리업자(이하"주택임대관리업자"라 한다)에게 임대할 목적으로 주택을 위탁하려는 경우에는 다음의 사항.
단서 아래 ㉡과 ㉢의 사항은 건설하는 주택 전체 세대수에서 공공지원민간임대주택 또는 임대할 목적으로 주택임대관리업자에게 위탁하려는 주택(이하 "임대관리 위탁주택"이라 한다)이 차지하는 비율이 20% 이상, 임대기간이 8년 이상의 요건에 해당하는 경우로 한정한다.
㉠ 공공지원민간임대주택 또는 임대관리 위탁주택에 관한 획지별 토지이용계획
㉡ 주거·상업·업무 등의 기능을 결합하는 등 복합적인 토지이용을 증진시키기 위하여 필요한 건축물의 용도에 관한 계획
㉢ 「국토의 계획 및 이용에 관한 법률」에 따른 주거지역을 세분 또는 변경하는 계획과 용적률에 관한 사항
㉣ 그 밖에 공공지원민간임대주택 또는 임대관리 위탁주택의 원활한 공급 등을 위하여 다음에 해당하는 사항

건축관계법

국토계획법

주차장법

주 택 법

도시및주거
환경정비법

건축사법

장애인시설법

소방시설법

서울시조례

단서 2. 및 3.의 사항은 정비계획에 필요한 경우로 한정한다.

1. 건설하는 주택 전체 세대수에서 공공지원민간임대주택 또는 임대관리 위탁주택이 차지하는 비율

2. 공공지원민간임대주택 및 임대관리 위탁주택의 건축물 배치 계획

3. 주변지역의 여건 등을 고려한 입주예상 가구 특성 및 임대사업 운영방향

⑫ 「국토의 계획 및 이용에 관한 법률」에 따른 지구단위 사항에 관한 계획(필요한 경우로 한정한다)

⑬ 그 밖에 정비사업의 시행을 위하여 필요한 사항으로서 다음에 해당하는 사항

1. 현금납부에 관한 사항

2. 정비구역을 분할, 통합 또는 결합하여 지정하려는 경우 그 계획

3. 주거환경개선사업의 경우 사업시행자로 예정된 자에 관한 사항

4. 정비사업의 시행방법

5. 기존 건축물의 정비·개량에 관한 계획

6. 정비기반시설의 설치계획

7. 건축물의 건축선에 관한 계획

8. 홍수 등 재해에 대한 취약요인에 관한 검토 결과

9. 정비구역 및 주변지역의 주택수급에 관한 사항

10. 안전 및 범죄예방에 관한 사항

11. 그 밖에 정비사업의 원활한 추진을 위하여 시·도조례로 정하는 사항

(2) 위 (1)-⑩-ⓒ을 포함하는 정비계획은 기본계획에서 정하는 건폐율·용적률 등에 관한 건축물의 밀도계획에도 불구하고 달리 입안할 수 있다.

(3) 정비계획을 입안하는 특별자치시장, 특별자치도지사, 시장, 군수 또는 구청장등(이하 "정비계획의 입안권자"라 한다)이 다음의 사항을 포함하여 기본계획을 수립한 지역에서 정비계획을 입안하는 경우에는 그 정비구역을 포함한 해당 생활권에 대하여 각 각의 사항에 대한 세부 계획을 입안할 수 있다.

① 생활권의 설정, 생활권별 기반시설 설치계획 및 주택수급계획

② 생활권별 주거지의 정비·보전·관리의 방향

(4) 정비계획의 작성기준 및 작성방법은 국토교통부장관이 정하여 고시한다.

7 임대주택 및 주택규모별 건설비율 (법 제10조)(영 제9조)

(1) 정비계획의 입안권자는 주택수급의 안정과 저소득 주민의 입주기회 확대를 위하여 정비사업으로 건설하는 주택에 대하여 다음의 구분에 따른 범위에서 국토교통부장관이 정하여 고시하는 임대주택 및 주택규모별 건설비율 등을 정비계획에 반영해야 한다.

① 「주택법」에 따른 국민주택규모의 주택이 전체 세대수의 90% 이하에서 다음으로 정하는 범위

② 임대주택(「공공임대주택 및 「민간임대주택에 관한 특별법」에 따른 민간임대주택 및 「공공주택 특별법」에 따른 공공임대주택을 말한다. 이하 같다)이 전체 세대수 또는 전체 연면적의 30% 이하에서 다음으로 정하는 범위

구 분		기 준
1. 주거환경 개선사업	분양주택	국민주택규모의 주택이 건설하는 주택 전체 세대수의 90% 이하
	공공임대 주택	건설하는 주택 전체 세대수의 30% 이하로 하되, 주거전용면적이 40㎡ 이하인 공공임대주택이 전체 공공임대주택 세대수의 50% 이하
2. 재개발 사 업	분양주택	국민주택규모의 주택이 건설하는 주택 전체 세대수의 80% 이하
	임대주택 (「민간임 대 주 택 에 관한 특별 법」에 따 른 민간임 대 주 택 과 「공 공 주 택 특 별 법」에 따 른 공공임 대 주 택 을 말함)	건설하는 주택 전체 세대수(제3장 **3**-**5**-(1)에 따라 정비계획으로 정한 용적률을 초과하여 건축함으로써 증가된 세대수는 제외한다)의 20% 이하[제3장 **3**-**6**-(1)에 따라 공급되는 임대주택은 제외하며, 해당 임대주택 중 주거전용면적이 40㎡ 이하인 임대주택이 전체 임대주택 세대수(제3장 **3**-**6**-(1)에 따라 공급되는 임대주택은 제외한다)의 40% 이하여야 한다]. [단서] 특별시장·광역시장·특별자치시장·특별자치도지사·시장·군수 또는 자치구의 구청장이 정비계획을 수립할 때 관할 구역에서 시행된 주택재개발사업에서 건설하는 주택 전체 세대수에서 시행령 [별표 3] 제2호가목 1)에 해당하는 세입자가 입주하는 임대주택 세대수가 차지하는 비율이 시·도지사가 정하여 고시한 임대주택 비율보다 높은 경우 등 관할 구역의 특성상 주택수급안정이 필요한 경우에는 다음 산식에 따라 산정한 임대주택 비율 이하의 범위에서 임대주택 비율을 높일 수 있다. 해당 시·도지사가 고시한 임대주택비율+(건설하는 주택 전체 세대수 × $\frac{10}{100}$)
3. 재건축사업		① 국민주택규모의 주택이 건설하는 주택 전체 세대수의 60% 이하 ② 위 ①에도 불구하고 과밀억제권역에서 다음의 요건을 모두 갖춘 경우에는 국민주택규모의 주택 건설 비율을 적용하지 아니한다. ⊙ 재건축사업의 조합원에게 분양하는 주택은 기존 주택(재건축하기 전의 주택을 말한다)의 주거전용면적을 축소하거나 30%의 범위에서 그 규모를 확대할 것 ⓒ 조합원 이외의 자에게 분양하는 주택은 모두 85㎡ 이하 규모로 건설할 것

(2) 사업시행자는 위 (1)에 따라 고시된 내용에 따라 주택을 건설해야 한다.

8 기본계획 및 정비계획 수립 시 용적률 완화 (법
제11조)

(1) 기본계획의 수립권자 또는 정비계획의 입안권자는 정비사업의 원활한 시행을 위하여 기본계획을 수립하거나 정비계획을 입안하려는 경우에는(기본계획 또는 정비계획을 변경하려는 경우에도 또한 같다) 「국토의 계획 및 이용에 관한 법률」에 따른 주거지역에 대하여는 조례로 정한 용적률에도 불구하고 용적률의 상한까지 용적률을 정할 수 있다.

(2) 기본계획의 수립권자 또는 정비계획의 입안권자는 천재지변, 그 밖의 불가피한 사유로 건축물이 붕괴할 우려가 있어 긴급히 정비사업을 시행할 필요가 있다고 인정하는 경우에는 용도지역의 변경을 통해 용적률을 완화하여 기본계획을 수립하거나 정비계획을 입안할 수 있다. 이 경우 기

건축관계법

국토계획법

주차장법

주택법

도시및주거
환경정비법

건축사법

장애인시설법

소방시설법

서울시조례

본계획의 수립권자, 정비계획의 입안권자 및 정비구역의 지정권자는 용도지역의 변경을 이유로 기부채납을 요구하여서는 아니 된다.

(3) 구청장등 또는 대도시의 시장이 아닌 시장은 제1항에 따라 정비계획을 입안하거나 변경입안하려는 경우 기본계획의 변경 또는 변경승인을 특별시장·광역시장·도지사에게 요청할 수 있다.

9 재건축사업 정비계획 입안을 위한 안전진단 $\left(\substack{법\\제12조}\right)\left(\substack{영\\제10조}\right)\left(\substack{규칙\\제3조}\right)$

(1) 정비계획의 입안권자는 재건축사업 정비계획의 입안을 위하여 정비예정구역별 정비계획의 수립시기가 도래한 때에 안전진단을 실시해야 한다.

① 정비계획의 입안권자는 아래 (2)-①에 따른 안전진단의 요청이 있는 때에는 요청일로부터 30일 이내에 국토교통부장관이 정하는 바에 따라 안전진단의 실시여부를 결정하여 요청인에게 통보해야 한다. 이 경우 정비계획의 입안권자는 안전진단 실시 여부를 결정하기 전에 단계별 정비사업 추진계획 등의 사유로 재건축사업의 시기를 조정할 필요가 있다고 인정하는 경우에는 안전진단의 실시시기를 조정할 수 있다.

② 정비계획의 입안권자는 아래 (4)에 따른 현지조사 등을 통하여 같은 조 아래 (2)-①에 따른 안전진단의 요청이 있는 공동주택이 노후·불량건축물에 해당하지 아니함이 명백하다고 인정하는 경우에는 안전진단의 실시가 필요하지 아니하다고 결정할 수 있다.

> **고시** 주택 재건축 판정을 위한 안전진단 기준 (국토교통부고시)
>
> 3-6. 종합판정
>
> 3-6-1. 주거환경중심 평가 안전진단의 경우 주거환경, 건축마감 및 설비노후도, 구조안전성, 비용분석 점수에 다음 표의 가중치를 곱하여 최종 성능점수를 구하고, 구조안전성 평가 안전진단의 경우는 [서식 5]에 따른 구조안전성 평가결과 성능점수를 최종 성능점수로 한다.
>
> | 구　분 | 가중치 |
> |---|---|
> | 주거환경 | 0.15 |
> | 건축마감 및 설비노후도 | 0.25 |
> | 구조안전성 | 0.50 |
> | 비용분석 | 0.10 |
>
> 3-6-2. 최종 성능점수에 따라 다음 표와 같이 '유지보수', '조건부 재건축', '재건축'으로 구분하여 판정한다.
>
> | 최종 성능점수 | 판　정 |
> |---|---|
> | 55 | 유지보수 |
> | 30 초과~55 이하 | 조건부 재건축 |
> | 30 이하 | 재건축 |

(2) 정비계획의 입안권자는 위 (1)에도 불구하고 다음의 어느 하나에 해당하는 경우에는 안전진단을 실시해야 한다. 이 경우 정비계획의 입안권자는 안전진단에 드는 비용을 해당 안전진단의 실시를 요청하는 자에게 부담하게 할 수 있다.

① 정비계획의 입안을 제안하려는 자가 입안을 제안하기 전에 해당 정비예정구역에 위치한 건축물 및 그 부속토지의 소유자 1/10 이상의 동의를 받아 안전진단의 실시를 요청하는 경우

② 정비예정구역을 지정하지 아니한 지역에서 재건축사업을 하려는 자가 사업예정구역에 있는 건축

물 및 그 부속토지의 소유자 1/10 이상의 동의를 받아 안전진단의 실시를 요청하는 경우

③ 건축물의 소유자로서 재건축사업을 시행하려는 자가 해당 사업예정구역에 위치한 건축물 및 그 부속토지의 소유자 1/10 이상의 동의를 받아 안전진단의 실시를 요청하는 경우

(3) 재건축사업의 안전진단은 주택단지의 건축물을 대상으로 한다.

예외 다음에 해당하는 주택단지의 건축물인 경우에는 안전진단 대상에서 제외할 수 있다.

① 정비계획의 입안권자가 천재지변 등으로 주택이 붕괴되어 신속히 재건축을 추진할 필요가 있다고 인정하는 것

② 주택의 구조안전상 사용금지가 필요하다고 정비계획의 입안권자가 인정하는 것

③ 노후·불량건축물 수에 관한 기준을 충족한 경우 잔여 건축물

④ 정비계획의 입안권자가 진입도로 등 기반시설 설치를 위하여 불가피하게 정비구역에 포함된 것으로 인정하는 건축물

⑤ 「시설물의 안전 및 유지관리에 관한 특별법」의 시설물로서 지정받은 안전등급이 D(미흡) 또는 E(불량)인 건축물

(4) 정비계획의 입안권자는 현지조사 등을 통하여 해당 건축물의 구조안전성, 건축마감, 설비노후도 및 주거환경 적합성 등을 심사하여 안전진단의 실시 여부를 결정해야 하며, 안전진단의 실시가 필요하다고 결정한 경우에는 다음에 해당하는 안전진단기관에 안전진단을 의뢰해야 한다.

① 「과학기술분야 정부출연연구기관 등의 설립·운영 및 육성에 관한 법률」에 따른 한국건설기술연구원

② 「시설물의 안전 및 유지관리에 관한 특별법」에 따른 안전진단전문기관

③ 「국토안전관리원법」에 따른 국토안전관리원

(5) 정비계획의 입안권자는 현지조사의 전문성 확보를 위하여 한국건설기술연구원 또는 한국시설안전공단에 현지조사를 의뢰할 수 있다. 이 경우 현지조사를 의뢰받은 기관은 의뢰를 받은 날부터 20일 이내에 조사결과를 정비계획의 입안권자에게 제출해야 한다.

(6) 위 (4)에 따라 안전진단을 의뢰받은 안전진단기관은 국토교통부장관이 정하여 고시하는 기준(건축물의 내진성능 확보를 위한 비용을 포함한다)에 따라 안전진단을 실시하여야 하며, 다음에 해당하는 방법 및 절차에 따라 안전진단 결과보고서를 작성하여 정비계획의 입안권자 및 위 (2)에 따라 안전진단의 실시를 요청한 자에게 제출해야 한다.

① 안전진단의 실시를 요청하려는 자는 별지 제1호서식의 안전진단 요청서(전자문서로 된 요청서를 포함한다)에 다음의 서류(전자문서를 포함한다)를 첨부하여 특별자치시장·특별자치도지사·시장·군수 또는 자치구의 구청장(이하 "시장·군수등"이라 한다)에게 제출해야 한다.

㉠ 사업지역 및 주변지역의 여건 등에 관한 현황도

㉡ 결함부위의 현황사진

② 안전진단기관이 작성하는 안전진단 결과보고서에는 다음의 구분에 따른 사항이 포함되어야 한다.

1. 구조안전성 평가

① 구조안전성에 관한 사항

㉠ 기울기·침하·변형에 관련된 사항

㉡ 콘크리트 강도·처짐 등 내하력(耐荷力)에 관한 사항

㉢ 균열·부식 등 내구성에 관한 사항

② 종합평가 의견

2. 구조안정성 및 주거환경 중심 평가

① 주거환경에 관한사항

건축관계법

국토계획법

주차장법

주 택 법

도시및주거
환경정비법

건축사법

장애인시설법

소방시설법

서울시조례

건축관계법

국토계획법

주차장법

주 택 법

도시및주거
환경정비법

건축사법

장애인시설법

소방시설법

서울시조례

         ㉠ 도시미관·재해위험도
         ㉡ 일조환경·에너지효율성
         ㉢ 층간 소음 등 사생활침해
         ㉣ 노약자와 어린이의 생활환경
         ㉤ 주차장 등 주거생활의 편리성
     ② 건축마감 및 설비노후도에 관한 사항
         ㉠ 지붕·외벽·계단실·창호의 마감상태
         ㉡ 난방·급수급탕·오배수·소화설비 등 기계설비에 관한 사항
         ㉢ 수변전, 옥외전기 등 전기설비에 관한 사항
     ③ 비용분석에 관한 사항
         ㉠ 유지관리비용   ㉡ 보수·보강비용
         ㉢ 철거비·이주비 및 신축비용
     ④ 구조안전성에 관한 사항
         ㉠ 기울기·침하·변형에 관련된 사항
         ㉡ 콘크리트 강도·처짐 등 내하력(耐荷力)에 관한 사항
         ㉢ 균열·부식 등 내구성에 관한 사항
     ⑤ 종합평가의견

■ 재건축사업의 안전진단은 다음의 구분에 따른다.
① 구조안전성 평가: 노후·불량건축물을 대상으로 구조적 또는 기능적 결함 등을 평가하는 안전진단
② 구조안정성 및 주거환경 중심 평가: 위 ① 외의 노후·불량건축물을 대상으로 구조적·기능적 결함 등 구조안전성과 주거생활의 편리성 및 거주의 쾌적성 등 주거환경을 종합적으로 평가하는 안전진단

(7) 정비계획의 입안권자는 위 (5)에 따른 안전진단의 결과와 도시계획 및 지역여건 등을 종합적으로 검토하여 정비계획의 입안 여부를 결정해야 한다.

(8) 안전진단의 요청 절차 및 그 처리에 관하여 필요한 세부사항은 시·도조례로 정할 수 있다.

10 안전진단 결과의 적정성 검토 (법 제13조)(영 제11조)

(1) 정비계획의 입안권자(특별자치시장 및 특별자치도지사는 제외한다)는 정비계획의 입안 여부를 결정한 경우에는 지체 없이 특별시장·광역시장·도지사에게 결정내용과 해당 안전진단 결과보고서를 제출해야 한다.

(2) 특별시장·광역시장·특별자치시장·도지사·특별자치도지사(이하 "시·도지사"라 한다)는 필요한 경우 「시설물의 안전 및 유지관리에 관한 특별법」에 따른 한국시설안전공단 또는 「과학기술분야 정부출연연구기관 등의 설립·운영 및 육성에 관한 법률」에 따른 한국건설기술연구원에 안전진단 결과의 적정성 여부에 대한 검토를 의뢰할 수 있다.

(3) 국토교통부장관은 시·도지사에게 안전진단 결과보고서의 제출을 요청할 수 있으며, 필요한 경우 시·도지사에게 안전진단 결과의 적정성 여부에 대한 검토를 요청할 수 있다.

(4) 시·도지사는 위 (2) 및 (3)에 따른 검토결과에 따라 정비계획의 입안권자에게 정비계획 입안결정의 취소 등 필요한 조치를 요청할 수 있으며, 정비계획의 입안권자는 특별한 사유가 없으면 그 요청에 따라야 한다.

    단서 특별자치시장 및 특별자치도지사는 직접 정비계획의 입안결정의 취소 등 필요한 조치를 할 수 있다.

(5) 위 (1)~(4)의 규정에 따른 안전진단 결과의 평가 등에 필요한 사항은 다음과 같다.

① 시·도지사는 안전진단전문기관이 제출한 안전진단 결과보고서를 받은 경우에는 안전진단기관에 안전진단 결과보고서의 적정성 여부에 대한 검토를 의뢰할 수 있다.

② 안전진단 결과의 적정성 여부에 따른 검토 비용은 적정성 여부에 대한 검토를 의뢰 또는 요청한 국토교통부장관 또는 시·도지사가 부담한다.

③ 안전진단 결과의 적정성 여부에 따른 검토를 의뢰받은 기관은 적정성 여부에 따른 검토를 의뢰받은 날부터 60일 이내에 그 결과를 시·도지사에게 제출해야 한다.

단서 부득이한 경우에는 30일의 범위에서 한 차례만 연장할 수 있다.

■ 안전진단 신청절차

1. 안전진단신청 (시·군·자치구청장)	→	2. 예비평가 (시·군·자치구청장)	→	〈안전진단 실시시기 조정〉	→	3. 안전진단 실 시	→
〈안전진단 실시결과 적정성 검토〉 (시·군·자치구청장)	→	4. 결정내용 및 안전 진단결과보고서 제 출 (시·군·자치구청장 →시·도지사)	→	〈안전진단 실시결과 적정성 검토〉 (시·도지사)	→	5. 종합적 판 정	

11 정비구역의 지정을 위한 정비계획의 입안 요청 등 (법 제13조의2)(영 제11조의2)

(1) 토지등소유자는 다음의 어느 하나에 해당하는 경우에는 정비계획의 입안권자에게 정비구역의 지정을 위한 정비계획의 입안을 요청할 수 있다.

① 단계별 정비사업 추진계획상 정비예정구역별 정비계획의 입안시기가 지났음에도 불구하고 정비계획이 입안되지 아니한 경우

② 기본계획의 내용에 따라 기본계획에 2장-**2**-(1)-⑨,⑩에 따른 사항을 생략한 경우

③ 천재지변 등 대통령령으로 정하는 불가피한 사유로 긴급하게 정비사업을 시행할 필요가 있다고 판단되는 경우

1. 천재지변

2. 「재난 및 안전관리 기본법」에 따른 특정관리대상지역으로 지정된 경우

3. 「시설물의 안전 및 유지관리에 관한 특별법」에 따른 안전조치를 해야 하는 경우

(2) 정비계획의 입안권자는 제1항의 요청이 있는 경우에는 요청일부터 4개월 이내에 정비계획의 입안 여부를 결정하여 토지등소유자 및 정비구역의 지정권자에게 알려야 한다.

단서 정비계획의 입안권자는 정비계획의 입안 여부의 결정 기한을 2개월의 범위에서 한 차례만 연장할 수 있다.

(3) 정비구역의 지정권자는 다음의 어느 하나에 해당하는 경우에는 토지이용, 주택건설 및 기반시설의 설치 등에 관한 기본방향을 작성하여 정비계획의 입안권자에게 제시하여야 한다.

① 정비계획의 입안권자가 토지등소유자에게 정비계획을 입안하기로 통지한 경우

② 단계별 정비사업 추진계획에 따라 정비계획의 입안권자가 요청하는 경우

③ 정비계획의 입안권자가 정비계획을 입안하기로 결정한 경우로서 대통령령으로 정하는 경우

④ 정비계획을 변경하는 경우로서 대통령령으로 정하는 경우

(4) (1)부터 (3)까지에서 규정한 사항 외에 정비구역의 지정요청을 위한 요청서의 작성, 토지등소유자의 동의, 요청서의 처리 및 정비계획의 기본방향 작성을 위하여 필요한 사항은 대통령령으로 정한다.

12 정비계획의 입안 제안 (법
제14조)(영
제12조)

(1) 토지등소유자(아래 ⑤의 경우에는 사업시행자가 되려는 자를 말한다)는 다음의 어느 하나에 해당하는 경우에는 정비계획의 입안권자에게 정비계획의 입안을 제안할 수 있다.

① 단계별 정비사업 추진계획상 정비예정구역별 정비계획의 입안시기가 지났음에도 불구하고 정비계획이 입안되지 아니하거나 같은 호에 따른 정비예정구역별 정비계획의 수립시기를 정하고 있지 아니한 경우

② 토지등소유자가 토지주택공사등을 사업시행자로 지정 요청하려는 경우

③ 대도시가 아닌 시 또는 군으로서 시·도조례로 정하는 경우

④ 정비사업을 통하여 공공지원민간임대주택을 공급하거나 임대할 목적으로 주택을 주택임대관리업자에게 위탁하려는 경우로서 다음에 해당하는 사항을 포함하는 정비계획의 입안을 요청하려는 경우 단서 ㉡과 ㉢의 사항은 건설하는 주택 전체 세대수에서 공공지원민간임대주택 또는 임대할 목적으로 주택임대관리업자에게 위탁하려는 주택(이하 "임대관리 위탁주택"이라 한다)이 차지하는 비율이 20/100 이상, 임대기간이 8년 이상인 경우로 한정한다.

㉠ 공공지원민간임대주택 또는 임대관리 위탁주택에 관한 획지별 토지이용 계획

㉡ 주거·상업·업무 등의 기능을 결합하는 등 복합적인 토지이용을 증진시키기 위하여 필요한 건축물의 용도에 관한 계획

㉢ 「국토의 계획 및 이용에 관한 법률」에 따른 주거지역을 세분 또는 변경하는 계획과 용적률에 관한 사항

㉣ 그 밖에 공공지원민간임대주택 또는 임대관리 위탁주택의 원활한 공급 등을 위하여 다음에 해당하는 사항

단서 2. 및 3.의 사항은 정비계획에 필요한 경우로 한정한다.

1. 건설하는 주택 전체 세대수에서 공공지원민간임대주택 또는 임대관리 위탁주택이 차지하는 비율
2. 공공지원민간임대주택 및 임대관리 위탁주택의 건축물 배치 계획
3. 주변지역의 여건 등을 고려한 입주예상 가구 특성 및 임대사업 운영방향

⑤ 천재지변, 「재난 및 안전관리 기본법」 또는 「시설물의 안전 및 유지관리에 관한 특별법」에 따른 사용제한·사용금지, 그 밖의 불가피한 사유로 긴급하게 정비사업을 시행할 필요가 있다고 인정하는 경우

⑥ 토지등소유자(조합이 설립된 경우에는 조합원을 말한다)가 2/3 이상의 동의로 정비계획의 변경을 요청하는 경우.

예외 아래 12-(3)에 따른 경미한 사항을 변경하는 경우에는 토지등소유자의 동의절차를 거치지 아니한다.

건축관계법

국토계획법

주차장법

주 택 법

도시및주거
환경정비법

건축사법

장애인시설법

소방시설법

서울시조례

⑦ 토지등소유자가 공공재개발사업 또는 공공재건축사업을 추진하려는 경우

(2) 정비계획 입안의 제안을 위한 토지등소유자의 동의, 제안서의 처리 등에 필요한 사항은 다음과 같다.

① 토지등소유자가 정비계획의 입안권자에게 정비계획의 입안을 제안하려는 경우 토지등소유자의 2/3 이하 및 토지면적 2/3 이하의 범위에서 시·도조례로 정하는 비율 이상의 동의를 받은 후 시·도조례로 정하는 제안서 서식에 정비계획도서, 계획설명서, 그 밖의 필요한 서류를 첨부하여 정비계획의 입안권자에게 제출해야 한다.

② 정비계획의 입안권자는 위 ①의 제안이 있는 경우에는 제안일부터 60일 이내에 정비계획에의 반영여부를 제안자에게 통보해야 한다.

　　　예외 부득이한 사정이 있는 경우에는 한 차례만 30일을 연장할 수 있다.

③ 정비계획의 입안권자는 위 ①에 따른 제안을 정비계획에 반영하는 경우에는 제안서에 첨부된 정비계획도서와 계획설명서를 정비계획의 입안에 활용할 수 있다.

④ 위 ①~③에서 규정된 사항 외에 정비계획 입안의 제안을 위하여 필요한 세부사항은 시·도조례로 정할 수 있다.

13 정비계획 입안을 위한 주민의견청취 등 (법 제15조)(영 제13조)

(1) 정비계획의 입안권자는 정비계획을 입안하거나 변경하려면 주민에게 서면으로 통보한 후 주민설명회 및 30일 이상 주민에게 공람하여 의견을 들어야 하며, 제시된 의견이 타당하다고 인정되면 이를 정비계획에 반영해야 한다.

① 정비계획의 입안권자는 정비계획을 주민에게 공람하려는 때에는 미리 공람의 요지 및 장소를 해당 지방자치단체의 공보 등에 공고하고, 공람장소에 관계 서류를 갖추어 두어야 한다.

② 주민은 공람기간 이내에 정비계획의 입안권자에게 서면(전자문서를 포함한다)으로 의견을 제출할 수 있다.

③ 정비계획의 입안권자는 위 ②에 따라 제출된 의견을 심사하여 채택할 필요가 있다고 인정하는 때에는 이를 채택하고, 채택하지 아니한 경우에는 의견을 제출한 주민에게 그 사유를 알려주어야 한다.

(2) 정비계획의 입안권자는 위 (1)에 따른 주민공람과 함께 지방의회의 의견을 들어야 한다. 이 경우 지방의회는 정비계획의 입안권자가 정비계획을 통지한 날부터 60일 이내에 의견을 제시하여야 하며, 의견제시 없이 60일이 지난 경우 이의가 없는 것으로 본다.

(3) 위 (1) 및 (2)에도 불구하고 다음에 해당하는 경미한 사항을 변경하는 경우에는 주민에 대한 서면통보, 주민설명회, 주민공람 및 지방의회의 의견청취 절차를 거치지 아니할 수 있다.

1. 정비구역의 면적을 10% 미만의 범위에서 변경하는 경우 (정비구역을 분할, 통합 또는 결합하는 경우를 제외한다)
2. 정비기반시설의 위치를 변경하는 경우와 정비기반시설 규모를 10% 미만의 범위에서 변경하는 경우
3. 공동이용시설 설치계획을 변경하는 경우
4. 재난방지에 관한 계획을 변경하는 경우
5. 정비사업시행 예정시기를 3년의 범위에서 조정하는 경우
6. 「건축법 시행령」 별표 1 각 호의 용도범위에서 건축물의 주용도(해당 건축물의 가장 넓은 바닥면적을 차지하는 용도를 말한다.)를 변경하는 경우
7. 건축물의 건폐율 또는 용적률을 축소하거나 10% 미만의 범위에서 확대하는 경우
8. 건축물의 최고 높이를 변경하는 경우
9. 용적률을 완화하여 변경하는 경우

10.「국토의 계획 및 이용에 관한 법률」에 따른 도시·군기본계획, 도시·군관리계획 또는 기본계획의 변경에 따라 정비계획을 변경하는 경우

11.「도시교통정비 촉진법」에 따른 교통영향평가 등 관계법령에 의한 심의결과에 따른 변경인 경우

12. 그 밖에 위 1.~8., 10. 및 11.와 유사한 사항으로서 시·도조례로 정하는 사항을 변경하는 경우

(4) 정비계획의 입안권자는 정비기반시설 및 국유·공유재산의 귀속 및 처분에 관한 사항이 포함된 정비계획을 입안하려면 미리 해당 정비기반시설 및 국유·공유재산의 관리청의 의견을 들어야 한다.

14 정비계획의 결정 및 정비구역의 지정 · 고시 $\left(\genfrac{}{}{0pt}{}{법}{제16조}\right)\left(\genfrac{}{}{0pt}{}{규칙}{제4조}\right)$

(1) 정비구역의 지정권자는 정비구역을 지정하거나 변경지정하려면 다음에 따라 지방도시계획위원회의 심의를 거쳐야 한다.

　예외 위 **12**-(3)에 따른 경미한 사항을 변경하는 경우에는 지방도시계획위원회의 심의를 거치지 아니할 수 있다.

(2) 정비구역의 지정권자는 정비구역을 지정(변경지정을 포함한다)하거나 정비계획을 결정(변경결정을 포함한다)한 때에는 정비계획을 포함한 정비구역 지정의 내용을 해당 지방자치단체의 공보에 고시해야 한다. 이 경우 지형도면 고시 등에 있어서는 「토지이용규제 기본법」에 따른다.

(3) 정비구역의 지정권자는 위 (2)에 따라 정비계획을 포함한 정비구역을 지정·고시한 때에는 다음의 방법 및 절차에 따라 국토교통부장관에게 그 지정의 내용을 보고해야 하며, 관계 서류를 일반인이 열람할 수 있도록 해야 한다.

■ 특별시장·광역시장·특별자치시장·특별자치도지사·시장 또는 군수(광역시의 군수는 제외한다)는 국토교통부장관에게 정비구역의 지정 또는 변경지정사실을 보고(전자문서에 의한 보고를 포함한다)하는 경우에는 다음의 사항을 포함해야 한다.

1. 해당 정비구역과 관련된 도시·군계획(「국토의 계획 및 이용에 관한 법률」에 따른 도시·군기본계획 및 도시·군관리계획을 말한다) 및 기본계획의 주요 내용

2. 정비계획의 요약

3.「국토의 계획 및 이용에 관한 법률」에 따른 도시·군관리계획 결정조서

건축관계법

국토계획법

주차장법

주 택 법

도시및주거
환경정비법

건축사법

장애인시설법

소방시설법

서울시조례

건축관계법

국토계획법

주차장법

주 택 법

도시및주거
환경정비법

건축사법

장애인시설법

소방시설법

서울시조례

관계법 「토지이용규제 기본법」 제8조 【지역·지구등의 지정 등】
① 중앙행정기관의 장이나 지방자치단체의 장이 지역·지구등을 지정(변경 및 해제를 포함한다. 이하 같다)하려면 대통령령으로 정하는 바에 따라 미리 주민의 의견을 들어야 한다. 다만, 다음 각 호의 어느 하나에 해당하거나 대통령령으로 정하는 경미한 사항을 변경하는 경우에는 그러하지 아니하다. <개정 2017. 12. 26.>
    1. 따로 지정 절차 없이 법령이나 자치법규에 따라 지역·지구등의 범위가 직접 지정되는 경우
    2. 다른 법령 또는 자치법규에 주민의 의견을 듣는 절차가 규정되어 있는 경우
    3. 국방상 기밀유지가 필요한 경우
    4. 그 밖에 대통령령으로 정하는 경우
② 중앙행정기관의 장이 지역·지구등을 지정하는 경우에는 지적(地籍)이 표시된 지형도에 지역·지구등을 명시한 도면(이하 "지형도면"이라 한다)을 작성하여 관보에 고시하고, 지방자치단체의 장이 지역·지구등을 지정하는 경우에는 지형도면을 작성하여 그 지방자치단체의 공보에 고시하여야 한다. 다만, 대통령령으로 정하는 경우에는 지형도면을 작성·고시하지 아니하거나 지적도 등에 지역·지구등을 명시한 도면을 작성하여 고시할 수 있다.
③ 제2항에 따라 지형도면 또는 지적도 등에 지역·지구등을 명시한 도면(이하 "지형도면등"이라 한다)을 고시하여야 하는 지역·지구등의 지정의 효력은 지형도면등의 고시를 함으로써 발생한다. 다만, 지역·지구등을 지정할 때에 지형도면등의 고시가 곤란한 경우로서 대통령령으로 정하는 경우에는 그러하지 아니하다.
④ 제3항 단서에 해당되는 경우에는 지역·지구등의 지정일부터 2년이 되는 날까지 지형도면등을 고시하여야 하며, 지형도면등의 고시가 없는 경우에는 그 2년이 되는 날의 다음 날부터 그 지정의 효력을 잃는다.
⑤ 제4항에 따라 지역·지구등의 지정이 효력을 잃은 때에는 그 지역·지구등의 지정권자는 대통령령으로 정하는 바에 따라 지체 없이 그 사실을 관보 또는 공보에 고시하고, 이를 관계 특별자치도지사·시장·군수(광역시의 관할 구역에 있는 군의 군수를 포함한다. 이하 같다) 또는 구청장(구청장은 자치구의 구청장을 말하며, 이하 "시장·군수 또는 구청장"이라 한다)에게 통보하여야 한다. 이 경우 시장·군수 또는 구청장은 그 내용을 제12조에 따른 국토이용정보체계(이하 "국토이용정보체계"라 한다)에 등재(登載)하여 일반 국민이 볼 수 있도록 하여야 한다.
⑥ 중앙행정기관의 장이나 지방자치단체의 장은 지역·지구등의 지정을 입안하거나 신청하는 자가 따로 있는 경우에는 그 자에게 제2항에 따른 고시에 필요한 지형도면등을 작성하여 제출하도록 요청할 수 있다.
⑦ 제2항에 따른 지형도면등의 작성에 필요한 구체적인 기준 및 방법 등은 대통령령으로 정한다.
⑧ 중앙행정기관의 장이나 지방자치단체의 장은 제2항에 따라 지형도면등의 고시를 하려면 관계 시장·군수 또는 구청장에게 관련 서류와 고시예정일 등 대통령령으로 정하는 사항을 미리 통보하여야 한다. 다만, 제2항 단서에 따라 지형도면을 작성·고시하지 아니하는 경우에는 지역·지구등을 지정할 때에 대통령령으로 정하는 사항을 미리 통보하여야 하고, 제3항 단서에 따라 지역·지구등의 지정 후에 지형도면등의 고시를 하는 경우에는 지역·지구등을 지정할 때와 제4항에 따른 지형도면등을 고시할 때에 대통령령으로 정하는 사항을 미리 통보하여야 한다.
⑨ 제8항에 따라 통보를 받은 시장·군수 또는 구청장은 그 내용을 국토이용정보체계에 등재하여 지역·지구등의 지정 효력이 발생한 날부터 일반 국민이 볼 수 있도록 하여야 한다. 다만, 제3항 단서에 따라 지역·지구등의 지정 후에 지형도면등의 고시를 하는 경우에는 제4항에 따라 지형도면등을 고시한 날부터 일반 국민이 볼 수 있도록 하여야 한다.
[전문개정 2009. 2. 6.]

15 정비구역 지정·고시의 효력 등 (법 제17조)(영 제14조)

(1) 정비구역의 지정·고시가 있는 경우 해당 정비구역 및 정비계획 중 「국토의 계획 및 이용에 관한 법률」에 따른 지구단위계획구역 및 지구단위계획으로 결정·고시된 것으로 본다.

(2) 「국토의 계획 및 이용에 관한 법률」에 따른 지구단위계획구역에 대하여 위 **6**-(1)의 사항을 모두 포함한 지구단위계획을 결정·고시(변경 결정·고시하는 경우를 포함한다)하는 경우 해당 지구단위계획구역은 정비구역으로 지정·고시된 것으로 본다.

(3) 정비계획을 통한 토지의 효율적 활용을 위하여 「국토의 계획 및 이용에 관한 법률」에 따른 건폐율·용적률 등의 완화규정은 정비계획에 준용한다. 이 경우 "지구단위계획구역"은 "정비구역"으로, "지구단위계획"은 "정비계획"으로 본다.

(4) 위 (3)에도 불구하고 용적률이 완화되는 경우로서 사업시행자가 정비구역에 있는 대지의 가액 일부에 해당하는 금액을 현금으로 납부한 경우에는 학교와 해당 시·도 또는 대도시의 도시·군계획조례로 정하는 기반시설("공공시설등"이라 한다)의 부지를 제공하거나 공공시설등을 설치하여 제공한 것으로 본다.

(5) 위 (4)에 따른 현금납부 및 부과 방법 등에 필요한 사항은 다음과 같다.

① 사업시행자는 현금납부를 하려는 경우에는 토지등소유자(조합을 설립한 경우에는 조합원을 말한다) 과반수의 동의를 받아야 한다. 이 경우 현금으로 납부하는 토지의 기부면적은 전체 기부면적의 1/2을 넘을 수 없다.

② 현금납부액은 시장·군수등이 지정한 둘 이상의 감정평가업자(「감정평가 및 감정평가사에 관한 법률」에 따른 감정평가업자를 말한다)가 해당 기부토지에 대하여 평가한 금액을 산술평균하여 산정한다.

③ 위 ②에 따른 현금납부액 산정기준일은 사업시행계획인가(현금납부에 관한 정비계획이 반영된 최초의 사업시행계획인가를 말한다) 고시일로 한다. 다만, 산정기준일부터 3년이 되는 날까지 관리처분계획인가를 신청하지 아니한 경우에는 산정기준일부터 3년이 되는 날의 다음 날을 기준으로 위 ②에 따라 다시 산정해야 한다.

④ 사업시행자는 착공일부터 준공검사일까지 위 ②에 따라 산정된 현금납부액을 특별시장, 광역시장, 특별자치시장, 특별자치도지사, 시장 또는 군수(광역시의 군수는 제외한다)에게 납부해야 한다.

⑤ 특별시장 또는 광역시장은 위 ④에 따라 납부받은 금액을 사용하는 경우에는 해당 정비사업을 관할하는 자치구의 구청장 또는 광역시의 군수의 의견을 들어야 한다.

⑥ 위 ②~⑤에서 규정된 사항 외에 현금납부액의 구체적인 산정 기준, 납부 방법 및 사용 방법 등에 필요한 세부사항은 시·도조례로 정할 수 있다.

■ 정비구역의 지정절차

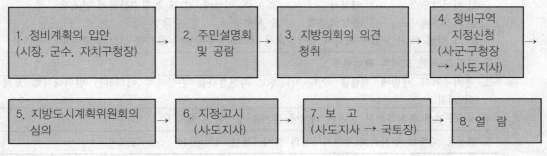

건축관계법

국토계획법

주차장법

주 택 법

도시및주거
환경정비법

건축사법

장애인시설법

소방시설법

서울시조례

16 정비구역의 분할, 통합 및 결합 (법 제18조)

(1) 정비구역의 지정권자는 정비사업의 효율적인 추진 또는 도시의 경관보호를 위하여 필요하다고 인정하는 경우에는 다음의 방법에 따라 정비구역을 지정할 수 있다.

① 하나의 정비구역을 둘 이상의 정비구역으로 분할

② 서로 연접한 정비구역을 하나의 정비구역으로 통합

③ 서로 연접하지 아니한 둘 이상의 구역(위 **8**-(1)에 해당하는 구역으로 한정한다) 또는 정비구역을 하나의 정비구역으로 결합

(2) 위 (1)에 따라 정비구역을 분할·통합하거나 서로 떨어진 구역을 하나의 정비구역으로 결합하여 지정하려는 경우 시행 방법과 절차에 관한 세부사항은 시·도조례로 정한다.

17 행위제한 등 (법 제19조)

【1】 행위허가의 대상 등 (영 제15조)

(1) 정비구역에서 다음의 어느 하나에 해당하는 행위를 하려는 자는 시장·군수등의 허가를 받아야 한다. 허가받은 사항을 변경하려는 때에도 또한 같다.

① 건축물의 건축: 「건축법」에 따른 건축물(가설건축물을 포함한다)의 건축, 용도변경

② 공작물의 설치: 인공을 가하여 제작한 시설물의 설치

③ 토지의 형질변경: 절토(땅깎기)·성토(흙쌓기)·정지(땅고르기)·포장 등의 방법으로 토지의 형상을 변경하는 행위, 토지의 굴착 또는 공유수면의 매립

④ 토석의 채취: 흙·모래·자갈·바위 등의 토석을 채취하는 행위. 다만, 토지의 형질변경을 목적으로 하는 것은 위 ③에 따른다.

⑤ 토지분할

⑥ 물건을 쌓아 놓는 행위: 이동이 쉽지 아니한 물건을 1개월 이상 쌓아놓는 행위

⑦ 죽목의 벌채 및 식재

(2) 다음의 어느 하나에 해당하는 행위는 위 (1)에도 불구하고 허가를 받지 아니하고 할 수 있다.

① 재해복구 또는 재난수습에 필요한 응급조치를 위한 행위

② 기존 건축물의 붕괴 등 안전사고의 우려가 있는 경우 해당 건축물에 대한 안전조치를 위한 행위

③ 그 밖에 다음에 해당하는 행위(「국토의 계획 및 이용에 관한 법률」에 따른 개발행위허가의 대상이 아닌 것을 말한다)

1. 농림수산물의 생산에 직접 이용되는 것으로서 다음에 해당하는 간이공작물의 설치
  ① 비닐하우스   ② 양잠장   ③ 고추, 잎담배, 김 등 농림수산물의 건조장
  ④ 버섯재배사   ⑤ 종묘배양장   ⑥ 퇴비장   ⑦ 탈곡장
  ⑧ 그 밖에 위 ①~⑦와 비슷한 공작물로서 국토교통부장관이 정하여 관보에 고시하는 공작물

2. 경작을 위한 토지의 형질변경
3. 정비구역의 개발에 지장을 주지 아니하고 자연경관을 손상하지 아니하는 범위에서의 토석의 채취
4. 정비구역에 존치하기로 결정된 대지에 물건을 쌓아놓는 행위
5. 관상용 죽목의 임시식재(경작지에서의 임시식재는 제외한다)

(3) 위 (1)에 따라 허가를 받아야 하는 행위로서 정비구역의 지정 및 고시 당시 이미 관계 법령에 따라 행위허가를 받았거나 허가를 받을 필요가 없는 행위에 관하여 그 공사 또는 사업에 착수한 자는 정비구역이 지정·고시된 날부터 30일 이내에 그 공사 또는 사업의 진행상황과 시행계획을 첨부하여 관할 시장·군수등에게 신고한 후 이를 계속 시행할 수 있다.

(4) 시장·군수등은 위 (1)을 위반한 자에게 원상회복을 명할 수 있다. 이 경우 명령을 받은 자가 그 의무를 이행하지 아니하는 때에는 시장·군수등은 「행정대집행법」에 따라 대집행할 수 있다.

(5) 위 (1)에 따른 허가에 관하여 이 법에 규정된 사항을 제외하고는 「국토의 계획 및 이용에 관한 법률」의 다음 규정을 준용한다.

• 개발행위허가의 절차(법률 제57조)	• 개발행위허가의 기준 등(법률 제58조)
• 개발행위에 대한 도시계획위원회의 심의 (법률 제59조)	• 개발행위허가의 이행 보증 등(법률 제60조)
• 준공검사(법률 제62조)	

(6) 위 (1)에 따라 허가를 받은 경우에는 「국토의 계획 및 이용에 관한 법률」의 개발행위허가(법 제56조) 규정에 따라 허가를 받은 것으로 본다.

(7) 국토교통부장관, 시·도지사, 시장, 군수 또는 구청장은 비경제적인 건축행위 및 투기 수요의 유입을 막기 위하여 기본계획을 공람 중인 정비예정구역 또는 정비계획을 수립 중인 지역에 대하여 3년 이내의 기간(1년의 범위에서 한 차례만 연장할 수 있다)을 정하여 대통령령으로 정하는 방법과 절차에 따라 다음 각 호의 행위를 제한할 수 있다.

가. 건축물의 건축

나. 토지의 분할

다. 「건축법」 제38조에 따른 건축물대장 중 일반건축물대장을 집합건축물대장으로 전환

라. 「건축법」 제38조에 따른 건축물대장 중 집합건축물대장의 전유부분 분할

(8) 정비예정구역 또는 정비구역에서는 「주택법」에 따른 지역주택조합의 조합원을 모집해서는 아니 된다.

【2】 행위제한 등 (영 제16조)

국토교통부장관, 시·도지사, 시장, 군수 또는 구청장(자치구의 구청장을 말한다)은 비경제적인 건축행위 및 투기 수요의 유입을 막기 위하여 기본계획을 공람 중인 정비예정구역 또는 정비계획을 수립 중인 지역에 대하여 3년 이내의 기간(1년의 범위에서 한 차례만 연장할 수 있다)을 정하여 다음과 같은 방법과 절차에 따라 건축물의 건축과 토지의 분할의 행위를 제한할 수 있다.

(1) 국토교통부장관, 시·도지사, 시장, 군수 또는 구청장(자치구의 구청장을 말한다)이 행위를 제한하려는 때에는 제한지역·제한사유·제한대상행위 및 제한기간을 미리 고시해야 한다.

(2) 위 (1)에 따라 행위를 제한하려는 자가 국토교통부장관인 경우에는 「국토의 계획 및 이용에 관한 법률」에 따른 중앙도시계획위원회의 심의를 거쳐야 하며, 시·도지사, 시장, 군수 또는 구청장인 경우에는 해당 지방자치단체에 설치된 지방도시계획위원회의 심의를 거쳐야 한다.

(3) 행위를 제한하려는 자가 국토교통부장관 또는 시·도지사인 경우에는 중앙도시계획위원회 또는 지방도시계획위원회의 심의 전에 미리 제한하려는 지역을 관할하는 시장·군수등의 의견을 들어야 한다.

건축관계법

국토계획법

주차장법

주 택 법

도시및주거 환경정비법

건축사법

장애인시설법

소방시설법

서울시조례

(4) 위 (1)에 따른 고시는 국토교통부장관이 하는 경우에는 관보에, 시·도지사, 시장, 군수 또는 구청장이 하는 경우에는 해당 지방자치단체의 공보에 게재하는 방법으로 한다.

(5) 행위가 제한된 지역에서 건축물의 건축과 토지의 분할을 하려는 자는 시장·군수등의 허가를 받아야 한다.

18 정비구역등의 해제 (법 제20조)

(1) 정비구역의 지정권자는 다음의 어느 하나에 해당하는 경우에는 정비예정구역 또는 정비구역(이하 "정비구역등"이라 한다)을 해제해야 한다.

① 정비예정구역에 대하여 기본계획에서 정한 정비구역 지정 예정일부터 3년이 되는 날까지 특별자치시장, 특별자치도지사, 시장 또는 군수가 정비구역을 지정하지 아니하거나 구청장등이 정비구역의 지정을 신청하지 아니하는 경우

② 재개발사업·재건축사업(조합이 시행하는 경우로 한정한다) 다음의 어느 하나에 해당하는 경우

  ㉠ 토지등소유자가 정비구역으로 지정·고시된 날부터 2년이 되는 날까지 조합설립추진위원회(이하 "추진위원회"라 한다)의 승인을 신청하지 아니하는 경우

  ㉡ 토지등소유자가 정비구역으로 지정·고시된 날부터 3년이 되는 날까지 조합설립인가를 신청하지 아니하는 경우(추진위원회를 구성하지 아니하는 경우로 한정한다)

  ㉢ 추진위원회가 추진위원회 승인일로부터 2년이 되는 날까지 조합설립인가를 신청하지 아니하는 경우

  ㉣ 조합이 조합설립인가를 받은 날부터 3년이 되는 날까지 사업시행계획인가를 신청하지 아니하는 경우

③ 토지등소유자가 시행하는 재개발사업으로서 토지등소유자가 정비구역으로 지정·고시된 날부터 5년이 되는 날까지 사업시행계획인가를 신청하지 아니하는 경우

(2) 구청장등은 위 (1)의 어느 하나에 해당하는 경우에는 특별시장·광역시장에게 정비구역등의 해제를 요청해야 한다.

(3) 특별자치시장, 특별자치도지사, 시장, 군수 또는 구청장등이 다음의 어느 하나에 해당하는 경우에는 30일 이상 주민에게 공람하여 의견을 들어야 한다.

  ① 위 (1)에 따라 정비구역등을 해제하는 경우

  ② 위 (2)에 따라 정비구역등의 해제를 요청하는 경우

(4) 특별자치시장, 특별자치도지사, 시장, 군수 또는 구청장등은 위 (3)에 따른 주민공람을 하는 경우에는 지방의회의 의견을 들어야 한다. 이 경우 지방의회는 특별자치시장, 특별자치도지사, 시장, 군수 또는 구청장등이 정비구역등의 해제에 관한 계획을 통지한 날부터 60일 이내에 의견을 제시해야 하며, 의견제시 없이 60일이 지난 경우 이의가 없는 것으로 본다.

(5) 정비구역의 지정권자는 위 (1)~(4)의 규정에 따라 정비구역등의 해제를 요청받거나 정비구역등을 해제하려면 지방도시계획위원회의 심의를 거쳐야 한다.

  단서 「도시재정비 촉진을 위한 특별법」에 따른 재정비촉진지구에서는 도시재정비위원회(이하 "도시재정비위원회"라 한다)의 심의를 거쳐 정비구역등을 해제해야 한다.

(6) 위 (1)에도 불구하고 정비구역의 지정권자는 다음의 어느 하나에 해당하는 경우에는 위 (1)-1.~3.의 규정에 따른 해당 기간을 2년의 범위에서 연장하여 정비구역등을 해제하지 아니할 수 있다.

① 정비구역등의 토지등소유자(조합을 설립한 경우에는 조합원을 말한다)가 30/100 이상의 동의로 위 (1)-1.~3.의 규정에 따른 해당 기간이 도래하기 전까지 연장을 요청하는 경우

국토계획법

주차장법

주택법

도시및주거환경정비법

건축사법

장애인시설법

소방시설법

서울시조례

② 정비사업의 추진 상황으로 보아 주거환경의 계획적 정비 등을 위하여 정비구역등의 존치가 필요하다고 인정하는 경우

(7) 정비구역의 지정권자는 위 (5)에 따라 정비구역등을 해제하는 경우[위 (6)에 따라 해제하지 아니한 경우를 포함한다]에는 그 사실을 해당 지방자치단체의 공보에 고시하고 국토교통부장관에게 통보해야 하며, 관계 서류를 일반인이 열람할 수 있도록 해야 한다.

19 정비구역등의 직권해제 (법 제21조)(영 제17조)

(1) 정비구역의 지정권자는 다음의 어느 하나에 해당하는 경우 지방도시계획위원회의 심의를 거쳐 정비구역등을 해제할 수 있다. 이 경우 ① 및 ②에 따른 구체적인 기준 등에 필요한 사항은 시·도조례로 정한다.

① 정비사업의 시행으로 토지등소유자에게 과도한 부담이 발생할 것으로 예상되는 경우

② 정비구역등의 추진 상황으로 보아 지정 목적을 달성할 수 없다고 인정되는 경우

③ 토지등소유자의 30/1000 이상이 정비구역등(추진위원회가 구성되지 아니한 구역으로 한정한다)의 해제를 요청하는 경우

④ 사업시행자가 정비구역에서 정비기반시설 및 공동이용시설을 새로 설치하거나 확대하고 토지등소유자가 스스로 주택을 보전·정비하거나 개량하는 방법으로 시행 중인 주거환경개선사업의 정비구역이 지정·고시된 날부터 10년 이상 경과하고, 추진 상황으로 보아 지정 목적을 달성할 수 없다고 인정되는 경우로서 토지등소유자의 과반수가 정비구역의 해제에 동의하는 경우

⑤ 추진위원회 구성 또는 조합 설립에 동의한 토지등소유자의 1/2 이상 2/3 이하의 범위에서 시·도조례로 정하는 비율 이상의 동의로 정비구역의 해제를 요청하는 경우(사업시행계획인가를 신청하지 아니한 경우로 한정한다)

⑥ 추진위원회가 구성되거나 조합이 설립된 정비구역에서 토지등소유자 과반수의 동의로 정비구역의 해제를 요청하는 경우(사업시행계획인가를 신청하지 아니한 경우로 한정한다)

(2) 위 (1)에 따른 정비구역등의 해제의 절차에 관하여는 위 **17** -(3)~(5) 및 (7)을 준용한다.

(3) 위 (1)에 따라 정비구역등을 해제하여 추진위원회 구성승인 또는 조합설립인가가 취소되는 경우 정비구역의 지정권자는 해당 추진위원회 또는 조합이 사용한 비용의 일부를 다음으로 정하는 범위에서 시·도조례로 정하는 바에 따라 보조할 수 있다.

① 정비사업전문관리 용역비

② 설계 용역비

③ 감정평가비용

④ 그 밖에 해당 추진위원회 및 조합이 업무를 수행하기 위하여 사용한 비용으로서 시·도조례로 정하는 비용

■ 비용의 보조 비율 및 보조 방법 등에 필요한 사항은 시·도조례로 정한다.

20 도시재생선도지역 지정 요청 (법 제21조의2)

제20조 또는 제21조에 따라 정비구역등이 해제된 경우 정비구역의 지정권자는 해제된 정비구역등을 「도시재생 활성화 및 지원에 관한 특별법」에 따른 도시재생선도지역으로 지정하도록 국토교통부장관에게 요청할 수 있다.

건축관계법

국토계획법

주차장법

주 택 법

도시및주거
환경정비법

건축사법

장애인시설법

소방시설법

서울시조례

21 정비구역등 해제의 효력 (법 제22조)

(1) 정비구역등이 해제된 경우에는 정비계획으로 변경된 용도지역, 정비기반시설 등은 정비구역 지정 이전의 상태로 환원된 것으로 본다.

> 단서 사업시행자가 정비구역에서 정비기반시설 및 공동이용시설을 새로 설치하거나 확대하고 토지등소유자가 스스로 주택을 보전·정비하거나 개량하는 방법의 경우 정비구역의 지정권자는 정비기반시설의 설치 등 해당 정비사업의 추진 상황에 따라 환원되는 범위를 제한할 수 있다.

(2) 정비구역등(재개발사업 및 재건축사업을 시행하려는 경우로 한정한다)이 해제된 경우 정비구역의 지정권자는 해제된 정비구역등을 주거환경개선구역(주거환경개선사업을 시행하는 정비구역을 말한다)으로 지정할 수 있다. 이 경우 주거환경개선구역으로 지정된 구역은 "기본계획의 확정·고시 등(법 제7조)"의 규정에 따라 기본계획에 반영된 것으로 본다.

(3) 정비구역등이 해제·고시된 경우 추진위원회 구성승인 또는 조합설립인가는 취소된 것으로 보고, 시장·군수등은 해당 지방자치단체의 공보에 그 내용을 고시해야 한다.

건축관계법

국토계획법

주차장법

주택법

도시및주거환경정비법

건축사법

장애인시설법

소방시설법

서울시조례

건축관계법

국토계획법

주차장법

주 택 법

도시및주거
환경정비법

건축사법

장애인시설법

소방시설법

서울시조례

정비사업의 시행

1 정비사업의 시행 방법 등

1 정비사업의 시행방법 (법 제23조)

(1) 정비사업의 시행방법은 다음과 같다.

구 분	시 행 방 법
1. 주거환경개선사업	① 사업시행자가 정비구역 안에서 정비기반시설을 새로이 설치하거나 확대하고 토지등소유자가 스스로 주택을 개량하는 방법 ② 사업시행자가 정비구역의 전부 또는 일부를 수용하여 주택을 건설한 후 토지등소유자에게 우선 공급하거나 토지를 토지등소유자 또는 토지등소유자 외의 자에게 공급하는 방법 ③ 사업시행자가 정비구역 안에서 환지로 공급하는 방법 ④ 사업시행자가 정비구역에서 인가받은 관리처분계획에 따라 주택 및 부대시설·복리시설을 건설하여 공급하는 방법
2. 재개발사업	① 정비구역 안에서 인가받은 관리처분계획에 따라 건축물을 건설 하여 공급하는 방법 ② 정비구역 안에서 환지로 공급하는 방법
3. 재건축사업	정비구역 구역에서 인가받은 관리처분계획에 따라 주택, 부대·복리시설 및 오피스텔을 건설하여 공급하는 방법 단서 주택단지 안에 있지 아니하는 건축물의 경우에는 지형여건·주변의 환경으로 보아 사업시행상 불가피한 경우와 정비구역 안에서 시행하는 사업에 한함

(2) 위 (1)-3.에 따라 오피스텔을 건설하여 공급하는 경우에는 「국토의 계획 및 이용에 관한 법률」에 따른 준주거지역 및 상업지역에서만 건설할 수 있다. 이 경우 오피스텔의 연면적은 전체 건축물 연면적의 30/100 이하이어야 한다.

건축관계법

국토계획법

주차장법

주 택 법

도시및주거
환경정비법

건축사법

장애인시설법

소방시설법

서울시조례

② 주거환경개선사업의 시행자 (법
제24조)(영
제18조)

(1) 위 ①-(1)-1.-①에 따른 방법으로 시행하는 주거환경개선사업은 시장·군수등이 직접 시행하되, 토지주택공사등을 사업시행자로 지정하여 시행하게 하려는 경우에는 공람공고일 현재 토지등소유자의 과반수의 동의를 받아야 한다.

(2) 위 ①-(1)-1.-②~④의 규정에 따른 방법으로 시행하는 주거환경개선사업은 시장·군수등이 직접 시행하거나 다음에서 정한 자에게 시행하게 할 수 있다.

   ① 시장·군수등이 다음의 어느 하나에 해당하는 자를 사업시행자로 지정하는 경우

      ㉠ 토지주택공사등

      ㉡ 주거환경개선사업을 시행하기 위하여 국가, 지방자치단체, 토지주택공사등 또는 「공공기관의 운영에 관한 법률」에 따른 공공기관이 총지분의 50/100을 초과하는 출자로 설립한 법인

   ② 시장·군수등이 위 ①에 해당하는 자와 다음의 어느 하나에 해당하는 자를 공동시행자로 지정하는 경우

      ㉠ 「건설산업기본법」에 따른 건설사업자

      ㉡ 「주택법」에 따라 건설사업자로 보는 등록사업자

(3) 위 (2)에 따라 시행하려는 경우에는 공람공고일 현재 해당 정비예정구역의 토지 또는 건축물의 소유자 또는 지상권자의 2/3 이상의 동의와 세입자(공람공고일 3개월 전부터 해당 정비예정구역에 3개월 이상 거주하고 있는 자를 말한다) 세대수의 과반수의 동의를 각각 받아야 한다.

   예외 세입자의 세대수가 다음에 해당하는 사유가 있는 경우에는 세입자의 동의절차를 거치지 아니할 수 있다.

   1. 세입자의 세대수가 토지등소유자의 1/2 이하인 경우

   2. 정비구역 지정고시일 현재 해당 지역이 속한 시·군·구에 「공공주택 특별법」에 따른 공공주택(임대주택만 해당함) 등 세입자가 입주 가능한 임대주택이 충분하여 임대주택을 건설할 필요가 없다고 시·도지사가 인정하는 경우

   3. 주거환경개선사업의 경우에 다음의 방법으로 사업을 시행하는 경우

      ㉠ 주거환경개선사업의 시행자가 정비구역 안에서 정비기반시설을 새로이 설치하거나 확대하고 토지등소유자가 스스로 주택을 개량하는 방법

      ㉡ 주거환경개선사업의 시행자가 환지로 공급하는 방법

      ㉢ 사업시행자가 정비구역에서 인가받은 관리처분계획에 따라 주택 및 부대시설·복리시설을 건설하여 공급하는 방법

(4) 시장·군수등은 천재지변, 그 밖의 불가피한 사유로 건축물이 붕괴할 우려가 있어 긴급히 정비사업을 시행할 필요가 있다고 인정하는 경우에는 위 (1) 및 (3)에도 불구하고 토지등소유자 및 세입자의 동의 없이 자신이 직접 시행하거나 토지주택공사등을 사업시행자로 지정하여 시행하게 할 수 있다. 이 경우 시장·군수등은 지체 없이 토지등소유자에게 긴급한 정비사업의 시행 사유·방법 및 시기 등을 통보해야 한다.

③ 재개발사업·재건축사업의 시행자 (법
제25조)(영
제19조)

(1) 재개발사업은 다음의 어느 하나에 해당하는 방법으로 시행할 수 있다.

   ① 조합이 시행하거나 조합이 조합원의 과반수의 동의를 받아 시장·군수등, 토지주택공사등, 건설업자, 등록사업자 또는 대통령령으로 정하는 요건을 갖춘 자와 공동으로 시행하는 방법

② 토지등소유자가 20인 미만인 경우에는 토지등소유자가 시행하거나 토지등소유자가 토지등소유자의 과반수의 동의를 받아 시장·군수등, 토지주택공사등, 건설사업자, 등록사업자 또는 「자본시장과 금융투자업에 관한 법률」에 따른 신탁업자와 「한국부동산원법」에 따른 한국부동산원과 공동으로 시행하는 방법

(2) 재건축사업은 조합이 시행하거나 조합이 조합원의 과반수의 동의를 받아 시장·군수등, 토지주택공사등, 건설사업자 또는 등록사업자와 공동으로 시행할 수 있다.

④ 재개발사업 · 재건축사업의 공공시행자 (법 제26조)(영 제20조)

(1) 시장·군수등은 재개발사업 및 재건축사업이 다음의 어느 하나에 해당하는 때에는 위 ③에도 불구하고 직접 정비사업을 시행하거나 토지주택공사등(토지주택공사등이 건설사업자 또는 등록사업자와 공동으로 시행하는 경우를 포함한다)을 사업시행자로 지정하여 정비사업을 시행하게 할 수 있다.

① 천재지변, 「재난 및 안전관리 기본법」 또는 「시설물의 안전 및 유지관리에 관한 특별법」에 따른 사용제한·사용금지, 그 밖의 불가피한 사유로 긴급하게 정비사업을 시행할 필요가 있다고 인정하는 때

② 고시된 정비계획에서 정한 정비사업시행 예정일부터 2년 이내에 사업시행계획인가를 신청하지 아니하거나 사업시행계획인가를 신청한 내용이 위법 또는 부당하다고 인정하는 때(재건축사업의 경우는 제외한다)

③ 추진위원회가 시장·군수등의 구성승인을 받은 날부터 3년 이내에 조합설립인가를 신청하지 아니하거나 조합이 조합설립인가를 받은 날부터 3년 이내에 사업시행계획인가를 신청하지 아니한 때

④ 지방자치단체의 장이 시행하는 「국토의 계획 및 이용에 관한 법률」에 따른 도시·군계획사업과 병행하여 정비사업을 시행할 필요가 있다고 인정하는 때

⑤ 순환정비방식으로 정비사업을 시행할 필요가 있다고 인정하는 때

⑥ 사업시행계획인가가 취소된 때

⑦ 해당 정비구역의 국·공유지 면적 또는 국·공유지와 토지주택공사등이 소유한 토지를 합한 면적이 전체 토지면적의 1/2 이상으로서 토지등소유자의 과반수가 시장·군수등 또는 토지주택공사등을 사업시행자로 지정하는 것에 동의하는 때

⑧ 해당 정비구역의 토지면적 1/2 이상의 토지소유자와 토지등소유자의 2/3 이상에 해당하는 자가 시장·군수등 또는 토지주택공사등을 사업시행자로 지정할 것을 요청하는 때. 이 경우 토지등소유자가 정비계획의 입안을 제안한 경우 입안제안에 동의한 토지등소유자는 토지주택공사등의 사업시행자 지정에 동의한 것으로 본다.

　예외　사업시행자의 지정 요청 전에 시장·군수등 및 주민대표회의에 사업시행자의 지정에 대한 반대의 의사표시를 한 토지등소유자의 경우에는 그러하지 아니하다.

(2) 시장·군수등은 위 (1)에 따라 직접 정비사업을 시행하거나 토지주택공사등을 사업시행자로 지정하는 때에는 정비사업 시행구역 등 토지등소유자에게 알릴 필요가 있는 사항으로서 다음에 해당하는 사항을 해당 지방자치단체의 공보에 고시해야 한다.

　단서　위 (1)-①의 경우에는 토지등소유자에게 지체 없이 정비사업의 시행 사유·시기 및 방법 등을 통보해야 한다.

① 정비사업의 종류 및 명칭

건축관계법

국토계획법

주차장법

주 택 법

도시및주거
환경정비법

건축사법

장애인시설법

소방시설법

서울시조례

건축관계법

국토계획법

주차장법

주 택 법

도시및주거
환경정비법

건축사법

장애인시설법

소방시설법

서울시조례

② 사업시행자의 성명 및 주소(법인인 경우에는 법인의 명칭 및 주된 사무소의 소재지와 대표자의 성명 및 주소를 말한다. 이하 같다)

③ 정비구역(정비구역을 둘 이상의 구역으로 분할하는 경우에는 분할된 각각의 구역을 말한다)의 위치 및 면적

④ 정비사업의 착수예정일 및 준공예정일

(3) 위 (2)에 따라 시장·군수등이 직접 정비사업을 시행하거나 토지주택공사등을 사업시행자로 지정·고시한 때에는 그 고시일 다음 날에 추진위원회의 구성승인 또는 조합설립인가가 취소된 것으로 본다. 이 경우 시장·군수등은 해당 지방자치단체의 공보에 해당 내용을 고시해야 한다.

⑤ 재개발사업·재건축사업의 지정개발자 (법 제27조) (영 제21조)

(1) 시장·군수등은 재개발사업 및 재건축사업이 다음의 어느 하나에 해당하는 때에는 아래의 일정한 요건을 갖춘 자(이하 "지정개발자"라 한다)를 사업시행자로 지정하여 정비사업을 시행하게 할 수 있다.

① 천재지변, 「재난 및 안전관리 기본법」 또는 「시설물의 안전 및 유지관리에 관한 특별법」에 따른 사용제한·사용금지, 그 밖의 불가피한 사유로 긴급하게 정비사업을 시행할 필요가 있다고 인정하는 때

② 고시된 정비계획에서 정한 정비사업시행 예정일부터 2년 이내에 사업시행계획인가를 신청하지 아니하거나 사업시행계획인가를 신청한 내용이 위법 또는 부당하다고 인정하는 때(재건축사업의 경우는 제외한다)

③ 재개발사업 및 재건축사업의 조합설립을 위한 동의요건 이상에 해당하는 자가 신탁업자를 사업시행자로 지정하는 것에 동의하는 때

■ **지정 개발자의 요건 등(일정한 요건을 갖춘 자)**

1. 정비구역의 토지 중 정비구역 전체 면적 대비 50% 이상의 토지를 소유한 자로서 토지등소유자의 50% 이상의 추천을 받은 자

2. 「사회기반시설에 대한 민간투자법」에 따른 민관합동법인(민간투자사업의 부대사업으로 시행하는 경우에만 해당한다)으로서 토지등소유자의 50% 이상의 추천을 받은 자

3. 신탁업자로서 토지등소유자의 2분의 1 이상의 추천을 받거나 재개발사업·재건축사업의 지정개발자 또는 재개발사업·재건축사업의 사업대행자에 따라 동의를 받은 자

✱ 위 표의 토지등소유자의 추천은 다음의 기준에 따라 산정한다.

1. 재개발사업의 경우

㉠ 1필지의 토지 또는 하나의 건축물을 여럿이서 공유할 때에는 그 여럿을 대표하는 1인을 토지등소유자로 산정할 것. 다만, 재개발구역의 「전통시장 및 상점가 육성을 위한 특별법」에 따른 전통시장 및 상점가로서 1필지의 토지 또는 하나의 건축물을 여럿이서 공유하는 경우에는 해당 토지 또는 건축물의 토지등소유자의 4분의 3 이상의 동의를 받아 이를 대표하는 1인을 토지등소유자로 산정할 수 있다.

㉡ 토지에 지상권이 설정되어 있는 경우 토지의 소유자와 해당 토지의 지상권자를 대표하는 1인을 토지등소유자로 산정할 것

㉢ 1인이 다수 필지의 토지 또는 다수의 건축물을 소유하고 있는 경우에는 필지나 건축물의 수에 관계없이 토지등소유자를 1인으로 산정할 것

㉣ 둘 이상의 토지 또는 건축물을 소유한 공유자가 동일한 경우에는 그 공유자 여럿을 대표하는 1인을 토지등소유자로 산정할 것

2. 재건축사업의 경우

㉠ 소유권 또는 구분소유권을 여럿이서 공유하는 경우에는 그 여럿을 대표하는 1인을 토지등소유자로 산정할 것

ⓛ 1인이 둘 이상의 소유권 또는 구분소유권을 소유하고 있는 경우에는 소유권 또는 구분소유권의 수에 관계없이 토지등소유자를 1인으로 산정할 것

ⓒ 둘 이상의 소유권 또는 구분소유권을 소유한 공유자가 동일한 경우에는 그 공유자 여럿을 대표하는 1인을 토지등소유자로 할 것

3. 토지건물등기사항증명서, 건물등기사항증명서, 토지대장 또는 건축물관리대장에 소유자로 등재될 당시 주민등록번호의 기록이 없고 기록된 주소가 현재 주소와 다른 경우로서 소재가 확인되지 아니한 자는 토지등소유자의 수 또는 공유자 수에서 제외할 것

4. 국·공유지에 대해서는 그 재산관리청 각각을 토지등소유자로 산정할 것

■ **지정개발자 추천의 철회**

1. 추천이 있은 날부터 30일 이내에 할 수 있다.

2. 추천을 철회하려는 토지등소유자는 철회서에 토지등소유자가 성명을 적고 지장(指章)을 날인한 후 주민등록증 및 여권 등 신원을 확인할 수 있는 신분증명서 사본을 첨부하여 추천의 상대방 및 시장·군수등에게 내용증명의 방법으로 발송해야 한다. 이 경우 시장·군수등이 철회서를 받았을 때에는 지체 없이 추천의 상대방에게 철회서가 접수된 사실을 통지해야 한다.

3. 추천의 철회는 철회서가 추천의 상대방에게 도달한 때 또는 같은 항 후단에 따라 시장·군수등이 추천의 상대방에게 철회서가 접수된 사실을 통지한 때 중 빠른 때에 효력이 발생한다.

(2) 시장·군수등은 위 (1)에 따라 지정개발자를 사업시행자로 지정하는 때에는 정비사업 시행구역 등 토지등소유자에게 알릴 필요가 있는 사항으로서 위 **4**-(2)-①~④의 사항을 해당 지방자치단체의 공보에 고시해야 한다.

단서 위 (1)-①의 경우에는 토지등소유자에게 지체 없이 정비사업의 시행 사유·시기 및 방법 등을 통보해야 한다.

(3) 신탁업자는 위 (1)-③에 따른 사업시행자 지정에 필요한 동의를 받기 전에 다음에 관한 사항을 토지등소유자에게 제공해야 한다.

① 토지등소유자별 분담금 추산액 및 산출근거

② 그 밖에 추정분담금의 산출 등과 관련하여 시·도조례로 정하는 사항

(4) 위 (1)-③에 따른 토지등소유자의 동의는 국토교통부령으로 정하는 동의서에 동의를 받는 방법으로 한다. 이 경우 동의서에는 다음의 사항이 모두 포함되어야 한다.

① 건설되는 건축물의 설계의 개요

② 건축물의 철거 및 새 건축물의 건설에 드는 공사비 등 정비사업에 드는 비용(이하 "정비사업비"라 한다)

③ 정비사업비의 분담기준(신탁업자에게 지급하는 신탁보수 등의 부담에 관한 사항을 포함한다)

④ 사업 완료 후 소유권의 귀속

⑤ 정비사업의 시행방법 등에 필요한 시행규정

⑥ 신탁계약의 내용

(5) 위 (2)에 따라 시장·군수등이 지정개발자를 사업시행자로 지정·고시한 때에는 그 고시일 다음 날에 추진위원회의 구성승인 또는 조합설립인가가 취소된 것으로 본다. 이 경우 시장·군수등은 해당 지방자치단체의 공보에 해당 내용을 고시해야 한다.

(6) 국토교통부장관은 신탁업자와 토지등소유자 상호 간의 공정한 계약의 체결을 위하여 대통령령으로 정하는 바에 따라 표준 계약서 및 표준 시행규정을 마련하여 그 사용을 권장할 수 있다.

건축관계법

국토계획법

주차장법

주 택 법

도시및주거
환경정비법

건축사법

장애인시설법

소방시설법

서울시조례

■ **표준계약서 및 표준 시행규정의 내용에 포함되어야 하는 사항**

표준 계약서 및 표준 시행규정에는 다음의 구분에 따른 내용이 포함되어야 한다.

표준계약서	1. 신탁의 목적에 관한 사항
	2. 신탁계약의 기간, 신탁 종료 및 해지에 관한 사항
	3. 신탁재산의 관리, 운영 및 처분에 관한 사항
	4. 자금의 차입 방법에 관한 사항
	5. 그 밖에 토지등소유자 권익 보호 및 정비사업의 추진을 위해 필요한 사항
표준 시행규정	1. 정비사업의 종류 및 명칭
	2. 정비사업의 시행연도 및 시행방법
	3. 비용부담 및 회계
	4. 토지등소유자의 권리·의무
	5. 정비기반시설 및 공동이용시설의 부담
	6. 공고·공람 및 통지의 방법
	7. 토지 및 건축물에 관한 권리의 평가방법
	8. 관리처분계획 및 청산(분할징수 또는 납입에 관한 사항을 포함한다). 다만, 수용의 방법으로 시행하는 경우는 제외한다.
	9. 시행규정의 변경
	10. 사업시행계획서의 변경
	11. 토지등소유자 전체회의(신탁업자가 사업시행자인 경우로 한정한다)
	12. 그 밖에 시·도조례로 정하는 사항

6 재개발사업·재건축사업의 사업대행자 (법 제28조)

【1】사업 대행자의 정비사업 시행

(1) 시장·군수등은 다음의 어느 하나에 해당하는 경우에는 해당 조합 또는 토지등소유자를 대신하여 직접 정비사업을 시행하거나 토지주택공사등 또는 지정개발자에게 해당 조합 또는 토지등소유자를 대신하여 정비사업을 시행하게 할 수 있다.

① 장기간 정비사업이 지연되거나 권리관계에 관한 분쟁 등으로 해당 조합 또는 토지등소유자가 시행하는 정비사업을 계속 추진하기 어렵다고 인정하는 경우

② 토지등소유자(조합을 설립한 경우에는 조합원을 말한다)의 과반수 동의로 요청하는 경우

(2) 위 (1)에 따라 정비사업을 대행하는 시장·군수등, 토지주택공사등 또는 지정개발자(이하 "사업대행자"라 한다)는 사업시행자에게 청구할 수 있는 보수 또는 비용의 상환에 대한 권리로써 사업시행자에게 귀속될 대지 또는 건축물을 압류할 수 있다.

【2】사업대행개시결정 및 효과 등 (영 제22조)

(1) 시장·군수등은 정비사업을 직접 시행하거나 지정개발자 또는 토지주택공사등에게 정비사업을 대행하도록 결정(이하 "사업대행개시결정"이라 한다)한 경우에는 다음의 사항을 해당 지방자치단체의 공보등에 고시해야 한다.

① 위 4 -(2)의 각 각의 사항

② 사업대행개시결정을 한 날

③ 사업대행자(정비사업을 대행하는 시장·군수등, 토지주택공사등 또는 지정개발자를 말한다)

④ 대행사항

(2) 시장·군수등은 토지등소유자 및 사업시행자에게 위 (1)에 따라 고시한 내용을 통지해야 한다.

(3) 사업대행자는 정비사업을 대행하는 경우 위 (1)에 따른 고시를 한 날의 다음 날부터 사업대행 완료를 고시하는 날까지 자기의 이름 및 사업시행자의 계산으로 사업시행자의 업무를 집행하고 재산을 관리한다. 이 경우 법 또는 법에 따른 명령이나 정관등으로 정하는 바에 따라 사업시행 자가 행하거나 사업시행자에 대하여 행하여진 처분·절차 그 밖의 행위는 사업대행자가 행하거 나 사업대행자에 대하여 행하여진 것으로 본다.

(4) 시장·군수등이 아닌 사업대행자는 재산의 처분, 자금의 차입 그 밖에 사업시행자에게 재산상 부 담을 주는 행위를 하려는 때에는 미리 시장·군수등의 승인을 받아야 한다.

(5) 사업대행자는 위 (3) 및 (4)에 따른 업무를 하는 경우 선량한 관리자로서의 주의의무를 다하여 야 하며, 필요한 때에는 사업시행자에게 협조를 요청할 수 있고, 사업시행자는 특별한 사유가 없는 한 이에 응해야 한다.

【3】 사업대행의 완료 (영 제23조)

(1) 사업대행자는 위 【1】-(1)에 따른 사업대행의 원인이 된 사유가 없어지거나 등기를 완료한 때 에는 사업대행을 완료해야 한다. 이 경우 시장·군수등이 아닌 사업대행자는 미리 시장·군수 등 에게 사업대행을 완료할 뜻을 보고해야 한다.

(2) 시장·군수등은 위 (1)에 따라 사업대행을 완료한 때에는 위 【2】-(1)의 각 각의 사항과 사업 대 행완료일을 해당 지방자치단체의 공보등에 고시하고, 토지등소유자 및 사업시행자에게 각각 통지해야 한다.

(3) 사업대행자는 위 (2)에 따른 사업대행완료의 고시가 있은 때에는 지체 없이 사업시행자에게 업 무를 인계해야 하며, 사업시행자는 정당한 사유가 없는 한 이를 인수해야 한다.

(4) 위 (3)에 따른 인계·인수가 완료된 때에는 사업대행자가 정비사업을 대행할 때 취득하거나 부 담한 권리와 의무는 사업시행자에게 승계된다.

(5) 사업대행자는 위 (1)에 따른 사업대행의 완료 후 사업시행자에게 보수 또는 비용의 상환을 청 구할 때에 그 보수 또는 비용을 지출한 날 이후의 이자를 청구할 수 있다.

7 계약의 방법 및 시공자 선정 등 (법 제29조)(영 제24조)

(1) 추진위원장 또는 사업시행자(청산인을 포함한다)는 이 법 또는 다른 법령에 특별한 규정이 있 는 경우를 제외하고는 계약(공사, 용역, 물품구매 및 제조 등을 포함한다)을 체결하려면 일반경 쟁에 부쳐야 한다.

　예외 계약규모, 재난의 발생 등 다음에 해당하는 경우에는 입찰 참가자를 지명(指名)하여 경쟁에 부 치거나 수의계약(隨意契約)으로 할 수 있다.

① 입찰 참가자를 지명(指名)하여 경쟁에 부치려는 경우: 다음의 어느 하나에 해당해야 한다.
　㉠ 계약의 성질 또는 목적에 비추어 특수한 설비·기술·자재·물품 또는 실적이 있는 자가 아니면 계약의 목적을 달성하기 곤란한 경우로서 입찰대상자가 10인 이내인 경우
　㉡ 「건설산업기본법」에 따른 건설공사(전문공사를 제외한다)로서 추정가격이 3억원 이하인 공 사인 경우
　㉢ 「건설산업기본법」에 따른 전문공사로서 추정가격이 1억원 이하인 공사인 경우
　㉣ 공사관련 법령(「건설산업기본법」은 제외한다)에 따른 공사로서 추정가격이 1억원 이하인 공 사인 경우
　㉤ 추정가격 1억원 이하의 물품 제조·구매, 용역, 그 밖의 계약인 경우

3장 제6편 도시 및 주거환경정비법

건축관계법

국토계획법

주차장법

주 택 법

도시및주거
환경정비법

건축사법

장애인시설법

소방시설법

서울시조례

② 수의계약을 하려는 경우: 다음의 어느 하나에 해당해야 한다.
  ㉠ 「건설산업기본법」에 따른 건설공사로서 추정가격이 2억원 이하인 공사인 경우
  ㉡ 「건설산업기본법」에 따른 전문공사로서 추정가격이 1억원 이하인 공사인 경우
  ㉢ 공사관련 법령(「건설산업기본법」은 제외한다)에 따른 공사로서 추정가격이 8천만원 이하인
     공사인 경우
  ㉣ 추정가격 5천만원 이하인 물품의 제조·구매, 용역, 그 밖의 계약인 경우
  ㉤ 소송, 재난복구 등 예측하지 못한 긴급한 상황에 대응하기 위하여 경쟁에 부칠 여유가 없는 경우
  ㉥ 일반경쟁입찰이 입찰자가 없거나 단독 응찰의 사유로 2회 이상 유찰된 경우

(2) 일반경쟁의 방법으로 계약을 체결하는 경우로서 다음으로 정하는 규모를 초과하는 계약은 「전
   자조달의 이용 및 촉진에 관한 법률」의 국가종합전자조달시스템(이하 "전자조달시스템"이라
   한다)을 이용해야 한다.
  ① 「건설산업기본법」에 따른 건설공사로서 추정가격이 6억원을 초과하는 공사의 계약
  ② 「건설산업기본법」에 따른 전문공사로서 추정가격이 2억원을 초과하는 공사의 계약
  ③ 공사관련 법령(「건설산업기본법」은 제외한다)에 따른 공사로서 추정가격이 2억원을 초과하는
     공사의 계약
  ④ 추정가격 2억원을 초과하는 물품 제조·구매, 용역, 그 밖의 계약

(3) 위 (1) 및 (2)에 따라 계약을 체결하는 경우 계약의 방법 및 절차 등에 필요한 사항은 국토교
   통부장관이 정하여 고시한다.

(4) 조합은 조합설립인가를 받은 후 조합총회에서 위 (1)에 따라 경쟁입찰 또는 수의계약(2회 이상
   경쟁입찰이 유찰된 경우로 한정한다)의 방법으로 건설사업자 또는 등록사업자를 시공자로 선정
   해야 한다.
   단서 조합원이 100인 이하인 정비사업은 조합총회에서 정관으로 정하는 바에 따라 선정할 수 있다.

(5) 토지등소유자가 위 ③-(1)-②에 따라 재개발사업을 시행하는 경우에는 위 (1)에도 불구하고 사
   업시행계획인가를 받은 후 규약에 따라 건설사업자 또는 등록사업자를 시공자로 선정해야 한다.

(6) 시장·군수등이 직접 정비사업을 시행하거나 토지주택공사등 또는 지정개발자를 사업시행자로
   지정한 경우 사업시행자는 사업시행자 지정·고시 후 위 (1)에 따른 경쟁입찰 또는 수의계약의
   방법으로 건설사업자 또는 등록사업자를 시공자로 선정해야 한다.

(7) 위 (6)에 따라 시공자를 선정하거나 사업시행자가 정비구역에서 인가받은 관리처분계획에 따
   라 주택 및 부대시설·복리시설을 건설하여 공급하는 방법으로 시행하는 주거환경개선사업의 사
   업시행자가 시공자를 선정하는 경우에는 주민대표회의 또는 토지등소유자 전체회의는 다음의
   요건을 모두 갖춘 입찰방법 또는 수의계약(2회 이상 경쟁입찰이 유찰된 경우로 한정한다)의 방
   법으로 시공자를 추천할 수 있다.
  ① 일반경쟁입찰·제한경쟁입찰 또는 지명경쟁입찰 중 하나일 것
  ② 해당 지역에서 발간되는 일간신문에 1회 이상 위 ①의 입찰을 위한 공고를 하고, 입찰 참가자를
     대상으로 현장 설명회를 개최할 것
  ③ 해당 지역 주민을 대상으로 합동홍보설명회를 개최할 것
  ④ 토지등소유자를 대상으로 제출된 입찰서에 대한 투표를 실시하고 그 결과를 반영할 것

(8)[→(10)] 위 (7)에 따라 주민대표회의 또는 토지등소유자 전체회의가 시공자를 추천한 경우 사업
   시행자 는 추천받은 자를 시공자로 선정해야 한다. 이 경우 시공자와의 계약에 관해서는 「지
   방자치 단체를 당사자로 하는 계약에 관한 법률」 제9조(계약의 방법) 또는 「공공기관의 운영

에 관한 법률」 제39조(회계원칙 등)를 적용하지 않는다.

(8) 조합은 (4)에 따라 시공자 선정을 위한 입찰에 참가하는 건설업자 또는 등록사업자가 토지등소유자에게 시공에 관한 정보를 제공할 수 있도록 합동설명회를 2회 이상 개최하여야 한다. <신설 2023.12.26./시행 2024.6.27.>

(9)[→(11)] 사업시행자(사업대행자를 포함한다)는 위 (4)~(8)의 규정에 따라 선정된 시공자와 공사에 관 한 계약을 체결할 때에는 기존 건축물의 철거 공사(「석면안전관리법」 에 따른 석면 조사·해 체·제거를 포함한다)에 관한 사항을 포함시켜야 한다.

(9) (8)에 따른 합동설명회의 개최 방법이나 시기 등은 국토교통부령으로 정한다. <신설 2023.12.26./시행 2024.6.27.>

관계법 「지방자치 단체를 당사자로 하는 계약에 관한 법률」 제9조 【계약의 방법】

① 지방자치단체의 장 또는 계약담당자는 계약을 체결하려는 경우에는 이를 공고하여 일반입찰에 부쳐야 한다. 다만, 계약의 목적·성질·규모 및 지역특수성 등을 고려하여 필요하다고 인정되면 참가자를 지명(指名)하여 입찰에 부치거나 수의계약을 할 수 있다. <개정 2013. 8. 6.>

② 제1항 본문에 따라 일반입찰에 부치는 경우 대통령령으로 정하는 바에 따라 입찰 참가자격을 사전심사하여 적격자만을 입찰에 참가하게 하거나 시공능력, 실적, 기술보유상황, 법인등기부상 본점소재지(개인사업자인 경우에는 사업자등록증 또는 관련 법령에 따른 허가·인가·면허·등록·신고 등에 관련된 서류에 기재된 사업장의 소재지를 말한다. 이하 같다) 등으로 입찰 참가자격을 제한하여 입찰에 부칠 수 있다. <개정 2018. 12. 24.>

③ 제1항 단서에 따른 지명기준 및 지명절차, 수의계약의 대상범위 및 수의계약상대자의 선정절차, 그 밖에 필요한 사항은 대통령령으로 정한다.

④ 지방자치단체의 장 또는 계약담당자는 제1항 단서에 따라 수의계약을 체결한 경우 대통령령으로 정하는 바에 따라 수의계약 내용을 공개하여야 한다.

⑤ 제1항에 따라 계약을 체결하는 과정에서 다른 법률에 따른 우선구매 대상이 경합하는 경우에는 계약의 목적이나 규모, 사회적 약자에 대한 배려 수준 등을 고려하여 계약상대자를 결정하여야 한다. <신설 2017. 12. 26.>

[전문개정 2009. 2. 6.] [시행일 : 2019.6.25.] 제9조

관계법 「공공기관의 운영에 관한 법률」 제39조 【회계원칙 등】

① 공기업·준정부기관의 회계는 경영성과와 재산의 증감 및 변동 상태를 명백히 표시하기 위하여 그 발생 사실에 따라 처리한다.

② 공기업·준정부기관은 공정한 경쟁이나 계약의 적정한 이행을 해칠 것이 명백하다고 판단되는 사람·법인 또는 단체 등에 대하여 2년의 범위 내에서 일정기간 입찰참가자격을 제한할 수 있다.

③ 제1항과 제2항의 규정에 따른 회계처리의 원칙과 입찰참가자격의 제한기준 등에 관하여 필요한 사항은 기획재정부령으로 정한다. <개정 2008.2.29.>

---

⑧ **공사비 검증 요청 등** (법 제29조의2)

(1) 재개발사업·재건축사업의 사업시행자(시장·군수등 또는 토지주택공사등이 단독 또는 공동으로 정비사업을 시행하는 경우는 제외한다)는 시공자와 계약 체결 후 다음의 어느 하나에 해당하는 때에는 정비사업 지원기구에 공사비 검증을 요청해야 한다.

건축관계법

국토계획법

주차장법

주 택 법

도시및주거환경정비법

건축사법

장애인시설법

소방시설법

서울시조례

① 토지등소유자 또는 조합원 1/5 이상이 사업시행자에게 검증 의뢰를 요청하는 경우

② 공사비의 증액 비율(당초 계약금액 대비 누적 증액 규모의 비율로서 생산자물가상승률은 제외한다)이 다음의 어느 하나에 해당하는 경우

  ㉠ 사업시행계획인가 이전에 시공자를 선정한 경우: 10/100 이상

  ㉡ 사업시행계획인가 이후에 시공자를 선정한 경우: 5/100 이상

③ 위 ① 또는 ②에 따른 공사비 검증이 완료된 이후 공사비의 증액 비율(검증 당시 계약금액 대비 누적 증액 규모의 비율로서 생산자물가상승률은 제외한다)이 3/100 이상인 경우

(2) 위 (1)에 따른 공사비 검증의 방법 및 절차, 검증 수수료, 그 밖에 필요한 사항은 국토교통부장관이 정하여 고시한다.

⑨ 임대사업자의 선정 (법 제30조)

(1) 사업시행자는 공공지원민간임대주택을 원활히 공급하기 위하여 국토교통부장관이 정하는 경쟁 입찰의 방법 또는 수의계약(2회 이상 경쟁입찰이 유찰된 경우와 공공재개발사업을 통해 건설·공급되는 공공지원민간임대주택을 국가가 출자·설립한 법인 등 대통령령으로 정한 자에게 매각하는 경우로 한정한다)의 방법으로 「민간임대주택에 관한 특별법」에 따른 임대사업자를 선정할 수 있다.

(2) 위 (1)에 따른 임대사업자의 선정절차 등에 필요한 사항은 국토교통부 장관이 정하여 고시할 수 있다.

2 조합설립추진위원회 및 조합의 설립 등

① 조합의 설립 및 추진위원회의 구성·승인 (법 제31조)(영 제25조)

(1) 조합을 설립하려는 경우에는 정비구역 지정·고시 후 다음의 사항에 대하여 토지등소유자 과반수의 동의를 받아 조합설립을 위한 추진위원회를 구성하여 국토교통부령으로 정하는 방법과 절차에 따라 시장·군수등의 승인을 받아야 한다.

① 추진위원회 위원장(이하 "추진위원장"이라 한다)을 포함한 5명 이상의 추진위원회 위원(이하 "추진위원"이라 한다)

② 운영규정

(2) 위 (1)에 따라 추진위원회의 구성에 동의한 토지등소유자(이하 이 조에서 "추진위원회 동의자"라 한다)는 조합의 설립에 동의한 것으로 본다.

다만, 조합설립인가를 신청하기 전에 시장·군수등 및 추진위원회에 조합설립에 대한 반대의 의사표시를 한 추진위원회 동의자의 경우에는 그러하지 아니하다.

(3) 위 (1)에 따른 토지등소유자의 동의를 받으려는 자는 다음의 방법 및 절차에 따라야 한다. 이 경우 동의를 받기 전에 위 (2)의 내용을 설명·고지해야 한다.

① 토지등소유자의 동의를 받으려는 자는 국토교통부령으로 정하는 동의서에 추진위원장, 추진위원회 위원, 추진위원회의 업무 및 운영규정을 미리 쓴 후 토지등소유자의 동의를 받아야 한다.

② 토지등소유자의 동의를 받으려는 자는 다음의 사항을 설명·고지해야 한다.

  ㉠ 동의를 받으려는 사항 및 목적

  ㉡ 동의로 인하여 의제되는 사항

  ㉢ 동의의 철회 또는 반대의사 표시의 절차 및 방법

(4) 정비사업에 대하여 공공지원을 하려는 경우에는 추진위원회를 구성하지 아니할 수 있다.

② 추진위원회의 기능 $\left(\frac{법}{제32조}\right)$

【1】 추진위원회의 업무 등 $\left(\frac{영}{제26조}\right)$

(1) 추진위원회는 다음의 업무를 수행할 수 있다.
① 정비사업전문관리업자의 선정 및 변경
② 설계자의 선정 및 변경
③ 개략적인 정비사업 시행계획서의 작성
④ 조합설립인가를 받기 위한 준비업무
⑤ 그 밖에 조합설립을 추진하기 위하여 다음에 해당하는 업무
　㉠ 추진위원회 운영규정의 작성
　㉡ 토지등소유자의 동의서의 접수
　㉢ 조합의 설립을 위한 창립총회의 개최
　㉣ 조합 정관의 초안 작성
　㉤ 그 밖에 추진위원회 운영규정으로 정하는 업무
(2) 추진위원회가 정비사업전문관리업자를 선정하려는 경우에는 추진위원회 승인을 받은 후 경쟁입찰 또는 수의계약(2회 이상 경쟁입찰이 유찰된 경우로 한정한다)의 방법으로 선정해야 한다.

【2】 창립총회 개최의 방법 및 절차 등 $\left(\frac{영}{제27조}\right)$

(1) 추진위원회(추진위원회를 구성하지 아니하는 경우에는 토지등소유자를 말한다)는 아래 ⑤ -(2)~(4)의 규정에 따른 동의를 받은 후 조합설립인가를 신청하기 전에 창립총회를 개최해야 한다.
(2) 추진위원회(추진위원회를 구성하지 아니하는 경우에는 조합설립을 추진하는 토지등소유자의 대표자를 말한다)는 창립총회 14일 전까지 회의목적·안건·일시·장소·참석자격 및 구비사항 등을 인터넷 홈페이지를 통하여 공개하고, 토지등소유자에게 등기우편으로 발송·통지해야 한다.
(3) 창립총회는 추진위원장(추진위원회를 구성하지 아니하는 경우에는 토지등소유자의 대표자를 말한다)의 직권 또는 토지등소유자 1/5 이상의 요구로 추진위원장이 소집한다.
　예외 토지등소유자 1/5 이상의 소집요구에도 불구하고 추진위원장이 2주 이상 소집요구에 응하지 아니하는 경우 소집요구한 자의 대표가 소집할 수 있다.
(4) 창립총회에서는 다음의 업무를 처리한다.
① 조합 정관의 확정
② 조합의 임원(이하 "조합임원"이라 한다)의 선임
③ 대의원의 선임
④ 그 밖에 필요한 사항으로서 위 (2)에 따라 사전에 통지한 사항
(5) 창립총회의 의사결정은 토지등소유자(재건축사업의 경우 조합설립에 동의한 토지등소유자로 한정한다)의 과반수 출석과 출석한 토지등소유자 과반수 찬성으로 결의한다.
　단서 조합임원 및 대의원의 선임은 위 (4)-①에 따라 확정된 정관에서 정하는 바에 따라 선출한다.
(6) 공공지원 방식으로 시행하는 정비사업 중 추진위원회를 구성하지 아니하는 경우에는 위 (1)~(5)에서 규정한 사항 외에 위 【1】-(1)-⑤의 ㉡~㉣의 업무에 대한 절차 등에 필요한 사항을 시·도조례로 정할 수 있다.

건축관계법

국토계획법

주차장법

주 택 법

도시및주거
환경정비법

건축사법

장애인시설법

소방시설법

서울시조례

건축관계법

국토계획법

주차장법

주택법

도시및주거
환경정비법

건축사법

장애인시설법

소방시설법

서울시조례

③ **추진위원회의 조직** (법
제33조)

  (1) 추진위원회는 추진위원회를 대표하는 추진위원장 1명과 감사를 두어야 한다.

  (2) 추진위원의 선출에 관한 선거관리는 「선거관리위원회법」에 따라 선거관리위원회에 위탁할 수 있다. 이 경우 "조합"은 "추진위원회"로, "조합임원"은 "추진위원"으로 본다.

  (3) 토지등소유자는 추진위원회의 운영규정에 따라 추진위원회에 추진위원의 교체 및 해임을 요구할 수 있으며, 추진위원장이 사임, 해임, 임기만료, 그 밖에 불가피한 사유 등으로 직무를 수행할 수 없는 때부터 6개월 이상 선임되지 아니한 경우 그 업무의 대행에 관하여는 아래 ⑪-【2】-(1)의 규정을 준용한다. 이 경우 "조합임원"은 "추진위원장"으로 본다.

  (4) 위 (3)에 따른 추원진위의 교체·해임 절차 등에 필요한 사항은 아래 ④-(1)에 따른 운영규정에 따른다.

  (5) 추진위원의 결격사유는 아래 ⑬ -(1)~(3)의 규정을 준용한다. 이 경우 "조합"은 "추진위원회"로, "조합임원"은 "추진위원"으로 <u>조합설립 인가권자"는 "추진위원회 승인권자"로 본다.</u>

④ **추진위원회의 운영** (법
제34조)

【1】추진위원회 운영규정 (영
제28조)

  (1) 국토교통부장관은 추진위원회의 공정한 운영을 위하여 다음의 사항을 포함한 추진위원회의 운영규정을 정하여 고시해야 한다.

    ① 추진위원의 선임방법 및 변경

    ② 추진위원의 권리·의무

    ③ 추진위원회의 업무범위

    ④ 추진위원회의 운영방법

    ⑤ 토지등소유자의 운영경비 납부

    ⑥ 추진위원회 운영자금의 차입

    ⑦ 그 밖에 추진위원회의 운영에 필요한 사항으로서 다음에 해당하는 사항

1. 추진위원회 운영경비의 회계에 관한 사항
2. 정비사업전문관리업자의 선정에 관한 사항
3. 그 밖에 국토교통부장관이 정비사업의 원활한 추진을 위하여 필요하다고 인정하는 사항

  (2) 추진위원회는 운영규정에 따라 운영해야 하며, 토지등소유자는 운영에 필요한 경비를 운영규정에 따라 납부해야 한다.

【2】추진위원회의 업무 보고와 회계장부 및 관계 서류의 인계

  (1) 추진위원회는 수행한 업무를 총회에 보고해야 하며, 그 업무와 관련된 권리·의무는 조합이 포괄승계 한다.

  (2) 추진위원회는 사용경비를 기재한 회계장부 및 관계 서류를 조합설립인가일부터 30일 이내에 조합에 인계해야 한다.

건축관계법

국토계획법

주차장법

주 택 법

도시및주거
환경정비법

건축사법

장애인시설법

소방시설법

서울시조례

【3】 추진위원회의 운영 (영 제29조)

(1) 추진위원회는 다음의 사항을 토지등소유자가 쉽게 접할 수 있는 일정한 장소에 게시하거나 인터넷 등을 통하여 공개하고, 필요한 경우에는 토지등소유자에게 서면통지를 하는 등 토지등소유자가 그 내용을 충분히 알 수 있도록 해야 한다.

　　[단서] 아래 ⑧ 및 ⑨의 사항은 조합설립인가 신청일 60일 전까지 추진위원회 구성에 동의한 토지등소유자에게 등기우편으로 통지해야 한다.

　① 안전진단의 결과
　② 정비사업전문관리업자의 선정에 관한 사항
　③ 토지등소유자의 부담액 범위를 포함한 개략적인 사업시행계획서
　④ 추진위원회 위원의 선정에 관한 사항
　⑤ 토지등소유자의 비용부담을 수반하거나 권리·의무에 변동을 일으킬 수 있는 사항
　⑥ 추진위원회의 업무에 관한 사항
　⑦ 창립총회 개최의 방법 및 절차
　⑧ 조합설립에 대한 동의철회(반대의 의사표시를 포함한다) 및 방법
　⑨ 조합설립 동의서에 포함되는 사항

(2) 추진위원회는 추진위원회의 지출내역서를 매분기별로 토지등소유자가 쉽게 접할 수 있는 일정한 장소에 게시하거나 인터넷 등을 통하여 공개하고, 토지등소유자가 열람할 수 있도록 해야 한다.

⑤ 조합설립인가 등 (법 제35조)

【1】 조합의 설립 및 인가 (영 제31조)

(1) 시장·군수등, 토지주택공사등 또는 지정개발자가 아닌 자가 정비사업을 시행하려는 경우에는 토지등소유자로 구성된 조합을 설립해야 한다.

　　[예외] 토지등소유자가 20인 미만의 토지등소유자가 재개발사업을 시행하려는 경우에는 그러하지 아니하다.

(2) 재개발사업의 추진위원회(추진위원회를 구성하지 아니하는 경우에는 토지등소유자를 말한다)가 조합을 설립하려면 토지등소유자의 3/4 이상 및 토지면적의 1/2 이상의 토지소유자의 동의를 받아 다음의 사항을 첨부하여 시장·군수등의 인가를 받아야 한다.

　① 정관
　② 정비사업비와 관련된 자료 등 국토교통부령으로 정하는 서류
　③ 그 밖에 시·도조례로 정하는 서류

(3) 재건축사업의 추진위원회(추진위원회를 구성하지 아니하는 경우에는 토지등소유자를 말한다)가 조합을 설립하려는 때에는 주택단지의 공동주택의 각 동(복리시설의 경우에는 주택단지의 복리시설 전체를 하나의 동으로 본다)별 구분소유자의 과반수 동의(공동주택의 각 동별 구분소유자가 5 이하인 경우는 제외한다)와 주택단지의 전체 구분소유자의 3/4 이상 및 토지면적의 3/4 이상의 토지소유자의 동의를 받아 위 (2) 각 각의 사항을 첨부하여 시장·군수등의 인가를 받아야 한다.

(4) 위 (3)에도 불구하고 주택단지가 아닌 지역이 정비구역에 포함된 때에는 주택단지가 아닌 지역의 토지 또는 건축물 소유자의 3/4 이상 및 토지면적의 2/3 이상의 토지소유자의 동의를 받아야 한다.

건축관계법

국토계획법

주차장법

주택법

도시및주거환경정비법

건축사법

장애인시설법

소방시설법

서울시조례

(5) 위 (2) 및 (3)에 따라 설립된 조합이 인가받은 사항을 변경하고자 하는 때에는 총회에서 조합원의 2/3 이상의 찬성으로 의결하고, 위 (2) 각 각의 사항을 첨부하여 시장·군수등의 인가를 받아야 한다.

> 예외 다음에 해당하는 경미한 사항을 변경하려는 때에는 총회의 의결 없이 시장·군수등에게 신고하고 변경할 수 있다.

1. 착오·오기 또는 누락임이 명백한 사항
2. 조합의 명칭 및 주된 사무소의 소재지와 조합장의 성명 및 주소(조합장의 변경이 없는 경우로 한정한다)
3. 토지 또는 건축물의 매매 등으로 조합원의 권리가 이전된 경우의 조합원의 교체 또는 신규 가입
4. 조합임원 또는 대의원의 변경(총회의 의결 또는 대의원회의 의결을 거친 경우로 한정한다)
5. 건설되는 건축물의 설계 개요의 변경
6. 정비사업비의 변경
7. 현금청산으로 인하여 정관에서 정하는 바에 따라 조합원이 변경되는 경우
8. 정비구역 또는 정비계획의 변경에 따라 변경되어야 하는 사항.
   > 예외 정비구역 면적이 10% 이상의 범위에서 변경되는 경우는 제외한다.
9. 그 밖에 시·도조례로 정하는 사항

(6) 시장·군수등은 제5항 단서에 따른 신고를 받은 날부터 20일 이내에 신고수리 여부를 신고인에게 통지하여야 한다

(7) 시장·군수등이 제6항에서 정한 기간 내에 신고수리 여부 또는 민원 처리 관련 법령에 따른 처리기간의 연장을 신고인에게 통지하지 아니하면 그 기간(민원 처리 관련 법령에 따라 처리기간이 연장 또는 재연장된 경우에는 해당 처리기간을 말한다)이 끝난 날의 다음 날에 신고를 수리한 것으로 본다

(8) 조합이 정비사업을 시행하는 경우 「주택법」에 따른 주택의 공급(법 제54조) 규정을 적용할 때에는 조합을 사업주체로 보며, 조합설립인가일부터 주택건설사업 등의 등록을 한 것으로 본다.

(9) 토지등소유자에 대한 동의의 대상 및 절차, 조합설립 신청 및 인가 절차, 인가받은 사항의 변경 등에 필요한 사항은 대통령령으로 정한다.

(10) 추진위원회는 조합설립에 필요한 동의를 받기 전에 추정분담금 등 대통령령으로 정하는 정보를 토지등소유자에게 제공하여야 한다.

관계법 「주택법」제54조【주택의 공급】

① 사업주체(「건축법」제11조에 따른 건축허가를 받아 주택 외의 시설과 주택을 동일 건축물로 하여 제15조제1항에 따른 호수 이상으로 건설·공급하는 건축주와 제49조에 따라 사용검사를 받은 주택을 사업주체로부터 일괄하여 양수받은 자를 포함한다. 이하 이 장에서 같다)는 다음 각 호에서 정하는 바에 따라 주택을 건설·공급하여야 한다. 이 경우 국가유공자, 보훈보상대상자, 장애인, 철거주택의 소유자, 그 밖에 국토교통부령으로 정하는 대상자에게는 국토교통부령으로 정하는 바에 따라 입주자 모집조건 등을 달리 정하여 별도로 공급할 수 있다. <개정 2018. 3. 13.>

1. 사업주체(공공주택사업자는 제외한다)가 입주자를 모집하려는 경우: 국토교통부령으로 정하는 바에 따라 시장·군수·구청장의 승인(복리시설의 경우에는 신고를 말한다)을 받을 것

2. 사업주체가 건설하는 주택을 공급하려는 경우

   가. 국토교통부령으로 정하는 입주자모집의 시기(사업주체 또는 시공자가 영업정지를 받거나 「건설기술 진흥법」제53조에 따른 벌점이 국토교통부령으로 정하는 기준에 해당하는 경

우 등에 달리 정한 입주자모집의 시기를 포함한다)·조건·방법·절차, 입주금(입주예정자
가 사업주체에게 납입하는 주택가격을 말한다. 이하 같다)의 납부 방법·시기·절차, 주택
공급계약의 방법·절차 등에 적합할 것

나. 국토교통부령으로 정하는 바에 따라 벽지·바닥재·주방용구·조명기구 등을 제외한 부분
의 가격을 따로 제시하고, 이를 입주자가 선택할 수 있도록 할 것

②~⑧ <생략>

【2】 조합설립인가 신청의 방법 등 (영 제30조)

(1) 토지등소유자의 동의는 국토교통부령으로 정하는 동의서에 동의를 받는 방법에 따른다.

(2) 위 (2)에 따른 동의서에는 다음의 사항이 포함되어야 한다.
① 건설되는 건축물의 설계의 개요
② 공사비 등 정비사업비용에 드는 비용(이하 "정비사업비"라 한다)
③ 정비사업비의 분담기준
④ 사업 완료 후 소유권의 귀속에 관한 사항
⑤ 조합 정관

(4) 조합은 조합설립인가를 받은 때에는 정관으로 정하는 바에 따라 토지등소유자에게 그 내용을
통지하고, 이해관계인이 열람할 수 있도록 해야 한다.

【3】 추정분담금 등 정보의 제공 (영 제32조)

추진위원회는 조합설립에 필요한 동의를 받기 전에 다음에 해당하는 정보를 토지등소유자에게 제
공해야 한다.

(1) 토지등소유자별 분담금 추산액 및 산출근거

(2) 그 밖에 추정 분담금의 산출 등과 관련하여 시·도조례로 정하는 정보

국토계획법

주차장법

주 택 법

도시및주거
환경정비법

건축사법

장애인시설법

소방시설법

서울시조례

⑥ 토지등소유자의 동의방법 등 (법 제36조)

【1】 서면동의서

(1) 다음에 대한 동의(동의한 사항의 철회 또는 반대의 의사표시를 포함한다)는 서면동의서에 토지
등소유자가 성명을 적고 지장(指章)을 날인하는 방법으로 하며, 주민등록증, 여권 등 신원을 확
인할 수 있는 신분증명서의 사본을 첨부해야 한다.
① 정비구역등 해제의 연장을 요청하는 경우
② 정비구역의 해제에 동의하는 경우
③ 주거환경개선사업의 시행자를 토지주택공사등으로 지정하는 경우
④ 토지등소유자가 20인 미만인 경우의 토지등소유자가 재개발사업을 시행하려는 경우
⑤ 재개발사업·재건축사업의 공공시행자 또는 지정개발자를 지정하는 경우
⑥ 조합설립을 위한 추진위원회를 구성하는 경우
⑦ 추진위원회의 업무가 토지등소유자의 비용부담을 수반하거나 권리·의무에 변동을 가져오는 경우
⑧ 조합을 설립하는 경우
⑨ 주민대표회의를 구성하는 경우
⑩ 사업시행계획인가를 신청하는 경우
⑪ 사업시행자가 사업시행계획서를 작성하려는 경우

건축관계법

국토계획법

주차장법

주 택 법

도시및주거
환경정비법

건축사법

장애인시설법

소방시설법

서울시조례

(2) 위 (1)에도 불구하고 토지등소유자가 해외에 장기체류하거나 법인인 경우 등 불가피한 사유가 있다고 시장·군수등이 인정하는 경우에는 토지등소유자의 인감도장을 찍은 서면동의서에 해당 인감증명서를 첨부하는 방법으로 할 수 있다.

【2】 동의서의 검인방법 등 (영 제34조)

서면동의서를 작성하는 경우 위 ①-(1) 및 위 ⑤-【1】-(2)~(4)의 규정에 해당하는 때에는 시장·군수등이 다음의 방법에 따라 검인(檢印)한 서면동의서를 사용해야 하며, 검인을 받지 아니한 서면동의서는 그 효력이 발생하지 아니한다.

(1) 동의서에 검인(檢印)을 받으려는 자는 동의서에 기재할 사항을 기재한 후 관련 서류를 첨부하여 시장·군수등에게 검인을 신청해야 한다.

(2) 위 (1)에 따른 신청을 받은 시장·군수등은 동의서 기재사항의 기재 여부 등 형식적인 사항을 확인하고 해당 동의서에 연번(連番)을 부여한 후 검인을 해야 한다.

(3) 시장·군수등은 위 (1)에 따른 신청을 받은 날부터 20일 이내에 신청인에게 검인한 동의서를 내주어야 한다.

【3】 토지등소유자의 동의자 수 산정 방법 등 (영 제33조)

(1) 토지등소유자(토지면적에 관한 동의자 수를 산정하는 경우에는 토지소유자를 말한다)의 동의는 다음의 기준에 따라 산정한다.

① 주거환경개선사업, 재개발사업의 경우에는 다음의 기준에 의할 것

㉠ 1필지의 토지 또는 하나의 건축물을 여럿이서 공유할 때에는 그 여럿을 대표하는 1인을 토지 등 소유자로 산정할 것. 다만, 재개발구역의 「전통시장 및 상점가 육성을 위한 특별법」에 따른 전통시장 및 상점가로서 1필지의 토지 또는 하나의 건축물을 여럿이서 공유하는 경우에는 해당 토지 또는 건축물의 토지등소유자의 3/4이상의 동의를 받아 이를 대표하는 1인을 토지등소유자로 산정할 수 있다.

㉡ 토지에 지상권이 설정되어 있는 경우 토지의 소유자와 해당 토지의 지상권자를 대표하는 1인을 토지등소유자로 산정할 것

㉢ 1인이 다수 필지의 토지 또는 다수의 건축물을 소유하고 있는 경우에는 필지나 건축물의 수에 관계없이 토지등소유자를 1인으로 산정할 것.

> 단서 재개발사업으로서 토지등소유자가 20인 미만인 경우에 토지등소유자가 재개발사업을 시행하는 경우 토지등소유자가 정비구역 지정 후에 정비사업을 목적으로 취득한 토지 또는 건축물에 대해서는 정비구역 지정 당시의 토지 또는 건축물의 소유자를 토지등소유자의 수에 포함하여 산정하되, 이 경우 동의 여부는 이를 취득한 토지등소유자에 따른다.

㉣ 둘 이상의 토지 또는 건축물을 소유한 공유자가 동일한 경우에는 그 공유자 여럿을 대표하는 1인을 토지등소유자로 산정할 것

② 재건축사업의 경우에는 다음의 기준에 따를 것

㉠ 소유권 또는 구분소유권을 여럿이서 공유하는 경우에는 그 여럿을 대표하는 1인을 토지등소유자로 산정할 것

㉡ 1인이 둘 이상의 소유권 또는 구분소유권을 소유하고 있는 경우에는 소유권 또는 구분소유권의 수에 관계없이 토지등소유자를 1인으로 산정할 것

㉢ 둘 이상의 소유권 또는 구분소유권을 소유한 공유자가 동일한 경우에는 그 공유자 여럿을 대표하는 1인을 토지등소유자로 할 것

③ 추진위원회의 구성 또는 조합의 설립에 동의한 자로부터 토지 또는 건축물을 취득한 자는 추진위원회의 구성 또는 조합의 설립에 동의한 것으로 볼 것

④ 토지등기부등본·건물등기부등본·토지대장 및 건축물관리대장에 소유자로 등재될 당시 주민등록번호의 기록이 없고 기록된 주소가 현재 주소와 다른 경우로서 소재가 확인되지 아니한 자는 토지등소유자의 수 또는 공유자 수에서 제외할 것

⑤ 국·공유지에 대해서는 그 재산관리청 각각을 토지등소유자로 산정할 것

(2) 동의의 철회 또는 반대의사 표시의 시기는 다음의 기준에 따른다.

① 동의의 철회 또는 반대의사의 표시는 해당 동의에 따른 인·허가 등을 신청하기 전까지 할 수 있다.

② 위 ①에도 불구하고 다음의 동의는 최초로 동의한 날부터 30일까지만 철회할 수 있다.

다만, 나목의 동의는 최초로 동의한 날부터 30일이 지나지 아니한 경우에도 조합설립을 위한 창립총회 후에는 철회할 수 없다.

㉠ 정비구역의 해제에 대한 동의

㉡ 조합설립에 대한 동의(동의 후 위 ⑤-【2】-②의 각각의 사항이 변경되지 아니한 경우로 한정한다)

(3) 위 (2)에 따라 동의를 철회하거나 반대의 의사표시를 하려는 토지등소유자는 철회서에 토지등소유자가 성명을 적고 지장(指章)을 날인한 후 주민등록증 및 여권 등 신원을 확인할 수 있는 신분증명서 사본을 첨부하여 동의의 상대방 및 시장·군수등에게 내용증명의 방법으로 발송하여야 한다. 이 경우 시장·군수등이 철회서를 받은 때에는 지체 없이 동의의 상대방에게 철회서가 접수된 사실을 통지해야 한다.

(4) 위 (2)에 따른 동의의 철회나 반대의 의사표시는 위 (3)의 전단에 따라 철회서가 동의의 상대방에게 도달한 때 또는 같은 항 후단에 따라 시장·군수등이 동의의 상대방에게 철회서가 접수된 사실을 통지한 때 중 빠른 때에 효력이 발생한다.

⑦ 토지등소유자가 시행하는 재개발사업에서의 토지등소유자의 동의자 수 산정에 관한 특례 (법 제36조의2)

(1) 정비구역 지정·고시(변경지정·고시는 제외한다. 이하 이 항에서 같다) 이후 **1**-**4**-②에 따라 토지등소유자가 재개발사업을 시행하는 경우 토지등소유자의 동의자 수를 산정하는 기준일은 다음 각 호의 구분에 따른다.

① 2장 **11**-(1)-⑥에 따라 정비계획의 변경을 제안하는 경우: 정비구역 지정·고시가 있는 날

② 제50조제6항에 따라 사업시행계획인가를 신청하는 경우: 사업시행계획인가를 신청하기 직전의 정비구역 변경지정·고시가 있는 날(정비구역 변경지정이 없거나 정비구역 지정·고시 후에 정비사업을 목적으로 취득한 토지 또는 건축물에 대해서는 정비구역 지정·고시가 있는 날을 말한다)

(2) (1)에 따른 토지등소유자의 동의자 수를 산정함에 있어 같은 항 각 호의 구분에 따른 산정기준일 이후 1명의 토지등소유자로부터 토지 또는 건축물의 소유권이나 지상권을 양수하여 여러 명이 소유하게 된 때에는 그 여러 명을 대표하는 1명을 토지등소유자로 본다.

⑧ 토지등소유자의 동의서 재사용의 특례 (법 제37조)(영 제35조)

(1) 조합설립인가(변경인가를 포함한다)를 받은 후에 동의서 위조, 동의 철회, 동의율 미달 또는 동의자 수 산정방법에 관한 하자 등으로 다툼이 있는 경우로서 다음의 어느 하나에 해당하는 때에는 동의서의 유효성에 다툼이 없는 토지등소유자의 동의서를 다시 사용할 수 있다.

건축관계법
국토계획법
주차장법
주 택 법
도시및주거
환경정비법
건축사법
장애인시설법
소방시설법
서울시조례

① 조합설립인가의 무효 또는 취소소송 중에 일부 동의서를 추가 또는 보완하여 조합설립변경인가를 신청하는 때

② 법원의 판결로 조합설립인가의 무효 또는 취소가 확정되어 조합설립인가를 다시 신청하는 때

(2) 조합[위 (1)-②의 경우에는 추진위원회를 말한다]이 위 (1)에 따른 토지등소유자의 동의서를 다시 사용하려면 다음의 요건을 충족해야 한다.

① 토지등소유자에게 기존 동의서를 다시 사용할 수 있다는 취지와 반대 의사표시의 절차 및 방법을 설명·고지할 것

② 위 (1)-②의 경우에는 다음 각 각의 요건

㉠ 조합설립인가의 무효 또는 취소가 확정된 조합과 새롭게 설립하려는 조합이 추진하려는 정비사업의 목적과 방식이 동일할 것

㉡ 조합설립인가의 무효 또는 취소가 확정된 날부터 3년의 범위에서 대통령령으로 정하는 기간 내에 새로운 조합을 설립하기 위한 창립총회를 개최할 것

(3) 위 (1)에 따른 토지등소유자의 동의서 재사용의 요건(정비사업의 내용 및 정비계획의 변경범위 등을 포함한다)

① 위 (1)-①의 경우: 다음 각 각의 요건

㉠ 토지등소유자에게 기존 동의서를 다시 사용할 수 있다는 취지와 반대 의사표시의 절차 및 방법을 서면으로 설명·고지할 것

㉡ 60일 이상의 반대의사 표시기간을 가목의 서면에 명백히 적어 부여할 것

② 위 (1)-②의 경우: 다음 각 각의 요건

㉠ 토지등소유자에게 기존 동의서를 다시 사용할 수 있다는 취지와 반대의사 표시의 절차 및 방법을 서면으로 설명·고지할 것

㉡ 90일 이상의 반대의사 표시기간을 가목의 서면에 명백히 적어 부여할 것

㉢ 정비구역, 조합정관, 정비사업비, 개인별 추정분담금, 신축되는 건축물의 연면적 등 정비사업의 변경내용을 위 ㉠의 서면에 포함할 것

1. 정비구역 면적의 변경
2. 정비사업비의 증가(생산자물가상승률분 및 현금청산 금액은 제외한다)
3. 신축되는 건축물의 연면적 변경

㉣ 다음의 변경의 범위가 모두 10/100 미만일 것

㉤ 조합설립인가의 무효 또는 취소가 확정된 조합과 새롭게 설립하려는 조합이 추진하려는 정비사업의 목적과 방식이 동일할 것

㉥ 조합설립의 무효 또는 취소가 확정된 날부터 3년 내에 새로운 조합을 설립하기 위한 창립총회를 개최할 것

⑨ 조합의 법인격 등 $\binom{법}{제38조}\binom{영}{제36조}$

(1) 조합은 법인으로 한다.

(2) 조합은 조합설립인가를 받은 날부터 30일 이내에 주된 사무소의 소재지에서 다음에 해당하는 사항을 등기하는 때에 성립한다.

① 설립목적

② 조합의 명칭

③ 주된 사무소의 소재지

④ 설립인가일

⑤ 임원의 성명 및 주소

⑥ 임원의 대표권을 제한하는 경우에는 그 내용

⑦ 전문조합관리인을 선정한 경우에는 그 성명 및 주소

(3) 조합은 명칭에 "정비사업조합"이라는 문자를 사용해야 한다.

■ 정비사업조합의 설립절차

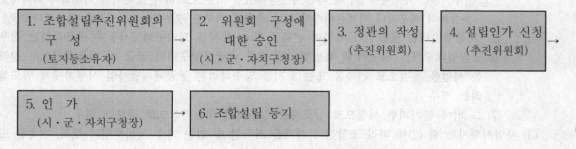

⑩ 조합원의 자격 등 $\left(\begin{smallmatrix}법\\제39조\end{smallmatrix}\right)\left(\begin{smallmatrix}영\\제37조\end{smallmatrix}\right)$

(1) 정비사업의 조합원(사업시행자가 신탁업자인 경우에는 위탁자를 말한다)은 토지등소유자(재건축사업의 경우에는 재건축사업에 동의한 자만 해당한다)로 하되, 다음 의 어느 하나에 해당하는 때에는 그 여러 명을 대표하는 1명을 조합원으로 본다.

> 단서 「지방자치분권 및 지역균형발전에 관한 특별법」에 따른 공공기관 지방이전 및 혁신도시 활성화를 위한 시책 등에 따라 이전하는 공공기관이 소유한 토지 또는 건축물을 양수한 경우 양수한 자(공유의 경우 대표자 1명을 말한다)를 조합원으로 본다.

① 토지 또는 건축물의 소유권과 지상권이 여러 명의 공유에 속하는 때

② 여러 명의 토지등소유자가 1세대에 속하는 때. 이 경우 동일한 세대별 주민등록표 상에 등재되어 있지 아니한 배우자 및 미혼인 19세 미만의 직계비속은 1세대로 보며, 1세대로 구성된 여러 명의 토지등소유자가 조합설립인가 후 세대를 분리하여 동일한 세대에 속하지 아니하는 때에도 이혼 및 19세 이상 자녀의 분가(세대별 주민등록을 달리하고, 실거주지를 분가한 경우로 한정한다)를 제외하고는 1세대로 본다.

③ 조합설립인가(조합설립인가 전에 신탁업자를 사업시행자로 지정한 경우에는 사업시행자의 지정을 말한다) 후 1명의 토지등소유자로부터 토지 또는 건축물의 소유권이나 지상권을 양수하여 여러 명이 소유하게 된 때

(2) 「주택법」에 따른 투기과열지구로 지정된 지역에서 재건축사업을 시행하는 경우에는 조합설립인가 후, 재개발사업을 시행하는 경우에는 관리처분계획의 인가 후 해당 정비사업의 건축물 또는 토지를 양수(매매·증여, 그 밖의 권리의 변동을 수반하는 일체의 행위를 포함하되, 상속·이혼으로 인한 양도·양수의 경우는 제외한다)한 자는 위 (1)에도 불구하고 조합원이 될 수 없다.

> 예외 양도인이 다음의 어느 하나에 해당하는 경우 그 양도인으로부터 그 건축물 또는 토지를 양수한 자는 그러하지 아니하다.
>
> ① 세대원(세대주가 포함된 세대의 구성원을 말한다. 이하 이 조에서 같다)의 근무상 또는 생업상의 사정이나 질병치료(「의료법」 제3조에 따른 의료기관의 장이 1년 이상의 치료나 요양이 필요하다고 인정하는 경우로 한정한다)·취학·결혼으로 세대원이 모두 해당 사업구역에 위치하지 아니한 특별시·광역시·특별자치시·특별자치도·시 또는 군으로 이전하는 경우
>
> ② 상속으로 취득한 주택으로 세대원 모두 이전하는 경우

건축관계법

국토계획법

주차장법

주 택 법

도시및주거
환경정비법

건축사법

장애인시설법

소방시설법

서울시조례

건축관계법

국토계획법

주차장법

주 택 법

도시및주거
환경정비법

건축사법

장애인시설법

소방시설법

서울시조례

③ 세대원 모두 해외로 이주하거나 세대원 모두 2년 이상 해외에 체류하려는 경우

④ 1세대[위 (1)-②에 따라 1세대에 속하는 때를 말한다] 1주택자로서 양도하는 주택에 대한 소유기간 및 거주기간이 다음의 정하는 기간 이상인 경우(이 경우 소유자가 피상속인으로부터 주택을 상속받아 소유권을 취득한 경우에는 피상속인의 주택의 소유기간 및 거주기간을 합산한다.)

　　㉠ 소유기간: 10년

　　㉡ 거주기간(「주민등록법」에 따른 주민등록표를 기준으로 하며, 소유자가 거주하지 아니하고 소유자의 배우자나 직계존비속이 해당 주택에 거주한 경우에는 그 기간을 합산한다): 5년

⑤ 지분형주택을 공급받기 위하여 건축물 또는 토지를 토지주택공사등과 공유하려는 경우

⑥ 공공임대주택, 「공공주택 특별법」에 따른 공공분양주택의 공급 및 대통령령으로 정하는 사업을 목적으로 건축물 또는 토지를 양수하려는 공공재개발사업 시행자에게 양도하려는 경우

⑦ 그 밖에 불가피한 사정으로 양도하는 경우로서 대통령령으로 정하는 경우

(3) 사업시행자는 위 (2)에 따라 조합원의 자격을 취득할 수 없는 경우 정비사업의 토지, 건축물 또는 그 밖의 권리를 취득한 자에게 분양신청을 하지 아니한 자 등에 대한 조치(법 제73조)에 관한 규정을 준용하여 손실보상을 해야 한다.

> **판례** 주택재건축조합의 조합원자격 (대법원 2008.2.29 선고 2006다56572 판결)
> 피고는 이 사건 주택재건축사업의 주택단지 내에 토지만을 소유하고 있어 "토지등소유자"에 해당하지 않아 조합원의 자격이 없을 뿐 아니라 「도시 및 주거환경정비법」 제16조제2항, 3항 소정의 조합 설립 동의의 상대방이 되지도 않는다.

⑪ 정관의 기재사항 등 (법 제40조)

【1】조합 정관에 정할 사항 (영 제38조)

(1) 조합의 정관에는 다음의 사항이 포함되어야 한다.

① 조합의 명칭 및 사무소의 소재지

② 조합원의 자격

③ 조합원의 제명·탈퇴 및 교체

④ 정비구역의 위치 및 면적

⑤ 조합임원의 수 및 업무의 범위

⑥ 조합임원의 권리·의무·보수·선임방법·변경 및 해임

⑦ 대의원의 수, 선임방법, 선임절차 및 대의원회의 의결방법

⑧ 조합의 비용부담 및 조합의 회계

⑨ 정비사업의 시행연도 및 시행방법

⑩ 총회의 소집 절차·시기 및 의결방법

⑪ 총회의 개최 및 조합원의 총회소집 요구

⑫ 사업시행자가 수용재결을 신청하거나 매도청구소송을 제기한 경우에는 해당 토지등소유자에게 지연일수(遲延日數)에 따른 이자 지급

⑬ 정비사업비의 부담 시기 및 절차

⑭ 정비사업이 종결된 때의 청산절차

⑮ 청산금의 징수·지급의 방법 및 절차

⑯ 시공자·설계자의 선정 및 계약서에 포함될 내용

⑰ 정관의 변경절차

⑱ 그 밖에 정비사업의 추진 및 조합의 운영을 위하여 필요한 사항으로서 다음에 해당하는 사항

1. 정비사업의 종류 및 명칭
2. 임원의 임기, 업무의 분담 및 대행 등에 관한 사항
3. 대의원회의 구성, 개회와 기능, 의결권의 행사방법 및 그 밖에 회의의 운영에 관한 사항
4. 정비사업의 공동시행에 관한 사항
5. 정비사업전문관리업자에 관한 사항
6. 정비사업의 시행에 따른 회계 및 계약에 관한 사항
7. 정비기반시설 및 공동이용시설의 부담에 관한 개략적인 사항
8. 공고·공람 및 통지의 방법에 관한 사항
9. 토지 및 건축물 등에 관한 권리의 평가방법에 관한 사항
10. 관리처분계획 및 청산(분할징수 또는 납입에 관한 사항을 포함한다)에 관한 사항
11. 사업시행계획서의 변경에 관한 사항
12. 조합의 합병 또는 해산에 관한 사항
13. 임대주택의 건설 및 처분에 관한 사항
14. 총회의 의결을 거쳐야 할 사항의 범위
15. 조합원의 권리·의무에 관한 사항
16. 조합직원의 채용 및 임원 중 상근(常勤)임원의 지정에 관한 사항과 직원 및 상근임원의 보수에 관한 사항
17. 그 밖에 시·도조례로 정하는 사항

(2) 시·도지사는 위 (1) 각 각의 사항이 포함된 표준정관을 작성하여 보급할 수 있다.

【2】 조합 정관의 변경 (영 제39조)

(1) 조합이 정관을 변경하려는 경우에는 총회를 개최하여 조합원 과반수의 찬성으로 시장·군수등의 인가를 받아야 한다.

예외 위 (1)-②, ③, ④, ⑧, ⑬ 또는 ⑯의 경우에는 조합원 2/3 이상의 찬성으로 한다.

(2) 위 (1)에도 불구하고 다음에 해당하는 경미한 사항을 변경하려는 때에는 이 법 또는 정관으로 정하는 방법에 따라 변경하고 시장·군수등에게 신고해야 한다.

1. 조합의 명칭 및 사무소의 소재지에 관한 사항
2. 조합임원의 수 및 업무의 범위에 관한 사항
3. 총회의 소집 절차·시기 및 의결방법에 관한 사항
4. 임원의 임기, 업무의 분담 및 대행 등에 관한 사항
5. 대의원회의 구성, 개회와 기능, 의결권의 행사방법, 그 밖에 회의의 운영에 관한 사항
6. 정비사업전문관리업자에 관한 사항

건축관계법

국토계획법

주차장법

주 택 법

도시및주거
환경정비법

건축사법

장애인시설법

소방시설법

서울시조례

3장   제6편 도시 및 주거환경정비법

건축관계법

국토계획법

주차장법

주택법

도시및주거
환경정비법

건축사법

장애인시설법

소방시설법

서울시조례

7. 공고·공람 및 통지의 방법에 관한 사항

8. 임대주택의 건설 및 처분에 관한 사항

9. 총회의 의결을 거쳐야 할 사항의 범위에 관한 사항

10. 조합직원의 채용 및 임원 중 상근임원의 지정에 관한 사항과 직원 및 상근임원의 보수에 관한 사항

11. 착오·오기 또는 누락임이 명백한 사항

12. 법 제16조에 따른 정비구역 또는 정비계획의 변경에 따라 변경되어야 하는 사항

132. 그 밖에 시·도조례로 정하는 사항

판례 정관변경 인가의 법적 성질 (대판 2007.7.24 2006마635)
도시 및 주거환경정비법 제20조3항은 "조합이 정관을 변경하고자 하는 경우에는 조합원 과반수의 동의를 얻어 시장·군수의 인가를 받아야 한다." 고 규정하고 있는바, 여기서 관할 시장 등의 인가는 그 대상이 되는 기본행위를 보충하여 법률상 효력을 완성시키는 행위로서 이러한 인가를 받지 못한 경우 변경된 정관은 효력이 없다.

⑫ 조합의 임원 (법 제41조)

【1】 조합의 임원

(1) 조합은 다음의 어느 하나의 요건을 갖춘 조합장 1명과 이사, 감사를 임원으로 둔다. 이 경우 조합장은 선임일부터 관리처분계획인가를 받을 때까지는 해당 정비구역에서 거주(영업을 하는 자의 경우 영업을 말한다)해야 한다.

① 정비구역에서 거주하고 있는 자로서 선임일 직전 3년 동안 정비구역 내 거주 기간이 1년 이상일 것

② 정비구역에 위치한 건축물 또는 토지(재건축사업의 경우에는 건축물과 그 부속토지를 말한다)를 5년 이상 소유하고 있을 것

(2) 조합임원의 수 (영 제40조)

조합에 두는 이사의 수는 3명 이상으로 하고, 감사의 수는 1명 이상 3명 이하로 한다.

단서 토지등소유자의 수가 100인을 초과하는 경우에는 이사의 수를 5명 이상으로 한다.

(3) 조합은 총회 의결을 거쳐 조합임원의 선출에 관한 선거관리를 「선거관리위원회법」에 따라 선거관리위원회에 위탁할 수 있다.

(4) 조합임원의 임기는 3년 이하의 범위에서 정관으로 정하되, 연임할 수 있다.

(5) 조합임원의 선출방법 등은 정관으로 정한다.

【2】 전문조합관리인의 선정 (영 제41조)

(1) 전문조합관리인의 선정

시장·군수등은 조합임원이 사임, 해임, 임기만료, 그 밖에 불가피한 사유 등으로 직무를 수행

할 수 없는 때부터 6개월 이상 선임되지 아니한 경우 시·도조례로 정하는 바에 따라 다음에 해당하는 요건을 갖춘 자를 전문조합관리인으로 선정하여 조합임원의 업무를 대행하게 할 수 있다.

① 다음의 어느 하나에 해당하는 자격을 취득한 후 정비사업 관련 업무에 5년 이상 종사한 경력이 있는 사람

   ㉠ 변호사   ㉡ 공인회계사

   ㉢ 법무사   ㉣ 세무사

   ㉤ 건축사   ㉥ 도시계획·건축분야의 기술사

   ㉦ 감정평가사   ㉧ 행정사(일반행정사를 말한다)

② 조합임원으로 5년 이상 종사한 사람

③ 공무원 또는 공공기관의 임직원으로 정비사업 관련 업무에 5년 이상 종사한 사람

④ 정비사업전문관리업자에 소속되어 정비사업 관련 업무에 10년 이상 종사한 사람

⑤ 「건설산업기본법」에 따른 건설사업자에 소속되어 정비사업 관련 업무에 10년 이상 종사한 사람

⑥ 위 ①~⑤의 경력을 합산한 경력이 5년 이상인 사람. 이 경우 같은 시기의 경력은 중복하여 계산하지 아니하며, 위 ④ 및 ⑤의 경력은 1/2만 포함하여 계산한다.

(2) 전문조합관리인의 선정절차, 업무집행 등

① 시장·군수등은 전문조합관리인의 선정이 필요하다고 인정하거나 조합원(추진위원회의 경우에는 토지등소유자를 말한다) 1/3 이상이 전문조합관리인의 선정을 요청하면 공개모집을 통하여 전문조합관리인을 선정할 수 있다. 이 경우 조합 또는 추진위원회의 의견을 들어야 한다.

② 전문조합관리인은 선임 후 6개월 이내에 교육을 60시간 이상 받아야 한다.

   예외 선임 전 최근 3년 이내에 해당 교육을 60시간 이상 받은 경우에는 그러하지 아니하다.

③ 전문조합관리인의 임기는 3년으로 한다.

13 조합임원의 직무 등 (법 제42조)

(1) 조합장은 조합을 대표하고, 그 사무를 총괄하며, 총회 또는 대의원회의 의장이 된다.

(2) 위 (1)에 따라 조합장이 대의원회의 의장이 되는 경우에는 대의원으로 본다.

(3) 조합장 또는 이사가 자기를 위하여 조합과 계약이나 소송을 할 때에는 감사가 조합을 대표한다.

(4) 조합임원은 같은 목적의 정비사업을 하는 다른 조합의 임원 또는 직원을 겸할 수 없다.

14 조합임원 등의 결격사유 및 해임 (법 제43조)

(1) 다음의 어느 하나에 해당하는 자는 조합임원 또는 전문조합관리인이 될 수 없다.

① 미성년자·피성년후견인 또는 피한정후견인

② 파산선고를 받고 복권되지 아니한 자

③ 금고 이상의 실형을 선고받고 그 집행이 종료(종료된 것으로 보는 경우를 포함한다)되거나 집행이 면제된 날부터 2년이 경과되지 아니한 자

④ 금고 이상의 형의 집행유예를 받고 그 유예기간 중에 있는 자

⑤ 이 법을 위반하여 벌금 100만원 이상의 형을 선고받고 10년이 지나지 아니한 자

(2) 조합임원이 다음의 어느 하나에 해당하는 경우에는 당연 퇴임한다.

① 위 (1)의 각 각의 어느 하나에 해당하게 되거나 선임 당시 그에 해당하는 자이었음이 판명된 경우

② 조합임원이 위 11 - 【1】 - (1)에 따른 자격요건을 갖추지 못한 경우

건축관계법

국토계획법

주차장법

주 택 법

도시및주거
환경정비법

건축사법

장애인시설법

소방시설법

서울시조례

건축관계법

국토계획법

주차장법

주 택 법

도시및주거
환경정비법

건축사법

장애인시설법

소방시설법

서울시조례

(3) 위 (2)에 따라 퇴임된 임원이 퇴임 전에 관여한 행위는 그 효력을 잃지 아니한다.

(4) 조합임원은 조합원 1/10 이상의 요구로 소집된 총회에서 조합원 과반수의 출석과 출석 조합원 과반수의 동의를 받아 해임할 수 있다. 이 경우 요구자 대표로 선출된 자가 해임 총회의 소집 및 진행을 할 때에는 조합장의 권한을 대행한다.

(5) 시장·군수등이 전문조합관리인을 선정한 경우 전문조합관리인이 업무를 대행할 임원은 당연 퇴임한다.

(6) 조합설립 인가권자에 해당하는 지방자치단체의 장, 지방의회의원 또는 그 배우자·직계존속· 직계비속

15 벌금형의 분리 선고 (법 제43조의2)

공무원의 직무상 범죄에 대한 형의 가중, 공무집행방해, 위계에 의한 공무집행방애, 법정 또는 국회 회의장모욕의 죄와 다른 죄의 경합범(競合犯)에 대하여 벌금형을 선고하는 경우에는 이를 분리하 여 선고하여야 한다.

16 총회의 소집 (법 제44조)

(1) 조합에는 조합원으로 구성되는 총회를 둔다.

(2) 총회는 조합장이 직권으로 소집하거나 조합원 1/5 이상(정관의 기재사항 중 조합임원의 권리· 의무·보수·선임방법·변경 및 해임에 관한 사항을 변경하기 위한 총회의 경우는 1/10 이상으 로 한다) 또는 대의원 2/3 이상의 요구로 조합장이 소집하며, 조합원 또는 대의원의 요구로 총 회를 소집하는 경우 조합은 소집을 요구하는 자가 본인인지 여부를 대통령령으로 정하는 기준 에 따라 정관으로 정하는 방법으로 확인하여야 한다..

1. 총회의 소집을 요구하는 조합원 또는 대의원은 요구서에 성명을 적고 서명 또는 지장날인 을 하며, 주민등록증, 여권 등 신원을 확인할 수 있는 신분증명서의 사본을 첨부할 것

2. 1.불구하고 총회의 소집을 요구하는 조합원 또는 대의원이 해외에 장기체류하는 등 불가 피한 사유가 있다고 인정되는 경우에는 해당 조합원 또는 대의원의 인감도장을 찍은 요구서 에 해당 인감증명서를 첨부할 것

(3) 위 (2)에도 불구하고 조합임원의 사임, 해임 또는 임기만료 후 6개월 이상 조합임원이 선임되 지 아니한 경우에는 시장·군수등이 조합임원 선출을 위한 총회를 소집할 수 있다.

(4) 위 (2) 및 (3)에 따라 총회를 소집하려는 자는 총회가 개최되기 7일 전까지 회의 목적·안건· 일시 및 장소와 서면의결권의 행사기간 및 장소 등 서면의결 행사에 필요한 사항을 정하여 조 합원에게 통지하여야 한다.

(5) 총회의 소집 절차·시기 등에 필요한 사항은 정관으로 정한다.

17 총회의 의결 (법 제45조)(영 제42조)

(1) 다음의 사항은 총회의 의결을 거쳐야 한다.

① 정관의 변경(경미한 사항의 변경은 이 법 또는 정관에서 총회의결사항으로 정한 경우로 한정한다)

② 자금의 차입과 그 방법·이자율 및 상환방법

③ 정비사업비의 세부 항목별 사용계획이 포함된 예산안 및 예산의 사용내역

④ 예산으로 정한 사항 외에 조합원에게 부담이 되는 계약

⑤ 시공자·설계자 또는 감정평가법인등(시장·군수등이 선정·계약하는 감정평가법인등은 제외한다)의 선정 및 변경

> 예외 감정평가법인등 선정 및 변경은 총회의 의결을 거쳐 시장·군수등에게 위탁할 수 있다.

⑥ 정비사업전문관리업자의 선정 및 변경

⑦ 조합임원의 선임 및 해임

⑧ 정비사업비의 조합원별 분담내역

⑨ 사업시행계획서의 작성 및 변경(정비사업의 중지 또는 폐지에 관한 사항을 포함하며, 경미한 변경은 제외한다)

⑩ 관리처분계획의 수립 및 변경(경미한 변경은 제외한다)

⑪ 조합의 해산과 조합 해산 시의 회계보고

⑫ 청산금의 징수·지급(분할징수·분할지급을 포함한다)

⑬ 정비사업의 시행과정에서 발생한 비용의 금액 및 징수방법

⑭ 그 밖에 조합원에게 경제적 부담을 주는 사항 등 주요한 사항을 결정하기 위하여 다음에 해당하는 사항 또는 정관으로 정하는 사항

   ㉠ 조합의 합병 또는 해산에 관한 사항

   ㉡ 대의원의 선임 및 해임에 관한 사항

   ㉢ 건설되는 건축물의 설계 개요의 변경

   ㉣ 정비사업비의 변경

(2) 위 (1)의 각 각의 사항 중 이 법 또는 정관에 따라 조합원의 동의가 필요한 사항은 총회에 상정해야 한다.

(3) 총회의 의결은 이 법 또는 정관에 다른 규정이 없으면 조합원 과반수의 출석과 출석 조합원의 과반수 찬성으로 한다.

(4) 위 (1)-⑨ 및 ⑩의 경우에는 조합원 과반수의 찬성으로 의결한다.

> 예외 정비사업비가 10/100(생산자물가상승률분, 손실보상 금액은 제외한다) 이상 늘어나는 경우에는 조합원 2/3 이상의 찬성으로 의결해야 한다.

(5) 조합원은 서면으로 의결권을 행사하거나 다음의 어느 하나에 해당하는 경우에는 대리인을 통하여 의결권을 행사할 수 있다. 서면으로 의결권을 행사하는 경우에는 정족수를 산정할 때에 출석한 것으로 본다.

① 조합원이 권한을 행사할 수 없어 배우자, 직계존비속 또는 형제자매 중에서 성년자를 대리인으로 정하여 위임장을 제출하는 경우

② 해외에 거주하는 조합원이 대리인을 지정하는 경우

③ 법인인 토지등소유자가 대리인을 지정하는 경우. 이 경우 법인의 대리인은 조합임원 또는 대의원으로 선임될 수 있다.

(6) 조합은 서면의결권을 행사하는 자가 본인인지를 확인하여야 한다.

(7) 총회의 의결은 조합원의 100분의 10 이상이 직접 출석((5)의 어느 하나에 해당하여 대리인을 통하여 의결권을 행사하는 경우 직접 출석한 것으로 본다. 다만, <u>시공자의 선정을 의결하는 총회의 경우에는 조합원의 과반수가 직접 출석</u>하여야 하고, 창립총회, 시공자 선정 취소를 위한 총회, 사업시행계획서의 작성 및 변경, 관리처분계획의 수립 및 변경을 의결하는 총회 등 대통령령으로 정하는 총회의 경우에는 조합원의 100분의 20 이상이 직접 출석하여야 한다.

(8) 「재난 및 안전관리 기본법」 제3조제1호에 따른 재난의 발생 등 대통령령으로 정하는 사유가 발생하여 시장·군수등이 조합원의 직접 출석이 어렵다고 인정하는 경우에는 전자적 방법(「전

건축관계법

국토계획법

주차장법

주 택 법

도시및주거환경정비법

건축사법

장애인시설법

소방시설법

서울시조례

자문서 및 전자거래 기본법」에 따른 정보처리시스템을 사용하거나 그 밖의 정보통신기술을 이용하는 방법을 말한다)으로 의결권을 행사할 수 있다. 이 경우 정족수를 산정할 때에는 직접 출석한 것으로 본다.

(9) 총회의 의결방법, 서면의결권 행사 및 본인확인방법 등에 필요한 사항은 정관으로 정한다.

18 대의원회 (법 제46조)(영 제43조, 제44조)

(1) 조합원의 수가 100명 이상인 조합은 대의원회를 두어야 한다.

(2) 대의원회는 조합원의 1/10 이상으로 구성한다.

예외 조합원의 1/10이 100명을 넘는 경우에는 조합원의 1/10의 범위에서 100명 이상으로 구성할 수 있다.

(3) 조합장이 아닌 조합임원은 대의원이 될 수 없다.

(4) 대의원회는 총회의 의결사항 중 다음에 해당하는 사항 외에는 총회의 권한을 대행할 수 있다.

- 대의원회가 총회의 권한을 대행할 수 없는 사항

① 정관의 변경에 관한 사항(경미한 사항의 변경은 법 또는 정관에서 총회의결사항으로 정한 경우로 한정한다)

② 자금의 차입과 그 방법·이자율 및 상환방법에 관한 사항

③ 예산으로 정한 사항 외에 조합원에게 부담이 되는 계약에 관한 사항

④ 시공자·설계자 또는 감정평가업자(시장·군수등이 선정·계약하는 감정평가업자는 제외한다)의 선정 및 변경에 관한 사항

⑤ 정비사업전문관리업자의 선정 및 변경에 관한 사항

⑥ 조합임원의 선임 및 해임과 대의원의 선임 및 해임에 관한 사항.

예외 정관으로 정하는 바에 따라 임기중 궐위된 자(조합장은 제외한다)를 보궐선임하는 경우를 제외한다.

⑦ 사업시행계획서의 작성 및 변경에 관한 사항(정비사업의 중지 또는 폐지에 관한 사항을 포함하며, 경미한 변경은 제외한다)

⑧ 관리처분계획의 수립 및 변경에 관한 사항(경미한 변경은 제외한다)

⑨ 총회에 상정해야 하는 사항

⑩ 조합의 합병 또는 해산에 관한 사항

예외 사업완료로 인한 해산의 경우는 제외한다.

⑪ 건설되는 건축물의 설계 개요의 변경에 관한 사항

⑫ 정비사업비의 변경에 관한 사항

(5) 대의원의 수, 선임방법, 선임절차 및 대의원회의 의결방법 등은 다음에 해당하는 범위에서 정관으로 정한다.

① 대의원은 조합원 중에서 선출한다.

② 대의원의 선임 및 해임에 관하여는 정관으로 정하는 바에 따른다.

③ 대의원의 수는 위 (2)에 따른 범위에서 정관으로 정하는 바에 따른다.

④ 대의원회는 조합장이 필요하다고 인정하는 때에 소집한다.

예외 다음의 어느 하나에 해당하는 때에는 조합장은 해당일로부터 14일 이내에 대의원회를 소집해야 한다.

㉠ 정관으로 정하는 바에 따라 소집청구가 있는 때

㉡ 대의원의 1/3 이상(정관으로 달리 정한 경우에는 그에 따른다)이 회의의 목적사항을 제시하여 청구하는 때

⑤ 위 ④ 각 각의 어느 하나에 따른 소집청구가 있는 경우로서 조합장이 위 ④의 예외에 따른 기간 내에 정당한 이유 없이 대의원회를 소집하지 아니한 때에는 감사가 지체 없이 이를 소집해야 하며, 감사가 소집하지 아니하는 때에는 위 ④ 각 각에 따라 소집을 청구한 사람의 대표가 소집한다. 이 경우 미리 시장·군수등의 승인을 받아야 한다.

⑥ 위 ⑤에 따라 대의원회를 소집하는 경우에는 소집주체에 따라 감사 또는 위 ④ 각 각에 따라 소집을 청구한 사람의 대표가 의장의 직무를 대행한다.

⑦ 대의원회의 소집은 집회 7일 전까지 그 회의의 목적·안건·일시 및 장소를 기재한 서면을 대의원에게 통지하는 방법에 따른다. 이 경우 정관으로 정하는 바에 따라 대의원회의 소집내용을 공고 해야 한다.

⑧ 대의원회는 재적대의원 과반수의 출석과 출석대의원 과반수의 찬성으로 의결한다.

> 예외 그 이상의 범위에서 정관으로 달리 정하는 경우에는 그에 따른다.

⑨ 대의원회는 위 ⑦의 전단에 따라 사전에 통지한 안건만 의결할 수 있다.

> 예외 사전에 통지하지 아니한 안건으로서 대의원회의 회의에서 정관으로 정하는 바에 따라 채택된 안건의 경우에는 그러하지 아니하다.

⑩ 특정한 대의원의 이해와 관련된 사항에 대해서는 그 대의원은 의결권을 행사할 수 없다.

19 주민대표회의 $\left(\substack{법\\제47조}\right)\left(\substack{영\\제45조}\right)$

(1) 토지등소유자가 시장·군수등 또는 토지주택공사등의 사업시행을 원하는 경우에는 정비구역 지정·고시 후 주민대표기구(이하 "주민대표회의"라 한다)를 구성해야 한다.

(2) 주민대표회의는 위원장을 포함하여 5명 이상 25명 이하로 구성한다.

(3) 주민대표회의는 토지등소유자의 과반수의 동의를 받아 구성하며, 국토교통부령으로 정하는 방법 및 절차에 따라 시장·군수등의 승인을 받아야 한다.

(4) 위 (3)에 따라 주민대표회의의 구성에 동의한 자는 사업시행자의 지정에 동의한 것으로 본다.

> 예외 사업시행자의 지정 요청 전에 시장·군수등 및 주민대표회의에 사업시행자의 지정에 대한 반대의 의사표시를 한 토지등소유자의 경우에는 그러하지 아니하다.

(5) 주민대표회의 또는 세입자(상가세입자를 포함한다)는 사업시행자가 다음의 사항에 관하여 시행규정(법 제53조)을 정하는 때에 의견을 제시할 수 있다. 이 경우 사업시행자는 주민대표회의 또는 세입자의 의견을 반영하기 위하여 노력해야 한다.

① 건축물의 철거

② 주민의 이주(세입자의 퇴거에 관한 사항을 포함한다)

③ 토지 및 건축물의 보상(세입자에 대한 주거이전비 등 보상에 관한 사항을 포함한다)

④ 정비사업비의 부담

⑤ 세입자에 대한 임대주택의 공급 및 입주자격

⑥ 그 밖에 정비사업의 시행을 위하여 필요한 사항으로서 다음에 해당하는 사항

　㉠ 시공자의 추천

　㉡ 다음의 변경에 관한 사항

1. 건축물의 철거
2. 주민의 이주(세입자의 퇴거에 관한 사항을 포함한다)
3. 토지 및 건축물의 보상(세입자에 대한 주거이전비 등 보상에 관한 사항을 포함한다)
4. 정비사업비의 부담

　㉢ 관리처분계획 및 청산에 관한 사항

　(위 ①-(1)-1.- ①~③의 방법으로 시행하는 주거환경개선사업은 제외한다)

건축관계법
국토계획법
주차장법
주 택 법
도시및주거
환경정비법
건축사법
장애인시설법
소방시설법
서울시조례

건축관계법

국토계획법

주차장법

주 택 법

도시및주거
환경정비법

건축사법

장애인시설법

소방시설법

서울시조례

       ② 위 ⓒ에 따른 사항의 변경에 관한 사항
  (6) 주민대표회의의 운영, 비용부담 등
     ① 시장·군수등 또는 토지주택공사등은 주민대표회의의 운영에 필요한 경비의 일부를 해당 정비사업
      비에서 지원할 수 있다.
     ② 주민대표회의의 위원의 선출·교체 및 해임, 운영방법, 운영비용의 조달 그 밖에 주민대표회의의 운
      영에 필요한 사항은 주민대표회의가 정한다.

20 토지등소유자 전체회의 (법 제48조)

  (1) 사업시행자로 지정된 신탁업자는 다음의 사항에 관하여 해당 정비사업의 토지등소유자(재건축
    사업의 경우에는 신탁업자를 사업시행자로 지정하는 것에 동의한 토지등소유자를 말한다) 전
    원으로 구성되는 회의(이하 "토지등소유자 전체회의"라 한다)의 의결을 거쳐야 한다.
     ① 시행규정의 확정 및 변경
     ② 정비사업비의 사용 및 변경
     ③ 정비사업전문관리업자와의 계약 등 토지등소유자의 부담이 될 계약
     ④ 시공자의 선정 및 변경
     ⑤ 정비사업비의 토지등소유자별 분담내역
     ⑥ 자금의 차입과 그 방법·이자율 및 상환방법
     ⑦ 사업시행계획서의 작성 및 변경(정비사업의 중지 또는 폐지에 관한 사항을 포함하며, 경미한 변
      경은 제외한다)
     ⑧ 관리처분계획의 수립 및 변경(경미한 변경은 제외한다)
     ⑨ 청산금의 징수·지급(분할징수·분할지급을 포함한다)과 조합 해산 시의 회계보고
     ⑩ 비용의 금액 및 징수방법
     ⑪ 그 밖에 토지등소유자에게 부담이 되는 것으로 시행규정으로 정하는 사항
  (2) 토지등소유자 전체회의는 사업시행자가 직권으로 소집하거나 토지등소유자 1/5 이상의 요구로
    사업시행자가 소집한다.
  (4) 토지등소유자 전체회의의 소집 절차·시기 및 의결방법 등에 관하여는 위 15-(5), 16-(3), (4),
    (5) ,(7) 및 (9)를 준용한다. 이 경우 "총회"는 "토지등소유자 전체회의"로, "정관"은 "시행규정"
    으로, "조합원"은 "토지등소유자"로 본다.

21 민법의 준용 (법 제49조)

  조합에 관하여는 이 법에 규정된 사항을 제외하고는 「민법」 중 사단법인에 관한 규정을 준용한다.

3 사업시행계획 등

1 사업시행계획인가 (법 제50조)(영 제46조)

  (1) 사업시행자(공동시행의 경우를 포함하되, 사업시행자가 시장·군수등인 경우는 제외한다)는 정
    비사업을 시행하려는 경우에는 사업시행계획서에 정관등과 그 밖에 국토교통부령으로 정하는
    서류를 첨부하여 시장·군수등에게 제출하고 사업시행계획인가를 받아야 하고, 인가받은 사항
    을 변경하거나 정비사업을 중지 또는 폐지하려는 경우에도 또한 같다.
    예외 다음에 해당하는 경미한 사항을 변경하려는 때에는 시장·군수등에게 신고해야 한다.

① 정비사업비를 10%의 범위에서 변경하거나 관리처분계획의 인가에 따라 변경하는 때. 다만, 「주택법」에 따른 국민주택을 건설하는 사업인 경우에는 「주택도시기금법」에 따른 주택도시기금의 지원금액이 증가되지 아니하는 경우만 해당한다.

② 건축물이 아닌 부대시설·복리시설의 설치규모를 확대하는 때(위치가 변경되는 경우는 제외한다)

③ 대지면적을 10%의 범위에서 변경하는 때

④ 세대수와 세대당 주거전용면적을 변경하지 않고 세대당 주거전용면적의 10%의 범위에서 세대 내부구조의 위치 또는 면적을 변경하는 때

⑤ 내장재료 또는 외장재료를 변경하는 때

⑥ 사업시행계획인가의 조건으로 부과된 사항의 이행에 따라 변경하는 때

⑦ 건축물의 설계와 용도별 위치를 변경하지 아니하는 범위에서 건축물의 배치 및 주택단지 안의 도로선형을 변경하는 때

⑧ 「건축법 시행령」 제12조제3항 각 호의 어느 하나에 해당하는 사항을 변경하는 때

⑨ 사업시행자의 명칭 또는 사무소 소재지를 변경하는 때

⑩ 정비구역 또는 정비계획의 변경에 따라 사업시행계획서를 변경하는 때

⑪ 조합설립변경 인가에 따라 사업시행계획서를 변경하는 때

⑫ 그 밖에 시·도조례로 정하는 사항을 변경하는 때

(2) 시장·군수등은 (1) 예외에 따른 신고를 받은 날부터 20일 이내에 신고수리 여부를 신고인에게 통지하여야 한다

(3) 시장·군수등이 제2항에서 정한 기간 내에 신고수리 여부 또는 민원 처리 관련 법령에 따른 처리기간의 연장을 신고인에게 통지하지 아니하면 그 기간(민원 처리 관련 법령에 따라 처리기간이 연장 또는 재연장된 경우에는 해당 처리기간을 말한다)이 끝난 날의 다음 날에 신고를 수리한 것으로 본다.

(4) 시장·군수등은 특별한 사유가 없으면 (1)에 따라 사업시행계획서의 제출이 있은 날부터 60일 이내에 인가 여부를 결정하여 사업시행자에게 통보하여야 한다.

(5) 사업시행자(시장·군수등 또는 토지주택공사등은 제외한다)는 사업시행계획인가를 신청하기 전에 미리 총회의 의결을 거쳐야 하며, 인가받은 사항을 변경하거나 정비사업을 중지 또는 폐지하려는 경우에도 또한 같다. 다만, (1) 예외에 따른 경미한 사항의 변경은 총회의 의결을 필요로 하지 아니한다.

(6) 토지등소유자가 재개발사업을 시행하려는 경우에는 사업시행계획인가를 신청하기 전에 사업시행계획서에 대하여 토지등소유자의 4분의 3 이상 및 토지면적의 2분의 1 이상의 토지소유자의 동의를 받아야 한다. 다만, 인가받은 사항을 변경하려는 경우에는 규약으로 정하는 바에 따라 토지등소유자의 과반수의 동의를 받아야 하며, 제1항 단서에 따른 경미한 사항의 변경인 경우에는 토지등소유자의 동의를 필요로 하지 아니한다

(7) 지정개발자가 정비사업을 시행하려는 경우에는 사업시행계획인가를 신청하기 전에 토지등소유자의 과반수의 동의 및 토지면적의 2분의 1 이상의 토지소유자의 동의를 받아야 한다. 다만, 제1항 단서에 따른 경미한 사항의 변경인 경우에는 토지등소유자의 동의를 필요로 하지 아니한다.

(8) 사업시행자는 토지등소유자의 동의를 필요로 하지 아니한다.

(9) 시장·군수등은 제1항에 따른 사업시행계획인가(시장·군수등이 사업시행계획서를 작성한 경우를 포함한다)를 하거나 정비사업을 변경·중지 또는 폐지하는 경우에는 국토교통부령으로 정하는 방법 및 절차에 따라 그 내용을 해당 지방자치단체의 공보에 고시하여야 한다. 다만, 제1항 단서에 따른 경미한 사항을 변경하려는 경우에는 그러하지 아니하다.

건축관계법

국토계획법

주차장법

주 택 법

도시및주거
환경정비법

건축사법

장애인시설법

소방시설법

서울시조례

건축관계법

국토계획법

주차장법

주 택 법

도시및주거
환경정비법

건축사법

장애인시설법

소방시설법

서울시조례

관계법 「건축법 시행령」 제12조 【허가·신고사항의 변경 등】

① ~ ② <생략>

③ 법 제16조제2항에서 "대통령령으로 정하는 사항"이란 다음 각 호의 어느 하나에 해당하는 사항을 말한다. <개정 2016.1.19.>

1. 건축물의 동수나 층수를 변경하지 아니하면서 변경되는 부분의 바닥면적의 합계가 50제곱미터 이하인 경우로서 다음 각 목의 요건을 모두 갖춘 경우
    가. 변경되는 부분의 높이가 1미터 이하이거나 전체 높이의 10분의 1 이하일 것
    나. 허가를 받거나 신고를 하고 건축 중인 부분의 위치 변경범위가 1미터 이내일 것
    다. 법 제14조제1항에 따라 신고를 하면 법 제11조에 따른 건축허가를 받은 것으로 보는 규모에서 건축허가를 받아야 하는 규모로의 변경이 아닐 것
2. 건축물의 동수나 층수를 변경하지 아니하면서 변경되는 부분이 연면적 합계의 10분의 1 이하인 경우(연면적이 5천 제곱미터 이상인 건축물은 각 층의 바닥면적이 50제곱미터 이하의 범위에서 변경되는 경우만 해당한다). 다만, 제4호 본문 및 제5호 본문에 따른 범위의 변경인 경우만 해당한다.
3. 대수선에 해당하는 경우
4. 건축물의 층수를 변경하지 아니하면서 변경되는 부분의 높이가 1미터 이하이거나 전체 높이의 10분의 1 이하인 경우. 다만, 변경되는 부분이 제1호 본문, 제2호 본문 및 제5호 본문에 따른 범위의 변경인 경우만 해당한다.
5. 허가를 받거나 신고를 하고 건축 중인 부분의 위치가 1미터 이내에서 변경되는 경우. 다만, 변경되는 부분이 제1호 본문, 제2호 본문 및 제4호 본문에 따른 범위의 변경인 경우만 해당한다.

■ 사업시행인가의 절차

| 1. 사업시행 인가신청 (사업시행자) | → | 2. 공람·의견청취 (시·군·자치구청장) | → | 3. 건축위원회의 심의 (정비구역이 아닌 주택 재건축사업의 경우) | → | 4. 인가·고시 (시·군·자치 구청장) |

판례 사업시행인가의 법적성질(재량행위) (대판 2007.7.12 2007두6663)

주택재건축사업시행의 인가는 상대방에게 권리나 이익을 부여하는 효과를 가진 이른바 수익적 행정처분으로서 법령에 행정처분의 요건에 관해 일의적으로 규정되어 있지 않은 이상 행정청의 재량행위에 속하므로, 처분청으로서는 법령상의 제한에 근거한 것이 아니라 하더라도 공익상 필요 등에 의하여 필요한 범위에서 여러 조건(부담)을 부과할 수 있다.

---

② 사업시행계획의 통합심의 (법 제50조의2)(영 제46조의2)

(1) 정비구역의 지정권자는 사업시행계획인가와 관련된 다음중 둘 이상의 심의가 필요한 경우에는 이를 통합하여 검토 및 심의하여야 한다.

① 「건축법」에 따른 건축물의 건축 및 특별건축구역의 지정 등에 관한 사항
② 「경관법」에 따른 경관 심의에 관한 사항
③ 「교육환경 보호에 관한 법률」에 따른 교육환경평가
④ 「국토의 계획 및 이용에 관한 법률」에 따른 도시·군관리계획에 관한 사항
⑤ 「도시교통정비 촉진법」에 따른 교통영향평가에 관한 사항
⑥ 「환경영향평가법」에 따른 환경영향평가 등에 관한 사항

⑦ 그 밖에 국토교통부장관, 시·도지사 또는 시장·군수등이 필요하다고 인정하여 통합심의에 부치는 사항

(2) 사업시행자가 통합심의를 신청하는 경우에는 제1항 각 호와 관련된 서류를 첨부하여야 한다. 이 경우 정비구역의 지정권자는 통합심의를 효율적으로 처리하기 위하여 필요한 경우 제출기한을 정하여 제출하도록 할 수 있다.

(3) 정비구역의 지정권자가 통합심의를 하는 경우에는 다음의 어느 하나에 해당하는 위원회에 속하고 해당 위원회의 위원장의 추천을 받은 위원, 정비구역의 지정권자가 속한 지방자치단체 소속 공무원 및 제50조에 따른 사업시행계획 인가권자가 속한 지방자치단체 소속 공무원으로 소집된 통합심의위원회를 구성하여 통합심의하여야 한다. 이 경우 통합심의위원회의 구성, 통합심의의 방법 및 절차에 관한 사항은 대통령령으로 정한다.

① 「건축법」에 따른 건축위원회
② 「경관법」에 따른 경관위원회
③ 교육환경 보호에 관한 법률」에 따른 교육환경보호위원회
④ 지방도시계획위원회
⑤ 「도시교통정비 촉진법」에 따른 교통영향평가심의위원회
⑥ 도시재정비위원회(정비구역이 재정비촉진지구 내에 있는 경우에 한정한다)
⑦ 「환경영향평가법」에 따른 환경영향평가협의회
⑧ ①에서 ⑦에 대하여 심의권한을 가진 관련 위원회

■ 통합심의위원회의 구성

통합심의위원회는 위원장 1명과 부위원장 1명을 포함하여 20명 이상 100명 이하의 위원으로 성별을 고려하여 구성한다.

「건축법」에 따른 건축위원회	
지방도시계획위원회	위원회별 3명 이상
도시재정비위원회(정비구역이 재정비촉진지구 내에 있는 경우에 한정한다)	
「경관법」에 따른 경관위원회	
「교육환경 보호에 관한 법률」에 따른 교육환경보호위원회	위원회별 2명 이상
「도시교통정비 촉진법」에 따른 교통영향평가심의위원회	
「환경영향평가법」에 따른 환경영향평가협의회	
2-(3)-①~⑦에 대하여 심의권한을 가진 관련 위원회	1명 이상
정비구역지정권자가 속한 지방자치단체 소속 공무원	1명 이상
사업시행계획 인가권자가 속한 지방자치단체 소속 공무원	1명 이상

(5) 통합심의를 거친 경우에는 (1)의 사항에 대한 검토·심의·조사·협의·조정 또는 재정을 거친 것으로 본다.

건축관계법
국토계획법
주차장법
주 택 법
도시및주거
환경정비법
건축사법
장애인시설법
소방시설법
서울시조례

③ 정비계획 변경 및 사업시행인가의 심의 특례 (법 제50조의3)

(1) 정비구역의 지정권자는 사업시행계획인가에 앞서 결정·고시된 정비계획의 변경이 필요한 경우 정비계획의 결정 및 정비구역의 지정·고시에 관한규정에도 불구하고 정비계획의 변경을 위한 지방도시계획위원회 심의를 사업시행계획인가와 관련된 심의와 함께 통합하여 검토 및 심의할 수 있다.

(2) 정비구역의 지정권자가 (1)에 따라 심의를 통합하여 실시하는 경우 사업시행자는 하나의 총회에서 ⑰-(1)-⑧,⑨에 관한 사항을 의결하여야 한다.

(3) (1) 및 (2)에서 규정한 사항 외에 심의 및 총회 의결을 위한 절차와 방법에 관하여 필요한 사항은 대통령령으로 정한다.

④ 기반시설의 기부채납 기준 (법 제51조)

(1) 시장·군수등은 사업시행계획을 인가하는 경우 사업시행자가 제출하는 사업시행계획에 해당 정비사업과 직접적으로 관련이 없거나 과도한 정비기반시설의 기부채납을 요구하여서는 아니 된다.

(2) 국토교통부장관은 정비기반시설의 기부채납과 관련하여 다음의 사항이 포함된 운영기준을 작성하여 고시할 수 있다.

① 정비기반시설의 기부채납 부담의 원칙 및 수준

② 정비기반시설의 설치기준 등

(3) 시장·군수등은 위 (2)에 따른 운영기준의 범위에서 지역여건 또는 사업의 특성 등을 고려하여 따로 기준을 정할 수 있으며, 이 경우 사전에 국토교통부장관에게 보고해야 한다.

⑤ 사업시행계획서의 작성 (법 제52조) (영 제47조)

(1) 사업시행자는 정비계획에 따라 다음의 사항을 포함하는 사업시행계획서를 작성해야 한다.

① 토지이용계획(건축물배치계획을 포함한다)

② 정비기반시설 및 공동이용시설의 설치계획

③ 임시거주시설을 포함한 주민이주대책

④ 세입자의 주거 및 이주 대책

⑤ 사업시행기간 동안 정비구역 내 가로등 설치, 폐쇄회로 텔레비전 설치 등 범죄예방대책

⑥ 임대주택의 건설계획(재건축사업의 경우는 제외한다)

⑦ 국민주택규모 주택의 건설계획(주거환경개선사업의 경우는 제외한다)

⑧ 공공지원민간임대주택 또는 임대관리 위탁주택의 건설계획(필요한 경우로 한정한다)

⑨ 건축물의 높이 및 용적률 등에 관한 건축계획

⑩ 정비사업의 시행과정에서 발생하는 폐기물의 처리계획

⑪ 교육시설의 교육환경 보호에 관한 계획(정비구역부터 200m 이내에 교육시설이 설치되어 있는 경우로 한정한다)

⑫ 정비사업비

⑬ 그 밖에 사업시행을 위한 사항으로서 다음으로 정하는 바에 따라 시·도조례로 정하는 사항

1. 정비사업의 종류·명칭 및 시행기간
2. 정비구역의 위치 및 면적
3. 사업시행자의 성명 및 주소

건축관계법
국토계획법
주차장법
주택법
도시및주거환경정비법
건축사법
장애인시설법
소방시설법
서울시조례

건축관계법

국토계획법

주차장법

주 택 법

도시및주거
환경정비법

건축사법

장애인시설법

소방시설법

서울시조례

4. 설계도서

5. 자금계획

6. 철거할 필요는 없으나 개·보수할 필요가 있다고 인정되는 건축물의 명세 및 개·보수계획

7. 정비사업의 시행에 지장이 있다고 인정되는 정비구역의 건축물 또는 공작물 등의 명세

8. 토지 또는 건축물 등에 관한 권리자 및 그 권리의 명세

9. 공동구의 설치에 관한 사항

10. 정비사업의 시행으로 용도가 폐지되는 정비기반시설의 조서·도면과 새로 설치할 정비기반시설의 조서·도면(토지주택공사등이 사업시행자인 경우만 해당한다)

11. 정비사업의 시행으로 용도가 폐지되는 정비기반시설의 조서·도면 및 그 정비기반시설에 대한 둘 이상의 감정평가업자의 감정평가서와 새로 설치할 정비기반시설의 조서·도면 및 그 설치비용 계산서

12. 사업시행자에게 무상으로 양여되는 국·공유지의 조서

13. 「물의 재이용 촉진 및 지원에 관한 법률」에 따른 빗물처리계획

14. 기존주택의 철거계획서(석면을 함유한 건축자재가 사용된 경우에는 그 현황과 해당 자재의 거 및 처리계획을 포함한다)

15. 정비사업 완료 후 상가세입자에 대한 우선 분양 등에 관한 사항

(2) 사업시행자가 위 (1)에 따른 사업시행계획서에 「공공주택 특별법」에 따른 공공주택 건설계획을 포함하는 경우에는 공공주택의 구조·기능 및 설비에 관한 기준과 부대시설·복리시설의 범위, 설치기준 등에 필요한 사항은 공공주택의 건설기준 등(법 제37조)에 따른다.

관계법 「공공주택 특별법」 제37조 【공공주택의 건설기준 등】
공공주택의 구조·기능 및 설비에 관한 기준과 부대·복리시설의 범위, 설치기준 등에 필요한 사항은 대통령령으로 정할 수 있다. <개정 2014.1.14.>
[제목개정 2014.1.14.]

「공공주택 특별법 시행령」 제31조 【공공주택의 건설기준 등】
① 법 제37조에 따른 공공주택의 구조·기능 및 설비에 관한 기준은 「주택건설기준 등에 관한 규정」 제2장 및 제3장을 준용하되, 구체적인 기준은 국토교통부장관이 다음 각 호의 사항을 고려하여 정한다.
  1. 환경친화적이고 에너지 효율성을 높이는 단열기준 등을 마련할 것
  2. 고령자, 장애인, 독신가구 등 입주자별 특성에 따라 주거의 편의를 높일 수 있는 구조 및 설비기준을 마련할 것
② 법 제37조에 따른 부대시설·복리시설의 범위 및 설치기준은 「주택건설기준 등에 관한 규정」 제4장 및 제5장을 준용하되, 구체적인 기준은 국토교통부장관이 정하여 고시한다. 이 경우 국토교통부장관은 주택지구의 공공시설 등과 연계하여 지역공동체를 활성화시킬 수 있도록 정하여야 한다.
③ 주택지구에서 공공주택단지 인근에 다음 각 호의 요건을 모두 충족한다고 사업계획 승인권자가 인정하는 시설이 설치되어 있거나 설치계획이 있는 경우에는 제2항에도 불구하고 「주택건설기준 등에 관한 규정」 제28조 및 제55조의2를 적용하지 아니한다.
  1. 「주택건설기준 등에 관한 규정」 제28조 및 제55조의2에 따른 부대시설·복리시설에 상응하거나 그 수준을 넘는 규모와 기능을 갖출 것
  2. 접근의 용이성과 이용의 효율성 등을 고려할 때 단지 안에 설치하는 경우와 큰 차이가 없을 것

건축관계법

국토계획법

주차장법

주 택 법

도시및주거
환경정비법

건축사법

장애인시설법

소방시설법

서울시조례

6 시행규정의 작성 (법 제53조)

시장·군수등, 토지주택공사등 또는 신탁업자가 단독으로 정비사업을 시행하는 경우 다음의 사항을 포함하는 시행규정을 작성해야 한다.

① 정비사업의 종류 및 명칭
② 정비사업의 시행연도 및 시행방법
③ 비용부담 및 회계
④ 토지등소유자의 권리·의무
⑤ 정비기반시설 및 공동이용시설의 부담
⑥ 공고·공람 및 통지의 방법
⑦ 토지 및 건축물에 관한 권리의 평가방법
⑧ 관리처분계획 및 청산(분할징수 또는 납입에 관한 사항을 포함한다)
   예외 수용의 방법으로 시행하는 경우는 제외한다.
⑨ 시행규정의 변경
⑩ 사업시행계획서의 변경
⑪ 토지등소유자 전체회의(신탁업자가 사업시행자인 경우로 한정한다)
⑫ 그 밖에 시·도조례로 정하는 사항

7 재건축사업 등의 용적률 완화 및 소형주택 건설비율 (법 제54조)

(1) 사업시행자는 다음의 어느 하나에 해당하는 정비사업(「도시재정비 촉진을 위한 특별법」에 따른 재정비촉진지구에서 시행되는 재개발사업 및 재건축사업은 제외한다)을 시행하는 경우 정비계획(이 법에 따라 정비계획으로 의제되는 계획을 포함한다)으로 정하여진 용적률에도 불구하고 지방도시계획위원회의 심의를 거쳐 「국토의 계획 및 이용에 관한 법률」 및 관계 법률에 따른 용적률의 상한(이하 "법적상한용적률"이라 한다)까지 건축할 수 있다.

① 「수도권정비계획법」에 따른 과밀억제권역에서 시행하는 재개발사업 및 재건축사업(「국토의 계획 및 이용에 관한 법률」에 따른 주거지역 및 대통령령으로 정하는 공업지역으로 한정한다.)
② 위 ① 외의 경우 시·도조례로 정하는 지역에서 시행하는 재개발사업 및 재건축사업

(2) 위 (1)에 따라 사업시행자가 정비계획으로 정하여진 용적률을 초과하여 건축하려는 경우에는 「국토의 계획 및 이용에 관한 법률」에 따라 특별시·광역시·특별자치시·특별자치도·시 또는 군의 조례로 정한 용적률 제한 및 정비계획으로 정한 허용세대수의 제한을 받지 아니한다.

(3) 위 (1)의 관계 법률에 따른 용적률의 상한은 다음의 어느 하나에 해당하여 건축행위가 제한되는 경우 건축이 가능한 용적률을 말한다.

① 「국토의 계획 및 이용에 관한 법률」에 따른 건축물의 층수제한
② 「건축법」에 따른 높이제한
③ 「건축법」에 따른 일조 등의 확보를 위한 건축물의 높이제한
④ 「공항시설법」에 따른 장애물 제한표면구역 내 건축물의 높이제한
⑤ 「군사기지 및 군사시설 보호법」에 따른 비행안전구역 내 건축물의 높이제한
⑥ 「문화재보호법(→유산의 보존 및 활용에 관한 법률)」에 따른 건설공사 시 문화재(→유산) 보호를 위한 건축제한(개정 2023.8.8./시행 2024.5.17.)
⑦ 「자연유산의 보존 및 활용에 관한 법률」 제9조에 따른 건설공사 시 천연기념물등의 보호를 위한 건축제한 <신설 2023.3.21./시행 2024.3.22.>

⑧ 그 밖에 시장·군수등이 건축 관계 법률의 건축제한으로 용적률의 완화가 불가능하다고 근거를 제시하고, 지방도시계획위원회 또는 「건축법」에 따라 시·도에 두는 건축위원회가 심의를 거쳐 용적률 완화가 불가능하다고 인정한 경우

(4) 사업시행자는 법적상한용적률에서 정비계획으로 정하여진 용적률을 뺀 용적률(이하 "초과용적률"이라 한다)의 다음에 따른 비율에 해당하는 면적에 국민주택규모 주택을 건설해야 한다.

예외 천재지변, 「재난 및 안전관리 기본법」 또는 「시설물의 안전 및 유지관리에 관한 특별법」에 따른 사용제한·사용금지, 그 밖의 불가피한 사유로 긴급하게 정비사업을 시행할 필요가 있다고 인정하는 경우에 따른 정비사업을 시행하는 경우에는 그러하지 아니하다.

① 과밀억제권역에서 시행하는 재건축사업은 초과용적률의 30/100 이상 50/100 이하로서 시·도조례로 정하는 비율

② 과밀억제권역에서 시행하는 재개발사업은 초과용적률의 50/100 이상 75/100 이하로서 시·도조례로 정하는 비율

③ 과밀억제권역 외의 지역에서 시행하는 재건축사업은 초과용적률의 50/100 이하로서 시·도조례로 정하는 비율

④ 과밀억제권역 외의 지역에서 시행하는 재개발사업은 초과용적률의 75/100 이하로서 시·도조례로 정하는 비율

⑧ 국민주택규모 주택의 공급 및 인수 (법 제55조)(영 제48조)

(1) 사업시행자는 위 ⑤-(4)항에 따라 건설한 국민주택규모 주택을 국토교통부장관, 시·도지사, 시장, 군수, 구청장 또는 토지주택공사등(이하 "인수자"라 한다)에 공급해야 한다.

(2) 위 (1)에 따른 국민주택규모 주택의 공급가격은 「공공주택 특별법」에 따라 국토교통부장관이 고시하는 공공건설임대주택의 표준건축비로 하며, 부속 토지는 인수자에게 기부채납한 것으로 본다.

(3) 사업시행자는 위 ⑤-(1) 및 (2)에 따라 정비계획상 용적률을 초과하여 건축하려는 경우에는 사업시행계획인가를 신청하기 전에 미리 위 (1) 및 (2)에 따른 소형주택에 관한 사항을 인수자와 협의하여 사업시행계획서에 반영해야 한다.

(4) 위 (1) 및 (2)에 따른 국민주택규모 주택의 인수를 위한 절차와 방법 등에 필요한 사항은 다음으로 정할 수 있으며, 인수된 국민주택규모 주택은 「공공주택 특별법」에 따른 임대의무기간이 20년 이상인 장기 공공임대주택으로 활용하여야 한다.

단서 토지등소유자의 부담 완화 등 대통령령으로 정하는 요건에 해당하는 경우에는 인수된 국민주택규모 주택을 장기공공임대주택이 아닌 임대주택으로 활용할 수 있다.

단서 의 토지등소유자의 부담 환화 등 대통령령으로 정하는 요건에 해당하는 경우는 다음과 같다.

① 아래 ㉠의 가액을 ㉡의 가액으로 나눈 값이 80/100 미만인 경우. 이 경우 ㉠ 및 ㉡의 가액은 사업시행계획인가 고시일을 기준으로 하여 산정하되 구체적인 산정방법은 국토교통부장관이 정하여 고시한다.

㉠ 정비사업 후 대지 및 건축물의 총 가액에서 총사업비를 제외한 가액

㉡ 정비사업 전 토지 및 건축물의 총 가액

(5) 위 (2)에도 불구하고 위 (4)의 **단서**에 따른 임대주택의 인수자는 임대의무기간에 따라 감정평가액의 50/100 이하의 범위에서 다음으로 정하는 가격으로 부속 토지를 인수해야 한다.

① 임대의무기간이 10년 이상인 경우: 감정평가액(시장·군수등이 지정하는 둘 이상의 감정평가업자가 평가한 금액을 산술평균한 금액을 말한다)의 30/100에 해당하는 가격

② 임대의무기간이 10년 미만인 경우: 감정평가액의 50/100에 해당하는 가격

건축관계법

국토계획법

주차장법

주 택 법

도시및주거
환경정비법

건축사법

장애인시설법

소방시설법

서울시조례

건축관계법

국토계획법

주차장법

주 택 법

도시및주거
환경정비법

건축사법

장애인시설법

소방시설법

서울시조례

9 **관계 서류의 공람과 의견청취** $\left(\begin{smallmatrix}법\\제56조\end{smallmatrix}\right)\left(\begin{smallmatrix}영\\제49조\end{smallmatrix}\right)$

(1) 시장·군수등은 사업시행계획인가를 하거나 사업시행계획서를 작성하려는 경우에는 관계 서류의 사본을 14일 이상 일반인이 공람할 수 있게 해야 한다.

- 사업시행계획인가 또는 사업시행계획서 작성과 관계된 서류를 일반인에게 공람하게 하려는 때에는 그 요지와 공람장소를 해당 지방자치단체의 공보등에 공고하고, 토지등소유자에게 공고내용을 통지해야 한다.

   예외 위 1-(1)의 예외 에 따른 경미한 사항을 변경하려는 경우에는 그러하지 아니하다.

(2) 토지등소유자 또는 조합원, 그 밖에 정비사업과 관련하여 이해관계를 가지는 자는 위 (1)의 공람 기간 이내에 시장·군수등에게 서면으로 의견을 제출할 수 있다.

(3) 시장·군수등은 위 (2)에 따라 제출된 의견을 심사하여 채택할 필요가 있다고 인정하는 때에는 이를 채택하고, 그러하지 아니한 경우에는 의견을 제출한 자에게 그 사유를 알려주어야 한다.

10 **인·허가등의 의제 등** $\left(\begin{smallmatrix}법\\제57조\end{smallmatrix}\right)$

(1) 사업시행자가 사업시행계획인가를 받은 때(시장·군수등이 직접 정비사업을 시행하는 경우에는 사업시행계획서를 작성한 때를 말한다)에는 다음의 인가·허가·결정·승인·신고·등록·협의·동의·심사·지정 또는 해제(이하 "인·허가등"이라 한다)가 있은 것으로 보며, 사업시행계획인가의 고시가 있은 때에는 다음의 관계 법률에 따른 인·허가등의 고시·공고 등이 있은 것으로 본다.

① 「주택법」에 따른 사업계획의 승인

② 「공공주택 특별법」에 따른 주택건설사업계획의 승인

③ 「건축법」에 따른 건축허가, 가설건축물의 건축허가 또는 축조신고 및 건축협의

④ 「도로법」에 따른 도로관리청이 아닌 자에 대한 도로공사 시행의 허가 및 도로의 점용 허가

⑤ 「사방사업법」에 따른 사방지의 지정해제

⑥ 「농지법」에 따른 농지전용의 허가·협의 및 농지전용신고

⑦ 「산지관리법」에 따른 산지전용허가 및 산지전용신고, 산지일시사용허가·신고와 「산림자원의 조성 및 관리에 관한 법률」에 따른 입목벌채등의 허가·신고 및 「산림보호법」에 따른 산림보호구역에서의 행위의 허가.

   예외 「산림자원의 조성 및 관리에 관한 법률」에 따른 채종림·시험림과 「산림보호법」에 따른 산림유전자원보호구역의 경우는 제외한다.

⑧ 「하천법」에 따른 하천공사 시행의 허가 및 하천공사실시계획의 인가, 하천의 점용허가 및 하천수의 사용허가

⑨ 「수도법」에 따른 일반수도사업의 인가 및 전용상수도 또는 전용공업용수도 설치의 인가

⑩ 「하수도법」에 따른 공공하수도 사업의 허가 및 개인하수처리시설의 설치신고

⑪ 「공간정보의 구축 및 관리 등에 관한 법률」에 따른 지도등의 간행 심사

⑫ 「유통산업발전법」에 따른 대규모점포등의 등록

⑬ 「국유재산법」에 따른 사용허가(재개발사업으로 한정한다)

⑭ 「공유재산 및 물품 관리법」에 따른 사용·수익허가(재개발사업으로 한정한다)

⑮ 「공간정보의 구축 및 관리 등에 관한 법률」에 따른 사업의 착수·변경의 신고

⑯ 「국토의 계획 및 이용에 관한 법률」에 따른 도시·군계획시설 사업시행자의 지정 및 실시계획의 인가

⑰「전기안전관리법」에 따른 자가용전기설비의 공사계획의 인가 및 신고

⑱ 소방시설 설치 및 관리에 관한 법률에 따른 건축허가등의 동의, 「위험물안전관리법」에 따른 제조소등의 설치의 허가(제조소등은 공장건축물 또는 그 부속시설에 관계된 것으로 한정한다)

⑲ 「도시공원 및 녹지 등에 관한 법률」에 따른 공원조성계획의 결정

(2) 사업시행자가 공장이 포함된 구역에 대하여 재개발사업의 사업시행계획인가를 받은 때에는 위 (1)에 따른 인·허가등 외에 다음의 인·허가등이 있은 것으로 보며, 사업시행계획인가를 고시한 때에는 다음의 관계 법률에 따른 인·허가 등의 고시·공고 등이 있은 것으로 본다.

① 「산업집적활성화 및 공장설립에 관한 법률」에 따른 공장설립등의 승인 및 공장설립등의 완료신고

② 「폐기물관리법」에 따른 폐기물처리시설의 설치승인 또는 설치신고(변경승인 또는 변경신고를 포함한다)

③ 「대기환경보전법」, 「물환경보전법」 및 「소음·진동관리법」에 따른 배출시설설치의 허가 및 신고

④ 「총포·도검·화약류 등의 안전관리에 관한 법률」에 따른 화약류저장소 설치의 허가

(3) 사업시행자는 정비사업에 대하여 위 (1) 및 (2)에 따른 인·허가등의 의제를 받으려는 경우에는 사업시행계획인가를 신청하는 때에 해당 법률이 정하는 관계 서류를 함께 제출해야 한다.

단서 사업시행계획인가를 신청한 때에 시공자가 선정되어 있지 아니하여 관계 서류를 제출할 수 없거나 아래 (6)에 따라 사업시행계획인가를 하는 경우에는 시장·군수등이 정하는 기한까지 제출할 수 있다.

(4) 시장·군수등은 사업시행계획인가를 하거나 사업시행계획서를 작성하려는 경우 위 (1) 및 (2) 각 각에 따라 의제되는 인·허가등에 해당하는 사항이 있는 때에는 미리 관계 행정기관의 장과 협의해야 하고, 협의를 요청받은 관계 행정기관의 장은 요청받은 날[위 (3)- 단서의 경우에는 서류가 관계 행정기관의 장에게 도달된 날을 말한다]터 30일 이내에 의견을 제출해야 한다. 이 경우 관계 행정기관의 장이 30일 이내에 의견을 제출하지 아니하면 협의된 것으로 본다.

(5) 시장·군수등은 사업시행계획인가(시장·군수등이 사업시행계획서를 작성한 경우를 포함한다)를 하려는 경우 정비구역부터 200미터 이내에 교육시설이 설치되어 있는 때에는 해당 지방자치단체의 교육감 또는 교육장과 협의해야 하며, 인가받은 사항을 변경하는 경우에도 또한 같다.

(6) 시장·군수등은 위 (4) 및 (5)에도 불구하고 천재지변이나 그 밖의 불가피한 사유로 긴급히 정비사업을 시행할 필요가 있다고 인정하는 때에는 관계 행정기관의 장 및 교육감 또는 교육장과 협의를 마치기 전에 사업시행계획인가를 할 수 있다. 이 경우 협의를 마칠 때까지는 위 (1) 및 (2)에 따른 인·허가등을 받은 것으로 보지 아니한다.

(7) 위 (1) 이나 (2)에 따라 인·허가등을 받은 것으로 보는 경우에는 관계 법률 또는 시·도조례에 따라 해당 인·허가등의 대가로 부과되는 수수료와 해당 국·공유지의 사용 또는 점용에 따른 사용료 또는 점용료를 면제한다.

⑪ 사업시행계획인가의 특례 (법 제58조)(영 제50조)

(1) 사업시행자는 일부 건축물의 존치 또는 리모델링(「주택법」 또는 「건축법」 리모델링을 말한다)에 관한 내용이 포함된 사업시행계획서를 작성하여 사업시행계획인가를 신청할 수 있다.

(2) 시장·군수등은 존치 또는 리모델링하는 건축물 및 건축물이 있는 토지가 「주택법」 및 「건축법」에 따른 다음의 건축 관련 기준에 적합하지 아니하더라도 아래의 특례 기준에 따라 사업시행계획인가를 할 수 있다.

- 건축 관련 기준

① 「주택법」에 따른 주택단지의 범위
② 「주택법」에 따른 부대시설 및 복리시설의 설치기준
③ 「건축법」에 따른 대지와 도로의 관계
④ 「건축법」에 따른 건축선의 지정
⑤ 「건축법」에 따른 일조 등의 확보를 위한 건축물의 높이 제한

■ 사업시행계획인가의 특례
① 「건축법」에 따른 대지와 도로의 관계는 존치 또는 리모델링되는 건축물의 출입에 지장이 없다고 인정되는 경우 적용하지 아니할 수 있다.
② 「건축법」에 따른 건축선의 지정은 존치 또는 리모델링되는 건축물에 대해서는 적용하지 아니할 수 있다.
③ 「건축법」에 따른 일조 등의 확보를 위한 건축물의 높이 제한은 리모델링되는 건축물에 대해서는 적용하지 아니할 수 있다.
④ 「주택법」에도 불구하고 존치 또는 리모델링(「주택법」또는 「건축법」 리모델링을 말한다)되는 건축물도 하나의 주택단지에 있는 것으로 본다.
⑤ 「주택법」에 따른 부대시설·복리시설의 설치기준은 존치 또는 리모델링되는 건축물을 포함하여 적용할 수 있다.

(3) 사업시행자가 위 (1)에 따라 사업시행계획서를 작성하려는 경우에는 존치 또는 리모델링하는 건축물 소유자의 동의(「집합건물의 소유 및 관리에 관한 법률」에 따른 구분소유자가 있는 경우에는 구분소유자의 2/3 이상의 동의와 해당 건축물 연면적의 2/3 이상의 구분소유자의 동의로 한다)를 받아야 한다.

예외 정비계획에서 존치 또는 리모델링하는 것으로 계획된 경우에는 그러하지 아니한다.

관계법 「주택법」 제2조 【정의】

25. "리모델링"이란 제66조제1항 및 제2항에 따라 건축물의 노후화 억제 또는 기능 향상 등을 위한 다음 각 목의 어느 하나에 해당하는 행위를 말한다.
가. 대수선(大修繕)
나. 제49조에 따른 사용검사일(주택단지 안의 공동주택 전부에 대하여 임시사용승인을 받은 경우에는 그 임시사용승인일을 말한다) 또는 「건축법」 제22조에 따른 사용승인일부터 15년 [15년 이상 20년 미만의 연수 중 특별시·광역시·특별자치시·도 또는 특별자치도(이하 "시·도"라 한다)의 조례로 정하는 경우에는 그 연수로 한다]이 경과된 공동주택을 각 세대의 주거전용면적(「건축법」 제38조에 따른 건축물대장 중 집합건축물대장의 전유부분의 면적을 말한다)의 30퍼센트 이내(세대의 주거전용면적이 85제곱미터 미만인 경우에는 40퍼센트 이내)에서 증축하는 행위. 이 경우 공동주택의 기능 향상 등을 위하여 공용부분에 대하여도 별도로 증축할 수 있다.
다. 나목에 따른 각 세대의 증축 가능 면적을 합산한 면적의 범위에서 기존 세대수의 15퍼센트 이내에서 세대수를 증가하는 증축 행위(이하 "세대수 증가형 리모델링"이라 한다). 다만, 수직으로 증축하는 행위(이하 "수직증축형 리모델링"이라 한다)는 다음 요건을 모두 충족하는 경우로 한정한다.
1) 최대 3개층 이하로서 대통령령으로 정하는 범위에서 증축할 것
2) 리모델링 대상 건축물의 구조도 보유 등 대통령령으로 정하는 요건을 갖출 것

건축관계법 | 국토계획법 | 주차장법 | 주 택 법 | 도시및주거환경정비법 | 건축사법 | 장애인시설법 | 소방시설법 | 서울시조례

건축관계법

국토계획법

주차장법

주 택 법

도시및주거
환경정비법

건축사법

장애인시설법

소방시설법

서울시조례

> **관계법** 「건축법」 제2조 【정의】
> ① 이 법에서 사용하는 용어의 뜻은 다음과 같다. <개정 2014.1.14., 2014.5.28., 2014.6.3.,
> 2016.1.19., 2016.2.3., 2017.12.26.>
> 1.~9. <생략>
> 10. "리모델링"이란 건축물의 노후화를 억제하거나 기능 향상 등을 위하여 대수선하거나 건축물
> 의 일부를 증축 또는 개축하는 행위를 말한다.

12 순환정비방식의 정비사업 등 (법 제59조)

【1】 순환정비방식의 정비사업

사업시행자는 정비구역의 안과 밖에 새로 건설한 주택 또는 이미 건설되어 있는 주택의 경우 그 정비사업의 시행으로 철거되는 주택의 소유자 또는 세입자(정비구역에서 실제 거주하는 자로 한정한다)를 임시로 거주하게 하는 등 그 정비구역을 순차적으로 정비하여 주택의 소유자 또는 세입자의 이주대책을 수립해야 한다.

【2】 순환용주택의 우선공급 요청 등 (영 제51조)

사업시행자는 위 【1】에 따른 방식으로 정비사업을 시행하는 경우에는 임시로 거주하는 주택(이하 "순환용주택"이라 한다)을 「주택법」에도 불구하고 임시거주시설로 사용하거나 임대할 수 있으며, 다음으로 정하는 방법과 절차에 따라 토지주택공사등이 보유한 공공임대주택을 순환용주택으로 우선 공급할 것을 요청할 수 있다.

① 사업시행자는 관리처분계획의 인가를 신청한 후 다음의 서류를 첨부하여 토지주택공사등에 토지주택공사등이 보유한 공공임대주택을 순환용주택으로 우선 공급할 것을 요청할 수 있다.

1. 사업시행계획인가 고시문 사본
2. 관리처분계획의 인가 신청서 사본
3. 정비구역 내 이주대상 세대수
4. 주택의 소유자 또는 세입자로서 순환용주택 이주 희망 대상자
5. 이주시기 및 사용기간
6. 그 밖에 토지주택공사등이 필요하다고 인정하는 사항

② 토지주택공사등은 위 ①에 따라 사업시행자로부터 공공임대주택의 공급 요청을 받은 경우에는 그 요청을 받은 날부터 30일 이내에 사업시행자에게 다음의 내용을 통지해야 한다.

1. 해당 정비구역 인근에서 공급 가능한 공공임대주택의 주택 수, 주택 규모 및 공급가능 시기
2. 임대보증금 등 공급계약에 관한 사항
3. 그 밖에 토지주택공사등이 필요하다고 인정하는 사항

③ 위 ②-1.에 따른 공급 가능한 주택 수는 위 ①에 따라 요청을 한 날 당시 공급 예정인 물량의 1/2 범위로 한다.

건축관계법

국토계획법

주차장법

주 택 법

도시및주거
환경정비법

건축사법

장애인시설법

소방시설법

서울시조례

[예외] 주변 지역에 전세가격 급등 등의 우려가 있어 순환용주택의 확대 공급이 필요한 경우 1/2을 초과할 수 있다.

④ 토지주택공사등은 세대주로서 해당 세대 월평균 소득이 전년도 도시근로자 월평균 소득의 70% 이하인 거주자(위 ①에 따른 요청을 한 날 당시 해당 정비구역에 2년 이상 거주한 사람에 한정한다)에게 순환용주택을 공급하되, 다음의 순위에 따라 공급해야 한다. 이 경우 같은 순위에서 경쟁이 있는 경우 월평균 소득이 낮은 사람에게 우선 공급한다.

㉠ 1순위: 정비사업의 시행으로 철거되는 주택의 세입자(정비구역에서 실제 거주하는 자로 한정한다)로서 주택을 소유하지 아니한 사람

㉡ 2순위: 정비사업의 시행으로 철거되는 주택의 소유자(정비구역에서 실제 거주하는 자로 한정한다)로서 그 주택 외에는 주택을 소유하지 아니한 사람

⑤ 위 ①~④의 규정에서 정한 사항 외에 공급계약의 체결, 순환용주택의 반환 등 순환용주택의 공급에 필요한 세부사항은 토지주택공사등이 따로 정할 수 있다.

【3】 순환용주택의 분양 또는 임대 (영 제52조)

사업시행자는 순환용주택에 거주하는 자가 정비사업이 완료된 후에도 순환용주택에 계속 거주하기를 희망하는 때에는 다음으로 정하는 바에 따라 분양하거나 계속 임대할 수 있다. 이 경우 사업시행자가 소유하는 순환용주택은 인가받은 관리처분계획에 따라 토지등소유자에게 처분된 것으로 본다.

① 순환용주택에 거주하는 자가 해당 주택을 분양받으려는 경우 토지주택공사등은 「공공주택 특별법」에서 정한 매각 요건 및 매각 절차 등에 따라 해당 거주자에게 순환용주택을 매각할 수 있다. 이 경우 「공공주택 특별법 시행령」에 따른 임대주택의 구분은 순환용주택으로 공급할 당시의 유형에 따른다.

② 순환용주택에 거주하는 자가 계속 거주하기를 희망하고 「공공주택 특별법」 제48조 및 제49조에 따른 임대주택 입주자격을 만족하는 경우 토지주택공사등은 그 자와 우선적으로 임대차계약을 체결할 수 있다.

[관계법] 「공공주택 특별법」 제50조의2 【공공임대주택의 매각제한】

① 공공주택사업자는 공공임대주택을 5년 이상의 범위에서 대통령령으로 정한 임대의무기간이 지나지 아니하면 매각할 수 없다.

② 제1항에도 불구하고 다음 각 호의 어느 하나에 해당하는 경우에는 임대의무기간이 지나기 전에도 공공임대주택을 매각할 수 있다.

　1. 국토교통부령으로 정하는 바에 따라 다른 공공주택사업자에게 매각하는 경우. 이 경우 해당 공공임대주택을 매입한 공공주택사업자는 기존 공공주택사업자의 지위를 포괄적으로 승계한다.

　2. 임대의무기간의 2분의 1이 지나 공공주택사업자가 임차인과 합의한 경우 등 대통령령으로 정하는 경우로서 임차인 등에게 분양전환하는 경우

「공공주택 특별법 시행령」 제54조 【공공임대주택의 임대의무기간】

① 법 제50조의2제1항에서 "대통령령으로 정한 임대의무기간"이란 그 공공임대주택의 임대개시일부터 다음 각 호의 기간을 말한다. <개정 2020. 9. 8.>

　1. 영구임대주택: 50년

　2. 국민임대주택: 30년

　3. 행복주택: 30년

　4. 통합공공임대주택: 30년

　5. 장기전세주택: 20년

건축관계법

국토계획법

주차장법

주 택 법

도시및주거
환경정비법

건축사법

장애인시설법

소방시설법

서울시조례

6. 제1호부터 제5호까지의 규정에 해당하지 않는 공공임대주택 중 임대 조건을 신고할 때 임대차 계약기간을 10년 이상으로 정하여 신고한 주택: 10년
7. 제1호부터 제6호까지의 규정에 해당하지 않는 공공임대주택: 5년
② ~ ⑤ <생략>

⅓ 지정개발자의 정비사업비의 예치 등 (법 제60조)

(1) 시장·군수등은 재개발사업의 사업시행계획인가를 하는 경우 해당 정비사업의 사업시행자가 지정개발자(지정개발자가 토지등소유자인 경우로 한정한다)인 때에는 정비사업비의 20/100의 범위에서 시·도조례로 정하는 금액을 예치하게 할 수 있다.
(2) 위 (1)에 따른 예치금은 청산금의 지급이 완료된 때에 반환한다.
(3) 위 (1) 및 (2)에 따른 예치 및 반환 등에 필요한 사항은 시·도조례로 정한다.

4 정비사업 시행을 위한 조치 등

① 임시거주시설·임시상가의 설치 등 (법 제61조)(영 제53조)

(1) 사업시행자는 주거환경개선사업 및 재개발사업의 시행으로 철거되는 주택의 소유자 또는 세입자에게 해당 정비구역 안과 밖에 위치한 임대주택 등의 시설에 임시로 거주하게 하거나 주택자금의 융자를 알선하는 등 임시거주에 상응하는 조치를 해야 한다.
(2) 사업시행자는 위 (1)에 따라 임시거주시설의 설치 등을 위하여 필요한 때에는 국가·지방자치단체, 그 밖의 공공단체 또는 개인의 시설이나 토지를 일시 사용할 수 있다.
(3) 국가 또는 지방자치단체는 사업시행자로부터 임시거주시설에 필요한 건축물이나 토지의 사용 신청을 받은 때에는 다음에 해당하는 사유가 없으면 이를 거절하지 못한다. 이 경우 사용료 또는 대부료는 면제한다.
① 임시거주시설의 설치를 위하여 필요한 건축물이나 토지에 대하여 제3자와 이미 매매계약을 체결한 경우
② 사용신청 이전에 임시거주시설의 설치를 위하여 필요한 건축물이나 토지에 대한 사용계획이 확정된 경우
③ 제3자에게 이미 임시거주시설의 설치를 위하여 필요한 건축물이나 토지에 대한 사용허가를 한 경우
(4) 사업시행자는 정비사업의 공사를 완료한 때에는 완료한 날부터 30일 이내에 임시거주시설을 철거하고, 사용한 건축물이나 토지를 원상회복해야 한다.
(5) 재개발사업의 사업시행자는 사업시행으로 이주하는 상가세입자가 사용할 수 있도록 정비구역 또는 정비구역 인근에 임시상가를 설치할 수 있다.

② 임시거주시설·임시상가의 설치 등에 따른 손실보상 (법 제62조)

(1) 사업시행자는 위 ①에 따라 공공단체(지방자치단체는 제외한다) 또는 개인의 시설이나 토지를 일시 사용함으로써 손실을 입은 자가 있는 경우에는 손실을 보상해야 하며, 손실을 보상하는 경우에는 손실을 입은 자와 협의해야 한다.
(2) 사업시행자 또는 손실을 입은 자는 제1항에 따른 손실보상에 관한 협의가 성립되지 아니하거나 협의할 수 없는 경우에는 「공익사업을 위한 토지 등의 취득 및 보상에 관한 법률」에 따라 설치되는 관할 토지수용위원회에 재결을 신청할 수 있다.

건축관계법

국토계획법

주차장법

주 택 법

도시및주거
환경정비법

건축사법

장애인시설법

소방시설법

서울시조례

(3) 위 (1) 또는 (2)에 따른 손실보상은 이 법에 규정된 사항을 제외하고는 「공익사업을 위한 토지 등의 취득 및 보상에 관한 법률」을 준용한다.

③ 토지 등의 수용 또는 사용 (법 제63조)

사업시행자는 정비구역에서 정비사업(재건축사업의 경우에는 천재지변, 「재난 및 안전관리 기본법」 또는 「시설물의 안전 및 유지관리에 관한 특별법」에 따른 사용제한·사용금지, 그 밖의 불가피한 사유로 긴급하게 정비사업을 시행할 필요가 있다고 인정하는 사업으로 한정한다)을 시행하기 위하여 「공익사업을 위한 토지 등의 취득 및 보상에 관한 법률」에 따른 토지·물건 또는 그 밖의 권리를 취득하거나 사용할 수 있다.

④ 재건축사업에서의 매도청구 (법 제64조)

(1) 재건축사업의 사업시행자는 사업시행계획인가의 고시가 있은 날부터 30일 이내에 다음의 자에게 조합설립 또는 사업시행자의 지정에 관한 동의 여부를 회답할 것을 서면으로 촉구해야 한다.
  ① 조합설립에 동의하지 아니한 자
  ② 천재지변, 「재난 및 안전관리 기본법」 또는 「시설물의 안전 및 유지관리에 관한 특별법」에 따른 사용제한·사용금지, 그 밖의 불가피한 사유로 긴급하게 정비사업을 시행할 필요가 있다고 인정하는 경우에 시장·군수등, 토지주택공사등 또는 신탁업자의 사업시행자 지정에 동의하지 아니한 자
(2) 위 (1)의 촉구를 받은 토지등소유자는 촉구를 받은 날부터 2개월 이내에 회답해야 한다.
(3) 위 (2)의 기간 내에 회답하지 아니한 경우 그 토지등소유자는 조합설립 또는 사업시행자의 지정에 동의하지 아니하겠다는 뜻을 회답한 것으로 본다.
(4) 위 (2)의 기간이 지나면 사업시행자는 그 기간이 만료된 때부터 2개월 이내에 조합설립 또는 사업시행자 지정에 동의하지 아니하겠다는 뜻을 회답한 토지등소유자와 건축물 또는 토지만 소유한 자에게 건축물 또는 토지의 소유권과 그 밖의 권리를 매도할 것을 청구할 수 있다.

⑤ 「공익사업을 위한 토지 등의 취득 및 보상에 관한 법률」의 준용 (법 제65조)

(1) 정비구역에서 정비사업의 시행을 위한 토지 또는 건축물의 소유권과 그 밖의 권리에 대한 수용 또는 사용은 이 법에 규정된 사항을 제외하고는 「공익사업을 위한 토지 등의 취득 및 보상에 관한 법률」을 준용한다.
  단서 정비사업의 시행에 따른 손실보상의 기준 및 절차는 다음의 규정에 따른다. (영 제54조)
  ① 공람공고일부터 계약체결일 또는 수용재결일까지 계속하여 거주하고 있지 아니한 건축물의 소유자는 「공익사업을 위한 토지 등의 취득 및 보상에 관한 법률 시행령」에 따라 이주대책대상자에서 제외한다.
    예외 다음에 해당하는 경우에는 그러하지 아니하다.
      ㉠ 질병으로 인한 요양   ㉡ 징집으로 인한 입영
      ㉢ 공무   ㉣ 취학
      ㉤ 그 밖에 ㉠~㉣에 준하는 부득이한 사유
  ② 정비사업으로 인한 영업의 폐지 또는 휴업에 대하여 손실을 평가하는 경우 영업의 휴업기간은 4개월 이내로 한다.
    예외 다음의 어느 하나에 해당하는 경우에는 실제 휴업기간으로 하되, 그 휴업기간은 2년을 초과 할 수 없다.

건축관계법

국토계획법

주차장법

주 택 법

도시및주거
환경정비법

건축사법

장애인시설법

소방시설법

서울시조례

　　　　⑦ 해당 정비사업을 위한 영업의 금지 또는 제한으로 인하여 4개월 이상의 기간동안 영업을 할 수 없는 경우
　　　　⑥ 영업시설의 규모가 크거나 이전에 고도의 정밀성을 요구하는 등 해당 영업의 고유한 특수성으로 인하여 4개월 이내에 다른 장소로 이전하는 것이 어렵다고 객관적으로 인정되는 경우
　　　③ 위 ②에 따라 영업손실을 보상하는 경우 보상대상자의 인정시점은 공람공고일로 본다.
　　　④ 주거이전비를 보상하는 경우 보상대상자의 인정시점은 공람공고일로 본다.
　(2) 위 (1)에 따라 「공익사업을 위한 토지 등의 취득 및 보상에 관한 법률」을 준용하는 경우 사업시행계획인가 고시가 있은 때에는 같은 법에 따른 사업인정 및 그 고시가 있은 것으로 본다.
　(3) 위 (1)에 따른 수용 또는 사용에 대한 재결의 신청은 「공익사업을 위한 토지 등의 취득 및 보상에 관한 법률」에도 불구하고 사업시행계획인가(사업시행계획변경인가를 포함한다)를 할 때 정한 사업시행기간 이내에 해야 한다.
　(4) 대지 또는 건축물을 현물보상하는 경우에는 「공익사업을 위한 토지 등의 취득 및 보상에 관한 법률」에도 불구하고 준공인가 이후에도 할 수 있다.

> **관계법** 「공익사업을 위한 토지 등의 취득 및 보상에 관한 법률」 제42조 【재결의 실효】
> ① 사업시행자가 수용 또는 사용의 개시일까지 관할 토지수용위원회가 재결한 보상금을 지급하거나 공탁하지 아니하였을 때에는 해당 토지수용위원회의 재결은 효력을 상실한다.
> ② 사업시행자는 제1항에 따라 재결의 효력이 상실됨으로 인하여 토지소유자 또는 관계인이 입은 손실을 보상하여야 한다.
> ③ 제2항에 따른 손실보상에 관하여는 제9조제5항부터 제7항까지의 규정을 준용한다

⑥ 용적률에 관한 특례 등 (법 제66조)

　(1) 사업시행자가 다음의 어느 하나에 해당하는 경우에는 「국토의 계획 및 이용에 관한 법률」에도 불구하고 해당 정비구역에 적용되는 용적률의 125/100 이하의 범위에서 아래 (2)의 용적률에 관한 특례 규정에 따라 특별시·광역시·특별자치시·특별자치도·시 또는 군의 조례로 용적률을 완화하여 정할 수 있다.
　　① 손실보상의 기준 이상으로 세입자에게 주거이전비를 지급하거나 영업의 폐지 또는 휴업에 따른 손실을 보상하는 경우
　　② 손실보상에 더하여 임대주택을 추가로 건설하거나 임대상가를 건설하는 등 추가적인 세입자 손실보상 대책을 수립하여 시행하는 경우
　(2) 정비구역이 역세권 등 대통령령으로 정하는 요건에 해당하는 경우(제24조제4항, 제26조제1항제1호 및 제27조제1항제1호에 따른 정비사업을 시행하는 경우는 제외한다)에는 제11조, 제54조 및 「국토의 계획 및 이용에 관한 법률」 제78조에도 불구하고 다음 각 호의 어느 하나에 따라 용적률을 완화하여 적용할 수 있다.
　　① 지방도시계획위원회의 심의를 거쳐 법적상한용적률의 100분의 120까지 완화
　　② 용도지역의 변경을 통하여 용적률을 완화하여 정비계획을 수립한 후 변경된 용도지역의 법적상한용적률까지 완화
　(3) 사업시행자는 (2)에 따라 완화된 용적률에서 정비계획으로 정하여진 용적률을 뺀 용적률의 100분의 75 이하로서 대통령령으로 정하는 바에 따라 시·도조례로 정하는 비율에 해당하는 면적에 국민주택규모 주택을 건설하여 인수자에게 공급하여야 한다. 이 경우 국민주택규모 주택의 공급 및 인수방법에 관하여는 **3**-⑧을 준용한다.

건축관계법

국토계획법

주차장법

주 택 법

도시및주거
환경정비법

건축사법

장애인시설법

소방시설법

서울시조례

(4) (3)에도 불구하고 인수자는 사업시행자로부터 공급받은 주택 중 대통령령으로 정하는 비율에 해당하는 주택에 대해서는 「공공주택 특별법」에 따라 분양할 수 있다. 이 경우 해당 주택의 공급가격은 「주택법」에 따라 국토교통부장관이 고시하는 건축비로 하며, 부속 토지의 가격은 감정평가액의 100분의 50 이상의 범위에서 대통령령으로 정한다.

(5) (3) 및 (4)에서 규정한 사항 외에 국민주택규모 주택의 인수 절차 및 활용에 필요한 사항은 대통령령으로 정할 수 있다.

(6) 용적률에 관한 특례 (영 제55조)

① 사업시행자가 완화된 용적률을 적용받으려는 경우에는 사업시행계획인가 신청 전에 다음의 사항을 시장·군수등에게 제출하고 사전협의해야 한다.
  ㉠ 정비구역 내 세입자 현황
  ㉡ 세입자에 대한 손실보상 계획

② 위 ①에 따른 협의를 요청받은 시장·군수등은 의견을 사업시행자에게 통보해야 하며, 용적률을 완화받을 수 있다는 통보를 받은 사업시행자는 사업시행계획서를 작성할 때 위 ①-㉡에 따른 세입자에 대한 손실보상 계획을 포함해야 한다.

⑦ 재건축사업의 범위에 관한 특례 (법 제67조)(영 제56조)

(1) 사업시행자 또는 추진위원회는 다음의 어느 하나에 해당하는 경우에는 그 주택단지 안의 일부 토지에 대하여 「건축법」에도 불구하고 분할하려는 토지면적이 같은 조에서 정하고 있는 면적에 미달되더라도 토지분할을 청구할 수 있다.
  ① 「주택법」에 따라 사업계획승인을 받아 건설한 둘 이상의 건축물이 있는 주택단지에 재건축사업을 하는 경우
  ② 조합설립의 동의요건을 충족시키기 위하여 필요한 경우

(2) 사업시행자 또는 추진위원회는 위 (1)에 따라 토지분할 청구를 하는 때에는 토지분할의 대상이 되는 토지 및 그 위의 건축물과 관련된 토지등소유자와 협의해야 한다.

(3) 사업시행자 또는 추진위원회는 위 (2)에 따른 토지분할의 협의가 성립되지 아니한 경우에는 법원에 토지분할을 청구할 수 있다.

(4) 시장·군수등은 위 (3)에 따라 토지분할이 청구된 경우에 분할되어 나가는 토지 및 그 위의 건축물이 다음의 요건을 충족하는 때에는 토지분할이 완료되지 아니하여 위 (1)에 따른 동의요건에 미달되더라도 「건축법」에 따라 특별자치시·특별자치도·시·군·구(자치구를 말한다)에 설치하는 건축위원회의 심의를 거쳐 조합설립인가와 사업시행계획인가를 할 수 있다.
  ① 해당 토지 및 건축물과 관련된 토지등소유자의 수가 전체의 1/10 이하일 것
  ② 분할되어 나가는 토지 위의 건축물이 분할선 상에 위치하지 아니할 것
  ③ 분할되어 나가는 토지가 「건축법」에 따른 대지와 도로와의 관계(법 제44조) 규정에 적합한 경우

관계법 「건축법」제57조 【대지의 분할 제한】
  ① 건축물이 있는 대지는 대통령령으로 정하는 범위에서 해당 지방자치단체의 조례로 정하는 면적에 못 미치게 분할할 수 없다.
  ② 건축물이 있는 대지는 제44조, 제55조, 제56조, 제58조, 제60조 및 제61조에 따른 기준에 못 미치게 분할할 수 없다.
  ③ 제1항과 제2항에도 불구하고 제77조의6에 따라 건축협정이 인가된 경우 그 건축협정의 대상이 되는 대지는 분할할 수 있다. <신설 2014.1.14.>

건축관계법
국토계획법
주차장법
주 택 법
도시및주거
환경정비법
건축사법
장애인시설법
소방시설법
서울시조례

「건축법 시행령」 제80조 【건축물이 있는 대지의 분할제한】
  법 제57조제1항에서 "대통령령으로 정하는 범위"란 다음 각 호의 어느 하나에 해당하는 규모 이상을 말한다.
    1. 주거지역: 60제곱미터   2. 상업지역: 150제곱미터
    3. 공업지역: 150제곱미터   4. 녹지지역: 200제곱미터
    5. 제1호부터 제4호까지의 규정에 해당하지 아니하는 지역: 60제곱미터
[전문개정 2008.10.29.]

관계법 「건축법」 제44조 【대지와 도로의 관계】
  ① 건축물의 대지는 2미터 이상이 도로(자동차만의 통행에 사용되는 도로는 제외한다)에 접하여야 한다. 다만, 다음 각 호의 어느 하나에 해당하면 그러하지 아니하다. <개정 2016.1.19.>
    1. 해당 건축물의 출입에 지장이 없다고 인정되는 경우
    2. 건축물의 주변에 대통령령으로 정하는 공지가 있는 경우
    3. 「농지법」 제2조제1호나목에 따른 농막을 건축하는 경우
  ② 건축물의 대지가 접하는 도로의 너비, 대지가 도로에 접하는 부분의 길이, 그 밖에 대지와 도로의 관계에 관하여 필요한 사항은 대통령령으로 정하는 바에 따른다.

8 건축규제의 완화 등에 관한 특례 (법 제68조)(영 제57조)

(1) 주거환경개선사업에 따른 건축허가를 받은 때와 부동산등기(소유권 보존등기 또는 이전등기로 한정한다)를 하는 때에는 「주택도시기금법」의 국민주택채권의 매입에 관한 규정을 적용하지 아니한다.
(2) 주거환경개선구역에서 「국토의 계획 및 이용에 관한 법률」에 따른 도시·군계획시설의 결정·구조 및 설치의 기준 등에 필요한 사항은 국토교통부령으로 정하는 바에 따른다.
(3) 사업시행자는 주거환경개선구역에서 다음의 어느 하나에 해당하는 사항은 시·도조례로 정하는 바에 따라 기준을 따로 정할 수 있다.
  ① 「건축법」에 따른 대지와 도로의 관계(소방활동에 지장이 없는 경우로 한정한다)
  ② 「건축법」에 따른 건축물의 높이 제한(사업시행자가 공동주택을 건설·공급하는 경우로 한정한다)
(4) 사업시행자는 공공재건축사업을 위한 정비구역에 따른 재건축구역 또는 용적률을 완화하여 적용하는 정비구역에서 다음의 어느 하나에 해당하는 사항에 대하여 대통령령으로 정하는 범위에서 「건축법」에 따른 지방건축위원회의 또는 지방도시계획위원회 심의를 거쳐 그 기준을 완화받을 수 있다.
  ① 「건축법」에 따른 대지의 조경기준
  ② 「건축법」에 따른 건폐율의 산정기준
  ③ 「건축법」에 따른 대지 안의 공지 기준
  ④ 「건축법」에 따른 건축물의 높이 제한
  ⑤ 「주택법」에 따른 부대시설 및 복리시설의 설치기준
  ⑥ 「도시공원 및 녹지 등에 관한 법률」에 따른 도시공원 또는 녹지 확보기준
  ⑦ ①~⑥에서 규정한 사항 외에 공공재건축사업 또는 건축사업의 원활한 시행을 위하여 대통령령으로 정하는 사항
(5) 건축규제의 완화 등에 관한 특례 (영 제57조)
  ① 「건축법」에 따른 건폐율 산정 시 주차장 부분의 면적은 건축면적에서 제외할 수 있다.
  ② 「건축법」에 따른 대지 안의 공지 기준은 1/2 범위에서 완화할 수 있다.

3장 제6편 도시 및 주거환경정비법

건축관계법

국토계획법

주차장법

주 택 법

도시및주거
환경정비법

건축사법

장애인시설법

소방시설법

서울시조례

③ 「건축법」에 따른 건축물의 높이 제한 기준은 1/2 범위에서 완화할 수 있다.

④ 「건축법」에 따른 건축물(7층 이하의 건축물에 한정한다)의 높이 제한 기준은 1/2 범위에서 완화할 수 있다.

⑤ 「주택법」에 따른 부대시설 및 복리시설의 설치기준은 다음의 범위에서 완화할 수 있다.

　　㉠ 「주택법」에 따른 어린이놀이터를 설치하는 경우에는 「주택건설기준 등에 관한 규정」을 적용하지 아니할 수 있다.

　　㉡ 「주택법」에 따른 복리시설을 설치하는 경우에는 복리시설별 설치기준에도 불구하고 설치 대상 복리시설(어린이놀이터는 제외한다)의 면적의 합계 범위에서 필요한 복리시설을 설치할 수 있다.

관계법 「주택건설기준 등에 관한 규정」 제55조의2 제7항제2호다목

①~⑥ <생략>

⑦ 제3항 각 호에 따른 주민공동시설은 다음 각 호의 기준에 적합하게 설치해야 한다. <개정 2015. 5. 6., 2021. 1. 12.>

1. 경로당

가. 일조 및 채광이 양호한 위치에 설치할 것

나. 오락·취미활동·작업 등을 위한 공용의 다목적실과 남녀가 따로 사용할 수 있는 공간을 확보할 것

다. 급수시설·취사시설·화장실 및 부속정원을 설치할 것

2. 어린이놀이터

가. 놀이기구 및 그 밖에 필요한 기구를 일조 및 채광이 양호한 곳에 설치하거나 주택단지의 녹지 안에 어우러지도록 설치할 것

나. 실내에 설치하는 경우 놀이기구 등에 사용되는 마감재 및 접착제, 그 밖의 내장재는 「환경기술 및 환경산업 지원법」 제17조에 따른 환경표지의 인증을 받거나 그에 준하는 기준에 적합한 친환경 자재를 사용할 것

다. 실외에 설치하는 경우 인접대지경계선(도로·광장·시설녹지, 그 밖에 건축이 허용되지 아니하는 공지에 접한 경우에는 그 반대편의 경계선을 말한다)과 주택단지 안의 도로 및 주차장으로부터 3미터 이상의 거리를 두고 설치할 것

3. 어린이집

가. 「영유아보육법」의 기준에 적합하게 설치할 것

나. 해당 주택의 사용검사 시까지 설치할 것

4. 주민운동시설

가. 시설물은 안전사고를 방지할 수 있도록 설치할 것

나. 「체육시설의 설치·이용에 관한 법률 시행령」 별표 1에서 정한 체육시설을 설치하는 경우 해당 종목별 경기규칙의 시설기준에 적합할 것

5. 작은도서관은 「도서관법 시행령」 별표 1 제1호 및 제2호가목3)의 기준에 적합하게 설치할 것

6. 다함께돌봄센터는 「아동복지법」 제44조의2제5항의 기준에 적합하게 설치할 것

---

⑨ 다른 법령의 적용 및 배제 (법 제69조)(영 제58조)

(1) 주거환경개선구역은 해당 정비구역의 지정고시가 있은 날부터 「국토의 계획 및 이용에 관한 법률」에 따라 주거지역을 세분하여 정하는 지역 중 다음에 해당하는 지역으로 결정·고시된 것으로 본다.

예외 다음의 어느 하나에 해당하는 경우에는 그러하지 아니하다.

① 해당 정비구역이 「개발제한구역의 지정 및 관리에 관한 특별조치법」에 따라 결정된 개발제한구역인 경우

② 시장·군수가 주거환경개선사업을 위하여 필요하다고 인정하여 해당 정비구역 일부분은 종전 용도지역을 그대로 유지하거나 동일면적 범위 안에서 위치를 변경하는 내용으로 정비계획을 수립한 경우

③ 시장·군수가 「국토의 계획 및 이용에 관한 법률」에 따른 주거지역을 세분 또는 변경하는 계획과 용적률에 관한 사항을 포함하는 정비계획을 수립한 경우

① 정비사업이 다음의 방법으로 시행되는 경우: 「국토의 계획 및 이용에 관한 법률 시행령」에 따른 제2종일반주거지역

> 1. 주거환경 개선사업의 시행자가 정비구역안에서 정비기반시설을 새로이 설치하거나 확대하고 토지등소유자가 스스로 주택을 개량하는 방법
>
> 2. 주거환경개선사업의 시행자가 환지로 공급하는 방법

② 정비사업이 다음의 방법으로 시행되는 경우: 「국토의 계획 및 이용에 관한 법률 시행령」에 따른 제3종일반주거지역

　　예외　공공지원민간임대주택 또는 「공공주택 특별법」에 따른 공공건설임대주택을 200세대 이상 공급하려는 경우로서 해당 임대주택의 건설지역을 포함하여 정비계획에서 따로 정하는 구역은 「국토의 계획 및 이용에 관한 법률 시행령」에 따른 준주거지역으로 한다.

> 1. 주거환경개선사업의 시행자가 정비구역의 전부 또는 일부를 수용하여 주택을 건설한 후 토지등소유자에게 우선 공급하거나 토지를 토지등소유자 또는 토지등소유자 외의 자에게 공급하는 방법
>
> 2. 사업시행자가 정비구역에서 인가받은 관리처분계획에 따라 주택 및 부대시설·복리시설을 건설하여 공급하는 방법

(2) 「도시개발법」의 다음에 해당하는 규정은 정비사업과 관련된 환지에 관하여 이를 준용한다. 이 경우 "환지처분을 하는 때"는 이를 "사업시행인가를 하는 때"로 본다.

■ 환지방식에 의한 사업시행

규정 사항	법 조항	규정 사항	법 조항
환지계획의 작성	제28조	토지의 관리 등	제39조
환지계획의 인가 등	제29조	환지처분	제40조
동의 등에 따른 환지의 제외	제30조	청산금	제41조
토지면적을 고려한 환지	제31조	환지처분의 효과	제42조
입체 환지	제32조	등기	제43조
공공시설의 용지 등에 관한 조치	제33조	체비지의 처분 등	제44조
체비지 등	제34조	감가보상금	제45조
환지 예정지의 지정	제35조	청산금의 징수·교부 등	제46조
환지 예정지 지정의 효과	제36조	청산금의 소멸시효	제47조
사용·수익의 정지	제37조	임대료 등의 증감청구	제48조
장애물 등의 이전과 제거	제38조	권리의 포기 등	제49조

(3) 주거환경개선사업의 경우에는 「공익사업을 위한 토지 등의 취득 및 보상에 관한 법률」에 따른 이주대책의 수립등에 관한 규정을 적용하지 아니하며, 「주택법」을 적용할 때에는 이 법에 따른 사업시행자(토지주택공사등이 공동사업시행자인 경우에는 토지주택공사등을 말한다)는 「주택법」에 따른 사업주체로 본다.

건축관계법

국토계획법

주차장법

주 택 법

도시및주거환경정비법

건축사법

장애인시설법

소방시설법

서울시조례

건축관계법

국토계획법

주차장법

주택법

도시및주거
환경정비법

건축사법

장애인시설법

소방시설법

서울시조례

> **관계법** 「공익사업을 위한 토지 등의 취득 및 보상에 관한 법률」 제78조【이주대책의 수립 등】
> ①~③ <생략>
> ④ 이주대책의 내용에는 이주정착지(이주대책의 실시로 건설하는 주택단지를 포함)에 대한 도로·급
> 수시설·배수시설 그 밖의 공공시설 등 통상적인 수준의 생활기본시설이 포함되어야 하며, 이에
> 필요한 비용은 사업시행자의 부담으로 한다. 다만, 행정청이 아닌 사업시행자가 이주대책을 수
> 립·실시하는 경우에 지방자치단체는 비용의 일부를 보조할 수 있다.

(4) 공공재개발사업 시행자 또는 공공재건축사업 시행자는 공공재개발사업 또는 공공재건축사업을
시행하는 경우 「건설기술 진흥법」 등 관계 법령에도 불구하고 대통령령으로 정하는 바에 따
라 건설사업관리기술인의 배치기준을 별도로 정할 수 있다.

10 지상권 등 계약의 해지 (법 제70조)

(1) 정비사업의 시행으로 인하여 지상권·전세권 또는 임차권의 설정목적을 달성할 수 없는 때에는
그 권리자는 계약을 해지할 수 있다.
(2) 위 (1)의 규정에 의하여 계약을 해지할 수 있는 자가 가지는 전세금·보증금 그 밖의 계약상의
금전의 반환청구권은 사업시행자에게 이를 행사할 수 있다.
(3) 위 (2)의 규정에 의한 금전의 반환청구권의 행사에 따라 해당 금전을 지급한 사업시행자는 해
당 토지등소유자에게 이를 구상(求償)할 수 있다.
(4) 사업시행자는 위 (3)의 규정에 의한 구상이 되지 아니하는 때에는 해당 토지등소유자에게 귀속
될 대지 또는 건축물을 압류할 수 있다. 이 경우 압류한 권리는 저당권과 동일한 효력을 가진다.
(5) 관리처분계획의 인가를 받은 경우 지상권·전세권설정계약 또는 임대차계약의 계약 기간에 대하
여는 다음에 해당하는 법 규정을 적용하지 아니한다.

해당 법 규정		내용
「민법」	제280조	존속기간을 약정한 지상권 (30년, 15년, 5년)
	제281조	존속기간을 약정하지 아니한 지상권
	제312조 ②	건물에 대한 전세권의 존속기간을 1년 미만으로 정한 때에는 이를 1년으로 한다.
「주택임대차보호법」 제4조 ①		기간을 정하지 아니하거나 2년 미만으로 정한 임대차는 그 기간을 2년으로 본다.
「상가건물임대차보호법」 제9조 ①		기간을 정하지 아니하거나 기간을 1년 미만으로 정한 임대차는 그 기간을 1년으로 본다.

11 소유자의 확인이 곤란한 건축물 등에 대한 처분 (법 제71조)

(1) 사업시행자는 다음에서 정하는 날 현재 건축물 또는 토지의 소유자의 소재 확인이 현저히 곤란
한 때에는 전국적으로 배포되는 둘 이상의 일간신문에 2회 이상 공고하고, 공고한 날부터 30일
이상이 지난 때에는 그 소유자의 해당 건축물 또는 토지의 감정평가액에 해당하는 금액을 법원에
공탁하고 정비사업을 시행할 수 있다.
① 조합이 사업시행자가 되는 경우에는 조합설립인가일
② 토지등소유자가 20인 미만인 경우의 토지등소유자가 시행하는 재개발사업의 경우에는 사업시
행계획인가일

③ 천재지변 등에 따라 시장·군수등, 토지주택공사등이 정비사업을 시행하는 경우에는 해당 고시일

④ 지정개발자를 사업시행자로 지정하는 경우에는 고시일

(2) 재건축사업을 시행하는 경우 조합설립인가일 현재 조합원 전체의 공동소유인 토지 또는 건축물은 조합 소유의 토지 또는 건축물로 본다.

(3) 위 (2)에 따라 조합 소유로 보는 토지 또는 건축물의 처분에 관한 사항은 관리처분계획에 명시해야 한다.

(4) 위 (1)에 따른 토지 또는 건축물의 감정평가는 아래 ③-(2)-①을 준용한다.

5 관리처분계획 등

① 분양공고 및 분양신청 (법 제72조)(영 제59조)

(1) 사업시행자는 사업시행계획인가의 고시가 있은 날(사업시행계획인가 이후 시공자를 선정한 경우에는 시공자와 계약을 체결한 날)부터 120일 이내에 다음의 사항을 토지등소유자에게 통지하고, 아래 분양의 대상이 되는 대지 또는 건축물의 내역 등에 해당하는 사항을 해당 지역에서 발간되는 일간신문에 공고해야 한다.

> 예외 토지등소유자 1인이 시행하는 재개발사업의 경우에는 그러하지 아니하다.

① 분양대상자별 종전의 토지 또는 건축물의 명세 및 사업시행계획인가의 고시가 있은 날을 기준으로 한 가격(사업시행계획인가 전에 철거된 건축물은 시장·군수등에게 허가를 받은 날을 기준으로 한 가격)

② 분양대상자별 분담금의 추산액

③ 분양신청기간

④ 그 밖에 다음에 해당하는 사항

　㉠ 아래 분양의 대상이 되는 대지 또는 건축물의 내역 등의 1.~6. 및 8.의 사항

　㉡ 분양신청서

　㉢ 그 밖에 시·도조례로 정하는 사항

- 분양의 대상이 되는 대지 또는 건축물의 내역 등

1. 사업시행인가의 내용
2. 정비사업의 종류·명칭 및 정비구역의 위치·면적
3. 분양신청기간 및 장소
4. 분양대상 대지 또는 건축물의 내역
5. 분양신청자격
6. 분양신청방법
7. 토지등소유자외의 권리자의 권리신고방법
8. 분양을 신청하지 아니한 자에 대한 조치
9. 그 밖에 시·도조례로 정하는 사항

(2) 분양신청기간은 통지한 날부터 30일 이상 60일 이내로 해야 한다.

> 예외 사업시행자는 관리처분계획의 수립에 지장이 없다고 판단하는 경우에는 분양신청기간을 20일의 범위에서 한 차례만 연장할 수 있다.

(3) 대지 또는 건축물에 대한 분양을 받으려는 토지등소유자는 위 (2)에 따른 분양신청기간에 다음에 해당하는 방법 및 절차에 따라 사업시행자에게 대지 또는 건축물에 대한 분양신청을 해야 한다.

① 분양신청을 하려는 자는 분양신청서에 소유권의 내역을 분명하게 적고, 그 소유의 토지 및 건축물에 관한 등기부등본 또는 환지예정지증명원을 첨부하여 사업시행자에게 제출하여야 한다. 이 경우 우편의 방법으로 분양신청을 하는 때에는 분양신청기간 내에 발송된 것임을 증명할 수 있는 우편으로 해야 한다.

② 재개발사업의 경우 토지등소유자가 정비사업에 제공되는 종전의 토지 또는 건축물에 따라 분양받을 수 있는 것 외에 공사비 등 사업시행에 필요한 비용의 일부를 부담하고 그 대지 및 건축물(주택을 제외한다)을 분양받으려는 때에는 분양신청을 하는 때에 그 의사를 분명히 하고, 위 (1)-①에 따른 가격의 10%에 상당하는 금액을 사업시행자에게 납입해야 한다. 이 경우 그 금액은 납입하였으나 정하여진 비용부담액을 정하여진 시기에 납입하지 아니한 자는 그 납입한 금액의 비율에 해당하는 만큼의 대지 및 건축물(주택을 제외한다)만 분양을 받을 수 있다.

③ 위 ①에 따라 분양신청서를 받은 사업시행자는 「전자정부법」에 따른 행정정보의 공동이용을 통하여 첨부서류를 확인할 수 있는 경우에는 그 확인으로 첨부서류를 갈음해야 한다.

(4) 사업시행자는 위 (2)에 따른 분양신청기간 종료 후 사업시행계획인가의 변경(경미한 사항의 변경은 제외한다)으로 세대수 또는 주택규모가 달라지는 경우 위 (1)~(3)의 규정에 따라 분양공고 등의 절차를 다시 거칠 수 있다.

(5) 사업시행자는 정관등으로 정하고 있거나 총회의 의결을 거친 경우 위 (4)에 따라 아래 ②-① 및 ②에 해당하는 토지등소유자에게 분양신청을 다시 하게 할 수 있다

(6) 위 (3)~(5)의 규정에도 불구하고 투기과열지구의 정비사업에서의 분양대상자 및 그 세대에 속한 자는 분양대상자 선정일(조합원 분양분의 분양대상자는 최초 관리처분계획 인가일을 말한다)부터 5년 이내에는 투기과열지구에서 위 (3)~(5)의 규정에 따른 분양신청을 할 수 없다. 예외 상속, 결혼, 이혼으로 조합원 자격을 취득한 경우에는 분양신청을 할 수 있다.

(7) 공공재개발사업 시행자는 건축물 또는 토지를 양수하려는 경우 무분별한 분양신청을 방지하기 위하여 (1) 또는 (4)에 따른 분양공고 시 양수대상이 되는 건축물 또는 토지의 조건을 함께 공고하여야 한다.

■ 관리처분계획의 작성절차

1. 분양공고 및 분양신청	→	2. 관리처분계획의 작 성 (사업시행자)	→	3. 공람 및 의견청취 (사업시행자)	→	4.인가신청 (사업시행자)	→
5. 인 가 (시장·군수·자치 구청장)	→	6. 고 시 (시장·군수·자치 구청장)	→	7. 통 지			

② **분양신청을 하지 아니한 자 등에 대한 조치** (법 제73조)(영 제60조)

(1) 사업시행자는 관리처분계획이 인가·고시된 다음 날부터 90일 이내에 다음에서 정하는 자와 토지, 건축물 또는 그 밖의 권리의 손실보상에 관한 협의를 해야 한다.
단서 사업시행자는 분양신청기간 종료일의 다음 날부터 협의를 시작할 수 있다.

① 분양신청을 하지 아니한 자
② 분양신청기간 종료 이전에 분양신청을 철회한 자

③ 위 ①-(6)에 따라 분양신청을 할 수 없는 자

④ 인가된 관리처분계획에 따라 분양대상에서 제외된 자

(2) 사업시행자가 토지등소유자의 토지, 건축물 또는 그 밖의 권리에 대하여 현금으로 청산하는 경우 청산금액은 사업시행자와 토지등소유자가 협의하여 산정한다. 이 경우 재개발사업의 손실보상액의 산정을 위한 감정평가업자 선정에 관하여는 「공익사업을 위한 토지 등의 취득 및 보상에 관한 법률」에 따른다.

(3) 사업시행자는 위 (1)에 따른 협의가 성립되지 아니하면 그 기간의 만료일 다음 날부터 60일 이내에 수용재결을 신청하거나 매도청구소송을 제기해야 한다.

(4) 사업시행자는 위 (3)에 따른 기간을 넘겨서 수용재결을 신청하거나 매도청구소송을 제기한 경우에는 해당 토지등소유자에게 지연일수(遲延日數)에 따른 이자를 지급해야 한다. 이 경우 이자는 15/100 이하의 범위에서 다음에 해당하는 이율을 적용하여 산정한다.

① 6개월 이내의 지연일수에 따른 이자의 이율: 5/100

② 6개월 초과 12개월 이내의 지연일수에 따른 이자의 이율: 10/100

③ 12개월 초과의 지연일수에 따른 이자의 이율: 15/100

관계법 「공익사업을 위한 토지 등의 취득 및 보상에 관한 법률」 제68조【보상액의 산정】

① 사업시행자는 토지등에 대한 보상액을 산정하려는 경우에는 감정평가법인등 3인(제2항에 따라 시·도지사와 토지소유자가 모두 감정평가법인등을 추천하지 아니하거나 시·도지사 또는 토지소유자 어느 한쪽이 감정평가법인등을 추천하지 아니하는 경우에는 2인)을 선정하여 토지등의 평가를 의뢰하여야 한다. 다만, 사업시행자가 국토교통부령으로 정하는 기준에 따라 직접 보상액을 산정할 수 있을 때에는 그러하지 아니하다.

<개정 2012. 6. 1., 2013. 3. 23., 2020. 4. 7.>

②~③ <생략>

---

③ **관리처분계획의 인가 등** (법 제74조)(영 제61조 ~ 63조)

(1) 사업시행자는 분양신청기간이 종료된 때에는 분양신청의 현황을 기초로 다음의 사항이 포함된 관리처분계획을 수립하여 시장·군수등의 인가를 받아야 하며, 관리처분계획을 변경·중지 또는 폐지하려는 경우에도 또한 같다.

예외 다음에 해당하는 경미한 사항을 변경하려는 경우에는 시장·군수등에게 신고해야 한다.

1. 계산착오·오기·누락 등에 따른 조서의 단순정정인 경우(불이익을 받는 자가 없는 경우에만 해당한다)

2. 정관 및 사업시행계획인가의 변경에 따라 관리처분계획을 변경하는 경우

3. 매도청구에 대한 판결에 따라 관리처분계획을 변경하는 경우

4. 권리·의무의 변동이 있는 경우로서 분양설계의 변경을 수반하지 아니하는 경우

5. 주택분양에 관한 권리를 포기하는 토지등소유자에 대한 임대주택의 공급에 따라 관리처분계획을 변경하는 경우

6. 「민간임대주택에 관한 특별법」에 따른 임대사업자의 주소(법인인 경우에는 법인의 소재지와 대표자의 성명 및 주소)를 변경하는 경우

① 분양설계

② 분양대상자의 주소 및 성명

건축관계법

국토계획법

주차장법

주 택 법

도시및주거
환경정비법

건축사법

장애인시설법

소방시설법

서울시조례

③ 분양대상자별 분양예정인 대지 또는 건축물의 추산액(임대관리 위탁주택에 관한 내용을 포함한다)

④ 다음 각 각에 해당하는 보류지 등의 명세와 추산액 및 처분방법.

　　단서 아래 ㉡의 경우에는 선정된 임대사업자의 성명 및 주소(법인인 경우에는 법인의 명칭 및 소재지와 대표자의 성명 및 주소)를 포함한다.

　　　㉠ 일반 분양분

　　　㉡ 공공지원민간임대주택

　　　㉢ 임대주택

　　　㉣ 그 밖에 부대시설·복리시설 등

⑤ 분양대상자별 종전의 토지 또는 건축물 명세 및 사업시행계획인가 고시가 있은 날을 기준으로 한 가격(사업시행계획인가 전에 철거된 건축물은 시장·군수등에게 허가를 받은 날을 기준으로 한 가격)

⑥ 정비사업비의 추산액(재건축사업의 경우에는 「재건축초과이익 환수에 관한 법률」에 따른 재건축부담금에 관한 사항을 포함한다) 및 그에 따른 조합원 분담규모 및 분담시기

⑦ 분양대상자의 종전 토지 또는 건축물에 관한 소유권 외의 권리명세

⑧ 세입자별 손실보상을 위한 권리명세 및 그 평가액

⑨ 그 밖에 정비사업과 관련한 권리 등에 관하여 다음에 해당하는 사항

1. 현금으로 청산해야 하는 토지등소유자별 기존의 토지·건축물 또는 그 밖의 권리의 명세와 이에 대한 청산방법
2. 보류지 등의 명세와 추산가액 및 처분방법
3. 비용의 부담비율에 따른 대지 및 건축물의 분양계획과 그 비용부담의 한도·방법 및 시기. 이 경우 비용부담으로 분양받을 수 있는 한도는 정관등에서 따로 정하는 경우를 제외하고는 기존의 토지 또는 건축물의 가격의 비율에 따라 부담할 수 있는 비용의 50%를 기준으로 정한다.
4. 정비사업의 시행으로 인하여 새롭게 설치되는 정비기반시설의 명세와 용도가 폐지되는 정비기반시설의 명세
5. 기존 건축물의 철거 예정시기
6. 그 밖에 시·도조례로 정하는 사항

(2) 시장·군수등은 제1항 각 호 외의 부분 단서에 따른 신고를 받은 날부터 20일 이내에 신고수리 여부를 신고인에게 통지하여야 한다.

(3) 시장·군수등이 제2항에서 정한 기간 내에 신고수리 여부 또는 민원 처리 관련 법령에 따른 처리기간의 연장을 신고인에게 통지하지 아니하면 그 기간(민원 처리 관련 법령에 따라 처리기간이 연장 또는 재연장된 경우에는 해당 처리기간을 말한다)이 끝난 날의 다음 날에 신고를 수리한 것으로 본다.

(4) 정비사업에서 재산 또는 권리를 평가할 때에는 다음의 방법에 따른다.

① 「감정평가 및 감정평가사에 관한 법률」에 따른 감정평가법인등 중 다음 각 목의 구분에 따른 감정평가법인등이 평가한 금액을 산술평균하여 산정한다. 다만, 관리처분계획을 변경·중지 또는 폐지하려는 경우 분양예정 대상인 대지 또는 건축물의 추산액과 종전의 토지 또는 건축물의 가격은 사업시행자 및 토지등소유자 전원이 합의하여 산정할 수 있다.

　㉠ 주거환경개선사업 또는 재개발사업: 시장·군수등이 선정·계약한 2인 이상의 감정평가법인등

　㉡ 재건축사업: 시장·군수등이 선정·계약한 1인 이상의 감정평가법인등과 조합총회의 의결로 선정·계약한 1인 이상의 감정평가법인등

② 시장·군수등은 감정평가법인등을 선정·계약하는 경우 감정평가법인등의 업무수행능력, 소속 감정평가사의 수, 감정평가 실적, 법규 준수 여부, 평가계획의 적정성 등을 고려하여 객관적이고 투명한 절차에 따라 선정하여야 한다. 이 경우 감정평가법인등의 선정·절차 및 방법 등에 필요한 사항은 시·도조례로 정한다.

③ 사업시행자는 감정평가를 하려는 경우 시장·군수등에게 감정평가법인등의 선정·계약을 요청하고 감정평가에 필요한 비용을 미리 예치하여야 한다. 시장·군수등은 감정평가가 끝난 경우 예치된 금액에서 감정평가 비용을 직접 지급한 후 나머지 비용을 사업시행자와 정산하여야 한다.

(5) 조합은 관리처분계획의 수립 및 변경사항을 의결하기 위한 총회의 개최일부터 1개월 전에(1)-③~⑥까지의 규정에 해당하는 사항을 각 조합원에게 문서로 통지하여야 한다.

(6) (1)에 따른 관리처분계획의 내용, 관리처분의 방법 등에 필요한 사항은 대통령령으로 정한다.

(7) (1) 각 각의 관리처분계획의 내용과 (4)~(6)까지의 규정은 시장·군수등이 직접 수립하는 관리처분계획에 준용한다

4 사업시행계획인가 및 관리처분계획인가의 시기 조정 (법 제75조)

(1) 특별시장·광역시장 또는 도지사는 정비사업의 시행으로 정비구역 주변 지역에 주택이 현저하게 부족하거나 주택시장이 불안정하게 되는 등 특별시·광역시 또는 도의 조례로 정하는 사유가 발생하는 경우에는 「주거기본법」에 따른 시·도 주거정책심의위원회의 심의를 거쳐 사업시행계획인가 또는 관리처분계획인가의 시기를 조정하도록 해당 시장, 군수 또는 구청장에게 요청할 수 있다. 이 경우 요청을 받은 시장, 군수 또는 구청장은 특별한 사유가 없으면 그 요청에 따라야 하며, 사업시행계획인가 또는 관리처분계획인가의 조정 시기는 인가를 신청한 날부터 1년을 넘을 수 없다.

(2) 특별자치시장 및 특별자치도지사는 정비사업의 시행으로 정비구역 주변 지역에 주택이 현저하게 부족하거나 주택시장이 불안정하게 되는 등 특별자치시 및 특별자치도의 조례로 정하는 사유가 발생하는 경우에는 「주거기본법」에 따른 시·도 주거정책심의위원회의 심의를 거쳐 사업시행계획인가 또는 관리처분계획인가의 시기를 조정할 수 있다. 이 경우 사업시행계획인가 또는 관리처분계획인가의 조정 시기는 인가를 신청한 날부터 1년을 넘을 수 없다.

(3) 위 (1) 및 (2)에 따른 사업시행계획인가 또는 관리처분계획인가의 시기 조정의 방법 및 절차 등에 필요한 사항은 특별시·광역시·특별자치시·도 또는 특별자치도의 조례로 정한다.

5 관리처분계획의 수립기준 (법 제76조)

(1) 관리처분계획의 내용은 다음의 기준에 따른다.

① 종전의 토지 또는 건축물의 면적·이용 상황·환경, 그 밖의 사항을 종합적으로 고려하여 대지 또는 건축물이 균형 있게 분양신청자에게 배분되고 합리적으로 이용되도록 한다.

② 지나치게 좁거나 넓은 토지 또는 건축물은 넓히거나 좁혀 대지 또는 건축물이 적정 규모가 되도록 한다.

③ 너무 좁은 토지 또는 건축물을 취득한 자나 정비구역 지정 후 분할된 토지 또는 집합건물의 구분소유권을 취득한 자에게는 현금으로 청산할 수 있다.

④ 재해 또는 위생상의 위해를 방지하기 위하여 토지의 규모를 조정할 특별한 필요가 있는 때에는 너무 좁은 토지를 넓혀 토지를 갈음하여 보상을 하거나 건축물의 일부와 그 건축물이 있는 대지의 공유지분을 교부할 수 있다.

건축관계법

국토계획법

주차장법

주 택 법

도시및주거
환경정비법

건축사법

장애인시설법

소방시설법

서울시조례

⑤ 분양설계에 관한 계획은 분양신청기간이 만료하는 날을 기준으로 하여 수립한다.

⑥ 1세대 또는 1명이 하나 이상의 주택 또는 토지를 소유한 경우 1주택을 공급하고, 같은 세대에 속하지 아니하는 2명 이상이 1주택 또는 1토지를 공유한 경우에는 1주택만 공급한다.

⑦ 위 ⑥에도 불구하고 다음의 경우에는 각 각의 방법에 따라 주택을 공급할 수 있다.

　㉮ 2명 이상이 1토지를 공유한 경우로서 시·도조례로 주택공급을 따로 정하고 있는 경우에는 시·도조례로 정하는 바에 따라 주택을 공급할 수 있다.

　㉯ 다음 어느 하나에 해당하는 토지등소유자에게는 소유한 주택 수만큼 공급할 수 있다.

> 1. 과밀억제권역에 위치하지 아니한 재건축사업의 토지등소유자.
> 　예외 투기과열지구 또는 「주택법」에 따라 지정된 조정대상지역(이하 이 조에서 "조정대상지역"이라 한다)에서 사업시행계획인가(최초사업시행계획인가를 말한다)를 신청하는 재건축사업의 토지등소유자는 제외한다.
> 2. 근로자(공무원인 근로자를 포함한다) 숙소, 기숙사 용도로 주택을 소유하고 있는 토지등소유자
> 3. 국가, 지방자치단체 및 토지주택공사등
> 4. 「지방자치분권 및 지역균형발전에 관한 특별법」에 따른 공공기관지방이전 및 혁신도시 활성화를 위한 시책 등에 따라 이전하는 공공기관이 소유한 주택을 양수한 자

　㉰ ㉯-1 단서에도 불구하고 과밀억제권역 외의 조정대상지역 또는 투기과열지구에서 조정대상지역 또는 투기과열지구로 지정되기 전에 1명의 토지등소유자로부터 토지 또는 건축물의 소유권을 양수하여 여러 명이 소유하게 된 경우에는 양도인과 양수인에게 각각 1주택을 공급할 수 있다.

　㉱ 가격의 범위 또는 종전 주택의 주거전용면적의 범위에서 2주택을 공급할 수 있고, 이 중 1주택은 주거전용면적을 60제곱미터 이하로 한다. 다만, 60제곱미터 이하로 공급받은 1주택은 이전고시일 다음 날부터 3년이 지나기 전에는 주택을 전매(매매·증여나 그 밖에 권리의 변동을 수반하는 모든 행위를 포함하되 상속의 경우는 제외한다)하거나 전매를 알선할 수 없다.

　㉲ 과밀억제권역에 위치한 재건축사업의 경우에는 토지등소유자가 소유한 주택수의 범위에서 3주택까지 공급할 수 있다. 다만, 투기과열지구 또는 조정대상지역에서 사업시행계획인가(최초사업시행계획인가를 말한다)를 신청하는 재건축사업의 경우에는 그러하지 아니하다.

(2) 위 (1)에 따른 관리처분계획의 수립기준 등에 필요한 사항은 대통령령으로 정한다.

관계법 「주택법」 제63조의2 【조정대상지역의 지정 및 해제】

① 국토교통부장관은 다음 각 호의 어느 하나에 해당하는 지역으로서 국토교통부령으로 정하는 기준을 충족하는 지역을 주거정책심의위원회의 심의를 거쳐 조정대상지역(이하 "조정대상지역"이라 한다)으로 지정할 수 있다. 이 경우 제1호에 해당하는 조정대상지역은 그 지정 목적을 달성할 수 있는 최소한의 범위에서 시·군·구 또는 읍·면·동의 지역 단위로 지정하되, 택지개발지구(「택지개발촉진법」 제2조제3호에 따른 택지개발지구를 말한다) 등 해당 지역 여건을 고려하여 지정 단위를 조정할 수 있다. <개정 2021. 1. 5.>

1. 주택가격, 청약경쟁률, 분양권 전매량 및 주택보급률 등을 고려하였을 때 주택 분양 등이 과열되어 있거나 과열될 우려가 있는 지역
2. 주택가격, 주택거래량, 미분양주택의 수 및 주택보급률 등을 고려하여 주택의 분양·매매 등 거래가 위축되어 있거나 위축될 우려가 있는 지역

②~⑧ <생략>

[본조신설 2017. 8. 9.]

건축관계법

국토계획법

주차장법

주 택 법

도시및주거
환경정비법

건축사법

장애인시설법

소방시설법

서울시조례

6 주택 등 건축물을 분양받을 권리의 산정 기준일 (법
제77조)

(1) 정비사업을 통하여 분양받을 건축물이 다음의 어느 하나에 해당하는 경우에는 고시가 있은 날 또는 시·도지사가 투기를 억제하기 위하여 <u>기본계획 수립을 위한 주민공람의 공고일</u> 후 정비구역 지정·고시 전에 따로 정하는 날(이하 "기준일"이라 한다)의 다음 날을 기준으로 건축물을 분양받을 권리를 산정한다.

    ① 1필지의 토지가 여러 개의 필지로 분할되는 경우

    ② <u>「집합건물의 소유 및 관리에 관한 법률」에 따른 집합건물이 아닌 건축물이 같은 법에 따른 집합건물로 전환되는 경우</u>

    ③ 하나의 대지 범위에 속하는 동일인 소유의 토지와 주택 등 건축물을 토지와 주택 등 건축물로 각각 분리하여 소유하는 경우

    ④ 나대지에 건축물을 새로 건축하거나 기존 건축물을 철거하고 다세대주택, 그 밖의 공동주택을 건축하여 토지등소유자의 수가 증가하는 경우

    ⑤ <u>「집합건물의 소유 및 관리에 관한 법률」 제2조제3호에 따른 전유부분의 분할로 토지등소유자의 수가 증가하는 경우</u>

(2) 시·도지사는 위 (1)에 따라 기준일을 따로 정하는 경우에는 기준일·지정사유·건축물을 분양받을 권리의 산정 기준 등을 해당 지방자치단체의 공보에 고시해야 한다.

7 관리처분계획의 공람 및 인가절차 등 (법
제78조)(영
제64조 ~ 65조)

(1) 사업시행자는 관리처분계획인가를 신청하기 전에 관계 서류의 사본을 30일 이상 토지등소유자에게 공람하게 하고 의견을 들어야 한다.

    예외 위 3 -(1)의 예외에 해당하는 경미한 사항을 변경하려는 경우에는 토지등소유자의 공람 및 의견청취 절차를 거치지 아니할 수 있다.

(2) 시장·군수등은 사업시행자의 관리처분계획인가의 신청이 있은 날부터 30일 이내에 인가 여부를 결정하여 사업시행자에게 통보해야 한다.

    예외 시장·군수등은 아래 ③에 따라 관리처분계획의 타당성 검증을 요청하는 경우에는 관리처분계획인가의 신청을 받은 날부터 60일 이내에 인가 여부를 결정하여 사업시행자에게 통지해야 한다.

(3) 시장·군수등은 다음의 어느 하나에 해당하는 경우에는 공공기관(토지주택공사등, 한국부동산원)에 관리처분계획의 타당성 검증을 요청해 한다. 이 경우 시장·군수등은 타당성 검증 비용을 사업시행자에게 부담하게 할 수 있다.

    ① 정비사업비가 10/100 이상 늘어나는 경우

    ② 조합원 분담규모가 분양대상자별 분담금의 추산액 총액 기준으로 20/100 이상 늘어나는 경우

    ③ 조합원 1/5 이상이 관리처분계획인가 신청이 있은 날부터 15일 이내에 시장·군수등에게 타당성 검증을 요청한 경우

    ④ 그 밖에 시장·군수등이 필요하다고 인정하는 경우

(4) 시장·군수등이 위 (2)에 따라 관리처분계획을 인가하는 때에는 그 내용을 해당 지방자치단체의 공보에 고시해야 한다.

(5) 사업시행자는 위 (1)에 따라 공람을 실시하려거나 위 (4)에 따른 시장·군수등의 고시가 있은 때에는 다음에 해당하는 방법과 절차에 따라 토지등소유자에게는 공람계획을 통지하고, 분양신청을 한 자에게는 관리처분계획인가의 내용 등을 통지해야 한다.

건축관계법

국토계획법

주차장법

주 택 법

도시및주거
환경정비법

건축사법

장애인시설법

소방시설법

서울시조례

① 사업시행자는 공람을 실시하려는 경우 공람기간·장소 등 공람계획에 관한 사항과 개략적인 공람
사항을 미리 토지등소유자에게 통지해야 한다.

② 사업시행자는 분양신청을 한 자에게 다음의 사항을 통지하여야 하며, 관리처분계획 변경의 고시가
있는 때에는 변경내용을 통지해야 한다.

   ㉠ 정비사업의 종류 및 명칭

   ㉡ 정비사업 시행구역의 면적

   ㉢ 사업시행자의 성명 및 주소

   ㉣ 관리처분계획의 인가일

   ㉤ 분양대상자별 기존의 토지 또는 건축물의 명세 및 가격과 분양예정인 대지 또는 건축물의 명세
및 추산가액

(6) 위 (1), (4) 및 (5)은 시장·군수등이 직접 관리처분계획을 수립하는 경우에 준용한다.

8 관리처분계획에 따른 처분 등 (법 제79조)(영 제66조 ~ 69조)

(1) 정비사업의 시행으로 조성된 대지 및 건축물은 관리처분계획에 따라 처분 또는 관리해야 한다.

(2) 사업시행자는 정비사업의 시행으로 건설된 건축물을 인가받은 관리처분계획에 따라 토지등소
유자에게 공급해야 한다.

(3) 사업시행자[대지를 공급받아 주택을 건설하는 자를 포함한다. 이하 (6) 및 (7)에서 같다]는 정
비구역에 주택을 건설하는 경우에는 입주자 모집 조건·방법·절차, 입주금(계약금·중도금 및
잔금을 말한다)의 납부 방법·시기·절차, 주택공급 방법·절차 등에 관하여 「주택법」 제54조
에도 불구하고 주택의 공급에 관하여는 시행령 [별표 2]에 규정된 범위에서 시장·군수등의 승인
을 받아 사업시행자가 따로 정할 수 있다.

(4) 사업시행자는 분양신청을 받은 후 잔여분이 있는 경우에는 정관등 또는 사업시행계획으로 정하
는 목적을 위하여 그 잔여분을 보류지(건축물을 포함한다)로 정하거나 조합원 또는 토지등소유
자 이외의 자에게 분양할 수 있다. 이 경우 공고·신청절차·공급조건·방법 및 절차 등은 「주택
법」에 따른 주택의 공급(법 제54조)에 관한 규정을 준용한다. 이 경우 "사업주체"는 "사업시
행자(토지주택공사등이 공동사업시행자인 경우에는 토지주택공사등을 말한다)"로 본다.

(5) 국토교통부장관, 시·도지사, 시장, 군수, 구청장 또는 토지주택공사등은 조합이 요청하는 경우
재개발사업의 시행으로 건설된 임대주택을 인수해야 한다. 이 경우 재개발임대주택의 인수 절
차 및 방법, 인수 가격 등에 필요한 사항은 다음으로 정한다.

① 조합이 재개발사업의 시행으로 건설된 임대주택(이하 "재개발임대주택"이라 한다)의 인수를 요청
하는 경우 시·도지사 또는 시장, 군수, 구청장이 우선하여 인수해야 하며, 시·도지사 또는 시장, 군
수, 구청장이 예산·관리인력의 부족 등 부득이한 사정으로 인수하기 어려운 경우에는 국토교통부
장관에게 토지주택공사등을 인수자로 지정할 것을 요청할 수 있다.

② 재개발임대주택의 인수 가격은 「공공주택 특별법 시행령」에 따라 정해진 분양전환가격의 산정기
준 중 건축비에 부속토지의 가격을 합한 금액으로 하며, 부속토지의 가격은 사업시행계획인가 고
시가 있는 날을 기준으로 감정평가법인등 둘 이상이 평가한 금액을 산술평균한 금액으로 한다. 이
경우 건축비 및 부속토지의 가격에 가산할 항목은 인수자가 조합과 협의하여 정할 수 있다.

③ 위 ① 및 ②에서 정한 사항 외에 재개발임대주택의 인수계약 체결을 위한 사전협의, 인수계약의 체
결, 인수대금의 지급방법 등 필요한 사항은 인수자가 따로 정하는 바에 따른다.

건축관계법

국토계획법

주차장법

주 택 법

도시및주거
환경정비법

건축사법

장애인시설법

소방시설법

서울시조례

> **관계법** 「공공주택 특별법 시행령」제54조제5항
> ①~④ 〈생략〉
> ⑤ 제2항제1호 및 제3호에 따른 분양전환 허가 등에 필요한 사항은 국토교통부령으로 정한다.
>
> 「공공주택 특별법 시행규칙」제39조【공공임대주택의 분양전환 허가신청】
> ① 공공주택사업자는 영 제54조제2항제1호에 따라 공공임대주택의 분양전환 허가를 받으려는 경우에는 별지 제10호서식의 공공임대주택 분양전환 허가신청서에 다음 각 호의 서류를 첨부하여 국토교통부장관에게 제출하여야 한다.
>   1. 분양전환의 구체적인 사유를 적은 서류
>   2. 분양전환가격 산정의 근거서류
>   3. 특별수선충당금 적립통장 사본(특별수선충당금 적립 대상인 경우만 해당한다)
>   4. 하자보수보증금 예치증서[공동주택의 사용검사일(주택단지 안의 공동주택의 전부에 대하여 임시사용승인을 받은 경우를 포함한다)부터 10년 이내인 경우만 첨부한다]
> ② 국토교통부장관은 제1항의 신청서를 받으면 10일 이내에 허가 여부를 결정하여 공공주택사업자에게 이를 서면(전자문서를 포함한다)으로 통지하되, 허가를 하지 아니하는 경우에는 그 사유를 명시하여야 한다.

(6) 사업시행자는 정비사업의 시행으로 임대주택을 건설하는 경우에는 임차인의 자격·선정방법·임대보증금·임대료 등 임대조건에 관한 기준 및 무주택 세대주에게 우선 매각하도록 하는 기준 등에 관하여「민간임대주택에 관한 특별법」,「공공주택 특별법」에도 불구하고 다음에 해당하는 범위에서 시장·군수등의 승인을 받아 따로 정할 수 있다.
  ① 임대주택을 건설하는 경우의 임차인의 자격·선정방법·임대보증금·임대료 등 임대조건에 관한 기준 및 무주택 세대주에게 우선 분양전환하도록 하는 기준 등에 관하여는 시행령 [별표 3]에 규정된 범위에서 시장·군수등의 승인을 받아 사업시행자 및 대지를 공급받아 주택을 건설하는 자가 따로 정할 수 있다.
    단서 재개발임대주택으로서 최초의 임차인 선정이 아닌 경우에는 다음의 범위에서 인수자가 따로 정한다.
      ㉠ 임차인의 자격은 무주택 기간과 해당 정비사업이 위치한 지역에 거주한 기간이 각각 1년 이상인 범위에서 오래된 순으로 할 것
        예외 시·도지사가 임대주택을 인수한 경우에는 거주지역, 거주기간 등 임차인의 자격을 별도로 정할 수 있다.
      ㉡ 임대보증금과 임대료는 정비사업이 위치한 지역의 시세의 90/100 이하의 범위로 할 것
      ㉢ 임대주택의 계약방법 등에 관한 사항은 「공공주택 특별법」에서 정하는 바에 따를 것
      ㉣ 관리비 등 주택의 관리에 관한 사항은 「공동주택관리법」에서 정하는 바에 따를 것
  ② 시장·군수등은 사업시행자 및 법 대지를 공급받아 주택을 건설하는 자가 요청하거나 임차인 선정을 위하여 필요한 경우 국토교통부장관에게 임차인 자격 해당 여부에 관하여 주택전산망에 따른 전산검색을 요청할 수 있다.
(7) 사업시행자는 위 (2)~(6)의 규정에 따른 공급대상자에게 주택을 공급하고 남은 주택을 공급대상자 외의 자에게 공급할 수 있다.
(8) 위 (7)에 따른 주택의 공급 방법·절차 등은 「주택법」에 따른 주택의 공급(법 제54조)에 관한 규정을 준용한다.
  단서 사업시행자가 매도청구소송을 통하여 법원의 승소판결을 받은 후 입주예정자에게 피해가 없도록 손실보상금을 공탁하고 분양예정인 건축물을 담보한 경우에는 법원의 승소판결이 확정되기 전이

건축관계법

국토계획법

주차장법

주 택 법

도시및주거
환경정비법

건축사법

장애인시설법

소방시설법

서울시조례

라도 「주택법」에 따른 주택의 공급(법 제 54조) 규정에도 불구하고 입주자를 모집할 수 있으나, 준공인가 신청 전까지 해당 주택건설 대지의 소유권을 확보해야 한다.

관계법 「주택법」 제54조 【주택의 공급】

① 사업주체(「건축법」 제11조에 따른 건축허가를 받아 주택 외의 시설과 주택을 동일 건축물로 하여 제15조제1항에 따른 호수 이상으로 건설·공급하는 건축주와 제49조에 따라 사용검사를 받은 주택을 사업주체로부터 일괄하여 양수받은 자를 포함한다. 이하 이 장에서 같다)는 다음 각 호에서 정하는 바에 따라 주택을 건설·공급하여야 한다. 이 경우 국가유공자, 보훈보상대상자, 장애인, 철거주택의 소유자, 그 밖에 국토교통부령으로 정하는 대상자에게는 국토교통부령으로 정하는 바에 따라 입주자 모집조건 등을 달리 정하여 별도로 공급할 수 있다.

1. 사업주체(공공주택사업자는 제외한다)가 입주자를 모집하려는 경우: 국토교통부령으로 정하는 바에 따라 시장·군수·구청장의 승인(복리시설의 경우에는 신고를 말한다)을 받을 것

2. 사업주체가 건설하는 주택을 공급하려는 경우

가. 국토교통부령으로 정하는 입주자모집의 시기(사업주체 또는 시공자가 영업정지를 받거나 「건설기술 진흥법」 제53조에 따른 벌점이 국토교통부령으로 정하는 기준에 해당하는 경우 등에 달리 정한 입주자모집의 시기를 포함한다)·조건·방법·절차, 입주금(입주예정자가 사업주체에게 납입하는 주택가격을 말한다. 이하 같다)의 납부 방법·시기·절차, 주택공급계약의 방법·절차 등에 적합할 것

나. 국토교통부령으로 정하는 바에 따라 벽지·바닥재·주방용구·조명기구 등을 제외한 부분의 가격을 따로 제시하고, 이를 입주자가 선택할 수 있도록 할 것

② 주택을 공급받으려는 자는 국토교통부령으로 정하는 입주자자격, 재당첨 제한 및 공급 순위 등에 맞게 주택을 공급받아야 한다. 이 경우 제63조제1항에 따른 투기과열지구 및 제63조의2제1항에 따른 조정대상지역에서 건설·공급되는 주택을 공급받으려는 자의 입주자자격, 재당첨 제한 및 공급 순위 등은 주택의 수급 상황 및 투기 우려 등을 고려하여 국토교통부령으로 지역별로 달리 정할 수 있다. <개정 2017. 8. 9.>

③ 사업주체가 제1항제1호에 따라 시장·군수·구청장의 승인을 받으려는 경우(사업주체가 국가·지방자치단체·한국토지주택공사 및 지방공사인 경우에는 견본주택을 건설하는 경우를 말한다)에는 제60조에 따라 건설하는 견본주택에 사용되는 마감자재의 규격·성능 및 재질을 적은 목록표(이하 "마감자재 목록표"라 한다)와 견본주택의 각 실의 내부를 촬영한 영상물 등을 제작하여 승인권자에게 제출하여야 한다.

④ 사업주체는 주택공급계약을 체결할 때 입주예정자에게 다음 각 호의 자료 또는 정보를 제공하여야 한다. 다만, 입주자 모집공고에 이를 표시(인터넷에 게재하는 경우를 포함한다)한 경우에는 그러하지 아니하다.

1. 제3항에 따른 견본주택에 사용된 마감자재 목록표

2. 공동주택 발코니의 세대 간 경계벽에 피난구를 설치하거나 경계벽을 경량구조로 건설한 경우 그에 관한 정보

⑤ 시장·군수·구청장은 제3항에 따라 받은 마감자재 목록표와 영상물 등을 제49조제1항에 따른 사용검사가 있은 날부터 2년 이상 보관하여야 하며, 입주자가 열람을 요구하는 경우에는 이를 공개하여야 한다.

⑥ 사업주체가 마감자재 생산업체의 부도 등으로 인한 제품의 품귀 등 부득이한 사유로 인하여 제15조에 따른 사업계획승인 또는 마감자재 목록표의 마감자재와 다르게 마감자재를 시공·설치하려는 경우에는 당초의 마감자재와 같은 질 이상으로 설치하여야 한다.

⑦ 사업주체가 제6항에 따라 마감자재 목록표의 자재와 다른 마감자재를 시공·설치하려는 경우에는 그 사실을 입주예정자에게 알려야 한다.

⑧ 사업주체는 공급하려는 주택에 대하여 대통령령으로 정하는 내용이 포함된 표시 및 광고(「표시·광고의 공정화에 관한 법률」 제2조에 따른 표시 또는 광고를 말한다. 이하 같다)를 한 경우 대통령령으로 정하는 바에 따라 해당 표시 또는 광고의 사본을 시장·군수·구청장에게 제출하여

야 한다. 이 경우 시장·군수·구청장은 제출받은 표시 또는 광고의 사본을 제49조제1항에 따른 사용검사가 있은 날부터 2년 이상 보관하여야 하며, 입주자가 열람을 요구하는 경우 이를 공개하여야 한다. <신설 2019. 12. 10.>
[시행일 : 2020. 6. 11.] 제54조

건축관계법
국토계획법
주차장법
주 택 법
도시및주거
환경정비법
건축사법
장애인시설법
소방시설법
서울시조례

⑨ 지분형주택 등의 공급 (법 제80조)(영 제70조)

【1】 지분형주택의 공급 (영 제70조)

사업시행자가 토지주택공사등인 경우에는 분양대상자와 사업시행자가 공동 소유하는 방식으로 주택(이하 "지분형주택"이라 한다)을 공급할 수 있다. 이 경우 공급되는 지분형주택의 규모, 공동 소유기간 및 분양대상자 등 필요한 사항은 다음으로 정한다.

① 지분형주택의 규모, 공동 소유기간 및 분양대상자는 다음과 같다.
㉠ 지분형주택의 규모는 주거전용면적 60㎡ 이하인 주택으로 한정한다.
㉡ 지분형주택의 공동 소유기간은 소유권을 취득한 날부터 10년의 범위에서 사업시행자가 정하는 기간으로 한다.
㉢ 지분형주택의 분양대상자는 다음의 요건을 모두 충족하는 자로 한다.
㉮ 종전에 소유하였던 토지 또는 건축물의 가격이 위 ㉠에 따른 주택의 분양가격 이하에 해당하는 사람
㉯ 세대주로서 정비계획의 공람 공고일 당시 해당 정비구역에 2년 이상 실제 거주한 사람
㉰ 정비사업의 시행으로 철거되는 주택 외 다른 주택을 소유하지 아니한 사람
② 지분형주택의 공급방법·절차, 지분 취득비율, 지분 사용료 및 지분 취득가격 등에 관하여 필요한 사항은 사업시행자가 따로 정한다.

【2】 소규모 토지 등의 소유자에 대한 토지임대부 분양주택 공급 (영 제71조)

(1) 국토교통부장관, 시·도지사, 시장, 군수, 구청장 또는 토지주택공사등은 정비구역에 세입자와 다음에 해당하는 면적 이하의 토지 또는 주택을 소유한 자의 요청이 있는 경우에는 인수한 임대주택의 일부를 「주택법」에 따른 토지임대부 분양주택으로 전환하여 공급해야 한다.
① 면적이 90㎡ 미만의 토지를 소유한 자로서 건축물을 소유하지 아니한 자
② 바닥면적이 40㎡ 미만의 사실상 주거를 위하여 사용하는 건축물을 소유한 자로서 토지를 소유하지 아니한 자
(2) 토지 또는 주택의 면적은 위 (1)의 ①, ②에서 정한 면적의 1/2범위에서 시·도조례로 달리 정할 수 있다.

⑩ 건축물 등의 사용·수익의 중지 및 철거 등 (법 제81조)

(1) 종전의 토지 또는 건축물의 소유자·지상권자·전세권자·임차권자 등 권리자는 관리처분계획인가의 고시가 있은 때에는 이전고시가 있는 날까지 종전의 토지 또는 건축물을 사용하거나 수익할 수 없다.
예외 다음의 어느 하나에 해당하는 경우에는 그러하지 아니하다.
① 사업시행자의 동의를 받은 경우
② 「공익사업을 위한 토지 등의 취득 및 보상에 관한 법률」에 따른 손실보상이 완료되지 아니한 경우
(2) 사업시행자는 관리처분계획인가를 받은 후 기존의 건축물을 철거해야 한다.

건축관계법

국토계획법

주차장법

주 택 법

도시및주거
환경정비법

건축사법

장애인시설법

소방시설법

서울시조례

(3) 사업시행자는 다음의 어느 하나에 해당하는 경우에는 위 (2)에도 불구하고 기존 건축물 소유자의 동의 및 시장·군수등의 허가를 받아 해당 건축물을 철거할 수 있다. 이 경우 건축물의 철거는 토지등소유자로서의 권리·의무에 영향을 주지 아니한다.
 ①「재난 및 안전관리 기본법」·「주택법」·「건축법」 등 관계 법령에서 정하는 기존 건축물의 붕괴 등 안전사고의 우려가 있는 경우
 ② 폐공가(廢空家)의 밀집으로 범죄발생의 우려가 있는 경우

(4) 물건조서 등의 작성 $\left(\substack{영 \\ 제72조}\right)$
 ① 사업시행자는 건축물을 철거하기 전에 관리처분계획의 수립을 위하여 기존 건축물에 대한 물건조서와 사진 또는 영상자료를 만들어 이를 착공 전까지 보관해야 한다.
 ② 위 ①에 따른 물건조서를 작성할 때에는 종전 건축물의 가격산정을 위하여 건축물의 연면적, 그 실측평면도, 주요마감재료 등을 첨부해야 한다.
    예외 실측한 면적이 건축물대장에 첨부된 건축물현황도와 일치하는 경우에는 건축물현황도로 실측평면도를 갈음할 수 있다.

(5) 시장·군수등은 사업시행자가 위 (2)에 따라 기존의 건축물을 철거하거나 철거를 위하여 점유자를 퇴거시키려는 경우 다음의 어느 하나 에 해당하는 시기에는 철거하거나 점유자를 퇴거시키는 것을 제한할 수 있다.
 ① 일출 전과 일몰 후
 ② 호우, 대설, 폭풍해일, 지진해일, 태풍, 강풍, 풍랑, 한파 등으로 해당 지역에 중대한 재해발생이 예상되어 기상청장이 「기상법」에 따라 특보를 발표한 때
 ③「재난 및 안전관리 기본법」에 따른 재난이 발생한 때
 ④ 위 ①~③의 규정에 준하는 시기로 시장·군수등이 인정하는 시기

11 **시공보증** $\left(\substack{법 \\ 제82조}\right)\left(\substack{영 \\ 제73조}\right)\left(\substack{규칙 \\ 제14조}\right)$

(1) 조합이 정비사업의 시행을 위하여 시장·군수등 또는 토지주택공사등이 아닌 자를 시공자로 선정(공동사업시행자가 시공하는 경우를 포함한다)한 경우 그 시공자는 공사의 시공보증(시공자가 공사의 계약상 의무를 이행하지 못하거나 의무이행을 하지 아니할 경우 보증기관에서 시공자를 대신하여 계약이행의무를 부담하거나 총 공사금액의 50/100 이하 30/100 이상의 범위에서 사업시행자가 정하는 금액을 납부할 것을 보증하는 것을 말한다)을 위하여 다음에 해당하는 기관의 시공보증서를 조합에 제출해야 한다.
 ①「건설산업기본법」에 따른 공제조합이 발행한 보증서
 ②「주택도시기금법」에 따른 주택도시보증공사가 발행한 보증서
 ③「은행법」에 따른 금융기관, 「한국산업은행법」에 따른 한국산업은행, 「한국수출입은행법」에 따른 한국수출입은행 또는 「중소기업은행법」에 따른 중소기업은행이 발행한 지급보증서
 ④「보험업법」에 따른 보험사업자가 발행한 보증보험증권
(2) 시장·군수등은 「건축법」에 따른 착공신고를 받는 경우에는 위 (1)에 따른 시공보증서의 제출 여부를 확인해야 한다.

6 공사완료에 따른 조치 등

1 정비사업의 준공인가 (법 제83조)

【1】 준공인가 및 검사 (영 제74조)

(1) 시장·군수등이 아닌 사업시행자가 정비사업 공사를 완료한 때에는 다음으로 정하는 방법 및 절차에 따라 시장·군수등의 준공인가를 받아야 한다.

① 시장·군수등이 아닌 사업시행자는 준공인가를 받으려는 때에는 국토교통부령으로 정하는 준공인가신청서를 시장·군수등에게 제출해야 한다.

예외 사업시행자(공동시행자인 경우를 포함한다)가 토지주택공사인 경우로서 「한국토지주택공사법」에 따라 준공인가 처리결과를 시장·군수등에게 통보한 경우에는 그러하지 아니하다.

② 시장·군수등은 준공인가를 한 때에는 국토교통부령으로 정하는 준공인가증에 다음의 사항을 기재하여 사업시행자에게 교부해야 한다.
㉠ 정비사업의 종류 및 명칭
㉡ 정비사업 시행구역의 위치 및 명칭
㉢ 사업시행자의 성명 및 주소
㉣ 준공인가의 내역

③ 사업시행자는 위 ① 단서에 따라 자체적으로 처리한 준공인가결과를 시장·군수등에게 통보한 때 또는 위 ②에 따른 준공인가증을 교부받은 때에는 그 사실을 분양대상자에게 지체 없이 통지하여야 한다.

④ 시장·군수등은 공사완료의 고시를 하는 때에는 위 ②의 각 각의 사항을 포함해야 한다.

(2) 위 (1)에 따라 준공인가신청을 받은 시장·군수등은 지체 없이 준공검사를 실시해야 한다. 이 경우 시장·군수등은 효율적인 준공검사를 위하여 필요한 때에는 관계 행정기관·공공기관 · 연구기관, 그 밖의 전문기관 또는 단체에게 준공검사의 실시를 의뢰할 수 있다.

【2】 공사완료의 고시

(1) 시장·군수등은 준공검사를 실시한 결과 정비사업이 인가받은 사업시행계획대로 완료되었다고 인정되는 때에는 준공인가를 하고 공사의 완료를 해당 지방자치단체의 공보에 고시해야 한다.

(2) 시장·군수등은 직접 시행하는 정비사업에 관한 공사가 완료된 때에는 그 완료를 해당 지방자치단체의 공보에 고시해야 한다.

【3】 준공인가전 사용허가 (영 제75조)

(1) 시장·군수등은 준공인가를 하기 전이라도 완공된 건축물이 사용에 지장이 없는 등 다음에 해당하는 기준에 적합한 경우에는 입주예정자가 완공된 건축물을 사용할 수 있도록 사업시행자에게 허가 할 수 있다.

예외 시장·군수등이 사업시행자인 경우에는 허가를 받지 아니하고 입주예정자가 완공된 건축물을 사용하게 할 수 있다.

① 완공된 건축물에 전기·수도·난방 및 상·하수도 시설 등이 갖추어져 있어 해당 건축물을 사용하는데 지장이 없을 것

② 완공된 건축물이 관리처분계획에 적합할 것

③ 입주자가 공사에 따른 차량통행·소음·분진 등의 위해로부터 안전할 것

건축관계법

국토계획법

주차장법

주 택 법

도시및주거
환경정비법

건축사법

장애인시설법

소방시설법

서울시조례

(2) 사업시행자는 사용허가를 받으려는 때에는 국토교통부령으로 정하는 신청서를 시장·군수등에게 제출해야 한다.

(3) 시장·군수등은 사용허가를 하는 때에는 동별·세대별 또는 구획별로 사용허가를 할 수 있다.

■ 공사완료의 고시절차

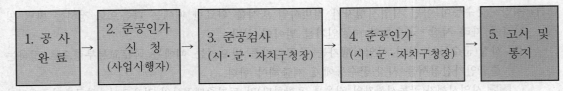

② 준공인가 등에 따른 정비구역의 해제 (법 제84조)

(1) 정비구역의 지정은 준공인가의 고시가 있는 날(관리처분계획을 수립하는 경우에는 이전고시가 있는 때를 말한다)의 다음 날에 해제된 것으로 본다. 이 경우 지방자치단체는 해당 지역을 「국토의 계획 및 이용에 관한 법률」에 따른 지구단위계획으로 관리해야 한다.

(2) 위 (1)에 따른 정비구역의 해제는 조합의 존속에 영향을 주지 아니한다.

③ 공사완료에 따른 관련 인·허가등의 의제 (법 제85조)

(1) 준공인가를 하거나 공사완료를 고시하는 경우 시장·군수등이 위 **3**-**8**에 따라 의제되는 인·허가등에 따른 준공검사·준공인가·사용검사·사용승인 등(이하 "준공검사·인가등"이라 한다)에 관하여 관계 행정기관의 장과 협의한 사항은 해당 준공검사·인가등을 받은 것으로 본다.

(2) 시장·군수등이 아닌 사업시행자는 위 (1)에 따른 준공검사·인가등의 의제를 받으려는 경우에는 준공인가를 신청하는 때에 해당 법률이 정하는 관계 서류를 함께 제출해야 한다.

(3) 시장·군수등은 준공인가를 하거나 공사완료를 고시하는 경우 그 내용에 위 **3**-**8**에 따라 의제되는 인·허가등에 따른 준공검사·인가등에 해당하는 사항이 있은 때에는 미리 관계 행정기관의 장과 협의해야 한다.

(4) 관계 행정기관의 장은 (3)에 따른 협의를 요청받은 날부터 10일 이내에 의견을 제출하여야 한다.

(5) 관계 행정기관의 장이 (4)에서 정한 기간(「민원 처리에 관한 법률」에 따라 회신기간을 연장한 경우에는 그 연장된 기간을 말한다) 내에 의견을 제출하지 아니하면 협의가 이루어진 것으로 본다

(6) 준공검사·인가등의 의제에 준용한다.

④ 이전고시 등 (법 제86조)

(1) 사업시행자는 고시가 있는 때에는 지체 없이 대지확정측량을 하고 토지의 분할절차를 거쳐 관리처분계획에서 정한 사항을 분양받을 자에게 통지하고 대지 또는 건축물의 소유권을 이전하여야 한다.

> 예외 정비사업의 효율적인 추진을 위하여 필요한 경우에는 해당 정비사업에 관한 공사가 전부 완료되기 전이라도 완공된 부분은 준공인가를 받아 대지 또는 건축물별로 분양받을 자에게 소유권을 이전할 수 있다.

건축관계법

국토계획법

주차장법

주 택 법

도시및주거
환경정비법

건축사법

장애인시설법

소방시설법

서울시조례

(2) 사업시행자는 위 (1)에 따라 대지 및 건축물의 소유권을 이전하려는 때에는 그 내용을 해당 지방자치단체의 공보에 고시한 후 시장·군수등에게 보고해야 한다. 이 경우 대지 또는 건축물을 분양받을 자는 고시가 있은 날의 다음 날에 그 대지 또는 건축물의 소유권을 취득한다.

⑤ 조합의 해산 (법 제86조의2)

(1) 조합장은 제86조제2항에 따른 고시가 있은 날부터 1년 이내에 조합 해산을 위한 총회를 소집하여야 한다.

(2) 조합장이 제1항에 따른 기간 내에 총회를 소집하지 아니한 경우 제44조제2항에도 불구하고 조합원 5분의 1 이상의 요구로 소집된 총회에서 조합원 과반수의 출석과 출석 조합원 과반수의 동의를 받아 해산을 의결할 수 있다. 이 경우 요구자 대표로 선출된 자가 조합 해산을 위한 총회의 소집 및 진행을 할 때에는 조합장의 권한을 대행한다.

(3) 시장·군수등은 조합이 정당한 사유 없이 제1항 또는 제2항에 따라 해산을 의결하지 아니하는 경우에는 조합설립인가를 취소할 수 있다.

(4) 해산하는 조합에 청산인이 될 자가 없는 경우에는 「민법」에도 불구하고 시장·군수등은 법원에 청산인의 선임을 청구할 수 있다.

(5) (1) 또는 (2)에 따라 조합이 해산을 의결하거나 (3)에 따라 조합설립인가가 취소된 경우 청산인은 지체 없이 청산의 목적범위에서 성실하게 청산인의 직무를 수행하여야 한다. <신설 2023.12.26./시행 2024.6.27.>

⑥ 대지 및 건축물에 대한 권리의 확정 (법 제87조)

(1) 대지 또는 건축물을 분양받을 자에게 위 ④-(2)에 따라 소유권을 이전한 경우 종전의 토지 또는 건축물에 설정된 지상권·전세권·저당권·임차권·가등기담보권·가압류 등 등기된 권리 및 「주택임대차보호법」의 요건을 갖춘 임차권은 소유권을 이전받은 대지 또는 건축물에 설정된 것으로 본다.

(2) 위 (1)에 따라 취득하는 대지 또는 건축물 중 토지등소유자에게 분양하는 대지 또는 건축물은 「도시개발법」에 따라 행하여진 환지로 본다.

(3) 사업시행자가 분양신청을 받은 후 잔여분이 있는 경우에는 정관등 또는 사업시행계획으로 정하는 목적을 위하여 그 잔여분에 따른 보류지와 일반에게 분양하는 대지 또는 건축물은 「도시개발법」에 따른 보류지 또는 체비지로 본다.

(4) 사업시행자가 분양신청을 받은 후 잔여분이 있는 경우에는 정관등 또는 사업시행계획으로 정하는 목적을 위하여 그 잔여분을 보류지(건축물을 포함한다)로 정하거나 조합원 또는 토지등소유자 이외의 자에게 분양할 수 있다.

관계법 「도시개발법」 제40조 【환지처분】

① 시행자는 환지 방식으로 도시개발사업에 관한 공사를 끝낸 경우에는 지체 없이 대통령령으로 정하는 바에 따라 이를 공고하고 공사 관계 서류를 일반인에게 공람시켜야 한다.

② 도시개발구역의 토지 소유자나 이해관계인은 제1항의 공람 기간에 시행자에게 의견서를 제출할 수 있으며, 의견서를 받은 시행자는 공사 결과와 실시계획 내용에 맞는지를 확인하여 필요한 조치를 하여야 한다.

③ 시행자는 제1항의 공람 기간에 제2항에 따른 의견서의 제출이 없거나 제출된 의견서에 따라 필요한 조치를 한 경우에는 지정권자에 의한 준공검사를 신청하거나 도시개발사업의 공사를 끝내야 한다.

건축관계법

국토계획법

주차장법

주 택 법

도시및주거환경정비법

건축사법

장애인시설법

소방시설법

서울시조례

3장

제6편 도시 및 주거환경정비법

건축관계법

국토계획법

주차장법

주 택 법

도시및주거
환경정비법

건축사법

장애인시설법

소방시설법

서울시조례

④ 시행자는 지정권자에 의한 준공검사를 받은 경우(지정권자가 시행자인 경우에는 제51조에 따른 공사 완료 공고가 있는 때)에는 대통령령으로 정하는 기간에 환지처분을 하여야 한다.
⑤ 시행자는 환지처분을 하려는 경우에는 환지 계획에서 정한 사항을 토지 소유자에게 알리고 대통령령으로 정하는 바에 따라 이를 공고하여야 한다.

「도시개발법」제34조【체비지 등】
① 시행자는 도시개발사업에 필요한 경비에 충당하거나 규약·정관·시행규정 또는 실시계획으로 정하는 목적을 위하여 일정한 토지를 환지로 정하지 아니하고 보류지로 정할 수 있으며, 그 중 일부를 체비지로 정하여 도시개발사업에 필요한 경비에 충당할 수 있다.
② 특별자치도지사·시장·군수 또는 구청장은 「주택법」에 따른 공동주택의 건설을 촉진하기 위하여 필요하다고 인정하면 제1항에 따른 체비지 중 일부를 같은 지역에 집단으로 정하게 할 수 있다.

⑦ 등기절차 및 권리변동의 제한 (법 제88조)

(1) 사업시행자는 이전고시가 있은 때에는 지체 없이 대지 및 건축물에 관한 등기를 지방법원지원 또는 등기소에 촉탁 또는 신청해야 한다.
(2) 위 (1)의 등기에 필요한 사항은 대법원규칙으로 정한다.
(3) 정비사업에 관하여 이전고시가 있은 날부터 위 (1)에 따른 등기가 있을 때까지는 저당권 등의 다른 등기를 하지 못한다.

⑧ 청산금 등 (법 제89조)(영 제76조)

(1) 대지 또는 건축물을 분양받은 자가 종전에 소유하고 있던 토지 또는 건축물의 가격과 분양받은 대지 또는 건축물의 가격 사이에 차이가 있는 경우 사업시행자는 위 ④-(2)에 따른 이전고시가 있은 후에 그 차액에 상당하는 금액(이하 "청산금"이라 한다)을 분양받은 자로부터 징수하거나 분양받은 자에게 지급해야 한다.
(2) 위 (1)에도 불구하고 사업시행자는 정관등에서 분할징수 및 분할지급을 정하고 있거나 총회의 의결을 거쳐 따로 정한 경우에는 관리처분계획인가 후부터 위 ④-(2)에 따른 이전고시가 있은 날까지 일정 기간별로 분할징수하거나 분할지급할 수 있다.
(3) 사업시행자는 위 (1) 및 (2)을 적용하기 위하여 종전에 소유하고 있던 토지 또는 건축물의 가격과 분양받은 대지 또는 건축물의 가격을 평가하는 경우 그 토지 또는 건축물의 규모·위치·용도·이용 상황·정비사업비 등을 참작하여 평가해야 한다.
(4) 위 (3)에 따른 가격평가의 방법 및 절차 등은 다음으로 정한다.
① 대지 또는 건축물을 분양받은 자가 종전에 소유하고 있던 토지 또는 건축물의 가격은 다음의 구분에 따른 방법으로 평가한다.
㉠ 사업시행자가 정비구역에서 인가받은 관리처분계획에 따라 주택 및 부대시설·복리시설을 건설하여 공급하는 방법으로 시행하는 주거환경개선사업과 재개발사업의 경우에는 시장·군수등이 선정·계약한 2인 이상의 감정평가업자가 평가한 금액을 산술평균하여 평가할 것
㉡ 재건축사업의 경우에는 사업시행자가 정하는 바에 따라 평가할 것
　　예외 감정평가업자의 평가를 받으려는 경우에는 시장·군수등이 선정·계약한 1인 이상의 감정평가업자와 조합총회의 의결로 선정·계약한 1인 이상의 감정평가업자가 평가한 금액을 산술평균하여 산정할 수 있다.

② 분양받은 대지 또는 건축물의 가격은 위 (3)에 따라 다음의 구분에 따른 방법으로 평가한다.

　　㉠ 사업시행자가 정비구역에서 인가받은 관리처분계획에 따라 주택 및 부대시설·복리시설을 건설하여 공급하는 방법으로 시행하는 주거환경개선사업과 재개발사업의 경우에는 시장·군수등이 선정·계약한 2인 이상의 감정평가업자가 평가한 금액을 산술평균하여 평가할 것

　　㉡ 재건축사업의 경우에는 사업시행자가 정하는 바에 따라 평가할 것.

　　　[예외] 감정평가업자의 평가를 받으려는 경우에는 시장·군수등이 선정·계약한 1인 이상의 감정평가업자와 조합총회의 의결로 선정·계약한 1인 이상의 감정평가업자가 평가한 금액을 산술평균하여 산정할 수 있다.

1. 정비사업의 조사·측량·설계 및 감리에 소요된 비용
2. 공사비
3. 정비사업의 관리에 소요된 등기비용·인건비·통신비·사무용품비·이자 그 밖에 필요한 경비
4. 융자금이 있는 경우에는 그 이자에 해당하는 금액
5. 정비기반시설 및 공동이용시설의 설치에 소요된 비용(시장·군수등이 부담한 비용은 제외한다)
6. 안전진단의 실시, 정비사업전문관리업자의 선정, 회계감사, 감정평가, 그 밖에 정비사업 추진과 관련하여 지출한 비용으로서 정관등에서 정한 비용

③ 위 ② 각 각에 따른 평가를 할 때 다음 각 각의 비용을 가산해야 하며, 보조금(법 제95조)은 공제해야 한다.

④ 위 ① 및 ②에 따른 건축물의 가격평가를 할 때 층별·위치별 가중치를 참작할 수 있다.

⑨ 청산금의 징수방법 등 (법 제90조)

(1) 시장·군수등인 사업시행자는 청산금을 납부할 자가 이를 납부하지 아니하는 경우 지방세 체납처분의 예에 따라 징수(분할징수를 포함한다)할 수 있으며, 시장·군수등이 아닌 사업시행자는 시장·군수등에게 청산금의 징수를 위탁할 수 있다. 이 경우 제4장 ❷-(5)의 규정을 준용한다.

(2) 청산금을 지급받을 자가 받을 수 없거나 받기를 거부한 때에는 사업시행자는 그 청산금을 공탁할 수 있다.

(3) 청산금을 지급(분할지급을 포함한다)받을 권리 또는 이를 징수할 권리는 이전고시일의 다음 날부터 5년간 행사하지 아니하면 소멸한다.

⑩ 저당권의 물상대위 (법 제91조)

정비구역에 있는 토지 또는 건축물에 저당권을 설정한 권리자는 사업시행자가 저당권이 설정된 토지 또는 건축물의 소유자에게 청산금을 지급하기 전에 압류절차를 거쳐 저당권을 행사할 수 있다.

건축관계법

국토계획법

주차장법

주 택 법

도시및주거
환경정비법

건축사법

장애인시설법

소방시설법

서울시조례

비용의 부담 등

1 비용부담의 원칙 (법 제92조)

(1) 정비사업비는 이 법 또는 다른 법령에 특별한 규정이 있는 경우를 제외하고는 사업시행자가 부담한다.

(2) 시장·군수등은 시장·군수등이 아닌 사업시행자가 시행하는 정비사업의 정비계획에 따라 설치되는 다음의 시설에 대하여는 그 건설에 드는 비용의 전부 또는 일부를 부담할 수 있다.
　① 도시·군계획시설 중 대통령령으로 정하는 주요 정비기반시설 및 공동이용시설
　② 임시거주시설

2 비용의 조달 (법 제93조)

(1) 사업시행자는 토지등소유자로부터 비용과 정비사업의 시행과정에서 발생한 수입의 차액을 부과금으로 부과·징수할 수 있다.

(2) 사업시행자는 토지등소유자가 위 (1)에 따른 부과금의 납부를 태만히 한 때에는 연체료를 부과·징수할 수 있다.

(3) 위 (1) 및 (2)에 따른 부과금 및 연체료의 부과·징수에 필요한 사항은 정관등으로 정한다.

(4) 시장·군수등이 아닌 사업시행자는 부과금 또는 연체료를 체납하는 자가 있는 때에는 시장·군수등에게 그 부과·징수를 위탁할 수 있다.

(5) 시장·군수등은 위 (4)에 따라 부과·징수를 위탁받은 경우에는 지방세 체납처분의 예에 따라 부과·징수할 수 있다. 이 경우 사업시행자는 징수한 금액의 4/100에 해당하는 금액을 해당 시장·군수등에게 교부해야 한다.

3 정비기반시설 관리자의 비용부담 (법 제94조)(영 제78조)

(1) 시장·군수등은 자신이 시행하는 정비사업으로 현저한 이익을 받는 정비기반시설의 관리자가 있는 경우에는 다음에 따라 해당 정비사업비의 일부를 그 정비기반시설의 관리자와 협의하여 그 관리자에게 부담시킬 수 있다.

① 정비기반시설 관리자가 부담하는 비용의 총액은 해당 정비사업에 소요된 비용(정비사업의 조사·측량·설계 및 감리에 소요된 비용을 제외한다)의 1/3을 초과해서는 아니 된다.

　　[예외] 다른 정비기반시설의 정비가 그 정비사업의 주된 내용이 되는 경우에는 그 부담비용의 총액은 해당 정비사업에 소요된 비용의 1/2까지로 할 수 있다.

② 시장·군수등은 정비사업비의 일부를 정비기반시설의 관리자에게 부담시키려는 때에는 정비사업에 소요된 비용의 명세와 부담 금액을 명시하여 해당 관리자에게 통지해야 한다.

(2) 사업시행자는 정비사업을 시행하는 지역에 전기·가스 등의 공급시설을 설치하기 위하여 공동구를 설치하는 경우에는 다른 법령에 따라 그 공동구에 수용될 시설을 설치할 의무가 있는 자에게 공동구의 설치에 드는 비용을 부담시킬 수 있다.

(3) 위 (2)의 비용부담의 비율 및 부담방법과 공동구의 관리에 필요한 사항은 다음 규정에 따른다.

① 공동구의 설치비용 등 (규칙 제16조)

　　㉠ 공동구의 설치에 드는 비용은 다음과 같다.

　　　　[단서] 보조금이 있는 경우에는 설치에 드는 비용에서 해당 보조금의 금액을 **빼야** 한다.

1. 설치공사의 비용
2. 내부공사의 비용
3. 설치를 위한 측량·설계비용
4. 공동구의 설치로 인한 보상의 필요가 있는 경우에는 그 보상비용
5. 공동구 부대시설의 설치비용
6. 융자금이 있는 경우에는 그 이자에 해당하는 금액

　　㉡ 공동구에 수용될 전기·가스·수도의 공급시설과 전기통신시설 등의 관리자(이하 "공동구점용예정자"라 한다)가 부담할 공동구의 설치에 드는 비용의 부담비율은 공동구의 점용예정면적비율에 따른다.

　　㉢ 사업시행자는 사업시행계획인가의 고시가 있은 후 지체 없이 공동구점용예정자에게 위 ㉠ 및 ㉡에 따라 산정된 부담금의 납부를 통지해야 한다.

　　㉣ 부담금의 납부통지를 받은 공동구점용예정자는 공동구의 설치공사가 착수되기 전에 부담금액의 1/3 이상을 납부하여야 하며, 그 잔액은 공사완료 고시일전까지 납부해야 한다.

② 공동구의 관리 (규칙 제17조)

　　㉠ 공동구는 시장·군수등이 관리한다.

　　㉡ 시장·군수등은 공동구 관리비용(유지·수선비를 말하며, 조명·배수·통풍·방수·개축·재축·그 밖의 시설비 및 인건비를 포함한다. 이하 같다)의 일부를 그 공동구를 점용하는 자에게 부담시킬 수 있으며, 그 부담비율은 점용면적비율을 고려하여 시장·군수등이 정한다.

　　㉢ 공동구 관리비용은 연도별로 산출하여 부과한다.

　　㉣ 공동구 관리비용의 납입기한은 매년 3월 31일까지로 하며, 시장·군수등은 납입기한 1개월 전까지 납입통지서를 발부해야 한다. 다만, 필요한 경우에는 2회로 분할하여 납부하게 할 수 있으며 이 경우 분할금의 납입기한은 3월 31일과 9월 30일로 한다.

4 보조 및 융자 $\left(\begin{smallmatrix}법\\제95조\end{smallmatrix}\right)\left(\begin{smallmatrix}영\\제79조\end{smallmatrix}\right)$

(1) 국가 또는 시·도는 시장, 군수, 구청장 또는 토지주택공사등이 시행하는 정비사업에 관한 기초조사 및 정비사업의 시행에 필요한 시설로서 정비기반시설, 임시거주시설 및 주거환경개선사업에 따른 공동이용시설의 건설에 드는 비용의 전부 또는 일부를 보조하거나 융자할 수 있다. 이 경우 국가 또는 시·도는 다음의 어느 하나에 해당하는 사업에 우선적으로 보조하거나 융자할 수 있다.

① 시장·군수등 또는 토지주택공사등이 다음의 어느 하나에 해당하는 지역에서 시행하는 주거환경개선사업

㉠ 해제된 정비구역등

㉡ 「도시재정비 촉진을 위한 특별법」에 따라 재정비촉진지구가 해제된 지역

② 국가 또는 지방자치단체가 도시영세민을 이주시켜 형성된 낙후지역으로서 정비구역 지정(변경지정을 포함한다) 당시 다음의 요건에 모두 해당하는 지역에서 시장·군수등 또는 토지주택공사등이 단독으로 시행하는 재개발사업

㉠ 「공익사업을 위한 토지 등의 취득 및 보상에 관한 법률」에 따른 공익사업의 시행으로 다른 지역으로 이주하게 된 자가 집단으로 정착한 지역으로서 이주 당시 300세대 이상의 주택을 건설하여 정착한 지역

㉡ 정비구역 전체 건축물 중 준공 후 20년이 지난 건축물의 비율이 50/100 이상인 지역

■ 보조 및 융자에 관한 세부 규정

① 국가 또는 지방자치단체가 보조하거나 융자할 수 있는 금액은 기초조사비, 정비기반시설 및 임시거주시설의 사업비의 각 80%(사업시행자가 정비구역에서 정비기반시설 및 공동이용시설을 새로 설치하거나 확대하고 토지등소유자가 스스로 주택을 보전·정비하거나 개량하는 방법에 따른 주거환경개선사업을 시행하는 정비구역에서 시·도지사가 시장·군수등에게 보조하거나 융자하는 경우에는 100%) 이내로 한다.

② 국가 또는 지방자치단체가 보조할 수 있는 금액은 기초조사비, 정비기반시설 및 임시거주시설의 사업비, 조합 운영경비의 각 50% 이내로 한다.

③ 국가 또는 지방자치단체는 다음의 사항에 필요한 비용의 각 80% 이내에서 융자하거나 융자를 알선할 수 있다.

1. 기초조사비
2. 정비기반시설 및 임시거주시설의 사업비
3. 세입자 보상비
4. 주민 이주비
5. 그 밖에 시·도조례로 정하는 사항(지방자치단체가 융자하거나 융자를 알선하는 경우만 해당한다)

(2) 시장·군수등은 사업시행자가 토지주택공사등인 주거환경개선사업과 관련하여 위 (1)에 따른 정비기반시설 및 공동이용시설, 임시거주시설을 건설하는 경우 건설에 드는 비용의 전부 또는 일부를 토지주택공사등에게 보조해야 한다.

(3) 국가 또는 지방자치단체는 시장·군수등이 아닌 사업시행자가 시행하는 정비사업에 드는 비용의 일부를 보조 또는 융자하거나 융자를 알선할 수 있다.

건축관계법
국토계획법
주차장법
주 택 법
도시및주거 환경정비법
건축사법
장애인시설법
소방시설법
서울시조례

(4) 국가 또는 지방자치단체는 위 (1) 및 (2)에 따라 정비사업에 필요한 비용을 보조 또는 융자하는 경우 순환정비방식의 정비사업에 우선적으로 지원할 수 있다. 이 경우 순환정비방식의 정비사업의 원활한 시행을 위하여 국가 또는 지방자치단체는 다음 비용의 일부를 보조 또는 융자할 수 있다.
① 순환용주택의 건설비
② 순환용주택의 단열보완 및 창호교체 등 에너지 성능 향상과 효율개선을 위한 리모델링 비용
③ 공가(空家)관리비
(5) 국가는 다음의 어느 하나에 해당하는 비용의 전부 또는 일부를 지방자치단체 또는 토지주택공사등에 보조 또는 융자할 수 있다.
① 토지주택공사등이 보유한 공공임대주택을 순환용주택으로 조합에게 제공하는 경우 그 건설비 및 공가관리비 등의 비용
② 시·도지사, 시장, 군수, 구청장 또는 토지주택공사등이 재개발임대주택을 인수하는 경우 그 인수 비용
(6) 국가 또는 지방자치단체는 토지임대부 분양주택을 공급받는 자에게 해당 공급비용의 전부 또는 일부를 보조 또는 융자할 수 있다.

5 정비기반시설의 설치 (법 제96조)

사업시행자는 관할 지방자치단체의 장과의 협의를 거쳐 정비구역에 정비기반시설(주거환경개선사업의 경우에는 공동이용시설을 포함한다)을 설치해야 한다.

6 정비기반시설 및 토지 등의 귀속 (법 제97조)

(1) 시장·군수등 또는 토지주택공사등이 정비사업의 시행으로 새로 정비기반시설을 설치하거나 기존의 정비기반시설을 대체하는 정비기반시설을 설치한 경우에는 「국유재산법」 및 「공유재산 및 물품 관리법」에도 불구하고 종래의 정비기반시설은 사업시행자에게 무상으로 귀속되고, 새로 설치된 정비기반시설은 그 시설을 관리할 국가 또는 지방자치단체에 무상으로 귀속된다.
(2) 시장·군수등 또는 토지주택공사등이 아닌 사업시행자가 정비사업의 시행으로 새로 설치한 정비기반시설은 그 시설을 관리할 국가 또는 지방자치단체에 무상으로 귀속되고, 정비사업의 시행으로 용도가 폐지되는 국가 또는 지방자치단체 소유의 정비기반시설은 사업시행자가 새로 설치한 정비기반시설의 설치비용에 상당하는 범위에서 그에게 무상으로 양도된다.
(3) 위 (1) 및 (2)의 정비기반시설에 해당하는 도로는 다음의 어느 하나에 해당하는 도로를 말한다.
① 「국토의 계획 및 이용에 관한 법률」에 따라 도시·군관리계획으로 결정되어 설치된 도로
② 「도로법」에 따라 도로관리청이 관리하는 도로
③ 「도시개발법」 등 다른 법률에 따라 설치된 국가 또는 지방자치단체 소유의 도로
④ 그 밖에 「공유재산 및 물품 관리법」에 따른 공유재산 중 일반인의 교통을 위하여 제공되고 있는 부지. 이 경우 부지의 사용 형태, 규모, 기능 등 구체적인 기준은 시·도조례로 정할 수 있다.
(4) 시장·군수등은 위 (1)~(3)의 규정에 따른 정비기반시설의 귀속 및 양도에 관한 사항이 포함된 정비사업을 시행하거나 그 시행을 인가하려는 경우에는 미리 그 관리청의 의견을 들어야 한다. 인가받은 사항을 변경하려는 경우에도 또한 같다.
(5) 사업시행자는 위 (1)~(3)의 규정에 따라 관리청에 귀속될 정비기반시설과 사업시행자에게 귀속 또는 양도될 재산의 종류와 세목을 정비사업의 준공 전에 관리청에 통지해야 하며, 해당 정비기반시설은 그 정비사업이 준공인가되어 관리청에 준공인가통지를 한 때에 국가 또는 지방자치단체에 귀속되거나 사업시행자에게 귀속 또는 양도된 것으로 본다.

건축관계법

국토계획법

주차장법

주 택 법

도시및주거
환경정비법

건축사법

장애인시설법

소방시설법

서울시조례

(6) 위 (5)에 따른 정비기반시설의 등기에 있어서 정비사업의 시행인가서와 준공인가서(시장・군
수등이 직접 정비사업을 시행하는 경우에는 사업시행계획인가의 고시와 공사완료의 고시를 말
한다)는「부동산등기법」에 따른 등기원인을 증명하는 서류로 갈음한다.

(7) 위 (1) 및 (2)항에 따라 정비사업의 시행으로 용도가 폐지되는 국가 또는 지방자치단체 소유의
정비기반시설의 경우 정비사업의 시행 기간 동안 해당 시설의 대부료는 면제된다.

7 국유・공유재산의 처분 등 (법 제98조)

(1) 시장・군수등은 인가하려는 사업시행계획 또는 직접 작성하는 사업시행계획서에 국유・공유재
산의 처분에 관한 내용이 포함되어 있는 때에는 미리 관리청과 협의해야 한다. 이 경우 관리 청
이 불분명한 재산 중 도로・하천・구거(도랑) 등은 국토교통부장관을, 하천은 환경부장관을, 그
외의 재산은 기획재정부장관을 관리청으로 본다.

(2) 위 (1)에 따라 협의를 받은 관리청은 20일 이내에 의견을 제시해야 한다.

(3) 정비구역의 국유・공유재산은 정비사업 외의 목적으로 매각되거나 양도될 수 없다.

(4) 정비구역의 국유・공유재산은「국유재산법」또는「공유재산 및 물품 관리법」에 따른 국유
재산종합계획 또는 공유재산관리계획과「국유재산법」및「공유재산 및 물품 관리법」에 따
른 계약의 방법에도 불구하고 사업시행자 또는 점유자 및 사용자에게 다른 사람에 우선하여 수
의계약으로 매각 또는 임대될 수 있다.

(5) 위 (4)에 따라 다른 사람에 우선하여 매각 또는 임대될 수 있는 국유・공유재산은「국유재산
법」,「공유재산 및 물품 관리법」및 그 밖에 국・공유지의 관리와 처분에 관한 관계 법령에
도 불구하고 사업시행계획인가의 고시가 있은 날부터 종전의 용도가 폐지된 것으로 본다.

(6) 위 (4)에 따라 정비사업을 목적으로 우선하여 매각하는 국・공유지는 사업시행계획인가의 고
시가 있은 날을 기준으로 평가하며, 주거환경개선사업의 경우 매각가격은 평가금액의 80/100
으로 한다.

> 단서 사업시행계획인가의 고시가 있은 날부터 3년 이내에 매매계약을 체결하지 아니한 국・공
> 유지는「국유재산법」또는「공유재산 및 물품 관리법」에서 정한다.

8 국유・공유재산의 임대 (법 제99조)

(1) 지방자치단체 또는 토지주택공사등은 주거환경개선구역 및 재개발구역(재개발사업을 시행하는
정비구역을 말한다. 이하 같다)에서 임대주택을 건설하는 경우에는「국유재산법」또는「공유
재산 및 물품 관리법」에도 불구하고 국・공유지 관리청과 협의하여 정한 기간 동안 국・공유
지를 임대할 수 있다.

(2) 시장・군수등은「국유재산법」또는「공유재산 및 물품 관리법」에도 불구하고 위 (1)에 따
라 임대하는 국・공유지 위에 공동주택, 그 밖의 영구시설물을 축조하게 할 수 있다. 이 경우
해당 시설물의 임대기간이 종료되는 때에는 임대한 국・공유지 관리청에 기부 또는 원상으로
회복하여 반환하거나 국・공유지 관리청으로부터 매입해야 한다.

(3) 위 (1)에 따라 임대하는 국・공유지의 임대료는「국유재산법」또는「공유재산 및 물품 관리
법」에서 정한다.

건축관계법

국토계획법

주차장법

주 택 법

도시및주거
환경정비법

건축사법

장애인시설법

소방시설법

서울시조례

9 공동이용시설 사용료의 면제 (법 제100조)

(1) 지방자치단체의 장은 마을공동체 활성화 등 공익 목적을 위하여 「공유재산 및 물품 관리법」
에 따라 주거환경개선구역 내 공동이용시설에 대한 사용 허가를 하는 경우 사용료를 면제할 수
있다.

(2) 위 (1)에 따른 공익 목적의 기준, 사용료 면제 대상 및 그 밖에 필요한 사항은 시·도조례로 정
한다.

10 국·공유지의 무상양여 등 (법 제101조)(영 제80조)

(1) 다음의 어느 하나에 해당하는 구역에서 국가 또는 지방자치단체가 소유하는 토지는 사업시행계
획인가의 고시가 있은 날부터 종전의 용도가 폐지된 것으로 보며, 「국유재산법」, 「공유재산
및 물품 관리법」 및 그 밖에 국·공유지의 관리 및 처분에 관하여 규정한 관계 법령에도 불구
하고 해당 사업시행자에게 무상으로 양여된다.

> 예외 「국유재산법」에 따른 행정재산 또는「공유재산 및 물품 관리법」에 따른 행정재산과 국가 또
> 는 지방자치단체가 양도계약을 체결하여 정비구역지정 고시일 현재 대금의 일부를 수령한 토지
> 에 대하여는 그러하지 아니하다.

① 주거환경개선구역

② 국가 또는 지방자치단체가 도시영세민을 이주시켜 형성된 낙후지역으로서 위 **4**-(1)-②에 해당하
는 재개발구역(무상양여 대상에서 국유지는 제외하고, 공유지는 시장·군수등 또는 토지주택공사
등이 단독으로 사업시행자가 되는 경우로 한정한다)

(2) 위 (1)에 따라 무상양여된 토지의 사용수익 또는 처분으로 발생한 수입은 주거환경개선사업 또
는 재개발사업 외의 용도로 사용할 수 없다.

(3) (1)에 따라 무상양여된 토지의 사용수익 또는 처분으로 발생한 수입은 주거환경개선사업 또는
재개발사업 외의 용도로 사용할 수 없다.

(4) 시장·군수등은 제1항에 따른 무상양여의 대상이 되는 국·공유지를 소유 또는 관리하고 있는
국가 또는 지방자치단체와 협의를 하여야 한다.

(5)사업시행자에게 양여된 토지의 관리처분에 필요한 사항은 국토교통부장관의 승인을 받아 해당
시·도조례 또는 토지주택공사등의 시행규정으로 정한다.

- **국·공유지의 무상양여 등에 따른 세부 규정**

① 국가 또는 지방자치단체로부터 토지를 무상으로 양여 받은 사업시행자는 사업시행계획인가 고시
문 사본을 그 토지의 관리청 또는 지방자치단체의 장에게 제출하여 그 토지에 대한 소유권이전등
기절차의 이행을 요청해야 한다. 이 경우 토지의 관리청 또는 지방자치단체의 장은「전자정부법」
에 따른 행정정보의 공동이용을 통하여 그 토지의 토지대장 등본 또는 등기사항증명서를 확인하여
야 한다.

② 위 ①에 따른 요청을 받은 관리청 또는 지방자치단체의 장은 즉시 소유권이전등기에 필요한 서류
를 사업시행자에게 교부해야 한다.

③ 사업시행자는 사업시행계획인가가 취소된 때에는 무상양여된 토지를 원소유자인 국가 또는 지방
자치단체에 반환하기 위하여 필요한 조치를 하고, 즉시 관할 등기소에 소유권이전등기를 신청해야
한다.

5

공공재개발사업 및
공공재건축사업

◼1 공공재개발사업 예정구역의 지정·고시 (법 제101조의2)

(1) 정비구역의 지정권자는 비경제적인 건축행위 및 투기 수요의 유입을 방지하고, 합리적인 사업계획을 수립하기 위하여 공공재개발사업을 추진하려는 구역을 공공재개발사업 예정구역으로 지정할 수 있다. 이 경우 공공재개발사업 예정구역의 지정·고시에 관한 절차는 정비계획의 결정 및 정비구역의 지정·고시(16조) 준용한다.

(2) 정비계획의 입안권자 또는 토지주택공사등은 정비구역의 지정권자에게 공공재개발사업 예정구역의 지정을 신청할 수 있다. 이 경우 토지주택공사등은 정비계획의 입안권자를 통하여 신청하여야 한다.

(3) 공공재개발사업 예정구역에서 다음의 어느 하나에 해당하는 행위를 하려는 자는 시장·군수등의 허가를 받아야 한다. 허가받은 사항을 변경하려는 때에도 또한 같다.

　① 건축물의 건축
　② 토지의 분할

(4) 공공재개발사업 예정구역 내에 분양받을 건축물이 다음의 어느 하나에 해당하는 경우에는 공공재개발사업 예정구역 지정·고시가 있은 날 또는 시·도지사가 투기를 억제하기 위하여 공공재개발사업 예정구역 지정·고시 전에 따로 정하는 날의 다음 날을 기준으로 건축물을 분양받을 권리를 산정한다. 이 경우 시·도지사가 건축물을 분양받을 권리일을 따로 정하는 경우에는 기준일·지정사유·건축물을 분양받을 권리의 산정 기준 등을 해당 지방자치단체의 공보에 고시하여야 한다.

　① 1필지의 토지가 여러 개의 필지로 분할되는 경우
　② 단독주택 또는 다가구주택이 다세대주택으로 전환되는 경우

③ 하나의 대지 범위에 속하는 동일인 소유의 토지와 주택 등 건축물을 토지와 주택 등 건축물로 각각 분리하여 소유하는 경우

④ 나대지에 건축물을 새로 건축하거나 기존 건축물을 철거하고 다세대주택, 그 밖의 공동주택을 건축하여 토지등소유자의 수가 증가하는 경우

(5) 정비구역의 지정권자는 공공재개발사업 예정구역이 지정·고시된 날부터 2년이 되는 날까지 공공재개발사업 예정구역이 공공재개발사업을 위한 정비구역으로 지정되지 아니하거나, 공공재개발사업 시행자가 지정되지 아니하면 그 2년이 되는 날의 다음 날에 공공재개발사업 예정구역 지정을 해제하여야 한다. 다만, 정비구역의 지정권자는 1회에 한하여 1년의 범위에서 공공재개발사업 예정구역의 지정을 연장할 수 있다.

(6) (1)에 따른 공공재개발사업 예정구역의 지정과 제2항에 따른 지정 신청에 필요한 사항 및 그 절차는 대통령령으로 정한다.

2 공공재개발사업을 위한 정비구역 지정 등 (법 제101조의3)

(1) 정비구역의 지정권자는 기본계획을 수립하거나 변경하지 아니하고 공공재개발사업을 위한 정비계획을 결정하여 정비구역을 지정할 수 있다.

(2) 정비계획의 입안권자는 공공재개발사업의 추진을 전제로 정비계획을 작성하여 정비구역의 지정권자에게 공공재개발사업을 위한 정비구역의 지정을 신청할 수 있다. 이 경우 공공재개발사업을 시행하려는 공공재개발사업 시행자는 정비계획의 입안권자에게 공공재개발사업을 위한 정비계획의 수립을 제안할 수 있다.

(3) 정비계획의 지정권자는 공공재개발사업을 위한 정비구역을 지정·고시한 날부터 1년이 되는 날까지 공공재개발사업 시행자가 지정되지 아니하면 그 1년이 되는 날의 다음 날에 공공재개발사업을 위한 정비구역의 지정을 해제하여야 한다. 다만, 정비구역의 지정권자는 1회에 한하여 1년의 범위에서 공공재개발사업을 위한 정비구역의 지정을 연장할 수 있다.

3 공공재개발사업예정구역 및 공공재개발사업·공공재건축사업을 위한 정비구역 지정을 위한 특례 (법 제101조의4)

(1) 지방도시계획위원회 또는 도시재정비위원회는 공공재개발사업 예정구역 또는 공공재개발사업·공공재건축사업을 위한 정비구역의 지정에 필요한 사항을 심의하기 위하여 분과위원회를 둘 수 있다. 이 경우 분과위원회의 심의는 지방도시계획위원회 또는 도시재정비위원회의 심의로 본다.

(2) 정비구역의 지정권자가 공공재개발사업 또는 공공재건축사업을 위한 정비구역의 지정·변경을 고시한 때에는 기본계획의 수립·변경, 「도시재정비 촉진을 위한 특별법」,재정비촉진지구의 지정·변경 및 재정비촉진계획의 결정·변경이 고시된 것으로 본다.

4 공공재개발사업에서의 용적률 완화 및 주택건설비율 등 (법 제101조의5)

(1) 공공재개발사업 시행자는 공공재개발사업(「도시재정비촉진을 위한 특별법」에 따른 재정비촉진지구에서 시행되는 공공재개발사업을 포함한다)을 시행하는 경우 「국토의 계획 및 이용에 관한 법률」에도 불구하고 지방도시계획위원회 및 도시재정비위원회의 심의를 거쳐 법적상한용적률의 100분의 120(이하 "법적상한초과용적률"이라 한다)까지 건축할 수 있다.

건축관계법

국토계획법

주차장법

주택법

도시및주거환경정비법

건축사법

장애인시설법

소방시설법

서울시조례

(2) 공공재개발사업 시행자는 법적상한초과용적률에서 정비계획으로 정하여진 용적률을 뺀 용적률의 100분의 20 이상 100분의 50 이하로서 시·도조례로 정하는 비율에 해당하는 면적에 국민주택규모 주택을 건설하여 인수자에게 공급하여야 한다. 천재지변, 「재난 및 안전관리 기본법」, 「시설물의 안전 및 유지관리에 관한 특별법」 사용제한·사용금지, 그 밖의 불가피한 사유로 긴급하게 정비사업을 시행할 필요가 있다고 인정하는 때 따른 정비사업을 시행하는 경우에는 그러하지 아니한다.

(3) (2)에 따른 국민주택규모 주택의 공급 및 인수방법에 관하여는 국민주택규모 주택의 공급 및 인수(제55조)를 준용한다.

(4) (3)에도 불구하고 인수자는 공공재개발사업 시행자로부터 공급받은 주택 중 대통령령으로 정하는 비율에 해당하는 주택에 대해서는 「공공주택 특별법」에 따라 분양할 수 있다. 이 경우 해당 주택의 공급가격과 부속 토지의 가격은 제66조제4항을 준용하여 정한다. <신설 2023.7.18.>

5 공공재건축사업에서의 용적률 완화 및 주택건설비율 등 (법 제101조의6)

(1) 공공재건축사업을 위한 정비구역에 대해서는 해당 정비구역의 지정·고시가 있은 날부터 「국토의 계획 및 이용에 관한 법률」에 따라 주거지역을 세분하여 정하는 지역 중 대통령령으로 정하는 지역으로 결정·고시된 것으로 보아 해당 지역에 적용되는 용적률 상한까지 용적률을 정할 수 있다. 다만, 다음의 어느 하나에 해당하는 경우에는 그러하지 아니하다.

① 해당 정비구역이 「개발제한구역의 지정 및 관리에 관한 특별조치법」 제3조제1항에 따라 결정된 개발제한구역인 경우

② 시장·군수등이 공공재건축사업을 위하여 필요하다고 인정하여 해당 정비구역의 일부분을 종전 용도지역으로 그대로 유지하거나 동일면적의 범위에서 위치를 변경하는 내용으로 정비계획을 수립한 경우

③ 시장·군수등이 주거지역을 세분 또는 변경하는 계획과 용적률에 관한 사항을 포함하는 정비계획을 수립한 경우

(2) 공공재건축사업 시행자는 공공재건축사업(「도시재정비 촉진을 위한 특별법」 재정비촉진지구에서 시행되는 공공재건축사업을 포함한다)을 시행하는 경우 완화된 용적률에서 정비계획으로 정하여진 용적률을 뺀 용적률의 100분의 40 이상 100분의 70 이하로서 주택증가 규모, 공공재건축사업을 위한 정비구역의 재정적 여건 등을 고려하여 시·도조례로 정하는 비율에 해당하는 면적에 국민주택규모 주택을 건설하여 인수자에게 공급하여야 한다.

(3) (2)에 따른 주택의 공급가격은 「공공주택 특별법」에 따라 국토교통부장관이 고시하는 공공건설임대주택의 표준건축비로 하고, (4)- 단서에 따라 분양을 목적으로 인수한 주택의 공급가격은 「주택법」에 따라 국토교통부장관이 고시하는 기본형건축비로 한다. 이 경우 부속 토지는 인수자에게 기부채납한 것으로 본다.

(4) (2)에 따른 국민주택규모 주택의 공급 및 인수방법에 관하여는 제55조를 준용한다.

단서 인수자는 공공재건축사업 시행자로부터 공급받은 주택 중 대통령령으로 정하는 비율에 해당하는 주택에 대해서는 「공공주택 특별법」 제48조에 따라 분양할 수 있다.

(5) 제3항 후단에도 불구하고 (4)- 단서에 따른 분양주택의 인수자는 감정평가액의 100분의 50 이상의 범위에서 대통령령으로 정하는 가격으로 부속 토지를 인수하여야 한다.

건축관계법
국토계획법
주차장법
주택법
도시및주거
환경정비법
건축사법
장애인시설법
소방시설법
서울시조례

제6장 공공시행자 및 지정개발자 사업시행의 특례

6장

건축관계법

국토계획법

주차장법

주 택 법

도시및주거
환경정비법

건축사법

장애인시설법

소방시설법

서울시조례

6

공공시행자 및 지정개발자 사업시행의 특례

1 정비구역 지정의 특례 (법
제101조의8) (영
제80조의4)

(1) 토지주택공사등 또는 지정개발자는 정비구역의 지정에도 불구하고 대통령령으로 정하는 비율 이상(3분의 2이상)의 토지등소유자의 동의를 받아 정비구역의 지정권자에게 정비구역의 지정을 제안할 수 있다. 이 경우 토지주택공사등 또는 지정개발자는 다음의 사항을 포함한 제안서를 정 비구역의 지정권자에게 제출하여야 한다.

① 정비사업의 명칭

② 정비구역의 위치, 면적 등 개요

③ 토지이용, 주택건설 및 기반시설의 설치 등에 관한 기본방향

④ 그 밖에 지정제안을 위하여 필요한 사항으로서 대통령령으로 정하는 사항

    1. 사업시행자의 명칭, 소재지 및 대표자 성명

    2. 정비사업 시행 예정시기

(2) 토지주택공사등 또는 지정개발자가 정비구역의 지정을 제안한 경우 정비구역의 지정권자는 제8 조 및 제16조에도 불구하고 정비계획을 수립하기 전에 정비구역을 지정할 수 있다.

(3) 정비구역의 지정권자는 제2항에 따라 정비구역을 지정하려면 주민 및 지방의회의 의견을 들어 야 하며, 지방도시계획위원회의 심의를 거쳐야 한다. 다만, 제15조제3항에 따른 경미한 사항을 변경하는 경우에는 그러하지 아니하다.

(4) 정비구역 지정에 대한 고시에 대하여는 제16조제2항 및 제3항을 준용한다. 이 경우 "정비계획을 포함한 정비구역"은 "정비구역"으로 본다.

(5) (1)부터 (4)까지에서 규정한 사항 외에 정비구역의 지정제안 및 정비구역 지정을 위한 절차 등에 관하 여 필요한 사항은 대통령령으로 정한다.

건축관계법

국토계획법

주차장법

주 택 법

도시및주거
환경정비법

건축사법

장애인시설법

소방시설법

서울시조례

2 사업시행자 지정의 특례 (법 제101조의9)(영 제80조의5)

(1) 정비구역의 지정권자는 제26조제1항제8호 및 제27조제1항제3호에도 불구하고 토지면적 2분의 1 이상의 토지소유자와 토지등소유자의 3분의 2 이상에 해당하는 자가 동의하는 경우에는 정비구역의 지정과 동시에 토지주택공사등 또는 지정개발자를 사업시행자로 지정할 수 있다. 이 경우 제101조의8제1항에 따라 정비구역 지정제안에 동의한 토지등소유자는 토지주택공사등 또는 지정개발자의 사업시행자 지정에 동의한 것으로 본다.

(2) 정비구역의 지정권자는 제1항에 따라 토지주택공사등 또는 지정개발자를 사업시행자로 지정하는 때에는 정비사업 시행구역 등 토지등소유자에게 알릴 필요가 있는 사항으로서 대통령령으로 정하는 사항을 해당 지방자치단체의 공보에 고시하여야 한다.

3 정비계획과 사업시행계획의 통합 수립 (법 제101조의10)

(1) 사업시행자는 정비구역이 지정된 경우에는 정비계획과 사업시행계획을 통합하여 다음의 사항이 포함된 계획(이하 "정비사업계획"이라 한다. 이하 같다)을 수립하여야 한다.
① 정비계획의 내용
② 사업시행계획서의 내용

(2) 사업시행자는 정비사업을 시행하려는 경우에는 (1)에 따른 정비사업계획에 정관등과 그 밖에 국토교통부령으로 정하는 서류를 첨부하여 정비구역의 지정권자에게 제출하고 정비사업계획인가를 받아야 하고, 인가받은 사항을 변경하거나 정비사업을 중지 또는 폐지하려는 경우에도 또한 같다. 다만, 단서에 따른 경미한 사항을 변경하려는 때에는 정비구역의 지정권자에게 신고하여야 한다.

(3) 지정개발자가 정비사업을 시행하려는 경우에는 정비사업계획인가(최초 정비사업계획인가를 말한다)를 신청하기 전에 재개발사업 및 재건축사업의 조합설립을 위한 동의요건 이상의 동의를 받아야 한다. 이 경우 사업시행자 지정에 동의한 토지등소유자는 동의한 것으로 본다.

(4) 정비구역의 지정권자는 (2)에 따른 정비사업계획인가를 하거나 정비사업을 변경·중지 또는 폐지하는 경우에는 국토교통부령으로 정하는 방법 및 절차에 따라 그 내용을 해당 지방자치단체의 공보에 고시하여야 한다. 다만, (2)의 단서에 따른 경미한 사항을 변경하려는 경우에는 그러하지 아니하다.

(5) (4)에 따라 정비사업계획인가의 고시가 있는 경우 해당 정비사업계획 중 「국토의 계획 및 이용에 관한 법률」 제52조제1항 각 호의 어느 하나에 해당하는 사항은 같은 법 제50조에 따라 지구단위계획구역 및 지구단위계획으로 결정·고시된 것으로 본다.

(6) 제4항에 따른 정비사업계획인가의 고시는 제16조제2항에 따른 정비계획 결정의 고시 및 제50조제9항에 따른 사업시행계획인가의 고시로 본다.

(7) 정비사업계획에 관하여는 제10조부터 제13조까지, 제17조제3항부터 제5항까지, 제50조제2항부터 제8항까지(제7항은 제외한다), 제50조의2, 제51조 및 제53조부터 제59조까지를 준용한다. 이 경우 "시장·군수등"은 "정비구역의 지정권자"로, "정비계획" 및 "사업시행계획"은 "정비사업계획"으로 본다.

(8) (1)부터 (7)까지에서 규정한 사항 외에 정비사업계획인가 및 고시 등을 위하여 필요한 사항은 대통령령으로 정한다.

건축관계법

국토계획법

주차장법

주 택 법

도시및주거
환경정비법

건축사법

장애인시설법

소방시설법

서울시조례

7

정비사업전문관리업

1 정비사업전문관리업의 등록 $\left(\begin{smallmatrix}법\\제102조\end{smallmatrix}\right)\left(\begin{smallmatrix}영\\제82조\end{smallmatrix}\right)$

(1) 다음의 사항을 추진위원회 또는 사업시행자로부터 위탁받거나 이와 관련한 자문을 하려는 자는 일정한 자본·기술인력 등의 기준(시행령 [별표 4])을 갖춰 시·도지사에게 등록 또는 변경(자본금이 증액되거나 기술인력의 수가 증가된 경우에는 제외한다)등록해야 한다.

> 예외 주택의 건설 등 정비사업 관련 업무를 하는 공공기관 등으로 다음에 해당하는 기관의 경우에는 그러하지 아니하다.
> ① 「한국토지주택공사법」에 따른 한국토지주택공사
> ② 한국부동산원

1. 조합설립의 동의 및 정비사업의 동의에 관한 업무의 대행

2. 조합설립인가의 신청에 관한 업무의 대행

3. 사업성 검토 및 정비사업의 시행계획서의 작성

4. 설계자 및 시공자 선정에 관한 업무의 지원

5. 사업시행계획인가의 신청에 관한 업무의 대행

6. 관리처분계획의 수립에 관한 업무의 대행

7. 시장·군수등이 정비사업전문관리업자를 선정한 경우에는 추진위원회 설립에 필요한 다음의 업무
   ① 동의서 제출의 접수
   ② 운영규정 작성 지원
   ③ 그 밖에 시·도조례로 정하는 사항

(2) 위 (1)에 따른 등록의 절차 및 방법, 등록수수료 등에 필요한 사항은 다음으로 정한다.

① 정비사업전문관리업자로 등록 또는 변경등록하려는 자는 국토교통부령으로 정하는 신청서를 시·도지사에게 제출해야 하며, 등록한 사항이 변경된 경우에는 2개월 이내에 변경사항을 시·도지사에게 제출해야 한다.

② 시·도지사는 위 ①에 따른 신청서를 제출받은 때에는 다음의 어느 하나에 해당하는 경우를 제외하고는 국토교통부령으로 정하는 바에 따라 정비사업전문관리업자 등록부에 등재하고 등록증을 교부해야 한다.
  ㉠ 등록을 신청한 자가 아래 **4**-(1)의 어느 하나에 해당하는 경우
  ㉡ 시행령 [별표 4]에 따른 등록기준을 갖추지 못한 경우
③ 정비사업전문관리업자의 등록(변경등록을 제외한다)을 신청하는 자는 국토교통부령으로 정하는 수수료를 납부해야 한다.
(3) 시·도지사는 위 (1)에 따라 정비사업전문관리업의 등록 또는 변경등록한 현황, 정비사업전문관리업의 등록취소 또는 업무정지를 명한 현황을 국토교통부령으로 정하는 방법 및 절차에 따라 국토교통부장관에게 보고해야 한다.

2 정비사업전문관리업자의 업무제한 등 (법 제103조)(영 제83조)

(1) 정비사업전문관리업자는 동일한 정비사업에 대하여 다음의 업무를 병행하여 수행할 수 없다.
  ① 건축물의 철거
  ② 정비사업의 설계
  ③ 정비사업의 시공
  ④ 정비사업의 회계감사
  ⑤ 안전진단업무
(2) 정비사업전문관리업자와 다음의 어느 하나의 관계에 있는 자는 해당 정비사업전문관리업자로 본다.
  ① 정비사업전문관리업자가 법인인 경우에는 「독점규제 및 공정거래에 관한 법률」에 따른 계열회사
  ② 정비사업전문관리업자와 상호 출자한 관계

3 정비사업전문관리업자와 위탁자와의 관계 (법 제104조)

정비사업전문관리업자에게 업무를 위탁하거나 자문을 요청한 자와 정비사업전문관리업자의 관계에 관하여 이 법에 규정된 사항을 제외하고는 「민법」 중 위임에 관한 규정을 준용한다.

4 정비사업전문관리업자의 결격사유 (법 제105조)

(1) 다음의 어느 하나에 해당하는 자는 정비사업전문관리업의 등록을 신청할 수 없으며, 정비사업전문관리업자의 업무를 대표 또는 보조하는 임직원이 될 수 없다.
  ① 미성년자(대표 또는 임원이 되는 경우로 한정한다)·피성년후견인 또는 피한정후견인
  ② 파산선고를 받은 자로서 복권되지 아니한 자
  ③ 정비사업의 시행과 관련한 범죄행위로 인하여 금고 이상의 실형의 선고를 받고 그 집행이 종료(종료된 것으로 보는 경우를 포함한다)되거나 집행이 면제된 날부터 2년이 경과되지 아니한 자
  ④ 정비사업의 시행과 관련한 범죄행위로 인하여 금고 이상의 형의 집행유예를 받고 그 유예기간 중에 있는 자
  ⑤ 이 법을 위반하여 벌금형 이상의 선고를 받고 2년이 경과되지 아니한 자
  ⑥ 등록이 취소된 후 2년이 경과되지 아니한 자(법인인 경우 그 대표자를 말한다)
  ⑦ 법인의 업무를 대표 또는 보조하는 임직원 중 위 ①~⑥의 어느 하나에 해당하는 자가 있는 법인
(2) 정비사업전문관리업자의 업무를 대표 또는 보조하는 임직원이 위 (1) 각 각의 어느 하나에 해당하게 되거나 선임 당시 그에 해당하는 자이었음이 판명된 때에는 당연 퇴직한다.
(3) 위 (2)에 따라 퇴직된 임직원이 퇴직 전에 관여한 행위는 효력을 잃지 아니한다.

건축관계법
국토계획법
주차장법
주 택 법
도시및주거
환경정비법
건축사법
장애인시설법
소방시설법
서울시조례

5 정비사업전문관리업의 등록취소 등 (법
제106조)

(1) 시·도지사는 정비사업전문관리업자가 다음의 어느 하나에 해당하는 때에는 그 등록을 취소하거나 1년 이내의 기간을 정하여 업무의 전부 또는 일부의 정지를 명할 수 있다.

　　단서 ①·④·⑧ 및 ⑨호에 해당하는 때에는 그 등록을 취소해야 한다.

　　① 거짓, 그 밖의 부정한 방법으로 등록을 한 때

　　② 등록기준에 미달하게 된 때

　　③ 추진위원회, 사업시행자 또는 시장·군수등의 위탁이나 자문에 관한 계약 없이 위 **1**-(1) 각 각에 따른 업무를 수행한 때

　　④ 위 **1**-(1) 각 각에 따른 업무를 직접 수행하지 아니한 때

　　⑤ 고의 또는 과실로 조합에게 계약금액(정비사업전문관리업자가 조합과 체결한 총계약금액을 말한다)의 1/3 이상의 재산상 손실을 끼친 때

　　⑥ 보고·자료제출을 하지 아니하거나 거짓으로 한 때 또는 조사·검사를 거부·방해 또는 기피한 때

　　⑦ 제6장의 **1**에 따른 보고·자료제출을 하지 아니하거나 거짓으로 한 때 또는 조사를 거부·방해 또는 기피한 때

　　⑧ 최근 3년간 2회 이상의 업무정지처분을 받은 자로서 그 정지처분을 받은 기간이 합산하여 12개월을 초과한 때

　　⑨ 다른 사람에게 자기의 성명 또는 상호를 사용하여 이 법에서 정한 업무를 수행하게 하거나 등록증을 대여한 때

　　⑩ 이 법을 위반하여 벌금형 이상의 선고를 받은 경우(법인의 경우에는 그 소속 임직원을 포함한다)

　　⑪ 그 밖에 이 법 또는 이 법에 따른 명령이나 처분을 위반한 때

(2) 위 (1)에 따른 등록의 취소 및 업무의 정지처분에 관한 기준은 시행령 [별표 5]에 따른다.

(3) 위 (1)에 따라 등록취소처분 등을 받은 정비사업전문관리업자와 등록취소처분 등을 명한 시·도지사는 추진위원회 또는 사업시행자에게 해당 내용을 지체 없이 통지해야 한다.

(4) 정비사업전문관리업자는 위 (1)에 따라 등록취소처분 등을 받기 전에 계약을 체결한 업무는 계속하여 수행할 수 있다. 이 경우 정비사업전문관리업자는 해당 업무를 완료할 때까지는 정비사업전문관리업자로 본다.

(5) 정비사업전문관리업자는 위 (4)의 전단에도 불구하고 다음의 어느 하나에 해당하는 경우에는 업무를 계속하여 수행할 수 없다.

　　① 사업시행자가 위 (3)에 따른 통지를 받거나 처분사실을 안 날부터 3개월 이내에 총회 또는 대의원회의 의결을 거쳐 해당 업무계약을 해지한 경우

　　② 정비사업전문관리업자가 등록취소처분 등을 받은 날부터 3개월 이내에 사업시행자로부터 업무의 계속 수행에 대하여 동의를 받지 못한 경우. 이 경우 사업시행자가 동의를 하려는 때에는 총회 또는 대의원회의 의결을 거쳐야 한다.

　　③ 위 (1)-단서에 따라 등록이 취소된 경우

6 정비사업전문관리업자에 대한 조사 등 (법 제107조)

(1) 국토교통부장관 또는 시·도지사는 다음의 어느 하나에 해당하는 경우 정비사업전문관리업자에 대하여 그 업무에 관한 사항을 보고하게 하거나 자료의 제출, 그 밖의 필요한 명령을 할 수 있으며, 소속 공무원에게 영업소 등에 출입하여 장부·서류 등을 조사 또는 검사하게 할 수 있다.
   ① 등록요건 또는 결격사유 등 이 법에서 정한 사항의 위반 여부를 확인할 필요가 있는 경우
   ② 정비사업전문관리업자와 토지등소유자, 조합원, 그 밖에 정비사업과 관련한 이해관계인 사이에 분쟁이 발생한 경우
   ③ 그 밖에 시·도조례로 정하는 경우
(2) 위 (1)에 따라 출입·검사 등을 하는 공무원은 권한을 표시하는 증표를 지니고 관계인에게 내 보여야 한다.
(3) 국토교통부장관 또는 시·도지사가 정비사업전문관리업자에게 제1항에 따른 업무에 관한 사항의 보고, 자료의 제출을 하게 하거나, 소속 공무원에게 조사 또는 검사하게 하려는 경우에는 「행정조사기본법」에 따라 사전통지를 해야 한다.
(4) 위 (1)에 따라 업무에 관한 사항의 보고 또는 자료의 제출 명령을 받은 정비사업전문관리업자는 그 명령을 받은 날부터 15일 이내에 이를 보고 또는 제출(전자문서를 이용한 보고 또는 제출을 포함한다)해야 한다.
(5) 국토교통부장관 또는 시·도지사는 위 (1)에 따른 업무에 관한 사항의 보고, 자료의 제출, 조사 또는 검사 등이 완료된 날부터 30일 이내에 그 결과를 통지해야 한다.

7 정비사업전문관리업 정보의 종합관리 (법 제108조)

(1) 국토교통부장관은 정비사업전문관리업자의 자본금·사업실적·경영실태 등에 관한 정보를 종합적이고 체계적으로 관리하고 시·도지사, 시장, 군수, 구청장, 추진위원회 또는 사업시행자 등에게 제공하기 위하여 정비사업 전문관리업 정보종합체계를 구축·운영할 수 있다.
(2) 위 (1)에 따른 정비사업전문관리업 정보종합체계의 구축·운영에 필요한 사항은 국토교통부령으로 정한다.

8 협회의 설립 등 (법 제109조)(영 제85조, 86조)

(1) 정비사업전문관리업자는 정비사업전문관리업의 전문화와 정비사업의 건전한 발전을 도모하기 위하여 정비사업전문관리업자단체(이하 "협회"라 한다)를 설립할 수 있다.
(2) 협회는 법인으로 한다.
(3) 협회는 주된 사무소의 소재지에서 설립등기를 하는 때에 성립한다.
(4) 협회를 설립하려는 때에는 회원의 자격이 있는 50명 이상을 발기인으로 하여 정관을 작성한 후 창립총회의 의결을 거쳐 국토교통부장관의 인가를 받아야 한다. 협회가 정관을 변경하려는 때에도 또한 같다.
(5) 이 법에 따라 시·도지사로부터 업무정지처분을 받은 회원의 권리·의무는 영업정지기간 중 정지되며, 정비사업전문관리업의 등록이 취소된 때에는 회원의 자격을 상실한다.
(6) 협회의 정관, 설립인가의 취소, 그 밖에 필요한 사항은 다음으로 정한다.
   ① 협회의 정관
      협회의 정관에는 다음의 사항이 포함되어야 한다.

건축관계법

국토계획법

주차장법

주 택 법

도시및주거
환경정비법

건축사법

장애인시설법

소방시설법

서울시조례

건축관계법

국토계획법

주차장법

주 택 법

도시및주거
환경정비법

건축사법

장애인시설법

소방시설법

서울시조례

　1. 목적

　2. 명칭

　3. 주된 사무소의 소재지

　4. 회원의 가입 및 탈퇴에 관한 사항

　5. 사업 및 그 집행에 관한 사항

　6. 임원의 정원·임기 및 선출방법에 관한 사항

　7. 총회 및 이사회에 관한 사항

　8. 조직 및 운영에 관한 사항

　9. 자산 및 회계에 관한 사항

　10. 정관의 변경에 관한 사항

　11. 위 ①~⑩에서 규정한 사항 외에 협회의 운영에 필요하다고 인정되는 사항

② 협회의 설립인가

　국토교통부장관은 협회 설립인가 신청의 내용이 다음의 기준에 적합한 경우에 인가할 수 있다.

　1. 법인의 목적과 사업이 실현 가능할 것

　2. 협회의 회원은 정비사업전문관리업자일 것

　3. 목적하는 사업을 수행할 수 있는 충분한 능력이 있고, 재정적 기초가 확립되어 있거나 확립될 수 있을 것

　4. 다른 법인과 동일한 명칭이 아닐 것

③ 설립인가의 취소

　국토교통부장관은 협회가 다음의 어느 하나에 해당하는 경우에는 협회의 설립인가를 취소할 수 있다. 단서 1. 및 3.에 해당하는 경우에는 설립인가를 취소해야 한다.

　1. 거짓이나 부정한 방법으로 설립인가를 받은 경우

　2. 설립인가 조건을 위반한 경우

　3. 목적 달성이 불가능하게 된 경우

　4. 목적사업 외의 사업을 한 경우

　④ 국토교통부장관은 위 (2)에 따라 협회의 설립인가를 취소하려면 미리 청문을 해야 한다.

(7) 협회에 관하여 이 법에 규정된 사항을 제외하고는 「민법」 중 사단법인에 관한 규정을 준용한다.

９ 협회의 업무 및 감독 (법 제110조)(영 제87조)

(1) 협회의 업무는 다음과 같다.

① 정비사업전문관리업 및 정비사업의 건전한 발전을 위한 조사·연구

② 회원의 상호 협력증진을 위한 업무

③ 정비사업전문관리 기술 인력과 정비사업전문관리업 종사자의 자질향상을 위한 교육 및 연수

④ 그 밖의 협회의 운영에 해당하는 업무

7장

제6편 도시 및 주거환경정비법

건축관계법

국토계획법

주차장법

주 택 법

도시및주거
환경정비법

건축사법

장애인시설법

소방시설법

서울시조례

(2) 국토교통부장관은 협회의 업무 수행 현황 또는 이 법의 위반 여부를 확인할 필요가 있는 때에는 협회에게 업무에 관한 사항을 보고하게 하거나 자료의 제출, 그 밖에 필요한 명령을 할 수 있으며, 소속 공무원에게 그 사무소 등에 출입하여 장부·서류 등을 조사 또는 검사하게 할 수 있다.

(3) 협회의 업무에 대한 조사·검사와 그 밖에 협회의 감독에 필요한 사항은 다음으로 정한다.

① 국토교통부장관은 협회의 업무에 대한 조사 또는 검사가 필요하면 소속 공무원으로 하여금 그 사무소에 출입하여 조사하거나 검사하게 할 수 있다.

② 위 ①에 따라 협회의 업무를 조사하거나 검사하는 공무원은 그 권한을 표시하는 증표를 지니고 관계인에게 내보여야 한다.

건축관계법

국토계획법

주차장법

주택법

도시및주거
환경정비법

건축사법

장애인시설법

소방시설법

서울시조례

감독 등

① 자료의 제출 등 (법 제111조) (규칙 제21조)

(1) 시·도지사는 국토교통부령으로 정하는 방법 및 절차에 따라 정비사업의 추진실적을 분기별로 국토교통부장관에게, 시장, 군수 또는 구청장은 시·도조례로 정하는 바에 따라 정비사업의 추진실적을 특별시장·광역시장 또는 도지사에게 보고해야 한다.

① 시·도지사는 정비구역의 지정, 사업시행자의 지정 또는 조합설립인가, 사업시행계획인가, 관리처분계획인가 및 정비사업완료의 실적을 매 분기가 끝나는 날부터 15일 이내에 국토교통부장관에게 보고(전자문서에 의한 보고를 포함한다)해야 한다.

② 국토교통부장관, 시·도지사, 시장·군수 또는 구청장으로부터 정비사업과 관련하여 보고 또는 자료의 제출을 요청받은 자는 그 요청을 받은 날부터 15일 이내에 보고(전자문서에 의한 보고를 포함한다)하거나 자료를 제출(전자문서에 의한 제출을 포함한다)해야 한다.

③ 국토교통부장관, 시·도지사, 시장·군수 또는 구청장은 소속 공무원에게 업무를 조사하게 하려는 때에는 업무조사를 받을 자에게 조사 3일 전까지 조사의 일시·목적 등을 서면으로 통지해야 한다.

④ 업무를 조사하는 공무원은 그 권한을 나타내는 별지 [제16호서식]의 조사공무원증표를 지니고 이를 관계인에게 보여주어야 한다.

(2) 국토교통부장관, 시·도지사, 시장, 군수 또는 구청장은 정비사업의 원활한 시행을 위하여 감독상 필요한 경우로서 다음의 어느 하나에 해당하는 때에는 추진위원회·사업시행자·정비사업전문관리업자·설계자 및 시공자 등 이 법에 따른 업무를 하는 자에게 그 업무에 관한 사항을 보고하게 하거나 자료의 제출, 그 밖의 필요한 명령을 할 수 있으며, 소속 공무원에게 영업소 등에 출입하여 장부·서류 등을 조사 또는 검사하게 할 수 있다.

① 이 법의 위반 여부를 확인할 필요가 있는 경우

② 토지등소유자, 조합원, 그 밖에 정비사업과 관련한 이해관계인 사이에 분쟁이 발생된 경우

③ 해산한 조합의 잔여재산의 인도 등 청산인의 직무를 성실히 수행하고 있는지를 확인할 필요가 있는 경우)<신설2023.12.26./시행 2024.6.27.>

④ 그 밖에 시·도조례로 정하는 경우

건축관계법

국토계획법

주차장법

주 택 법

도시및주거
환경정비법

건축사법

장애인시설법

소방시설법

서울시조례

(3) 위 (2)에 따른 업무에 관한 사항의 보고, 자료의 제출, 조사 또는 검사에 관하여는 제5장 **6**
－(2)～(5)의 규정을 준용한다.

2 자금차입의 신고 (법 제111조의2)

추진위원회 또는 사업시행자(시장·군수등과 토지주택공사등은 제외한다)는 자금을 차입한 때에는
대통령령으로 정하는 바에 따라 자금을 대여한 상대방, 차입액, 이자율 및 상환방법 등의 사항을 시
장·군수등에게 신고하여야 한다.

3 회계감사 (법 제112조)

(1) 시장·군수등 또는 토지주택공사등이 아닌 사업시행자 또는 추진위원회는 다음의 어느 하나에
해당하는 경우에는 다음의 구분에 따른 기간 이내에 「주식회사 등의 외부감사에 관한 법률」
에 따른 감사인의 회계감사를 받기 위하여 시장·군수등에게 회계감사기관의 선정·계약을 요
청해야 하며, 그 감사결과를 회계감사가 종료된 날부터 15일 이내에 시장·군수등 및 해당 조합
에 보고하고 조합원이 공람할 수 있도록 해야 한다.

　　[단서] 지정개발자가 사업시행자인 경우에는 ①에 해당하는 경우에는 제외한다.

　　① 추진위원회에서 사업시행자로 인계되기 전까지 납부 또는 지출된 금액과 계약 등으로 지출
될 것이 확정된 금액의 합이 대통령령으로 정한 금액 이상인 경우: 추진위원회에서 사업시
행자로 인계되기 전 7일 이내

　　② 사업시행계획인가 고시일 전까지 납부 또는 지출된 금액이 대통령령으로 정하는 금액 이상인
경우: 사업시행계획인가의 고시일부터 20일 이내

　　③ 준공인가 신청일까지 납부 또는 지출된 금액이 대통령령으로 정하는 금액 이상인 경우: 준
공인가의 신청일부터 7일 이내

　　④ 토지등소유자 또는 조합원 1/5 이상이 사업시행자에게 회계감사를 요청하는 경우: 아래 (4)에
따른 절차를 고려한 상당한 기간 이내

(2) 시장·군수등은 제위 (1)에 따른 요청이 있는 경우 즉시 회계감사기관을 선정하여 회계감사가
이루어지도록 해야 한다.

(3) 위 (2)에 따라 회계감사기관을 선정·계약한 경우 시장·군수등은 공정한 회계감사를 위하여
선정된 회계감사기관을 감독하여야 하며, 필요한 처분이나 조치를 명할 수 있다.

(4) 사업시행자는 또는 추진위원회는 위 (1)에 따라 회계감사기관의 선정·계약을 요청하려는 경우
시장·군수등에게 회계감사에 필요한 비용을 미리 예치하여야 한다. 시장·군수등은 회계감사
가 끝난 경우 예치된 금액에서 회계감사비용을 직접 지급한 후 나머지 비용은 사업시행자와 정
산해야 한다.

4 감독 (법 제113조)(영 제89조)

(1) 정비사업의 시행이 이 법 또는 이 법에 따른 명령·처분이나 사업시행계획서 또는 관리처분계
획에 위반되었다고 인정되는 때에는 정비사업의 적정한 시행을 위하여 필요한 범위에서 국토교
통부장관은 시·도지사, 시장, 군수, 구청장, 추진위원회, 주민대표회의, 사업시행자 또는 정비
사업전문관리업자에게, 특별시장, 광역시장 또는 도지사는 시장, 군수, 구청장, 추진위원회, 주

민대표회의, 사업시행자 또는 정비사업전문관리업자에게, 시장·군수 등은 추진위원회, 주민대표 회의, 사업시행자 또는 정비사업전문관리업자에게 처분의 취소·변경 또는 정지, 공사의 중지 ·변경, 임원의 개선 권고, 그 밖의 필요한 조치를 취할 수 있다.

(2) 국토교통부장관, 시·도지사, 시장, 군수 또는 구청장은 이 법에 따른 정비사업의 원활한 시행을 위하여 관계 공무원 및 전문가로 구성된 점검반을 구성하여 정비사업 현장조사를 통하여 분쟁의 조정, 위법사항의 시정요구 등 필요한 조치를 할 수 있다. 이 경우 관할 지방자치단체의 장과 조합 등은 다음에 해당하는 자료의 제공 등 점검반의 활동에 적극 협조해야 한다.

① 토지등소유자의 동의서
② 총회의 의사록
③ 정비사업과 관련된 계약에 관한 서류
④ 사업시행계획서·관리처분계획서 및 회계감사보고서를 포함한 회계관련 서류
⑤ 정비사업의 추진과 관련하여 분쟁이 발생한 경우에는 해당 분쟁과 관련된 서류

(3) 위 (2)에 따른 정비사업 현장조사에 관하여는 제5장 **6**-(2)~(5)을 준용한다.

5 시공자 선정 취소 명령 또는 과징금 〔법 제113조의2〕〔영 제89의2〕

(1) 시·도지사(해당 정비사업을 관할하는 시·도지사를 말한다)는 건설업자 또는 등록사업자가 다음의 어느 하나에 해당하는 경우 사업시행자에게 건설업자 또는 등록사업자의 해당 정비사업에 대한 시공자 선정을 취소할 것을 명하거나 그 건설업자 또는 등록사업자에게 사업시행자와 시공자 사이의 계약서상 공사비의 20/100 이하에 해당하는 금액의 범위에서 과징금을 부과할 수 있다. 이 경우 시공자 선정 취소의 명을 받은 사업 시행자는 시공자 선정을 취소해야 한다.

① 건설업자 또는 등록사업자가 조합임원 등의 선임·선정 시 행위제한(법 제132조) 규정을 위반한 경우
② 건설업자 또는 등록사업자가 건설사업자의 관리·감독 의무(법 제132조의2) 규정을 위반하여 관리·감독 등 필요한 조치를 하지 아니한 경우로서 용역업체의 임직원(건설업자 또는 등록사업자가 고용한 개인을 포함한다)이 선임·선정 시 행위제한을 위반한 경우

(2) 위 (1)에 따라 과징금을 부과하는 위반행위의 종류와 위반 정도 등에 따른 과징금의 금액 등에 필요한 사항은 다음과 같다.

① 과징금의 부과기준은 [별표 5의2]와 같다.
② 시·도지사는 시공자 선정을 취소할 것을 명하거나 과징금을 부과하려는 경우에는 그 위반행위, 처분의 종류 및 과징금의 금액(과징금을 부과하는 경우만 해당한다)을 적어 서면으로 통지해야 한다.
③ 위 ②에 따른 과징금 부과 통지를 받은 자는 통지가 있은 날부터 20일 또는 시·도지사가 20일 이상의 범위에서 따로 정한 기간 이내에 시·도지사가 정하는 수납기관에 과징금을 납부하여야 한다. 〔단서〕 천재지변이나 그 밖에 부득이한 사유로 그 기간에 과징금을 납부할 수 없는 경우에는 그 사유가 없어진 날부터 7일 이내에 납부해야 한다.
④ 과징금을 납부 받은 수납기관은 그 납부자에게 영수증을 발급하여야 하고, 지체 없이 그 사실을 해당 시·도지사에게 통보해야 한다.

(3) 시·도지사는 위 (1)에 따라 과징금의 부과처분을 받은 자가 납부기한까지 과징금을 내지 아니하면 「지방행정제재·부과금의 징수 등에 관한 법률」에 따라 징수한다.

건축관계법

국토계획법

주차장법

주 택 법

도시및주거
환경정비법

건축사법

장애인시설법

소방시설법

서울시조례

6 건설사업자의 입찰참가 제한 (법 제113조의3) (영 제89의3)

(1) 시·도지사는 위 **4**-(1)의 어느 하나에 해당하는 건설업자 또는 등록사업자에 대해서는 2년 이내의 범위에서 다음에 해당하는 기간 동안 정비사업의 입찰참가를 제한하여야 한다.

① 정비사업의 입찰참가 제한기준은 [별표 5의2]와 같다.

② 시·도지사는 정비사업의 입찰참가를 제한하려는 경우에는 다음의 사항을 지체 없이 해당 지방자치단체의 공보에 게재하고 일반인이 해당 내용을 열람할 수 있도록 인터넷 홈페이지에 입찰참가 제한기간 동안 게시해야 한다.

㉠ 업체(상호)명·성명(법인인 경우 대표자의 성명) 및 사업자등록번호(법인인 경우 법인등록번호)

㉡ 입찰참가자격 제한기간

㉢ 입찰참가자격을 제한하는 구체적인 사유

③ 시·도지사는 위 ②에 따른 정비사업의 입찰참가 제한의 집행이 정지되거나 그 집행정지가 해제된 경우에는 그 사실을 지체 없이 해당 지방자치단체의 공보에 게재하고 일반인이 해당 내용을 열람할 수 있도록 인터넷 홈페이지에 게시해야 한다.

④ 시·도지사는 위 ② 및 ③에 따라 공개한 입찰제한과 관련된 내용을 지체 없이 관할 구역의 시장, 군수 또는 구청장 및 사업시행자에게 통보해야 한다.

(2) 시·도지사는 위 (1)에 따라 건설사업자에 대한 정비사업의 입찰참가를 제한하려는 경우에는 정비사업의 대상, 기간, 사유, 그 밖의 입찰참가 제한과 관련된 내용을 공개하고, 관할 구역의 시장, 군수 또는 구청장 및 사업시행자에게 통보해야 한다. 이 경우 통보를 받은 사업시행자는 해당 건설사업자의 입찰 참가자격을 제한해야 한다.(→다만, 정비사업의 입찰참가를 제한하려는 해당 건설업자 또는 등록사업자가 입찰 참가자격을 제한받은 사실이 있는 경우에는 시·도지사가 입찰참가 제한과 관련된 내용을 전국의 시장, 군수 또는 구청장에게 통보하여야 하고, 통보를 받은 시장, 군수 또는 구청장은 관할 구역의 사업시행자에게 관련된 내용을 다시 통보하여야 한다.)<개정 2024.1.30./시행 2024.7.31.>

(3) 사업시행자는 위 (2)에(→(2)에 따라 입찰자격 제한과 관련된 내용을 통보받은 사업시행자는 해당 건설업자 또는 등록사업자의 입찰 참가자격을 제한하여야 한다. 이 경우 사업시행자는 전단에) 따라 입찰참가를 제한받은 건설사업자와 계약(수의계약을 포함한다)을 체결해서는 아니 된다.

■ [별표 5의2] 과징금의 부과기준 및 정비사업의 입찰참가 제한기준

위 반 행 위	근거 법조문	과징금 금액	입찰참가 제한기간
가. 건설사업자가 법 제132조(조합임원 등의 선임·선정 시 행위제한)를 위반한 경우	법제113조의2제1항제1호 및 제113조의3제1항		
1) 건설사업자가 법 제132조를 위반하여 금품, 향응 또는 그 밖의 재산상 이		공사비의 20/100	2년

익을 제공하거나 제공의사를 표시하거나 제공을 약속(이하 "부정제공"이라 한다)한 가액의 합이 3천만원 이상인 경우			
2) 건설사업자가 법 제132조를 위반하여 부정 제공한 가액의 합이 1천만원 이상 3천만원 미만인 경우		공사비의 15/100	2년
3) 건설사업자가 법 제132조를 위반하여 부정 제공한 가액의 합이 500만원 이상 1천만원 미만인 경우		공사비의 10/100	1년
4) 건설사업자가 법 제132조를 위반하여 부정 제공한 가액의 합이 500만원 미만인 경우		공사비의 5/100	1년
나. 건설사업자가 법 제132조의2(건설사업자의 관리·감독 의무)를 위반하여 관리·감독 등 필요한 조치를 하지 않은 경우로서 용역업체의 임직원이 법 제132조를 위반한 경우	법 제113조의2제1항제2호 및 제113조의3제1항		
1) 용역업체의 임직원이 법 제132조를 위반하여 부정 제공한 가액의 합이 3천만원 이상인 경우		공사비의 20/100	2년
2) 용역업체의 임직원이 법 제132조를 위반하여 부정 제공한 가액의 합이 1천만원 이상 3천만원 미만인 경우		공사비의 15/100	2년
3) 용역업체의 임직원이 법 제132조를 위반하여 부정 제공한 가액의 합이 500만원 이상 1천만원 미만인 경우		공사비의 10/100	1년
4) 용역업체의 임직원이 법 제132조를 위반하여 부정 제공한 가액의 합이 500만원 미만인 경우		공사비의 5/100	1년

(4) 시·도지사는 정비사업의 입찰참가를 제한하는 경우에는 대통령령으로 정하는 바에 따라 입찰참가 제한과 관련된 내용을 정비사업관리시스템에 등록하여야 한다. <신설 2024.1.30./시행 2024.7.31.>

(5) 시·도지사는 대통령령으로 정하는 위반행위에 대하여는 (1)부터 (3)까지에도 불구하고 1회에 한하여 과징금으로 제1항의 입찰참가 제한을 갈음할 수 있다. 이 경우 과징금의 부과기준 및 절차는 제113조의2제1항 및 제3항을 준용하고, 과징금을 부과하는 위반행위의 종류와 위반 정도 등에 따른 과징금의 금액 등에 필요한 사항은 대통령령으로 정한다. <신설 2024.1.30./시행 2024.7.31.>

건축관계법
국토계획법
주차장법
주 택 법
도시및주거환경정비법
건축사법
장애인시설법
소방시설법
서울시조례

7 정비사업 지원기구 (법 제114조)

국토교통부장관 또는 시·도지사는 다음의 업무를 수행하기 위하여 정비사업 지원기구를 설치할 수 있다. 이 경우 국토교통부장관은「한국부동산원법」에 따라 설립된 한국부동산원 또는 「한국토지주택공사법」에 따라 설립된 한국토지주택공사에게 정비사업 지원기구의 업무를 대행하게 할 수 있다.

① 정비사업 상담지원업무
② 정비사업전문관리제도의 지원
③ 전문조합관리인의 교육 및 운영지원
④ 소규모 영세사업장 등의 사업시행계획 및 관리처분계획 수립지원
⑤ 정비사업을 통한 공공지원민간임대주택 공급 업무 지원
⑥ 공사비 검증 업무
⑦ 공공재개발사업 및 공공재건축사업의 지원
⑧ 그 밖에 국토교통부장관이 정하는 업무

8 교육의 실시 (법 제115조)(영 제90조)

국토교통부장관, 시·도지사, 시장, 군수 또는 구청장은 추진위원장 및 감사, 조합임원, 전문조합관리인, 정비사업전문관리업자의 대표자 및 기술인력, 토지등소유자 등에 대하여 다음으로 정하는 바에 따라 교육을 실시할 수 있다.

■ 교육의 내용에는 다음의 사항이 포함되어야 한다.
① 주택건설 제도
② 도시 및 주택 정비사업 관련 제도
③ 정비사업 관련 회계 및 세무 관련 사항
④ 그 밖에 국토교통부장관이 정하는 사항

9 도시분쟁조정위원회의 구성 등 (법 제116조)

(1) 정비사업의 시행으로 발생한 분쟁을 조정하기 위하여 정비구역이 지정된 특별자치시, 특별자치도, 또는 시·군·구(자치구를 말한다. 이하 이 조에서 같다)에 도시분쟁조정위원회(이하 "조정위원회"라 한다)를 둔다.

단서 시장·군수등을 당사자로 하여 발생한 정비사업의 시행과 관련된 분쟁 등의 조정을 위하여 필요한 경우에는 시·도에 조정위원회를 둘 수 있다.

(2) 조정위원회는 부시장·부지사·부구청장 또는 부군수를 위원장으로 한 10명 이내의 위원으로 구성한다.

(3) 조정위원회 위원은 정비사업에 대한 학식과 경험이 풍부한 사람으로서 다음의 어느 하나에 해당하는 사람 중에서 시장·군수등이 임명 또는 위촉한다. 이 경우 ①, ③ 및 ④에 해당하는 사람이 각 2명 이상 포함되어야 한다.

① 해당 특별자치시, 특별자치도 또는 시·군·구에서 정비사업 관련 업무에 종사하는 5급 이상 공무원
② 대학이나 연구기관에서 부교수 이상 또는 이에 상당하는 직에 재직하고 있는 사람
③ 판사, 검사 또는 변호사의 직에 5년 이상 재직한 사람
④ 건축사, 감정평가사, 공인회계사로서 5년 이상 종사한 사람
⑤ 그 밖에 정비사업에 전문적 지식을 갖춘 사람으로서 시·도조례로 정하는 자

(4) 조정위원회에는 위원 3명으로 구성된 분과위원회(이하 "분과위원회"라 한다)를 두며, 분과위원회에는 위 (3)의 ① 및 ③에 해당하는 사람이 각 1명 이상 포함되어야 한다.

건축관계법

국토계획법

주차장법

주 택 법

도시및주거
환경정비법

건축사법

장애인시설법

소방시설법

서울시조례

10 조정위원회의 조정 등 (법제117조)(영제91조)

(1) 조정위원회는 정비사업의 시행과 관련하여 다음의 어느 하나에 해당하는 분쟁 사항을 심사·조정한다.

> **예외** 「주택법」, 「공익사업을 위한 토지 등의 취득 및 보상에 관한 법률」, 그 밖의 관계 법률에 따라 설치된 위원회의 심사대상에 포함되는 사항은 제외할 수 있다.

① 매도청구권 행사 시 감정가액에 대한 분쟁
② 공동주택 평형 배정방법에 대한 분쟁
③ 그 밖에 다음에 해당하는 분쟁
  ㉠ 건축물 또는 토지 명도에 관한 분쟁
  ㉡ 손실보상 협의에서 발생하는 분쟁
  ㉢ 총회 의결사항에 대한 분쟁
  ㉣ 그 밖에 시·도조례로 정하는 사항에 대한 분쟁

(2) 시장·군수등은 다음의 어느 하나에 해당하는 경우 조정위원회를 개최할 수 있으며, 조정위원회는 조정신청을 받은 날(②의 경우 조정위원회를 처음 개최한 날을 말한다)부터 60일 이내에 조정절차를 마쳐야 한다.

> **예외** 조정기간 내에 조정절차를 마칠 수 없는 정당한 사유가 있다고 판단되는 경우에는 조정위원회의 의결로 그 기간을 한 차례만 연장할 수 있으며 그 기간은 30일 이내로 한다.

① 분쟁당사자가 정비사업의 시행으로 인하여 발생한 분쟁의 조정을 신청하는 경우
② 시장·군수등이 조정위원회의 조정이 필요하다고 인정하는 경우

(3) 조정위원회의 위원장은 조정위원회의 심사에 앞서 분과위원회에서 사전 심사를 담당하게 할 수 있다.

> **예외** 분과위원회의 위원 전원이 일치된 의견으로 조정위원회의 심사가 필요 없다고 인정하는 경우에는 조정위원회에 회부하지 아니하고 분과위원회의 심사로 조정절차를 마칠 수 있다.

(4) 조정위원회 또는 분과위원회는 위 (2) 또는 (3)에 따른 조정절차를 마친 경우 조정안을 작성하여 지체 없이 각 당사자에게 제시해야 한다. 이 경우 조정안을 제시받은 각 당사자는 제시받은 날부터 15일 이내에 수락 여부를 조정위원회 또는 분과위원회에 통보해야 한다.

(5) 당사자가 조정안을 수락한 경우 조정위원회는 즉시 조정서를 작성한 후, 위원장 및 각 당사자는 조정서에 서명·날인해야 한다.

(6) 위 (5)에 따라 당사자가 강제집행을 승낙하는 취지의 내용이 기재된 조정서에 서명·날인한 경우 조정서의 정본은 「민사집행법」에도 불구하고 집행력 있는 집행권원과 같은 효력을 가진다.

> **예외** 청구에 관한 이의의 주장에 대하여는 「민사집행법」에 따른 청구에 관한 이의의 소(법 제44조 제2항)에 관한 규정을 적용하지 아니한다.

(7) 그 밖에 조정위원회의 구성·운영 및 비용의 부담, 조정기간 연장 등에 필요한 사항은 시·도조례로 정한다.

> **관계법** 「민사집행법」 제44조 【청구에 관한 이의의 소】
> ① 채무자가 판결에 따라 확정된 청구에 관하여 이의하려면 제1심 판결법원에 청구에 관한 이의의 소를 제기하여야 한다.
> ② 제1항의 이의는 그 이유가 변론이 종결된 뒤(변론 없이 한 판결의 경우에는 판결이 선고된 뒤)에 생긴 것이어야 한다.
> ③ 이의이유가 여러 가지인 때에는 동시에 주장하여야 한다.

건축관계법

국토계획법

주차장법

주 택 법

도시및주거
환경정비법

건축사법

장애인시설법

소방시설법

서울시조례

11 협의체의 운영 등 (법 제117조의2)

(1) 시장·군수등은 정비사업과 관련하여 발생하는 문제를 협의하기 위하여 제117조제2항에 따라 조정위원회의 조정신청을 받기 전에 사업시행자, 관계 공무원 및 전문가, 그 밖에 이해관계가 있는 자 등으로 구성된 협의체를 구성·운영할 수 있다.

(2) 특별시장·광역시장 또는 도지사는 제1항에 따른 협의체의 구성·운영에 드는 비용의 전부 또는 일부를 보조할 수 있다.

(3) 협의체의 구성·운영 시기, 협의 대상·방법 및 비용 보조 등에 관하여 필요한 사항은 시·도조례로 정한다.

12 정비사업의 공공지원 (법 제118조)

(1) 시장·군수등은 정비사업의 투명성 강화 및 효율성 제고를 위하여 시·도조례로 정하는 정비사업에 대하여 사업시행 과정을 지원(이하 "공공지원"이라 한다)하거나 토지주택공사등, 신탁업자, 「주택도시기금법」에 따른 주택도시보증공사 또는 대통령령으로 정하는 기관에 공공지원을 위탁할 수 있다.

(2) 위 (1)에 따라 정비사업을 공공지원하는 시장·군수등 및 공공지원을 위탁받은 자(이하 "위탁지원자"라 한다)는 다음의 업무를 수행한다.
　① 추진위원회 또는 주민대표회의 구성
　② 정비사업전문관리업자의 선정(위탁지원자는 선정을 위한 지원으로 한정한다)
　③ 설계자 및 시공자 선정 방법 등
　④ 세입자의 주거 및 이주 대책(이주 거부에 따른 협의 대책을 포함한다) 수립
　⑤ 관리처분계획 수립
　⑥ 그 밖에 시·도조례로 정하는 사항

(3) 시장·군수등은 위탁지원자의 공정한 업무수행을 위하여 관련 자료의 제출 및 조사, 현장점검 등 필요한 조치를 할 수 있다. 이 경우 위탁지원자의 행위에 대한 대외적인 책임은 시장·군수 등에게 있다.

(4) 공공지원에 필요한 비용은 시장·군수등이 부담하되, 특별시장, 광역시장 또는 도지사는 관할 구역의 시장, 군수 또는 구청장에게 특별시·광역시 또는 도의 조례로 정하는 바에 따라 그 비용의 일부를 지원할 수 있다.

(5) 추진위원회가 위 (2)-②에 따라 시장·군수등이 선정한 정비사업전문관리업자를 선정하는 경우에는 추진위원회 승인을 받은 후 경쟁입찰 또는 수의계약(2회 이상 경쟁입찰이 유찰된 경우로 한정한다)의 방법으로 선정해야 하는 규정을 적용하지 아니한다.

(6) 공공지원의 시행을 위한 방법과 절차, 기준 및 도시·주거환경정비기금의 지원, 시공자 선정 시기 등에 필요한 사항은 시·도조례로 정한다.

(7) 위 (6)에도 불구하고 다음의 어느 하나에 해당하는 경우에는 토지등소유자(조합을 설립한 경우에는 조합원을 말한다)의 과반수 동의를 받아 제시공자를 선정할 수 있다.
　예외 ①의 경우에는 해당 건설사업자를 시공자로 본다.
　① 조합이 건설사업자와 공동으로 정비사업을 시행하는 경우로서 조합과 건설사업자 사이에 협약을 체결하는 경우
　② 사업대행자가 정비사업을 시행하는 경우

(8) 위 (7)-①의 협약사항에 관한 구체적인 내용은 시·도조례로 정할 수 있다.

13 정비사업관리시스템의 구축 (법 제119조)

(1) 시·도지사는 정비사업의 효율적이고 투명한 관리를 위하여 정비사업관리시스템을 구축하여 운영할 수 있다.

(2) 국토교통부장관은 시·도지사에게 제1항에 따른 정비사업관리시스템의 구축 등에 필요한 자료의 제출 등 협조를 요청할 수 있다. 이 경우 자료의 제출 등 협조를 요청받은 시·도지사는 정당한 사유가 없으면 이에 따라야 한다.

(3) 위 (1)에 따른 정비사업관리시스템의 운영방법 등에 필요한 사항은 시·도조례로 정한다.

14 정비사업의 정보공개 (법 제120조)

시장·군수등은 정비사업의 투명성 강화를 위하여 조합이 시행하는 정비사업에 관한 다음의 사항을 매년 1회 이상 인터넷과 그 밖의 방법을 병행하여 공개해야 한다. 이 경우 공개의 방법 및 시기 등 필요한 사항은 시·도조례로 정한다.

① 관리처분계획의 인가(변경인가를 포함한다. 이하 이 조에서 같다)를 받은 사항 중 계약금액

② 관리처분계획의 인가를 받은 사항 중 정비사업에서 발생한 이자

③ 그 밖에 시·도조례로 정하는 사항

15 청문 (법 제121조)

국토교통부장관, 시·도지사, 시장, 군수 또는 구청장은 다음의 어느 하나에 해당하는 처분을 하려는 경우에는 청문을 하여야 한다.

① 조합설립인가의 취소

② 정비사업전문관리업의 등록취소

③ 추진위원회 승인의 취소, 조합설립인가의 취소, 사업시행계획인가의 취소 또는 관리처분계획인가의 취소

④ 시공자 선정 취소 또는 과징금 부과

⑤ 입찰참가 제한

건축관계법

국토계획법

주차장법

주 택 법

도시및주거
환경정비법

건축사법

장애인시설법

소방시설법

서울시조례

건축관계법

국토계획법

주차장법

주 택 법

도시및주거
환경정비법

건축사법

장애인시설법

소방시설법

서울시조례

9

보 칙

1 토지등소유자의 설명의무 (법 제122조)(영 제92조)

(1) 토지등소유자는 자신이 소유하는 정비구역 내 토지 또는 건축물에 대하여 매매·전세·임대차 또는 지상권 설정 등 부동산 거래를 위한 계약을 체결하는 경우 다음의 사항을 거래 상대방에게 설명·고지하고, 거래 계약서에 기재 후 서명·날인해야 한다.
　① 해당 정비사업의 추진단계
　② 퇴거예정시기(건축물의 경우 철거예정시기를 포함한다)
　③ 행위제한
　④ 조합원의 자격
　⑤ 계약기간
　⑥ 주택 등 건축물을 분양받을 권리의 산정 기준일
　⑦ 그 밖에 거래 상대방의 권리·의무에 중대한 영향을 미치는 사항으로서 다음에 해당하는 사항
　　㉠ 분양대상자별 분담금의 추산액
　　㉡ 정비사업비의 추산액(재건축사업의 경우에는 「재건축초과이익 환수에 관한 법률」에 따른 재건축부담금에 관한 사항을 포함한다) 및 그에 따른 조합원 분담규모 및 분담시기
(2) 위 (1) 각 각의 사항은 「공인중개사법」의 ″법령의 규정에 의한 거래 또는 이용·제한사항″으로 본다.

2 재개발사업 등의 시행방식의 전환 (법 제123조)(영 제93조)

(1) 시장·군수등은 사업대행자를 지정하거나 토지등소유자의 4/5 이상의 요구가 있어 재개발사업의 시행방식의 전환이 필요하다고 인정하는 경우에는 정비사업이 완료되기 전이라도 환지로 공급하는 방법으로 실시하는 재개발사업을 위하여 정비구역의 전부 또는 일부를 인가받은 관리처분계획에 따라 건축물을 건설하여 공급하는 방법으로 전환하는 것을 승인할 수 있다.

(2) 사업시행자는 위 (1)에 따라 시행방식을 전환하기 위하여 관리처분계획을 변경하려는 경우 토지면적의 2/3 이상의 토지소유자의 동의와 토지등소유자의 4/5 이상의 동의를 받아야 하며, 변경절차에 관하여는 관리처분계획 변경에 관한 규정을 준용한다.

(3) 사업시행자는 위 (1)에 따라 정비구역의 일부에 대하여 시행방식을 전환하려는 경우에 재개발사업이 완료된 부분은 준공인가를 거쳐 해당 지방자치단체의 공보에 공사완료의 고시를 해야 하며, 전환하려는 부분은 이 법에서 정하고 있는 절차에 따라 시행방식을 전환해야 한다.

(4) 위 (3)에 따라 공사완료의 고시를 한 때에는 「공간정보의 구축 및 관리 등에 관한 법률」에도 불구하고 관리처분계획의 내용에 따라 이전이 된 것으로 본다.

(5) 사업시행자는 정비계획이 수립된 주거환경개선사업을 인가받은 관리처분계획에 따라 주택 및 부대시설·복리시설을 건설하여 공급하는 방법으로 변경하려는 경우에는 토지등소유자의 2/3 이상의 동의를 받아야 한다.

건축관계법

국토계획법

주차장법

주 택 법

도시및주거
환경정비법

건축사법

장애인시설법

소방시설법

서울시조례

관계법 「공간정보의 구축 및 관리 등에 관한 법률」

제86조【도시개발사업 등 시행지역의 토지 이동 신청에 관한 특례】

① 「도시개발법」에 따른 도시개발사업, 「농어촌정비법」에 따른 농어촌정비사업, 그 밖에 대통령령으로 정하는 토지개발사업의 시행자는 대통령령으로 정하는 바에 따라 그 사업의 착수·변경 및 완료 사실을 지적소관청에 신고하여야 한다.

② 제1항에 따른 사업과 관련하여 토지의 이동이 필요한 경우에는 해당 사업의 시행자가 지적소관청에 토지의 이동을 신청하여야 한다.

③ 제2항에 따른 토지의 이동은 토지의 형질변경 등의 공사가 준공된 때에 이루어진 것으로 본다.

④ 제1항에 따라 사업의 착수 또는 변경의 신고가 된 토지의 소유자가 해당 토지의 이동을 원하는 경우에는 해당 사업의 시행자에게 그 토지의 이동을 신청하도록 요청하여야 하며, 요청을 받은 시행자는 해당 사업에 지장이 없다고 판단되면 지적소관청에 그 이동을 신청하여야 한다.

---

3 관련 자료의 공개 등 (법 제124조)(영 제94조 ①, ②)

(1) 추진위원장 또는 사업시행자(조합의 경우 청산인을 포함한 조합임원, 토지등소유자가 단독으로 시행하는 재개발사업의 경우에는 그 대표자를 말한다)는 정비사업의 시행에 관한 다음의 서류 및 관련 자료가 작성되거나 변경된 후 15일 이내에 이를 조합원, 토지등소유자 또는 세입자가 알 수 있도록 인터넷과 그 밖의 방법을 병행하여 공개해야 한다.

① 추진위원회 운영규정 및 정관등

② 설계자·시공자·철거업자 및 정비사업전문관리업자 등 용역업체의 선정계약서

③ 추진위원회·주민총회·조합총회 및 조합의 이사회·대의원회의 의사록

④ 사업시행계획서

⑤ 관리처분계획서

⑥ 해당 정비사업의 시행에 관한 공문서

⑦ 회계감사보고서

⑧ 월별 자금의 입금·출금 세부내역

⑧-2 신고한 자금차입에 관한 사항

⑨ 결산보고서

⑩ 청산인의 업무 처리 현황

⑪ 그 밖에 정비사업 시행에 관하여 다음에 해당하는 서류 및 관련 자료

㉠ 분양공고 및 분양신청에 관한 사항

ⓛ 연간 자금운용 계획에 관한 사항

ⓒ 정비사업의 월별 공사 진행에 관한 사항

ⓔ 설계자·시공자·정비사업전문관리업자 등 용역업체와의 세부 계약 변경에 관한 사항

ⓜ 정비사업비 변경에 관한 사항

(2) 위 (1)에 따라 공개의 대상이 되는 서류 및 관련 자료의 경우 다음에 해당하는 방법과 절차에 따라 조합원 또는 토지등소유자에게 서면으로 통지해야 한다.

- 추진위원장 또는 사업시행자(조합의 경우 조합임원, 재개발사업을 토지등소유자가 시행하는 경우 그 대표자를 말한다)는 매 분기가 끝나는 달의 다음 달 15일까지 다음의 사항을 조합원 또는 토지 등 소유자에게 서면으로 통지해야 한다.

① 공개 대상의 목록

② 공개 자료의 개략적인 내용

③ 공개 장소

④ 대상자별 정보공개의 범위

⑤ 열람·복사 방법

⑥ 등사에 필요한 비용

(3) 추진위원장 또는 사업시행자는 위 (1) 및 (4)에 따라 공개 및 열람·복사 등을 하는 경우에는 주민등록번호를 제외하고 국토교통부령으로 정하는 방법 및 절차에 따라 공개해야 한다.

(4) 조합원, 토지등소유자가 위 (1)에 따른 서류 및 다음의 자료를 포함하여 정비사업 시행에 관한 서류와 관련 자료에 대하여 열람·복사 요청을 한 경우 추진위원장이나 사업시행자는 15일 이내에 그 요청에 따라야 한다.

① 토지등소유자 명부

② 조합원 명부

③ 그 밖에 대통령령으로 정하는 서류 및 관련 자료

(5) 위 (4)의 복사에 필요한 비용은 실비의 범위에서 청구인이 부담한다. 이 경우 비용납부의 방법, 시기 및 금액 등에 필요한 사항은 시·도조례로 정한다.

(6) 위 (4)에 따라 열람·복사를 요청한 사람은 제공받은 서류와 자료를 사용목적 외의 용도로 이용·활용하여서는 아니 된다.

4 관련 자료의 보관 및 인계 (법 제125조)(영 제94조 ③)

(1) 추진위원장·정비사업전문관리업자 또는 사업시행자(조합의 경우 청산인을 포함한 조합임원, 토지등소유자가 단독으로 시행하는 재개발사업의 경우에는 그 대표자를 말한다)는 서류 및 관련 자료와 총회 또는 중요한 회의(조합원 또는 토지등소유자의 비용부담을 수반하거나 권리·의무의 변동을 발생시키는 경우로서 다음에 해당하는 회의를 말한다)가 있은 때에는 속기록·녹음 또는 영상자료를 만들어 청산 시까지 보관해야 한다.

① 용역 계약(변경계약을 포함한다) 및 업체 선정과 관련된 대의원회·이사회

② 조합임원·대의원의 선임·해임·징계 및 토지등소유자(조합이 설립된 경우에는 조합원을 말한다) 자격에 관한 대의원회·이사회

(2) 시장·군수등 또는 토지주택공사등이 아닌 사업시행자는 정비사업을 완료하거나 폐지한 때에는 시·도조례로 정하는 바에 따라 관계 서류를 시장·군수등에게 인계해야 한다.

(3) 시장·군수등 또는 토지주택공사등인 사업시행자와 위 (2)에 따라 관계 서류를 인계받은 시장·군수등은 해당 정비사업의 관계 서류를 5년간 보관해야 한다.

5 도시 · 주거환경정비기금의 설치 등 $\binom{법}{제126조}\binom{영}{제95조}$

(1) 기본계획을 수립하거나 승인하는 특별시장·광역시장·특별자치시장·도지사·특별자치도지사 또는 시장은 정비사업의 원활한 수행을 위하여 도시·주거환경정비기금(이하 "정비기금"이라 한다)을 설치해야 한다.

　예외　기본계획을 수립하지 아니하는 시장 및 군수도 필요한 경우에는 정비기금을 설치할 수 있다.

(2) 정비기금은 다음의 어느 하나에 해당하는 금액을 재원으로 조성한다.

　① 사업시행자가 현금으로 납부한 금액

　② 시·도지사, 시장, 군수 또는 구청장에게 공급된 주택의 임대보증금 및 임대료

　③ 부담금 및 정비사업으로 발생한 「개발이익 환수에 관한 법률」에 따른 개발부담금 중 지방자치단체 귀속분의 일부

　④ 정비구역(재건축구역은 제외한다) 안의 국·공유지 매각대금 중 다음으로 정하는 일정 비율 이상의 금액

　　▪ 국유지의 경우에는 20%, 공유지의 경우에는 30%를 말한다.

　　　예외　국유지의 경우에는 「국유재산법」 중앙관서의 장과 협의해야 한다.

　⑤ 과징금

　⑥ 「재건축초과이익 환수에 관한 법률」에 따른 재건축부담금 중 지방자치단체 귀속분

　⑦ 「지방세법」에 따라 부과·징수되는 지방소비세 또는 재산세 중 다음으로 정하는 일정 비율 이상의 금액

　　　예외　해당 지방자치단체의 조례로 다음의 비율 이상의 범위에서 달리 정하는 경우에는 그 비율을 말한다.

　　　㉠ 「지방세법」에 따라 부과·징수되는 지방소비세의 경우: 3%

　　　㉡ 「지방세법」에 따라 부과·징수되는 재산세의 경우: 10%

　⑧ 그 밖에 시·도조례로 정하는 재원

(3) 정비기금은 다음의 어느 하나의 용도 이외의 목적으로 사용하여서는 아니 된다.

　① 이 법에 따른 정비사업으로서 다음의 어느 하나에 해당하는 사항(비용)

　　㉠ 기본계획의 수립

　　㉡ 안전진단 및 정비계획의 수립

　　㉢ 추진위원회의 운영자금 대여

　　㉣ 그 밖에 이 법과 시·도조례로 정하는 사항

　② 임대주택의 건설·관리

　③ 임차인의 주거안정 지원

　④ 「재건축초과이익 환수에 관한 법률」에 따른 재건축부담금의 부과·징수

　⑤ 주택개량의 지원

　⑥ 정비구역등이 해제된 지역에서의 정비기반시설의 설치 지원

　⑦ 「빈집 및 소규모주택 정비에 관한 특례법」에 따른 빈집정비사업 및 소규모주택정비사업에 대한 지원

　⑧ 「주택법」에 따른 증축형 리모델링의 안전진단 지원

　⑨ 신고포상금의 지급

(4) 정비기금의 관리·운용과 개발부담금의 지방자치단체의 귀속분 중 정비기금으로 적립되는 비율 등에 필요한 사항은 시·도조례로 정한다.

건축관계법

국토계획법

주차장법

주 택 법

도시및주거
환경정비법

건축사법

장애인시설법

소방시설법

서울시조례

건축관계법

국토계획법

주차장법

주 택 법

도시및주거
환경정비법

건축사법

장애인시설법

소방시설법

서울시조례

6 노후·불량주거지 개선계획의 수립 (법 제127조)

국토교통부장관은 주택 또는 기반시설이 열악한 주거지의 주거환경개선을 위하여 5년마다 개선대상지역을 조사하고 연차별 재정지원계획 등을 포함한 노후·불량주거지 개선계획을 수립해야 한다.

7 권한의 위임 등 (법 제128조)(영 제96조)

(1) 국토교통부장관은 정비사업전문관리업자에 대한 조사 등의 권한을 시·도지사에게 위임한다.
(2) 국토교통부장관은 다음의 사무를 각 각의 구분에 따른 기관에 위탁한다.
　① 정비사업전문관리업 정보종합체계의 구축·운영
　② 교육의 실시
　③ 정비사업관리시스템의 구축·운영
　④ 그 밖에 대통령령으로 정하는 사무
(3) 위 (2)에 따라 교육의 실시에 관한 사무를 위탁받은 협회는 교육을 실시하기 전에 교육과정, 교육 대상자, 교육시간 및 교육비 등 교육실시에 필요한 세부 사항을 정하여 국토교통부장관의 승인을 받아야 한다.

8 사업시행자 등의 권리·의무의 승계 (법 제129조)

사업시행자와 정비사업과 관련하여 권리를 갖는 자(이하 "권리자"라 한다)의 변동이 있은 때에는 종전의 사업시행자와 권리자의 권리·의무는 새로 사업시행자와 권리자로 된 자가 승계한다.

9 정비구역의 범죄 예방 (법 제130조)

(1) 시장·군수등은 사업시행계획인가를 한 경우 그 사실을 관할 경찰서장에게 통보해야 한다.
(2) 시장·군수등은 사업시행계획인가를 한 경우 정비구역 내 주민 안전 등을 위하여 다음의 사항을 관할 지방경찰청장 또는 경찰서장에게 요청할 수 있다.
　① 순찰 강화
　② 순찰초소의 설치 등 범죄 예방을 위하여 필요한 시설의 설치 및 관리
　③ 그 밖에 주민의 안전을 위하여 필요하다고 인정하는 사항
(1) 시장·군수등은 사업시행계획인가를 한 경우 정비구역 내 주민 안전 등을 위하여 관할 시·도 소방본부장 또는 소방서장에게 화재예방 순찰을 강화하도록 요청할 수 있다.

10 재건축사업의 안전진단 재실시 (법 제131조)

시장·군수등은 정비구역이 지정·고시된 날부터 10년이 되는 날까지 사업시행계획인가를 받지 아니하고 다음의 어느 하나에 해당하는 경우에는 안전진단을 다시 실시해야 한다.
　①「재난 및 안전관리 기본법」에 따라 재난이 발생할 위험이 높거나 재난예방을 위하여 계속적으로 관리할 필요가 있다고 인정하여 특정관리대상지역으로 지정하는 경우
　②「시설물의 안전 및 유지관리에 관한 특별법」에 따라 재해 및 재난 예방과 시설물의 안전성 확보 등을 위하여 정밀안전진단을 실시하는 경우
　③「공동주택관리법」에 따라 공동주택의 구조안전에 중대한 하자가 있다고 인정하여 안전진단을 실시하는 경우

11 조합임원 등의 선임·선정 및 계약 체결시 행위제한 등 (법 제132조)

(1) 누구든지 추진위원, 조합임원의 선임 또는 계약 체결과 관련하여 다음의 행위를 하여서는 아니 된다.

　① 금품, 향응 또는 그 밖의 재산상 이익을 제공하거나 제공의사를 표시하거나 제공을 약속하는 행위
　② 금품, 향응 또는 그 밖의 재산상 이익을 제공받거나 제공의사 표시를 승낙하는 행위
　③ 제3자를 통하여 위 ① 또는 ②에 해당하는 행위를 하는 행위

(2) 건설업자와 등록사업자는 계약의 체결과 관련하여 시공과 관련 없는 사항으로서 다음의 어느 하나에 해당하는 사항을 제안하여서는 아니 된다.

　① 이사비, 이주비, 이주촉진비, 그 밖에 시공과 관련 없는 사항에 대한 금전이나 재산상 이익을 제공하는 것으로서 대통령령으로 정하는 사항
　②「재건축초과이익 환수에 관한 법률」에 따른 재건축부담금의 대납 등 이 법 또는 다른 법률을 위반하는 방법으로 정비사업을 수행하는 것으로서 대통령령으로 정하는 사항

(3) 시·도지사, 시장, 군수 또는 구청장은 (1) 또는 (2) 각 호의 행위에 대한 신고의 접수·처리 등의 업무를 수행하기 위하여 신고센터를 설치·운영할 수 있다. <신설 2023.12.26./시행 2024.6.27.>

12 건설업자와 등록사업자의 관리·감독 의무 (법 제132조의2)

건설업자와 등록사업자는 시공자 선정과 관련하여 홍보 등을 위하여 계약한 용역업체의 임직원이 위 ■의 규정을 위반하지 아니하도록 교육, 용역비 집행 점검, 용역업체 관리·감독 등 필요한 조치를 해야 한다.

13 허위·과장된 정보제공 등의 금지 (법 제132조의3)

(1) 건설업자, 등록사업자 및 정비사업전문관리업자는 토지등소유자에게 정비사업에 관한 정보를 제공함에 있어 다음 각 호의 행위를 하여서는 아니 된다.

　① 사실과 다르게 정보를 제공하거나 사실을 부풀려 정보를 제공하는 행위
　② 사실을 숨기거나 축소하는 방법으로 정보를 제공하는 행위

(2) 위 (1)-①,②의 행위의 구체적인 내용은 대통령령으로 정한다.

(3) 건설업자, 등록사업자 및 정비사업전문관리업자는 제1항을 위반함으로써 피해를 입은 자가 있는 경우에는 그 피해자에 대하여 손해배상의 책임을 진다.

(4) (3)에 따른 손해가 발생된 사실은 인정되나 그 손해액을 증명하는 것이 사안의 성질상 곤란한 경우 법원은 변론 전체의 취지와 증거조사의 결과에 기초하여 상당한 손해액을 인정할 수 있다.

14 조합설립인가 등의 취소에 따른 채권의 손해액 산입 (법 제133조)

시공자·설계자 또는 정비사업전문관리업자 등(이하 "시공자등"이라 한다)은 해당 추진위원회 또는 조합(연대보증인을 포함하며, 이하 "조합등"이라 한다)에 대한 채권(조합등이 시공자등과 합의하여 이미 상환하였거나 상환할 예정인 채권은 제외한다)의 전부 또는 일부를 포기하고 이를 「조세특례 제한법」에 따라 손금에 산입하려면 해당 조합등과 합의하여 다음의 사항을 포함한 채권확인서를 시장·군수등에게 제출해야 한다.

건축관계법 / 국토계획법 / 주차장법 / 주택법 / 도시및주거환경정비법 / 건축사법 / 장애인시설법 / 소방시설법 / 서울시조례

① 채권의 금액 및 그 증빙 자료
② 채권의 포기에 관한 합의서 및 이후의 처리 계획
③ 그 밖에 채권의 포기 등에 관하여 시·도조례로 정하는 사항

관계법 「조세특례제한법」 제104조26【정비사업조합 설립인가등의 취소에 따른 채권의 손금산입】

① 「도시 및 주거환경정비법」 제113조에 따라 추진위원회의 승인 또는 조합 설립인가가 취소된 경우 해당 정비사업과 관련하여 선정된 설계자·시공자 또는 정비사업전문관리업자(이하 이 조에서 "시공자등"이라 한다)가 다음 각 호에 따라 2021년 12월 31일까지 추진위원회 또는 조합 (연대보증인을 포함한다. 이하 이 조에서 "조합등"이라 한다)에 대한 채권을 포기하는 경우에는 해당 채권의 가액은 시공자등이 해당 사업연도의 소득금액을 계산할 때 손금에 산입할 수 있다. <개정 2015. 12. 15., 2017. 2. 8., 2017. 12. 19., 2020. 12. 29.>
  1. 시공자등이 「도시 및 주거환경정비법」 제133조에 따른 채권확인서를 시장·군수에게 제출하고 해당 채권확인서에 따라 조합등에 대한 채권을 포기하는 경우
  2. 시공자등이 대통령령으로 정하는 바에 따라 조합등에 대한 채권을 전부 포기하는 경우
② 제1항에 따라 시공자등이 채권을 포기함에 따라 조합등이 얻는 이익에 대해서는 「상속세 및 증여세법」에 따른 증여 또는 「법인세법」에 따른 익금으로 보지 아니한다.
[본조신설 2014.1.1.]

---

15 벌칙 적용에서 공무원 의제 (법 제134조)

추진위원장·조합임원·청산인·전문조합관리인 및 정비사업전문관리업자의 대표자(법인인 경우에는 임원을 말한다)·직원 및 위탁지원자는 「형법」 제129조부터 제132조까지의 규정을 적용할 때에는 공무원으로 본다.

【참고】 형법 제129조~제132조
- 형법 제129조[수뢰(收賂), 사전수뢰]
- 형법 제131조(수뢰 후 부정처사, 사후수뢰)
- 형법 제130조(제삼자 뇌물제공)
- 형법 제132조(알선수뢰)

관계법 「형법」 제129조~제133호

제129조(수뢰, 사전수뢰)
① 공무원 또는 중재인이 그 직무에 관하여 뇌물을 수수, 요구 또는 약속한 때에는 5년 이하의 징역 또는 10년 이하의 자격정지에 처한다.
② 공무원 또는 중재인이 될 자가 그 담당할 직무에 관하여 청탁을 받고 뇌물을 수수, 요구 또는 약속한 후 공무원 또는 중재인이 된 때에는 3년 이하의 징역 또는 7년 이하의 자격정지에 처한다.

제130조(제삼자뇌물제공)
공무원 또는 중재인이 그 직무에 관하여 부정한 청탁을 받고 제3자에게 뇌물을 공여하게 하거나 공여를 요구 또는 약속한 때에는 5년 이하의 징역 또는 10년 이하의 자격정지에 처한다.

제131조(수뢰후부정처사, 사후수뢰)
① 공무원 또는 중재인이 전2조의 죄를 범하여 부정한 행위를 한 때에는 1년 이상의 유기징역에 처한다.

건축관계법

국토계획법

주차장법

주 택 법

도시및주거
환경정비법

건축사법

장애인시설법

소방시설법

서울시조례

② 공무원 또는 중재인이 그 직무상 부정한 행위를 한 후 뇌물을 수수, 요구 또는 약속하거나 제삼자에게 이를 공여하게 하거나 공여를 요구 또는 약속한 때에도 전항의 형과 같다.

③ 공무원 또는 중재인이었던 자가 그 재직 중에 청탁을 받고 직무상 부정한 행위를 한 후 뇌물을 수수, 요구 또는 약속한 때에는 5년 이하의 징역 또는 10년 이하의 자격정지에 처한다.

④ 전3항의 경우에는 10년 이하의 자격정지를 병과할 수 있다.

제132조(알선수뢰)

공무원이 그 지위를 이용하여 다른 공무원의 직무에 속한 사항의 알선에 관하여 뇌물을 수수, 요구 또는 약속한 때에는 3년 이하의 징역 또는 7년 이하의 자격정지에 처한다.

제133조(뇌물공여 등)

① 제129조부터 제132조까지에 기재한 뇌물을 약속, 공여 또는 공여의 의사를 표시한 자는 5년 이하의 징역 또는 2천만원 이하의 벌금에 처한다.

② 제1항의 행위에 제공할 목적으로 제3자에게 금품을 교부한 자 또는 그 사정을 알면서 금품을 교부받은 제3자도 제1항의 형에 처한다.

[전문개정 2020. 12. 8.]

건축관계법

국토계획법

주차장법

주 택 법

도시및주거
환경정비법

건축사법

장애인시설법

소방시설법

서울시조례

10

벌 칙

1 벌칙1 (법 제135조)

다음의 어느 하나에 해당하는 자는 5년 이하의 징역 또는 5천만원 이하의 벌금에 처한다.

내 용	법 조항
1. 토지등소유자의 서면동의서를 위조한 자	법 제36조
2. 금품, 향응 또는 그 밖의 재산상 이익을 제공하거나 제공의사를 표시하거나 제공을 약속하는 행위를 하거나 제공을 받거나 제공의사 표시를 승낙한 자	법 제132조

2 벌칙2 (법 제136조)

다음의 어느 하나에 해당하는 자는 3년 이하의 징역 또는 3천만원 이하의 벌금에 처한다.

내 용	법 조항
1. 계약의 방법을 위반하여 계약을 체결한 추진위원장, 전문조합관리인 또는 조합임원(조합의 청산인 및 토지등소유자가 시행하는 재개발사업의 경우에는 그 대표자, 지정개발자가 사업시행자인 경우 그 대표자를 말한다)	제29조 ①
2. 규정을 위반하여 시공자를 선정한 자 및 시공자로 선정된 자	제29조 ④~⑧
3. 규정을 위반하여 시공자와 공사에 관한 계약을 체결한 자	제29조제9항
3. 시장·군수등의 추진위원회 승인을 받지 아니하고 정비사업전문관리업자를 선정한 자	제31조 ①
4. 계약의 방법을 위반하여 정비사업전문관리업자를 선정한 추진위원장(전문조합관리인을 포함한다)	제32조 ②
5. 토지등소유자의 서면동의서를 매도하거나 매수한 자	제36조
6. 거짓 또는 부정한 방법으로 조합원 자격을 취득한 자와 조합원 자격을 취득하게 하여준 토지등소유자 및 조합의 임직원(전문조합관리인을 포함한다)	제39조 ②
7. 분양주택을 이전 또는 공급받을 목적으로 건축물 또는 토지의 양도·양수 사실을 은폐한 자	제72조
8. 주택을 전매하거나 전매를 알선한 자	법 제76조 ① 제7호라목 단서

3 벌칙3 (법 제137조)

다음의 어느 하나에 해당하는 자는 2년 이하의 징역 또는 2천만원 이하의 벌금에 처한다.

내 용	법 조항
1. 안전진단 결과보고서를 거짓으로 작성한 자	법 제12조 ⑤
2. 허가 또는 변경허가를 받지 아니하거나 거짓, 그 밖의 부정한 방법으로 허가 또는 변경허가를 받아 행위를 한 자	법 제19조 ①
3. 추진위원회 또는 주민대표회의의 승인을 받지 아니하고 제32조제1항 각 호의 업무를 수행하거나 주민대표회의를 구성·운영한 자	법 제31조 ① 또는 제47조 ③
4. 승인받은 추진위원회 또는 주민대표회의가 구성되어 있음에도 불구하고 임의로 추진위원회 또는 주민대표회의를 구성하여 이 법에 따른 정비사업을 추진한 자	법 제31조 ① 또는 제47조③
5. 조합이 설립되었는데도 불구하고 추진위원회를 계속 운영한 자	법 제35조
6. 총회의 의결을 거치지 아니하고 같은 조 제1항 각 호의 사업(같은 항 제13호 중 정관으로 정하는 사항은 제외한다)을 임의로 추진한 조합임원(전문조합관리인을 포함한다)	법 제45조
7. 사업시행계획인가를 받지 아니하고 정비사업을 시행한 자와 같은 사업시행계획서를 위반하여 건축물을 건축한 자	법 제50조
8. 관리처분계획인가를 받지 아니하고 이전을 한 자	법 제74조
9. 등록을 하지 아니하고 이 법에 따른 정비사업을 위탁받은 자 또는 거짓, 그 밖의 부정한 방법으로 등록을 한 정비사업전문관리업자	법 제102조 ①
10. 등록이 취소되었음에도 불구하고 영업을 하는 자	법 제106조 ① 단서
11. 처분의 취소·변경 또는 정지, 그 공사의 중지 및 변경에 관한 명령을 받고도 이에 응하지 아니한 추진위원회, 사업시행자, 주민대표회의 및 정비사업전문관리업자	법 제113조 ①~③
12. 서류 및 관련 자료를 거짓으로 공개한 추진위원장 또는 조합임원(토지등소유자가 시행하는 재개발사업의 경우 그 대표자)	법 제124조 ①
13. 열람·복사 요청에 허위의 사실이 포함된 자료를 열람·복사해 준 추진위원장 또는 조합임원(토지등소유자가 시행하는 재개발사업의 경우 그 대표자)	법 제124조 ④

4 벌칙4 (법 제138조)

(1) 다음의 어느 하나에 해당하는 자는 1년 이하의 징역 또는 1천만원 이하의 벌금에 처한다.

내 용	법 조항
1. 「주택법」에 따른 지역주택조합의 조합원을 모집한 자	법 제19조 ⑧
2. 추진위원회의 회계장부 및 관계 서류를 조합에 인계하지 아니한 추진위원장(전문조합관리인을 포함한다)	법 제34조 ④
3. 준공인가를 받지 아니하고 건축물 등을 사용한 자와 시장·군수등의 사용허가를 받지 아니하고 건축물을 사용한 자	법 제83조 ①, ⑤

건축관계법

국토계획법

주차장법

주 택 법

도시및주거
환경정비법

건축사법

장애인시설법

소방시설법

서울시조례

4. 다른 사람에게 자기의 성명 또는 상호를 사용하여 이 법에서 정한 업무를 수행하게 하거나 등록증을 대여한 정비사업전문관리업자	
5. 업무를 다른 용역업체 및 그 직원에게 수행하도록 한 정비사업전문관리업자	법 제102조 ①
6. 회계감사를 요청하지 아니한 추진위원장, 전문조합관리인 또는 조합임원(토지 등소유자가 시행하는 재개발사업 또는 지정개발자가 시행하는 정비사업의 경우에는 그 대표자를 말한다)	법 제112조 ①
7. 정비사업시행과 관련한 서류 및 자료를 인터넷과 그 밖의 방법을 병행하여 공개하지 아니하거나 조합원 또는 토지등소유자의 열람·복사 요청에 응하지 아니하는 추진위원장, 전문조합관리인 또는 조합임원(조합의 청산인 및 토지등소유자가 시행하는 재개발사업의 경우에는 그 대표자, 제지정개발자가 사업시행자인 경우 그 대표자를 말한다)	법 제124조 ①, ④
8. 위반하여 속기록 등을 만들지 아니하거나 관련 자료를 청산 시까지 보관하지 아니한 추진위원장, 전문조합관리인 또는 조합임원(조합의 청산인 및 토지등소유자가 시행하는 재개발사업의 경우에는 그 대표자, 지정개발자가 사업시행자인 경우 그 대표자를 말한다)	법 제125조 ①

(2) 건설업자 또는 등록사업자가 건설사업자의 관리·감독 의무에 따른 조치를 소홀히 하여 용역업체의 임직원이 조합임원 등의 선임·선정 시 행위제한(법 제132조) 규정의 어느 하나를 위반한 경우 그 건설사업자는 5천만원 이하의 벌금에 처한다.

5   양벌규정 (법 제139조)

법인의 대표자나 법인 또는 개인의 대리인, 사용인, 그 밖의 종업원이 그 법인 또는 개인의 업무에 관하여 위 **1**~**4**의 어느 하나에 해당하는 위반행위를 하면 그 행위자를 벌하는 외에 그 법인 또는 개인에게도 해당 조문의 벌금에 처한다.

예외 법인 또는 개인이 그 위반행위를 방지하기 위하여 해당 업무에 관하여 상당한 주의와 감독을 게을리하지 아니한 경우에는 그러하지 아니하다.

6   과태료 (법 제140조)

(1) 다음 각 호의 어느 하나에 해당하는 자에게는 자에게는 1천만원의 과태료를 부과한다.
① 점검반의 현장조사를 거부·기피 또는 방해한 자
② 8장 **11**-(2)를 위반하여 계약의 체결과 관련하여 시공과 관련 없는 사항을 제안한 자
③ 8장 **13**-(1)을 위반하여 사실과 다른 정보 또는 부풀려진 정보를 제공하거나, 사실을 숨기거나 축소하여 정보를 제공한 자
(2) 다음의 어느 하나에 해당하는 자에게는 500만원 이하의 과태료를 부과한다.

내 용	법 조항
1. 전자조달시스템을 이용하지 아니하고 계약을 체결한 자	법 제29조 ②
2. 통지를 태만히 한 자	법 제78조 ⑤ 제86조 ①
3. 7장-**2**를 위반하여 자금차입에 관한 사항을 신고하지 아니하거나 거짓으로 신고한 자	법 제111조의2
4. 보고 또는 자료의 제출을 태만히 한 자	법 제107조 ① 제111조 ②
5. 관계 서류의 인계를 태만히 한 자	법 제125조 ②

(3) 위 (1) 및 (2)에 따른 과태료는 대통령령으로 정하는 방법 및 절차에 따라 국토교통부장관, 시·도지사, 시장, 군수 또는 구청장이 부과·징수한다.

7 자수자에 대한 특례 $\left(\substack{법 \\ 제141조}\right)$

조합임원 등의 선임·선정 시 행위제한(법 제132조제1항) 규정의 어느 하나를 위반하여 금품, 향응 또는 그 밖의 재산상 이익을 제공하거나 제공의사를 표시하거나 제공을 약속하는 행위를 하거나 제공을 받거나 제공의사 표시를 승낙한 자가 자수하였을 때에는 그 형벌을 감경 또는 면제한다.

8 금품·향응 수수행위 등에 대한 신고포상금 $\left(\substack{법 \\ 제142조}\right)$

시·도지사 또는 대도시의 시장은 조합임원 등의 선임·선정 시 행위제한(법 제132조제1항) 규정에 따 른 행위사실을 신고한 자에게 시·도조례로 정하는 바에 따라 포상금을 지급할 수 있다.

건축관계법

국토계획법

주차장법

주 택 법

도시및주거
환경정비법

건축사법

장애인시설법

소방시설법

서울시조례

建築士法 解說

최종개정 : 건 축 사 법   2022. 2. 3
　　　　　 시 행 령   2022. 7.26
　　　　　 시 행 규 칙   2021.12.15

목　　차

건축관계법

국토계획법

주차장법

주 택 법

도시및주거
환경정비법

건축사법

장애인시설법

소방시설법

서울시조례

7-3

총 칙

1 목적 (법 제1조)

이 법은 건축사의 자격과 그 업무에 관한 사항을 규정함으로써 건축물과 공간 환경의 질적 향상을 도모하고 건축문화 발전에 이바지함을 목적으로 한다.

2 정의 (법 제2조)

이 법에서 사용하는 용어의 뜻은 다음과 같다.

【1】 건축사

"건축사"란 국토교통부장관이 시행하는 자격시험에 합격한 사람으로서 건축물의 설계와 공사감리(工事監理) 등에 따른 업무를 수행하는 사람을 말한다.

【2】 건축사보 (영 제2조의3)

"건축사보"란 건축사사무소에 소속되어 업무를 보조하는 사람 중 다음의 어느 하나에 해당하는 사람으로서 국토교통부장관에게 신고한 사람을 말한다.

(1) 실무수련을 받고 있거나 받은 사람

(2) 「국가기술자격법」에 따라 건설, 전기·전자, 기계, 화학, 재료, 정보통신, 환경·에너지, 안전관리, 문화·예술·디자인·방송 분야의 기사(技士) 또는 산업기사 자격을 취득한 사람

(3) 4년제 이상 대학 건축 관련 학과 졸업 또는 이와 동등한 자격으로서 아래의 어느 하나에 해당하는 사람. 이 경우 ② 및 ③에 따른 실무경력은 졸업 이후의 실무경력으로 한정한다.

　① 대학에서 건축 관련 학과를 졸업한 사람 및 졸업예정자 또는 「고등교육법」에 따라 이와 동등 이상의 학력이 있다고 인정되는 사람

　② 전문대학에서 건축 관련 학과를 졸업한 사람 또는 「고등교육법」에 따라 이와 동등 이상의 학력이 있다고 인정되는 사람으로서 2년(수업연한이 3년인 전문대학 졸업자의 경우는 1년을 말한다) 이상 건축에 관한 실무경력을 가진 사람

③ 고등학교 또는 3년제 고등기술학교에서 건축 관련 학과를 졸업한 사람 또는 「초·중등교육법」에 따라 이와 동등 이상의 학력이 있다고 인정되는 사람으로서 4년 이상 건축에 관한 실무경력을 가진 사람

- 위 (3)-② 및 ③에 따른 실무경력의 인정기준은 다음(별표 1)과 같다.

건축사보의 실무경력 인정기준 [별표 1]

경력산정 등급	경력구분	환산율

1등급	1. 건축사사무소에 소속하여 건축에 관한 업무에 종사한 경력
	2. 다음의 어느 하나에 소속하여 건축에 관한 업무에 종사한 경력
	 가. 「건설산업기본법」에 따라 등록한 건설사업자
	 나. 「해외건설 촉진법」에 따라 신고한 해외건설사업자
	 다. 「엔지니어링산업 진흥법」에 따라 신고한 엔지니어링사업자
	 라. 「주택법」에 따라 등록한 주택건설사업자
	 마. 「건설기술 진흥법」에 따라 등록한 건설엔지니어링사업자
	 바. 「기술사법」에 따라 등록한 기술사사무소(건설 관련 분야 기술사사무소로
	   한정한다.)
	 사. 「국토안전관리원법」에 따른 국토안전관리원
	 아. 「시설물의 안전 및 유지관리에 관한 특별법」에 따라 등록한 안전진단전문
	   기관
	3. 다음의 어느 하나에 소속하여 건축에 관한 업무에 종사한 경력
	 가. 국가
	 나. 지방자치단체
	 다. 「공공기관의 운영에 관한 법률」에 따라 설립된 공공기관
	 라. 「지방공기업법」에 따라 설립된 지방공사 또는 지방공단
	4. 군의 공병 병과 또는 시설 병과에서 부사관 이상으로 복무한 경력
		100%

2등급	1. 1등급 제1호~제3호까지의 규정에 따른 건축사사무소 등이 아닌 업체·기관 ·협회 등에서 건축에 관한 업무에 종사한 경력 2. 1등급 제1호~제3호까지의 규정에 따른 건축사사무소 등의 어느 하나에 해당 하는 곳에서 건축 관련 분야(도시계획·조경·토목분야를 말한다. 이하 같다) 업무에 종사한 경력 3. 각종 연구원 등 연구기관에서 건축 관련 분야에 관한 연구경력 4. 군의 공병 병과 또는 시설 병과에서 사병으로 복무한 경력	80%
3등급	2등급에 해당하지 않는 경력으로서 건축 관련 분야의 업무에 종사한 경력	60%

(비고)

1. 경력의 인정기준일은 건축사보로 신고하는 전날까지로 한다.
2. 건축 관련 학과 및 건축 관련 분야 등 세부적인 사항은 국토교통부장관이 정하여 고시하는 기준에 따른다.

【3】설계 $\left(\begin{smallmatrix} 규칙 \\ 제2조 \end{smallmatrix}\right)$

"설계"란 자기 책임 아래(보조자의 도움을 받는 경우를 포함한다) 건축물의 건축, 대수선(大修繕), 용도변경, 리모델링, 건축설비의 설치 또는 공작물(工作物)의 축조(築造)를 위한 다음의 행위를 말한다.

---

1. 건축물, 건축설비, 공작물 및 공간환경을 조사하고 건축 등을 기획하는 행위

2. 도면, 구조계획서, 공사 설계설명서, 그 밖에 다음에 해당하는 공사에 필요한 서류(이하 "설계도서" (設計圖書)라 함)를 작성하는 행위
   ① 건축설비 계산 관계 서류
   ② 토질 및 지질 관계 서류
   ③ 그 밖에 공사에 필요한 서류

3. 설계도서에서 의도한 바를 해설·조언하는 행위

【4】공사감리

"공사감리"란 자기 책임 아래(보조자의 도움을 받는 경우를 포함한다) 「건축법」에서 정하는 바에 따라 건축물, 건축설비 또는 공작물이 설계도서의 내용대로 시공되는지 확인하고 품질관리, 공사관리 및 안전관리 등에 대하여 지도·감독하는 행위를 말한다.

【5】건축사업(建築士業)

"건축사업"(建築士業)이란 다른 사람의 의뢰에 따라 일정한 보수를 받고 아래 제4장의 **1** 에 따른 업무를 업(業)으로 하는 것을 말한다.

3 설계 또는 공사감리 등 $\left(\begin{smallmatrix} 법 \\ 제4조 \end{smallmatrix}\right)$

(1) 「건축법」에 따른 건축물의 건축 등을 위한 설계는 신고를 한 건축사 또는 건축사사무소에 소속된 건축사가 아니면 할 수 없다.

(2) 「건축법」에 따라 건축사를 공사감리자로 지정하는 건축물의 건축 등에 대한 공사감리는 신고를 한 건축사 또는 건축사사무소에 소속된 건축사가 아니면 할 수 없다.

건축관계법
국토계획법
주차장법
주 택 법
도시및주거
환경정비법
건축사법
장애인시설법
소방시설법
서울시조례

건축관계법

국토계획법

주차장법

주택법

도시및주거
환경정비법

건축사법

장애인시설법

소방시설법

서울시조례

2

자 격

1 건축사자격 등의 취득 $\left(\begin{smallmatrix}법\\제7조\end{smallmatrix}\right)\left(\begin{smallmatrix}규칙\\제3조\end{smallmatrix}\right)$

(1) 건축사가 되려는 사람은 건축사 자격시험에 합격하여야 한다.

(2) 건축사보가 되려는 사람은 다음에 따라 국토교통부장관에게 신고하여야 한다.

① 건축사보 신고서(별지 제1호서식)에 다음의 서류를 첨부하여 건축사협회에 제출해야 한다.

---

1. 다음의 어느 하나에 해당하는 서류
   ㉠ 실무수련 신고확인증 사본
   ㉡ 국가기술자격증 사본
   ㉢ 학력 증명 서류(졸업증명서 또는 졸업예정 증명서를 포함한다) 및 실무경력 증명 서류
   ㉣ 건축사예비시험 합격증 사본

---

2. 주민등록증 사본 또는 운전면허증 사본(본인이 직접 신고하는 경우에는 주민등록증 또는 운전면허증의 제시로 갈음할 수 있다)

---

3. 증명사진(3.5cm×4.5cm) 1장

---

4. 건축사사무소 재직을 증명하는 서류(국민연금·국민건강보험·고용보험 또는 산업재해보상보험의 가입증명서 등 근무사실이 확인되는 증명서를 말한다)

---

② 위 ①에 따른 신고를 받은 건축사협회는 신고를 한 사람이 위 제1장 **2**-【2】의 각 요건에 해당할 때에는 건축사보 명부(별지 제2호서식)와 건축사보 신고 대장(별지 제3호서식)에 필요한 사항을 적고, 즉시 건축사보 신고확인증(별지 제4호서식)을 발급해야 한다.

③ 건축사보 신고를 한 사람이 성명 또는 근무처를 변경하였을 때에는 변경한 날부터 30일 내에 건축사보 신상 변동 신고서(별지 제5호서식)에 변경사항을 다음의 서류를 첨부하여 건축사협회에 제출해야 한다.

1. 성명을 변경한 경우: 가족관계등록부 등의 증명서 중 기본증명서
2. 근무처를 변경한 경우
   ㉠ 변경된 건축사사무소 재직을 증명하는 서류(국민연금·국민건강보험·고용보험 또는 산업재해보상보험의 가입증명서 등 근무사실이 확인되는 증명서를 말한다)
   ㉡ 건축사사무소개설 신고확인증(별지 제36호서식) 사본

④ 건축사보 신고확인증을 재발급 받으려는 사람은 건축사보 신고확인증 재발급 신청서(별지 제6호서식)에 증명사진(3.5cm×4.5cm) 1장을 첨부하여 건축사협회에 제출해야 한다.

2 자격증의 발급 (법 제8조)(영 제6조)

국토교통부장관은 건축사 자격시험에 합격한 사람에게 국토교통부령으로 정하는 바에 따라 자격증을 발급해야 한다.

3 결격사유 (법 제9조)

다음의 어느 하나에 해당하는 사람은 건축사 자격을 취득할 수 없다.

1. 피성년후견인 또는 피한정후견인
2. 이 법 또는 「건축법」에 따른 죄를 범하여 금고 이상의 형을 선고받고 그 집행이 끝나거나 집행을 받지 아니하기로 확정된 후 3년이 지나지 아니한 사람
3. 위 2.에 따른 죄를 범하여 형의 집행유예를 선고받고 그 유예기간 중에 있는 사람
4. 건축사 자격의 취소처분(위 1.에 해당하여 자격이 취소된 경우는 제외한다)을 받고 그 취소된 날부터 2년이 지나지 아니한 사람

4 자격증 등의 부당행사금지 (법 제10조)

(1) 건축사는 다른 사람에게 자기의 성명을 사용하여 건축사업무를 수행하게 하거나 자격증을 빌려주어서는 아니 된다.
(2) 누구든지 다른 사람의 성명을 사용하여 건축사업무를 수행하거나 다른 사람의 건축사 자격증을 빌려서는 아니 된다.
(3) 누구든지 위 (1)이나 (2)에서 금지된 행위를 알선해서는 아니 된다.

5 자격의 취소 등 (법 제11조)(영 61조의2)

(1) 국토교통부장관은 건축사가 다음의 어느 하나에 해당하는 경우에는 그 자격을 취소하여야 한다.

1. 거짓이나 그 밖의 부정한 방법으로 자격을 취득한 사실이 드러난 경우
2. 위 **3** 의 1.~3.의 결격사유 중 어느 하나에 해당하게 된 경우
3. 다른 사람에게 자기의 성명을 사용하여 건축사업무를 수행하게 하거나 자격증을 빌려준 경우
4. 건축사사무소개설신고의 효력상실처분을 받고도 계속하여 건축사업을 한 경우
5. 해당 건축사에게 책임을 돌릴 수 있는 사유로 건축사사무소개설신고의 효력상실처분을 세 차례 받은 경우

건축관계법

국토계획법

주차장법

주 택 법

도시및주거
환경정비법

건축사법

장애인시설법

소방시설법

서울시조례

6. 고의 또는 중대한 과실로 「건축법」에 따른 건축물의 설계(제23조) 또는 건축물의 공사감리(제25조) 규정을 위반하여 설계 또는 공사감리를 함으로써 공사가 부실하게 되어 착공 후 「건설산업기본법」에 따른 건설공사 수급인의 하자담보책임(제28조) 기간에 다중이용 건축물의 기초·내력벽(耐力壁)·기둥·바닥·보·지붕틀 및 주계단(사이 기둥, 최하층 바닥, 작은 보, 차양 및 옥외 계단, 그 밖에 이와 유사한 것으로서 건축물의 구조상 중요하지 아니한 부분은 제외함)에 중대한 손궤[(損潰): 무너져 내림]를 일으켜 사람을 죽거나 다치게 한 경우

(2) 위 (1)에 따라 자격이 취소된 사람은 취소된 날부터 15일 내에 자격증을 국토교통부장관에게 반납하여야 한다.

6 건축사 명칭의 사용금지 (법 제12조)

건축사가 아닌 사람은 건축사 또는 이와 비슷한 명칭을 사용하지 못한다.

건축관계법

국토계획법

주차장법

주 택 법

도시및주거
환경정비법

건축사법

장애인시설법

소방시설법

서울시조례

건축사자격시험 등

▌1▐ 실무수련 (법 제13조)

【1】 실무수련 건축사사무소 등 (영 제6조의3)

건축사 자격시험에 응시하려면 건축사사무소개설신고를 하고 건축사업을 하고 있는 건축사사무소에서 다음에 따라 실무수련을 받아야 한다.

> **단서** 외국에서 건축사 면허를 받거나 자격을 취득한 사람 중 이 법에 따른 건축사의 자격과 같은 자격이 있다고 국토교통부장관이 인정하는 사람으로서 통틀어 5년 이상 건축에 관한 실무경력이 있는 사람은 실무수련을 받지 아니하고도 건축사 자격시험에 응시할 수 있다.

① 실무수련의 기간은 3년으로 한다.

> **단서** 아래 【2】 -3.-① 및 ②의 교육과정을 마친 사람의 경우 그 실무수련 기간은 4년으로 한다.

② 실무수련을 받고 있는 사람(이하 "실무수련자"라 함)이 업무정지 명령을 받은 기간은 실무수련 기간에 포함되지 아니한다.

③ 건축사 자격시험에 응시하려는 사람이 둘 이상의 건축사사무소에서 실무수련을 한 경우 그 실무수련 기간은 각각의 건축사사무소에서 받은 실무수련 기간을 합산한다.

【2】 실무수련 이수 자격 취득 (영 제6조의4)

위 【1】 에 따른 실무수련은 다음의 어느 하나에 해당하는 사람만 받을 수 있다.

건축관계법

국토계획법

주차장법

주 택 법

도시및주거
환경정비법

건축사법

장애인시설법

소방시설법

서울시조례

1. 5년 이상의 건축학 학위과정이 개설된 대학(「민법」에 따라 국토교통부장관의 허가를 받아 설립된 비영리법인으로서 「고등교육법」에 따라 교육부장관으로부터 인정받은 기관이 인증한 건축학 학위과정이 개설된 대학을 말한다)에서 해당 과정을 8학기 이상 이수한 사람

2. 위 1.에 따른 기관이 인증한 건축학 학위과정이 개설된 대학원(이하 "건축대학원"이라 함)에 입학(편입학을 포함)하여 해당 건축대학원에서 다음의 구분에 따라 이수한 학기 이상 이수한 사람
   ① 「고등교육법」 제2조에 따른 학교에서 건축학을 전공하여 학사학위를 받은 사람: 2학기
   ② 「고등교육법」 제2조에 따른 학교에서 건축학 외의 전공으로 학사학위를 받은 사람: 4학기

3. 그 밖에 위 1, 및 2.에 준하는 교육과정으로서 다음에 해당하는 교육과정을 이수한 사람
   단서 아래 ① 및 ②의 교육과정은 2023년 12월 31일까지 이수하는 경우만 해당한다.
   ① 「고등교육법」에 따른 대학(위 1.에 해당하는 대학 외의 대학을 말하며, 해당 과정을 8학기 이상 이수한 경우만 해당한다)에 개설된 5년 이상의 건축학 학위과정
   ② 건축대학원 외의 대학원으로서 다음의 어느 하나에 해당하는 대학원
      ㉠ 건축학 관련 이수학점이 총 57학점 이상인 대학원(건축학 전공으로 학사학위를 받은 사람이 2학기 이상 이수한 경우만 해당한다)
      ㉡ 건축학 관련 이수학점이 총 96학점 이상인 대학원(건축학 외의 전공으로 학사학위를 받은 사람이 4학기 이상 이수한 경우만 해당한다)
      ㉢ 건축학 전공 학사과정과 대학원과정을 상호 연계하여 운영하는 대학원(건축설계에 관한 과목 48학점 이상을 포함하여 건축학 관련 이수학점이 총 120학점 이상인 과정을 말하며, 대학원과정을 2학기 이상 이수한 경우만 해당한다)
   ③ 그 밖에 위 1.에 따른 기관이 국토교통부장관이 정하는 기준에 따라 인증한 교육과정

【3】 실무수련자의 신고 등 (규칙 제6조의2)

실무수련을 받으려는 사람은 다음에 따라 국토교통부장관에게 신고하여야 한다.
① 실무수련을 받으려는 사람이 실무수련 신고(변경신고를 포함)를 하려는 경우에는 실무수련(변경) 신고서(별지 제10호서식)에 다음의 서류를 첨부하여 건축사협회에 제출해야 한다.

1. 건축학 학위과정의 이수를 증명하는 서류

2. 재직을 증명하는 서류(국민연금·국민건강보험·고용보험 또는 산업재해보상보험의 가입증명서 등 근무사실이 확인되는 증명서를 말한다)

3. 증명사진(3.5cm×4.5cm) 2장

② 신고를 받은 건축사협회는 실무수련자 명부(별지 제11호서식)와 실무수련자 신고 대장(별지 제12호서식)에 필요한 사항을 적고, 신고를 받은 날부터 3일 내에 실무수련 (변경)신고확인증(별지 제13호서식)을 발급해야 한다.

【4】 실무수련의 과목 등 (영 제6조의5)

실무수련자가 실무수련 기간 중 이수하여야 할 실무수련 과목과 수련 영역별 최소 수련일수는 [별표 1]과 같다.

[별표 1]　　　　　**실무수련 과목과 수련 영역별 최소 수련일수**

수련 영역	수련 과목	수련 항목	최소 수련일수
1. 설계	가. 기획	1) 프로그램 기획 2) 대지 및 주변 분석	365일 이상
	나. 계획설계 및 중간설계	1) 관련 법규 검토 2) 계획설계 3) 공사비 개산(槪算) 4) 구조 및 설비 계획 5) 중간설계	
	다. 실시설계	1) 실시설계 2) 설계설명서 및 재료 검토 3) 설계도서의 검토와 조정	
2. 공사관리	가. 공사단계별 관리	1) 감리계약 및 공사계약 2) 사후 설계 관리 3) 공사감리	80일 이상
	나. 프로젝트 관리	프로젝트 관리	
3. 기타	가. 사무소 관리	사무소 관리	20일 이상
	나. 관련 활동	직능 관련 활동	
계			465일 이상

국토계획법

주차장법

주 택 법

도시및주거
환경정비법

건축사법

【5】실무수련의 실시 $\left(\substack{영\\제6조의6}\right)$

① 건축사사무소(이하 "실무수련 건축사사무소"라 함)의 건축사사무소개설자는 실무수련자를 직접 지도·감독하거나 해당 실무수련 건축사사무소 소속 건축사를 실무수련 감독 건축사로 지정하여야 한다.

② 위 ①에 따라 실무수련자의 실무수련을 지도·감독하는 건축사사무소개설자가 아닌 실무수련 감독 건축사는 국토교통부장관에게 등록한 건축사이어야 한다.

③ 실무수련자의 실무수련을 지도·감독하는 건축사사무소개설자 또는 실무수련 감독 건축사(이하 "감독건축사"라 함)는 실무수련자에게 다양한 실무수련 기회를 제공하고, 성실하고 공정하게 실무수련자의 실무수련을 지도·감독하여야 한다.

④ 실무수련자는 감독건축사의 지도·감독에 따라 성실하게 실무수련을 받아야 한다.

【6】실무수련의 확인 등 $\left(\substack{영\\제6조의7}\right)$

① 감독건축사는 실무수련자의 실무수련에 관한 기록을 유지·관리하고, 실무수련자가 위 [별표 1]에 따른 실무수련 영역별 최소 수련일수를 채웠는지를 확인해야 한다.

건축관계법

국토계획법

주차장법

주 택 법

도시및주거
환경정비법

건축사법

장애인시설법

소방시설법

서울시조례

② 감독건축사는 실무수련 건축사무소에서 실무수련자나 실무수련을 받은 사람이 요청하면 국토해양부령으로 정하는 바에 따라 실무수련 확인서를 발급해야 한다.

③ 실무수련자나 실무수련을 받은 사람은 실무수련 확인서를 국토교통부장관에게 제출해야 한다.

④ 국토교통부장관은 실무수련 확인서를 관리하고, 실무수련자가 실무수련 기간을 마친 경우 실무수련 완료 증명서를 발급해야 한다. 이 경우 국토교통부장관은 실무수련자가 소속되거나 소속되었던 실무수련 건축사사무소의 감독건축사에게 실무수련과 관련한 자료의 제출을 요청할 수 있다.

⑤ 국토교통부장관은 위 ③ 및 ④에 따른 실무수련 확인서의 제출·관리 및 실무수련 완료 증명서의 발급을 전자적 정보처리 방식으로 할 수 있다.

2 건축사 자격시험 (법
제14조)

건축사업무 수행에 필요한 지식과 기술을 검증하기 위하여 건축사 자격시험을 실시한다.

【1】 건축사자격 등 (영
제5조)

① 국토교통부장관은 건축사 자격시험에 합격한 사람에 대하여 제2장-**3** 에 따른 결격사유에 해당하는지에 대한 확인을 거쳐, 결격사유에 해당하지 아니하면 건축사 자격을 주어야 한다.

② 국토교통부장관은 위 ①에 따라 건축사 자격을 줄 때에는 국토교통부에 갖추어 두는 건축사 명부에 필요한 사항을 적고, 건축사 자격증을 본인에게 발급해야 한다.

③ 국토교통부장관은 위 ①에 따라 건축사 자격을 주었을 때에는 이를 관보에 공고하여야 한다.

④ 위 ②에 따른 건축사 명부 및 건축사 자격증의 서식은 국토교통부령으로 정한다.

【2】 건축사자격시험의 응시절차 등 (영
제6조의8)

① 건축사 자격시험에 응시하려는 사람은 국토교통부령으로 정하는 건축사 자격시험 응시원서를 국토교통부장관에게 제출해야 한다.

② 건축사 자격시험의 합격기준을 충족하는 합격예정자는 다음의 서류를 국토교통부장관에게 제출하여야 한다.

1. 실무수련 완료 증명서
2. 경력증명서(해당하는 사람만 제출한다)
3. 외국에서 건축사 면허를 받거나 자격을 취득한 사실을 증명하는 서류(해당하는 사람만 제출한다)

③ 위 ②에 따라 서류를 받은 국토교통부장관은 합격예정자가 외국인인 경우 「전자정부법」에 따른 행정정보의 공동이용을 통하여 「출입국관리법」에 따른 외국인등록 사실증명을 확인해야 한다.

단서 합격예정자가 확인에 동의하지 않는 경우에는 그 서류를 첨부하도록 하여야 한다.

건축관계법

국토계획법

주차장법

주 택 법

도시및주거
환경정비법

건축사법

장애인시설법

소방시설법

서울시조례

관계법 「출입국관리법」 제88조 【사실증명의 발급 및 열람】

① 지방출입국·외국인관서의 장, 시·군·구(자치구가 아닌 구를 포함한다. 이하 이 조에서 같다) 및 읍·면·동 또는 재외공관의 장은 이 법의 절차에 따라 출국 또는 입국한 사실 유무에 대하여 법무부령으로 정하는 바에 따라 출입국에 관한 사실증명을 발급할 수 있다. 다만, 출국 또는 입국한 사실이 없는 사람에 대하여는 특히 필요하다고 인정되는 경우에만 이 법의 절차에 따른 출국 또는 입국 사실이 없다는 증명을 발급할 수 있다.   <개정 2012. 1. 26., 2014. 3. 18., 2016. 3. 29.>

② 지방출입국·외국인관서의 장, 시·군·구 또는 읍·면·동의 장은 이 법의 절차에 따라 외국인등록을 한 외국인 및 그의 법정대리인 등 법무부령으로 정하는 사람에게 법무부령으로 정하는 바에 따라 외국인등록 사실증명을 발급하거나 열람하게 할 수 있다.   <개정 2014. 3. 18., 2016. 3. 29.>

[전문개정 2010. 5. 14.][제목개정 2016. 3. 29.]

【3】 시험의 시행 및 공고 (영 제7조의)

① 국토교통부장관은 건축사 자격시험을 매년 1회 이상 시행한다.

② 국토교통부장관이 건축사 자격시험을 시행하려는 경우에는 시험일시·시험장소, 그 밖에 시험 실시에 필요한 사항을 시험일 90일 전까지 관보 또는 「신문 등의 진흥에 관한 법률」에 따라 전국을 주된 보급지역으로 등록한 일간신문에 공고하여야 한다.

【4】 시험과목의 면제 (영 제8조)

외국에서 건축사면허를 받거나 자격을 취득한 사람 중 이 법에 따른 건축사의 자격과 같은 자격이 있다고 국토교통부장관이 인정하는 사람으로서 통틀어 5년 이상 건축에 관한 실무경력이 있는 사람에 대해서는 건축사 자격시험 과목 중 대지계획 과목을 면제한다.

3 부정행위자에 대한 제재 (법 제15조의2)

국토교통부장관은 건축사 자격시험에서 부정행위를 한 응시자에 대하여는 그 시험을 정지시키거나 무효로 하고, 해당 시험 시행일부터 3년간 시험 응시자격을 정지한다.

건축관계법

국토계획법

주차장법

주 택 법

도시및주거
환경정비법

건축사법

장애인시설법

소방시설법

서울시조례

4 시험과목 등 (법 제16조)

【1】 건축사 자격시험 시험과목 (규칙 제8조)

[별표]　　　　　　　　**시험과목별 출제범위 및 출제방법**

과목	출제범위	출제방법
대지계획	배치계획 대지 조닝(zoning) 대지분석 대지단면 지형계획 대지주차	실기
건축설계 1	평면설계	
건축설계 2	단면설계 구조계획 설비계획 지붕설계 계단설계	

【2】 시험방법 (영 제10조)

건축사 자격시험은 실기시험의 방법으로 실시한다.

【3】 합격기준 등 (영 제11조)

① 건축사 자격시험의 합격기준은 과목당 100점을 만점으로 하여 각 과목 60점 이상 득점한 사람을 합격으로 한다.　　[단서] 일부 과목만 60점 이상 득점한 경우에는 그 최종 합격 발표일 이후 5년 내 응시하는 5회의 시험에서 그 60점 이상 득점한 과목에 대한 시험을 면제한다.

② 건축사 자격시험에 응시하기 위하여 응시원서를 국토교통부장관에게 제출했으나 응시원서 접수를 취소하거나 그 시험에 결시(缺試)한 경우에는 위 ①의 단서에 따른 응시 횟수에 포함하지 않는다.

5 수수료 (법 제17조)(규칙 제10조)(부칙 제7조제5호)

① 다음의 어느 하나에 해당하는 사람은 국토교통부령으로 정하는 바에 따라 국토교통부장관 또는 특별시장·광역시장·특별자치시장·도지사·특별자치도지사(이하 "시·도지사"라 함)에게 수수료를 납부하여야 한다.

1. 건축사보의 신고를 하는 사람

2. 실무수련의 신고를 하는 사람

3. 건축사 자격시험에 응시하려는 사람

4. 자격등록 또는 갱신등록을 하는 사람

5. 건축사사무소의 개설신고를 하는 사람

6. 국내의 건축사사무소개설자와 공동으로 건축사업을 하기 위하여 신고를 하는 사람

7. 「엔지니어링산업 진흥법」에 따라 신고한 엔지니어링사업자에 소속된 건축사,「건설산업기본법」에 따른 건설사업자에게 소속된 건축사의 경우 그 업무에 관한 사항을 미리 국토교통부령이 정하는 바에 따라 국토교통부장관에게 신고를 하는 사람

② 시험 응시수수료
- 건축사 자격시험: 10만원

6 자격등록 및 갱신등록 (법 제18조)(영 제20조)

【1】 자격등록

(1) 건축사 자격시험에 합격한 사람이 건축사업무를 수행하려면 국토교통부장관에게 등록하여야 한다.
- 건축사업무를 수행하기 위하여 등록하려는 사람은 국토교통부령으로 정하는 건축사 자격등록 신청서에 다음의 서류를 첨부하여 국토교통부장관에게 제출해야 한다.

1. 건축사 자격증 사본

2. 국토교통부령으로 정하는 건축사 윤리선언서

3. 실무교육을 받은 사실을 증명하는 서류(해당하는 사람만 제출한다)

(2) 위 (1)에 따른 등록을 신청한 사람은 건축사 윤리선언을 하여야한다.
(3) 국토교통부장관은 위 (1)에 따라 등록한 건축사에게 국토교통부령으로 정하는 바에 따라 등록증을 발급해야 한다.
(4) 등록증을 발급받은 건축사는 다른 사람에게 그 등록증을 빌려주어서는 아니 된다.
(5) 누구든지 다른 사람의 건축사 등록증을 빌려서는 아니 된다.
(6) 누구든지 위 (4), (5)에서 금지된 행위를 알선해서는 아니 된다.

【2】 갱신등록

위 【1】에 따라 등록한 건축사는 다음에 따라 등록을 갱신하여야 한다.
(1) 등록한 건축사는 5년마다 등록을 갱신을 하여야 한다.
(2) 건축사 자격등록을 갱신하려는 사람은 건축사 자격 등록일부터 5년이 지나기 180일 전부터 5년이 되는 날까지 국토교통부령으로 정하는 건축사 자격 갱신등록 신청서에 실무교육을 받은 사실을 증명하는 서류를 첨부하여 국토교통부장관에게 제출해야 한다.

【3】 심사 및 통보

국토교통부장관은 위 【1】에 따른 자격등록과 【2】에 따른 갱신등록을 신청한 사람이 등록거부 사유에 해당하는지를 심사하고, 그 결과를 자격등록 또는 갱신등록을 신청한 사람에게 통보하여야 한다.

7 자격등록 및 갱신등록의 거부 (법 제18조의2)

(1) 국토교통부장관은 자격등록 또는 갱신등록을 신청한 사람이 다음의 어느 하나에 해당하는 경우에는 등록을 거부하여야 한다.

건축관계법

국토계획법

주차장법

주 택 법

도시및주거
환경정비법

건축사법

장애인시설법

소방시설법

서울시조례

건축관계법

국토계획법

주차장법

주 택 법

도시및주거
환경정비법

건축사법

장애인시설법

소방시설법

서울시조례

1. 위 제2장 **5** -(1)의 어느 하나에 해당하는 경우

2. 자격등록이 취소(피성년후견인 또는 피한정후견인에 해당하여 자격등록이 취소된 경우는 제외한다)된 날부터 2년이 지나지 않은 경우

3. 실무교육을 받지 않은 경우

4. 징계를 받아 업무가 정지된 건축사로서 업무정지 기간이 지나지 않은 경우

(2) 국토교통부장관은 위(1)에 따라 자격등록 또는 갱신등록을 거부한 경우에는 지체 없이 그 사유를 구체적으로 밝혀 신청인에게 알려야 한다.

8 **자격등록의 취소** (법 제18조의3)

(1) 국토교통부장관은 자격등록을 한 건축사가 다음의 어느 하나에 해당하는 경우에는 그 등록을 취소하여야 한다.

1. 위 제2장 **5** -(1)의 어느 하나에 해당하는 경우

2. 자격등록 취소처분을 받은 경우

3. 자격등록취소의 신청을 한 경우

(2) 위 (1)에 따라 등록이 취소된 사람은 취소된 날부터 2년이 지날 때까지는 자격등록을 신청할 수 없다.

건축관계법

국토계획법

주차장법

주 택 법

도시및주거
환경정비법

건축사법

장애인시설법

소방시설법

서울시조례

4

업 무

1 업무내용 (법 제19조)

(1) 건축사는 건축물의 설계와 공사감리에 관한 업무를 수행한다.
(2) 건축사는 위 (1)의 업무 외에 다음의 업무를 수행할 수 있다.

1. 건축물의 조사 또는 감정(鑑定)에 관한 사항

2. 「건축법」에 따른 건축물에 대한 현장조사, 검사 및 확인에 관한 사항

3. 「건축물관리법」에 따른 건축물의 유지·관리 및 「건설산업기본법」에 따른 건설사업관리에 관한 사항

4. 「건축법」에 따른 특별건축구역의 건축물에 대한 모니터링 및 보고서 작성 등에 관한 사항

5. 이 법 또는 「건축법」과 이 법 또는 「건축법」에 따른 명령이나 기준 등에서 건축사의 업무로 규정한 사항

6. 「건축서비스산업 진흥법」에 따른 사업계획서의 작성 및 공공건축 사업의 기획 등에 관한 사항

7. 「건축법」의 건축주가 건축물의 건축 등을 하려는 경우 인가·허가·승인·신청 등 업무 대행에 관한 사항

6. 그 밖에 다른 법령에서 건축사의 업무로 규정한 사항

관계법 「건설산업기본법」 제2조제8호
　　1.~7. <생략>
　　8. 건설사업관리" 란 건설공사에 관한 기획, 타당성 조사, 분석, 설계, 조달, 계약, 시공관리, 감리, 평가 또는 사후관리 등에 관한 관리를 수행하는 것을 말한다.
　　9~15. <생략>

관계법 「건축서비스산업 진흥법」 제23조 【공공건축 사업계획에 대한 사전검토 등】
　　① 삭제 <2018. 12. 18.>
　　② 공공기관이 대통령령으로 정하는 공공건축 사업을 하고자 할 때에는 제22조의2제2항 각 호의

건축관계법

국토계획법

주차장법

주 택 법

도시및주거
환경정비법

건축사법

장애인시설법

소방시설법

서울시조례

내용을 포함한 사업계획서를 작성하여 이를 제24조에 따른 공공건축지원센터 또는 제24조의2에 따른 지역 공공건축지원센터(이하 "공공건축지원센터등"이라 한다)에 제공하여 검토를 요청하여야 한다. 다만, 제22조의2제5항제1호 또는 제2호에 해당하는 자가 같은 조 제2항에 따른 건축기획 업무를 수행하는 경우에는 사업계획서에 대한 검토를 수행한 것으로 본다. <개정 2018. 12. 18.>
　1. 삭제 <2018. 12. 18.>
　2. 삭제 <2018. 12. 18.>
　3. 삭제 <2018. 12. 18.>
　4. 삭제 <2018. 12. 18.>
　5. 삭제 <2018. 12. 18.>
③ 공공기관은 제2항에 따른 사업계획서의 작성 및 공공건축 사업의 기획 등을 위하여 공공건축지원센터등에 자문할 수 있으며, 공공건축지원센터등은 특별한 사유가 없는 한 이에 응하여야 한다. <개정 2018. 12. 18.>
④ 공공기관은 제2항에 따른 사업계획서의 내용 중 사업예산, 건축물등의 입지 및 규모 등이 변경되는 경우에는 공공건축지원센터등에 변경된 사업계획서에 대하여 자문하거나 재검토를 요청할 수 있다. 다만, 건축물등의 입지 변경 등 대통령령으로 정하는 중요한 사항을 변경하는 경우에는 공공건축지원센터등에 변경된 사업계획서에 대한 재검토를 요청하여야 한다. <신설 2018. 12. 18.>
⑤ 공공건축지원센터등은 제2항 및 제4항에 따라 검토 및 재검토를 요청받은 사업계획서를 검토하고 30일 이내에 그에 대한 의견을 해당 공공기관과 관계 중앙행정기관의 장 및 관계 지방자치단체의 장에게 제공하여야 한다. <개정 2018. 12. 18.>
⑥ 제5항에 따라 검토의견을 제공받은 기관은 예산편성, 설계용역 발주 등 해당 사업과 관련된 소관 업무를 추진할 때 이를 참고하여야 한다. <개정 2018. 12. 18.>
⑦ 제2항부터 제6항까지에 따른 검토·재검토의 절차 및 활용 등에 필요한 사항은 대통령령으로 정한다. <개정 2018. 12. 18.>

2 업무실적의 관리 등 (법 제19조의2)(규칙 제11조)

(1) 건축사는 건축주 등이 설계·공사감리 실적을 확인·평가할 수 있도록 본인이 수행한 업무 실적 등을 국토교통부장관에게 제출할 수 있다.
(2) 국토교통부장관은 건축사가 제출한 업무 실적 등에 관한 기록을 유지·관리하여야 하고, 그 기록이 필요한 자에게 제공(증명서의 발급을 포함)하여야 한다.
(3) 위 (1)과 (2)에 따른 업무 실적의 제출·관리 및 제공 등에 필요한 사항은 다음과 같다.
　① 업무 실적의 제출은 다음의 사항을 적은 설계업무 실적 제출서(별지 제21호서식) 또는 공사감리업무 실적 제출서(별지 제22호서식)를 건축사협회에 제출하는 방법으로 한다.

1. 건축사의 성명·자격번호 및 사무소의 명칭·소재지
2. 용역의 명칭·금액 및 건축주 또는 발주자의 성명
3. 대지의 위치·면적 및 건축물의 건축면적·연면적·용도·구조·층수
4. 용역 수행기간
5. 공동도급의 경우 그 구성원 및 지분 비율

　② 위 ①에 따른 설계업무 실적 제출서 및 공사감리업무 실적 제출서에는 건축주 또는 발주자와의 계약서 사본을 첨부하여야 한다.

③ 건축사협회는 위 ①에 따라 업무 실적을 제출받았을 때에는 설계업무 실적 관리 대장(별지 제23호서식)또는 공사감리업무 실적 관리 대장(별지 제24호서식)에 필요한 사항을 적고, 유지·관리하여야 한다.

④ 건축사가 업무 실적을 증명 받으려는 경우에는 업무 실적 증명 발급 신청서(별지 제25호서식)를 건축사협회에 제출해야 한다. 이 경우 건축사협회는 설계업무 실적 증명서(별지 제26호 서식) 또는 공사감리업무 실적 증명서(별지 제27호서식)를 발급하고, 업무 실적 증명서 발급 사실을 업무 실적 증명서 발급 대장(별지 제28호서식)에 적고, 유지·관리하여야 한다.

⑤ 건축사협회는 위 ④에 따라 업무 실적 증명서를 발급할 때에는 실비(實費)의 범위에서 국토해양부장관이 정하는 수수료를 신청인으로부터 받을 수 있다.

3 공공발주사업 등에 대한 건축사의 업무범위 및 대가기준 ⟨법 제19조의3⟩

(1) 건축사의 건전한 육성과 설계 및 공사감리의 품질을 보장하기 위하여 다음의 어느 하나에 해당하는 자는 건축사의 업무에 대하여 아래 (3)에 따라 고시한 대가 기준을 적용하여 발주하여야 한다.

1. 국가
2. 지방자치단체
3. 「공공기관의 운영에 관한 법률」에 따른 공공기관
4. 그 밖에 대통령령으로 정하는 기관 또는 단체

(2) 위 (1)에 해당하지 않는 자는 위 (1)에서 정한 목적을 달성하기 위하여 아래 (3)에 따라 고시한 대가 기준을 활용하거나 참고할 수 있다.

(3) 국토교통부장관은 위 (1)에 따른 건축사의 업무범위 및 그 대가에 관한 기준을 기획재정부장관 및 산업통상자원부장관과 협의하여 정하고 고시하여야 한다.

고시 공공발주사업에 대한 건축사의 업무범위와 대가기준 (국토교통부고시)

【참고】 「공공발주사업에 대한 건축사의 업무범위와 대가기준」에 따른 건축사의 업무범위 (제5조)

1. 설계업무	① 기획업무
	② 건축설계업무
	㉠ 계획설계
	㉡ 중간설계
	㉢ 실시설계
	③ 사후설계관리업무
	④ 발주자의 요청이 있을 경우 다음의 각 업무
	㉠ 리모델링 설계업무
	㉡ 인테리어 설계업무
	㉢ 음향, 차음·방음, 방진설계업무
	㉣ 3D 모델링업무
	㉤ 모형제작업무
	㉥ VE(Value Engineering) 설계에 따른 업무
	㉦ Fast track 설계방식 업무
	㉧ 흙막이 상세도 작성업무(굴토깊이 10m이상)

건축관계법

국토계획법

주차장법

주 택 법

도시및주거
환경정비법

건축사법

장애인시설법

소방시설법

서울시조례

건축관계법

국토계획법

주차장법

주 택 법

도시및주거
환경정비법

건축사법

장애인시설법

소방시설법

서울시조례

2. 공사감리업무	① 수시 또는 필요한 때 공사현장에서 수행하는 감리업무 ② 건축사보로 하여금 공사기간동안 공사현장에서 수행하는 감리업무 ③ 다중이용건축물, 아파트 및 기타 건축물로서 건축주의 요청으로 수행하는 책임감리업무 ④ 건축주의 요청이 있을 경우 다음의 각 업무 　㉠ 건축물의 사후관리 매뉴얼 작성 업무 　㉡ 건축물의 사후평가 업무 　㉢ 「건설기술관리법」의 규정에 따른 설계감리 업무
3. 「건설산업기본법」에서 정하는	건축분야와 관련된 건설사업관리(CM)업무
4. 지구단위계획, 주택재건축 또는 도시환경정비사업을 위한 계획, 공원계획 등의 업무 중	건축물과 건축물·도로·녹지 등 주변 환경과의 관계를 입체적으로 계획을 하고 건축물과 주변시설들의 용도·규모·형태·색채 등의 설계기준을 작성하는 업무
5. 위 1.~4.의 규정에 따른 업무 외에 발주자로부터 요청을 받아 수행하는 다음의 업무	① 건축물의 조사 또는 감정에 관한 업무 ② 건축물의 현장 조사 및 검사 등에 관한 업무 ③ 건축공사 준공도서를 작성하는 업무 ④ 종합계획도(Master Plan) 작성업무 ⑤ 건축공사 사업타당성 분석업무 ⑥ 건축물의 수명비용 분석 업무(Life Cycle Cost Analysis) ⑦ 건축물의 분양관련 지원업무 ⑧ 기타 건축사가 참여하는 업무

4 업무상의 성실의무 등 $\left(\substack{법\\제20조}\right)\left(\substack{영\\제21조}\right)$

(1) 건축사는 이 법, 「건축법」 또는 그 밖의 관계 법령의 규정을 지키고, 건축물의 안전·기능 및 미관에 지장이 없도록 업무를 성실하게 수행하여야 한다.

(2) 건축사가 업무를 수행할 때 고의 또는 과실로 건축주에게 재산상의 손해를 입힌 경우에는 그 손해를 배상할 책임이 있다.

(3) 건축사는 위 (2)에 따른 손해배상책임을 보장하기 위하여 보험 또는 공제에 가입하여야 한다. 이 경우 위 **3** -(1)의 어느 하나에 해당하는 자는 보험 또는 공제 가입에 따른 비용을 용역비용에 계상해야 한다.

(4) 위 (3)에 따른 보험 또는 공제와 관련하여 필요한 사항은 다음과 같다.

① 보험 또는 공제의 가입기간, 가입대상 및 가입금액은 다음과 같다.

> 1. 가입기간 : 건설공사의 착공일부터 완공일까지의 기간
>
> 2. 가입대상 : 건축물의 설계 및 공사감리
>
> 3. 가입금액 : 건축물의 설계 및 공사감리의 계약금액

② 건축사가 건축물의 설계 및 공사감리 계약을 체결할 때에는 보험증서 또는 공제증서를 건축주에게 제출해야 한다.

③ 위 ①과 ②에서 규정한 사항 외에 보험 또는 공제의 가입금액 산출방법, 가입절차 등에 관하여 필요한 세부 사항은 국토교통부장관이 정하여 고시한다.

(5) 건축사보는 건축사의 업무를 보조할 때 이 법 또는 「건축법」에 맞도록 그 업무를 성실히 수행 하여야 한다.

(6) 건축사는 직무상 알게 된 비밀을 누설하거나 다른 용도로 사용하여서는 아니 된다.

(7) 건축사는 건축사업무를 수행할 때 품위를 손상하는 행위를 하여서는 아니 된다.

5 설계도서등의 서명날인 (법 제21조)

건축사는 건축사업무의 품질을 보증하기 위하여 자신이 작성한 설계도서, 공사감리보고서, 그 밖에 관계 법령에서 건축사가 작성하도록 규정한 서류(이하 "설계도서등"이라 함)에 서명날인(署名捺印) 을 하여야 한다. 설계도서등의 일부를 변경한 경우에도 같다.

6 자격의 취소 등에 따른 건축사의 업무계속 (법 제22조의2)

(1) 다음의 어느 하나에 해당하는 처분 또는 명령을 받은 건축사는 그 처분 또는 명령을 받기 전에 계약을 체결한 업무는 계속하여 수행할 수 있다. 이 경우 국토교통부장관 또는 시·도지사는 그 처분 또는 명령의 내용을 지체 없이 해당 건축주에게 알려야 한다.

1. 자격취소
2. 자격등록의 취소
3. 건축사사무소개설신고의 효력상실 또는 업무정지
4. 업무정지

(2) 위 (1)에 따른 건축사는 그 업무를 완성할 때까지 이 법에 따른 건축사로 본다.

주 택 법

도시및주거
환경정비법

건축사법

장애인시설법

소방시설법

서울시조례

건축관계법

국토계획법

주차장법

주 택 법

도시및주거
환경정비법

건축사법

장애인시설법

소방시설법

서울시조례

5

건축사사무소

1 건축사사무소개설신고 등 (법 제23조)

【1】 건축사사무소개설신고 (영 제22조)

(1) 자격등록을 한 건축사가 건축사업을 하려면 시·도지사에게 건축사사무소의 개설신고(이하 "건축사사무소개설신고"라 함)를 하여야 한다.

■ 건축사사무소개설신고를 하려는 자는 국토교통부령으로 정하는 건축사사무소개설신고서(전자문서로 된 신고서를 포함)에 다음의 서류(전자문서를 포함)를 첨부하여 국토교통부장관에게 제출해야 한다. 이 경우 국토교통부장관은 「전자정부법」에 따른 행정정보의 공동이용을 통하여 법인 등기사항증명서(법인인 경우만 해당함)를 확인해야 한다.

1. 건축사 자격등록증 사본

2. 사무실 보유증명서

(2) 시·도지사는 위 (1)의 신고를 받은 날부터 5일 이내에 신고수리 여부를 신고인에게 통지하여야 한다.

(3) 시·도지사가 위 (2)에서 정한 기간 내에 신고수리 여부 또는 민원 처리 관련 법령에 따른 처리기간의 연장을 신고인에게 통지하지 아니하면 그 기간이 끝난 날의 다음 날에 신고를 수리한 것으로 본다.

(4) 건축사사무소에는 건축사사무소개설신고를 한 건축사(이하 "건축사사무소개설자"라 함)의 업무를 보조하는 소속 건축사, 건축사보 및 실무수련자를 둘 수 있다. 이 경우 소속 건축사는 자격등록을 한 사람이어야 하고, 건축사사무소개설자는 소속 건축사가 아닌 사람으로 하여금 건축사 업무를 보조하게 하여서는 아니 된다.

(5) 건축사사무소의 명칭에는 "건축사사무소"라는 용어를 사용하여야 한다.

(6) 건축사사무소개설자는 1개의 사무소만 설치할 수 있고, 건축사, 건축사보 및 실무수련자는 1개의 건축사사무소에만 소속될 수 있다.

【2】 신고기준 $\left(\begin{smallmatrix} 영 \\ 제23조 \end{smallmatrix}\right)\left(\begin{smallmatrix} 규칙 \\ 제14조 \end{smallmatrix}\right)$

법인이 건축사사무소개설신고를 하려는 경우에는 그 대표자가 건축사여야 한다.

예외 건축사가 아닌 사람이 건축사와 공동으로 설립하고 20명 이상의 건축사가 속한 법인이 다음에 해당하는 건축물을 대상으로 위 제4장-**1**에 따른 업무를 수행하는 경우에는 그러하지 아니하다.

1. 연면적의 합계가 10만㎡ 이상인 건축물
2. 국가 및 지방자치단체가 설계·시공 일괄입찰 방식으로 발주하는 건축물

【3】 신고확인증의 발급 등 $\left(\begin{smallmatrix} 영 \\ 제24조 \end{smallmatrix}\right)$

(1) 국토교통부장관은 건축사사무소개설신고를 받았을 때에는 아래 **2**에 따른 신고 제한사유가 없으면 건축사사무소개설신고부에 필요한 사항을 기록하고, 신고확인증을 발급해야 한다.

(2) 건축사사무소개설신고부와 신고확인증의 서식 및 신고확인증의 재발급에 관한 사항은 국토해양부령으로 정한다.

【4】 외국 건축사 자격 취득자의 업무 수행 $\left(\begin{smallmatrix} 영 \\ 제21조의2 \end{smallmatrix}\right)$

(1) 외국의 건축사 면허 또는 자격을 가진 사람은 다음에 따라 건축사사무소개설자와 공동으로 건축물의 설계·공사감리 업무를 수임(受任)하는 경우에만 건축사업을 할 수 있다.

① 외국의 건축사 면허 또는 자격을 가진 사람이 건축물의 설계·공사감리 업무를 수행하기 위하여 건축주와 계약을 체결하려는 경우에는 건축사사무소개설자와 공동으로 계약서를 작성해야 한다.

② 외국의 건축사 면허 또는 자격을 가진 사람이 건축물의 설계·공사감리 업무를 수행하였을 때에는 설계도서와 감리보고서에 건축사사무소개설자와 공동으로 서명날인해야 한다.

(2) 위 (1)의 경우 외국의 건축사 면허 또는 자격을 가진 사람은 국토교통부령으로 정하는 바에 따라 국토교통부장관에게 신고하여야 한다.

【5】 건축사사무소개설신고 면제기관 $\left(\begin{smallmatrix} 영 \\ 제25조 \end{smallmatrix}\right)\left(\begin{smallmatrix} 규칙 \\ 제16조 \end{smallmatrix}\right)$

(1) 다음의 어느 하나에 해당하는 업무를 수행하려는 건축사는 건축사사무소개설신고를 하거나 그 신고를 한 건축사사무소에 소속되지 아니하고도 업무를 수행할 수 있다.

단서 아래 ②나 ④의 경우에는 그 업무에 관한 사항을 미리 다음에 따라 국토교통부장관에게 신고해야 한다.

1. 엔지니어링사업자 또는 건설사업자에게 소속된 건축사가 그 업무에 관한 신고를 하려는 경우에는 입사일부터 15일 내에 엔지니어링사업자(건설사업자) 소속 건축사 신고서(별지 제37호서식)에 다음의 서류를 첨부하여 시·도지사에게 제출해야 한다.
   ㉠ 자격등록증 사본
   ㉡ 재직증명서

2. 위 1.에 따라 신고를 한 건축사가 소속 엔지니어링사업자 또는 소속 건설사업자로부터 퇴사하였을 때에는 퇴사한 날부터 15일 내에 엔지니어링사업자(건설사업자) 소속 건축사 퇴사신고서에 퇴사증명서(별지 제38호서식)를 첨부하여 시·도지사에게 제출해야 한다.

3. 시·도지사는 위 ①에 따른 엔지니어링사업자 또는 건설사업자에게 소속된 건축사의 신고를 받았을 때에는 엔지니어링사업자(건설사업자) 소속 건축사 신고확인증(별지 제39호서식)을 발급해야 한다.

건축관계법

국토계획법

주차장법

주 택 법

도시및주거
환경정비법

건축사법

장애인시설법

소방시설법

서울시조례

① 「건설기술관리법」에 따른 감리전문회사에 소속된 건축사가 수행하는 책임감리

② 「엔지니어링산업 진흥법」에 따라 신고한 엔지니어링사업자에 소속된 건축사로서 다음에 해당하는 특수건축물 또는 특수구조물에 대하여 수행하는 설계 또는 공사감리

1. 발전(發電)·제철·철강·조선·기계·비철금속·석유정제 및 화학·펄프 등의 공장 건축물

2. 공항여객터미널

3. 고속철도 역사(驛舍)

4. 정수장·하수종말처리장·폐수처리장 등 상하수도 관련 구조물

5. 위 1.~4.까지의 건축물의 건설기간 중에 건축되는 것으로서 그 건축물의 운전 또는 관리에 필요한 기계실·변전실·사무실·창고·휴게실 등 부속 건축물

③ 국가, 지방자치단체, 「공공기관의 운영에 관한 법률」에 따른 공공기관 및 「지방공기업법」에 따른 지방공기업 등으로서 다음에 해당하는 기관의 건축 관련 부서에 소속된 건축사가 각각 해당 기관이 시행하는 공사에 대하여 수행하는 설계 또는 공사감리

1. 국가
2. 지방자치단체
3. 「한국농수산식품유통공사법」에 따른 한국농수산식품유통공사
4. 「농업협동조합법」에 따른 농업협동조합중앙회
5. 「대한무역투자진흥공사법」에 따른 대한무역투자진흥공사
6. 「대한석탄공사법」에 따른 대한석탄공사
7. 「산림조합법」에 따른 산림조합중앙회
8. 「수산업협동조합법」에 따른 수산업협동조합
9. 「중소기업진흥에 관한 법률」에 따른 중소벤처기업진흥공단
10. 「지방공기업법」에 따라 설립된 지방공사 또는 지방공단
11. 「한국관광공사법」에 따른 한국관광공사
12. 「한국광물자원공사법」에 따른 한국광물자원공사
13. 「한국농어촌공사 및 농지관리기금법」에 따른 한국농어촌공사
14. 「한국도로공사법」에 따른 한국도로공사
15. 「한국석유공사법」에 따른 한국석유공사
16. 「한국수자원공사법」에 따른 한국수자원공사
17. 「한국은행법」에 따른 한국은행
18. 「한국전력공사법」에 따른 한국전력공사
19. 「한국조폐공사법」에 따른 한국조폐공사
20. 「한국철도공사법」에 따른 한국철도공사
21. 「한국토지주택공사법」에 따른 한국토지주택공사
22. 「국가철도공단법」에 따른 국가철도공단

④ 「건설산업기본법」에 따른 건설사업자에게 소속된 건축사가 그 건설사업자 또는 그 건설사업자의 계열회사(「독점규제 및 공정거래에 관한 법률」에 따른 계열회사를 말함)의 「건축법 시행령」 별표 1에 따른 업무시설(오피스텔은 제외함) 중 분양 목적이 아닌 건축물에 대하여 수행하는 설계

(2) 위 (1)-④에 따른 건축물의 공사감리는 해당 건설사업자에게 소속된 건축사가 하여서는 아니 된다.

2 신고의 제한 $\left(\begin{smallmatrix}법\\제24조\end{smallmatrix}\right)$

다음의 어느 하나에 해당하는 사람은 건축사사무소개설신고 및 위 **1** - 【5】 -(1)- 단서 에 따른 신고
를 할 수 없다.

국토계획법
건축관계법

1. 위 제3장 **8**-(1)의 어느 하나에 해당하는 사람

2. 건축사사무소개설신고의 효력상실처분을 받고 그 처분을 받은 날부터 2년이 지나지 않은 사람

3. 업무정지명령을 받고 그 기간이 끝나지 아니한 사람

4. 이 법 또는 「건축법」을 위반하여 벌금형을 선고받고 1년이 지나지 않은 사람

5. 둘 이상의 건축사사무소를 개설하려는 사람

6. 파산선고를 받고 복권되지 않은 사람

3 신고 사항의 변경 또는 휴업·폐업 등의 신고 $\left(\begin{smallmatrix}법\\제27조\end{smallmatrix}\right)\left(\begin{smallmatrix}영\\제29조\end{smallmatrix}\right)$

(1) 건축사사무소개설자가 성명, 건축사사무소 소재지, 그 밖에 건축사사무소의 명칭을 변경하거나
휴업 또는 폐업한 경우에는 그 사실을 국토교통부장관에게 신고하여야 한다.

(2) 건축사사무소개설신고사항을 변경하거나 휴업 또는 폐업한 자는 그 사유가 발생한 날부터 30일
이내에 국토교통부령으로 정하는 신고서에 이를 증명할 수 있는 서류를 첨부하여 국토교통부장
관에게 제출해야 한다.

4 효력상실 및 업무정지처분 등 $\left(\begin{smallmatrix}법\\제28조\end{smallmatrix}\right)\left(\begin{smallmatrix}영\\제29조의2\end{smallmatrix}\right)$

【1】효력상실 및 업무정지처분

(1) 시·도지사는 건축사사무소개설자 또는 그 소속 건축사가 다음의 어느 하나에 해당하는 경우에
는 건축사사무소개설신고의 효력상실처분을 하거나 1년 이내의 기간을 정하여 그 업무정지를
명할 수 있다.

단서 아래 1., 2., 4. 및 5.에 해당하는 경우에는 건축사사무소개설신고의 효력상실처분을 하여야 한다.

1. 거짓이나 그 밖의 부정한 방법으로 건축사사무소개설신고를 한 사실이 드러난 경우

2. 건축사무소개설자의 자격등록이 취소된 경우

3. 업무범위를 위반하여 건축사업을 한 경우

4. 건축물의 구조상 안전에 관한 규정을 위반하여 설계 또는 공사감리를 함으로써 사람을 죽거나 다치
게 한 경우

5. 연 2회 이상 업무정지명령을 받고 그 정지기간이 통틀어 1년을 초과하는 경우

6. 둘 이상의 건축사사무소를 개설한 경우

7. 건축사사무소개설신고사항의 변경 등을 거짓으로 신고한 경우

8. 아래 **7** -(1)에 따른 보고를 하지 아니하거나 거짓으로 보고를 한 경우 또는 검사를 거부·방해하거나
기피한 경우

(2) 시·도지사는 위 (1)에 따른 건축사사무소개설신고의 효력상실처분 또는 업무정지명령이 소속
건축사보 또는 실무수련자의 업무보조 잘못으로 인한 경우에는 그 소속 건축사보 또는 실무수련
자에게 1년 이내의 기간을 정하여 업무정지를 명할 수 있다.

주차장법
주 택 법
도시및주거
환경정비법
건축사법
장애인시설법
소방시설법
서울시조례

건축관계법

국토계획법

주차장법

주 택 법

도시및주거
환경정비법

건축사법

장애인시설법

소방시설법

서울시조례

■ 건축사사무소개설신고(위 **1** - 【5】 - 단서 에 따른 신고를 포함하며, 이하 "건축사사무소개설신고 등"이라 함)의 효력상실처분 및 업무정지명령의 기준과 건축사보(실무수련자를 포함)의 업무정지명령의 기준은 [별표 2]와 같다.

[별표 2]   업무정지 등 처분기준

1. 일반기준

　가. 위반행위의 횟수에 따른 행정처분의 기준은 최근 1년간 같은 위반행위로 행정처분을 받은 경우에 적용한다. 이 경우 위반행위에 대하여 행정처분을 한 날과 그 처분 후 다시 같은 위반행위를 적발한 날을 각각 기준으로 하여 위반횟수를 계산한다.

　나. 위반행위가 둘 이상인 경우로서 그에 해당하는 각각의 처분기준이 다른 경우에는 그 중 무거운 처분기준에 따른다. 다만, 둘 이상의 처분기준이 모두 업무정지인 경우에는 가장 무거운 처분(처분기준이 같을 때에는 그 중 하나의 처분기준을 말한다)에 나머지 각 위반행위에 해당하는 업무정지 기간의 2분의 1을 합산한 기간까지 가중하여 처분할 수 있되, 그 합산한 업무정지 기간이 1년을 넘을 때에는 1년으로 한다.

　다. 가목 및 나목에 따른 행정처분이 업무정지인 경우에는 고의나 중대한 과실 여부 또는 공중(公衆)에 미치는 피해의 규모 등 위반행위의 동기·내용 및 위반의 정도 등을 고려하여 업무정지 기간의 2분의 1 범위에서 처분을 가중하거나 감경할 수 있다. 이 경우 그 가중한 업무정지기간은 1년을 넘을 수 없다.

2. 개별기준

위반사항	근거 법조문	처분기준			
		1차 위반	2차 위반	3차 위반	4차 위반 이상
가. 거짓이나 그 밖의 부정한 방법으로 건축사사무소개설신고를 한 사실이 드러난 경우	법 제28조 제1항제1호	사무소개설 신고 효력상실			
나. 법 제18조의3에 따라 건축사사무소개설자의 자격등록이 취소된 경우	법 제28조 제1항제2호	사무소개설 신고 효력상실			
다. 법 제19조에 따른 업무범위를 위반하여 건축사업을 한 경우	법 제28조 제1항제3호	업무정지 12개월			
라. 건축물의 구조상 안전에 관한 규정에 위반하여 설계 또는 공사감리를 함으로써 사람을 죽거나 다치게 한 경우	법 제28조 제1항제4호	사무소개설 신고 효력상실 (업무정지 12개월)			
마. 연 2회 이상 업무정지명령을 받고 그 정지기간이 통틀어 1년을 초과하는 경우	법 제28조 제1항제5호	사무소개설 신고 효력상실			
바. 법 제23조제7항을 위반하여 둘 이상의 건축사사무소를 개설한 경우	법 제28조 제1항제6호	업무정지 1개월	업무정지 4개월	업무정지 8개월	

사. 법 제27조에 따른 건축사사무소개설신고사항의 변경 등을 거짓으로 신고한 경우	법 제28조제1항제7호	업무정지 1개월	업무정지 3개월	업무정지 6개월	업무정지 6개월
아. 법 제30조제1항에 따른 보고를 하지 않거나 거짓으로 보고를 한 경우 또는 검사를 거부·방해하거나 기피한 경우	법 제28조제1항제8호				
1) 보고를 하지 않거나 거짓으로 보고를 한 경우		시정명령	업무정지 1개월	업무정지 2개월	업무정지 4개월
2) 검사를 거부·방해 또는 기피한 경우		시정명령	업무정지 1개월	업무정지 3개월	업무정지 6개월

비고 : (   ) 안은 건축사사무소 소속 건축사, 건축사보 및 실무수련자에 대한 행정처분 기준을 말한다.

【2】 수탁업무의 보고 (규칙 제23조)

① 처분 또는 명령[제4장의 **6** - (1)에 해당하는]을 받은 건축사는 그 처분 또는 명령을 받은 날부터 7일 내에 수탁(계약)업무 현황 보고(별지 제42호서식)에 설계 계약서 및 공사감리 계약서 사본을 첨부하여 그 처분 전에 계약을 체결한 업무의 현황을 시·도지사에게 보고해야 한다.

② 시·도지사는 위 ①에 따라 업무 현황을 보고받았을 때에는 이를 건축주 및 그 업무와 관련된 사항을 관할하는 시장·군수·구청장(자치구의 구청장을 말한다)에게 통지해야 한다.

5 청문 (법 제28조의2)

국토교통부장관 또는 시·도지사는 다음의 어느 하나에 해당하는 처분을 하려면 청문을 하여야 한다.

1. 건축사 자격의 취소

2. 자격등록의 취소

3. 건축사사무소개설신고의 효력상실처분

6 건축사사무소개설신고부의 정리 (법 제29조)(영 제29조의3)

시·도지사는 다음의 어느 하나에 해당하는 경우에는 건축사사무소개설신고부에 해당 건축사사무소에 관한 신고사항을 정리하여야 한다.

1. 건축사의 사망사실이 확인된 경우

2. 변경 등의 신고를 받은 경우

3. 그 밖에 다음에 해당하는 사유가 있는 경우
   ① 사망한 건축사의 상속인이 건축사 사망신고를 하지 아니하였으나 건축사의 사망사실이 확인된 경우
   ② 건축사 자격을 취소한 경우
   ③ 자격등록을 취소한 경우

건축관계법

국토계획법

주차장법

주 택 법

도시및주거환경정비법

건축사법

장애인시설법

소방시설법

서울시조례

건축관계법

국토계획법

주차장법

주 택 법

도시및주거
환경정비법

건축사법

장애인시설법

소방시설법

서울시조례

7 보고 · 검사 등 (법 제30조)

(1) 국토교통부장관 또는 시·도지사는 다음의 어느 하나에 해당하는 경우에는 건축사사무소개설자에게 필요한 사항을 보고하게 하거나 자료의 제출을 요구할 수 있으며, 소속 공무원으로 하여금 업무 상황 또는 회계 상황을 조사하게 하거나 장부 또는 그 밖의 서류를 검사하게 할 수 있다.
  ① 이 법의 위반 여부에 대한 확인이 필요한 경우
  ② 건축사업무 수행과 관련하여 건축주 등 이해관계를 가지는 자와 분쟁이 발생한 경우
(2) 위 (1)에 따라 국토교통부장관 또는 시·도지사가 보고 또는 자료의 제출을 요구하거나 조사 또는 검사를 하고자 하는 경우 「행정조사기본법」에 따른 사전통지를 하여야 하고, 사무소 등에 출입하여 조사 또는 검사를 하는 공무원은 그 권한을 표시하는 증표를 지니고 이를 관계인에게 보여주어야 한다.

> 관계법 「행정조사기본법」 제17조 【조사의 사전통지】
> ① 행정조사를 실시하고자 하는 행정기관의 장은 제9조에 따른 출석요구서, 제10조에 따른 보고요구서·자료제출요구서 및 제11조에 따른 현장출입조사서(이하 "출석요구서등"이라 한다)를 조사개시 7일 전까지 조사대상자에게 서면으로 통지하여야 한다. 다만, 다음 각 호의 어느 하나에 해당하는 경우에는 행정조사의 개시와 동시에 출석요구서등을 조사대상자에게 제시하거나 행정조사의 목적 등을 조사대상자에게 구두로 통지할 수 있다.
> 1. 행정조사를 실시하기 전에 관련 사항을 미리 통지하는 때에는 증거인멸 등으로 행정조사의 목적을 달성할 수 없다고 판단되는 경우
> 2. 「통계법」 제3조제2호에 따른 지정통계의 작성을 위하여 조사하는 경우
> 3. 제5조 단서에 따라 조사대상자의 자발적인 협조를 얻어 실시하는 행정조사의 경우
> ② 행정기관의 장이 출석요구서등을 조사대상자에게 발송하는 경우 출석요구서등의 내용이 외부에 공개되지 아니하도록 필요한 조치를 하여야 한다.

8 건축사의 실무교육 (법 제30조의2)(영 제30조)

(1) 건축사가 갱신등록을 하려면 40시간 이상의 실무교육을 받아야 한다.
(2) 건축사가 자격등록을 하려면 다음의 구분에 따른 시간 이상의 실무교육을 받아야 한다.
  ① 갱신등록을 하지 않아 자격등록의 효력이 상실된 건축사: 위 (1)의 실무교육시간 중 교육을 받지 않은 시간
  ② 자격등록이 취소된 후 3년이 지난 건축사: 8시간
  ③ 건축사 자격을 취득한 후 3년 이내에 등록하지 않은 건축사: 8시간
(3) 국토교통부장관은 실무교육 대상자에게 실무교육의 시행에 필요한 비용을 부담하게 할 수 있다.
(4) 위 (1)과 (2)에 따른 실무교육의 운영, 실무교육 수료의 인정기준 등 실무교육 운영·수료, 교육비 부담 등에 관한 사항은 국토교통부장관이 정하여 고시한다.

9 징계 (법 제30조의3)

(1) 국토교통부장관은 건축사가 다음의 어느 하나에 해당하는 경우에는 건축사징계위원회의 의결에 따라 아래 (2)에서 정하는 징계를 할 수 있다.
  단서 아래 1., 9(→10/시행 2022.8.4.)에 해당하는 경우에는 (2)-1.에 따른 자격등록 취소를 하여야 한다.

건축관계법

국토계획법

주차장법

주 택 법

도시및주거
환경정비법

건축사법

장애인시설법

소방시설법

서울시조례

1. 거짓이나 그 밖의 부정한 방법으로 자격등록 또는 갱신등록을 한 경우

2. 건축사 윤리선언을 위반한 경우

3. 업무범위를 위반하여 업무를 수행한 경우

4. 업무 실적 등을 거짓으로 제출한 경우

5. 건축사업무를 성실하게 수행하지 않은 경우

6. 직무상 알게 된 비밀을 누설하거나 다른 용도로 사용한 경우

7. 건축사업무를 수행할 때 품위를 손상하는 행위를 한 경우

8. 둘 이상의 건축사사무소를 개설하거나 둘 이상의 건축사사무소에 소속된 경우

9. 징계를 받아 업무가 정지된 후에도 계속하여 그 업무를 수행한 경우(→윤리규정을 위반한 경우/시행 2022.8.4.)

10. 징계를 받아 업무가 정지된 후에도 계속하여 그 업무를 수행한 경우(시행 2022.8.4.)

(2) 건축사에 대한 징계의 종류는 다음과 같다.

1. 자격등록취소

2. 2년 이하의 업무정지

3. 견책

(3) 시·도지사, 건축사협회는 건축사가 위 (1)의 어느 하나에 해당하는 징계사유가 있다고 인정되면 그 증거서류를 첨부하여 국토해양부장관에게 해당 건축사의 징계를 요청할 수 있다.

(4) 위 (1)에 따른 징계의결은 국토교통부장관의 요구에 따라 한다.

단서 위반 사유가 발생한 날부터 3년이 지나면 징계의결의 요구를 할 수 없다.

10 건축사징계위원회 (법 제30조의4)

【1】 건축사징계위원회의 구성 등 (영 제30조의2)

(1) 건축사징계위원회(이하 "징계위원회"라 한다)는 국토교통부에 둔다.

(2) 징계위원회는 위원장 1명을 포함한 9명의 위원으로 구성한다.

(3) 징계위원회의 위원장은 국토교통부의 고위공무원단에 속하는 일반직공무원 중에서 국토교통부장관이 지명하는 사람으로 하고, 그 밖의 위원은 국토교통부 소속 공무원, 건축사 또는 「고등교육법」에 따른 대학에서 건축에 관한 과목을 가르치는 조교수 이상의 직에 있는 사람 중에서 국토교통부장관이 임명 또는 위촉하는 사람으로 한다.

① 건축사징계위원회는 다음의 위원으로 구성한다.

1. 국토교통부 소속 공무원 2명

2. 건축사 2명

3. 「고등교육법」에 따른 대학에서 건축에 관한 과목을 가르치는 조교수 이상의 직(職)에 있는 사람 2명

4. 「비영리민간단체 지원법」에 따른 비영리민간단체에서 추천하는 사람(제2호 및 제3호의 자격을 가진 사람으로 한정한다) 2명

건축관계법

국토계획법

주차장법

주 택 법

도시및주거
환경정비법

건축사법

장애인시설법

소방시설법

서울시조례

② 징계위원회의 위원 중 위 ①-1. 외의 위원의 임기는 2년으로 하며, 한 차례만 연임할 수 있다.

③ 보궐위원의 임기는 전임자의 남은 임기로 한다.

④ 징계위원회에 간사 1명을 두며, 간사는 국토교통부 소속 공무원 중에서 국토교통부장관이 지명한다.

【2】 징계위원회의 위원장 (영 제30조의3)

(1) 징계위원회의 위원장(이하 "위원장"이라 함)은 징계위원회를 대표하고, 징계위원회의 업무를 총괄한다.

(2) 위원장은 국토교통부장관의 요구에 따라 징계위원회를 소집하고 그 의장이 된다.

(3) 위원장이 부득이한 사유로 직무를 수행할 수 없을 때에는 국토교통부장관이 지명하는 징계위원회의 위원이 위원장의 직무를 대행한다.

【3】 제척, 기피 및 회피 (영 제30조의4)

(1) 징계위원회의 위원이 다음의 어느 하나에 해당하는 경우에는 징계위원회의 의결에서 제척된다.

1. 징계위원회의 위원이 징계의결의 대상이 된 건축사(이하 "징계대상자"라 한다)와 친족이거나 친족이었던 경우
2. 징계위원회의 위원이 징계대상자와 연구·용역 등의 업무 수행에 동업 또는 그 밖의 형태로 직접 징계대상자의 업무에 관여한 경우
3. 징계위원회의 위원이 징계대상자가 개설신고한 건축사사무소 또는 징계대상자가 소속되었던 건축사사무소에 최근 3년 이내에 임원 또는 직원으로 재직한 경우
4. 그 밖에 징계위원회의 의결에 직접적인 이해관계가 있다고 인정되는 경우

(2) 징계대상자는 징계위원회의 위원에게 불공정한 의결을 할 염려가 있다고 의심할 만한 상당한 사유가 있는 경우에는 그 사유를 서면으로 소명(疎明)하고 기피 신청을 할 수 있다.

(3) 징계위원회는 위 (2)에 따른 기피 신청을 받았을 때에는 징계위원회의 의결로 해당 위원의 기피 여부를 결정하여야 한다. 이 경우 기피 신청을 받은 위원은 그 의결에 참여하지 못한다.

(4) 징계위원회의 위원이 위 (1)이나 (2)의 사유에 해당하는 경우에는 스스로 그 사건의 의결에서 회피하여야 한다.

【4】 위원의 위촉 해제 (영 제30조의5)

국토교통부장관은 징계위원회의 위원이 다음의 어느 하나에 해당하는 경우에는 위촉을 해제할 수 있다.

1. 심신장애로 인하여 직무를 수행할 수 없게 된 경우
2. 직무태만, 품위손상, 그 밖의 사유로 인하여 징계위원회의 위원으로 적합하지 아니하다고 인정된 경우
3. 직무와 관련한 형사사건으로 기소된 경우
4. 위 【3】-(1)의 어느 하나에 해당함에도 불구하고 회피 신청을 하지 아니하여 징계위원회 의결의 공정성을 해친 경우

【5】 징계위원회의 소집 등 (영 제30조의6)

(1) 위원장이 징계위원회를 소집하려면 국토교통부장관의 징계의결 요구 내용과 징계위원회의 심의 기일 등을 징계위원회의 위원과 징계대상자에게 징계위원회의 심의 기일 7일 전까지 알려야 한다.

(2) 특별시장·광역시장·도지사·특별자치도지사(이하 "시·도지사"라 함) 또는 대한건축사협회가 국토해양부장관에게 징계를 요청하여 국토교통부장관이 징계의결을 요구한 경우 징계위원회는 해당 시·도지사 또는 대한건축사협회에도 국토교통부장관의 징계의결 요구 내용과 징계위원회의 심의 기일 등을 징계위원회 심의 기일 7일 전까지 알려야 한다.

(3) 징계위원회는 심의에 필요하다고 인정할 때에는 관계인 또는 관계 기관에 의견 진술 또는 자료 제출을 요구할 수 있다.

【6】 징계의결 기한 (영 제30조의7)

징계위원회는 국토교통부장관의 징계의결 요구를 받은 날부터 60일 이내에 의결하여야 한다.
[단서] 부득이한 사유가 있을 때에는 징계위원회의 의결로 60일의 범위에서 그 기간을 연장할 수 있다.

【7】 징계대상자 등의 출석 · 진술권 등 (영 제30조의8)

(1) 징계대상자나 관계인 또는 관계 기관의 임직원은 징계위원회에 출석하여 의견을 진술하거나 서면으로 의견을 제출할 수 있다.

(2) 징계대상자는 대리인을 선임하여 징계의결 요구 사항에 대한 보충 진술을 하게 하거나 증거자료를 제출하게 할 수 있다.

(3) 위원장은 출석한 징계대상자나 선임된 징계대상자의 대리인에게 의견을 진술할 기회를 주어야 한다.

【8】 징계위원회의 의결 (영 제30조의9)

징계위원회의 회의는 재적위원 2/3 이상의 출석과 출석위원 과반수의 찬성으로 의결하되, 의견이 나뉘어 출석위원 과반수의 찬성을 얻지 못한 경우에는 출석위원 과반수가 될 때까지 징계대상자에게 가장 불리한 의견에 차례로 유리한 의견을 더하여 가장 유리한 의견을 합의된 의견으로 본다.

【9】 징계 사실의 통보 (영 제30조의10)

국토교통부장관은 징계위원회의 의결에 따라 징계대상자에게 징계를 하였을 때에는 지체 없이 징계 사유와 징계 내용을 서면으로 징계대상자, 시·도지사 및 대한건축사협회에 각각 알려야 한다.

건축관계법

국토계획법

주차장법

주 택 법

도시및주거
환경정비법

건축사법

장애인시설법

소방시설법

서울시조례

6

대한건축사협회

1 대한건축사협회 (법
제31조)

(1) 건축사의 품위 유지, 업무 개선, 건축기술의 연구·개발을 통한 건축물의 질적 향상 및 안전 증진과 건축문화의 발전을 위하여 대한건축사협회)(이하 "건축사협회"라 한다)를 둔다. <개정 2022. 2. 3.>
(2) 건축사협회는 법인으로 한다.
(3) 건축사협회는 주된 사무소의 소재지에서 설립등기를 함으로써 성립한다.
(4) 건축사협회의 임원, 조직과 그 밖에 필요한 사항은 대통령령으로 정한다.

2 사업 (법
제31조의2)

건축사협회는 위 **1** 에 따른 목적을 달성하기 위하여 다음의 사업을 할 수 있다.

1. 건축물에 관한 조사·연구

2. 건축물의 품질 및 시공 기술의 향상을 위한 지도

3. 건축사업무의 개선·발전

4. 회원의 품위 유지 및 윤리 확립

5. 건축사와 건축사보의 자질 향상을 위한 연수

6. 회원의 복지 향상 및 연금제도 운영

7. 그 밖에 건축사협회의 설립 목적을 달성하기 위하여 필요한 사업

3 건축사협회의 가입의무 (법 제31조의3)

건축사사무소개설신고를 한 건축사는 건축사협회 정관으로 정하는 절차에 따라 건축사협회에 가입하여야 한다.

4 윤리규정 (법 제31조의4)

(1) 건축사협회는 회원이 업무를 수행할 때 지켜야 할 직업윤리에 관한 윤리규정을 국토교통부장관의 승인을 얻어 제정하여야 한다.
(2) 건축사협회의 회원은 제1항에 따른 직업윤리에 관한 윤리규정을 준수하여야 한다.

5 주사무소와 지부 (법 제32조)

건축사협회는 정관으로 정하는 바에 따라 주사무소를 설치하고 필요한 곳에 지부(支部)를 둘 수 있다.

6 정관 (법 제35조)

(1) 건축사협회는 정관을 작성한 때에는 국토교통부장관의 인가를 받아야 한다. 정관을 변경하려는 경우에도 또한 같다.
(2) 건축사협회의 정관에 포함되어야 할 사항과 사업 종목에 관한 사항은 대통령령으로 정한다.
(3) 정관의 기재사항 (영 제32조)

건축사협회의 정관에는 다음의 사항을 기재하여야 한다.

1. 목적
2. 명칭
3. 사업
4. 사무소의 소재지
5. 회원의 가입 및 탈퇴
6. 회원의 징계
7. 회비에 관한 사항
8. 회원의 교육
9. 자산
10. 임원의 선임(임원 후보 추천 절차를 포함한다)과 임원의 임기·권한 등
11. 조직의 구성·운영 등
12. 회계

7 「민법」의 적용 (법 제36조)

건축사협회에 관하여는 이 법에 규정된 사항을 제외하고는 「민법」 중 사단법인에 관한 규정을 적용한다.

건축관계법
국토계획법
주차장법
주 택 법
도시및주거
환경정비법
건축사법
장애인시설법
소방시설법
서울시조례

건축관계법

국토계획법

주차장법

주 택 법

도시및주거
환경정비법

건축사법

장애인시설법

소방시설법

서울시조례

8 보고 · 조사 등 (법 제38조의2)

국토교통부장관은 다음의 어느 하나에 해당하는 경우 건축사협회에 대하여 그 업무에 관한 사항을 보고하게 하거나 자료의 제출을 요구할 수 있으며, 소속 공무원으로 하여금 업무 상황을 조사하게 하거나 장부 또는 그 밖의 서류를 검사하게 할 수 있다. 이 경우 5장 **7**-(2)의 규정을 준용한다.

① 위탁한 업무에 대한 관리 · 감독이 필요한 경우

② 그 밖에 건축사 관련 정책 수립을 위하여 필요한 경우

9 건축사공제조합의 설립 등

1 건축사공제조합의 설립 (법 제38조의3)(영 제34조의2 ~ 제34조의7)

(1) 건축사는 상호 간의 협동조직을 통하여 자율적인 경제활동을 도모하고 건축사업 수행에 필요한 손해배상책임의 보장, 각종 보증 및 자금의 융자 등을 위하여 국토교통부장관의 인가를 받아 건축사공제조합(이하 "공제조합"이라 함)을 설립할 수 있다.

(2) 공제조합은 법인으로 하며, 주된 사무소의 소재지에서 설립등기를 함으로써 성립한다.

(3) 공제조합 조합원의 자격, 임원에 관한 사항, 출자에 관한 사항 및 공제조합 운영 등에 관한 사항은 정관으로 정한다.

(4) 공제조합 정관의 기재사항 등은 다음과 같으며, 정관을 변경하려면 이사회 의결을 거쳐 국토교통부장관의 인가를 받아야 한다.

① 정관의 기재사항 (영 제34조의2)

정관의 기재사항은 다음과 같다.

1. 목적
2. 명칭
3. 사무소의 소재지
4. 출자 1좌(座)의 금액과 그 납입 방법 및 지분 계산에 관한 사항
5. 조합원의 자격과 가입·탈퇴에 관한 사항
6. 자산 및 회계에 관한 사항
7. 총회에 관한 사항
8. 이사회에 관한 사항
9. 임원 및 직원에 관한 사항
10. 융자에 관한 사항
11. 업무와 그 집행에 관한 사항
12. 정관의 변경에 관한 사항
13. 해산과 잔여재산의 처리에 관한 사항
14. 공고의 방법에 관한 사항

② 공제조합의 등기 $\left(\frac{영}{제34조의3}\right)$

ㄱ 공제조합은 설립인가를 받으면 주사무소의 소재지에서 다음의 사항을 등기하여야 한다.

1. 목적
2. 명칭
3. 사업
4. 사무소의 소재지
5. 설립인가의 연월일
6. 출자금의 총액
7. 출자 1좌의 금액
8. 출자의 방법
9. 출자증권양도의 제한에 관한 사항
10. 임원의 성명 및 주민등록번호(이사장의 경우에는 주소를 포함한다)
11. 대표권의 제한에 관한 사항
12. 대리인에 관한 사항
13. 공고의 방법

ㄴ 위 ㄱ 각각의 등기사항에 변경이 있는 경우에는 그 변경이 발생한 날부터 3주 이내에 이를 등기하여야 한다. 다만, 위 ㄱ-6. 에 따른 출자금 총액의 변경등기는 매 회계연도 말일을 기준으로 회계연도 종료 후에 하여야 한다.

③ 출자 및 조합원의 책임 $\left(\frac{영}{제34조의4}\right)$

ㄱ 공제조합의 총 출자금은 그 조합원이 출자한 출자좌의 액면총액으로 한다.

ㄴ 출자 1좌의 금액은 균일하여야 한다.

ㄷ 공제조합은 정관으로 정하는 바에 따라 조합원에게 그의 출자를 나타내는 출자증권을 발급하여야 한다.

ㄹ 조합원의 책임은 그 출자지분액을 한도로 한다.

④ 공제조합의 보증대상 및 내용 $\left(\frac{영}{제34조의5}\right)$

ㄱ 공제조합이 할 수 있는 보증대상은 조합원이 업무를 수행하는 과정에서 부담하는 의무 또는 채무로 한다.

ㄴ 각 보증의 내용은 다음과 같다.

1. 입찰보증: 입찰에 참가하는 조합원이 입찰 참가자로서 부담하는 입찰보증금의 납부에 관한 의무 이행을 보증하는 것
2. 계약보증: 조합원이 도급받은 업무 등의 계약이행과 관련하여 부담하는 계약보증금의 납부에 관한 의무이행을 보증하는 것
3. 선급금지급보증: 조합원이 도급받은 업무 등과 관련하여 수령하는 선금의 반환채무를 보증하는 것
4. 하자보수보증: 조합원이 완성한 업무에서 발생한 하자의 보수에 관한 의무이행을 보증하는 것

건축관계법

국토계획법

주차장법

주 택 법

도시및주거
환경정비법

건축사법

장애인시설법

소방시설법

서울시조례

5. 하도급보증: 조합원이 하도급 받으려거나 하도급 받은 업무 등과 관련하여 부담하는 위 1.~4. 와 같은 채무를 보증하는 것

6. 그 밖에 조합원의 업무와 관련하여 그가 부담하게 되는 재산상의 의무이행을 보증하는 것으로 서 정관으로 정하는 보증

ⓒ 공제조합은 그가 하는 각종 보증의 구체적인 내용, 범위 및 조건 등에 관하여 약관을 정하 여 시행할 수 있다.

⑤ 보증한도 $\left(\genfrac{}{}{0pt}{}{영}{제34조의6}\right)$

㉠ 공제조합이 보증할 수 있는 총 보증한도는 출자금과 준비금을 합산한 금액의 40배까지로 한다. 다만, 금융기관·보험회사 또는 이와 유사한 기관의 보증이나 보험에 의하여 보장을 받거나 그 밖에 담보물을 받고 하는 보증은 보증한도에 포함하지 않는다.

㉡ 위 ㉠에서 출자금과 준비금은 각 사업연도의 전년도 말 결산액을 기준으로 한다. 다만, 사 업연도 중에 증자를 하였거나 「자산재평가법」에 따라 자산을 재평가한 경우에는 증자 또는 자산재평가를 마친 때의 출자금과 준비금을 기준으로 한다.

㉢ 공제조합이 조합원에 대하여 보증할 수 있는 보증종류별 한도는 보증종류별 사고율을 고 려하여 정한다.

㉣ 공제조합은 위 ㉢에 따라 보증종류별 한도를 정한 때에는 국토교통부장관에게 이를 통보 하여야 한다.

② 공제조합의 설립인가 $\left(\genfrac{}{}{0pt}{}{법}{제38조의4}\right)$

(1) 공제조합을 설립하려면 조합원 자격이 있는 자 5명 이상이 발기하고 조합원 자격이 있는 자 20명 이상의 동의를 받아 창립총회에서 정관을 작성한 후 국토교통부장관에게 인가를 신청하여야 한다.

(2) 국토교통부장관은 위 (1)에 따라 설립인가를 한 경우 이를 공고하여야 한다.

③ 공제조합의 사업 $\left(\genfrac{}{}{0pt}{}{법}{제38조의5}\right)$

공제조합은 다음의 사업을 한다.

1. 조합원의 업무수행에 따른 입찰, 계약, 선급금지급, 하자보수 등의 보증

2. 조합원에 대한 자금의 융자

3. 조합원의 업무수행에 따른 손해배상책임을 보장하는 공제사업 및 조합원에 고용된 사람의 복지향 상과 업무상 재해로 인한 손실을 보상하는 공제사업

4. 건축사업무 관련 기술의 개선·향상과 관련한 연구 및 교육에 관한 사업

5. 조합원을 위한 공동이용시설의 설치·운영 및 조합원의 편익증진을 위한 사업

6. 조합원의 업무수행에 필요한 기자재의 구매알선

7. 조합원의 목적 달성에 필요한 투자 등의 수익사업

8. 위 1.~7.에 부대되는 사업으로서 정관으로 정하는 사업

④ 보증규정 $\left(\genfrac{}{}{0pt}{}{법}{제38조의6}\right)$

(1) 공제조합은 위 ③-1.에 따른 보증사업을 하려면 보증규정을 정하여야 하고, 보증규정을 제정하 거나 변경하려는 경우에는 국토교통부장관에게 보고하여야 한다.

(2) 위 (1)의 보증규정에는 보증사업의 범위, 보증계약의 내용, 보증수수료, 보증에 충당하기 위한 책임준비금 등 보증사업의 운영에 필요한 사항이 포함되어야 한다.

5 공제규정 (법 제38조의7)

(1) 공제조합은 위 3-3.에 따른 공제사업을 하려면 공제규정을 정하여야 하고, 공제규정을 제정하거나 변경하려는 경우에는 국토교통부장관에게 보고하여야 한다.

(2) 위 (1)의 공제규정에는 공제사업의 범위, 공제계약의 내용, 공제료, 공제금, 공제금에 충당하기 위한 책임준비금 등 공제사업의 운영에 필요한 사항이 포함되어야 한다.

6 보고·조사 등 (법 제38조의8)(영 제34조의7)

(1) 국토교통부장관은 다음의 어느 하나에 해당하는 경우 공제조합에 대하여 그 업무에 관한 사항을 보고하게 하거나 자료의 제출을 요구할 수 있으며, 소속 공무원으로 하여금 공제조합의 업무 상황 또는 회계 상황을 조사하게 하거나 장부 또는 그 밖의 서류를 검사하게 할 수 있다.

① 이 법의 위반 여부에 대한 확인이 필요한 경우

② 그 밖에 공제조합의 재무건전성 유지 등을 위하여 필요한 경우

(2) 위 3-3.에 따른 공제사업에 대하여는 다음과 같이 금융위원회가 위 (1)에 따른 조사 또는 검사를 할 수 있다.

① 금융위원회의 조사 또는 검사는 국토교통부장관이 조사 또는 검사가 필요한 사유를 명시하여 금융위원회에 요청한 경우로 한정한다.

② 금융위원회는 조사 또는 검사를 한 경우에는 그 결과를 지체 없이 국토교통부장관에게 통보하여야 한다. 이 경우 시정하여야 할 사항이 있으면 시정을 요구할 수 있다.

(3) 국토교통부장관은 위 3-1.에 따른 보증사업의 건전한 육성과 계약자 보호를 위하여 보증사업의 감독에 필요한 기준을 정하여 고시하여야 한다.

(4) 국토교통부장관은 위 3-3.에 따른 공제사업의 건전한 육성과 계약자의 보호를 위하여 금융위원회 위원장과 협의하여 감독에 필요한 기준을 정하여 고시하여야 한다.

7 공제조합의 책임 (법 제38조의9)

(1) 공제조합은 보증한 사항에 관하여 법령이나 그 밖의 계약서 등에서 정하는 바에 따라 보증금을 지급할 사유가 발생하였을 때에는 그 보증금을 보증채권자에게 지급하여야 한다.

(2) 위 (1)에 따라 보증채권자가 공제조합에 대하여 가지는 보증금에 관한 권리는 보증기간 만료일부터 2년간 행사하지 아니하면 시효의 완성으로 소멸한다.

8 다른 법률의 준용 (법 제38조의10)

공제조합에 관하여는 이 법에서 규정한 사항 외에는 「민법」 중 사단법인에 관한 규정과 「상법」 중 주식회사의 회계에 관한 규정을 준용한다.

건축관계법

국토계획법

주차장법

주 택 법

도시및주거
환경정비법

건축사법

장애인시설법

소방시설법

서울시조례

건축관계법

국토계획법

주차장법

주 택 법

도시및주거
환경정비법

건축사법

장애인시설법

소방시설법

서울시조례

10 권한의 위임 및 위탁 등 (법 제38조의11)

① 권한의 위임 및 위탁 (영 제35조)

【1】 위임 및 위탁 일반

(1) 국토교통부장관은 다음의 사항에 관한 권한을 시·도지사에게 위임한다.

해당 사항	법 규정
1. 사망신고의 접수	법 제8조제3항
2. 처분 등 내용의 통지	법 제22조의2제1항
3. 건축사사무소개설신고의 접수	법 제23조제1항
4. 건축사사무소개설신고사항의 변경신고 또는 휴업·폐업 신고의 접수	법 제27조
5 건축사사무소개설신고의 효력상실처분 또는 업무정지명령(건축사보 또는 실무수련자에 대한 업무정지명령을 포함)	법 제28조
6. 청문	법 제28조의2제3호
7. 건축사사무소개설신고부의 정리	법 제29조
8. 보고명령 및 검사	법 제30조
9. 건축사 징계에 관한 업무	법 제30조의3
10. 과태료의 부과·징수(법 제11조제3항을 위반한 사람에 대한 과태료의 부과·징수는 제외)	법 제41조

(2) 국토교통부장관은 다음의 업무를 대한건축사협회에 위탁한다.

해당 사항	법 규정
1. 건축사보 신고의 접수	법 제7조제2항
2. 실무수련자 신고의 접수 및 실무수련의 확인 등	법 제13조제3항
3. 건축사 자격시험의 관리	법 제14조
4. 등록의 접수 및 등록증 발급	법 제18조
5 건축사 업무 실적의 관리 등	법 제19조의2
6. 외국의 건축사 면허 또는 자격 취득자 신고의 접수	법 제23조제5항
7. 건축사 명부의 관리	법 제5조제2항
8. 건축사에 대한 실무교육 실시	법 제30조의2

(3) 시·도지사 및 대한건축사협회는 위 (1) 및 (2)에 따라 위임받거나 위탁받은 사무를 처리하였을 때에는 그 결과를 국토교통부장관에게 보고해야 한다.

(4) 국토교통부장관은 시·도지사가 위 (1)에 따라 한 명령이나 처분 등이 위법 또는 부당하다고 인정될 때에는 그 명령 또는 처분 등을 취소하거나 중지시킬 수 있다.

【2】건축사 징계에 관한 업무의 위임 $\left(\substack{\text{영} \\ \text{제35조의2 ~ 제35조의3}}\right)$

(1) 국토교통부장관은 다음에 따라 건축사 징계에 관한 업무를 시·도지사에게 위임할 수 있다.

　① 건축사 징계에 관한 업무를 위임받은 시·도지사는 <u>시·도</u>에 두는 건축사징계위원회(이하 "시·도징계위원회"라 함)의 의결에 따라 건축사를 징계한다.

　② 시·도징계위원회의 구성·운영에 관하여는 위 제5장 **⑩**-【1】~【9】의 규정을 준용한다. 이 경우 "국토교통부장관"은 각각 "시·도지사"로, "국토교통부"는 각각 "시·도"로, "징계위원회"는 각각 "시·도징계위원회"로 본다.

　③ 위 ① 및 ②에도 불구하고 시·도지사가 시·도징계위원회를 따로 구성·운영하기 어려운 경우에는 「건축법」에 따라 해당 시·도에 두는 건축위원회의 심의를 거쳐 건축사를 징계할 수 있다. 이 경우 해당 건축위원회의 구성·운영에 관하여는 위 제5장 **⑩**-【1】 및 【3】~【9】의 규정을 준용한다.

(2) 시·도지사의 징계 결정에 불복하는 사람은 그 결정 통지를 받은 날부터 30일 이내에 국토교통부장관에게 이의신청을 할 수 있다. 이의신청을 받은 국토교통부장관은 신청에 이유가 있다고 인정하면 시·도지사의 징계 결정을 취소하고 스스로 징계 결정을 하여야 한다.

　① 이의신청하려는 사람은 이의신청서에 이의신청의 취지와 이유를 적고 필요한 자료를 첨부하여 국토교통부장관에게 제출해야 한다.

　② 국토교통부장관은 이의신청에 이유가 있다고 인정하여 스스로 징계 결정을 하였을 때에는 지체 없이 그 결과와 이유를 이의신청인에게 알려야 한다.

② 실무교육 계획의 수립 및 결과 보고 $\left(\substack{\text{영} \\ \text{제36조}}\right)\left(\substack{\text{규칙} \\ \text{제27조}}\right)$

(1) 대한건축사협회는 실무교육계획을 수립(변경수립을 포함)하여 교육이 시작되기 1개월 전까지 국토해양부장관의 승인을 받아야 하며, 해당 연도의 실무교육 결과보고서를 다음 연도 3월 31일까지 국토교통부장관에게 제출해야 한다.

(2) 위 (1)에 따른 실무교육계획에는 다음의 사항이 포함되어야 한다.

1. 교육방법 및 교육기간
2. 교육 예정 인원
3. 강사의 성명·주소 및 교과목별 이수시간표
4. 그 밖에 교육 실시와 관련하여 국토교통부장관이 요구하는 사항

(3) 위 (1)에 따른 실무교육 결과보고서에는 다음의 사항이 포함되어야 한다.

1. 교육 대상자 명단(대상자의 교육 이수 여부를 분명하게 밝혀야 한다)
2. 교육계획의 주요 내용이 변경된 경우에는 그 변경 내용과 변경 사유
3. 그 밖에 교육 실시와 관련하여 국토교통부장관이 요구하는 사항

건축관계법

국토계획법

주차장법

주 택 법

도시및주거
환경정비법

건축사법

장애인시설법

소방시설법

서울시조례

건축관계법

국토계획법

주차장법

주 택 법

도시및주거
환경정비법

건축사법

장애인시설법

소방시설법

서울시조례

③ **고유식별정보의 처리** (영 제37조)

(1) 국토교통부장관(국토교통부장관의 권한 또는 업무를 위임·위탁받은 자를 포함한다)은 다음의 사무를 수행하기 위하여 불가피한 경우 「개인정보 보호법 시행령」에 따른 주민등록번호 또는 외국인등록번호가 포함된 자료를 처리할 수 있다.

내 용	관련 규정
1. 건축사보의 신고에 관한 사무	법 제7조제2항
2. 건축사 자격증 발급을 위한 결격사유 확인에 관한 사무	법 제8조제1항, 법 제9조
3. 실무수련을 받으려는 사람의 신고에 관한 사무	법 제13조제3항
4. 건축사 자격시험에 관한 사무	법 제14조
5. 외국의 건축사 면허 또는 자격을 가진 사람의 신고에 관한 사무	법 제23조제3항
6. 면허증 발급에 관한 사무	법률 제3074호 건축사법 중 개정법률 부칙 ⑤

(2) 시·도지사(해당 권한이 위임·위탁된 경우에는 그 권한을 위임·위탁받은 자를 포함한다)는 다음의 어느 하나에 해당하는 신고의 수리를 위한 확인에 관한 사무를 수행하기 위하여 불가피한 경우 「개인정보 보호법 시행령」에 따른 주민등록번호 또는 외국인등록번호가 포함된 자료를 처리할 수 있다.

① 건축사사무소개설신고

② 건축사 업무 수행 신고

(3) 공제조합은 위 **1**-③-1.~3.에 관한 사무를 수행하기 위하여 불가피한 경우 「개인정보 보호법 시행령」에 따른 주민등록번호 또는 외국인등록번호가 포함된 자료를 처리할 수 있다.

관계법 「개인정보 보호법 시행령」

제19조 【고유식별정보의 범위】

법 제24조제1항 각 호 외의 부분에서 "대통령령으로 정하는 정보"란 다음 각 호의 어느 하나에 해당하는 정보를 말한다. 다만, 공공기관이 법 제18조제2항제5호부터 제9호까지의 규정에 따라 다음 각 호의 어느 하나에 해당하는 정보를 처리하는 경우의 해당 정보는 제외한다. <개정 2016. 9. 29., 2017. 6. 27., 2020. 8. 4.>

1. 「주민등록법」 제7조의2제1항에 따른 주민등록번호
2. 「여권법」 제7조제1항제1호에 따른 여권번호
3. 「도로교통법」 제80조에 따른 운전면허의 면허번호
4. 「출입국관리법」 제31조제5항에 따른 외국인등록번호

---

11 **벌칙 적용 시의 공무원 의제** (법 제38조의12)

다음에 해당하는 사람은 「형법」 제127조 및 제129조부터 제132조까지의 규정을 적용할 때에는 공무원으로 본다.

1. 위탁받은 업무에 종사하는 사람
2. 징계위원회의 위원

건축관계법

국토계획법

주차장법

주 택 법

도시및주거
환경정비법

건축사법

장애인시설법

소방시설법

서울시조례

관계법 「형법」

제129조 【수뢰(收賂), 사전수뢰】

① 공무원 또는 중재인이 그 직무에 관하여 뇌물을 수수, 요구 또는 약속한 때에는 5년 이하의 징역 또는 10년 이하의 자격정지에 처한다.

② 공무원 또는 중재인이 될 자가 그 담당할 직무에 관하여 청탁을 받고 뇌물을 수수, 요구 또는 약속한 후 공무원 또는 중재인이 된 때에는 3년 이하의 징역 또는 7년 이하의 자격정지에 처한다.

제130조 【제삼자뇌물제공】

공무원 또는 중재인이 그 직무에 관하여 부정한 청탁을 받고 제3자에게 뇌물을 공여하게 하거나 공여를 요구 또는 약속한 때에는 5년 이하의 징역 또는 10년 이하의 자격정지에 처한다.

제131조 【수뢰후부정처사, 사후수뢰】

① 공무원 또는 중재인이 전2조의 죄를 범하여 부정한 행위를 한 때에는 1년 이상의 유기징역에 처한다.

② 공무원 또는 중재인이 그 직무상 부정한 행위를 한 후 뇌물을 수수, 요구 또는 약속하거나 제삼자에게 이를 공여하게 하거나 공여를 요구 또는 약속한 때에도 전항의 형과 같다.

③ 공무원 또는 중재인이었던 자가 그 재직중에 청탁을 받고 직무상 부정한 행위를 한 후 뇌물을 수수, 요구 또는 약속한 때에는 5년 이하의 징역 또는 10년 이하의 자격정지에 처한다.

④ 전3항의 경우에는 10년 이하의 자격정지를 병과할 수 있다.

제132조 【알선수뢰】

공무원이 그 지위를 이용하여 다른 공무원의 직무에 속한 사항의 알선에 관하여 뇌물을 수수, 요구 또는 약속한 때에는 3년 이하의 징역 또는 7년 이하의 자격정지에 처한다.

건축관계법

국토계획법

주차장법

주 택 법

도시및주거
환경정비법

건축사법

장애인시설법

소방시설법

서울시조례

▼ 7

벌 칙

1 벌칙 (법 제39조)

① 벌칙 (법 제39조)

건축사업무의 수행과 관련하여 다음의 어느 하나에 해당하는 행위를 한 건축사, 건축사보 또는 실무수련자는 2년 이하의 징역이나 2천만원 이하의 벌금에 처한다.
(1) 부당하게 금품을 주고받거나 요구하는 행위
(2) 제3자에게 부당한 금품을 제공하게 하거나 제공을 요구하는 행위

② 벌칙Ⅱ (법 제39조의2)

다음의 어느 하나에 해당하는 사람은 2년 이하의 징역이나 2천만원 이하의 벌금에 처한다.
(1) 자격증의 명의 대여 등의 금지(법 제10조) 규정을 위반한 다음의 어느 하나에 해당하는 사람

| |
1. 다른 사람에게 자기의 성명을 사용하여 건축사업무를 수행하게 하거나 자신의 건축사 자격증을 빌려 준 사람

2. 다른 사람의 성명을 사용하여 건축사업무를 수행하거나 다른 사람의 건축사 자격증을 빌린 사람

3. 위 1. 및 2.의 행위를 알선한 사람

(2) 자격등록 및 갱신등록(법 제18조)을 위반한 다음의 어느 하나에 해당하는 사람

1. 다른 사람에게 자신의 건축사 등록증을 빌려 준 사람

2. 다른 사람의 건축사 등록증을 빌린 사람

3. 위 1. 및 2.의 행위를 알선한 사람

③ 벌칙 II ($_{제39조의3}^{법}$)

다음의 어느 하나에 해당하는 사람은 1년 이하의 징역이나 1천만원 이하의 벌금에 처한다.

---

1. 거짓이나 그 밖의 부정한 방법으로 건축사 자격을 취득하거나 자격등록 또는 갱신등록을 한 사람

---

2. 설계 또는 공사감리 등의 규정을 위반하여 건축물의 설계 또는 공사감리를 한 사람

---

3. 다른 사람에게 자기의 성명을 사용하여 건축사업무를 수행하게 하거나 자격증 또는 등록증을 빌려준 사람 및 그 상대방

---

4. 자격등록 또는 갱신등록이 거부되거나 자격등록이 취소된 사람으로서 건축사업무를 수행한 사람

---

5. 직무상 알게 된 비밀을 누설하거나 다른 용도로 사용한 사람

---

6. 거짓이나 그 밖의 부정한 방법으로 건축사사무소개설신고를 한 사람

---

7. 건축사사무소개설신고를 하지 아니하고 건축사업을 한 사람

---

8. 징계를 받아 업무가 정지된 후에도 계속하여 그 업무를 수행한 사람

---

④ 몰수 · 추징 ($_{제39조의4}^{법}$)

위 ③-3.의 죄를 지은 자 또는 그 사정을 아는 제3자가 받은 금품이나 그 밖의 이익은 몰수한다. 이를 몰수할 수 없을 때에는 그 가액을 추징한다.

2 양벌규정 ($_{제40조}^{법}$)

건축사사무소개설자의 대리인, 사용인, 그 밖의 종업원이 그 건축사사무소개설자의 업무에 관하여 위 **1**의 위반행위를 하면 그 행위자를 벌하는 외에 그 건축사사무소개설자에게도 해당 조문의 벌금형을 과(科)한다.

예외 건축사사무소개설자가 그 위반행위를 방지하기 위하여 해당 업무에 관하여 상당한 주의와 감독을 게을리 하지 않은 경우에는 그러하지 아니하다.

3 과태료 ($_{제41조}^{법}$)($_{제38조}^{영}$)

(1) 다음의 어느 하나에 해당하는 사람에게는 100만원 이하의 과태료를 부과한다.

---

1. 건축사 또는 이와 비슷한 명칭을 사용한 사람

---

2. 보고를 하지 아니하거나 거짓으로 보고한 사람 또는 검사를 거부·방해하거나 기피한 사람

---

(2) 다음의 어느 하나에 해당하는 사람에게는 50만원 이하의 과태료를 부과한다.

---

1. 자격증을 반납하지 아니한 사람

---

2. 변경 등의 신고를 하지 아니한 사람

---

(3) 위 (1)과 (2)에 따른 과태료는 국토교통부장관 또는 시·도지사가 부과·징수한다.
(4) 위 (1) 및 (2)에 따른 과태료의 부과기준은 시행령 [별표 3]과 같다.

건축관계법
국토계획법
주차장법
주 택 법
도시및주거
환경정비법
건축사법
장애인시설법
소방시설법
서울시조례

障碍人·老人·姙産婦 등의 便宜增進保障에 관한 法律 解說

최종개정 : 장애인·노인·임산부 등의 편의증진보장에 관한 법률 2023. 3.28
시행령 2024. 1.16
시행규칙 2023.12.11

목   차

총　칙

건축관계법

국토계획법

주차장법

주 택 법

도시및주거
환경정비법

건축사법

장애인시설법

소방시설법

서울시조례

1 **목적** (법 제1조)

이 법은 장애인·노인·임산부 등이 일상생활에서 안전하고 편리하게 시설과 설비를 이용하고 정보에 접근할 수 있도록 보장함으로써 이들의 사회활동 참여와 복지 증진에 이바지함을 목적으로 한다.

2 **정의** (법 제2조)(영 제2조)

이 법에서 사용하는 용어의 정의는 다음과 같다.

(1) "장애인등"이란 장애인·노인·임산부 등 일상생활에서 이동, 시설 이용 및 정보 접근 등에 불편을 느끼는 사람을 말한다.

(2) "편의시설"이란 장애인등이 일상생활에서 이동하거나 시설을 이용할 때 편리하게 하고, 정보에 쉽게 접근할 수 있도록 하기 위한 시설과 설비를 말한다.

(3) "시설주"(施設主)란 제2장-**1**에 따른 대상시설의 소유자 또는 관리자(해당 대상시설에 대한 관리 의무자가 따로 있는 경우만 해당한다)를 말한다.

(4) "시설주관기관"이란 편의시설의 설치와 운영에 관하여 지도하고 감독하는 중앙행정기관의 장과 특별시장·광역시장·특별자치시장·도지사·특별자치도지사(이하 "시·도지사"라 한다), 시장·군수·구청장(자치구의 구청장을 말한다) 및 교육감을 말한다.

(5) "공원"이란 다음의 어느 하나에 해당하는 시설을 말한다.

　① 「자연공원법」의 자연공원

　② 「자연공원법」의 공원시설

　③ 「도시공원 및 녹지 등에 관한 법률」의 도시공원

　④ 「도시공원 및 녹지 등에 관한 법률」의 공원시설

건축관계법

국토계획법

주차장법

주 택 법

도시및주거
환경정비법

건축사법

장애인시설법

소방시설법

서울시조례

관계법 「자연공원법」 제2조 【정의】

이 법에서 사용하는 용어의 뜻은 다음과 같다. <개정 2011.7.28., 2016.5.29>

1. "자연공원"이란 국립공원·도립공원 및 군립공원(郡立公園) 및 지질공원을 말한다.

2.~9. <생략>

10. "공원시설"이란 자연공원을 보전·관리 또는 이용하기 위하여 공원계획과 공원별 보전·관리계획에 따라 자연공원에 설치하는 시설(공원계획에 따라 자연공원 밖에 설치하는 진입도로 또는 주차시설을 포함한다)로서 대통령령으로 정하는 시설을 말한다.

관계법 「자연공원법 시행령」 제2조 【공원시설】

「자연공원법」(이하 "법"이라 한다) (이하 "법"이라 한다) 제2조제10호에서 "대통령령으로 정하는 시설"이란 다음 각 호의 시설을 말한다. <개정 2005.9.30., 2009.11.2., 2010.10.1., 2011.9.30., 2017.5.29., 2020.12.8., 2022.11.1>

1. 공원관리사무소·창고(공원관리 용도로 사용하는 것으로 한정한다)·탐방안내소·매표소·우체국·경찰관파출소·마을회관·경로당·도서관·공설수목장림·환경기초시설 등의 공공시설. 다만, 공설수목장림은 2011년 10월 5일 이전에 공원구역에 설치된 묘지를 이장하거나 공원구역에 거주하는 주민이 사망한 경우에 이용할 수 있도록 하기 위하여 공원관리청이 설치하는 경우로 한정한다.

2. 사방·호안·방화·방책·방재·조경시설 등 공원자원을 보호하고, 탐방자의 안전을 도모하는 보호 및 안전시설

2의2. 공원의 야생생물 보호 및 멸종위기종 등의 증식·복원을 위한 시설

3. 체육시설(골프장, 골프연습장 및 스키장은 제외한다), 유선장(遊船場), 수상레저기구 계류시설, 광장, 야영장, 청소년수련시설, 전망대, 야생동물 관찰대, 해중(海中) 관찰대, 휴게소, 대피소, 공중화장실 등의 휴양 및 편의시설

4. 식물원·동물원·수족관·박물관·전시장·공연장·자연학습장 등의 문화시설

5. 도로(탐방로를 포함한다), 주차장, 교량, 궤도, 무궤도열차, 소규모 공항(섬지역인 자연공원에 설치하는 활주로 1,200미터 이하의 공항을 말한다), 수상경비행장 등의 교통·운수시설

6. 기념품 판매점, 약국, 식품접객소(유흥주점은 제외한다), 미용업소, 목욕장 등의 상업시설

7. 호텔·여관 등의 숙박시설

8. 제1호 내지 제7호의 시설의 부대시설

관계법 「도시공원 및 녹지 등에 관한 법률」 제2조 【정의】

1.~2. <생략>

3. "도시공원"이란 도시지역에서 도시자연경관을 보호하고 시민의 건강·휴양 및 정서생활을 향상시키는 데에 이바지하기 위하여 설치 또는 지정된 다음 각 목의 것을 말한다. 다만, 제3조, 제14조, 제15조, 제16조, 제16조의2, 제17조, 제19조부터 제21조까지, 제21조의2, 제22조부터 제25조까지, 제39조, 제40조, 제42조, 제46조, 제48조의2, 제52조 및 제52조의2에서는 나목에 따른 도시자연공원구역은 제외한다.

　가. 「국토의 계획 및 이용에 관한 법률」 제2조제6호나목에 따른 공원으로서 같은 법 제30조에 따라 도시·군관리계획으로 결정된 공원

　나. 「국토의 계획 및 이용에 관한 법률」 제38조의2에 따라 도시·군관리계획으로 결정된 도시자연공원구역(이하 "도시자연공원구역"이라 한다)

4. "공원시설"이란 도시공원의 효용을 다하기 위하여 설치하는 다음 각 목의 시설을 말한다.

　가. 도로 또는 광장

건축관계법

국토계획법

주차장법

주 택 법

도시및주거
환경정비법

건축사법

소방시설법

서울시조례

　　　나. 화단, 분수, 조각 등 조경시설
　　　다. 휴게소, 긴 의자 등 휴양시설
　　　라. 그네, 미끄럼틀 등 유희시설
　　　마. 테니스장, 수영장, 궁도장 등 운동시설
　　　바. 식물원, 동물원, 수족관, 박물관, 야외음악당 등 교양시설
　　　사. 주차장, 매점, 화장실 등 이용자를 위한 편익시설
　　　아. 관리사무소, 출입문, 울타리, 담장 등 공원관리시설
　　　자. 그 밖에 도시공원의 효용을 다하기 위한 시설로서 국토교통부령으로 정하는 시설
　　5. "녹지"란 「국토의 계획 및 이용에 관한 법률」 제2조제6호나목에 따른 녹지로서 도시지역에서
　　　자연환경을 보전하거나 개선하고, 공해나 재해를 방지함으로써 도시경관의 향상을 도모하기 위하
　　　여 같은 법 제30조에 따른 도시·군관리계획으로 결정된 것을 말한다.

(6) "공공건물 및 공중이용시설"이란 불특정다수가 이용하는 건축물, 시설 및 그 부대시설로서 용도
별 건축물의 종류(「건축법 시행령」 제3조의5의)에 따른 건축물 중 다음에 해당하는 건물 및
시설을 말한다.

　　① 제1종 근린생활시설 및 제2종 근린생활시설
　　② 문화 및 집회시설　　　　　　③ 종교시설
　　④ 판매시설　　　　　　　　　　⑤ 의료시설
　　⑥ 교육연구시설　　　　　　　　⑦ 노유자시설
　　⑧ 수련시설　　　　　　　　　　⑨ 운동시설
　　⑩ 업무시설　　　　　　　　　　⑪ 숙박시설
　　⑫ 공장　　　　　　　　　　　　⑬ 자동차관련시설
　　⑭ 교정시설　　　　　　　　　　⑮ 방송통신시설
　　⑯ 묘지관련시설 및 관광휴게시설

(7) "공동주택"이라 함은 「주택법」에 따른 공동주택(「주택법」 제2조제3호)을 말한다.

(8) "통신시설"이라 함은 전기통신설비(「전기통신기본법」 제2조제2호)와 우편물 등 통신을 이용하
　　는데 필요한 시설(「우편법」 제14조)을 말한다.

3 편의시설 설치의 기본원칙 (법 제3조)

다음에 해당하는 자(이하 "시설주등"이라 한다)는 장애인등이 공공건물 및 공중이용시설을 이용할
때 가능하면 최대한 편리한 방법으로 최단거리로 이동할 수 있도록 편의시설을 설치하여야 한다.

(1) 시설주

(2) 제2장-1에 따른 대상시설의 설치를 위하여 「건축법」 등 관계 법령에 따른 허가나 처분(「건
축법」에 따른 협의를 포함한다)을 신청하는 등 절차를 진행 중인 자

4 접근권 (법 제4조)

장애인등은 인간으로서의 존엄과 가치 및 행복을 추구할 권리를 보장받기 위하여 장애인등이 아
닌 사람들이 이용하는 시설과 설비를 동등하게 이용하고, 정보에 자유롭게 접근할 수 있는 권리를
가진다.

건축관계법

국토계획법

주차장법

주 택 법

도시및주거
환경정비법

건 축 사법

장애인시설법

소방시설법

서울시조례

5 다른 법률과의 관계 (법 제5조)

이 법에서 특별히 정하고 있지 아니한 편의시설에 관한 사항은 다른 법률이 정하는 바에 따른다.

6 국가와 지방자치단체의 의무 (법 제6조)

국가와 지방자치단체는 장애인등이 생활을 영위함에 있어 안전하고 편리하게 시설과 설비를 이용하고, 정보에 접근할 수 있도록 각종 시책을 마련하여야 한다.

7 편의증진의 날 (법 제6조의2)

(1) 편의시설에 대한 국민의 인식을 제고하고 관심을 확대하기 위하여 매년 4월 10일을 편의증진의 날로 한다.
(2) 국가와 지방자치단체는 편의증진의 날의 취지에 맞는 행사 등 사업을 시행하도록 노력하여야 한다.

건축관계법

국토계획법

주차장법

주 택 법

도시및주거
환경정비법

건축사법

장애인시설법

소방시설법

서울시조례

편의시설의 대상시설·설치기준 및 운영 등

1 대상시설 (법 제7조)(영 제3조)

편의시설을 설치하여야 하는 대상(이하 "대상시설"이라 한다)은 다음의 어느 하나에 해당하는 것으로서 시행령 [별표 1]에서 정하는 것을 말한다.

(1) 공원

(2) 공공건물 및 공중이용시설

(3) 공동주택

(4) 통신시설

(5) 그 밖에 장애인등의 편의를 위하여 편의시설을 설치할 필요가 있는 건물·시설 및 그 부대시설

■ 편의시설 설치대상 시설 (영 제3조 관련, [별표 1])

1. 공원

2. 공공건물 및 공중이용시설

  가. 제1종 근린생활시설

  (1) 수퍼마켓·일용품(식품·잡화·의류·완구·서적·건축자재·의약품·의료기기 등을 말한다. 이하 같다) 등의 소매점으로서 동일한 건축물(하나의 대지 안에 2동 이상의 건축물이 있는 경우에는 이를 동일한 건축물로 본다. 이하 같다) 안에서 당해 용도에 쓰이는 바닥면적의 합계가 50제곱미터 이상 1천제곱미터 미만인 시설

  (2) 휴게음식점·제과점 등 음료·차(茶)·음식·빵·떡·과자 등을 조리하거나 제조하여 판매하는 시설로서 동일한 건축물 안에서 해당 용도로 쓰이는 바닥면적의 합계가 50제곱미터 이상 300제곱미터 미만인 시설

  (3) 이용원·미용원으로서 동일한 건축물 안에서 당해 용도에 쓰이는 바닥면적의 합계가 50제곱미터 이상인 시설

  (4) 목욕장으로서 동일한 건축물 안에서 해당 용도로 쓰이는 바닥면적의 합계가 300제곱미터 이상인 시설

  (5) 지역자치센터, 파출소, 지구대, 우체국, 보건소, 공공도서관, 국민건강보험공단·국민연금공단·한국장애인고용공단·근로복지공단의 지사, 그 밖에 이와 유사한 용도로서 동일한 건축물 안에서 당해 용도에 쓰이는 바닥면적의 합계가 1천제곱미터 미만인 시설

건축관계법

국토계획법

주차장법

주 택 법

도시및주거
환경정비법

건축사법

장애인시설법

소방시설법

서울시조례

(6) 대피소

(7) 공중화장실

(8) 의원·치과의원·한의원·조산원 · 산후조리원으로서 동일한 건축물 안에서 당해 용도로 쓰이는 바닥면적의 합계가 100제곱미터 이상인 시설

(9) 지역아동센터로서 바닥면적의 합계가 300제곱미터 이상인 시설

나. 제2종 근린생활시설

(1) 일반음식점으로서 동일한 건축물 안에서 당해 용도로 쓰이는 바닥면적의 합계가 50제곱미터 이상인 시설

(2) 휴게음식점·제과점 등 음료·차·음식·빵·떡·과자 등을 조리하거나 제조하여 판매하는 시설로서 동일한 건축물 안에서 당해 용도로 쓰이는 바닥면적의 합계가 300제곱미터 이상인 시설

(3) 공연장(극장·영화관·연예장·음악당·서커스장 그 밖에 이와 비슷한 것을 말한다. 이하 같다)으로서 관람석의 바닥면적의 합계가 300제곱미터 이상 500제곱미터 미만인 시설

(4) 안마시술소로서 동일한 건축물 안에서 당해 용도로 쓰이는 바닥면적의 합계가 500제곱미터 이상인 시설

다. 문화 및 집회시설

(1) 공연장으로서 관람석의 바닥면적의 합계가 500제곱미터 이상인 시설

(2) 집회장(예식장·공회당·회의장 그 밖에 이와 비슷한 것을 말한다. 이하 같다)으로서 동일한 건축물 안에서 당해 용도에 쓰이는 바닥면적의 합계가 500제곱미터 이상인 시설

(3) 관람장(경마장·자동차 경기장 그 밖에 이와 비슷한 것을 말한다. 이하 같다)

(4) 전시장(박물관·미술관·과학관·기념관·산업전시장·박람회장 그 밖에 이와 비슷한 것을 말한다. 이하 같다)으로서 동일한 건축물 안에서 당해 용도에 쓰이는 바닥면적의 합계가 500제곱미터 이상인 시설

(5) 동·식물원(동물원·식물원·수족관 그 밖에 이와 비슷한 것을 말한다. 이하 같다)으로서 동일한 건축물 안에서 당해 용도에 쓰이는 바닥면적의 합계가 300제곱미터 이상인 시설

라. 종교시설

종교집회장(교회·성당·사찰·기도원 그 밖에 이와 비슷한 것을 말한다)으로서 동일한 건축물 안에서 당해 용도에 쓰이는 바닥면적의 합계가 500제곱미터 이상인 시설

마. 판매시설

도매시장·소매시장·상점으로서 동일한 건축물 안에서 당해 용도로 쓰이는 바닥면적의 합계가 1천제곱미터 이상인 시설

바. 의료시설

(1) 병원(종합병원·병원·치과병원·한방병원·정신병원 및 요양병원을 말한다. 이하 같다)

(2) 격리병원(전염병원·마약진료소 그 밖에 이와 비슷한 것을 말한다. 이하 같다)

(3) 삭제 〈2012.8.22〉

사. 교육연구시설(제2종 근린생활시설에 해당하는 것을 제외한다)

(1) 학교(유치원·초등학교·중학교·고등학교·전문대학·대학교, 그 밖에 이에 준하는 각종 학교를 말한다. 이하 같다)

(2) 교육원(연수원 그 밖에 이와 비슷한 것을 말한다. 이하 같다)·직업훈련소·학원(자동차학원과 무도학원을 제외한다. 이하 같다) 기타 이와 유사한 용도로서 동일한 건축물 안에서 당해 용도에 쓰이는 바닥면적의 합계가 500제곱미터 이상인 시설

(3) 도서관으로서 동일한 건축물 안에서 당해 용도에 쓰이는 바닥면적의 합계가 1천제곱미터 이상인 시설

아. 노유자시설

(1) 아동관련 시설(어린이집·아동복지시설, 그 밖에 이와 비슷한 것으로서 제1종 근린생활시설에 해당하지 아니하는 것)

(2) 노인복지시설 및 장애인복지시설

(3) 그 밖에 다른 용도로 분류되지 아니한 사회복지시설

자. 수련시설

(1) 생활권수련시설(청소년수련관·청소년문화의 집·유스호스텔 그 밖에 이와 비슷한 것을 말한다. 이하 같다)

(2) 자연권수련시설(청소년수련원·청소년 야영장 그 밖에 이와 비슷한 것을 말한다. 이하 같다)

차. 운동시설(동일한 건축물 안에서 당해 용도에 쓰이는 바닥면적의 합계가 500제곱미터 이상인 시설에 한한다)

(1) 체육관

(2) 운동장(육상·구기·볼링·수영·스케이트·롤러스케이트·승마·사격·궁도·골프 등의 운동장을 말한다. 이하 같다)과 운동장에 부수되는 건축물

카. 업무시설

(1) 공공업무시설 중 국가 또는 지방자치단체의 청사로서 제1종 근린생활시설에 해당하지 아니하는 것

(2) 일반업무시설로서 금융업소·사무소·신문사·오피스텔(업무를 주로 하는 건축물이고, 분양 또는 임대하는 구획에서 일부 숙식을 할 수 있도록 한 건축물로서 국토해양부장관이 고시하는 기준에 적합한 것을 말한다) 그 밖에 이와 유사한 용도로서 동일한 건축물 안에서 당해 용도에 쓰이는 바닥면적의 합계가 500제곱미터 이상인 시설

(3) 일반업무시설로서 국민건강보험공단·국민연금공단·한국장애인고용공단·근로복지공단 및 그 지사(동일한 건축물 안에서 해당 용도에 쓰이는 바닥면적의 합계가 1천 제곱미터 이상인 시설만 해당한다)

타. 숙박시설

(1) 일반숙박시설 및 생활숙박시설(객실 수가 30실 이상인 시설에 한정한다. 이하 같다)

(2) 관광숙박시설(관광호텔·수상관광호텔·한국전통호텔·가족호텔·호스텔·소형호텔·의료관광호텔 및 휴양콘도미니엄을 말한다. 이하 같다)

파. 공장

물품의 제조·가공(염색·도장·표백·재봉·건조·인쇄 등을 포함한다) 또는 수리에 계속적으로 이용되는 건출물로서 「장애인고용촉진 및 직업재활법」에 따라 장애인고용의무가 있는 사업주가 운영하는 시설

하. 자동차관련시설

(1) 주차장

(2) 운전학원

거. 교정시설

교도소 및 구치소

너. 방송통신시설

방송국·전신전화국 그 밖에 이와 유사한 용도로서 동일한 건축물 안에서 당해 용도로 쓰이는 바닥면적의 합계가 1천제곱미터 이상인 시설

더. 묘지관련시설

(1) 화장시설

(2) 봉안당(종교시설에 해당하는 것을 제외한다)

러. 관광휴게시설

(1) 야외음악당·야외극장·어린이회관 기타 이와 유사한 용도로서 동일한 건축물 안에서 당해 용도에 쓰이는 바닥면적의 합계가 1천제곱미터 이상인 시설

(2) 휴게소로서 동일한 건축물 안에서 당해 용도에 쓰이는 바닥면적의 합계가 300제곱미터 이상인 시설

머. 장례식장[의료시설의 부수시설(「의료법」 제36조제1호에 따른 의료기관의 종류에 따른 시설을 말한다)에 해당하는 것은 제외한다. 이하 같다]으로서 동일한 건축물 안에서 해당 용도에 쓰이는 바닥면적의 합계가 500제곱미터 이상인 시설

3. 공동주택

가. 아파트

나. 연립주택(세대수가 10세대 이상인 주택에 한한다)

다. 다세대주택(세대수가 10세대 이상인 주택에 한한다)

라. 기숙사 : 학교 또는 공장 등의 학생 또는 종업원 등을 위하여 사용되는 것으로서 공동취사 등을 할 수 있는 구조이되, 독립된 주거의 형태를 갖추지 아니한 것으로 30인 이상이 기숙하는 시설에 한한다.

4. 통신시설

가. 공중전화

나. 우체통

비고: 제5조제3호 단서에 따른 공중이용시설은 다음 각 호에 해당하는 시설을 말한다.

1. 제2호가목(1)·(2)·(3) 및 같은 호 나목(1)의 시설 중 동일한 건축물 안에서 해당 용도에 쓰이는 바닥면적의 합계가 50제곱미터 미만인 시설

2. 제2호가목(4)의 시설 중 동일한 건축물 안에서 해당 용도에 쓰이는 바닥면적의 합계가 300제곱미터 미만인 시설

3. 제2호가목(8)의 시설 중 동일한 건축물 안에서 해당 용도에 쓰이는 바닥면적의 합계가 100제곱미터 미만인 시설

2 편의시설의 설치기준 (법 제8조)(영 제4조)(규칙 제2조)

(1) 대상시설별로 설치하여야 하는 편의시설의 종류는 대상시설의 규모, 용도 등을 고려하여 다음과 같이 정한다.

(2) 편의시설의 구조와 재질 등에 관한 세부기준은 보건복지부령으로 정한다. 이 경우 편의시설의 종류별 안내 내용과 안내표시 디자인 기준을 함께 정하여야 한다.

■ 대상시설별 편의시설의 종류 및 설치기준 (영 제4조관련, [별표 2])

1. 삭제 <2006.1.19.>

2. 공원

편의시설의 종류	설 치 기 준
가. 장애인등의 출입이 가능한 출입구	공원 외부에서 내부로 이르는 출입구는 주출입구를 포함하여 적어도 하나 이상을 장애인등의 출입이 가능하도록 유효폭·형태 및 부착물 등을 고려하여 설치하여야 한다.
나. 장애인등의 통행이 가능한 보도	공원시설(공중이 직접 이용하는 시설에 한한다)에 접근할 수 있는 공원안의 보도중 적어도 하나는 장애인등이 통행할 수 있도록 유효폭·기울기와 바닥의 재질 및 마감 등을 고려하여 설치하여야 한다.
다. 장애인등의 이용이 가능한 화장실	(1) 화장실은 장애인등이 편리하게 이용할 수 있도록 구조, 바닥의 재질 및 마감과 부착물 등을 고려하여 설치하되, 장애인용 대변기는 남자용 및 여자용 각 1개 이상을 설치하여야 한다. (2) 여성용 화장실은 영유아용 거치대 등 임산부 및 영유아가 안전하고 편리하게 이용할 수 있는 시설을 구비하여 설치하여야 한다.
라. 점자블록	공원과 도로 또는 교통시설을 연결하는 보도에는 점자블록을 설치하여야 한다.
마. 시각장애인 유도 및 안내설비	시각장애인의 공원이용 편의를 위하여 공원의 주출입구부근에 점자안내판·촉지도식 안내판·음성안내장치 또는 기타 유도신호장치를 설치할 수 있다.
바. 장애인등의 이용이 가능한 매표소·판매기 또는 음료대	매표소(장애인등의 이용이 가능한 자동발매기를 설치한 경우와 시설관리자등으로부터 별도의 상시서비스가 제공되는 경우를 제외한다)·판매기 및 음료대는 장애인등이 편리하게 이용할 수 있도록 형태·규격 및 부착물 등을 고려하여 설치하여야 한다. 다만, 동일한 장소에 2곳 또는 2대 이상을 각각 설치하는 경우에는 그중 1곳 또는 1대만을 장애인등의 이용을 고려하여 설치할 수 있다.
사. 장애인등의 이용이 가능한 공원시설	(1) 「자연공원법」 제2조제10호에 따른 공원시설과 「도시공원 및 녹지 등에 관한 법률」 제2조제4호에 따른 공원시설에 대하여는 공원시설의 종류에 따라 제3호 및 제6호에 따른 공공건물 및 공중이용시설과 통신시설의 설치기준을 각각 적용한다. (2) 공원의 효용증진을 위하여 설치하는 주차장에는 장애인전용 주차구역을 주차장법령이 정하는 설치기준에 따라 구분·설치하여야 한다.

3. 공공건물 및 공중이용시설

가. 일반사항

편의시설의 종류	설 치 기 준
(1) 장애인등의 통행이 가능한 접근로	(가) 대상시설 외부에서 건축물의 주출입구에 이르는 접근로는 장애인등이 안전하고 편리하게 통행할 수 있도록 유효폭·기울기와 바닥의 재질 및 마감 등을 고려하여 설치하여야 한다. (나) 접근로를 (가)의 주출입구에 연결하여 시공하는 것이 구조적으로 곤란하거나 주출입구보다 부출입구가 장애인등의 이용에 편리하고 안전한 경우에는 주출입구 대신 부출입구에 연결하여 접근로를 설치할 수 있다.

건축관계법

국토계획법

주차장법

주 택 법

도시및주거환경정비법

건축사법

장애인시설법

소방시설법

서울시조례

건축관계법

국토계획법

주차장법

주 택 법

도시및주거
환경정비법

건축사법

장애인시설법

소방시설법

서울시조례

편의시설의 종류	설 치 기 준
(2) 장애인전용 주차구역	(가) 부설주차장에는 장애인전용 주차구역을 주차장법령이 정하는 설치비율에 따라 장애인의 이용이 편리한 위치에 구분·설치하여야 한다. 다만, 부설주차장의 주차대수가 10대 미만인 경우를 제외하며, 산정된 장애인전용주차구역의 주차대수 중 소수점이하의 끝수는 이를 1대로 본다. (나) 자동차관련시설 중 특별시장·광역시장·시장·군수 또는 구청장이 설치하는 노외주차장에는 장애인전용 주차구역을 주차장법령이 정하는 설치기준에 따라 장애인의 이용이 편리한 위치에 구분·설치하여야 한다.
(3) 높이차이가 제거된 건축물 출입구	(가) 건축물의 주출입구와 통로에 높이차이가 있는 경우에는 턱 낮추기를 하거나 휠체어리프트 또는 경사로를 설치하여야 한다. (나) (가)의 주출입구의 높이 차이를 없애는 것이 구조적으로 곤란하거나 주출입구보다 부출입구가 장애인등의 이용에 편리하고 안전한 경우에는 주출입구 대신 부출입구의 높이 차이를 없앨 수 있다.
(4) 장애인등의 출입이 가능한 출입구 등	건축물의 주출입구와 건축물 안의 공중의 이용을 주목적으로 하는 사무실 등의 출입구(문) 중 적어도 하나는 장애인등의 출입이 가능하도록 유효폭·형태 및 부착물 등을 고려하여 설치하여야 한다. 이 경우 제7조의2제6호에 따른 국가 또는 지방자치단체의 청사(공중이 직접 이용하는 시설만 해당한다) 중 「건축법 시행령」 별표 1 제3호에 따른 제1종 근린생활시설에 해당하지 않는 시설의 경우에는 장애인등의 출입이 가능하도록 설치하는 출입구를 자동문 형태로 하여야 한다.
(5) 장애인등의 통행이 가능한 복도 등	복도는 장애인등의 통행이 가능하도록 유효폭, 바닥의 재질 및 마감과 부착물 등을 고려하여 설치하여야 한다.
(6) 장애인등의 통행이 가능한 계단, 장애인용 승강기, 장애인용 에스컬레이터, 휠체어리프트, 경사로 또는 승강장	(가) 장애인등이 건축물의 1개 층에서 다른 층으로 편리하게 이동할 수 있도록 그 이용에 편리한 구조로 계단을 설치하거나 장애인용 승강기, 장애인용 에스컬레이터, 휠체어리프트(신축하는 경우에는 수직형 휠체어리프트를 설치하여야 한다) 또는 경사로를 1대 또는 1곳 이상 설치하여야 한다. 다만, 장애인등이 이용하는 시설이 1층에만 있는 경우에는 그러하지 않다. (나) (가)의 건축물 중 6층 이상의 연면적이 2천제곱미터 이상인 건축물(층수가 6층인 건축물로서 각 층 거실의 바닥면적 300제곱미터 이내마다 1개소 이상의 직통계단을 설치한 경우를 제외한다)의 경우에는 장애인용 승강기, 장애인용 에스컬레이터, 휠체어리프트(신축하는 경우에는 수직형 휠체어리프트를 설치하여야 한다) 또는 경사로를 1대 또는 1곳 이상 설치하여야 한다.
(7) 장애인등의 이용이 가능한 화장실	(가) 화장실은 장애인 등이 편리하게 이용할 수 있도록 구조, 바닥의 재질 및 마감과 부착물 등을 고려하여 설치하되, 장애인용 대변기는 남자용 및 여자용 각 1개 이상을 설치하여야 한다. (나) 여성용 화장실은 영유아용 거치대 등 임산부 및 영유아가 안전하고 편리하게 이용할 수 있는 시설을 구비하여 설치하여야 한다.
(8) 장애인등의 이용이 가능한 욕실	욕실은 1개실 이상을 장애인등이 편리하게 이용할 수 있도록 구조, 바닥의 재질 및 마감과 부착물 등을 고려하여 설치하여야 한다.
(9) 장애인등의 이용이 가능한 샤워실 및 탈의실	샤워실 및 탈의실은 1개 이상을 장애인등이 편리하게 이용할 수 있도록 구조, 바닥의 재질 및 마감과 부착물 등을 고려하여 설치하여야 한다.

편의시설의 종류	설 치 기 준
(10) 점자블록	건축물의 주출입구와 도로 또는 교통시설을 연결하는 보도에는 점자블록을 설치하여야 한다.
(11) 시각 및 청각장애인 유도·안내설비	(가) 시각장애인의 시설이용 편의를 위하여 건축물의 주출입구 부근에 점자안내판, 촉지도식 안내판, 음성안내장치 또는 그 밖의 유도신호장치를 점자블록과 연계하여 1개 이상 설치하여야 한다. (나) 삭제 <2007.2.12> (다) 공원·근린공공시설·장애인시설·교육연구시설·공공업무시설, 시각장애인 밀집거주지역등 시각장애인의 이용이 많거나 타당성이 있는 설치요구가 있는 곳에는 교통신호기가 설치되어 있는 횡단보도에 시각장애인을 위한 음향신호기를 설치하여야 한다. (라) 청각장애인의 시설이용 편의를 위하여 청각장애인 등의 이용이 많은 곳에는 전자문자안내판 또는 기타 전자문자안내설비를 설치하여야 한다.
(12) 시각 및 청각장애인 경보·피난설비	(가) 시각 및 청각장애인등이 위급한 상황에 대피할 수 있도록 청각장애인용 피난구 유도등·통로유도등 및 시각장애인용 경보설비 등을 설치하여야 한다. (나) 장애인 등이 추락할 우려가 있는 경우에는 난간 등 추락방지설비를 갖추어야 한다.
(13) 장애인등의 이용이 가능한 객실 또는 침실	기숙사 및 숙박시설 등의 전체 침실수 또는 객실의 1퍼센트 이상(관광숙박시설은 3퍼센트 이상)은 장애인등이 편리하게 이용할 수 있도록 구조, 바닥의 재질 및 마감과 부착물 등을 고려하여 설치하되, 산정된 객실 또는 침실수 중 소수점 이하의 끝수는 이를 1실로 본다.
(14) 장애인등의 이용이 가능한 관람석, 열람석 또는 높이 차이가 있는 무대	(가) 공연장, 집회장, 관람장 및 도서관 등의 전체 관람석 또는 열람석 수의 1퍼센트 이상(전체 관람석 또는 열람석 수가 2천석 이상인 경우에는 20석 이상)은 장애인등이 편리하게 이용할 수 있도록 구조와 위치 등을 고려하여 설치하되, 산정된 관람석 또는 열람석 수 중 소수점 이하의 끝수는 이를 1석으로 본다. (나) 공연장, 집회장 및 강당 등에 설치된 무대에 높이 차이가 있는 경우에는 장애인등이 안전하게 이용할 수 있도록 경사로 및 휠체어리프트 등을 설치하여야 한다. 다만, 설치가 구조적으로 어려운 경우에는 이동식으로 설치할 수 있다.
(15) 장애인등의 이용이 가능한 접수대 또는 작업대	지역자치센터 및 장애인시설 등의 접수대 또는 작업대는 장애인등이 편리하게 이용할 수 있도록 형태·규격 등을 고려하여 설치하여야 한다. 다만, 동일한 장소에 각각 2대 이상을 설치하는 경우에는 그 중 1대만을 장애인등의 이용을 고려하여 설치할 수 있다.
(16) 장애인등의 이용이 가능한 매표소·판매기 또는 음료대	매표소(장애인등의 이용이 가능한 자동발매기를 설치한 경우와 시설관리자등으로부터 별도의 상시서비스가 제공되는 경우를 제외한다)·판매기 및 음료대는 장애인등이 편리하게 이용할 수 있도록 형태·규격 및 부착물 등을 고려하여 설치하여야 한다. 다만, 동일한 장소에 2곳 또는 2대이상을 각각 설치하는 경우에는 그 중 1곳 또는 1대만을 장애인 등의 이용을 고려하여 설치할 수 있다.
(17) 임산부 등을 위한 휴게시설 등	임산부와 영유아가 편리하고 안전하게 휴식을 취할 수 있도록 구조와 재질 등을 고려하여 휴게시설을 설치하고, 휴게시설 내에는 모유수유를 위한 별도의 장소를 마련하여야 한다. 다만, 「문화재보호법」 제2조에 따른 지정문화재(보호구역을 포함한다)에 설치하는 시설물은 제외한다.

나. 대상시설별로 설치하여야 하는 편의시설의 종류

대상시설 \ 편의시설	매개시설			내부시설			위생시설						안내시설			그 밖의 시설				
							화장실			욕실										
	주출입구접근로	장애인전용주차구역	주출입구높이차이제거	출입구(문)	복도	계단또는승강기	대변기	소변기	세면대	욕실	샤워실·탈의실	점자블록	유도및안내설비	경보및피난설비	객실·침실	관람석·열람석	접수대·작업대	매표소·판매기·음료대	임산부등을위한휴게시설
수퍼마켓·일용품 등의 소매점, 이용원·미용원·목욕장	의무	권장	의무	의무	권장	권장	권장	권장	권장										
휴게음식점·제과점 등 음료·차·음식·빵·떡·과자 등을 조리하거나 제조하여 판매하는 시설	의무	권장	의무	의무	권장	권장	권장	권장	권장										
제1종 근린생활시설 — 지역자치센터, 파출소, 지구대, 우체국, 보건소, 공공도서관, 국민건강보험공단·국민연금공단·한국장애인고용공단·근로복지공단의 지사, 그 밖에 이와 유사한 용도의 시설	의무	의무	의무	의무	의무	의무	의무	권장	권장			의무	권장	의무				의무	
대피소	의무		의무	의무									권장						
공중화장실	의무		의무	의무			의무	의무	의무			의무							
의원·치과의원·한의원·조산원·산후조리원(500제곱미터 이상만 해당한다)	의무	의무	의무	의무	의무	의무	의무	권장	권장										

구분	시설																		
	의원·치과의원·한의원·조산원·산후조리원(100제곱미터 이상 500제곱미터 미만만 해당한다)	의무	권장	의무	의무	권장	권장	권장	권장										
	지역아동센터(300제곱미터 이상만 해당한다)	의무	의무	의무	의무	권장	권장	권장	권장	권장				권장	의무				
제2종 근린생활 시설	일반음식점(300제곱미터 이상만 해당한다), 휴게음식점·제과점 등 음료·차·음식·빵·떡·과자 등을 조리하거나 제조하여 판매하는 시설	의무	의무	의무	의무	권장	권장	권장	권장	권장									
	일반음식점(50제곱미터 이상 300제곱미터 미만만 해당한다)	의무	권장	의무	의무	권장	권장	권장	권장	권장									
	공연장	의무	의무	의무	의무	의무	의무	의무	의무		의무	의무	의무		의무			의무	의무
	안마시술소	의무	의무	의무	의무	권장	권장	권장	권장	권장	권장	권장	의무						
문화 및 집회 시설	공연장 및 관람장	의무	의무	의무	의무	의무	의무	의무	의무		의무	의무	의무		의무			의무	의무
	집회장	의무	의무	의무	의무	의무	의무	권장	권장				의무						
	전시장, 동·식물원	의무	의무	의무	의무	의무	의무	권장	권장		의무	권장	의무					권장	의무
종교 시설	종교집회장(교회·성당·사찰·기도원, 그 밖에 이와 유사한 용도의 시설을 말하며, 500제곱미터 이상만 해당한다)	의무	의무	의무	의무	권장	권장	권장	권장	권장			의무	권장					권장
판매 시설	도매시장·소매시장·상점(1000제곱미터 이상만 해당한다)	의무	의무	의무	의무	의무	의무	권장	권장			권장	의무						권장
의료 시설	병원·격리병원	의무	의무	의무	의무	의무	의무	의무	의무	권장	권장	의무	의무	의무			권장	권장	

건축관계법
국토계획법
주차장법
주 택 법
도시및주거환경정비법
건 축 사 법
장애인시설법
소방시설법
서울시조례

분류	시설																			
교육연구시설	학교(특수학교를 포함하며, 유치원은 제외한다)	의무	의무	의무	의무	의무	의무	의무	의무	권장		의무	의무	의무		권장	권장		권장
	유치원	의무	의무	의무	의무	의무	의무	의무	권장										권장
	교육원·직업훈련소·학원, 그 밖에 이와 유사한 용도의 시설(500제곱미터 이상만 해당한다)	의무	의무	의무	의무	의무	의무	의무	의무	권장		권장	권장	의무		권장	권장		권장
	도서관(1000제곱미터 이상만 해당한다)	의무	의무	의무	의무	의무	의무	의무	의무			권장	권장	의무		의무	권장		권장
노유자시설	아동관련시설(어린이집·아동복지시설)	의무	의무	의무	의무	의무	의무	의무	권장										권장
	노인복지시설(경로당을 포함한다)	의무	의무	의무	의무	의무	의무	의무	권장	권장	권장			권장					
	사회복지시설(장애인복지시설을 포함한다)	의무	의무	의무	의무	의무	의무	의무	의무	의무	의무	의무	의무	의무	의무	의무	의무	의무	
수련시설	생활권수련시설, 자연권수련시설	의무	의무	의무	의무	의무	의무	의무	의무		권장		권장	의무	의무				
	운동시설(500제곱미터 이상만 해당한다)	의무	의무	의무	의무	권장	권장	권장	의무	권장		권장				권장			권장
업무시설	국가 또는 지방자치단체의 청사	의무	의무	의무	의무	의무	의무	의무	의무			의무	의무	의무			의무		의무
	금융업소, 사무소, 신문사, 오피스텔, 그 밖에 이와 유사한 용도의 시설(500제곱미터 이상만 해당한다)	의무	의무	의무	의무	의무	의무	의무	권장	권장							권장		권장
	국민건강보험공단·국민연금공단·한국장애인고용공단·근로복지공단 및 그 지사(1000제곱미터 이상만 해당한다)	의무	의무	의무	의무	의무	의무	의무	의무			의무	의무	의무			의무		권장
숙박시설	일반숙박시설 및 생활숙박시설	의무	권장	의무	의무	권장	권장	권장	권장	권장				의무	의무		권장		
	관광숙박시설	의무	의무	의무	의무	의무	의무	의무	의무	권장		의무	권장	의무	의무		권장		권장

구분																		
공 장		의무	의무	의무	의무	권장	권장	의무	의무	권장	권장	권장		권장		권장		권장
자동차 관련 시설	주차장	의무	의무	의무		권장												
	운전학원	의무	의무	의무	의무	의무	의무	의무	권장	권장						권장		
방송 통신 시설	방송국, 그 밖에 이와 유사한 용도의 시설 (1000제곱미터 이상만 해당한다)	의무	의무	의무	의무	의무	의무	의무	권장	권장			권장	의무				권장
	전신전화국, 그 밖에 이와 유사한 용도의 시설(1000제곱미터 이상만 해당한다)	의무	의무	의무	의무	권장	의무	권장	권장				권장	의무			권장	권장
교정 시설	교도소·구치소	의무	의무	의무	의무	의무	의무	의무	권장	의무		권장				권장	권장	권장
묘지 관련 시설	화장시설, 봉안당 (종교시설에 해당하는 것은 제외한다)	의무	의무	의무	의무	권장	권장	의무	권장	권장			권장					
관광 휴게 시설	야외음악당, 야외극장, 어린이회관, 그 밖에 이와 유사한 용도의 시설	의무	의무	의무	의무	권장	권장	의무	권장	권장		권장	권장		권장		권장	권장
	휴게소	의무	의무	의무	의무	권장	권장	의무	권장	권장			권장				권장	의무
장례식장		의무	의무	의무	의무	의무	의무	의무	의무		의무	권장	의무				권장	권장

4. 공동주택

가. 일반 사항

편의시설의 종류	설 치 기 준
(1) 장애인등의 통행이 가능한 접근로	(가) 대상시설 외부에서 건축물의 주출입구에 이르는 접근로는 장애인등이 안전하고 편리하게 통행할 수 있도록 유효폭·기울기와 바닥의 재질 및 마감 등을 고려하여 설치하여야 한다. (나) 접근로를 (가)의 주출입구에 연결하여 시공하는 것이 구조적으로 곤란하거나 주출입구보다 부출입구가 장애인등의 이용에 편리하고 안전한 경우에는 주출입구 대신 부출입구에 연결하여 접근로를 설치할 수 있다.
(2) 장애인전용주차구역	(가) 아파트의 부설주차장에는 장애인전용주차구역을 주차장법령이 정하는 설치비율에 따라 장애인의 이용이 편리한 위치에 구분·설치하여야 한다. 다만, 부설주차장의 주차대수가 10대 미만인 경우를 제외하며, 산정된 장애인전용주차구역의 주차대수 중 소수점 이하의 끝수는 이를 1대로 본다.

건축관계법

국토계획법

주차장법

주택법

도시및주거
환경정비법

건축사법

장애인시설법

소방시설법

서울시조례

		(나) 아파트의 장애인전용주차구역은 입주한 장애인가구의 동별 거주현황 등을 고려하여 설치한다.
(3) 높이차이가 제거된 건축물 출입구		(가) 건축물의 주출입구와 통로에 높이차이가 있는 경우에는 턱 낮추기를 하거나 휠체어리프트 또는 경사로를 설치하여야 한다.
		(나) (가)의 주출입구의 높이 차이를 없애는 것이 구조적으로 곤란하거나 주출입구보다 부출입구가 장애인등의 이용에 편리하고 안전한 경우에는 주출입구 대신 부출입구의 높이 차이를 없앨 수 있다.
(4) 장애인등의 출입이 가능한 출입구(문)		(가) 건축물의 주출입구는 장애인등의 출입이 가능하도록 유효폭·형태 및 부착물 등을 고려하여 설치하여야 한다.
		(나) 장애인전용주택의 세대내 출입문은 장애인등의 출입이 가능하도록 유효폭·형태 및 부착물 등을 고려하여 설치할 수 있다.
(5) 장애인등의 통행이 가능한 복도		복도는 장애인등의 통행이 가능하도록 유효폭, 바닥의 재질 및 마감과 부착물 등을 고려하여 설치할 수 있다.
(6) 장애인등의 통행이 가능한 계단·장애인용 승강기, 장애인용 에스컬레이터, 휠체어리프트 또는 경사로		아파트는 장애인등이 건축물의 1개층에서 다른 층으로 편리하게 이동할 수 있도록 그 이용에 편리한 구조로 계단을 설치하거나 장애인용 승강기, 장애인용 에스컬레이터, 휠체어리프트 또는 경사로를 1대 또는 1곳 이상 설치하여야 한다.
(7) 장애인등의 이용이 가능한 화장실 및 욕실		장애인전용주택의 화장실 및 욕실은 장애인등이 편리하게 이용할 수 있도록 구조, 바닥의 재질 및 마감과 부착물 등을 고려하여 설치할 수 있다.
(8) 점자블록		시각장애인을 위한 장애인전용주택의 주출입구와 도로 또는 교통시설을 연결하는 보도에는 점자블록을 설치할 수 있다.
(9) 시각 및 청각장애인 경보·피난설비		시각 및 청각장애인을 위한 장애인전용주택에는 위급한 상황에 대피할 수 있도록 청각장애인용 피난구유도등·통로유도등 및 시각장애인용 경보설비 등을 설치할 수 있다.
(10) 장애인등의 이용이 가능한 부대시설 및 복리시설		(가) 「주택법」 제2조제12호에 따른 주택단지안의 관리사무소·경로당·의원·치과의원·한의원·조산소·약국·일반목욕장·슈퍼마켓, 일용품 등의 소매점, 일반음식점·휴게음식점·제과점·학원·금융업소·사무소 또는 사회복지관이 있는 건축물에 대하여는 제3호가목(1) 및 (3)부터 (7)까지의 규정을 적용한다. 다만, 해당 주택단지에 건설하는 주택의 총세대수가 300세대 미만인 경우에는 그러하지 아니하다.
		(나) 「주택법」 제2조제13호 또는 제14호에 따른 부대시설 및 복리시설 중 (가)의 규정에 의한 시설을 제외한 시설(별표 1 제3호 및 제6호의 규정에 의한 편의시설설치 대상시설에 해당하는 경우에 한한다)에 대하여는 용도 및 규모에 따라 제3호 및 제6호의 규정에 의한 공공건물·공중이용시설 및 통신시설의 설치기준을 각각 적용한다.

제2장 편의시설의 대상시설·설치기준 및 운영 등

2장

건축관계법

국토계획법

주차장법

주 택 법

도시및주거
환경정비법

건축사법

장애인시설법

소방시설법

서울시조례

나. 대상시설별로 설치하여야 하는 편의시설의 종류

구분: 매개시설(주출입구접근로 / 장애인전용주차구역 / 주출입구높이차이제거), 내부시설(출입구(문) / 복도 / 계단또는승강기), 위생시설(화장실: 대변기 / 소변기 / 세면대 / 욕실 / 샤워실·탈의실), 안내시설(점자블록 / 유도및안내설비 / 경보및피난설비), 기타시설(객실·침실 / 관람석·열람석 / 접수대·작업대 / 매표소·판매기·음료대 / 임산부등을 위한 휴게시설), 비고

대상시설	주출입구접근로	장애인전용주차구역	주출입구높이차이제거	출입구(문)	복도	계단또는승강기	대변기	소변기	세면대	욕실	샤워실·탈의실	점자블록	유도및안내설비	경보및피난설비	객실·침실	관람석·열람석	접수대·작업대	매표소·판매기·음료대	임산부등을 위한 휴게시설	비고
아파트	의무	의무	의무	의무	의무	의무	권장	권장	의무	권장	권장	권장	의무			권장				
연립주택	의무	의무	의무	의무	의무	권장	의무	권장	의무	권장	권장	권장	의무			권장				세대수가 10세대 이상만 해당
다세대주택	의무	의무	의무	의무	의무	권장	의무	권장	의무	권장	권장	권장	의무			권장				세대수가 10세대 이상만 해당
기숙사	의무	의무	의무	의무	의무	권장	의무	권장	의무	권장	권장	권장	의무						의무	기숙사가 2동 이상의 건축물로 이루어져 있는 경우 장애인용 침실이 설치된 동에만 적용한다. 다만, 장애인용 침실수는 전체 건축물을 기준으로 산정하며, 일반 침실의 경우 출입구(문)는 권장사항임

5. 삭제

6. 통신시설

편의시설의 종류	설치기준
가. 장애인등의 이용이 가능한 공중전화	(1) 공원, 공공건물 및 공중이용시설과 공동주택에 공중전화를 설치하거나, 장애인의 타당성 있는 설치요구가 있는 경우에는 휠체어사용자등이 이용할 수 있는 전화기를 1대 이상 설치하여야 한다. 다만, 주변소음도가 75데시벨 이상인 경우에는 그러하지 아니하다. (2) 장애인등의 이용이 많은 곳에는 시각 및 청각장애인을 위하여 점자표시전화기, 큰 문자버튼전화기, 음량증폭전화기, 보청기 호환성 전화기, 골도전화기(청각장애인을 위하여 머리뼈에 진동을 주는 방법으로 통화가 가능한 전화기를 말한다)등을 설치할 수 있다.
나. 장애인등의 이용이 가능한 우체통	우체통은 장애인등의 접근 및 이용이 용이하도록 위치 및 구조등을 고려하여 설치하여야 한다.

(2) 편의시설의 구조·재질 등에 관한 세부기준은 다음과 같다. 이 경우 편의시설에 대한 안내표시에 관한 사항을 함께 정할 수 있다.

2장

제8편 장애인·노인·임산부 등의 편의증진 보장에 관한 법률

건축관계법

국토계획법

주차장법

주 택 법

도시및주거
환경정비법

건축사법

장애인시설법

소방시설법

서울시조례

① 편의시설의 구조·재질 등에 관한 세부기준은 시행규칙 [별표 1]과 같다.

② 편의시설의 안내표시기준은 시행규칙 [별표 2]와 같다.

③ 보건복지부장관은 편의시설에 관한 신제품의 개발·신기술의 도입 그 밖에 장애인 등 의 편의 증진을 위하여 일정기간 동안 시험적용을 할 필요가 있거나 이에 준하는 사유가 있다고 인정 되는 경우에는 세부기준에 대한 특례 또는 세부기준의 시행에 관하여 필요한 사항을 따로 정 하여 고시할 수 있다.

■ 편의시설의 구조·재질 등에 관한 세부기준 (규칙 제2조제1항 관련, [별표 1])

1. 장애인등의 통행이 가능한 접근로

가. 유효폭 및 활동공간

(1) 휠체어사용자가 통행할 수 있도록 접근로의 유효폭은 1.2미터 이상으로 하여야 한다.

(2) 휠체어사용자가 다른 휠체어 또는 유모차 등과 교행 할 수 있도록 50미터마다 1.5미터×1.5미터 이상의 교행구역 을 설치할 수 있다.

(3) 경사진 접근로가 연속될 경우에는 휠체어사용자가 휴식할 수 있도록 30미터마다 1.5미터×1.5미터 이상의 수평면 으로 된 참을 설치할 수 있다.

나. 기울기 등

(1) 접근로의 기울기는 18분의 1이하로 하여야 한다. 다만, 지형상 곤란한 경우에는 12분의 1까지 완화할 수 있다.

(2) 대지 내를 연결하는 주접근로에 단차가 있을 경우 그 높이 차이는 2센티미터 이하로 하여야 한다.

다. 경계

(1) 접근로와 차도의 경계부분에는 연석·울타리 기타 차도와 분리할 수 있는 공작물을 설치하여야 한다. 다만, 차도 와 구별하기 위한 공작물을 설치하기 곤란한 경우에는 시각장애인이 감지할 수 있도록 바닥재의 질감을 달리하 여야 한다.

(2) 연석의 높이는 6센티미터 이상 15센티미터 이하로 할 수 있으며, 색상과 질감은 접근로의 바닥재와 다르게 설치 할 수 있다.

라. 재질과 마감

(1) 접근로의 바닥표면은 장애인등이 넘어지지 아니하도록 잘 미끄러지지 아니하는 재질로 평탄하게 마감하여야 한다.

(2) 블록 등으로 접근로를 포장하는 경우에는 이음새의 틈이 벌어지지 아니하도록 하고, 면이 평탄하게 시공하여야 한다.

(3) 장애인등이 빠질 위험이 있는 곳에는 덮개를 설치하되, 그 표면은 접근로와 동일한 높이가 되도록 하고 덮개에 격자구멍 또는 틈새가 있는 경우에는 그 간격이 2센티미터 이하가 되도록 하여야 한다.

마. 보행장애물

(1) 접근로에 가로등·전주·간판 등을 설치하는 경우에는 장애인등의 통행에 지장을 주지 아니하도록 설치하여야 한다.

(2) 가로수는 지면에서 2.1미터까지 가지치기를 하여야 한다.

2. 삭제<2007.3.9>

3. 삭제<2007.3.9>

4. 장애인전용주차구역

가. 설치장소

(1) 건축물의 부설주차장과 영 별표 1 제2호 하목(1)의 주차장의 경우 장애인전용주차구역은 장애인등의 출입이 가능 한 건축물의 출입구 또는 장애인용 승강설비와 가장 가까운 장소에 설치하여야 한다.

(2) 장애인전용주차구역에서 건축물의 출입구 또는 장애인용 승강설비에 이르는 통로는 장애인이 통행할 수 있도록 가급적 높이 차이를 없애고, 유효폭은 1.2미터 이상으로 하여 자동차가 다니는 길과 분리하여 설치하여야 한다.

(3) 통로와 자동차가 다니는 길이 교차하는 부분의 색상과 질감은 바닥재와 다르게 하여야 한다. 다만, 기존 건축물에 설치된 지하주차장의 경우 바닥재의 질감을 다르게 하기 불가능하거나 현저히 곤란한 경우에는 바닥재의 색상만을 다르게 할 수 있다.

나. 주차공간

(1) 장애인전용주차구역의 크기는 주차대수 1대에 대하여 폭 3.3미터 이상, 길이 5미터 이상으로 하여야 한다. 다만, 평행주차형식인 경우에는 주차대수 1대에 대하여 폭 2미터 이상, 길이 6미터 이상으로 하여야 한다.

(2) 주차공간의 바닥면은 장애인등의 승하차에 지장을 주는 높이차이가 없어야 하며, 기울기는 50분의 1 이하로 할 수 있다.

(3) 주차공간의 바닥표면은 미끄러지지 아니하는 재질로 평탄하게 마감하여야 한다.

다. 유도 및 표시

(1) 장애인전용주차구역의 바닥면과 주차구역선에는 운전자가 식별하기 쉬운 색상으로 아래의 그림과 같이 장애인전용표시를 하여야 한다. 장애인전용표시의 규격은 다음과 같다.

(가) 바닥면에 설치되는 장애인전용표시: 가로 1.3미터, 세로 1.5미터

(나) 주차구역선에 설치되는 장애인전용표시: 가로 50센티미터, 세로 58센티미터

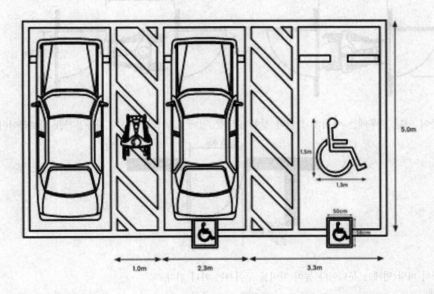

(2) 장애인전용주차구역 안내표지는 주차장 안의 식별하기 쉬운 장소에 부착하거나 설치하되 보행자의 통행을 방해하지 않아야 한다. 이 경우 안내표지의 규격과 안내표지에 기재될 내용은 다음과 같다.

(가) 장애인전용주차구역 안내표지의 규격은 가로 0.7미터, 세로 0.6미터로 하고, 지면에서 표지판까지의 높이는 1.5미터로 한다.

(나) 안내표지에 기재될 내용은 다음과 같다.

> **장애인전용주차구역**
> **도움이 필요한 경우: (지역번호)○○○ - ○○○○**

○ 장애인전용주차구역 주차표지가 붙어있는 자동차로서 보행에 장애가 있는 사람이 타고 있는 자동차만 주차할 수 있습니다. 이를 위반한 사람에 대해서는 10만원의 과태료를 부과합니다.

건축관계법

국토계획법

주차장법

주 택 법

도시및주거
환경정비법

건 축 사 법

장애인시설법

소방시설법

서울시조례

○ 장애인전용주차구역에 물건을 쌓거나 그 통행로를 가로막는 등 주차를 방해하는 행위를 한 사람에 대해서는 50만원의 과태료를 부과합니다.

○ 위반사항을 발견하신 분은 신고전화번호(지역번호)○○○ – ○○○○로 신고하여 주시기 바랍니다.

5. 높이차이가 제거된 건축물 출입구
  가. 턱 낮추기
    건축물의 주출입구와 통로의 높이 차이는 2센티미터 이하가 되도록 설치하여야 한다.
  나. 휠체어리프트 또는 경사로 설치
    휠체어리프트 및 경사로에 관한 세부기준은 제11호 및 제12호의 휠체어리프트 및 경사로에 관한 규정을 각각 적용한다.

6. 장애인등의 출입이 가능한 출입구(문)
  가. 유효폭 및 활동공간
    (1) 출입구(문)은 아래의 그림과 같이 그 통과유효폭을 0.9미터 이상으로 하고, 출입구(문)의 전면 유효거리는 1.2미터 이상으로 하며, 연속된 출입문의 경우 문의 개폐에 소요되는 공간은 유효거리에 포함하지 아니한다.

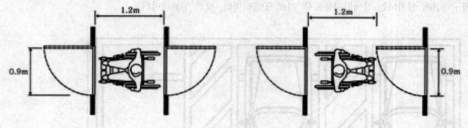

    (2) 자동문이 아닌 경우에는 아래의 그림과 같이 출입문 옆에 0.6미터 이상의 활동공간을 확보하여야 한다.

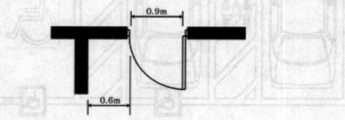

    (3) 출입구의 바닥 면에는 문턱이나 높이 차이를 두어서는 아니 된다.
  나. 문의 형태
    (1) 출입문은 회전문을 제외한 다른 형태의 문을 설치하여야 한다.
    (2) 미닫이문은 가벼운 재질로 하며, 턱이 있는 문지방이나 홈을 설치하여서는 아니 된다.
    (3) 여닫이문에 도어체크를 설치하는 경우에는 문이 닫히는 시간이 3초 이상 충분하게 확보되도록 하여야 한다.
    (4) 자동문은 휠체어사용자의 통행을 고려하여 문의 개방시간이 충분하게 확보되도록 설치하여야 하며, 개폐기의 작동장치는 가급적 감지범위를 넓게 하여야 한다.
  다. 손잡이 및 점자표지판
    (1) 출입문의 손잡이는 중앙지점이 바닥 면으로부터 0.8미터와 0.9미터사이에 위치하도록 설치하여야 하며, 그 형태는 레버형이나 수평 또는 수직막대형으로 할 수 있다.
    (2) 건축물안의 공중의 이용을 주목적으로 하는 사무실 등의 출입문옆 벽면의 1.5미터 높이에는 방 이름을 표기한 점자표지판을 부착하여야 한다.

라. 기타 설비
  (1) 건축물 주출입구의 0.3미터 전면에는 문의 폭만큼 점형블록을 설치하거나 시각장애인이 감지할 수 있도록 바닥재의 질감 등을 달리하여야 한다.
  (2) 건축물의 주출입문이 자동문인 경우에는 문이 자동으로 작동되지 아니할 경우에 대비하여 시설관리자 등을 호출할 수 있는 벨을 자동문 옆에 설치할 수 있다.

7. 장애인등의 통행이 가능한 복도 및 통로
  가. 유효폭
    복도의 유효폭은 1.2미터 이상으로 하되, 복도의 양옆에 거실이 있는 경우에는 1.5미터 이상으로 할 수 있다.
  나. 바닥
    (1) 복도의 바닥면에는 높이 차이를 두어서는 아니 된다. 다만, 부득이한 사정으로 높이 차이를 두는 경우에는 경사로를 설치하여야 한다.
    (2) 바닥표면은 미끄러지지 아니하는 재질로 평탄하게 마감하여야 하며, 넘어졌을 경우 가급적 충격이 적은 재료를 사용하여야 한다.
    (3) 삭제<2007.3.9>
  다. 손잡이
    (1) 「장애인복지법」 제58조에 따른 장애인복지시설, 「의료법」 제3조에 따른 의료기관 중 병원급 의료기관 및 「노인복지법」 제31조에 따른 노인복지시설의 복도 양측면에는 손잡이를 연속하여 설치하여야 한다. 다만, 방화문 등의 설치로 손잡이를 연속하여 설치할 수 없는 경우에는 방화문 등의 설치에 소요되는 부분에 한하여 손잡이를 설치하지 아니할 수 있다.
    (2) 손잡이의 높이는 아래의 그림과 같이 바닥 면으로부터 0.8미터 이상 0.9미터 이하로 하여야 하며, 2중으로 설치하는 경우에는 윗쪽 손잡이는 0.85미터 내외, 아랫쪽 손잡이는 0.65미터 내외로 하여야 한다.
    (3) 손잡이의 지름은 아래의 그림과 같이 3.2센티미터 이상 3.8센티미터 이하로하여야 한다.
    (4) 손잡이를 벽에 설치하는 경우 벽과 손잡이의 간격은 5센티미터 내외로 하여야 한다.
    (5) 손잡이의 양끝부분 및 굴절부분에는 점자표지판을 부착하여야 한다.

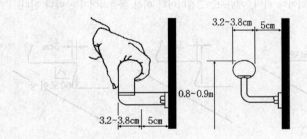

  라. 보행장애물
    (1) 통로의 바닥 면으로부터 높이 0.6미터에서 2.1미터 이내의 벽면으로부터 돌출된 물체의 돌출 폭은 0.1미터 이하로 할 수 있다.
    (2) 통로의 바닥 면으로부터 높이 0.6미터에서 2.1미터 이내의 독립기둥이나 받침대에 부착된 설치물의 돌출 폭은 0.3미터 이하로 할 수 있다.
    (3) 통로상부는 바닥 면으로부터 2.1미터 이상의 유효높이를 확보하여야 한다. 다만, 유효높이 2.1미터 이내에 장애물이 있는 경우에는 바닥 면으로부터 높이 0.6미터 이하에 접근방지용 난간 또는 보호벽을 설치하여야 한다.

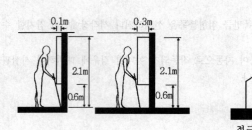

접근방지용 난간
또는 보호벽

마. 안전성 확보
  (1) 휠체어사용자의 안전을 위하여 복도의 벽면에는 바닥 면으로부터 0.15미터에서 0.35미터까지 킥플레이트를 설치할 수 있다.
  (2) 복도의 모서리 부분은 둥글게 마감할 수 있다.

8. 장애인등의 통행이 가능한 계단
  가. 계단의 형태
    (1) 계단은 직선 또는 꺾임형태로 설치할 수 있다.
    (2) 바닥면으로부터 높이 1.8미터 이내마다 휴식을 할 수 있도록 수평면으로 된 참을 설치할 수 있다.
  나. 유효폭
    계단 및 참의 유효폭은 1.2미터 이상으로 하여야 한다. 다만, 건축물의 옥외피난계단은 0.9미터 이상으로 할 수 있다.
  다. 디딤판과 챌면
    (1) 계단에는 챌면을 반드시 설치하여야 한다.
    (2) 디딤판의 너비는 0.28미터 이상, 챌면의 높이는 0.18미터 이하로 하되, 동일한 계단(참을 설치하는 경우에는 참까지의 계단을 말한다)에서 디딤판의 너비와 챌면의 높이는 균일하게 하여야 한다.
    (3) 디딤판의 끝부분에 아래의 그림과 같이 발끝이나 목발의 끝이 걸리지 아니하도록 챌면의 기울기는 디딤판의 수평면으로부터 60도 이상으로 하여야 하며, 계단코는 3센티미터 이상 돌출하여서는 아니 된다.

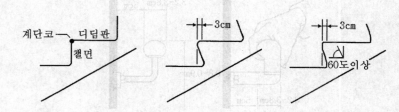

계단코   디딤판
챌면   3cm   3cm
                                                         60도이상

라. 손잡이 및 점자표지판
    (1) 계단의 양측면에는 손잡이를 연속하여 설치하여야 한다. 다만, 방화문 등의 설치로 손잡이를 연속하여 설치할 수 없는 경우에는 방화문 등의 설치에 소요되는 부분에 한하여 손잡이를 설치하지 아니할 수 있다.
    (2) 경사면에 설치된 손잡이의 끝부분에는 0.3미터 이상의 수평손잡이를 설치하여야 한다.
    (3) 손잡이의 양끝부분 및 굴절부분에는 층수·위치 등을 나타내는 점자표지판을 부착하여야 한다.
    (4) 손잡이에 관한 기타 세부기준은 제7호의 복도의 손잡이에 관한 규정을 적용한다.
  마. 재질과 마감
    (1) 계단의 바닥표면은 미끄러지지 아니하는 재질로 평탄하게 마감할 수 있다.
    (2) 계단코에는 줄눈넣기를 하거나 경질고무류 등의 미끄럼방지개로 마감하여야 한다. 다만, 바닥표면 전체를 미끄러지지 아니하는 재질로 마감한 경우에는 그러하지 아니하다.
    (3) 계단이 시작되는 지점과 끝나는 지점의 0.3미터 전면에는 계단의 폭만큼 점형블록을 설치하거나 시각장애인이 감지할 수 있도록 바닥재의 질감 등을 달리하여야 한다.

바. 기타 설비
  (1) 계단의 측면에 난간을 설치하는 경우에는 난간하부에 바닥면으로부터 높이 2센티미터 이상의 추락방지 턱을 설치할 수 있다.
  (2) 계단코의 색상은 계단의 바닥재색상과 달리 할 수 있다.

9. 장애인용 승강기
  가. 설치장소 및 활동공간
    (1) 장애인용 승강기는 장애인등의 접근이 가능한 통로에 연결하여 설치하되, 가급적 건축물 출입구와 가까운 위치에 설치하여야 한다.
    (2) 승강기의 전면에는 1.4미터×1.4미터 이상의 활동공간을 확보하여야 한다.
    (3) 승강장바닥과 승강기바닥의 틈은 3센티미터 이하로 하여야 한다.
  나. 크 기
    (1) 승강기내부의 유효바닥면적은 폭 1.1미터 이상, 깊이 1.35미터 이상으로 하여야 한다. 다만, 신축하는 건물의 경우에는 폭을 1.6미터 이상으로 하여야 한다.
    (2) 출입문의 통과유효폭은 0.8미터 이상으로 하되, 신축한 건물의 경우에는 출입문의 통과유효폭을 0.9미터 이상으로 할 수 있다.
  다. 이용자 조작설비
    (1) 호출버튼·조작반·통화장치 등 승강기의 안팎에 설치되는 모든 스위치의 높이는 바닥면으로부터 0.8미터 이상 1.2미터 이하로 설치하여야 한다. 다만, 스위치는 수가 많아 1.2미터 이내에 설치하는 것이 곤란한 경우에는 1.4미터 이하까지 완화할 수 있다.
    (2) 승강기내부의 휠체어사용자용 조작반은 진입방향 우측면에 가로형으로 설치하고, 그 높이는 바닥면으로부터 0.85미터 내외로 하며, 수평손잡이와 겹치지 않도록 하여야 한다. 다만, 승강기의 유효바닥면적이 1.4미터×1.4미터 이상인 경우에는 진입방향 좌측면에 설치할 수 있다.
    (3) 조작설비의 형태는 버튼식으로 할 수 있다.
    (4) 조작반·통화장치 등에는 점자표시를 하여야 한다.
  라. 기타 설비
    (1) 승강기의 내부에는 수평손잡이를 바닥에서 0.8미터 이상 0.9미터 이하의 위치에 연속하여 설치하거나, 수평손잡이 사이에 3센티미터 이내의 간격을 두고 측면과 후면에 각각 설치하되, 손잡이에 관한 세부기준은 제7호의 복도의 손잡이에 관한 규정을 적용한다.
    (2) 승강기 내부의 후면에는 내부에서 휠체어가 180도 회전이 불가능할 경우에는 휠체어가 후진하여 문의 개폐여부를 확인하거나 내릴 수 있도록 승강기 후면의 0.6미터 이상의 높이에 견고한 재질의 거울을 설치하여야 한다.
    (3) 각 층의 승강장에는 승강기의 도착여부를 표시하는 점멸등 및 음향신호장치를 설치하여야 하며, 승강기의 내부에는 도착 층 및 운행상황을 표시하는 점멸등 및 음성신호장치를 설치하여야 한다.
    (4) 광감지식개폐장치를 설치하는 경우에는 바닥면으로부터 0.3미터에서 1.4미터 이내의 물체를 감지할 수 있도록 하여야 한다.
    (5) 사람이나 물체가 승강기문의 중간에 끼었을 경우 문의 작동이 자동적으로 멈추고 다시 열리는 되열림장치를 설치하여야 한다.
    (6) 각 층의 장애인용 승강기의 호출버튼의 0.3미터 전면에는 점형블록을 설치하거나 시각장애인이 감지할 수 있도록 바닥재의 질감 등을 달리하여야 한다.
    (7) 승강기내부의 상황을 외부에서 알 수 있도록 승강기전면의 일부에 유리를 사용할 수 있다.
    (8) 승강기 내부의 층수 선택버튼을 누르면 점멸등이 켜짐과 동시에 음성으로 선택된 층수를 안내해주어야 한다. 또한, 층수선택버튼이 토글방식인 경우에는 처음 눌렀을 때에는 점멸등이 켜지면서 선택한 층수에 대한 음성안내가, 두 번째 눌렀을 때에는 점멸등이 꺼지면서 취소라는 음성안내가 나오도록 하여야 한다.
    (9) 층별로 출입구가 다른 경우에는 반드시 음성으로 출입구의 방향을 알려주어야 한다.
    (10) 출입구, 승강대, 조작기의 조도는 저시력인 등 장애인의 안전을 위하여 최소 150LX 이상으로 하여야 한다.

건축관계법

국토계획법

주차장법

주 택 법

도시및주거
환경정비법

건축사법

장애인시설법

소방시설법

서울시조례

건축관계법

국토계획법

주차장법

주 택 법

도시및주거
환경정비법

건축사법

장애인시설법

소방시설법

서울시조례

10. 장애인용 에스컬레이터
  가. 유효폭 및 속도
    (1) 장애인용 에스컬레이터의 유효폭은 0.8미터 이상으로 하여야 한다.
    (2) 속도는 분당 30미터 이내로 하여야 한다.
  나. 디딤판
    (1) 휠체어사용자가 승·하강할 수 있도록 에스컬레이터의 디딤판은 3매 이상 수평상태로 이용할 수 있게 하여야 한다.
    (2) 디딤판 시작과 끝부분의 바닥판은 얇게 할 수 있다.
  다. 손잡이
    (1) 에스컬레이터의 양측면에는 디딤판과 같은 속도로 움직이는 이동손잡이를 설치하여야 한다.
    (2) 에스컬레이터의 양끝부분에는 수평이동손잡이를 1.2미터 이상 설치하여야 한다.
    (3) 수평이동손잡이 전면에는 1미터 이상의 수평고정손잡이를 설치할 수 있으며, 수평고정손잡이에는 층수·위치 등을 나타내는 점자표지판을 부착하여야 한다.

11. 휠체어리프트
  가. 일반사항
    (1) 계단 상부 및 하부 각 1개소에 탑승자 스스로 휠체어리프트를 사용할 수 있는 설비를 1.4미터×1.4미터 이상의 승강장을 갖추어야 한다.
    (2) 승강장에는 휠체어리프트사용자의 이용편의를 위하여 시설관리자 등을 호출할 수 있는 벨을 설치하고, 작동설명서를 부착하여야 한다.
    (3) 운행 중 돌발상태가 발생하는 경우 비상정지 시킬 수 있고, 과속을 제한할 수 있는 장치를 설치하여야 한다.
  나. 경사형 휠체어리프트
    (1) 경사형 휠체어리프트는 휠체어받침판의 유효면적을 폭 0.76미터 이상, 길이 1.05미터 이상으로 하여야 하며, 휠체어사용자가 탑승가능한 구조로 하여야 한다.
    (2) 운행중 휠체어가 구르거나 장애물과 접촉하는 경우 자동정지가 가능하도록 감지장치를 설치하여야 하며, 안전판이 열린 상태로 운행되지 아니하도록 내부잠금장치를 갖추어야 한다.
    (3) 휠체어리프트를 사용하지 아니할 때에는 지정장소에 접어서 보관할 수 있도록 하되, 벽면으로부터 0.6미터 이상 돌출되지 아니하도록 하여야 한다.
  다. 수직형 휠체어리프트
    수직형 휠체어리프트는 내부의 유효바닥면적을 폭 0.9미터 이상, 깊이 1.2미터 이상으로 하여야 한다.

12. 경사로
  가. 유효폭 및 활동공간
    (1) 경사로의 유효폭은 1.2미터 이상으로 하여야 한다. 다만, 건축물을 증축·개축·재축·이전·대수선 또는 용도변경하는 경우로서 1.2미터 이상의 유효폭을 확보하기 곤란한 때에는 0.9미터까지 완화할 수 있다.
    (2) 바닥면으로부터 높이 0.75미터 이내마다 휴식을 할 수 있도록 수평면으로 된 참을 설치하여야 한다.
    (3) 경사로의 시작과 끝, 굴절부분 및 참에는 1.5미터×1.5미터 이상의 활동공간을 확보하여야 한다. 다만, 경사로가 직선인 경우에 참의 활동공간의 폭은 (1)에 따른 경사로의 유효폭과 같게 할 수 있다.
  나. 기울기
    (1) 경사로의 기울기는 12분의 1 이하로 하여야 한다.
    (2) 다음의 요건을 모두 충족하는 경우에는 경사로의 기울기를 8분의 1까지 완화할 수 있다.
      (가) 신축이 아닌 기존시설에 설치되는 경사로일 것
      (나) 높이가 1미터 이하인 경사로로서 시설의 구조 등의 이유로 기울기를 12분의 1이하로 설치하기가 어려울 것
      (다) 시설관리자 등으로부터 상시보조서비스가 제공될 것
  다. 손잡이
    (1) 경사로의 길이가 1.8미터 이상이거나 높이가 0.15미터 이상인 경우에는 양측면에 손잡이를 연속하여 설치하여야 한다.

(2) 손잡이를 설치하는 경우에는 경사로의 시작과 끝부분에 수평손잡이를 0.3미터 이상 연장하여 설치하여야 한다. 다만, 통행상 안전을 위하여 필요한 경우에는 수평손잡이를 0.3미터 이내로 설치할 수 있다.

(3) 손잡이에 관한 기타 세부기준은 제7호의 복도의 손잡이에 관한 규정을 적용한다.

라. 재질과 마감

(1) 경사로의 바닥표면은 잘 미끄러지지 아니하는 재질로 평탄하게 마감하여야 한다.

(2) 양측면에는 휠체어의 바퀴가 경사로 밖으로 미끄러져 나가지 아니하도록 5센티미터 이상의 추락방지 턱 또는 측벽을 설치할 수 있다.

(3) 휠체어의 벽면충돌에 따른 충격을 완화하기 위하여 벽에 매트를 부착할 수 있다.

마. 기타 시설

건물과 연결된 경사로를 외부에 설치하는 경우 햇볕, 눈, 비 등을 가릴 수 있도록 지붕과 차양을 설치할 수 있다.

13. 장애인등의 이용이 가능한 화장실

가. 일반사항

(1) 설치장소

(가) 장애인등의 이용이 가능한 화장실은 장애인 등의 접근이 가능한 통로에 연결하여 설치하여야 한다.

(나) 장애인용 변기와 세면대는 출입구(문)와 가까운 위치에 설치하여야 한다.

(2) 재질과 마감

(가) 화장실의 바닥면에는 높이 차이를 두어서는 아니 되며, 바닥표면은 물에 젖어도 미끄러지지 아니하는 재질로 마감하여야 한다.

(나) 화장실(장애인용 변기·세면대가 설치된 화장실이 일반 화장실과 별도로 설치된 경우에는 일반 화장실을 말한다)의 0.3미터 전면에는 점형블록을 설치하거나 시각장애인이 감지할 수 있도록 바닥재의 질감 등을 달리하여야 한다.

(3) 기타 설비

(가) 화장실(장애인용 변기·세면대가 설치된 화장실이 일반 화장실과 별도로 설치된 경우에는 일반 화장실을 말한다)의 출입구(문)옆 벽면의 1.5미터 높이에는 남자용과 여자용을 구변할 수 있는 점자표지판을 부착하고, 출입구(문)의 통과유효폭은 0.9미터 이상으로 하여야 한다.

(나) 세정장치·수도꼭지 등은 광감지식·누름버튼식·레버식 등 사용하기 쉬운 형태로 설치하여야 한다.

(다) 장애인복지시설은 시각장애인이 화장실(장애인용 변기·세면대가 설치된 화장실이 일반 화장실과 별도로 설치된 경우에는 일반 화장실을 말한다)의 위치를 쉽게 알 수 있도록 하기 위하여 안내표시와 함께 음성 유도장치를 설치하여야 한다.

나. 대변기

(1) 활동공간

(가) 건물을 신축하는 경우에는 대변기의 유효바닥면적이 폭 1.6미터 이상, 깊이 2.0미터 이상이 되도록 설치하여야 하며, 대변기의 좌측 또는 우측에는 휠체어의 측면접근을 위하여 유효폭 0.75미터 이상의 활동공간을 확보하여야 한다. 이 경우 대변기의 전면에는 휠체어가 회전할 수 있도록 1.4미터×1.4미터 이상의 활동공간을 확보하여야 한다.

(나) 신축이 아닌 기존시설에 설치하는 경우로서 시설의 구조 등의 이유로 (가)의 기준에 따라 설치하기가 어려운 경우에 한하여 유효바닥면적이 폭 1.0미터 이상, 깊이 1.8미터 이상이 되도록 설치하여야 한다.

(다) 출입문의 통과유효폭은 0.9미터 이상으로 하여야 한다.

(라) 출입문의 형태는 자동문, 미닫이문 또는 접이문 등으로 할 수 있으며, 여닫이문을 설치하는 경우에는 바깥쪽으로 개폐되도록 하여야 한다. 다만, 휠체어사용자를 위하여 충분한 활동공간을 확보한 경우에는 안쪽으로 개폐되도록 할 수 있다.

(2) 구조

(가) 대변기는 등받이가 있는 양변기형태로 하되, 바닥부착형으로 하는 경우에는 변기 전면의 트랩부분에 휠체어의 발판이 닿지 아니하는 형태로 하여야 한다.

(나) 대변기의 좌대의 높이는 바닥면으로부터 0.4미터 이상 0.45미터 이하로 하여야 한다.

건축관계법

국토계획법

주차장법

주택법

도시및주거환경정비법

건축사법

장애인시설법

소방시설법

서울시조례

건축관계법

국토계획법

주차장법

주 택 법

도시및주거
환경정비법

건축사법

장애인시설법

소방시설법

서울시조례

(3) 손잡이

(가) 대변기의 양옆에는 아래의 그림과 같이 수평 및 수직손잡이를 설치하되, 수평손잡이는 양쪽에 모두 설치하여야 하며, 수직손잡이는 한쪽에만 설치할 수 있다.

(나) 수평손잡이는 바닥면으로부터 0.6미터 이상 0.7미터 이하의 높이에 설치하되, 한쪽 손잡이는 변기중심에서 0.4미터 이내의 지점에 고정하여 설치하여야 하며, 다른쪽 손잡이는 0.6미터 내외의 길이로 회전식으로 하여야 한다. 이 경우 손잡이간의 간격은 0.7미터 내외로 할 수 있다.

(다) 수직손잡이의 길이는 0.9미터 이상으로 하되, 손잡이의 제일 아랫부분이 바닥면으로부터 0.6미터 내외의 높이에 오도록 벽에 고정하여 설치하여야 한다. 다만, 손잡이의 안전성 등 부득이한 사유로 벽에 설치하는 것이 곤란한 경우에는 바닥에 고정하여 설치하되, 손잡이의 아랫부분이 휠체어의 이동에 방해가 되지 아니하도록 하여야 한다.

(라) 장애인등의 이용편의를 위하여 수평손잡이와 수직손잡이는 이를 연결하여 설치할 수 있다. 이 경우 (다)의 수직손잡이의 제일 아랫부분의 높이는 연결되는 수평손잡이의 높이로 한다.

(마) 화장실의 크기가 2미터×2미터 이상인 경우에는 천장에 부착된 사다리형태의 손잡이를 설치할 수 있다.

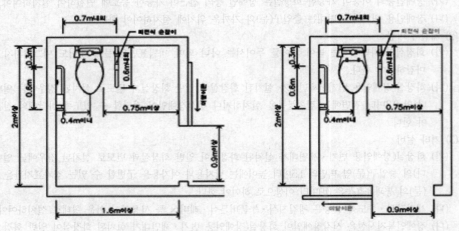

＜장애인등의 이용이 가능한 화장실(신축건물)＞

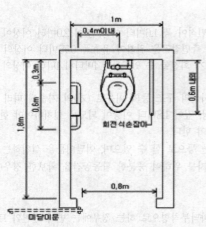

＜장애인등의 이용이 가능한 화장실＞

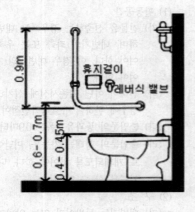

＜장애인등의 이용이 가능한 화장실＞

(4) 기타 설비
(가) 세정장치·휴지걸이 등은 대변기에 앉은 상태에서 이용할 수 있는 위치에 설치하여야 한다.
(나) 출입문에는 화장실사용여부를 시각적으로 알 수 있는 설비 및 잠금장치를 갖추어야 한다.
(다) 공공업무시설, 병원, 문화 및 집회시설, 장애인복지시설, 휴게소 등은 대변기 칸막이 내부에 세면기와 샤워기를 설치할 수 있다. 이 경우 세면기는 변기의 앞쪽에 최소 규모로 설치하여 대변기 칸막이 내부에서 휠체어가 회전하는데 불편이 없도록 하여야 하며, 세면기에 연결된 샤워기를 설치하되 바닥으로부터 0.8미터에서 1.2미터 높이에 설치하여야 한다.
(라) 화장실 내에서의 비상사태에 대비하여 비상용 벨은 대변기 가까운 곳에 바닥면으로부터 0.6미터와 0.9미터 사이의 높이에 설치하되, 바닥면으로부터 0.2미터 내외의 높이에서도 이용이 가능하도록 하여야 한다.

다. 소변기
(1) 구조
소변기는 바닥부착형으로 할 수 있다.
(2) 손잡이
(가) 소변기의 양옆에는 아래의 그림과 같이 수평 및 수직손잡이를 설치하여야 한다.
(나) 수평손잡이의 높이는 바닥면으로부터 0.8미터 이상 0.9미터 이하, 길이는 벽면으로부터 0.55미터 내외, 좌우 손잡이의 간격은 0.6미터 내외로 하여야 한다.
(다) 수직손잡이의 높이는 바닥면으로부터 1.1미터 이상 1.2미터 이하, 돌출폭은 벽면으로부터 0.25미터 내외로 하여야 하며, 하단부가 휠체어의 이동에 방해가 되지 아니하도록 하여야 한다.

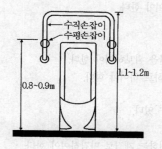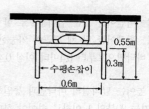

라. 세면대
(1) 구조
(가) 휠체어사용자용 세면대의 상단높이는 바닥면으로부터 0.85미터, 하단 높이는 0.65미터 이상으로 하여야 한다.
(나) 세면대의 하부는 무릎 및 휠체어의 발판이 들어갈 수 있도록 하여야 한다.
(2) 손잡이 및 기타 설비
(가) 목발사용자 등 보행곤란자를 위하여 세면대의 양옆에는 수평손잡이를 설치할 수 있다.
(나) 수도꼭지는 냉·온수의 구분을 점자로 표시하여야 한다.
(다) 휠체어사용자용 세면대의 거울은 아래의 그림과 같이 세로길이 0.65미터 이상, 하단 높이는 바닥면으로부터 0.9미터 내외로 설치할 수 있으며, 거울상단부분은 15도정도 앞으로 경사지게 하거나 전면거울을 설치할 수 있다.

건축관계법

국토계획법

주차장법

주 택 법

도시및주거
환경정비법

건축사법

장애인시설법

소방시설법

서울시조례

14. 장애인등의 이용이 가능한 욕실
　가. 설치장소
　　욕실은 장애인등의 접근이 가능한 통로에 연결하여 설치하여야 한다.
　나. 구조
　　(1) 출입문의 형태는 미닫이문 또는 접이문으로 할 수 있다.
　　(2) 욕조의 전면에는 휠체어를 탄 채 접근이 가능한 활동공간을 확보하여야 한다.
　　(3) 욕조의 높이는 바닥면으로부터 0.4미터 이상 0.45미터 이하로 하여야 한다.
　다. 바 닥
　　(1) 욕실의 바닥면 높이는 탈의실의 바닥면과 동일하게 할 수 있다.
　　(2) 바닥면의 기울기는 30분의 1 이하로 하여야 한다.
　　(3) 욕실 및 욕조의 바닥표면은 물에 젖어도 미끄러지지 아니하는 재질로 마감하여야 한다.
　라. 손잡이
　　욕조주위에는 수평 및 수직손잡이를 설치할 수 있다.
　마. 기타 설비
　　(1) 수도꼭지는 광감지식·누름버튼식·레버식 등 사용하기 쉬운 형태로 설치하여야 하며, 냉·온수의 구분은 점자로 표시하여야 한다.
　　(2) 샤워기는 앉은 채 손이 도달할 수 있는 위치에 레버식 등 사용하기 쉬운 형태로 설치하여야 한다.
　　(3) 욕조에는 휠체어에서 옮겨 앉을 수 있는 좌대를 욕조와 동일한 높이로 설치할 수 있다.
　　(4) 욕실내에서의 비상사태에 대비하여 욕조로부터 손이 쉽게 닿는 위치에 비상용 벨을 설치하여야 한다.

15. 장애인등의 이용이 가능한 샤워실 및 탈의실
　가. 설치장소
　　샤워실 및 탈의실은 장애인등의 접근이 가능한 통로에 연결하여 설치하여야 한다.
　나. 구조
　　(1) 출입문의 형태는 미닫이문 또는 접이문으로 할 수 있다.
　　(2) 샤워실(샤워부스를 포함한다)의 유효바닥면적은 0.9미터×0.9미터 또는 0.75미터×1.3미터 이상으로 하여야 한다.
　다. 바 닥
　　(1) 샤워실의 바닥면의 기울기는 30분의 1 이하로 하여야 한다.

(2) 샤워실의 바닥표면은 물에 젖어도 미끄러지지 아니하는 재질로 마감하여야 한다.

라. 손잡이

   샤워실에는 장애인등이 신체일부를 지지할 수 있도록 수평 또는 수직손잡이를 설치할 수 있다.

마. 기타 설비

(1) 수도꼭지는 광감지식·누름버튼식·레버식 등 사용하기 쉬운 형태로 설치하여야 하며, 냉·온수의 구분은 점자로 표시할 수 있다.

(2) 샤워기는 앉은 채 손이 도달할 수 있는 위치에 레버식 등 사용하기 쉬운 형태로 설치하여야 한다.

(3) 샤워실에는 아래의 그림과 같이 샤워용 접이식의자를 바닥면으로부터 0.4미터 이상 0.45미터 이하의 높이로 설치하여야 한다.

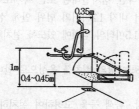

(4) 탈의실의 수납공간의 높이는 휠체어사용자가 이용할 수 있도록 바닥면으로부터 0.4미터 이상 1.2미터 이하로 설치하여야 하며, 그 하부는 무릎 및 휠체어의 발판이 들어갈 수 있도록 하여야 한다.

16. 점자블록

가. 규격 및 색상

(1) 시각장애인의 보행편의를 위하여 점자블록은 아래의 그림과 같은 감지용점형블록과 유도용 선형블록을 사용하여야 한다.

(2) 점자블록의 크기는 0.3미터×0.3미터인 것을 표준형으로 하며, 그 높이는 바닥재의 높이와 동일하게 하여야 한다.

(3) 점형블록은 블록당 36개의 돌출점을 가진 것을 표준형으로 한다.

(4) 점형블록의 돌출점은 반구형·원뿔절단형 또는 이 두가지의 혼합배열형으로 하며, 돌출점의 높이는 0.6±0.1센티미터로 하여야 한다.

(5) 선형블록은 블록당 4개의 돌출선을 가진 것을 표준형으로 한다.

(6) 선형블록의 돌출선은 상단부평면형으로 하며, 돌출선의 높이는 0.5±0.1센티미터로 하여야 한다.

(7) 점자블록의 색상은 원칙적으로 황색으로 사용하되, 바닥재의 색상과 비슷하여 구별하기 어려운 경우에는 다른 색상으로 할 수 있다.

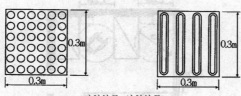

<점형블록 선형블록>

(8) 실외에 설치하는 점자블록의 경우 햇빛이나 불빛 등에 반사되거나 눈, 비 등에 미끄러지기 쉬운 재질을 사용하여서는 아니 된다.

나. 설치방법

(1) 점형블록은 계단·장애인용 승강기·화장실 등 시각장애인을 유도할 필요가 있거나 시각장애인에게 위험한 장소의 0.3미터 전면, 선형블록이 시작·교차·굴절되는 지점에 이를 설치하여야 한다.

(2) 선형블록은 대상시설의 주출입구와 연결된 접근로에서 시각장애인을 유도하는 용도로 사용하며, 유도방향에 따라 평행하게 연속해서 설치하여야 한다.

건축관계법

국토계획법

주차장법

주 택 법

도시및주거
환경정비법

건축사법

장애인시설법

소방시설법

서울시조례

건축관계법

국토계획법

주차장법

주 택 법

도시및주거
환경정비법

건 축 사 법

장애인시설법

소방시설법

서울시조례

(3) 점자블록은 매립식으로 설치하여야 한다. 다만, 건축물의 구조 또는 바닥재의 재질 등을 고려해볼 때 매립식으로 설치하는 것이 불가능하거나 현저히 곤란한 경우에는 부착식으로 설치할 수 있다.

17. 시각장애인 유도·안내설비

가. 점자안내판 또는 촉지도식 안내판

(1) 점자안내판 또는 촉지도식 안내판에는 주요시설 또는 방의 배치를 점자, 양각면 또는 선으로 간략하게 표시하여야 한다.

(2) 일반안내도가 설치되어 있는 경우에는 점자를 병기하여 점자안내판에 갈음할 수 있다.

(3) 점자안내판 또는 촉지도식 안내판은 점자안내표시 또는 촉지도의 중심선이 바닥면으로부터 1.0미터 내지 1.2미터의 범위안에 있도록 설치하여야 한다. 다만, 점자안내판 또는 촉지도식 안내판을 수직으로 설치하거나 점자안내표시 또는 촉지도의 내용이 많아 1.0미터 내지 1.2미터의 범위 안에 설치하는 것이 곤란한 경우에는 점자안내표시 또는 촉지도의 중심선이 1.0미터 내지 1.5미터의 범위에 있도록 설치할 수 있다.

나. 음성안내장치

시각장애인용 음성안내장치는 주요시설 또는 방의 배치를 음성으로 안내하여야 한다.

다. 기타 유도신호장치

시각장애인용 유도신호장치는 음향·시각·음색 등을 고려하여 설치하여야 하고, 특수신호장치를 소지한 시각장애인이 접근할 경우 대상 시설의 이름을 안내하는 전자식 신호장치를 설치할 수 있다.

18. 시각 및 청각장애인 경보·피난 설비

시각 및 청각장애인 경보·피난 설비는 「화재예방, 소방시설 설치·유지 및 안전관리에 관한 법률」에 따른다.

이 경우 청각장애인을 위하여 비상벨설비 주변에는 점멸형태의 비상경보등을 함께 설치하고, 시각 및 청각 장애인용 피난구유도등은 화재발생 시 점멸과 동시에 음성으로 출력될 수 있도록 설치하여야 한다.

19. 장애인등의 이용이 가능한 객실 또는 침실

가. 설치장소

장애인용 객실 또는 침실(이하 "객실 등"이라 한다)은 식당·로비 등 공용공간에 접근하기 쉬운 곳에 설치하여야 하며, 승강기가 가동되지 아니할 때에도 접근이 가능하도록 주출입층에 설치할 수 있다.

나. 구조

(1) 휠체어사용자를 위한 객실 등은 온돌방보다 침대방으로 할 수 있다.

(2) 객실 등의 내부에는 휠체어가 회전할 수 있는 공간을 확보하여야 한다.

(3) 침대의 높이는 바닥면으로부터 0.4미터 이상 0.45미터 이하로 하고, 그 측면에는 1.2미터 이상의 활동공간을 확보하여야 한다.

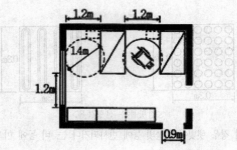

다. 바 닥

(1) 객실 등의 바닥면에는 높이 차이를 두어서는 아니 된다.

(2) 바닥표면은 미끄러지지 아니하는 재질로 평탄하게 마감하여야 한다.

라. 기타 설비
  (1) 객실 등의 출입문옆 벽면의 1.5미터 높이에는 방이름을 표기한 점자표지판을 부착하여야 한다.
  (2) 객실 등에 화장실 및 욕실을 설치하는 경우에는 제13호가목(2)(가)·(3)(나), 나목(1)부터 (3)까지·(4)(가), 라목 및 제14호나목부터 마목까지의 규정을 적용한다.
  (3) 콘센트·스위치·수납선반·옷걸이 등의 높이는 바닥면으로부터 0.8미터 이상 1.2미터 이하로 설치하여야 한다.
  (4) 객실 등·화장실 및 욕실에는 초인종과 함께 청각장애인용 초인등을 설치하여야 한다.
  (5) 객실 등에는 건축물전체의 비상경보시스템과 연결된 청각장애인용 경보설비를 설치하여야 한다.

20. 장애인등의 이용이 가능한 관람석 또는 열람석
  가. 설치장소
    휠체어사용자를 위한 관람석 또는 열람석은 출입구 및 피난통로에서 접근하기 쉬운 위치에 설치하여야 한다.
  나. 관람석의 구조
    (1) 휠체어사용자를 위한 관람석은 이동식 좌석 또는 접이식 좌석을 사용하여 마련하여야 한다. 이동식 좌석의 경우 한 개씩 이동이 가능하도록 하여 휠체어사용자가 아닌 동행인이 함께 앉을 수 있도록 하여야 한다.
    (2) 휠체어사용자를 위한 관람석의 유효바닥면적은 1석당 폭 0.9미터 이상, 깊이 1.3미터 이상으로 하여야 한다.
    (3) 휠체어사용자를 위한 관람석은 시야가 확보될 수 있도록 관람석 앞에 기둥이나 시야를 가리는 장애물 등을 두어서는 아니 되며, 안전을 위한 손잡이는 바닥에서 0.8미터 이하의 높이로 설치하여야 한다.
    (4) 휠체어사용자를 위한 관람석이 중간 또는 제일 뒷 줄에 설치되어 있을 경우 앞 좌석과의 거리는 일반 좌석의 1.5배 이상으로 하여 시야를 가리지 않도록 설치하여야 한다.
    (5) 영화관의 휠체어사용자를 위한 관람석은 스크린 기준으로 중간 줄 또는 제일 뒷 줄에 설치하여야 한다. 다만, 휠체어사용자를 위한 좌석과 스크린 사이의 거리가 관람에 불편하지 않은 충분한 거리일 경우에는 스크린 기준으로 제일 앞 줄에 설치할 수 있다.
    (6) 공연장의 휠체어사용자를 위한 관람석은 무대 기준으로 중간 줄 또는 제일 앞 줄 등 무대가 잘 보이는 곳에 설치하여야 한다. 다만, 출입구 및 피난통로가 무대 기준으로 제일 뒷 줄로만 접근이 가능할 경우에는 제일 뒷 줄에 설치할 수 있다.
    (7) 난청자를 위하여 자기(磁氣)루프, FM송수신장치 등 집단보청장치를 설치할 수 있다.
  다. 열람석의 구조
    (1) 열람석상단까지의 높이는 바닥면으로부터 0.7미터 이상 0.9미터 이하로 하여야 한다.
    (2) 열람석의 하부에는 무릎 및 휠체어의 발판이 들어갈 수 있도록 바닥면으로부터 높이 0.65미터 이상, 깊이 0.45미터 이상의 공간을 확보하여야 한다.

21. 장애인등의 이용이 가능한 접수대 또는 작업대
  가. 활동공간
    접수대 또는 작업대의 전면에는 휠체어를 탄 채 접근이 가능한 활동공간을 확보하여야 한다.
  나. 구조
    (1) 접수대 또는 작업대상단까지의 높이는 아래의 그림과 같이 바닥면으로부터 0.7미터 이상 0.9미터 이하로 하여야 한다.
    (2) 접수대 또는 작업대의 하부에는 무릎 및 휠체어의 발판이 들어갈 수 있도록 바닥면으로부터 높이 0.65미터 이상, 깊이 0.45미터 이상의 공간을 확보하여야 한다.

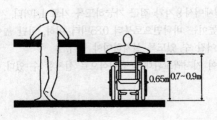

건축관계법

국토계획법

주차장법

주 택 법

도시및주거
환경정비법

건축사법

장애인시설법

소방시설법

서울시조례

2장 제8편 장애인·노인·임산부 등의 편의증진 보장에 관한 법률

건축관계법

국토계획법

주차장법

주 택 법

도시및주거
환경정비법

건축사법

장애인시설법

소방시설법

서울시조례

22. 장애인등의 이용이 가능한 매표소·판매기 또는 음료대
　가. 활동공간
　　매표소·판매기 또는 음료대의 전면에는 휠체어를 탄 채 접근이 가능한 활동공간을 확보하여야 한다.
　나. 구조
　　(1) 매표소의 높이는 바닥면으로부터 0.7미터 이상 0.9미터 이하로 하여야 하며, 하부에는 무릎 및 휠체어의 발판이
　　　들어갈 수 있도록 바닥면으로부터 0.65미터 이상, 깊이 0.45미터 이상의 공간을 확보하여야 한다.
　　(2) 자동판매기 또는 자동발매기의 동전투입구·조작버튼·상품출구의 높이는 0.4미터 이상 1.2미터 이하로 하여야 한다.
　　(3) 음료대의 분출구의 높이는 0.7미터 이상 0.8미터 이하로 하여야 한다.

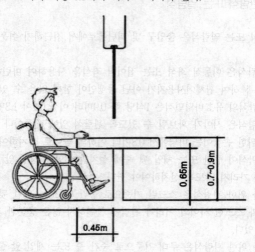

　다. 기타 설비
　　(1) 자동판매기 및 자동발매기의 조작버튼에는 품목·금액·목적지 등을 점자로 표시하여야 한다.
　　(2) 음료대의 조작기는 광감지식·누름버튼식·레버식 등 사용하기 쉬운 형태로 설치하여야 한다.
　　(3) 매표소 또는 자동발매기의 0.3미터 전면에는 점형블록을 설치하거나 시각장애인이 감지할 수 있도록 바닥재의 질
　　　감등을 달리하여야 한다.

23. 삭제<2007.3.9>

24. 삭제<2007.3.9>

25. 삭제<2007.3.9>

26. 삭제<2007.3.9.>

27. 임산부 등을 위한 휴게시설
　가. 설치장소
　　임산부 등을 위한 휴게시설은 휠체어 사용자 및 유모차가 접근 가능한 위치에 설치하여야 한다.
　나. 구조
　　(1) 임산부 등을 위한 휴게시설에는 수유실로 사용할 수 있는 장소를 별도로 마련하되, 기저귀교환대, 세면대 등의 설
　　　비를 갖추어야 한다.
　　(2) 기저귀교환대, 세면대 등은 휠체어사용자가 접근 가능하도록 가로 1.4미터, 세로 1.4미터의 공간을 확보하고, 기저
　　　귀교환대 및 세면대의 상단 높이는 바닥면으로부터 0.85미터 이하, 하단 높이는 0.65미터 이상으로 하여야 하며,
　　　하부에는 휠체어의 발판이 들어갈 수 있도록 설치하여야 한다.
　　(3) 공간의 효율적인 이용을 위하여 기저귀교환대는 접이식으로 설치할 수 있다.

28. 장애인등의 이용이 가능한 공중전화
    가. 설치장소
       공중전화는 장애인 등의 접근이 가능한 보도 또는 통로에 설치하여야 한다.
    나. 구조
       (1) 전화대의 하부에는 무릎 및 휠체어의 발판이 들어갈 수 있도록 바닥면으로부터 높이 0.65미터 이상, 깊이 0.25미
          터 이상의 공간을 확보하여야 한다.
       (2) 전화부스를 설치하는 경우에는 보도 또는 통로와 높이 차이를 두어서는 아니 된다.
    다. 이용자 조작설비
       아래의 그림과 같이 동전 또는 전화카드투입구, 전화다이얼 및 누름버튼 등의 높이는 바닥면으로부터 0.9미터 이상
       1.4미터 이하로 하여야 한다.

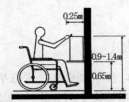

    라. 기타 설비
       지팡이 및 목발사용자가 몸을 지지할 수 있도록 전화부스의 양쪽에 손잡이를 설치하거나, 지팡이 및 목발을 세울
       곳을 마련할 수 있다.

29. 장애인등의 이용이 가능한 우체통
    가. 설치장소
       우체통은 장애인 등의 접근이 가능한 보도 또는 통로에 설치하여야 한다.
    나. 구조
       우체통투입구의 높이는 0.9미터 이상 1.2미터 이하로 하여야 한다.

비고 : 위의 편의시설의 구조·재질 등에 관한 세부기준의 항목 중 " ·· 할 수 있다"로 규정된 사항은 장애인 등의 이
       용편의를 위한 권장사항임

■ 편의시설의 안내표시기준 (규칙 제3조 관련, [별표 2])

1. (1999. 6. 8 본호 삭제)

2. 안내표시기준
   가. 안내표지의 색상은 청색과 백색을 사용하여야 한다.
   나. 안내표지의 크기는 단면을 0.1미터 이상으로 하여야 한다.
   다. 시각장애인용 안내표지와 청각장애인용 안내표지는 기본형과 함께 설치하여야 한다.
   라. 시각장애인을 위한 안내표지에는 점자를 병기하여야 한다.
   마. 설치방법은 장애인의 이동에 안전하고 지장이 없도록 배려하여야 하며, 사용장애인의 신체적인 특성을 고려하여 결
      정할 수 있다.

3. 작도법
   편의시설 안내표지는 다음과 같이 제작하여야 한다.

건축관계법
국토계획법
주차장법
주 택 법
도시및주거
환경정비법
건축사법
장애인시설법
소방시설법
서울시조례

건축관계법

국토계획법

주차장법

주택법

도시및주거
환경정비법

건축사법

장애인시설법

소방시설법

서울시조례

시각장애인   청각장애인

3 시설주등의 의무 (법제9조)(영제5조)

시설주등은 대상시설을 설치하거나 다음에 해당하는 주요부분(용도변경을 포함한다)을 변경하는 때에는 장애인등이 항상 대상시설을 편리하게 이용할 수 있도록 편의시설을 편의시설의 설치기준 (위 **2**의 기준)에 적합하게 설치하고 이를 유지·관리하여야 한다.

(1) 공원계획(「자연공원법」 제12조~제14조)과 공원조성계획의 변경결정(「도시공원 및 녹지 등에 관한 법률」 제16조)에 따라 시행령 [별표 1]에 따른 공공건물 및 공중이용시설에 해당하는 공원시설을 변경하는 때

(2) 공공건물·공중이용시설 및 공동주택을 증축·개축·재축·이전·대수선 또는 용도변경을 하는 때

4 편의시설 설치기준의 적합성

① 적합성 확인 (법제9조의2)

(1) 시설주관기관은 시설주등이 대상시설의 설치를 위하여 「건축법」 등 관계 법령에 따른 허가나 처분(「건축법」 제29조에 따른 협의를 포함한다)을 신청하는 등 절차를 진행 중인 경우에는 설계도서의 검토 등을 통하여 위 **2**에 따른 편의시설 설치기준에 적합한지 여부를 확인하여야 한다.

(2) 시설주관기관은 위 (1)에 따른 확인 결과 대상시설이 편의시설 설치기준에 부적합한 경우에는 상당한 기간을 정하여 시설주등에게 보완을 요구하여야 한다.

(3) 위 (1)에 따른 편의시설 설치기준에 대한 적합성 확인에 필요한 사항은 보건복지부령으로 정한다.

② 적합성 확인 업무의 대행 (법제9조의3)

(1) 시설주관기관은 위 ①-(1)에 따른 확인 업무를 보건복지부령으로 정하는 장애인 관련 법인 또는 단체에 대행하게 할 수 있다.

(2) 위-(1)에 따른 확인 업무의 대행에 필요한 사항은 보건복지부령으로 정한다.

(3) 위-(1)에 따라 확인 업무를 담당하는 법인 또는 단체의 임직원은 「형법」 제129조부터 제132조 까지의 규정에 따른 벌칙을 적용할 때에는 공무원으로 본다.

5 편의시설에 관한 지도·감독 (법 제10조)

(1) 보건복지부장관은 편의시설의 설치·운영에 관한 업무를 총괄한다.
(2) 시설주관기관은 소관 대상시설에 대한 편의시설의 설치·운영에 관하여 필요한 지도와 감독을 하여야 한다.

6 장애물 없는 생활환경 인증

① 인증 (법 제10조의2)

(1) 보건복지부장관과 국토교통부장관(이하 "보건복지부장관등"이라 한다)은 장애인등이 대상시설을 안전하고 편리하게 이용할 수 있도록 편의시설의 설치·운영을 유도하기 위하여 대상시설에 대하여 장애물 없는 생활환경 인증을 할 수 있다.
(2) 대상시설에 대하여 인증을 받으려는 시설주는 보건복지부장관등에게 인증을 신청하여야 한다. 이 경우 시설주는 인증 신청 전에 대상시설의 설계도서 등에 반영된 내용을 대상으로 예비인증을 신청할 수 있다.
(3) 다음의 어느 하나에 해당하는 대상시설의 경우에는 의무적으로 인증[위 (2)의 후단에 따른 예비인증을 포함한다]을 받아야 한다.
　① 국가나 지방자치단체가 지정·인증 또는 설치하는 공원 중 「도시공원 및 녹지 등에 관한 법률」 제2조제3호가목의 도시공원 및 같은 법의 제2조4호의 공원시설
　② 국가, 지방자치단체 또는 「공공기관의 운영에 관한 법률」에 따른 공공기관이 신축·증축(건축물이 있는 대지에 별개의 건축물로 증축하는 경우에 한정한다. 이하 같다)·개축(전부를 개축하는 경우에 한정한다. 이하 같다) 또는 재축하는 청사, 문화시설 등의 공공건물 및 공중이용시설 중에서 대통령령으로 정하는 시설
　③ 국가, 지방자치단체 또는 「공공기관의 운영에 관한 법률」에 따른 공공기관 외의 자가 신축·증축·개축 또는 재축하는 공공건물 및 공중이용시설로서 시설의 규모, 용도 등을 고려하여 대통령령으로 정하는 시설 <개정 2021. 6. 8.>
(4) 보건복지부장관등은 인증 업무를 효과적으로 수행하기 위하여 필요한 전문인력과 시설을 갖춘 기관이나 단체를 인증기관으로 지정하여 인증 업무를 위탁할 수 있다.
(5) 위 (1)~(4)에 따른 인증 기준·절차, 인증기관 지정 기준·절차, 인증 비용의 부담, 그 밖에 인증 제도 운영에 필요한 사항은 보건복지부와 국토교통부의 공동부령으로 정한다.

■ [별표 2의2]<신설 2015.7.24.> 장애물 없는 생활환경 인증 의무 시설(영 제5조의2 관련)

대상 시설	
1. 제1종 근린 생활시설	식품·잡화·의류·완구·서적·건축자재·의약품·의료기기 등 일용품을 판매하는 등의 소매점, 이용원·미용원·목욕장
	지역자치센터, 파출소, 지구대, 우체국, 보건소, 공공도서관, 국민건강보험공단·국민연금공단·한국장애인고용공단·근로복지공단의 사무소, 그 밖에 이와 유사한 용도의 시설
	대피소
	공중화장실
	의원·치과의원·한의원·조산원·산후조리원
	지역아동센터

건축관계법

국토계획법

주차장법

주 택 법

도시및주거
환경정비법

건축사법

장애인시설법

소방시설법

서울시조례

8-38

2. 제2종 근린 생활시설	일반음식점, 휴게음식점·제과점 등 음료·차(茶)·음식·빵·떡·과자 등을 조리 하거나 제조하여 판매하는 시설
	안마시술소
3. 문화 및 집회시설	공연장 및 관람장
	집회장
	전시장
	동·식물원
4. 종교시설	종교집회장
5. 판매시설	도매시장·소매시장·상점
6. 의료시설	병원, 격리병원
7. 교육연구 시설	학교
	교육원, 직업훈련소, 학원
	도서관
8. 노유자시설	아동 관련 시설
	노인복지시설
	사회복지시설(장애인복지시설을 포함한다)
9. 수련시설	생활권 수련시설, 자연권 수련시설
10. 운동시설	체육관, 운동장과 운동장에 부수되는 건축물
11. 업무시설	국가 또는 지방자치단체의 청사
	금융업소, 사무소, 결혼상담소 등 소개업소, 출판사, 신문사, 오피스텔, 그 밖에 이 와 유사한 용도의 시설
	국민건강보험공단·국민연금공단·한국장애인고용공단·근로복지공단의 사무소
12. 숙박시설	일반숙박시설(호텔, 여관으로서 객실수가 30실 이상인 시설)
	관광숙박시설, 그 밖에 이와 비슷한 용도의 시설
13. 공장	물품의 제조·가공[염색·도장(塗裝)·표백·재봉·건조·인쇄 등을 포함한다] 또 는 수리에 계속적으로 이용되는 건물로서 「장애인고용촉진 및 직업재활법」에 따라 장애인고용의무가 있는 사업주가 운영하는 시설
14. 자동차 관련 시설	주차장
	운전학원(운전 관련 직업훈련시설을 포함한다)
15. 방송통신 시설	방송국, 그 밖에 이와 유사한 용도의 시설
	전신전화국, 그 밖에 이와 유사한 용도의 시설
16. 교정 시설	보호감호소·교도소·구치소, 갱생보호시설, 그 밖에 범죄자의 갱생·보육·교육 ·보건 등의 용도로 쓰이는 시설, 소년원, 소년분류심사원
17. 묘지 관련 시설	화장시설, 봉안당
18. 관광 휴게 시설	야외음악당, 야외극장, 어린이회관, 그 밖에 이와 유사한 용도의 시설
	휴게소
19. 장례식장	의료시설의 부수시설(「의료법」 제36조제1호에 따른 의료기관의 종류에 따른 시 설을 말한다)에 해당하는 것은 제외한다.

<비고>

보건복지부장관과 국토교통부장관은 위 표의 장애물 없는 생활환경 인증 대상 시설이 지형, 문화재 발굴 등 주변 여건으로 인하여 불가피하게 장애물 없는 생활환경 인증을 받기 어려운 경우에 보건복지부와 국토교통부의 공동부령으로 정하는 바에 따라 의무 인증 시설에서 제외할 수 있다.

② 인증의 유효기간 (법 제10조의3)

(1) 인증의 유효기간은 인증을 받은 날부터 10년으로 한다.

(2) 인증의 유효기간을 연장 받으려는 자는 유효기간이 끝나기 전에 공동부령으로 정하는 바에 따라 연장신청을 하여야 한다.

③ 인증의 표시 (법 제10조의4)

(1) 인증을 받은 대상시설의 시설주는 해당 대상시설에 인증 표시를 할 수 있다.

(2) 누구든지 인증을 받지 아니한 시설물에 대해서는 인증 표시 또는 이와 유사한 표시를 하여서는 아니 된다.

④ 인증의 사후관리 (법 제10조의5)

(1) 보건복지부장관등은 인증을 받은 대상시설이 위 ①-(5)에 따른 인증 기준에 적합하게 유지·관리되고 있는지 여부를 조사할 수 있다.

(2) 보건복지부장관등은 위 (1)에 따른 조사 결과 인증 기준에 적합하지 아니하게 유지·관리되고 있는 대상시설에 대하여 그 내용을 시설주에게 통보하고 기간을 정하여 시정을 명하는 등 필요한 조치를 할 수 있다.

(3) 위 (1)에 따른 조사의 절차·방법 등에 관하여 필요한 사항은 공동부령으로 정한다.

⑤ 인증의 취소 (법 제10조의6)

보건복지부장관등은 다음의 어느 하나에 해당하는 경우에는 인증을 취소하여야 한다.

(1) 거짓이나 그 밖의 부정한 방법으로 인증을 받은 경우

(2) 위 ①-(5)에 따른 인증 기준에 적합하지 아니하게 된 경우

⑥ 인증기관 지정의 취소 (법 제10조의7)

(1) 보건복지부장관등은 위 ①-(4)에 따라 지정한 인증기관이 다음의 어느 하나에 해당하는 경우에는 그 인증기관의 지정을 취소하거나 1년 이내의 기간을 정하여 그 업무의 전부 또는 일부의 정지를 명할 수 있다.

단서 아래 ① 또는 ⑤에 해당하는 경우에는 지정을 취소하여야 한다.

① 거짓이나 그 밖의 부정한 방법으로 지정을 받은 경우

② 위 ①-(5)에 따른 인증 기준을 위반하여 인증을 한 경우

③ 위 ①-(5)에 따른 지정 기준에 적합하지 아니하게 된 경우

④ 정당한 사유 없이 2년 이상 계속하여 인증 업무를 하지 아니한 경우

⑤ 업무정지 명령을 위반하여 업무정지 기간 중 인증 업무를 한 경우

(2) 위 (1)에 따른 행정처분의 기준은 공동부령으로 정한다.

건축관계법

국토계획법

주차장법

주 택 법

도시및주거
환경정비법

건축사법

장애인시설법

소방시설법

서울시조례

건축관계법

국토계획법

주차장법

주 택 법

도시및주거
환경정비법

건축사법

장애인시설법

소방시설법

서울시조례

⑦ 청문 (법 제10조의8)

보건복지부장관등은 위 ⑤에 따라 인증을 취소하거나 ⑥에 따라 인증기관의 지정을 취소하려는 경우에는 청문을 실시하여야 한다.

⑧ 인증 통계의 작성·관리 (법 제10조의9)

(1) 보건복지부장관등은 인증의 활성화 및 위 ④에 따른 사후관리 등에 활용하기 위하여 공동부령으로 정하는 바에 따라 대상시설별 인증의 현황 등 인증에 관한 통계를 작성·관리하여야 한다.

(2) 보건복지부장관등은 관계 기관 및 단체의 장에게 위 (1)에 따른 통계의 작성·관리를 위하여 필요한 자료의 제공을 요청할 수 있다. 이 경우 요청을 받은 관계 기관 및 단체의 장은 정당한 사유가 없으면 그 요청에 따라야 한다.

⑨ 인증운영기관의 설치 (법 제10조의10)

(1) 국가는 인증에 관한 다음 각 호의 업무를 수행하게 하기 위하여 인증운영기관을 설치·운영할 수 있다.

　1. 인증기관 관리·지원

　2. 인증 관련 연구·개발 및 기술 보급

　3. 인증 관련 정보체계의 구축 및 운영

　4. 인증 관련 전문인력 양성 및 교육

　5. 그 밖에 인증 활성화를 위하여 공동부령으로 정하는 사항

(2) 국가는 제1항에 따른 인증운영기관의 설치·운영을 그 업무에 필요한 전문인력과 시설을 갖춘 기관 또는 단체에 위탁할 수 있다.

(3) (1)에 따른 인증운영기관의 설치·운영 및 (2)에 따른 위탁 등에 필요한 사항은 공동부령으로 정한다.

⑩ 인증 수수료 (법 제10조의11)

(1) 시설주는 인증 및 예비인증 신청, 제10조의3제2항에 따른 연장신청(이하 "인증 신청등"이라 한다)을 하려는 경우 인증 수수료를 내야 한다. 다만, 의무인증시설이 아닌 시설의 시설주가 인증 신청등을 하는 경우에는 수수료를 감면할 수 있다.

(2)수수료 납부의 방법·기간, 수수료 감면의 기준·절차 등 필요한 사항은 공동부령으로 정한다.

7 실태조사 (법 제11조)(규칙 제4조)

(1) 시설주관기관은 편의시설 활성화 정책의 기초자료 확보 등을 위하여 편의시설 설치에 관한 실태조사를 실시하고, 그 결과를 공표하여야 한다.

　① 실태조사의 내용은 다음과 같다.

1. 대상시설별로 설치하여야 하는 편의시설의 설치 여부
2. 편의시설의 구조·재질 등에 관한 세부기준에의 적합 여부
3. 그 밖에 보건복지부장관이 장애인등의 편의증진을 위하여 필요하다고 인정하는 사항

② 시설주관기관은 실태조사의 결과를 보건복지부장관에게 제출하여야 하며, 보건복지부장관은 다음의 사항을 인터넷 홈페이지에 공표하여야 한다.

1. 조사개요 및 조사방법
2. 편의시설 종류별 설치 현황
3. 건축물 유형별 편의시설 설치 현황
4. 시설주별 편의시설 설치 현황
5. 지역별 편의시설 설치 현황
6. 그 밖에 보건복지부장관이 필요하다고 인정한 사항

③ 위 ①에 따른 실태조사는 조사대상의 선정, 조사기간의 설정, 조사표 개발 및 조사원 교육 등의 순서로 하며, 그 밖의 실태조사 절차에 관한 세부사항은 보건복지부장관이 정한다.

(2) 위 (1)에 따른 실태조사는 매년 전수조사 또는 표본조사의 방법으로 실시하되, 5년마다 1회는 전수조사의 방법으로 실시하여야 한다.

(3) 위 (1)에 따른 실태조사의 내용과 절차 및 결과공표의 범위·방법 등은 보건복지부령으로 정한다.

(4) 시설주관기관은 위 (1)에 따른 실태조사에 필요한 범위에서 시설주에게 자료제출을 요구할 수 있다. 이 경우 시설주는 정당한 사유가 없으면 이에 따라야 한다.

8 설치계획의 수립 · 시행 및 보고 $\left(\genfrac{}{}{0pt}{}{법}{제12조}\right)\left(\genfrac{}{}{0pt}{}{영}{제6조}\right)$

(1) 시설주관기관은 편의시설 설치를 촉진하기 위하여 소관 대상시설에 대한 편의시설 설치계획을 수립·시행하여야 한다.

(2) 위 (1)에 따른 편의시설 설치계획에는 다음의 사항이 포함되어야 한다.
 ① 대상시설의 편의시설 설치실태 및 정비계획
 ② 대상시설의 건축·대수선(大修繕)·용도변경 등에 따른 편의시설 설치계획
 ③ 대상시설 및 편의시설 설치 기준에 관한 홍보
 ④ 그 밖에 보건복지부령으로 정하는 사항

(3) 시설주관기관은 위 (1)에 따른 편의시설 설치계획과 시행 실적을 대통령령으로 정하는 바에 따라 보건복지부장관에게 제출하여야 한다.

(4) 보건복지부장관은 위 (3)에 따라 제출된 계획 등을 종합하여 편의증진심의회의 심의를 거쳐 편의시설 설치에 관한 국가종합계획을 수립하여야 한다.

9 편의증진심의회의 설치 등 $\left(\genfrac{}{}{0pt}{}{법}{제12조의2}\right)\left(\genfrac{}{}{0pt}{}{영}{제6조의2 \sim 제6조의7}\right)$

【1】 심의회의 설치
보건복지부에 장애인등의 편의증진에 관한 중요사항을 심의하기 위하여 편의증진심의회(이하 "심의회"라 함)를 둔다.

【2】 심의회의 심의 사항
심의회는 다음의 사항을 심의 한다.
 ① 장애인등에 대한 편의증진정책의 기본방향에 관한 사항
 ② 편의시설 설치에 관한 국가종합계획 수립과 관련한 사항

건축관계법
국토계획법
주차장법
주 택 법
도시및주거
환경정비법
건축사법
장애인시설법
소방시설법
서울시조례

③ 장애인등의 편의증진보장을 위한 제도개선 등에 관한 사항

④ 그 밖에 장애인등의 편의증진보장을 위하여 관계부처 간에 협조가 필요한 사항

【3】 심의회의 조직·운영 등

(1) 편의증진심의회의 구성

① 심의회는 위원장 1인과 부위원장 1인을 포함한 25인 이상 35인 이하의 위원으로 구성한다.

② 위원장은 보건복지부차관이 되고, 부위원장은 위원장이 위원 중에서 지명하는 자로 한다.

③ 위원은 다음의 자가 된다.

1. 기획재정부·교육부·행정안전부·국가보훈부·문화체육관광부·산업통상자원부·보건복지부·고용노동부·여성가족부·국토교통부·법제처의 3급 공무원 또는 고위공무원단에 속하는 일반직 공무원 중에서 소속기관의 장이 지정하는 자
2. 장애인·노인·여성복지에 관한 전문지식과 경험이 풍부한 자중에서 보건복지부장관이 위촉하는 자. 이 경우 보건복지부장관은 위촉위원 중 1/2 이상을 장애인으로 위촉하여야 한다.

④ 위원의 임기는 2년으로 한다. 다만, 공무원인 위원의 임기는 해당 직에 재직하는 기간으로 한다.

(2) 심의회 위원의 해촉 등

① 위원을 지정한 자는 위원이 다음 각 호의 어느 하나에 해당하는 경우에는 해당 위원의 지정을 철회할 수 있다.

1. 심신장애로 인하여 직무를 수행할 수 없게 된 경우
2. 직무와 관련된 비위사실이 있는 경우
3. 직무태만, 품위손상이나 그 밖의 사유로 인하여 위원으로 적합하지 아니하다고 인정되는 경우
4. 위원 스스로 직무를 수행하는 것이 곤란하다고 의사를 밝히는 경우

② 보건복지부장관은 위원이 위 ①의 각각의 어느 하나에 해당하는 경우에는 해당 위원을 해촉(解囑)할 수 있다.

(3) 위원장 등의 직무

① 위원장은 심의회를 대표하며, 심의회의 업무를 통할한다.

② 부위원장은 위원장을 보좌하며, 위원장이 부득이한 사유로 직무를 수행할 수 없는 때에는 그 직무를 대행한다.

(4) 회의

① 심의회의 회의는 위원장이 필요하다고 인정하는 때 또는 재적위원 1/3 이상의 회의 소집 요청이 있는 때에 위원장이 소집한다.

② 심의회의 회의는 재적위원 과반수의 출석으로 개의하고 출석위원 과반수의 찬성으로 의결한다.

(5) 수당 및 여비

심의회의 회의에 출석한 위원에 대하여는 예산의 범위 안에서 수당과 여비를 지급할 수 있다. 다만, 공무원인 위원이 그 소관업무와 직접 관련되어 출석하는 경우에는 그러하지 아니하다.

(6) 심의회의 운영세칙

이 영에 규정된 것 외에 심의회의 운영에 필요한 세부사항은 심의회의 의결을 거쳐 위원장이 정한다.

건축관계법

국토계획법

주차장법

주택법

도시및주거환경정비법

건축사법

장애인시설법

소방시설법

서울시조례

10 설치의 지원 (법 제13조)

(1) 국가 및 지방자치단체는 민간의 편의시설 설치에 따른 부담을 덜고 그 설치를 촉진하기 위하여 금융지원과 기술지원 등 필요한 조치를 마련하여야 한다.

(2) 법인 및 개인이 이 법에서 정하는 편의시설을 설치한 경우에는 시설의 설치 비용에 대하여 「조세특례제한법」, 「지방세특례제한법」 등 조세 관계 법령에서 정하는 바에 따라 조세를 감면한다.

11 연구개발의 촉진 등 (법 제14조)

(1) 국가와 지방자치단체는 편의시설에 관한 연구개발을 촉진하기 위한 시책을 마련하여야 한다.

(2) 보건복지부장관은 편의시설 설치사업을 원활하게 추진하기 위하여 편의시설 상세표준도(詳細標準圖)를 작성하여 보급하여야 한다. 이 경우 건축물에 대한 편의시설 상세표준도는 해당 편의시설에 관하여 「건축법」에 따른 표준설계도서로 본다.

12 교육 실시 (법 제14조의2)

(1) 보건복지부장관이나 시설주관기관은 편의시설의 올바른 설치 및 편의시설에 대한 인식 개선을 위하여 필요하다고 인정할 때에는 건축사사무소 종사자나 시설주 등을 대상으로 교육을 할 수 있다.

(2) 보건복지부장관이나 시설주관기관은 위 (1)에 따른 교육을 관계 전문기관·법인·단체에 위탁할 수 있다.

13 적용의 완화 (법 제15조)(영 제7조)(규칙 제5조)

(1) 시설주등은 다음의 어느 하나에 해당하는 경우로서 위 **2**-(2)에 따른 세부기준에 적합한 편의시설을 설치하기가 곤란하거나 불합리할 때에는 세부기준을 완화한 별도의 기준을 정하고 시설주관기관의 승인을 받아 이에 따라 편의시설을 설치할 수 있다.

① 세부기준에 적합한 편의시설을 설치하기가 구조적으로 곤란한 경우

② 세부기준에 적합하게 편의시설을 설치하면 안전 관리에 중대한 위험을 초래할 우려가 있는 경우

③ 대상시설의 용도와 주변 여건에 비추어 볼 때 세부기준을 완화하여 적용하는 것이 더 적절하다고 인정되는 경우

④ 그 밖에 다음에 해당하는 경우

내 용	법 규정
1. 규정에 의한 세부기준에 적합한 편의시설을 설치할 경우	제8조제2항
2. 문화재로서의 역사적인 가치를 손상할 우려가 있는 경우	「문화재보호법」 제2조제1항제1호, 제3호 및 제4호
3. 과학기술의 발전 등에 따라 세부기준보다 안전하고 편리한 대안을 제시하는 경우	

(2) 시설주관기관은 위 (1)에 따른 별도의 기준을 승인할 때에는 장애인등의 편의시설 이용에 불편이 없도록 하여야 한다.

건축관계법

국토계획법

주차장법

주 택 법

도시및주거
환경정비법

건축사법

장애인시설법

소방시설법

서울시조례

건축관계법

국토계획법

주차장법

주 택 법

도시및주거
환경정비법

건축사법

장애인시설법

소방시설법

서울시조례

(3) 위(1) 및 (2)에 따른 승인 절차와 그 밖에 필요한 사항은 다음과 같다.

① 세부기준을 완화한 별도의 기준을 승인받고자 하는 자는 승인신청서에 보건복지부령이 정하는 서류를 첨부하여 해당 시설주관기관에 제출하여야 한다.

② 시설주관기관은 위 ①의 규정에 의한 신청이 있는 때에는 적용의 완화여부 및 범위를 결정하고 지체없이 그 결과를 신청인에게 통지하여야 한다.

③ 시설주관기관은 위 ②의 규정에 의하여 적용의 완화여부 등을 결정함에 있어서는 편의시설 또는 장애인·노인·여성복지에 관한 전문가 3인 이상의 의견을 청취하여야 한다.

관계법 「문화재보호법」 제2조【정의】

① 이 법에서 "문화재"란 인위적이거나 자연적으로 형성된 국가적·민족적 또는 세계적 유산으로서 역사적·예술적·학술적 또는 경관적 가치가 큰 다음 각 호의 것을 말한다. <개정 2015.3.27.>

　1. 유형문화재: 건조물, 전적(典籍), 서적(書跡), 고문서, 회화, 조각, 공예품 등 유형의 문화적 소산으로서 역사적·예술적 또는 학술적 가치가 큰 것과 이에 준하는 고고자료(考古資料)

　2. 무형문화재: 여러 세대에 걸쳐 전승되어 온 무형의 문화적 유산 중 다음 각 목의 어느 하나에 해당하는 것을 말한다.

　　가. 전통적 공연·예술

　　나. 공예, 미술 등에 관한 전통기술

　　다. 한의약, 농경·어로 등에 관한 전통지식

　　라. 구전 전통 및 표현

　　마. 의식주 등 전통적 생활관습

　　바. 민간신앙 등 사회적 의식(儀式)

　　사. 전통적 놀이·축제 및 기예·무예

　3. 기념물: 다음 각 목에서 정하는 것

　　가. 절터, 옛무덤, 조개무덤, 성터, 궁터, 가마터, 유물포함층 등의 사적지(史蹟地)와 특별히 기념이 될 만한 시설물로서 역사적·학술적 가치가 큰 것

　　나. 경치 좋은 곳으로서 예술적 가치가 크고 경관이 뛰어난 것

　　다. 동물(그 서식지, 번식지, 도래지를 포함한다), 식물(그 자생지를 포함한다), 지형, 지질, 광물, 동굴, 생물학적 생성물 또는 특별한 자연현상으로서 역사적·경관적 또는 학술적 가치가 큰 것

　4. 민속문화재: 의식주, 생업, 신앙, 연중행사 등에 관한 풍속이나 관습에 사용되는 의복, 기구, 가옥 등으로서 국민생활의 변화를 이해하는 데 반드시 필요한 것

② 이 법에서 "문화재교육"이란 문화재의 역사적·예술적·학술적·경관적 가치 습득을 통하여 문화재 애호의식을 함양하고 민족 정체성을 확립하는 등에 기여하는 교육을 말하며, 문화재교육의 구체적 범위와 유형은 대통령령으로 정한다. <신설 2019. 11. 26.>

③ 이 법에서 "지정문화재"란 다음 각 호의 것을 말한다. <개정 2014. 1. 28., 2019. 11. 26.>

　1. 국가지정문화재: 문화재청장이 제23조부터 제26조까지의 규정에 따라 지정한 문화재

　2. 시·도지정문화재: 특별시장·광역시장·특별자치시장·도지사 또는 특별자치도지사(이하 "시·도지사"라 한다)가 제70조제1항에 따라 지정한 문화재

　3. 문화재자료: 제1호나 제2호에 따라 지정되지 아니한 문화재 중 시·도지사가 제70조제2항에 따라 지정한 문화재

④ ~ ⑫ <생략>

14 시설이용상의 편의제공 (법 제16조)(규칙 제6조)

(1) 장애인등이 많이 이용하는 공공건물 및 공중이용시설의 시설주는 휠체어, 점자(點字) 안내책자, 보청기기, 장애인용 쇼핑카트 등을 갖추어 두고 장애인등이 해당 시설을 편리하게 이용할 수 있도록 하여야 한다. <개정 2021. 7. 27.>

(2) 위 (1)에 따라 휠체어, 점자 안내책자, 보청기기, 장애인용 쇼핑카트 등을 갖추어 두어야 하는 공공건물 및 공중이용시설의 범위와 휠체어, 점자 안내책자, 보청기기, 장애인용 쇼핑카트 등 갖추어 두어야 할 용품의 종류 등은 보건복지부령으로 정한다. <개정 2021. 7. 27.>

(3) 위 (1)에 따른 휠체어, 점자 안내책자, 보청기기, 장애인용 쇼핑카트 등의 이용료는 무료를 원칙으로 하되, 수리 비용 등을 고려하여 실비로 할 수 있다. <개정 2021. 7. 27.>

■ 휠체어 등을 비치하여야 하는 공공건물 및 공중이용시설의 범위와 비치용품의 종류 (규칙 제6조 관련, [별표 3])

대상시설		비치용품	
		의무용품	권장용품
제1종근린생활시설	지역자치센터	점자업무안내책자, 8배율 이상의 확대경, 공중팩스기 및 보청기기	편의시설안내지도
	우체국, 전신전화국	8배율이상의 확대경·공중모팩스기 및 보청기기	점자업무안내책자
	공공도서관	보청기기	저시력용 독서기
문화 및 집회시설	공연장, 관람장	보청기기	점자공연안내책자
	전시장, 동·식물원		휠체어 및 점자전시안내책자
판매시설	바닥면적의 합계가 1천제곱미터 이상인 도·소매점		음성계산기
교육연구시설	도서관	저시력용 독서기·음성지원컴퓨터 및 보청기기	점자프린터, 컴퓨터(정보통신보조기기를 포함한다)
업무시설	국가 또는 지방자치단체의 청사(공중이 직접 이용하는 시설에 한한다)로서 제1종 근린생활시설에 해당하지 아니하는 것	점자업무안내책자(시·군·구청에 한한다), 휠체어, 8배율 이상의 확대경, 공중팩스기 및 보청기기	점자업무안내책자, 편의시설안내지도, 컴퓨터(정보통신보조기기를 포함한다)
숙박시설	관광숙박시설		점자관광안내책자
장례식장		입식 식탁	
운동시설	수영장	입수용 휠체어	

[비고] 1. 비치용품은 출입구부근, 민원실, 안내실, 매표소 등 장애인등이 이용하기 편리한 곳에 각각 비치하여야 하며, 공중팩스기는 사무용 팩스기로 갈음하여 사용할 수 있다.
　　 2. "보청기기"는 보청기, 조청기 또는 강연청취용보조기 등을 말한다.

건축관계법

국토계획법

주차장법

주 택 법

도시및주거
환경정비법

건축사법

장애인시설법

소방시설법

서울시조례

15 장애인에 대한 편의제공 (법 제16조의2)(영 제7조의2)

장애인은 다음에 해당하는 공공건물 및 공중이용시설을 이용하려는 경우에는 시설주에게 안내서비스·한국수어 통역 등의 편의제공을 요청할 수 있다. 이 경우 시설주는 정당한 사유가 없으면 이에 따라야 한다.

① 제1종 근린생활시설 중 지역자치센터, 파출소, 지구대, 우체국, 보건소, 공공도서관, 국민건강보험공단·국민연금공단·한국장애인고용공단·근로복지공단의 지사

② 문화 및 집회시설 중 공연장(좌석 수가 1천석 이상인 시설만 해당한다) 및 전시장(바닥면적의 합계가 1천 제곱미터 이상인 시설만 해당한다)

③ 의료시설 중 종합병원

④ 교육연구시설 중 학교 및 도서관

⑤ 노유자시설 중 장애인복지시설

⑥ 업무시설 중 국가 또는 지방자치단체의 청사(공중이 직접 이용하는 시설에 한한다)

⑦ 업무시설 중 국민건강보험공단·국민연금공단·한국장애인고용공단·근로복지공단 및 그 지사

16 장애인전용주차구역 등 (법 제17조)(영 제7조의3)

(1) 시설주등은 주차장 관계 법령과 위 **2**에 따른 편의시설의 설치기준에 따라 해당 대상시설에 장애인전용주차구역을 설치하여야 한다.

(2) 국가보훈부장관과 특별자치시장·특별자치도지사, 시장·군수·구청장은 보행에 장애가 있는 사람이 신청하는 경우 장애인전용주차구역에 주차할 수 있음을 표시하는 장애인전용주차구역 주차표지 를 발급하여야 한다.

(3) 국가보훈부장관과 특별자치시장·특별자치도지사, 시장·군수·구청장은 제2항에 따라 장애인전용주차구역 주차표지를 발급받은 자가 그 표지를 양도·대여하는 등 부당한 목적으로 사용한 경우에는 그 표지를 회수하거나 재발급을 제한할 수 있다.

■ 장애인전용주차구역 주차표지의 발급 대상(다음의 하나에 해당하는 사람의 명의로 등록하여 사용하는 자동차 한 대)

1. 「장애인복지법」에 따라 등록한 장애인으로서 보건복지부장관이 정하는 보행상 장애가 있는 사람

2. 다음 중 어느 하나에 해당하는 사람으로서 국가보훈부장관이 정하는 보행상 장애가 있는 사람
   ① 「국가유공자 등 예우 및 지원에 관한 법률」 제6조에 따라 등록한 국가유공자 중 상이등급 판정자
   ② 「고엽제후유의증 등 환자지원 및 단체설립에 관한 법률」 제4조에 따라 등록한 고엽제후유의증 환자
   ③ 「5·18민주유공자예우 및 단체설립에 관한 법률」 제7조에 따라 등록한 5·18민주화운동부상자

3. 1또는 2에 해당하는 사람과 다음의 관계에 있는 사람 중 「주민등록법」에 따른 주민등록표상의 주소를 같이 하면서 함께 거주하는 사람
   ① 배우자, 직계혈족 또는 형제자매
   ② 직계혈족의 배우자, 배우자의 직계혈족 또는 배우자의 형제자매
   ③ 형제자매의 배우자 또는 형제자매의 자녀

4. 「재외동포의 출입국과 법적 지위에 관한 법률」에 따라 국내거소신고를 한 재외동포나 「출입국관리법」에 따라 외국인등록을 한 외국인으로서 보건복지부장관이 정하는 보행상 장애가 있는 사람

(4) 누구든지 위 (2)에 따른 장애인전용주차구역 주차표지가 붙어 있지 아니한 자동차를 장애인전용 주차구역에 주차하여서는 아니 된다. 장애인전용주차구역 주차표지가 붙어 있는 자동차에 보행에 장애가 있는 사람이 타지 아니한 경우에도 같다.

(5) 누구든지 장애인전용주차구역에 물건을 쌓거나 그 통행로를 가로막는 등 주차를 방해하는 행위를 하여서는 아니 된다.

(6) 시설주관기관은 복지 또는 교통 관련 공무원 등 소속 공무원에게 위 (4)를 위반하여 장애인전용 주차구역에 주차하고 있는 자동차를 단속하게 할 수 있다.

(7) 위 (2)에 따른 장애인전용주차구역 주차표지의 발급 대상·절차, (3)에 따른 회수 및 재발급 제한의 기준·절차, (5)에 따른 주차 방해 행위의 기준 등은 대통령령으로 정한다.

17 자료제출 요구 및 검사 (법 제22조)

(1) 보건복지부장관과 시설주관기관은 시설주에게 편의시설의 설치와 운영에 관련된 자료의 제출을 요구하거나 소속 공무원에게 설치된 편의시설이 위 **2**에 따른 편의시설의 설치기준에 적합한지를 검사하게 할 수 있다. 이 경우 시설주는 정당한 사유가 없으면 이에 따라야 한다.

(2) 위 (1)에 따라 검사를 하는 공무원은 그 권한을 표시하는 증표(證票)를 지니고 관계인에게 이를 보여주어야 한다.

18 시정명령 등 (법 제23조)(영 제12조)

(1) 시설주관기관은 대상시설이 이 법에 위반된 경우에는 그 시설주에게 대통령령으로 정하는 바에 따라 기간을 정하여 이 법에 적합하도록 편의시설을 설치하거나 관리·보수 또는 개선하는 등 필요한 조치를 할 것을 명할 수 있다.

(2) 보건복지부장관은 시설주관기관에 소관 대상시설에 대한 편의시설을 설치하거나 관리·보수 또는 개선하는 등 시정조치를 할 것을 요청할 수 있으며, 시설주관기관은 정당한 사유가 없으면 이에 따라야 한다.

19 이행강제금 (법 제24조)(영 제12조의2)

(1) 시설주관기관은 시정명령을 받고 기간 내에 그 명령을 이행하지 아니한 시설주에게 편의시설 설치비용 등을 고려하여 3천만원 이하의 이행강제금을 부과한다.

(2) 위 (1)에 따라 이행강제금 부과 대상이 되는 위반행위의 종류와 위반 정도에 따른 이행강제금의 금액 등은 다음과 같다.
① 이행강제금을 부과하는 위반행위의 종별과 이행강제금의 산정기준은 다음과 같다.

> 1. 규정에 적합한 편의시설을 설치하지 아니한 경우 : 편의시설을 설치하는데 통상적으로 소요되는 것으로 인정되는 인건비 및 자재비의 20/100에 상당하는 금액
>
> 2. 규정에 적합한 편의시설의 설치에 필요한 계단의 유효바닥면적 등 필요한 면적을 확보하지 아니한 경우 : 「지방세법」에 의하여 당해 대상시설에 적용되는 1㎡ 당 과세시가표준액의 20/100에 상당하는 금액에 위반면적을 곱한 금액
>
> 3. 위 1. 및 2.의 요건에 모두 해당하는 경우 : 1. 및 2.의 규정에 의한 금액을 합산한 금액
>
> 4. 기타 숙박시설의 장애인용 객실등 위 1.~3.의 규정에 의한 기준에 의하여 금액을 산정하는 것이 현저히 부적합하다고 보건복지부장관이 인정하는 경우 : 해당 숙박시설에 확보되어야 하는 장애

건축관계법

국토계획법

주차장법

주 택 법

도시및주거
환경정비법

건축사법

장애인시설법

소방시설법

서울시조례

건축관계법

국토계획법

주차장법

주택법

도시및주거환경정비법

건축사법

장애인시설법

소방시설법

서울시조례

> 인용 객실수에 상당하는 일반객실의 연평균수입금액 등의 20/100에 상당하는 금액
>
> 5. 규정에 적합하게 편의시설을 유지·관리하지 아니한 경우 : 위 1.~4.의 규정에 의한 해당 비용의 10/100에 상당하는 금액

② 위 ①-1.의 규정에 의한 인건비 및 자재비의 산정기준, ①-2.의 규정에 의한 유효바닥면적 등을 확보하여야 하는 편의시설의 범위와 위 ①-4.의 규정에 의하여 금액을 산정하여야 하는 장애인용객실등 편의시설의 범위 및 금액산정기준 기타 이행강제금의 산정에 관하여 필요한 사항은 보건복지부장관이 이를 정하여 고시한다.

③ 시설주관기관은 이행강제금을 부과하려는 때에는 10일 이상의 기간을 정하여 이행강제금 부과대상자에게 구술 또는 서면(전자문서를 포함한다)에 의한 의견진술의 기회를 주어야 한다. 이 경우 지정된 기일까지 의견진술이 없는 때에는 의견이 없는 것으로 본다.

④ 이행강제금의 징수절차는 보건복지부령으로 정한다.

(3) 시설주관기관은 위 (1)에 따른 이행강제금을 부과하기 전에 이행강제금을 부과·징수한다는 뜻을 미리 문서로 알려야 한다.

(4) 시설주관기관은 위 (1)에 따른 이행강제금을 부과할 때에는 다음의 사항 등을 적은 문서로 하여야 한다.

① 이행강제금의 금액 ② 부과 사유
③ 납부기한 ④ 수납기관
⑤ 이의 제기 방법 ⑥ 이의 제기 기관

(5) 시설주관기관은 최초로 시정명령을 한 날을 기준으로 하여 매년 1회 그 시정명령이 이행될 때까지 반복하여 위 (1)에 따른 이행강제금을 부과·징수할 수 있다.

(6) 시설주관기관은 시정명령을 받은 자가 그 명령을 이행하면 새로운 이행강제금의 부과를 즉시 중지하되, 이미 부과된 이행강제금은 징수하여야 한다.

(7) 시설주관기관은 위 (4)에 따라 이행강제금을 부과 받은 자가 이행강제금을 기한까지 내지 아니하면 국세 체납처분의 예 또는 「지방세외수입금의 징수 등에 관한 법률」에 따라 징수한다.

20 벌칙 (법 제25조)

시설주의 의무(제2장-**3**의 의무) 규정에 위반한 자로서 시정명령을 받고 시정기간 내에 이를 이행하지 아니한 자는 5백만원 이하의 벌금에 처한다.

21 양벌규정 (법 제26조)

법인의 대표자 또는 법인이나 개인의 대리인, 사용인, 그 밖에 종업원이 그 법인 또는 개인의 업무에 관하여 위 **1**에 해당하는 위반행위를 한 때에는 그 행위자를 벌하는 외에 그 법인 또는 개인에 대하여도 벌금형을 과(科)한다.

단서 법인 또는 개인이 그 위반행위를 방지하기 위하여 해당 업무에 관하여 상당한 주의와 감독을 게을리하지 아니한 경우에는 그러하지 아니다.

22 과태료 (법 제27조)(영 제13조)

(1) 다음의 어느 하나에 해당하는 자에게는 200만원 이하의 과태료를 부과한다.

내 용	법 조항
1. 거짓이나 부정한 방법으로 인증을 받거나 장애물 없는 생활환경 인증 대상시설에 의무적 인증을 받지 않는 자	제10조의2제3항
2. 누구든지 인증을 받지 아니한 시설물에 대해서는 인증표시 또는 이와 유사한 표시를 한 자	제10조의4제2항
3. 자료제출 요구에 따르지 아니하거나 거짓 자료를 제출한 자 또는 검사를 거부·기피·방해한 자	제11조제4항 및 제22조제1항
4. 휠체어, 점자 안내책자, 보청기기, <u>장애인용 쇼핑카트</u> 등을 갖추어 두지 아니한 자로서 이에 따른 시정명령을 받고 기간 내에 그 명령을 이행하지 아니한 자	제16조제1항, 제23조제1항
5. 편의 제공의 요청에 따르지 아니한 자로서 이에 따른 시정명령을 받고 기간 내에 그 명령을 이행하지 아니한 자	제16조의2, 제23조제1항

(2) 다음에 해당하는 행위를 한 자는 100만원 이하의 과태료를 부과한다.

내 용	법 조항
주차 방해행위를 한 자	제17조제5항

(3) 다음의 어느 하나에 해당하는 자동차를 장애인전용주차구역에 주차한 사람에게는 20만원 이하의 과태료를 부과한다.

내 용	법 조항
1. 장애인전용주차구역 주차표지를 붙이지 아니한 자동차	제17조제4항
2. 장애인전용주차구역 주차표지가 붙어 있는 자동차로서 보행에 장애가 있는 사람이 타지 아니한 자동차	

(4) 위 (1)~(3)에 따른 과태료는 시설주관기관이 부과·징수하며, 과태료를 부과하는 위반행위의 종류와 위반 정도에 따른 과태료의 금액 등은 대통령령으로 정한다.

■ 과태료의 부과기준 (영 제13조 관련, [별표 3])

1. 일반기준

부과권자는 해당 위반행위의 동기와 그 결과 등을 고려하여 해당 금액의 2분의 1 범위에서 이를 경감하거나 가중할 수 있다. 이 경우 가중할 때에도 과태료의 총액은 법 제27조에 따른 과태료의 상한금액을 초과할 수 없다.

2. 개별기준

위반행위	근거 법조문	과태료
가. 거짓이나 부정한 방법으로 인증을 받거나 법 제10조의2제3항을 위반하여 인증(예비인증을 포함한다) 및 유효기간 연장을 받지 않은 경우	법 제27조 제1항제1호	200만원
나. 법 제10조의4제2항을 위반하여 인증 표시 또는 이와 유사한 표시를 한 경우	법 제27조 제1항제2호	200만원
다. 법 제11조제4항 및 제22조제1항에 따른 자료제출 요구에 따르지 않거나 거짓 자료를 제출한 경우 또는 검사를 거부·기피·방해한 경우	법 제27조 제1항제3호	200만원

건축관계법

국토계획법

주차장법

주택법

도시및주거
환경정비법

건축사법

장애인시설법

소방시설법

서울시조례

건축관계법

국토계획법

주차장법

주 택 법

도시및주거
환경정비법

건축사법

장애인시설법

소방시설법

서울시조례

라. 법 제16조제1항에 따른 휠체어, 점자 안내책자, 보청기기·장애인용 쇼핑카트 등을 갖추어 두지 않은 경우로서 법 제23조제1항에 따른 시정 명령을 받고 기간 내에 그 명령을 이행하지 않은 경우	법 제27조 제1항제4호	100만 원
마. 법 제16조의2에 따른 편의 제공의 요청에 따르지 않은 경우로서 법 제23조제1항에 따른 시정명령을 받고 기간 내에 그 명령을 이행하지 않은 경우	법 제27조 제1항제5호	100만 원
바. 법 제17조제4항을 위반하여 장애인전용주차구역 주차표지를 붙이지 않은 자동차를 장애인전용주차구역에 주차한 경우	법 제27조 제3항제1호	10만원
사. 법 제17조제4항을 위반하여 장애인전용주차구역 주차표지가 붙어 있는 자동차로서 보행에 장애가 있는 사람이 타지 않은 자동차를 장애인전용주차구역에 주차한 경우	법 제27조 제3항제2호	10만원
아. 법 제17조제5항을 위반하여 주차 방해 행위를 한 경우	법 제27조 제2항	50만원

消防施設 設置 및 管理에 關한 法律 解說

최종개정 : 소방시설 설치 및 관리에 관한 법률 2023. 1. 3.
시행령 2023. 3. 7.
시행규칙 2023. 4. 19.

목 차

1장

건축관계법

국토계획법

주차장법

주 택 법

도시및주거
환경정비법

건축사법

장애인시설법

소방시설법

서울시조례

총 칙

1 목적 ($\frac{법}{제1조}$)

이 법은 특정소방대상물 등에 설치하여야 하는 소방시설등의 설치·관리와 소방용품 성능관리에 필요한 사항을 규정함으로써 국민의 생명·신체 및 재산을 보호하고 공공의 안전과 복리 증진에 이바지함을 목적으로 한다.

2 정의 ($\frac{법}{제2조}$)

1 소방시설 (영 별표1)

소화설비, 경보설비, 피난구조설비, 소화용수설비 그 밖에 소화활동설비로서 그 종류는 다음과 같다.

소방시설의 종류	설비의 종류
1. 소화설비 : 물 그 밖의 소화약제를 사용하여 소화하는 기계·기구 또는 설비로서 다음에 해당하는 것	가. 소화기구 　1) 소화기 　2) 간이소화용구: 에어로졸식 소화용구, 투척용 소화용구, 소공간용 소화용구 및 소화약제 외의 것을 이용한 간이소화용구 　3) 자동확산소화기
	나. 자동소화장치 　1) 주거용 주방자동소화장치　　2) 상업용 주방자동소화장치 　3) 캐비닛형 자동소화장치　　4) 가스자동소화장치 　5) 분말자동소화장치　　6) 고체에어로졸자동소화장치
	다. 옥내소화전설비[호스릴(hose reel)옥내소화전설비 포함]
	라. 스프링클러설비등 　1) 스프링클러설비 　2) 간이스프링클러설비(캐비닛형 간이스프링클러설비를 포함) 　3) 화재조기진압용 스프링클러설비

건축관계법

국토계획법

주차장법

주 택 법

도시및주거
환경정비법

건축사법

장애인시설법

소방시설법

서울시조례

* 다른 원소와 화학 반응을 일으키기 어려운 기체. 이하 같다.	마. 물분무등소화설비
	  1) 물 분무 소화설비 2) 미분무소화설비
	  3) 포소화설비 4) 이산화탄소소화설비
	  5) 할론소화설비 6) 할로겐화합물 및 불활성기체* 소화설비
	  7) 분말소화설비 8) 강화액소화설비
	  9) 고체에어로졸소화설비

	바. 옥외소화전설비
2. 경보설비 : 화재발생 사실을 통보하는 기계·기구 또는 설비로서 다음에 해당하는 것	가. 단독경보형 감지기 나. 비상경보설비 1) 비상벨설비 2) 자동식사이렌설비 다. 자동화재탐지설비 라. 시각경보기 마. 화재알림설비 바. 비상방송설비 사. 자동화재속보설비 아. 통합감시시설 자. 누전경보기 차. 가스누설경보기

3. 피난구조설비 : 화재가 발생할 경우 피난하기 위하여 사용하는 기구 또는 설비로서 다음에 해당하는 것	가. 피난기구
	  1) 피난사다리 2) 구조대 3) 완강기 4) 간이완강기
	  5) 그밖에 화재안전기준으로 정하는 것
	나. 인명구조기구
	  1) 방열복, 방화복(안전모, 보호장갑 및 안전화 포함)
	  2) 공기호흡기 3) 인공소생기
	다. 유도등
	  1) 피난유도선 2) 피난구유도등 3) 통로유도등
	  4) 객석유도등 5) 유도표지
	라. 비상조명등 및 휴대용비상조명등

4. 소화용수설비 : 화재를 진압하는 데 필요한 물을 공급하거나 저장하는 설비로서 다음에 해당하는 것	가. 상수도소화용수설비 나. 소화수조·저수조, 그 밖의 소화용수설비
5. 소화활동설비 : 화재를 진압하거나 인명구조 활동을 위하여 사용하는 설비로서 다음에 해당하는 것	가. 제연설비 나. 연결송수관설비 다. 연결살수설비 라. 비상콘센트설비 마. 무선통신보조설비 바. 연소방지설비

② 소방시설등

소방시설과 비상구(非常口), 방화문 및 자동방화셔터를 말한다.

③ 특정소방대상물(영 별표2)

건축물 등의 규모·용도 및 수용인원 등을 고려하여 소방시설을 설치하여야 하는 소방대상물로서 그 분류는 다음과 같다.

【1】 공동주택〈시행 2024.12.1.〉

가. 아파트등	주택으로 쓰이는 층수가 5층 이상인 주택
나. 연립주택	주택으로 쓰는 1개 동의 바닥면적(2개 이상의 동을 지하주차장으로 연결하는 경우 각각의 동으로 봄) 합계가 660㎡를 초과하고, 층수가 4개 층 이하인 주택
다. 다세대주택	주택으로 쓰는 1개 동의 바닥면적(2개 이상의 동을 지하주차장으로 연결하는 경우 각각의 동으로 봄) 합계가 660㎡ 이하이고, 층수가 4개 층 이하인 주택
라. 기숙사	학교 또는 공장 등의 학생 또는 종업원 등을 위하여 쓰는 것으로서 1개 동의 공동취사시설 이용 세대 수가 전체의 50퍼센트 이상인 것(학생복지주택 및 공공매입임대주택 중 독립된 주거의 형태를 갖추지 않은 것 포함)

【2】 근린생활시설

구 분	같은 건축물[1]에 해당 용도로 쓰는 바닥면적의 합계
가. 수퍼마켓과 일용품(식품, 잡화, 의류, 완구, 서적, 건축자재, 의약품, 의료기기 등) 등의 소매점	1,000㎡ 미만인 것
나. 휴게음식점, 제과점, 일반음식점, 기원(棋院), 노래연습장 및 단란주점*	* 150㎡ 미만인 것
다. 이용원, 미용원, 목욕장 및 세탁소(공장에 부설된 것과 관계법에 의한 공해, 소음 등의 배출시설의 설치허가 또는 신고의 대상인 것은 제외)	—
라. 의원, 치과의원, 한의원, 침술원, 접골원(接骨院), 조산원, 산후조리원 및 안마원(안마시술소 포함)	—
마. 탁구장, 테니스장, 체육도장, 체력단련장, 에어로빅장, 볼링장, 당구장, 실내낚시터, 골프연습장, 물놀이형 시설(안전성검사 대상 물놀이형 시설을 말함) 및 그 밖에 이와 비슷한 것	500㎡ 미만인 것
바. • 공연장(극장, 영화상영관, 연예장, 음악당, 서커스장, 비디오물감상실업의 시설, 비디오물소극장업의 시설, 그 밖에 이와 비슷한 것) • 종교집회장(교회, 성당, 사찰, 기도원, 수도원, 수녀원, 제실(祭室), 사당, 그 밖에 이와 비슷한 것)	300㎡ 미만인 것
사. 금융업소, 사무소, 부동산중개업소, 결혼상담소 등 소개업소, 출판사, 서점 및 그 밖에 이와 비슷한 것	500㎡ 미만인 것
아. 제조업소, 수리점, 그 밖에 이와 비슷한 것으로 「대기환경보전법」 등에 따른 공해, 소음 등의 배출시설의 설치허가 또는 신고를 요하지 아니하는 것	500㎡ 미만인 것
자. 청소년게임제공업 및 일반게임제공업의 시설, 인터넷컴퓨터게임시설제공업의 시설, 복합유통게임제공업의 시설	500㎡ 미만인 것
차. • 사진관, 표구점, 독서실, 장의사, 동물병원, 총포판매소 등	—
	• 학원(자동차학원 및 무도학원 제외) • 고시원 (독립된 주거형태가 아닌 것)	500㎡ 미만인 것
카. 의약품 판매소, 의료기기 판매소 및 자동차영업소	1,000㎡ 미만인 것

1) 같은 건축물 : 하나의 대지에 2동 이상의 건축물이 있는 경우 이를 같은 건축물로 봄

건축관계법

국토계획법

주차장법

주 택 법

도시및주거환경정비법

건축사법

장애인시설법

소방시설법

서울시조례

【3】 문화 및 집회시설

가. 공연장		근린생활시설에 해당하지 않는 것
나. 집회장	예식장, 공회당, 회의장, 마권(馬券) 장외 발매소, 마권 전화투표소, 그 밖에 이와 비슷한 것	근린생활시설에 해당하지 않는 것
다. 관람장	• 경마장, 경륜장, 경정장, 자동차 경기장, 그 밖에 이와 비슷한 것	–
	• 체육관, 운동장	관람석의 바닥면적 합계가 1,000㎡ 이상인 것
라. 전시장	박물관, 미술관, 과학관, 문화관, 체험관, 기념관, 산업전시장, 박람회장, 견본주택 그 밖에 이와 비슷한 것	–
마. 동·식물원	동물원, 식물원, 수족관, 그 밖에 이와 비슷한 것	–

【4】 종교시설

가. 종교집회장	근린생활시설에 해당하지 않는 것
나. 종교집회장에 설치하는 봉안당(奉安堂)	–

【5】 판매시설

가. 도매시장	농수산물도매시장, 농수산물공판장 등	도매시장 안에 있는 근린생활시설을 포함	
나. 소매시장	시장, 대규모점포 등	소매시장 안에 있는 근린생활시설을 포함	
다. 전통시장	「전통시장 및 상점가 육성을 위한 특별법」에 따른 전통시장(노점형시장 제외)	전통시장 안에 있는 근린생활시설을 포함	
라. 상점	【2】 가목에 해당하는 용도(소매점 등)	1,000㎡ 이상인 것	상점 안에 있는 근린생활시설을 포함
	【2】 자목에 해당하는 용도 (청소년게임제공업 시설 등)	500㎡ 이상인 것	

【6】 운수시설

가. 여객자동차터미널	
나. 철도 및 도시철도 시설	정비창 등 관련시설 포함
다. 공항시설	항공관제탑 포함
라. 항만시설 및 종합여객시설	

【7】 의료시설

가. 병원	종합병원, 병원, 치과병원, 한방병원, 요양병원
나. 격리병원	전염병원, 마약진료소, 그 밖에 이와 비슷한 것
다. 정신의료기관	
라. 「장애인복지법」에 따른 장애인 의료재활시설	

건축관계법

국토계획법

주차장법

주 택 법

도시및주거
환경정비법

건축사법

장애인시설법

소방시설법

서울시조례

건축관계법

국토계획법

주차장법

주 택 법

도시및주거
환경정비법

건축사법

장애인시설법

소방시설법

서울시조례

【8】 교육연구시설

가. 학교	• 초등학교·중학교·고등학교·특수학교	교사[1], 체육관, 급식시설, 합숙소[2]
	• 대학, 대학교, 그 밖에 이에 준하는 각종 학교	교사[1], 합숙소[2]
나. 교육원	연수원, 그 밖에 이와 비슷한 것을 포함	
다. 직업훈련소		
라. 학원	근린생활시설에 해당하는 것과 자동차운전학원·정비학원 및 무도학원 제외	
마. 연구소	연구소에 준하는 시험소와 계량계측소 포함	
바. 도서관		

1) 교사(校舍): 교실·도서실 등 교수·학습활동에 직접 또는 간접적으로 필요한 시설물을 말하되, 병설유치원
   으로 사용되는 부분은 제외함
2) 합숙소: 학교의 운동부, 기능선수 등이 집단으로 숙식하는 장소를 말함

【9】 노유자시설

가. 노인 관련 시설	노인주거복지시설, 노인의료복지시설, 노인여가복지시설, 주·야간보호서비스나 단기보호서비스를 제공하는 재가노인복지시설, 노인보호전문기관, 노인일자리지원기관, 학대피해노인 전용쉼터, 그 밖에 이와 비슷한 것
나. 아동 관련 시설	아동복지시설·어린이집·유치원(학교의 교사 중 병설유치원으로 사용되는 부분을 포함), 그 밖에 이와 비슷한 것
다. 장애인 관련 시설	장애인 거주시설·장애인 지역사회재활시설(장애인 심부름센터, 한국수어통역센터, 점자도서 및 녹음서 출판시설 등 제외)·장애인직업재활시설, 그 밖에 이와 비슷한 것
라. 정신질환자 관련 시설	정신재활시설(생산품판매시설은 제외), 정신요양시설, 그 밖에 이와 비슷한 것

마. 노숙인 관련 시설: 「노숙인 등의 복지 및 자립지원에 관한 법률」에 따른 노숙인복지시설(노
   숙인일시보호시설, 노숙인자활시설, 노숙인재활시설, 노숙인요양시설 및 쪽방삼당소만 해당), 노
   숙인종합지원센터 및 그 밖에 이와 비슷한 것
바. 위 가.~마. 에서 규정한 것 외에 「사회복지사업법」에 따른 사회복지시설 중 결핵환자 또는
   한센인 요양시설 등 다른 용도로 분류되지 않는 것

【10】 수련시설

가. 생활권 수련시설	청소년수련관, 청소년문화의집, 청소년특화시설, 그 밖에 이와 비슷한 것
나. 자연권 수련시설	청소년수련원, 청소년야영장, 그 밖에 이와 비슷한 것
다. 유스호스텔	

【11】 운동시설

가. 탁구장, 체육도장, 테니스장, 체력단련장, 에어로빅장, 볼링장, 당구장, 실내낚시터, 골프연습장, 물놀이형 시설, 그 밖에 이와 비슷한 것	근린생활시설에 해당하지 않는 것
나. 체육관	관람석이 없거나 관람석의 바닥면적이 1,000㎡ 미만인 것
다. 운동장	육상장, 구기장, 볼링장, 수영장, 스케이트장, 롤러스케이트장, 승마장, 사격장, 궁도장, 골프장 등과 이에 딸린 건축물	관람석이 없거나 관람석의 바닥면적이 1,000㎡ 미만인 것

건축관계법

국토계획법

주차장법

주 택 법

도시및주거
환경정비법

건축사법

장애인시설법

소방시설법

서울시조례

【12】 업무시설

가. 공공업무시설	국가 또는 지방자치단체의 청사와 외국공관의 건축물	근린생활시설에 해당하지 않는 것
나. 일반업무시설	금융업소, 사무소, 신문사, 오피스텔*, 그 밖에 이와 비슷한 것	근린생활시설에 해당하지 않는 것
다. 주민차치센터(동사무소), 경찰서, 지구대, 파출소, 소방서, 119안전센터, 우체국, 보건소, 공공도서관, 국민건강보험공단, 그 밖에 이와 비슷한 용도로 사용하는 것		
라. 마을회관, 마을공동작업소, 마을공동구판장, 그 밖에 이와 유사한 용도로 사용되는 것		
아. 변전소, 양수장, 정수장, 대피소, 공중화장실, 그 밖에 이와 유사한 용도로 사용되는 것		

* 오피스텔 : 업무를 주로 하며, 분양하거나 임대하는 구획 중 일부의 구획에서 숙식을 할 수 있도록 한 건축물로서 국토교통부장관이 고시하는 기준에 적합한 것[오피스텔 건축기준 (국토교통부 고시 제2021-1227호)참조]

【13】 숙박시설

가. 일반형 숙박시설	「공중위생관리법 시행령」에 따른 숙박업(일반): 손님이 잠을 자고 머물 수 있도록 시설(취사시설 제외) 및 설비 등의 서비스를 제공하는 영업
나. 생활형 숙박시설	「공중위생관리법 시행령」에 따른 숙박업(생활): 손님이 잠을 자고 머물 수 있도록 시설(취사시설 포함) 및 설비 등의 서비스를 제공하는 영업
다. 고시원	근린생활시설에 해당하는 것은 제외
라. 가.~다.의 시설과 비슷한 것	

【14】 위락시설

가. 단란주점	근린생활시설에 해당하지 않는 것
나. 유흥주점, 그 밖에 이와 비슷한 것	-
다. 「관광진흥법」에 따른 유원시설업(遊園施設業)의 시설, 그 밖에 이와 비슷한 시설*	*근린생활시설에 해당하는 것은 제외
라. 무도장 및 무도학원	
마. 카지노영업소	

【15】 공장

물품의 제조·가공(세탁·염색·도장(塗裝)·표백·재봉·건조·인쇄 등을 포함) 또는 수리에 계속적으로 이용되는 건축물로서 근린생활시설, 위험물저장 및 처리시설, 항공기 및 자동차 관련 시설, 자원순환 관련 시설, 묘지관련시설 등으로 따로 분류되지 않는 것

【16】 창고시설

가. 창고(물품저장시설로 냉장·냉동창고 포함)	위험물저장 및 처리시설 또는 그 부속용도에 해당하는 것은 제외
나. 하역장	
다. 물류터미널	
라. 집배송시설	

【17】 위험물 저장 및 처리시설

가. 제조소등

나. 가스시설	산소 또는 가연성 가스를 제조·저장 또는 취급하는 시설 중 지상에 노출된 산소 또는 가연성가스 탱크의 저장용량의 합계가 100톤 이상이거나 저장용량이 30톤 이상인 탱크가 있는 가스시설	1) 가스제조시설	(가)「고압가스 안전관리법」에 따른 고압가스의 제조허가를 받아야 하는 시설
			(나)「도시가스사업법」에 따른 도시가스사업허가를 받아야 하는 시설
		2) 가스저장시설	(가)「고압가스 안전관리법」에 따른 고압가스저장소의 설치허가를 받아야 하는 시설
			(나)「액화석유가스의 안전관리 및 사업법」에 따른 액화석유가스 저장소의 설치허가를 받아야 하는 시설
		3) 가스취급시설	「액화석유가스의 안전관리 및 사업법」에 따른 액화석유가스 충전사업 또는 액화석유가스 집단공급사업의 허가를 받아야 하는 시설

【18】 항공기 및 자동차 관련 시설(건설기계 관련 시설 포함)

가. 항공기격납고

나. 차고, 주차용 건축물, 철골 조립식 주차시설(바닥면이 조립식이 아닌 것 포함), 기계장치에 의한 주차시설

다. 세차장	라. 폐차장
마. 자동차 검사장	바. 자동차 매매장
사. 자동차 정비공장	아. 운전학원·정비학원

자. 다음의 건축물을 제외한 건축물의 내부(필로티와 건축물 지하를 포함)에 설치된 주차장
　1)「건축법 시행령」 별표 1 제1호에 따른 단독주택
　2)「건축법 시행령」 별표 1 제2호에 따른 공동주택 중 50세대 미만인 연립주택 또는 50세대 미만인 다세대주택
차. 「여객자동차 운수사업법」, 「화물자동차 운수사업법」, 「건설기계관리법」에 따른
　차고 및 주기장(駐機場)

【19】 동물 및 식물 관련 시설

가. 축사[부화장(孵化場) 포함]		마. 작물 재배사
나. 가축시설	가축용 운동시설, 인공수정센터, 관리사, 가축용 창고, 가축시장, 동물검역소, 실험동물 사육시설 그 밖에 이와 비슷한 것	바. 종묘배양시설
다. 도축장		사. 화초 및 분재 등의 온실
라. 도계장		아. 식물과 관련된 마.~사.의 시설과 비슷한 것(동·식물원을 제외)

【20】 자원순환 관련시설

가. 하수 등 처리시설	라. 폐기물처분시설
나. 고물상	마. 폐기물감량화시설
다. 폐기물재활용시설	

건축관계법

국토계획법

주차장법

주 택 법

도시및주거
환경정비법

건축사법

장애인시설법

소방시설법

서울시조례

【21】 교정 및 군사시설

가. 보호감호소, 교도소, 구치소 및 그 지소	마. 「출입국관리법」에 따른 보호시설
나. 보호관찰소, 갱생보호시설, 그 밖에 범죄자의 갱생·보호·교육·보건 등의 용도로 쓰는 시설	바. 「경찰직무대행법」에 따른 유치장
다. 치료감호시설	사. 국방·군사시설(「국방·군사시설 사업에 관한 법률」 제2조제1호가목부터 마목까지의 시설을 말함)
라. 소년원 및 소년분류심사원	

【22】 방송통신촬영시설

가. 방송국(방송프로그램 제작시설 및 송신·수신·중계시설 포함)	
나. 전신전화국	라. 통신용 시설
다. 촬영소	마. 가.~라.와 비슷한 것

【23】 발전시설

가. 원자력발전소	라. 풍력발전소
나. 화력발전소	마. 전기저장시설[20킬로와트시(kWh)를 초과하는 리튬·나트륨·레독스플로우 계열의 이차전지를 이용한 전기저장장치의 시설]
다. 수력발전소(조력발전소 포함)	바. 가.~마.와 비슷한 것(집단에너지 공급시설 포함)

【24】 묘지 관련 시설

가. 화장시설
나. 봉안당(종교집회장에 설치되는 봉안당은 제외)
다. 묘지와 자연장지에 부수되는 건축물
라. 동물화장시설, 동물건조장(乾燥葬)시설 및 동물 전용의 납골시설

【25】 관광 휴게시설

가. 야외음악당	라. 관망탑
나. 야외극장	마. 휴게소
다. 어린이회관	바. 공원·유원지 또는 관광지에 부수되는 건축물

【26】 장례시설

가. 장례식장[의료시설의 부수시설(「의료법」에 따른 의료기관의 종류에 따른 시설)은 제외함]
나. 동물 전용의 장례식장

건축관계법

국토계획법

주차장법

주 택 법

도시및주거
환경정비법

건축사법

장애인시설법

소방시설법

서울시조례

【27】 지하가

지하의 인공구조물 안에 설치되어 있는 상점, 사무실, 그 밖에 이와 비슷한 시설이 연속하여 지하도에 면하여 설치된 것과 그 지하도를 합한 것	가. 지하상가
	나. 터널 : 차량(궤도차량용 제외) 등의 통행을 목적으로 지하, 해저 또는 산을 뚫어서 만든 것

【28】 지하구

가. 전력·통신용의 전선이나 가스·냉난방용의 배관 또는 이와 비슷한 것을 집합수용하기 위하여 설치한 지하 인공구조물로서 사람이 점검 또는 보수를 하기 위하여 출입이 가능한 것 중 우측란에 해당하는 것	1) 전력 또는 통신사업용 지하 인공구조물로서 전력구(케이블 접속부가 없는 경우 제외) 또는 통신구 방식으로 설치된 것
	2) 1)외의 지하 인공구조물로서 폭이 1.8m 이상이고 높이가 2m 이상이며 길이가 50m 이상인 것
나. 「국토의 계획 및 이용에 관한 법률」에 따른 공동구	

【29】 문화재

「문화재보호법」에 따라 문화재로 지정된 건축물

【30】 복합건축물

가. 하나의 건축물이 위 【1】 ~ 【27】 중 2 이상의 용도로 사용되는 것

예외 다음 경우는 복합건축물로 보지 않는다.
1. 관계법령에서 주된 용도의 부수시설로서 그 설치를 의무화하고 있는 용도 또는 시설
2. 「주택법」에 따라 주택 안에 부대시설 또는 복리시설이 설치되는 특정소방대상물
3. 건축물의 주된 용도의 기능에 필수적인 용도로서 다음의 어느 하나에 해당하는 용도
   ① 건축물의 설비(전기저장시설 포함), 대피 또는 위생을 위한 용도, 그 밖에 이와 비슷한 시설의 용도
   ② 사무, 작업, 집회, 물품저장 또는 주차를 위한 용도, 그 밖에 이와 비슷한 시설의 용도
   ③ 구내식당, 구내세탁소, 구내운동시설 등 종업원후생복리시설(기숙사 제외) 또는 구내소각시설의 용도, 그밖에 이와 비슷한 시설의 용도

나. 하나의 건축물이 근린생활시설, 판매시설, 업무시설, 숙박시설 또는 위락시설의 용도와 주택의 용도로 함께 사용되는 것

※ 특정소방대상물 분류를 위한 참고사항

1. 구획된 부분을 각각 별개의 특정소방대상물로 보는 경우

내화구조로 된 하나의 특정소방대상물이 개구부 및 연소 확대 우려가 없는 내화구조의 바닥과 벽으로 구획되어 있는 경우 그 구획된 부분을 각각 별개의 특정소방대상물로 본다.

예외 성능위주설계를 해야 하는 범위를 정할 때에는 하나의 특정소방대상물로 봄

2. 2이상의 특정소방대상물을 하나의 소방대상물로 보는 경우

2 이상의 특정소방대상물이 다음 표의 각목에 해당되는 구조의 복도 또는 통로(이하 "연결통로") 연결된 경우에는 이를 하나의 소방대상물로 본다.

가. 내화구조로 된 연결통로가 다음의 어느 하나에 해당되는 경우	(1) 벽이 없는 구조*로서 그 길이가 6m 이하인 경우 ＊벽 높이가 바닥에서 천장 높이의 1/2 미만
	(2) 벽이 있는 구조*로서 그 길이가 10m 이하인 경우 ＊벽 높이가 바닥에서 천장 높이의 1/2 이상
나. 내화구조가 아닌 연결통로로 연결된 경우	
다. 콘베이어로 연결되거나 플랜트설비의 배관 등으로 연결되어 있는 경우	
라. 지하보도, 지하상가, 지하가로 연결된 경우	
마. 자동방화셔터 또는 60분+ 방화문이 설치되지 않은 피트(전기설비 또는 배관설비 등이 설치되는 공간)로 연결된 경우	
바. 지하구로 연결된 경우	

3. 연결통로 등에 의해 연결된 소방대상물을 별개의 소방대상물로 보는 경우

위 2의 규정에 불구하고 연결통로 또는 지하구와 소방대상물의 양쪽에 다음 각 목 중 어느 하나에 적합한 경우에는 별개의 소방대상물로 본다.

| 가. 화재 시 경보설비 또는 자동소화설비의 작동과 연동하여 자동으로 닫히는 자동방화셔터 또는 60분+ 방화문이 설치된 경우 |
| 나. 화재시 자동으로 방수되는 방식의 드렌처설비 또는 개방형 스프링클러헤드가 설치된 경우 |

4. 특정소방대상물의 지하층을 지하가로 보는 경우

위 【1】~【30】까지의 특정소방대상물의 지하층이 지하가와 연결되어 있는 경우 해당 지하층의 부분을 지하가로 본다.

예외 다음 지하가와 연결되는 지하층에 지하층 또는 지하가에 설치된 자동방화셔터 또는 60분+ 방화문이 화재 시 경보설비 또는 자동소화설비의 작동과 연동하여 자동으로 닫히는 구조이거나 그 윗부분에 드렌처설비가 설치된 경우에는 지하가로 보지 않는다.

4 화재안전성능

화재를 예방하고 화재발생 시 피해를 최소화하기 위하여 소방대상물의 재료, 공간 및 설비 등에 요구되는 안전성능을 말한다.

5 성능위주설계

건축물 등의 재료, 공간, 이용자, 화재 특성 등을 종합적으로 고려하여 공학적 방법으로 화재 위험성을 평가하고 그 결과에 따라 화재안전성능이 확보될 수 있도록 특정소방대상물을 설계하는 것을 말한다.

6 화재안전기준

소방시설 설치 및 관리를 위한 다음의 기준을 말한다.

| 1. 성능기준 | 화재안전 확보를 위하여 재료, 공간 및 설비 등에 요구되는 안전성능으로서 소방청장이 고시로 정하는 기준 |
| 2. 기술기준 | 1.의 성능기준을 충족하는 상세한 규격, 특정한 수치 및 시험방법 등에 관한 기준으로서 행정안전부령으로 정하는 절차에 따라 소방청장의 승인을 받은 기준 |

7 소방용품 [영 별표 3]

소방시설등을 구성하거나 소방용으로 사용되는 제품 또는 기기로서 다음의 것을 말한다.

---

1. 소화설비를 구성하는 제품 또는 기기
　가. 소화기구(위 1-[별표 1]의 1.-가.) : 소화약제 외의 것을 이용한 간이소화용구는 제외)
　나. 자동소화장치(위 1-[별표 1]의 1.-나.)
　다. 소화설비를 구성하는 소화전, 관창(菅槍), 소방호스, 스프링클러헤드, 기동용 수압개폐장치, 유수 제어밸브 및 가스관선택밸브

2. 경보설비를 구성하는 제품 또는 기기
　가. 누전경보기 및 가스누설경보기
　나. 경보설비를 구성하는 발신기, 수신기, 중계기, 감지기 및 음향장치(경종만 해당)

---

3. 피난구조설비를 구성하는 제품 또는 기기
　가. 피난사다리, 구조대, 완강기(지지대 포함) 및 간이완강기(지지대 포함)
　나. 공기호흡기(충전기 포함)
　다. 피난구유도등, 통로유도등, 객석유도등 및 예비 전원이 내장된 비상조명등

---

4. 소화용으로 사용하는 제품 또는 기기
　가. 소화약제(위 1-[별표 1]의 1.-나.-2) 와 3)의 자동소화장치와 마-3)~9)의 소화설비용만 해당)
　나. 방염제(방염액·방염도료 및 방염성물질을 말한다)

---

5. 그 밖에 행정안전부령으로 정하는 소방 관련 제품 또는 기기

---

8 무창층

지상층 중 다음의 요건을 모두 갖춘 개구부*1 면적의 합계가 해당 층 바닥면적*2 의 1/30 이하가 되는 층을 말한다.

(1) 개구부의 크기가 지름 50cm 이상의 원이 통과할 수 있을 것
(2) 해당 층의 바닥면으로부터 개구부 밑부분까지의 높이가 1.2m 이내일 것
(3) 개구부는 도로 또는 차량이 진입할 수 있는 빈터를 향할 것
(4) 화재시 건축물로부터 쉽게 피난할 수 있도록 창살이나 그 밖의 장애물이 설치되지 않을 것
(5) 내부 또는 외부에서 쉽게 부수거나 열 수 있을 것

*1 개구부 : 건축물에서 채광·환기·통풍 또는 출입 등을 위하여 만든 창·출입구 기타 이와 비슷한 것을 말함
*2 바닥면적 : 「건축법시행령」 제119조제1항제3호의 규정에 의함

9 피난층

곧바로 지상으로 갈 수 있는 출입구가 있는 층을 말한다.

10 소방대상물, 관계지역, 관계인 (소방기본법 제2조)

【1】소방대상물
건축물, 차량, 선박(「선박법」에 따른 선박으로서 항구에 매어둔 선박만 해당), 선박 건조 구조물, 산림, 그 밖의 인공 구조물 또는 물건을 말한다.

건축관계법

국토계획법

주차장법

주 택 법

도시및주거환경정비법

건축사법

장애인시설법

소방시설법

서울시조례

건축관계법

국토계획법

주차장법

주 택 법

도시및주거
환경정비법

건축사법

장애인시설법

소방시설법

서울시조례

【2】관계지역

소방대상물이 있는 장소 및 그 이웃 지역으로서 화재의 예방·경계·진압, 구조·구급 등의 활동에 필요한 지역을 말한다.

【3】관계인

소방대상물의 소유자·관리자 또는 점유자를 말한다.

11 기타

이 법에서 사용하는 용어의 뜻은 위에서 규정하는 것을 제외하고는 「소방기본법」, 「화재의 예방 및 안전관리에 관한 법률」, 「소방시설공사업법」, 「위험물안전관리법」 및 「건축법」에서 정하는 바에 따른다.

3 국가 및 지방자치단체의 책무 (법 제3조)

(1) 국가와 지방자치단체는 소방시설등의 설치·관리와 소방용품의 품질 향상 등을 위하여 필요한 정책을 수립하고 시행하여야 한다.

(2) 국가와 지방자치단체는 새로운 소방 기술·기준의 개발 및 조사·연구, 전문인력 양성 등 필요한 노력을 하여야 한다.

(3) 국가와 지방자치단체는 위 (1) 및 (2)에 따른 정책을 수립·시행하는 데 있어 필요한 행정적·재정적 지원을 하여야 한다.

4 관계인의 의무 (법 제4조)

(1) 관계인은 소방시설등의 기능과 성능을 보전·향상시키고 이용자의 편의와 안전성을 높이기 위하여 노력하여야 한다.

(2) 관계인은 매년 소방시설등의 관리에 필요한 재원을 확보하도록 노력하여야 한다.

(3) 관계인은 국가 및 지방자치단체의 소방시설등의 설치 및 관리 활동에 적극 협조하여야 한다.

(4) 관계인 중 점유자는 소유자 및 관리자의 소방시설등 관리 업무에 적극 협조하여야 한다.

5 다른 법률과의 관계 (법 제5조)

특정소방대상물 가운데 「위험물안전관리법」에 따른 위험물 제조소등의 안전관리와 위험물 제조소등에 설치하는 소방시설등의 설치기준에 관하여는 「위험물안전관리법」에서 정하는 바에 따른다.

2장

건축관계법

국토계획법

주차장법

주택법

도시및주거
환경정비법

건축사법

장애인시설법

소방시설법

서울시조례

소방시설등의 설치·관리 및 방염

1 건축허가 등의 동의 등 $\left(\begin{smallmatrix} 법 \\ 제6조 \sim 제11조 \end{smallmatrix}\right)$

건축물 등의 신축·증축·개축·재축(再築)·이전·용도변경 또는 대수선(大修繕)의 허가·협의 및 사용승인(이하 "건축허가등"이라 함)의 권한이 있는 행정기관은 건축허가등을 할 때 미리 그 건축물 등의 시공지(施工地) 또는 소재지를 관할하는 소방본부장이나 소방서장의 동의를 받아야 한다.

① 건축허가 등의 동의 등 $\left(\begin{smallmatrix} 법 \\ 제6조 \end{smallmatrix}\right)$

【1】 동의를 요하는 행위

건축허가등의 동의 요구는 다음 각 호의 권한이 있는 행정기관이 동의대상물의 시공지 또는 소재지를 관할하는 소방본부장 또는 소방서장에게 해야 한다.

법 조 항		내 용
1. 「건축법」	제11조	건축허가
	제29조 제2항	공용건축물에 대한 특례(협의)
2. 「주택법」	제15조	사업계획의 승인
	제49조	사용검사
3. 「학교시설사업 촉진법」	제4조	학교시설사업시행계획의 승인
	제13조	사용승인
4. 「고압가스안전관리법」	제4조	고압가스의 제조허가
5. 「도시가스사업법」	제3조	사업의 허가
6. 「액화석유가스의 안전관리 및 사업법」	제5조	사업의 허가
	제6조	허가의 기준
7. 「전기안전관리법」	제8조	자가용전기설비의 공사계획의 인가
8. 「전기사업법」	제61조	전기사업용전기설비의 공사계획에 대한 인가
9. 「국토의 계획 및 이용에 관한 법률」	제88조 제2항	도시·군계획시설사업 실시계획 인가

건축관계법

국토계획법

주차장법

주 택 법

도시및주거
환경정비법

건축사법

장애인시설법

소방시설법

서울시조례

【2】 동의대상물의 범위 (영 제7조①)

건축허가등을 할 때 행정기관이 미리 소방본부장 또는 소방서장의 동의를 받아야 하는 건축물 등의 범위는 다음과 같다.

	용 도	연면적*
1. 건축물이나 시설	가. 학교시설	100㎡ 이상
	나. 노유자(老幼者) 시설 및 수련시설	200㎡ 이상
	다. 정신의료기관(입원실이 없는 정신건강의학과 의원은 제외), 장애인 의료재활시설	300㎡ 이상
	라. 기타	400㎡ 이상
2. 지하층 또는 무창 층이 있는 건축물	가. 바닥면적이 150㎡ 이상인 층이 있는 것	
	나. 공연장의 경우 바닥면적이 100㎡ 이상인 층이 있는 것	
3. 차고·주차장 또는 주차용도로로 사 용되는 시설	가. 차고·주차장으로 사용되는 바닥면적이 200㎡ 이상인 층이 있는 건축물이나 주 차시설	
	나. 승강기 등 기계장치에 의한 주차시설로서 자동차 20대 이상을 주차할 수 있는 시설	
4. 층수**	6층 이상인 건축물	
5. 항공기 격납고, 관망탑, 항공관제탑, 방송용 송수신탑		
6. 특정소방대상물 중 의원(입원실이 있는 것)·조산원·산후조리원, 위험물 저장 및 처리시설, 발전 시설 중 풍력발전소·전기저장시설, 지하구(地下溝)		

7. 위 1.-나.에 해당하지 않는 노유자 시설 중 다음에 해당하는 시설.
  예외 아래 가.2) 및 나.~바.의 시설 중 「건축법 시행령」 별표 1의 단독주택 또는 공동주택에 설 치되는 시설은 제외
  가. 노인 관련 시설 중 다음에 해당하는 시설
   1) 「노인복지법」에 따른 노인주거복지시설·노인의료복지시설 및 재가노인복지시설
   2) 「노인복지법」에 따른 학대피해노인 전용쉼터
  나. 「아동복지법」에 따른 아동복지시설(아동상담소, 아동전용시설 및 지역아동센터는 제외)
  다. 「장애인복지법」에 따른 장애인 거주시설
  라. 정신질환자 관련 시설(공동생활가정을 제외한 재활훈련시설과 종합시설 중 24시간 주거를 제공하지 않는 시설은 제외)
  마. 노숙인 관련 시설 중 노숙인자활시설, 노숙인재활시설 및 노숙인요양시설
  바. 결핵환자나 한센인이 24시간 생활하는 노유자시설

8. 「의료법」에 따른 요양병원   예외 의료재활시설은 제외

9. 공장 또는 창고시설로서 「화재의 예방 및 안전관리에 관한 법률 시행령」 별표 2에서 정하는 수 량의 750배 이상의 특수가연물을 저장·취급하는 것

10. 가스시설로서 지상에 노출된 탱크의 저장용량의 합계가 100톤 이상인 것

* 「건축법 시행령」에 따라 산정된 면적, ** 「건축법 시행령」에 따라 산정된 층수

건축관계법

국토계획법

주차장법

주 택 법

도시및주거
환경정비법

건축사법

장애인시설법

소방시설법

서울시조례

【3】 동의대상에서의 제외 $\left(\begin{smallmatrix}영\\제7조②\end{smallmatrix}\right)$

다음의 특정소방대상물은 소방본부장 또는 서방서장의 건축허가등의 동의 대상에서 제외된다.

1. 특정소방대상물에 설치되는 소화기구, 자동소화장치, 누전경보기, 단독경보형감지기, 가스누설경보기 및 피난구조설비(비상조명등은 제외)가 화재안전기준에 적합한 경우 해당 특정소방대상물

2. 건축물의 증축 또는 용도변경으로 인하여 해당 특정소방대상물에 추가로 소방시설이 설치되지 않는 경우 해당 특정소방대상물

3. 소방시설공사의 착공신고 대상에 해당하지 않는 경우 해당 특정소방대상물

【4】 동의요구 및 회신 절차

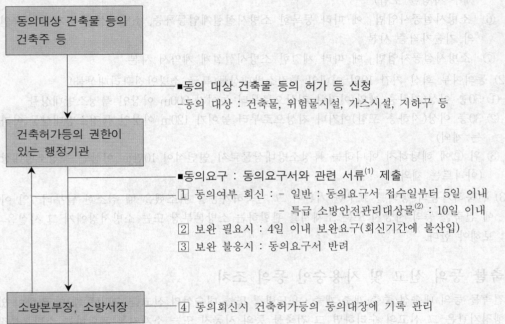

(1) 제출 서류(전자문서 포함)

① 동의요구서(전자문서로 된 요구서 포함)

② 건축허가 등을 확인할 수 있는 서류의 사본

- 건축허가신청서, 건축허가서, 건축·대수선·용도변경신고서 등

* 동의 요구를 받은 담당 공무원은 특별한 사정이 있는 경우를 제외하고는 행정정보의 공동이용을 통하여 건축허가서를 확인함으로써 첨부서류의 제출을 갈음할 수 있다.

③ 설계도서

1. 건축물 설계도서*	1) 건축물 개요 및 배치도
	2) 주단면도 및 입면도(立面圖: 물체를 정면에서 본 대로 그린 그림)
	3) 층별 평면도(용도별 기준층 평면도를 포함)
	4) 방화구획도(창호도 포함)
	5) 실내·실외 마감재료표
	6) 소방자동차 진입 동선도 및 부서 공간 위치도(조경계획 포함)

건축관계법

국토계획법

주차장법

주 택 법

도시및주거
환경정비법

건축사법

장애인시설법

소방시설법

서울시조례

	1) 소방시설(기계·전기 분야 시설)의 계통도(시설별 계산서 포함)
2. 소방시설 설계도서	2) 소방시설별 층별 평면도*
	3) 실내장식물 방염대상물품 설치 계획 (「건축법」 제52조에 따른 건축물의 마감재료는 제외)
	4) 소방시설의 내진설계 계통도 및 기준층 평면도 (내진 시방서 및 계산서 등 세부 내용이 포함된 상세 설계도면은 제외)*

*소방시설공사 착공신고 대상에 해당되는 경우에만 제출

④ 소방시설 설치계획표

⑤ 임시소방시설 설치계획서(설치시기·위치·종류·방법 등 임시소방시설의 설치와 관련된 세부 사항을 포함)

⑥ 「소방시설공사업법」에 따라 등록한 소방시설설계업등록증, 소방시설을 설계한 기술인력의 기술자격증 사본

⑦ 「소방시설공사업법」에 따라 체결한 소방시설설계 계약서 사본

(2) 동의여부 회신 기간 10일 이내인 특정소방대상물(특급 소방안전관리대상물)

① 50층 이상(지하층 제외)이거나 지상으로부터 높이가 200m 이상인 특정소방대상물

② 30층 이상(지하층 포함)이거나 지상으로부터 높이가 120m 이상인 특정소방대상물(아파트는 제외)

③ 위 ②에 해당하지 아니하는 특정소방대상물로서 연면적이 10만㎡ 이상인 특정소방대상물(아파트는 제외)

(3) 건축허가등의 동의를 요구한 기관이 그 건축허가등을 취소했을 때 취소한 날부터 7일 이내에 건축물 등의 시공지 또는 소재지를 관할하는 소방본부장 또는 소방서장에게 그 사실을 통보해야 한다.

⑤ 건축물 등의 신고 및 사용승인 등의 조치

(1) 건축물 등의 대수선·증축·개축·재축·용도변경 또는 대수선의 신고를 수리(受理)할 권한이 있는 행정기관은 그 신고의 수리하면 그 건축물 등의 시공지 또는 소재지를 관할하는 소방본부장이나 소방서장에게 지체 없이 그 사실을 알려야 한다.

(2) 건축허가등의 권한이 있는 행정기관과 신고를 수리할 권한이 있는 행정기관은 건축허가등의 동의를 받거나 신고를 수리한 사실을 알릴 때 관할 소방본부장이나 소방서장에게 건축허가등을 하거나 신고를 수리할 때 건축허가 등을 받으려는 자 또는 신고를 한 자가 제출한 설계도서 중 건축물의 내부구조를 알 수 있는 설계도면을 제출하여야 한다.

예외 국가안보상 중요하거나 국가기밀에 속하는 건축물을 건축하는 경우로서 관계 법령에 따라 행정기관이 설계도면을 확보할 수 없는 경우에는 그러하지 아니하다.

(3) 소방본부장 또는 소방서장은 건축물 등의 건축허가등에 대한 동의를 요구받은 경우 해당 건축물 등이 다음 사항을 따르고 있는지를 검토하여 행정안전부령으로 정하는 기간 내에 해당 행정기관에 동의 여부를 알려야 한다.

1. 이 법 또는 이 법에 따른 명령
2. 「소방기본법」에 따른 소방자동차 전용구역의 설치

(4) 소방본부장 또는 소방서장은 건축허가등의 동의 여부를 알릴 경우에는 원활한 소방활동 및 건축물 등의 화재안전성능을 확보하기 위하여 필요한 다음 사항에 대한 검토 자료 또는 의견서를 첨부할 수 있다.

소방활동 등을 확보하기 위한 필요 사항	근거 규정
1. 피난시설, 방화구획(防火區劃)	「건축법」 제49조제1항 및 제2항
2. 소방관 진입창	「건축법」 제49조제3항
3. 방화벽, 마감재료 등(이하 "방화시설")	「건축법」 제50조, 제50조의2, 제51조, 제52조, 제52조의2 및 제53조
4. 소방자동차의 접근이 가능한 통로의 설치	-
5. 승강기의 설치	「건축법」 제64조 「주택건설기준 등에 관한 규정」 제15조
6. 주택단지 안 도로의 설치	「주택건설기준 등에 관한 규정」 제26조
7. 옥상광장, 비상문자동개폐장치 또는 헬리포트의 설치	「건축법 시행령」 제40조제2항~제4항
8. 그 밖에 소방본부장 또는 소방서장이 소화활동 및 피난을 위해 필요하다고 인정하는 사항	

(5) 사용승인에 대한 동의를 할 때에는 소방시설공사의 완공검사증명서를 발급하는 것으로 동의를 갈음할 수 있다. 이 경우 건축허가등의 권한이 있는 행정기관은 소방시설공사의 완공검사증명서를 확인하여야 한다.

(6) 다른 법령에 따른 인가·허가 또는 신고 등[건축허가등과 위 (1)에 따른 신고는 제외하며, 이하 "인허가등"]의 시설기준에 소방시설등의 설치·관리 등에 관한 사항이 포함되어 있는 경우 해당 인허가등의 권한이 있는 행정기관은 인허가등을 할 때 미리 그 시설의 소재지를 관할하는 소방본부장이나 소방서장에게 그 시설이 이 법 또는 이 법에 따른 명령을 따르고 있는지를 확인하여 줄 것을 요청할 수 있다. 이 경우 요청을 받은 소방본부장 또는 소방서장은 7일 이내에 확인 결과를 알려야 한다.

6 전산시스템 구축 및 운영 (법 제7조의2)

(1) 소방청장, 소방본부장 또는 소방서장은 위 4-(2)에 따라 제출받은 설계도면의 체계적인 관리 및 공유를 위하여 전산시스템을 구축·운영하여야 한다.

(2) 소방청장, 소방본부장 또는 소방서장은 전산시스템의 구축·운영에 필요한 자료의 제출 또는 정보의 제공을 관계 행정기관의 장에게 요청할 수 있다. 이 경우 자료의 제출이나 정보의 제공을 요청받은 관계 행정기관의 장은 정당한 사유가 없으면 이에 따라야 한다.

건축관계법

국토계획법

주차장법

주 택 법

도시및주거
환경정비법

건 축 사 법

장애인시설법

소방시설법

서울시조례

2 소방시설의 내진설계기준 (법 제7조)(영 제8조)

「지진·화산재해대책법 시행령」에 해당하는 특정소방대상물에 옥내소화전설비, 스프링클러설비 및 물분무등소화설비를 설치하려는 자는 지진이 발생할 경우 소방시설이 정상적으로 작동될 수 있도록 소방청장이 정하는 내진설계기준에 맞게 소방시설을 설치하여야 한다.

관계법 「지진·화산재해대책법 시행령」 제10조

① 법 제14조제1항 각 호 외의 부분에서 "대통령령으로 정하는 시설"이란 다음 각 호의 시설을 말한다. <개정 2022.6.14>

1. 「건축법 시행령」 제32조제2항 각 호에 해당하는 건축물
2. 「공유수면 관리 및 매립에 관한 법률」과 「방조제관리법」 등 관계 법령에 따라 국가에서 설치·관리하고 있는 배수갑문 및 방조제
3. 「공항시설법」 제2조제7호에 따른 공항시설
4. 「하천법」 제7조제2항에 따른 국가하천의 수문 중 환경부장관이 정하여 고시한 수문
5. 「농어촌정비법」 제2조제6호에 따른 저수지 중 총저수용량 50만톤 이상이고 제방 높이 15미터 이상인 저수지와 총저수용량 2,000만톤 이상인 저수지
6. 「댐건설·관리 및 주변지역지원 등에 관한 법률」에 따른 다목적댐
7. 「댐건설·관리 및 주변지역지원 등에 관한 법률」 외에 다른 법령에 따른 댐 중 생활·공업 및 농업용수의 저장, 발전, 홍수 조절 등의 용도로 이용하기 위한 높이 15미터 이상인 댐 및 그 부속시설
8. 「도로법 시행령」 제2조제2호에 따른 교량·터널
9. 「도시가스사업법」 제2조제5호에 따른 가스공급시설 및 「고압가스 안전관리법」 제4조제4항에 따른 고압가스의 제조·저장 및 판매의 시설과 「액화석유가스의 안전관리 및 사업법」 제5조제4항의 기준에 따른 액화저장탱크, 지지구조물, 기초 및 배관
10. 「도시철도법」 제2조제3호에 따른 도시철도시설 중 역사(驛舍), 본선박스, 다리
11. 「산업안전보건법」 제83조에 따라 고용노동부장관이 유해하거나 위험한 기계·기구 및 설비에 대한 안전인증기준을 정하여 고시한 시설
12. 「석유 및 석유대체연료 사업법」에 따른 석유정제시설, 석유비축시설, 석유저장시설, 「액화석유가스의 안전관리 및 사업법 시행령」 제8조에 따른 액화석유가스 저장시설 및 같은 영 제11조의 비축의무를 위한 저장시설
13. 「송유관 안전관리법」 제2조제2호에 따른 송유관
14. 「물환경보전법 시행령」 제61조제1호에 따른 산업단지 공공폐수처리시설
15. 「수도법」 제3조제17호에 따른 수도시설
16. 「어촌·어항법」 제2조제5호에 따른 어항시설
17. 「원자력안전법」 제2조제20호 및 같은 법 시행령 제10조에 따른 원자력이용시설 중 원자로 및 관계시설, 핵연료주기시설, 사용후핵연료 중간저장시설, 방사성폐기물의 영구처분시설, 방사성폐기물의 처리 및 저장시설
18. 「전기사업법」 제2조에 따른 발전용 수력설비·화력설비, 송전설비, 변전설비 및 배전설비
19. 「철도산업발전 기본법」 제3조제2호 및 「철도의 건설 및 유지관리에 관한 법률」 제2조제6호에 따른 철도시설 중 다리, 터널 및 역사
20. 「폐기물관리법」 제2조제8호에 따른 폐기물처리시설
21. 「하수도법」 제2조제9호에 따른 공공하수처리시설
22. 「항만법」 제2조제5호에 따른 항만시설
23. 「국토의 계획 및 이용에 관한 법률」 제2조제9호에 따른 공동구
24. 「학교시설사업 촉진법」 제2조제1호 및 같은 법 시행령 제1조의2에 따른 학교시설 중 교사(校舍), 체육관, 기숙사, 급식시설 및 강당

25. 「궤도운송법」에 따른 궤도
26. 「관광진흥법」 제3조제1항제6호에 따른 유기시설(遊技施設) 및 유기기구(遊技機具)
27. 「의료법」 제3조에 따른 종합병원, 병원 및 요양병원
28. 「물류시설의 개발 및 운영에 관한 법률」 제2조제2호에 따른 물류터미널
29. 「집단에너지사업법」 제2조제6호에 따른 공급시설 중 열수송관
30. 제2항에 해당하는 시설
② 법 제14조제1항제32호에서 "대통령령으로 정하는 시설"이란 「방송통신발전 기본법」 제2조제3호에 따른 방송통신설비 중에서 「방송통신설비의 기술기준에 관한 규정」 제22조제2항에 따라 기준을 정한 설비를 말한다. <개정 2018.12.4.>

건축관계법
국토계획법
주차장법
주 택 법
도시및주거
환경정비법
건축사법
장애인시설법
소방시설법
서울시조례

3 성능위주설계 등 ($\frac{법}{제8조, 제9조}$)($\frac{영}{제9조}$)($\frac{규칙}{제4조 ~ 제13조}$)

연면적 · 높이 · 층수 등이 일정 규모 이상인 특정소방대상물(신축하는 것만 해당)에 소방시설을 설치하려는 자는 성능위주설계를 하여야 한다.

【1】 성능위주설계 대상

1. 연면적 20만m² 이상인 특정소방대상물(아파트등은 제외)
2. 50층 이상(지하층 제외)이거나 지상으로부터 높이가 200m 이상인 아파트등
3. 30층 이상(지하층 포함)이거나 지상으로부터 높이가 120m 이상인 특정소방대상물(아파트등은 제외)
4. 연면적 3만m² 이상인 특정소방대상물로서 ㉠ 철도 및 도시철도 시설 ㉡ 공항시설
5. 창고시설 중 연면적 10만m² 이상인 것 또는 지하층의 층수가 2개 층 이상이고 지하층의 바닥면적의 합계가 3만m² 이상인 것
6. 하나의 건축물에 「영화 및 비디오물의 진흥에 관한 법률」에 따른 영화상영관이 10개 이상인 특정소방대상물
7. 「초고층 및 지하연계 복합건축물 재난관리에 관한 특별법」에 따른 지하연계 복합건축물에 해당하는 특정소방대상물
8. 터널 중 수저(水底)터널 또는 길이가 5천m 이상인 것

【2】 성능위주설계의 신고

(1) 소방시설을 설치하려는 자가 성능위주설계를 한 경우 「건축법」에 따른 건축허가 신청 전에 해당 특정소방대상물의 시공지 또는 소재지를 관할하는 소방서장에게 신고하여야 한다. 해당 특정소방대상물의 연면적 · 높이 · 층수의 변경(「건축법」에 따른 경미한 변경 제외) 사유로 신고한 성능위주설계를 변경하려는 경우에도 또한 같다.
(2) 건축허가 신청 전 소방서장에게 제출할 서류
  * 다음 서류에는 사전검토 결과에 따라 보완된 내용을 포함해야 하며, 사전검토 신청 시 제출한 서류와 동일한 내용의 서류는 제외한다.

건축관계법

국토계획법

주차장법

주 택 법

도시및주거
환경정비법

건축사법

장애인시설법

소방시설법

서울시조례

1. 성능위주설계 사전검토 신청서(별지 제2호서식, 전자문서로 된 신고서 포함)

2. 다음 각 목의 사항이 포함된 설계도서
　가. 건축물의 개요(위치, 구조, 규모, 용도)
　나. 부지 및 도로의 설치 계획(소방차량 진입 동선 포함)
　다. 화재안전성능의 확보 계획
　라. 성능위주설계 요소에 대한 성능평가(화재 및 피난 모의실험 결과 포함)
　마. 성능위주설계 적용으로 인한 화재안전성능 비교표
　바. 다음의 건축물 설계도면
　　1) 주단면도 및 입면도
　　2) 층별 평면도 및 창호도
　　3) 실내·실외 마감재료표
　　4) 방화구획도(화재 확대 방지계획 포함)
　　5) 건축물의 구조 설계에 따른 피난계획 및 피난 동선도
　사. 소방시설의 설치계획 및 설계 설명서
　아. 다음의 소방시설 설계도면
　　1) 소방시설 계통도 및 층별 평면도
　　2) 소화용수설비 및 연결송수구 설치 위치 평면도
　　3) 종합방재실 설치 및 운영계획
　　4) 상용전원 및 비상전원의 설치계획
　　5) 소방시설의 내진설계 계통도 및 기준층 평면도(내진 시방서 및 계산서 등 세부 내용이
　　　포함된 상세 설계도면은 제외한다)
　자. 소방시설에 대한 전기부하 및 소화펌프 등 용량계산서

3. 「소방시설공사업법 시행령」 별표 1의2에 따른 성능위주설계를 할 수 있는 자의 자격·기술
인력을 확인할 수 있는 서류

4. 「소방시설공사업법」 제21조 및 제21조의3제2항에 따라 체결한 성능위주설계 계약서 사본

(3) 소방서장은 성능위주설계 신고서를 받은 경우 성능위주설계 대상 및 자격 여부 등을 확인하고,
첨부서류의 보완이 필요한 경우에는 7일 이내의 기간을 정하여 성능위주설계를 한 자에게 보완
을 요청할 수 있다.

(4) 소방서장은 신고 또는 변경신고를 받은 경우 그 내용을 검토하여 이 법에 적합하면 신고를 수리
하여야 한다.

(5) 성능위주설계의 신고 또는 변경신고를 하려는 자는 해당 특정소방대상물이 「건축법」에 따른
건축위원회의 심의를 받아야 하는 건축물인 경우 그 심의를 신청하기 전에 성능위주설계의 기본
설계도서(基本設計圖書) 등에 대해서 소방서장의 사전검토를 받아야 한다.

(6) 소방서장은 성능위주설계의 신고, 변경신고 또는 사전검토 신청을 받은 경우 소방청 또는 관할
소방본부에 설치된 성능위주설계평가단의 검토·평가를 거쳐야 한다. 다만, 소방서장은 신기술
·신공법 등 검토·평가에 고도의 기술이 필요한 경우 중앙소방기술심의위원회에 심의를 요청할
수 있다.

(7) 소방서장은 검토·평가 결과 성능위주설계의 수정 또는 보완이 필요하다고 인정되는 경우 성능
위주설계를 한 자에게 그 수정 또는 보완을 요청할 수 있으며, 수정 또는 보완 요청을 받은 자는
정당한 사유가 없으면 그 요청에 따라야 한다.

(8) 위 (1)~(7)의 규정 사항 외에 성능위주설계의 신고, 변경신고 및 사전검토의 절차·방법 등에
필요한 사항과 성능위주설계의 기준은 【7】을 참고할 것

【3】 신고된 성능위주설계에 대한 검토·평가(규칙 제5조)

(1) 성능위주설계의 신고를 받은 소방서장은 필요한 경우 같은 조 제2항에 따른 보완 절차를 거쳐 소방청장 또는 관할 소방본부장에게 성능위주설계 평가단(이하 "평가단")의 검토·평가를 요청해야 한다.

(2) 소방청장 또는 소방본부장은 요청을 받은 날부터 20일 이내에 평가단의 심의·의결을 거쳐 해당 건축물의 성능위주설계를 검토·평가하고, 성능위주설계 검토·평가 결과서(별지 제3호서식)를 작성하여 관할 소방서장에게 지체 없이 통보해야 한다.

(3) 성능위주설계 신고를 받은 소방서장은 신기술·신공법 등 검토·평가에 고도의 기술이 필요한 경우에는 중앙위원회에 심의를 요청할 수 있다.

(4) 중앙위원회는 제3항에 따라 요청된 사항에 대하여 20일 이내에 심의·의결을 거쳐 별지 제3호서식의 성능위주설계 검토·평가 결과서를 작성하고 관할 소방서장에게 지체 없이 통보해야 한다.

(5) 성능위주설계 검토·평가 결과서를 통보받은 소방서장은 성능위주설계 신고를 한 자에게 별표 1에 따라 수리 여부를 통보해야 한다.

【4】 성능위주설계의 변경신고(규칙 제6조)

(1) 변경신고 대상 : 특정소방대상물의 연면적·높이·층수의 변경이 있는 경우(「건축법」에 따른 경미한 변경 제외)

(2) 성능위주설계를 한 자는 해당 성능위주설계를 한 특정소방대상물이 (1)에 해당하는 경우 성능위주설계 변경 신고서(별지 제4호서식, 전자문서로 된 신고서 포함)에 성능위주설계의 신고시 제출 서류(전자문서 포함, 변경되는 부분만 해당)를 첨부하여 관할 소방서장에게 신고해야 한다.

(3) 성능위주설계의 변경신고에 대한 검토·평가, 수리 여부 결정 및 통보에 관하여는 【3】(2)~(5)의 규정을 준용한다. 이 경우 (2)~(4) 중 "20일 이내"는 각각 "14일 이내"로 본다.

【5】 성능위주설계의 사전검토 신청(규칙 제7조)

(1) 성능위주설계를 한 자는 건축위원회의 심의를 받아야 하는 건축물인 경우에는 그 심의를 신청하기 전에 성능위주설계 사전검토 신청서(별지 제5호서식, 전자문서로 된 신청서 포함)에 다음의 서류(전자문서 포함)를 첨부하여 관할 소방서장에게 사전검토를 신청해야 한다.

(2) 사전검토 신청시 제출 서류

1. 성능위주설계 사전검토 신청서(별지 제5호서식, 전자문서로 된 신고서 포함)
2. 건축물의 개요(위치, 구조, 규모, 용도)
3. 부지 및 도로의 설치 계획(소방차량 진입 동선을 포함한다)
4. 화재안전성능의 확보 계획
5. 화재 및 피난 모의실험 결과
6. 다음 각 목의 건축물 설계도면 가. 주단면도 및 입면도 나. 층별 평면도 및 창호도 다. 실내·실외 마감재료표 라. 방화구획도(화재 확대 방지계획을 포함한다) 마. 건축물의 구조 설계에 따른 피난계획 및 피난 동선도
7. 소방시설 설치계획 및 설계 설명서(소방시설 기계·전기 분야의 기본계통도를 포함한다)
8. 「소방시설공사업법 시행령」 별표 1의2에 따른 성능위주설계를 할 수 있는 자의 자격·기술인력을 확인할 수 있는 서류

건축관계법

국토계획법

주차장법

주 택 법

도시및주거
환경정비법

건축사법

장애인시설법

소방시설법

서울시조례

건축관계법

국토계획법

주차장법

주 택 법

도시및주거
환경정비법

건축사법

장애인시설법

소방시설법

서울시조례

9. 「소방시설공사업법」 제21조 및 제21조의3제2항에 따라 체결한 성능위주설계 계약서 사본

(3) 소방서장은 성능위주설계 사전검토 신청서를 받은 경우 성능위주설계 대상 및 자격 여부 등을 확인하고, 첨부서류의 보완이 필요한 경우에는 7일 이내의 기간을 정하여 성능위주설계를 한 자에게 보완을 요청할 수 있다.

【6】 사전검토가 신청된 성능위주설계에 대한 검토·평가(규칙 제8조)
(1) 사전검토의 신청을 받은 소방서장은 필요한 경우 보완 절차를 거쳐 소방청장 또는 관할 소방본부장에게 평가단의 검토·평가를 요청해야 한다.
(2) 검토·평가를 요청받은 소방청장 또는 소방본부장은 평가단의 심의·의결을 거쳐 해당 건축물의 성능위주설계를 검토·평가하고, 성능위주설계 사전검토 결과서(별지 제6호서식)를 작성하여 관할 소방서장에게 지체 없이 통보해야 한다.
(3) 성능위주설계 사전검토의 신청을 받은 소방서장은 신기술·신공법 등 검토·평가에 고도의 기술이 필요한 경우에는 중앙위원회에 심의를 요청할 수 있다.
(4) 중앙위원회는 (3)에 따라 요청된 사항에 대하여 심의를 거쳐 성능위주설계 사전검토 결과서(별지 제6호서식)를 작성하고, 관할 소방서장에게 지체 없이 통보해야 한다.
(5) 성능위주설계 사전검토 결과서를 통보받은 소방서장은 성능위주설계 사전검토를 신청한 자 및 건축위원회에 그 결과를 지체 없이 통보해야 한다.

【7】 성능위주설계 기준(규칙 제9조)
(1) 성능위주설계의 기준은 다음 각 호와 같다.

1. 소방자동차 진입(통로) 동선 및 소방관 진입 경로 확보
2. 화재·피난 모의실험을 통한 화재위험성 및 피난안전성 검증
3. 건축물의 규모와 특성을 고려한 최적의 소방시설 설치
4. 소화수 공급시스템 최적화를 통한 화재피해 최소화 방안 마련
5. 특별피난계단을 포함한 피난경로의 안전성 확보
6. 건축물의 용도별 방화구획의 적정성
7. 침수 등 재난상황을 포함한 지하층 안전확보 방안 마련

(2) 성능위주설계의 세부 기준은 소방청장이 정한다.

■ 4 주택에 설치하는 소방시설 등 (법 제10조, 제11조)(영 제10조)(규칙 제14조)

① 주택에 설치하는 소방시설 (법 제10조)(영 제10조)

(1) 다음의 주택의 소유자는 소화기 및 단독경보형 감지기(이하 "주택용소방시설")를 설치하여야 한다.
① 「건축법」에 따른 단독주택 : 단독주택, 공관, 다중주택, 다가구주택
② 「건축법」에 따른 공동주택(아파트 및 기숙사는 제외) : 연립주택, 다세대주택
(2) 국가 및 지방자치단체는 주택용 소방시설의 설치 및 국민의 자율적인 안전관리를 촉진하기 위하여 필요한 시책을 마련하여야 한다.
(3) 주택용 소방시설의 설치기준 및 자율적인 안전관리 등에 관한 사항은 특별시·광역시·특별자치시·도 또는 특별자치도(이하 "시·도")의 조례로 정한다.

조례「서울특별시 주택의 소방시설 설치조례」제5조【주택용 소방시설의 종류 및 기준】

주택에 설치하는 소방시설은 다음 기준에 의한다. <개정 2017.5.18.>

　1. 소화기구는 세대별, 층별 적응성 있는 능력단위 2단위 이상의 소화기를 1개 이상 설치하되, 주택의 각 부분으로부터 1개의 소화기까지의 보행거리가 20m 이내가 되도록 배치하여야 한다.

　2. 단독경보형감지기는 구획된 실마다 1개 이상 설치한다. 이 경우 구획된 실이라 함은 주택 내부의 침실, 거실, 주방 등 거주자가 사용할 수 있는 공간을 벽 또는 칸막이 등으로 구획된 공간을 말한다. 다만 거실 내부를 벽 또는 칸막이 등으로 구획한 공간이 없는 경우에는 내부 전체공간을 하나의 구획된 공간으로 본다.

② 자동차에 설치 또는 비치하는 소화기 (법 제11조)(규칙 제14조) 〈시행 2024.12.1〉

(1)「자동차관리법」에 따른 자동차 중 다음에 해당하는 자동차를 제작·조립·수입·판매하려는 자 또는 해당 자동차의 소유자는 차량용 소화기를 설치하거나 비치하여야 한다.

1. 5인승 이상의 승용자동차	3. 화물자동차
2. 승합자동차	4. 특수자동차

(2) 차량용 소화기의 설치 또는 비치 기준은 시행규칙 [별표 2]와 같다.

차량용 소화기의 설치 또는 비치 기준[규칙 별표 2]

자동차에는 법 제37조제5항에 따라 형식승인을 받은 차량용 소화기를 다음 각 호의 기준에 따라 설치 또는 비치해야 한다.

1. 승용자동차: 법 제37조제5항에 따른 능력단위(이하 "능력단위"라 한다) 1 이상의 소화기 1개 이상을 사용하기 쉬운 곳에 설치 또는 비치한다.

2. 승합자동차

　가. 경형승합자동차: 능력단위 1 이상의 소화기 1개 이상을 사용하기 쉬운 곳에 설치 또는 비치한다.

　나. 승차정원 15인 이하: 능력단위 2 이상인 소화기 1개 이상 또는 능력단위 1 이상인 소화기 2개 이상을 설치한다. 이 경우 승차정원 11인 이상 승합자동차는 운전석 또는 운전석과 옆으로 나란한 좌석 주위에 1개 이상을 설치한다.

　다. 승차정원 16인 이상 35인 이하: 능력단위 2 이상인 소화기 2개 이상을 설치한다. 이 경우 승차정원 23인을 초과하는 승합자동차로서 너비 2.3미터를 초과하는 경우에는 운전자 좌석 부근에 가로 600밀리미터, 세로 200밀리미터 이상의 공간을 확보하고 1개 이상의 소화기를 설치한다.

　라. 승차정원 36인 이상: 능력단위 3 이상인 소화기 1개 이상 및 능력단위 2 이상인 소화기 1개 이상을 설치한다. 다만, 2층 대형승합자동차의 경우에는 위층 차실에 능력단위 3 이상인 소화기 1개 이상을 추가 설치한다.

3. 화물자동차(피견인자동차는 제외한다) 및 특수자동차

　가. 중형 이하: 능력단위 1 이상인 소화기 1개 이상을 사용하기 쉬운 곳에 설치한다.

　나. 대형 이상: 능력단위 2 이상인 소화기 1개 이상 또는 능력단위 1 이상인 소화기 2개 이상을 사용하기 쉬운 곳에 설치한다.

4.「위험물안전관리법 시행령」제3조에 따른 지정수량 이상의 위험물 또는「고압가스 안전관리법 시행령」제2조에 따라 고압가스를 운송하는 특수자동차(피견인자동차를 연결한 경우에는 이를 연결한 견인자동차를 포함한다):「위험물안전관리법 시행규칙」제41조 및 별표 17 제3호나목 중 이동탱크저장소 자동차용소화기의 설치기준란에 해당하는 능력단위와 수량 이상을 설치한다.

(3) 국토교통부장관은「자동차관리법」에 따른 자동차검사 시 차량용 소화기의 설치 또는 비치 여부 등을 확인하여야 하며, 그 결과를 매년 12월 31일까지 소방청장에게 통보하여야 한다.

건축관계법
국토계획법
주차장법
주 택 법
도시및주거환경정비법
건축사법
장애인시설법
소방시설법
서울시조례

건축관계법

국토계획법

주차장법

주 택 법

도시및주거
환경정비법

건축사법

장애인시설법

소방시설법

서울시조례

9-26

5 특정소방대상물에 설치하는 소방시설의 관리 등 (법 제12조 ~ 제19조)

1 특정소방대상물에 설치하는 소방시설의 관리 등 (법 제12조)

(1) 특정소방대상물의 관계인은 ②의 소방시설을 화재안전기준에 따라 설치·관리하여야 한다. 이 경우 장애인등*이 사용하는 소방시설(경보설비 및 피난구조설비를 말함)은 ② 2. 경보설비, 3. 피난구조설비에 따라 장애인등에 적합하게 설치·관리하여야 한다.

* 장애인등: 장애인·노인·임산부 등 일상생활에서 이동, 시설 이용 및 정보 접근 등에 불편을 느끼는 사람(「장애인·노인·임산부 등의 편의증진 보장에 관한 법률」 제2조제1호)

(2) 소방본부장 또는 소방서장은 소방시설이 화재안전기준에 따라 설치 또는 유지·관리되어 있지 아니한 때에는 그 특정소방대상물의 관계인에게 필요한 조치를 명할 수 있다.

(3) 특정소방대상물의 관계인은 (1)에 따라 소방시설을 설치·관리하는 경우 화재 시 소방시설의 기능과 성능에 지장을 줄 수 있는 폐쇄(잠금 포함. 이하 같다)·차단 등의 행위를 하여서는 아니 된다. 예외 소방시설의 점검·정비를 위하여 필요한 경우 폐쇄·차단은 할 수 있다.

(4) 소방청장은 (3) 예외 에 따라 특정소방대상물의 관계인이 소방시설의 점검·정비를 위하여 폐쇄·차단을 하는 경우 안전을 확보하기 위하여 필요한 행동요령에 관한 지침을 마련하여 고시하여야 한다. ⇨ 소방시설 폐쇄·차단 시 행동요령 등에 관한 고시 [소방청고시 제2023-37호, 2023.9.8., 제정]

2 소방시설의 종류 (영 제11조)

특정소방대상물의 관계인이 특정소방대상물에 설치·관리해야 하는 소방시설의 종류는 아래[별표 4]와 같다.

소방시설의 종 류	소방시설 적용기준

1. 소화설비	가. 화재안전기준에 따라 소화기구를 설치하여야 하는 특정소방대상물
	  1) 연면적 33㎡ 이상인 것.
	    예외 노유자 시설: 투척용 소화용구 등을 화재안전기준에 따라 산정된 소화기 수량의 1/2 이상으로 설치 가능
	  2) 1)에 해당하지 않는 시설로서 가스시설, 발전시설 중 전기저장시설 및 문화재
	  3) 터널
	  4) 지하구
	
	나. 자동소화장치를 설치해야 하는 특정소방대상물
	  다음 특정소방대상물 중 후드 및 덕트가 설치된 주방이 있는 특정소방대상물로 한다. 이 경우 해당 주방에 자동소화장치를 설치해야 한다.
	  1) 주거용 주방자동소화장치를 설치해야 하는 것: 아파트등 및 오피스텔의 모든 층
	  2) 상업용 주방자동소화장치를 설치해야 하는 것
	    가) 판매시설 중 「유통산업발전법」 제2조제3호에 해당하는 대규모점포에 입점해 있는 일반음식점
	    나) 「식품위생법」 제2조제12호에 따른 집단급식소
	  3) 캐비닛형 자동소화장치, 가스자동소화장치, 분말자동소화장치 또는 고체에어로졸자동소화장치를 설치해야 하는 것: 화재안전기준에서 정하는 장소

건축관계법

국토계획법

주차장법

주 택 법

도시및주거
환경정비법

건축사법

장애인시설법

소방시설법

서울시조례

다. 옥내소화전설비를 설치하여야 하는 특정소방대상물

[예외] 위험물 저장 및 처리 시설 중 가스시설, 지하구 및 업무시설 중 무인변전소(방재실 등에서 스프링클러설비 또는 물분무등소화설비를 원격으로 조정할 수 있는 무인변전소로 한정한다)는 제외

1) 다음의 어느 하나에 해당하는 경우에는 모든 층

　　가) 연면적 3천㎡ 이상인 것(지하가 중 터널은 제외한다)

　　나) 지하층·무창층(축사는 제외한다)으로서 600㎡ 이상인 층이 있는 것

　　다) 층수가 4층 이상인 것 중 바닥면적이 600㎡ 이상인 층이 있는 것

2) 1)에 해당하지 않는 근린생활시설, 판매시설, 운수시설, 의료시설, 노유자 시설, 업무시설, 숙박시설, 위락시설, 공장, 창고시설, 항공기 및 자동차 관련 시설, 교정 및 군사시설 중 국방·군사시설, 방송통신시설, 발전시설, 장례시설 또는 복합건축물로서 다음의 어느 하나에 해당하는 경우에는 모든 층

　　가) 연면적 1,500㎡ 이상인 것

　　나) 지하층·무창층으로서 바닥면적이 300㎡ 이상인 층이 있는 것

　　다) 층수가 4층 이상인 것 중 바닥면적이 300㎡ 이상인 층이 있는 것

3) 건축물의 옥상에 설치된 차고·주차장으로서 사용되는 면적이 200㎡ 이상인 경우 해당 부분

4) 지하가 중 터널로서 다음에 해당하는 터널

　　가) 길이가 1,000m 이상인 터널

　　나) 예상교통량, 경사도 등 터널의 특성을 고려하여 옥내소화전설비를 설치해야 하는 터널

5) 1) 및 2)에 해당하지 않는 공장 또는 창고시설로서 「화재의 예방 및 안전관리에 관한 법률 시행령」 별표 2에서 정하는 수량의 750배 이상의 특수가연물을 저장·취급하는 것

1. 소화설비

라. 스프링클러설비를 설치하여야 하는 특정소방대상물

[예외] 위험물 저장 및 처리 시설 중 가스시설 또는 지하구는 제외

1) 층수가 6층 이상인 특정소방대상물의 경우 모든 층.

[예외] 다음에 해당하는 경우 제외

　　가) 주택 관련 법령에 따라 기존의 아파트등을 리모델링하는 경우로서 건축물의 연면적 및 층의 높이가 변경되지 않는 경우. 이 경우 해당 아파트등의 사용검사 당시의 소방시설의 설치에 관한 대통령령 또는 화재안전기준을 적용한다.

　　나) 스프링클러설비가 없는 기존의 특정소방대상물을 용도변경하는 경우.

　　　[예외] 2)부터 6)까지 및 9)부터 12)까지의 규정에 해당하는 특정소방대상물로 용도변경하는 경우 해당 규정에 따라 스프링클러설비 설치

2) 기숙사(교육연구시설·수련시설 내에 있는 학생 수용을 위한 것) 또는 복합건축물로서 연면적 5천㎡ 이상인 경우 모든 층

3) 문화 및 집회시설(동·식물원은 제외한다), 종교시설(주요구조부가 목조인 것은 제외), 운동시설(물놀이형 시설 및 바닥이 불연재료이고 관람석이 없는 운동시설은 제외)로서 다음에 해당하는 경우 모든 층

　　가) 수용인원이 100명 이상인 것

　　나) 영화상영관의 용도로 쓰이는 층의 바닥면적이 지하층 또는 무창층인 경우에는 500㎡ 이상, 그 밖의 층의 경우에는 1,000㎡ 이상인 것

　　다) 무대부가 지하층·무창층 또는 4층 이상의 층에 있는 경우에는 무대부의 면적이 300㎡ 이상인 것

　　라) 무대부가 다) 외의 층에 있는 경우에는 무대부의 면적이 500㎡ 이상인 것

4) 판매시설, 운수시설 및 창고시설(물류터미널로 한정)로서 바닥면적의 합계가 5천㎡ 이상이거나 수용인원이 500명 이상인 경우 모든 층

5) 다음에 해당하는 용도로 사용되는 시설의 바닥면적의 합계가 600㎡ 이상인 것은 모든 층

건축관계법

국토계획법

주차장법

주 택 법

도시및주거
환경정비법

건축사법

장애인시설법

소방시설법

서울시조례

가) 의료시설 중 정신의료기관

나) 의료시설 중 종합병원, 병원, 치과병원, 한방병원 및 요양병원

다) 노유자시설

라) 숙박이 가능한 수련시설

바) 숙박시설

6) 창고시설(물류터미널은 제외)로서 바닥면적 합계가 5천㎡ 이상인 경우 모든 층

7) 특정소방대상물의 지하층·무창층(축사는 제외) 또는 층수가 4층 이상인 층으로서 바닥면적이 1,000㎡ 이상인 층이 있는 경우에는 해당 층

8) 랙식 창고(rack warehouse): 랙(물건을 수납할 수 있는 선반이나 이와 비슷한 것. 이하 같다)을 갖춘 것으로서 천장 또는 반자(반자가 없는 경우 지붕의 옥내에 면하는 부분)의 높이가 10m를 초과하고, 랙이 설치된 층의 바닥면적의 합계가 1,500㎡ 이상인 경우 모든 층

9) 공장 또는 창고시설로서 다음의 시설

가) 「화재의 예방 및 안전관리에 관한 법률 시행령」 별표 2에서 정하는 수량의 1,000 배 이상의 특수가연물을 저장·취급하는 시설

나) 「원자력안전법 시행령」 제2조제1호에 따른 중·저준위방사성폐기물(이하 "중·저준위방사성폐기물")의 저장시설 중 소화수를 수집·처리하는 설비가 있는 저장시설

10) 지붕 또는 외벽이 불연재료가 아니거나 내화구조가 아닌 공장 또는 창고시설로서 다음에 해당하는 것

가) 창고시설(물류터미널로 한정) 중 4)에 해당하지 않는 것으로서 바닥면적의 합계가 2,500㎡ 이상이거나 수용인원이 250명 이상인 경우 모든 층

나) 창고시설(물류터미널은 제외) 중 6)에 해당하지 않는 것으로서 바닥면적의 합계가 2,500㎡ 이상인 경우에는 모든 층

1. 소화설비

다) 공장 또는 창고시설 중 7)에 해당하지 않는 것으로서 지하층·무창층 또는 층수가 4층 이상인 것 중 바닥면적이 500㎡ 이상인 경우 모든 층

라) 랙식 창고 중 8)에 해당하지 않는 것으로서 바닥면적의 합계가 750㎡ 이상인 경우 모든 층

마) 공장 또는 창고시설 중 9)가)에 해당하지 않는 것으로서 「화재의 예방 및 안전관리에 관한 법률 시행령」 별표 2에서 정하는 수량의 500배 이상의 특수가연물을 저장·취급하는 시설

11) 교정 및 군사시설 중 다음에 해당하는 경우 해당 장소

가) 보호감호소, 교도소, 구치소 및 그 지소, 보호관찰소, 갱생보호시설, 치료감호시설, 소년원 및 소년분류심사원의 수용거실

나) 「출입국관리법」 제52조제2항에 따른 보호시설(외국인보호소의 경우 보호대상자의 생활공간으로 한정. 이하 같다)로 사용하는 부분

　　예외　보호시설이 임차건물에 있는 경우는 제외

다) 「경찰관 직무집행법」 제9조에 따른 유치장

12) 지하가(터널은 제외)로서 연면적 1,000㎡ 이상인 것

13) 발전시설 중 전기저장시설

14) 1)부터 13)까지의 특정소방대상물에 부속된 보일러실 또는 연결통로 등

마. 간이스프링클러설비를 설치하여야 하는 특정소방대상물

1) 공동주택 중 연립주택 및 다세대주택(연립주택 및 다세대주택에 설치하는 간이스프링클러설비는 화재안전기준에 따른 주택전용 간이스프링클러설비를 설치)

2) 근린생활시설 중 다음에 해당하는 것

가) 근린생활시설로 사용하는 부분의 바닥면적 합계가 1,000㎡ 이상인 것은 모든 층

나) 의원, 치과의원 및 한의원으로서 입원실이 있는 시설

건축관계법

국토계획법

주차장법

주 택 법

도시및주거
환경정비법

건축사법

장애인시설법

소방시설법

서울시조례

다) 조산원 및 산후조리원으로서 연면적 600㎡ 미만인 시설

3) 의료시설 중 다음에 해당하는 시설

가) 종합병원, 병원, 치과병원, 한방병원 및 요양병원(의료재활시설은 제외)으로 사용되는 바닥면적의 합계가 600㎡ 미만인 시설

나) 정신의료기관 또는 의료재활시설로 사용되는 바닥면적의 합계가 300㎡ 이상 600㎡ 미만인 시설

다) 정신의료기관 또는 의료재활시설로 사용되는 바닥면적의 합계가 300㎡ 미만이고, 창살(철재·플라스틱 또는 목재 등으로 사람의 탈출 등을 막기 위하여 설치한 것을 말하며, 화재 시 자동으로 열리는 구조로 되어 있는 창살은 제외)이 설치된 시설

4) 교육연구시설 내에 합숙소로서 연면적 100㎡ 이상인 경우에는 모든 층

5) 노유자시설로서 다음에 해당하는 시설

가) 제7조제1항제7호 각 목에 따른 시설[같은 호 가목2) 및 같은 호 나목부터 바목까지의 시설 중 단독주택 또는 공동주택에 설치되는 시설은 제외하며, 이하 "노유자 생활시설")

나) 가)에 해당하지 않는 노유자 시설로 해당 시설로 사용하는 바닥면적의 합계가 300㎡ 이상 600㎡ 미만인 시설

다) 가)에 해당하지 않는 노유자시설로 해당 시설로 사용하는 바닥면적의 합계가 300㎡ 미만이고, 창살(철재·플라스틱 또는 목재 등으로 사람의 탈출 등을 막기 위하여 설치한 것을 말하며, 화재 시 자동으로 열리는 구조로 되어 있는 창살은 제외)이 설치된 시설

6) 숙박시설로 사용되는 바닥면적의 합계가 300㎡ 이상 600㎡ 미만인 시설

7) 건물을 임차하여 「출입국관리법」 제52조제2항에 따른 보호시설로 사용하는 부분

8) 복합건축물(별표 2 제30호나목의 복합건축물만 해당)로서 연면적 1,000㎡ 이상인 것은 모든 층

1. 소화설비

바. 물분무등소화설비를 설치하여야 하는 특정소방대상물

[예외] 위험물 저장 및 처리 시설 중 가스시설 또는 지하구는 제외

1) 항공기 및 자동차 관련 시설 중 항공기 격납고

2) 차고, 주차용 건축물 또는 철골 조립식 주차시설. 이 경우 연면적 800㎡ 이상인 것만 해당

3) 건축물의 내부에 설치된 차고·주차장으로서 차고 또는 주차의 용도로 사용되는 면적이 200㎡ 이상인 경우 해당 부분(50세대 미만 연립주택 및 다세대주택은 제외)

4) 기계장치에 의한 주차시설을 이용하여 20대 이상의 차량을 주차할 수 있는 시설

5) 특정소방대상물에 설치된 전기실·발전실·변전실(가연성 절연유를 사용하지 않는 변압기·전류차단 등의 전기기기와 가연성 피복을 사용하지 않은 전선 및 케이블만을 설치한 전기실·발전실 및 변전실은 제외)·축전지실·통신기기실 또는 전산실, 그 밖에 이와 비슷한 것으로서 바닥면적이 300㎡ 이상인 것[하나의 방화구획 내에 둘 이상의 실(室)이 설치되어 있는 경우 이를 하나의 실로 보아 바닥면적을 산정] [예외] 내화구조로 된 공정제어실 내에 설치된 주조정실로서 양압시설(외부 오염 공기 침투를 차단하고 내부의 나쁜 공기가 자연스럽게 외부로 흐를 수 있도록 한 시설)이 설치되고 전기기기에 220V 이하인 저전압이 사용되며 종업원이 24시간 상주하는 곳은 제외

6) 소화수를 수집·처리하는 설비가 설치되어 있지 않은 중·저준위방사성폐기물의 저장시설. ▶ 이산화탄소소화설비, 할론소화설비 또는 할로겐화합물 및 불활성기체 소화설비를 설치

7) 지하가 중 예상 교통량, 경사도 등 터널의 특성을 고려하여 물분무소화설비를 설치해야 하는 터널 ▶ 물분무소화설비를 설치

8) 문화재 중 「문화재보호법」에 따른 지정문화재로서 소방청장이 문화재청장과 협의하여 정하는 것

사. 옥외소화전설비를 설치하여야 하는 특정소방대상물

[예외] 아파트등, 위험물 저장 및 처리 시설 중 가스시설, 지하구 또는 지하가 중 터널은 제외

1) 지상 1층 및 2층의 바닥면적의 합계가 9,000㎡ 이상인 것.
※ 이 경우 같은 구(區) 내의 둘 이상의 특정소방대상물이 행정안전부령으로 정하는 연소(延燒) 우려가 있는 구조인 경우[㉠ 건축물대장의 건축물 현황도에 표시된 대지경계선 안에 둘 이상의 건축물이 있는 경우 ㉡ 각각의 건축물이 다른 건축물의 외벽으로부터 수평거리가 1층의 경우에는 6m 이하, 2층 이상의 층의 경우에는 10m 이하인 경우 ㉢ 개구부가 다른 건축물을 향하여 설치되어 있는 경우] 이를 하나의 특정소방대상물로 본다.
2) 문화재 중 「문화재보호법」에 따라 보물 또는 국보로 지정된 목조건축물
3) 1)에 해당하지 않는 공장 또는 창고시설로서 「화재의 예방 및 안전관리에 관한 법률 시행령」 별표 2에서 정하는 수량의 750배 이상의 특수가연물을 저장·취급하는 것

소방시설의 종 류	소방시설 적용기준
	가. 단독경보형 감지기를 설치해야 하는 특정소방대상물 1) 교육연구시설 내에 있는 기숙사 또는 합숙소로서 연면적 2,000㎡ 미만인 것 2) 수련시설 내에 있는 기숙사 또는 합숙소로서 연면적 2,000㎡ 미만인 것 3) 다목7)에 해당하지 않는 수련시설(숙박시설이 있는 것만 해당) 4) 연면적 400㎡ 미만의 유치원 5) 공동주택 중 연립주택 및 다세대주택(연동형 감지기로 설치)
	나. 비상경보설비를 설치해야 하는 특정소방대상물 예외 모래·석재 등 불연재료 공장 및 창고시설, 위험물 저장 및 처리 시설 중 가스시설, 사람이 거주하지 않거나 벽이 없는 축사 등 동물 및 식물 관련 시설 및 지하구는 제외 1) 연면적 400㎡ 이상인 것은 모든 층 2) 지하층 또는 무창층의 바닥면적이 150㎡(공연장의 경우 100㎡) 이상인 것은 모든 층 3) 지하가 중 터널로서 길이가 500m 이상인 것 4) 50명 이상의 근로자가 작업하는 옥내 작업장
2. 경보설비	**다. 자동화재탐지설비를 설치해야 하는 특정소방대상물** 1) 공동주택 중 아파트등·기숙사 및 숙박시설의 경우에는 모든 층 2) 층수가 6층 이상인 건축물의 경우에는 모든 층 3) 근린생활시설(목욕장은 제외), 의료시설(정신의료기관 및 요양병원은 제외), 위락시설, 장례시설 및 복합건축물로서 연면적 600㎡ 이상인 경우에는 모든 층 4) 근린생활시설 중 목욕장, 문화 및 집회시설, 종교시설, 판매시설, 운수시설, 운동시설, 업무시설, 공장, 창고시설, 위험물 저장 및 처리 시설, 항공기 및 자동차 관련 시설, 교정 및 군사시설 중 국방·군사시설, 방송통신시설, 발전시설, 관광 휴게시설, 지하가(터널은 제외)로서 연면적 1,000㎡ 이상인 경우에는 모든 층 5) 교육연구시설(교육시설 내에 있는 기숙사 및 합숙소 포함), 수련시설(수련시설 내에 있는 기숙사 및 합숙소를 포함하며, 숙박시설이 있는 수련시설은 제외), 동물 및 식물 관련 시설(기둥과 지붕만으로 구성되어 외부와 기류가 통하는 장소는 제외), 자원순환 관련 시설, 교정 및 군사시설(국방·군사시설은 제외) 또는 묘지 관련 시설로서 연면적 2,000㎡ 이상인 경우 모든 층 6) 노유자 생활시설의 경우에는 모든 층 7) 6)에 해당하지 않는 노유자 시설로서 연면적 400㎡ 이상인 노유자 시설 및 숙박시설이 있는 수련시설로서 수용인원 100명 이상인 경우 모든 층 8) 의료시설 중 정신의료기관 또는 요양병원으로서 다음에 해당하는 시설 　가) 요양병원(의료재활시설은 제외) 　나) 정신의료기관 또는 의료재활시설로 사용되는 바닥면적의 합계가 300㎡ 이상인 시설 　다) 정신의료기관 또는 의료재활시설로 사용되는 바닥면적의 합계가 300㎡ 미만이고, 창살(철재·플라스틱 또는 목재 등으로 사람의 탈출 등을 막기 위하여 설치한 것을 말하며, 화

건축관계법

국토계획법

주차장법

주 택 법

도시및주거
환경정비법

건축사법

장애인시설법

소방시설법

서울시조례

건축관계법

재 시 자동으로 열리는 구조로 되어 있는 창살은 제외)이 설치된 시설

9) 판매시설 중 전통시장

10) 지하가 중 터널로서 길이가 1,000m 이상인 것

11) 지하구

12) 3)에 해당하지 않는 근린생활시설 중 조산원 및 산후조리원

13) 4)에 해당하지 않는 공장 및 창고시설로서 「화재의 예방 및 안전관리에 관한 법률 시행령」 별표 2에서 정하는 수량의 500배 이상의 특수가연물을 저장ㆍ취급하는 것

14) 4)에 해당하지 않는 발전시설 중 전기저장시설

라. 시각경보기를 설치해야 하는 특정소방대상물

※ 다목 자동화재탐지설비를 설치해야 하는 특정소방대상물 중 다음에 해당하는 것

    1) 근린생활시설, 문화 및 집회시설, 종교시설, 판매시설, 운수시설, 의료시설, 노유자 시설

    2) 운동시설, 업무시설, 숙박시설, 위락시설, 창고시설 중 물류터미널, 발전시설 및 장례시설

    3) 교육연구시설 중 도서관, 방송통신시설 중 방송국

    4) 지하가 중 지하상가

마. 화재알림설비를 설치해야 하는 특정소방대상물: 판매시설 중 전통시장

바. 비상방송설비를 설치해야 하는 특정소방대상물

   예외 위험물 저장 및 처리 시설 중 가스시설, 사람이 거주하지 않거나 벽이 없는 축사 등 동물 및 식물 관련 시설, 지하가 중 터널 및 지하구는 제외

    1) 연면적 3,500㎡ 이상인 것은 모든 층

    2) 지하층을 제외한 층수가 11층 이상인 것은 모든 층

    3) 지하층의 층수가 3층 이상인 것은 모든 층

2. 경보설비

사. 자동화재속보설비를 설치해야 하는 특정소방대상물

   예외 방재실 등 화재 수신기가 설치된 장소에 24시간 화재를 감시할 수 있는 사람이 근무하고 있는 경우 자동화재속보설비를 설치하지 않을 수 있다.

    1) 노유자 생활시설

    2) 노유자 시설로서 바닥면적이 500㎡ 이상인 층이 있는 것

    3) 수련시설(숙박시설이 있는 것만 해당)로서 바닥면적이 500㎡ 이상인 층이 있는 것

    4) 문화재 중 「문화재보호법」에 따라 보물 또는 국보로 지정된 목조건축물

    5) 근린생활시설 중 다음의 어느 하나에 해당하는 시설

      가) 의원, 치과의원 및 한의원으로서 입원실이 있는 시설

      나) 조산원 및 산후조리원

    6) 의료시설 중 다음의 어느 하나에 해당하는 것

      가) 종합병원, 병원, 치과병원, 한방병원 및 요양병원(의료재활시설은 제외)

      나) 정신병원 및 의료재활시설로 사용되는 바닥면적의 합계가 500㎡ 이상인 층이 있는 것

    7) 판매시설 중 전통시장

아. 통합감시시설을 설치해야 하는 특정소방대상물: 지하구

자. 누전경보기

   계약전류용량(같은 건축물에 계약 종류가 다른 전기가 공급되는 경우 그 중 최대계약전류용량)이 100A를 초과하는 특정소방대상물(내화구조가 아닌 건축물로서 벽ㆍ바닥 또는 반자의 전부나 일부를 불연재료 또는 준불연재료가 아닌 재료에 철망을 넣어 만든 것만 해당)에 설치

   예외 위험물 저장 및 처리 시설 중 가스시설, 지하가 중 터널 및 지하구의 경우 그렇지 않다.

차. 가스누설경보기를 설치해야 하는 특정소방대상물(가스시설이 설치된 경우만 해당)

    1) 문화 및 집회시설, 종교시설, 판매시설, 운수시설, 의료시설, 노유자 시설

    2) 수련시설, 운동시설, 숙박시설, 창고시설 중 물류터미널, 장례시설

국토계획법

주차장법

주 택 법

도시및주거
환경정비법

건축사법

장애인시설법

소방시설법

서울시조례

건축관계법

국토계획법

주차장법

주 택 법

도시및주거
환경정비법

건축사법

장애인시설법

소방시설법

서울시조례

소방시설의 종 류	소방시설 적용기준
3. 피난구조 설비	가. 피난기구: 특정소방대상물의 모든 층에 화재안전기준에 적합한 것으로 설치해야 한다. 　예외　피난층, 지상 1층, 지상 2층(노유자시설 중 피난층이 아닌 지상 1층과 피난층이 　　아닌 지상 2층은 제외) 및 층수가 11층 이상인 층과 위험물 저장 및 처리시설 　　중 가스시설, 지하가 중 터널 또는 지하구의 경우 그렇지 않다. 나. 인명구조기구를 설치해야 하는 특정소방대상물 　1) 방열복 또는 방화복(안전모, 보호장갑 및 안전화를 포함한다), 인공소생기 및 공기호흡기를 설 　치해야 하는 특정소방대상물: 지하층을 포함하는 층수가 7층 이상인 것 중 관광호텔 용도로 　사용하는 층 　2) 방열복 또는 방화복(안전모, 보호장갑 및 안전화를 포함한다) 및 공기호흡기를 설치해야 하는 　특정소방대상물: 지하층을 포함하는 층수가 5층 이상인 것 중 병원 용도로 사용하는 층 　3) 공기호흡기를 설치해야 하는 특정소방대상물은 다음의 어느 하나에 해당하는 것으로 한다. 　　가) 수용인원 100명 이상인 문화 및 집회시설 중 영화상영관 　　나) 판매시설 중 대규모점포 　　다) 운수시설 중 지하역사 　　라) 지하가 중 지하상가 　　마) 제1호바목 및 화재안전기준에 따라 이산화탄소소화설비(호스릴이산화탄소소화설비는 제 　　외)를 설치해야 하는 특정소방대상물 다. 유도등을 설치해야 하는 특정소방대상물 　1) 피난구유도등, 통로유도등 및 유도표지는 특정소방대상물에 설치 　　예외　다음에 해당하는 경우는 제외 　　가) 동물 및 식물 관련 시설 중 축사로서 가축을 직접 가두어 사육하는 부분 　　나) 지하가 중 터널 　2) 객석유도등 　　가) 유흥주점영업시설(「식품위생법 시행령」의 유흥주점영업 중 손님이 춤을 출 수 　　있는 무대가 설치된 카바레, 나이트클럽 또는 그 밖에 이와 비슷한 영업시설만 해당) 　　나) 문화 및 집회시설 　　다) 종교시설 　　라) 운동시설 라. 비상조명등을 설치해야 하는 특정소방대상물 　예외　창고시설 중 창고 및 하역장, 위험물 저장 및 처리 시설 중 가스시설 및 사람이 거주하지 않거나 벽이 없는 축사 등 동물 및 식물 관련 시설은 제외 　1) 지하층을 포함하는 층수가 5층 이상인 건축물로서 연면적 3,000㎡ 이상인 경우 모든 층 　2) 1)에 해당하지 않는 특정소방대상물로서 그 지하층 또는 무창층의 바닥면적이 450㎡ 이상인 　경우 해당 층 　3) 지하가 중 터널로서 그 길이가 500m 이상인 것 마. 휴대용 비상조명등을 설치해야 하는 특정소방대상물 　1) 숙박시설 　2) 수용인원 100명 이상의 영화상영관, 판매시설 중 대규모점포, 철도 및 도시철도 시설　　중 　지하역사, 지하가 중 지하상가

소방시설의 종　　류	소방시설 적용기준
4. 소화용수 설비	상수도소화용수설비를 설치하여야 하는 특정소방대상물 ※ 상수도소화용수설비를 설치하여야 하는 특정소방대상물의 대지 경계선으로부터 180m 이내에 지름 75㎜ 이상인 상수도용 배수관이 설치되지 않은 지역의 경우: 화재안전기준에 따른 소화수조 또는 저수조를 설치해야 한다. 가. 연면적 5,000㎡ 이상인 것 　예외 위험물 저장 및 처리 시설 중 가스시설, 지하가 중 터널 또는 지하구 제외 나. 가스시설로서 지상에 노출된 탱크의 저장용량의 합계가 100톤 이상인 것

소방시설의 종　　류	소방시설 적용기준
5. 소화활동 설비	가. 제연설비를 설치하여야 하는 특정소방대상물 1) 문화 및 집회시설, 종교시설, 운동시설 중 무대부의 바닥면적이 200㎡ 이상인 경우에는 해당 무대부 2) 문화 및 집회시설 중 영화상영관으로서 수용인원 100명 이상인 경우에는 해당 영화상영관 3) 지하층이나 무창층에 설치된 근린생활시설, 판매시설, 운수시설, 숙박시설, 위락시설, 의료시설, 노유자 시설 또는 창고시설(물류터미널로 한정한다)로서 해당 용도로 사용되는 바닥면적의 합계가 1,000㎡ 이상인 경우 해당 부분 4) 운수시설 중 시외버스정류장, 철도 및 도시철도 시설, 공항시설 및 항만시설의 대기실 또는 휴게시설로서 지하층 또는 무창층의 바닥면적이 1,000㎡ 이상인 경우에는 모든 층 5) 지하가(터널은 제외한다)로서 연면적 1,000㎡ 이상인 것 6) 지하가 중 예상 교통량, 경사도 등 터널의 특성을 고려하여 제연설비를 설치해야 하는 터널 7) 특정소방대상물(갓복도형 아파트등은 제외한다)에 부설된 특별피난계단, 비상용 승강기의 승강장 또는 피난용 승강기의 승강장 나. 연결송수관설비를 설치하여야 하는 특정소방대상물 　예외 위험물 저장 및 처리 시설 중 가스시설 및 지하구는 제외 1) 층수가 5층 이상으로서 연면적 6,000㎡ 이상인 경우 모든 층 2) 1)에 해당하지 않는 특정소방대상물로서 지하층을 포함하는 층수가 7층 이상인 경우 모든 층 3) 1) 및 2)에 해당하지 않는 특정소방대상물로서 지하층의 층수가 3층 이상이고 지하층의 바닥면적의 합계가 1,000㎡ 이상인 경우 모든 층 4) 지하가 중 터널로서 길이가 1,000m 이상인 것 다. 연결살수설비를 설치하여야 하는 특정소방대상물　예외 지하구는 제외 1) 판매시설, 운수시설, 창고시설 중 물류터미널로서 해당 용도로 사용되는 부분의 바닥면적의 합계가 1,000㎡ 이상인 경우 해당 시설 2) 지하층(피난층으로 주된 출입구가 도로와 접한 경우는 제외한다)으로서 바닥면적의 합계가 150㎡ 이상인 경우 지하층의 모든 층. 예외 「주택법 시행령」에 따른 국민주택규모 이하인 아파트등의 지하층(대피시설로 사용하는 것만 해당)과 교육연구시설 중 학교의 지하층의 경우 700㎡ 이상인 것으로 한다. 3) 가스시설 중 지상에 노출된 탱크의 용량이 30톤 이상인 탱크시설 4) 1) 및 2)의 특정소방대상물에 부속된 연결통로 라. 비상콘센트설비를 설치하여야 하는 특정소방대상물 　예외 위험물 저장 및 처리 시설 중 가스시설 및 지하구는 제외 1) 층수가 11층 이상인 특정소방대상물의 경우에는 11층 이상의 층 2) 지하층의 층수가 3층 이상이고 지하층의 바닥면적의 합계가 1,000㎡ 이상인 것은 지하층의 모든 층 3) 지하가 중 터널로서 길이가 500m 이상인 것

건축관계법

국토계획법

주차장법

주 택 법

도시및주거
환경정비법

건축사법

장애인시설법

소방시설법

서울시조례

| 5. 소 화 활 동
설비 | 마. 무선통신보조설비를 설치하여야 하는 특정소방대상물
예외 위험물 저장 및 처리 시설 중 가스시설은 제외
  1) 지하가(터널은 제외한다)로서 연면적 1,000㎡ 이상인 것
  2) 지하층의 바닥면적의 합계가 3,000㎡ 이상인 것 또는 지하층의 층수가 3층 이상이고 지하층의
    바닥면적의 합계가 1,000㎡ 이상인 것은 지하층의 모든 층
  3) 지하가 중 터널로서 길이가 500m 이상인 것
  4) 지하구 중 공동구
  5) 층수가 30층 이상인 것으로서 16층 이상 부분의 모든 층 |
| | 바. 연소방지설비
    지하구(전력 또는 통신사업용인 것만 해당)에 설치 |

비고

1. [별표 2] 【1】 ~ 【27】 중 어느 하나에 해당하는 시설(이하 이 표에서 "근린생활시설등")의 소방시설 설치기준이 복합
건축물의 소방시설 설치기준보다 강화된 경우 복합건축물 안에 있는 해당 근린생활시설등에 대해서는 그 근린생활시설
등의 소방시설 설치기준을 적용한다.
2. 원자력발전소 중 원자로 및 관계시설에 설치하는 소방시설에 대해서는 「원자력안전법」 에 따른 허가기준에 따라 설
치한다.
3. 특정소방대상물의 관계인은 내진설계 대상 특정소방대상물 및 성능위주설계 대상 특정소방대상물에 설치·관리해야 하
는 소방시설에 대해서는 소방시설의 내진설계기준 및 성능위주설계의 기준에 맞게 설치·관리해야 한다.

③ 소방시설정보관리시스템 구축·운영 대상 등 (영
제12조)

(1) 소방청장, 소방본부장 또는 소방서장은 소방시설의 작동정보 등을 실시간으로 수집·분석할 수 있는 시스
템(이하 "소방시설정보관리시스템")을 구축·운영할 수 있다.

(2) 소방시설정보관리시스템의 구축·운영 대상
  ① 「화재의 예방 및 안전관리에 관한 법률」 에 따른 소방안전관리대상물 중 다음의 특정소방
    대상물로 한다.

1. 문화 및 집회시설	2. 종교시설	3. 판매시설	4. 의료시설	5. 노유자 시설
6. 숙박이 가능한 수련시설	7. 업무시설	8. 숙박시설	9. 공장	10. 창고시설
11. 위험물 저장 및 처리 시설	12. 지하가(地下街)	13. 지하구		
14. 그 밖에 소방청장, 소방본부장 또는 소방서장이 소방안전관리의 취약성과 화재위험성을 고려하 여 필요하다고 인정하는 특정소방대상물				

  ② 관계인은 소방청장, 소방본부장 또는 소방서장이 소방시설정보관리시스템을 구축·운영하려
    는 경우 특별한 사정이 없으면 이에 협조해야 한다.

(3) 소방청장, 소방본부장 또는 소방서장은 작동정보를 해당 특정소방대상물의 관계인에게 통보하
여야 한다.

④ 소방시설정보관리시스템 운영방법 및 통보 절차 등 (규칙
제15조)

(1) 소방청장, 소방본부장 또는 소방서장은 소방시설정보관리시스템으로 수집되는 소방시설의 작동
정보 등을 분석하여 해당 특정소방대상물의 관계인에게 해당 소방시설의 정상적인 작동에 필요
한 사항과 관리 방법 등 개선사항에 관한 정보를 제공할 수 있다.

(2) 소방청장, 소방본부장 또는 소방서장은 소방시설정보관리시스템을 통하여 소방시설의 고장 등 비정상적인 작동정보를 수집한 경우 해당 특정소방대상물의 관계인에게 그 사실을 알려주어야 한다.

(3) 소방청장, 소방본부장 또는 소방서장은 소방시설정보관리시스템의 체계적·효율적·전문적인 운영을 위해 전담인력을 둘 수 있다.

(4) (1)~(3) 외에 소방시설정보관리시스템의 운영방법 및 통보 절차 등에 관하여 필요한 세부 사항은 소방청장이 정한다.

6 소방시설기준 적용의 특례 (법 제13조) (영 제13조 ~ 제15조)

1 강화된 소방시설기준의 적용 (영 제13조)

(1) 변경전 기준의 적용

소방본부장이나 소방서장은 대통령령 또는 화재안전기준이 변경되어 그 기준이 강화되는 경우 기존의 특정소방대상물(건축물의 신축·개축·재축·이전 및 대수선 중인 특정소방대상물을 포함)의 소방시설에 대하여는 변경 전의 대통령령 또는 화재안전기준을 적용한다.

(2) 강화된 기준의 적용

다음에 해당하는 소방시설의 경우 대통령령 또는 화재안전기준의 변경으로 강화된 기준을 적용할 수 있다.

1. 소화기구·비상경보설비·자동화재탐지설비·자동화재속보설비 및 피난구조설비

2. 다음의 특정소방대상물에 설치하는 오른쪽 란의 소방시설

㉠ 「국토의 계획 및 이용에 관한 법률」에 따른 공동구	소화기, 자동소화장치, 자동화재탐지설비, 통합감시시설, 유도등 및 연소방지설비
㉡ 전력 또는 통신사업용 지하구	소화기, 자동소화장치, 자동화재탐지설비, 통합감시시설, 유도등 및 연소방지설비
㉢ 노유자(老幼者) 시설	간이스프링클러설비, 자동화재탐지설비 및 단독경보형 감지기
㉣ 의료시설	스프링클러설비, 간이스프링클러설비, 자동화재탐지설비 및 자동화재속보설비

2 유사한 소방시설의 설치 면제의 기준 (영 제14조)

소방본부장 또는 소방서장은 특정소방대상물에 설치하여야 하는 소방시설 가운데 기능과 성능이 유사한 물분무소화설비·간이스프링클러설비·비상경보설비 및 비상방송설비 등의 소방시설 경우 다음의 기준(시행령-[별표 5])에 따라 그 설치를 면제할 수 있다.

건축관계법

국토계획법

주차장법

주 택 법

도시및주거
환경정비법

건축사법

장애인시설법

소방시설법

서울시조례

설치가 면제되는 소방시설	설치가 면제되는 기준
1. 자동소화장치	자동소화장치(주거용 주방자동소화장치 및 상업용 주방자동소화장치는 제외)를 설치해야 하는 특정소방대상물에 물분무등소화설비를 화재안전기준에 적합하게 설치한 경우에는 그 설비의 유효범위(해당 소방시설이 화재를 감지·소화 또는 경보할 수 있는 부분을 말한다. 이하 같다)에서 설치가 면제된다.
2. 옥내소화전설비	소방본부장 또는 소방서장이 옥내소화전설비의 설치가 곤란하다고 인정하는 경우로서 호스릴 방식의 미분무소화설비 또는 옥외소화전설비를 화재안전기준에 적합하게 설치한 경우에는 그 설비의 유효범위에서 설치가 면제된다.
3. 스프링클러설비	가. 스프링클러설비를 설치해야 하는 특정소방대상물(발전시설 중 전기저장시설은 제외한다)에 적응성 있는 자동소화장치 또는 물분무등소화설비를 화재안전기준에 적합하게 설치한 경우에는 그 설비의 유효범위에서 설치가 면제된다. 나. 스프링클러설비를 설치해야 하는 전기저장시설에 소화설비를 소방청장이 정하여 고시하는 방법에 따라 설치한 경우에는 그 설비의 유효범위에서 설치가 면제된다.
4. 간이스프링클러설비	간이스프링클러설비를 설치해야 하는 특정소방대상물에 스프링클러설비, 물분무소화설비 또는 미분무소화설비를 화재안전기준에 적합하게 설치한 경우에는 그 설비의 유효범위에서 설치가 면제된다.
5. 물분무등소화설비	물분무등소화설비를 설치해야 하는 차고·주차장에 스프링클러설비를 화재안전기준에 적합하게 설치한 경우에는 그 설비의 유효범위에서 설치가 면제된다.
6. 옥외소화전설비	옥외소화전설비를 설치해야 하는 문화재인 목조건축물에 상수도소화용수설비를 화재안전기준에서 정하는 방수압력·방수량·옥외소화전함 및 호스의 기준에 적합하게 설치한 경우에는 설치가 면제된다.
7. 비상경보설비	비상경보설비를 설치해야 할 특정소방대상물에 단독경보형 감지기를 2개 이상의 단독경보형 감지기와 연동하여 설치한 경우에는 그 설비의 유효범위에서 설치가 면제된다.
8. 비상경보설비 또는 단독경보형 감지기	비상경보설비 또는 단독경보형 감지기를 설치해야 하는 특정소방대상물에 자동화재탐지설비 또는 화재알림설비를 화재안전기준에 적합하게 설치한 경우에는 그 설비의 유효범위에서 설치가 면제된다.
9. 자동화재탐지설비	자동화재탐지설비의 기능(감지·수신·경보기능을 말한다)과 성능을 가진 화재알림설비, 스프링클러설비 또는 물분무등소화설비를 화재안전기준에 적합하게 설치한 경우에는 그 설비의 유효범위에서 설치가 면제된다.
10. 화재알림설비	화재알림설비를 설치해야 하는 특정소방대상물에 자동화재탐지설비를 화재안전기준에 적합하게 설치한 경우에는 그 설비의 유효범위에서 설치가 면제된다.
11. 비상방송설비	비상방송설비를 설치해야 하는 특정소방대상물에 자동화재탐지설비 또는 비상경보설비와 같은 수준 이상의 음향을 발하는 장치를 부설한 방송설비를 화재안전기준에 적합하게 설치한 경우에는 그 설비의 유효범위에서 설치가 면제된다.
12. 자동화재속보설비	자동화재속보설비를 설치해야 하는 특정소방대상물에 화재알림설비를 화재안전기준에 적합하게 설치한 경우에는 그 설비의 유효범위에서 설치가 면제된다.
13. 누전경보기	누전경보기를 설치해야 하는 특정소방대상물 또는 그 부분에 아크경보기(옥내 배전선로의 단선이나 선로 손상 등으로 인하여 발생하는 아크를 감지하고 경보하는 장치를 말한다) 또는 전기 관련 법령에 따른 지락차단장치를 설치한 경우에는 그 설비의 유효범위에서 설치가 면제된다.
14. 피난구조설비	피난구조설비를 설치해야 하는 특정소방대상물에 그 위치·구조 또는 설비의 상황에 따라 피난상 지장이 없다고 인정되는 경우에는 화재안전기준에서 정하는 바에 따라 설치가 면제된다.

건축관계법

국토계획법

주차장법

주 택 법

도시및주거환경정비법

건 축 사 법

장애인시설법

소방시설법

서울시조례

15. 비상조명등	비상조명등을 설치해야 하는 특정소방대상물에 피난구유도등 또는 통로유도등을 화재안전기준에 적합하게 설치한 경우에는 그 유도등의 유효범위에서 설치가 면제된다.
16. 상수도소화용수 설비	가. 상수도소화용수설비를 설치해야 하는 특정소방대상물의 각 부분으로부터 수평거리 140m 이내에 공공의 소방을 위한 소화전이 화재안전기준에 적합하게 설치되어 있는 경우에는 설치가 면제된다. 나. 소방본부장 또는 소방서장이 상수도소화용수설비의 설치가 곤란하다고 인정하는 경우로서 화재안전기준에 적합한 소화수조 또는 저수조가 설치되어 있거나 이를 설치하는 경우에는 그 설비의 유효범위에서 설치가 면제된다.
17. 제연설비	가. 제연설비를 설치해야 하는 특정소방대상물[별표 4 제5호가목6)은 제외한다]에 다음의 어느 하나에 해당하는 설비를 설치한 경우에는 설치가 면제된다. 　1) 공기조화설비를 화재안전기준의 제연설비기준에 적합하게 설치하고 공기조화설비가 화재 시 제연설비기능으로 자동전환되는 구조로 설치되어 있는 경우 　2) 직접 외부 공기와 통하는 배출구의 면적의 합계가 해당 제연구역[제연경계(제연설비의 일부인 천장을 포함한다)에 의하여 구획된 건축물 내의 공간을 말한다] 바닥면적의 100분의 1 이상이고, 배출구부터 각 부분까지의 수평거리가 30m 이내이며, 공기유입구가 화재안전기준에 적합하게(외부 공기를 직접 자연 유입할 경우에 유입구의 크기는 배출구의 크기 이상이어야 한다) 설치되어 있는 경우 나. 별표 4 제5호가목6)에 따라 제연설비를 설치해야 하는 특정소방대상물 중 노대(露臺)와 연결된 특별피난계단, 노대가 설치된 비상용 승강기의 승강장 또는 「건축법 시행령」 제91조제5호의 기준에 따라 배연설비가 설치된 피난용 승강기의 승강장에는 설치가 면제된다.
18. 연결송수관설비	연결송수관설비를 설치해야 하는 소방대상물에 옥외에 연결송수구 및 옥내에 방수구가 부설된 옥내소화전설비, 스프링클러설비, 간이스프링클러설비 또는 연결살수설비를 화재안전기준에 적합하게 설치한 경우에는 그 설비의 유효범위에서 설치가 면제된다. 다만, 지표면에서 최상층 방수구의 높이가 70m 이상인 경우에는 설치해야 한다.
19. 연결살수설비	가. 연결살수설비를 설치해야 하는 특정소방대상물에 송수구를 부설한 스프링클러설비, 간이스프링클러설비, 물분무소화설비 또는 미분무소화설비를 화재안전기준에 적합하게 설치한 경우에는 그 설비의 유효범위에서 설치가 면제된다. 나. 가스 관계 법령에 따라 설치되는 물분무장치 등에 소방대가 사용할 수 있는 연결송수구가 설치되거나 물분무장치 등에 6시간 이상 공급할 수 있는 수원(水源)이 확보된 경우에는 설치가 면제된다.
20. 무선통신보조 설비	무선통신보조설비를 설치해야 하는 특정소방대상물에 이동통신 구내 중계기 선로설비 또는 무선이동중계기(「전파법」 제58조의2에 따른 적합성평가를 받은 제품만 해당한다) 등을 화재안전기준의 무선통신보조설비기준에 적합하게 설치한 경우에는 설치가 면제된다.
21. 연소방지설비	연소방지설비를 설치해야 하는 특정소방대상물에 스프링클러설비, 물분무소화설비 또는 미분무소화설비를 화재안전기준에 적합하게 설치한 경우에는 그 설비의 유효범위에서 설치가 면제된다.

③ **특정소방대상물의 증축 또는 용도변경 시의 소방시설기준 적용의 특례**(영 제15조)

(1) 증축

① 소방본부장 또는 소방서장은 특정소방대상물이 증축되는 경우 기존 부분을 포함한 특정소방대상물의 전체에 대하여 증축 당시의 소방시설의 설치에 관한 대통령령 또는 화재안전기준을 적용해야 한다.

건축관계법

국토계획법

주차장법

주 택 법

도시및주거
환경정비법

건축사법

장애인시설법

소방시설법

서울시조례

② 증축 당시의 기준을 적용하지 않는 경우

| 1. 기존 부분과 증축 부분이 내화구조(耐火構造)로 된 바닥과 벽으로 구획된 경우 |
| 2. 기존부분과 증축부분이 「건축법시행령」에 따른 자동방화셔터 또는 60분+방화문으로 구획되어 있는 경우 |
| 3. 자동차 생산공장 등 화재위험이 낮은 특정소방대상물 내부에 연면적 33㎡이하의 직원휴게실을 증축하는 경우 |
| 4. 자동차 생산공장 등 화재위험이 낮은 특정소방대상물에 캐노피(기둥으로 받치거나 매달아 놓은 덮개를 말하며, 3면 이상에 벽이 없는 구조)를 설치하는 경우 |

(2) 용도변경

① 소방본부장 또는 소방서장은 특정소방대상물이 용도변경되는 경우에는 용도변경되는 부분에 대해서만 용도변경 당시의 소방시설의 설치에 관한 대통령령 또는 화재안전기준을 적용한다.

② 특정소방대상물 전체에 대하여 용도변경 전의 기준을 적용하는 경우

| 1. 특정소방대상물의 구조·설비가 화재연소 확대 요인이 적어지거나 피난 또는 화재진압 활동이 쉬워지도록 변경되는 경우 |
| 2. 용도변경으로 인하여 천장·바닥·벽 등에 고정되어 있는 가연성 물질의 양이 줄어드는 경우 |

④ 소방시설을 설치하지 않을 수 있는 특정소방대상물의 범위 (영 제16조)

(1) 화재위험도가 낮거나 화재안전기준을 적용하기 어려운 특정소방대상물들은 소방시설을 설치하지 않을 수 있다. 소방시설을 설치하지 아니할 수 있는 특정소방대상물 및 소방시설의 범위는 다음 [별표 6]과 같다.

구 분	특정소방대상물	설치하지 않을 수 있는 소방시설
1. 화재위험도가 낮은 특정소방대상물	석재·불연성금속·불연성 건축재료 등의 가공 공장·기계조립공장·주물공장 또는 불연성 물품을 저장하는 창고	옥외소화전 및 연결살수설비
2. 화재안전기준을 적용하기 어려운 특정소방대상물	펄프공장의 작업장·음료수공장의 세정 또는 충전하는 작업장 그 밖에 이와 비슷한 용도로 사용하는 것	스프링클러설비, 상수도소화용수설비 및 연결살수설비
	정수장, 수영장, 목욕장, 농예·축산·어류양식용 시설 그 밖에 이와 비슷한 용도로 사용되는 것	자동화재탐지설비, 상수도소화용수설비 및 연결살수설비
3. 화재안전기준을 다르게 적용해야 하는 특수한 용도 또는 구조를 가진 특정소방대상물	원자력발전소, 중·저준위 방사성폐기물의 저장시설	연결송수관설비 및 연결살수설비
4. 「위험물 안전관리법」에 따른 자체소방대가 설치된 특정소방대상물	자체소방대가 설치된 위험물 제조소 등에 부속된 사무실	옥내소화전설비, 소화용수설비, 연결살수설비 및 연결송수관설비

(2) 위 (1)의 어느 하나에 해당하는 특정소방대상물에 구조 및 원리 등에서 공법이 특수한 설계로 인정된 소방시설을 설치하는 경우 중앙소방기술심의위원회의 심의를 거쳐 화재안전기준을 적용하지 않을 수 있다.

건축관계법

국토계획법

주차장법

주 택 법

도시및주거
환경정비법

건축사법

장애인시설법

소방시설법

서울시조례

7 특정소방대상물별로 설치하여야 하는 소방시설의 정비 등 ($^{법}_{제14조}$)($^{법}_{제17조}$)($^{규칙}_{제18조}$)

【1】 소방시설의 정비 등

(1) 소방시설을 정할 때에는 특정소방대상물의 규모·용도 및 수용인원 등을 고려하여야 한다.

(2) 소방청장은 건축 환경 및 화재위험특성 변화사항을 효과적으로 반영할 수 있도록 위 (1)에 따른 소방시설 규정을 3년에 1회 이상 정비하여야 한다.

(3) 소방청장은 다음의 연구과제에 대하여 건축 환경 및 화재위험특성 변화 추세를 체계적으로 연구하여 위 (2)에 따른 정비를 위한 개선방안을 마련하여야 한다.

1. 공모과제	공모에 의하여 심의·선정된 과제
2. 지정과제	소방청장이 필요하다고 인정하여 발굴·기획하고, 주관 연구기관 및 주관 연구책임자를 지정하는 과제

(4) 위 (3)에 따른 연구의 수행 등에 필요한 사항은 행정안전부령으로 정한다.

【2】 수용인원 산정 방법(법 제17조 [별표7])

1. 숙박시설이 있는 특정소방대상물
가. 침대가 있는 숙박시설: 해당 특정소방물의 종사자 수에 침대 수(2인용 침대는 2개로 산정)를 합한 수
나. 침대가 없는 숙박시설: 해당 특정소방대상물의 종사자 수에 숙박시설 바닥면적의 합계를 3㎡로 나누어 얻은 수를 합한 수
2. 위 1. 외의 특정소방대상물
가. 강의실·교무실·상담실·실습실·휴게실 용도로 쓰는 특정소방대상물: 해당 용도로 사용하는 바닥면적의 합계를 1.9㎡로 나누어 얻은 수
나. 강당, 문화 및 집회시설, 운동시설, 종교시설: 해당 용도로 사용하는 바닥면적의 합계를 4.6㎡로 나누어 얻은 수(관람석이 있는 경우 고정식 의자를 설치한 부분은 그 부분의 의자 수로 하고, 긴 의자의 경우에는 의자의 정면너비를 0.45m로 나누어 얻은 수로 한다)
다. 그 밖의 특정소방대상물: 해당 용도로 사용하는 바닥면적의 합계를 3㎡로 나누어 얻은 수

[비고]
1. 위 표에서 바닥면적을 산정할 때에는 복도(「건축법 시행령」에 따른 준불연재료 이상의 것을 사용하여 바닥에서 천장까지 벽으로 구획한 것을 말한다), 계단 및 화장실의 바닥면적을 포함하지 않는다.
2. 계산 결과 소수점 이하의 수는 반올림한다.

8 건설 현장의 임시소방시설의 설치 및 관리 ($^{법}_{제15조}$)($^{영}_{제18조}$)

(1) 공사시공자는 특정소방대상물의 신축·증축·개축·재축·이전·용도변경·대수선 또는 설비 설치 등을 위한 공사 현장에서 인화성(引火性) 물품을 취급하는 작업 등 대통령령으로 정하는 작업(이하 "화재위험작업")을 하기 전에 설치 및 철거가 쉬운 화재대비시설(이하 "임시소방시설")을 설치하고 관리하여야 한다.

건축관계법

국토계획법

주차장법

주 택 법

도시및주거
환경정비법

건축사법

장애인시설법

소방시설법

서울시조례

① 화재위험작업의 종류 (영 제15조의5)

1. 인화성·가연성·폭발성 물질을 취급하거나 가연성 가스를 발생시키는 작업
2. 용접·용단(금속·유리·플라스틱 따위를 녹여서 절단하는 일) 등 불꽃을 발생시키거나 화기(火氣)를 취급하는 작업
3. 전열기구, 가열전선 등 열을 발생시키는 기구를 취급하는 작업
4. 알루미늄, 마그네슘 등을 취급하여 폭발성 부유분진(공기 중에 떠다니는 미세한 입자를 말한다)을 발생시킬 수 있는 작업
5. 그 밖에 위 1.~ 4.까지와 비슷한 작업으로 소방청장이 정하여 고시하는 작업

② 공사 현장에 설치하여야 하는 설치 및 철거가 쉬운 임시소방시설의 종류와 임시소방시설을 설치하여야 하는 공사의 종류 및 규모는 시행령 [별표 8] 제1호 및 제2호와 같다.

> **[별표 8] 임시소방시설의 종류와 설치기준 등**(제18조제2항 관련)
> 1. 임시소방시설의 종류
>   가. 소화기
>   나. 간이소화장치: 물을 방사(放射)하여 화재를 진화할 수 있는 장치로서 소방청장이 정하는 성능을 갖추고 있을 것
>   다. 비상경보장치: 화재가 발생한 경우 주변에 있는 작업자에게 화재사실을 알릴 수 있는 장치로서 소방청장이 정하는 성능을 갖추고 있을 것
>   라. 가스누설경보기: 가연성 가스가 누설되거나 발생된 경우 이를 탐지하여 경보하는 장치로서 법 제37조에 따른 형식승인 및 제품검사를 받은 것 <시행 2023.7.1>
>   마. 간이피난유도선: 화재가 발생한 경우 피난구 방향을 안내할 수 있는 장치로서 소방청장이 정하는 성능을 갖추고 있을 것
>   바. 비상조명등: 화재가 발생한 경우 안전하고 원활한 피난활동을 할 수 있도록 자동 점등되는 조명장치로서 소방청장이 정하는 성능을 갖추고 있을 것 <시행 2023.7.1>
>   사. 방화포: 용접·용단 등의 작업 시 발생하는 불티로부터 가연물이 점화되는 것을 방지해주는 천 또는 불연성 물품으로서 소방청장이 정하는 성능을 갖추고 있을 것 <시행 2023.7.1>
> 2. 임시소방시설을 설치해야 하는 공사의 종류와 규모
>   가. 소화기: 제6조제1항에 따라 소방본부장 또는 소방서장의 동의를 받아야 하는 특정소방대상물의 신축·증축·개축·재축·이전·용도변경 또는 대수선 등을 위한 공사 중 법 제15조제1항에 따른 화재위험작업의 현장(이하 이 표에서 "화재위험작업현장"이라 한다)에 설치한다.
>   나. 간이소화장치: 다음의 어느 하나에 해당하는 공사의 화재위험작업현장에 설치한다.
>   1) 연면적 3천㎡ 이상
>   2) 지하층, 무창층 또는 4층 이상의 층. 이 경우 해당 층의 바닥면적이 600㎡ 이상인 경우만 해당한다.
>   다. 비상경보장치: 다음의 어느 하나에 해당하는 공사의 화재위험작업현장에 설치한다.
>   1) 연면적 400㎡ 이상
>   2) 지하층 또는 무창층. 이 경우 해당 층의 바닥면적이 150㎡ 이상인 경우만 해당한다.
>   라. 가스누설경보기: 바닥면적이 150㎡ 이상인 지하층 또는 무창층의 화재위험작업현장에 설치한다. <시행 2023.7.1>
>   마. 간이피난유도선: 바닥면적이 150㎡ 이상인 지하층 또는 무창층의 화재위험작업현장에 설치한다.
>   바. 비상조명등: 바닥면적이 150㎡ 이상인 지하층 또는 무창층의 화재위험작업현장에 설치한다. <시행 2023.7.1.>
>   사. 방화포: 용접·용단 작업이 진행되는 화재위험작업현장에 설치한다. <시행 2023.7.1>

(2) 위 (1)에도 불구하고 소방시설공사업자가 화재위험작업 현장에 소방시설 중 임시소방시설과 기

능 및 성능이 유사한 것으로서 다음에 해당하는 소방시설[별표 8 제3호]을 화재안전기준에 맞게 설치 및 관리하고 있는 경우에는 공사시공자가 임시소방시설을 설치하고 관리한 것으로 본다.

> **[별표 8] 임시소방시설의 종류와 설치기준 등**(제18조제3항 관련)
> 3. 임시소방시설과 기능 및 성능이 유사한 소방시설로서 임시소방시설을 설치한 것으로 보는 소방시설
>   가. 간이소화장치를 설치한 것으로 보는 소방시설: 소방청장이 정하여 고시하는 기준에 맞는 소화기(연결송수관설비의 방수구 인근에 설치한 경우로 한정한다) 또는 옥내소화전설비
>   나. 비상경보장치를 설치한 것으로 보는 소방시설: 비상방송설비 또는 자동화재탐지설비
>   다. 간이피난유도선을 설치한 것으로 보는 소방시설: 피난유도선, 피난구유도등, 통로유도등 또는 비상조명등

(3) 소방본부장 또는 소방서장은 위 (1)이나 (2)에 따라 임시소방시설 또는 소방시설이 설치 또는 유지·관리되지 않을 때에는 해당 공사시공자에게 필요한 조치를 명할 수 있다.

(4) 임시소방시설을 설치하여야 하는 공사의 종류와 규모, 임시소방시설의 종류 등에 필요한 사항은 대통령령으로 정하고, 임시소방시설의 설치 및 관리 기준은 소방청장이 정하여 고시한다.

【참고】 건설현장의 화재안전기준(NFPC 606)(소방청고시 제2023-23호, 2023.6.28., 전부개정)

9 피난시설·방화구획 및 방화시설의 관리 (법 제16조)

(1) 금지행위

특정소방대상물의 관계인은 「건축법」에 따른 피난시설·방화구획과 방화벽, 내부 마감재료 등 방화시설에 대하여 다음에 해당하는 행위를 해서는 안된다.

> 1. 피난시설, 방화구획 및 방화시설을 폐쇄하거나 훼손하는 등의 행위
> 2. 피난시설, 방화구획 및 방화시설의 주위에 물건을 쌓아두거나 장애물을 설치하는 행위
> 3. 피난시설, 방화구획 및 방화시설의 용도에 장애를 주거나 「소방기본법」에 따른 소방활동에 지장을 주는 행위
> 4. 그 밖에 피난시설, 방화구획 및 방화시설을 변경하는 행위

관계법 피난시설, 방화구획 등(「건축법」 제49조)

법 제49조【건축물의 피난시설 및 용도제한 등】
① 대통령령으로 정하는 용도 및 규모의 건축물과 그 대지에는 국토교통부령으로 정하는 바에 따라 복도, 계단, 출입구, 그 밖의 피난시설과 저수조(貯水槽), 대지 안의 피난과 소화에 필요한 통로를 설치하여야 한다. <개정 2018.4.17.>
② 대통령령으로 정하는 용도 및 규모의 건축물의 안전·위생 및 방화(防火) 등을 위하여 필요한 용도 및 구조의 제한, 방화구획(防火區劃), 화장실의 구조, 계단·출입구, 거실의 반자 높이, 거실의 채광·환기, 배연설비와 바닥의 방습 등에 관하여 필요한 사항은 국토교통부령으로 정한다. 다만, 대규모 창고시설 등 대통령령으로 정하는 용도 및 규모의 건축물에 대해서는 방화구획 등 화재 안전에 필요한 사항을 국토교통부령으로 별도로 정할 수 있다. <개정 2021.10.19.>
③ 대통령령으로 정하는 건축물은 국토교통부령으로 정하는 기준에 따라 소방관이 진입할 수 있는 창을 설치하고, 외부에서 주야간에 식별할 수 있는 표시를 하여야 한다. <신설 2019.4.23.>
④ 대통령령으로 정하는 용도 및 규모의 건축물에 대하여 가구·세대 등 간 소음 방지를 위하여 국토교통부령으로 정하는 바에 따라 경계벽 및 바닥을 설치하여야 한다. <신설 2014. 5. 28., 2019. 4. 23.>
⑤ 「자연재해대책법」 제12조제1항에 따른 자연재해위험개선지구 중 침수위험지구에 국가·지방자치단체 또는 「공공기관의 운영에 관한 법률」 제4조제1항에 따른 공공기관이 건축하는 건축물은 침수 방지

건축관계법

국토계획법

주차장법

주 택 법

도시및주거환경정비법

건축사법

장애인시설법

소방시설법

서울시조례

건축관계법

국토계획법

주차장법

주 택 법

도시및주거
환경정비법

건축사법

장애인시설법

소방시설법

서울시조례

및 방수를 위하여 다음 각 호의 기준에 따라야 한다. <신설 2015. 1. 6., 2019. 4. 23.>
1. 건축물의 1층 전체를 필로티(건축물을 사용하기 위한 경비실, 계단실, 승강기실, 그 밖에 이와 비슷한 것을 포함한다) 구조로 할 것
2. 국토교통부령으로 정하는 침수 방지시설을 설치할 것

(2) 금지행위시의 조치

소방본부장이나 소방서장은 특정소방대상물의 관계인이 위의 금지행위를 한 경우에는 피난시설, 방화구획 및 방화시설의 관리를 위하여 필요한 조치를 명할 수 있다.

10 소방용품의 내용연수 등 (법 제17조)(영 제19조)

(1) 특정소방대상물의 관계인은 내용연수가 경과한 소방용품을 교체하여야 한다.
　① 내용연수를 설정해야 하는 소방용품: 분말형태의 소화약제를 사용하는 소화기
　② ①의 소방용품의 내용연수: 10년
(2) 위 (1)에도 불구하고 행정안전부령으로 정하는 절차 및 방법 등에 따라 소방용품의 성능을 확인 받은 경우에는 그 사용기한을 연장할 수 있다.

11 소방대상물의 방염 등 (법 제20조)(영 제30조)

(1) 방염대상 특정소방대상물에 실내장식 등의 목적으로 설치 또는 부착하는 물품으로서 대통령령으로 정하는 물품(이하 "방염대상물품")은 방염성능기준 이상의 것으로 설치하여야 한다.

(2) 소방본부장이나 소방서장은 방염대상물품이 방염성능기준에 미치지 못하거나 방염성능검사를 받지 않은 것이면 특정소방대상물의 관계인에게 방염대상물품을 제거하도록 하거나 방염성능검사를 받도록 하는 등 필요한 조치를 명할 수 있다.

1 방염대상물품을 설치해야하는 특정소방대상물 (영 제30조)

1. 근린생활시설 중 의원, 조산원, 산후조리원, 체력단련장, 공연장 및 종교집회장
2. 건축물의 옥내에 있는 다음의 시설 　가. 문화 및 집회시설　　　　나. 종교시설　　　　다. 운동시설(수영장은 제외)
3. 의료시설
4. 교육연구시설 중 합숙소
5. 노유자시설
6. 숙박이 가능한 수련시설
7. 숙박시설
8. 방송통신시설 중 방송국 및 촬영소
9. 다중이용업소(「다중이용업소의 안전관리에 관한 특별법」에 따른 다중이용업의 영업소)
10. 위 1.~9.에 해당하지 않는 것으로서 11층 이상인 것(아파트등은 제외)

② 방염대상물품 (영 제30조①, ③)

【1】방염대상물품

(1) 제조 또는 가공공정에서 방염처리를 한 다음의 물품

1. 창문에 설치하는 커텐류(블라인드 포함)
2. 카펫
3. 벽지류(두께가 2㎜ 미만인 종이벽지 벽지 제외)
4. 전시용 합판·목재 또는 섬유판, 무대용 합판·목재 또는 섬유판(합판·목재류의 경우 불가피하게 설치 현장에서 방염처리한 것을 포함)
5. 암막·무대막(영화상영관과 가상체험 체육시설업에 설치하는 스크린 포함)
6. 섬유류 또는 합성수지류 등을 원료로 하여 제작된 소파·의자(단란주점영업, 유흥주점영업 및 노래연습장업의 영업장에 설치하는 것으로 한정)

(2) 건축물 내부의 천장이나 벽에 부착하거나 설치하는 것으로서 다음에 해당하는 것

> 예외 가구류(옷장, 찬장, 식탁, 식탁용 의자, 사무용 책상, 사무용 의자 및 계산대, 그 밖에 이와 비슷한것)와 너비 10㎝ 이하인 반자돌림대 등과 「건축법」에 따른 내부마감재료는 제외

1. 종이류(두께 2㎜ 이상인 것)·합성수지류 또는 섬유류를 주원료로 한 물품
2. 합판이나 목재
3. 공간을 구획하기 위하여 설치하는 간이 칸막이(접이식 등 이동 가능한 벽체나 천장 또는 반자가 실내에 접하는 부분까지 구획하지 않은 벽체를 말함)
4. 흡음(吸音)을 위하여 설치하는 흡음재(흡음용 커튼 포함)
5. 방음(防音)을 위하여 설치하는 방음재(방음용 커튼 포함)

【2】방염처리된 물품의 사용 권장

소방본부장 또는 소방서장은 【1】방염대상물품 외에 다음의 물품은 방염처리된 물품을 사용하도록 권장할 수 있다.

1. 다중이용업소, 의료시설, 노유자시설, 숙박시설 또는 장례식장에서 사용하는 침구류·소파 및 의자
2. 건축물 내부의 천장 또는 벽에 부착하거나 설치하는 가구류

③ 방염성능기준 (영 제30조②)

방염성능기준은 다음의 기준에 의하되, 방염대상물품의 종류에 따른 구체적인 방염성능기준은 다음 각 호의 기준의 범위에서 소방청장이 정하여 고시하는 바에 따른다.

1. 버너의 불꽃을 제거한 때부터 불꽃을 올리며 연소하는 상태가 그칠 때까지 시간은 20초 이내일 것
2. 버너의 불꽃을 제거한 때부터 불꽃을 올리지 않고 연소하는 상태가 그칠 때까지 시간은 30초 이내일 것
3. 탄화(炭化)한 면적은 50㎠ 이내, 탄화한 길이는 20㎝ 이내 일 것
4. 불꽃에 의하여 완전히 녹을 때까지 불꽃의 접촉횟수는 3회 이상일 것
5. 소방청장이 정하여 고시한 방법으로 발연량(發煙量)을 측정하는 경우 최대연기밀도는 400 이하일 것

건축관계법

국토계획법

주차장법

주 택 법

도시및주거
환경정비법

건축사법

장애인시설법

소방시설법

서울시조례

건축관계법

4 **방염성능의 검사** (법 제13조)(영 제32조)

(1) 특정소방대상물에 사용하는 방염대상물품은 소방청장이 실시하는 방염성능검사를 받은 것이어야 한다.

(2) 시·도지사가 실시하는 방염성능검사

다음의 방염대상물품의 경우는 특별시장·광역시장·특별자치시장·도지사 또는 특별자치도지사(이하 "시·도지사")가 실시하는 방염성능검사를 받은 것이어야 한다.

1. 전시용 합판·목재 또는 무대용 합판·목재 중 설치 현장에서 방염처리를 하는 합판·목재류

2. 1 【1】(2)에 따른 방염대상물품 중 설치 현장에서 방염처리를 하는 합판·목재류

(3) 방염처리업의 등록을 한 자는 위 (1), (2)에 따른 방염성능검사를 할 때 거짓 시료(試料)를 제출하여서는 아니 된다.

(4) 방염성능검사의 방법과 검사결과에 따른 합격 표시 등에 관하여 필요한 사항은 행정안전부령으로 정한다.

【참고】 소방용품의 품질관리 등에 관한 규칙(행정안전부령 제406호, 2023.6.23.)

국토계획법

주차장법

주 택 법

도시및주거
환경정비법

건 축 사 법

장애인시설법

소방시설법

서울시조례

제 X 편

서울특별시 관련 조례

최종개정 : 서울특별시 도시계획조례 2023.12.29
서울특별시 도시계획조례시행규칙 2023.12.29
서울특별시 주차장설치 및 관리조례 2023.12.29
서울특별시 주차장설치 및 관리조례 시행규칙 2019.10.10
서울특별시 도시 및 주거환경 정비조례 2023.12.29
서울특별시 도시 및 주거환경 정비조례 시행규칙 2022. 9.26.

01. 서울특별시 도시계획조례

[조례 제9078호 타법개정 2023.12.29.]

일부개정 2009.11.11 조례 제4878호
(중간 개정 연도 생략)
일부개정 2021. 5.20 조례 제8044호
타법개정 2021. 9.30 조례 제8127호
일부개정 2021. 9.30 조례 제8186호
타법개정 2021.12.30 조례 제8235호
일부개정 2021.12.30 조례 제8295호
일부개정 2022. 3.10 조례 제8380호
일부개정 2022. 7.11 조례 제8435호
일부개정 2022.12.30 조례 제8584호
일부개정 2023. 3.27 조례 제8671호
일부개정 2023. 7.24 조례 제8842호
타법개정 2023. 7.24 조례 제8862호
일부개정 2023.10. 4 조례 제8918호
타법개정 2023.12.29. 조례 제9078호

제1장 총 칙

제1조【목적】 이 조례는 「국토의 계획 및 이용에 관한 법률」, 같은 법 시행령, 같은 법 시행규칙 및 관계 법령에서 조례로 정하도록 한 사항과 그 시행에 필요한 사항을 규정함을 목적으로 한다. (개정 2014.10.20)

제2조【도시계획 및 관리의 기본방향】 ① 서울특별시(이하 "시"라 한다)의 도시계획 및 관리는 「국토의 계획 및 이용에 관한 법률」(이하 "법"이라 한다) 제3조의 기본원칙을 바탕으로 환경친화적이며 지속가능한 도시성장·관리 및 지역균형발전을 지향하는 것을 기본방향으로 한다. (개정 2019.3.28.)

② 시의 도시계획 및 관리는 계획을 입안하고 결정하는 전 과정에 주민참여 기회를 제공하고 주민의견을 수렴할 수 있는 계획 체계 구축을 기본방향으로 한다. (신설 2019.3.28.)

제2장 광역도시계획 및 도시기본계획

제3조【공청회의 개최 및 방법 등】 ① 서울특별시장(이하 "시장"이라 한다)은 「국토의 계획 및 이용에 관한 법률 시행령」(이하 "영"이라 한다) 제12조제4항에 따라 광역도시계획의 수립 또는 변경을 위한 공청회를 개최하는 때에는 공청회를 주관하는 자에게 주민 및 관계전문가 등으로부터 청취된 의견을 검토하여 의견을 제출하게 할

수 있다. (개정 2017.9.21)

② 시장은 공청회를 주관하는 자 및 공청회에 참여한 관계전문가 등에게 예산의 범위안에서 수당을 지급할 수 있다. (개정 2017.9.21)

③ 제1항 및 제2항은 법 제18조에 따른 서울특별시도시기본계획(이하 "시도시기본계획"이라 한다)의 수립 또는 변경을 위한 공청회를 개최하는 경우에 준용한다. (개정 2008.7.30)

제4조【도시기본계획의 수립】 ① 시장은 법 제18조제1항에 따라 관할구역에 대하여 시도시기본계획을 수립하여야 한다. (개정 2008.7.30)

② 시장은 자치구청장(이하 "구청장"이라 한다)에게 시도시기본계획의 수립 또는 변경과 관련하여 관할구역에 관한 계획안을 제출하게 할 수 있다. (개정 2017.9.21.)

③ 시장이 수립하는 도시관리계획, 그 밖의 도시의 개발 및 관리에 관한 계획은 시도시기본계획에 적합하여야 한다. (개정 2008.7.30)

④ 시장은 지속가능한 시도시기본계획의 수립에 필요한 기초조사 내용에 도시생태현황 등을 포함시킬 수 있다.

⑤ 시장은 도시기본계획 수립 시 성·계층·인종·지역 간 평등의 원칙 아래 다양한 집단의 입장을 고려한 계획이 되도록 노력하여야 한다. (신설 2014.10.20.)

⑥ 시장은 시도시기본계획의 실현정도 및 집행상황을 점검하고 서울의 전반적 도시변화를 상시적으로 진단할 수 있도록 도시기본계획 모니터링을 매년 실시하여야 한다. (신설 2015.10.8.)

제4조의2【생활권계획의 수립·관리】 ① 시장은 도시기본계획의 내용에 대해 생활권 단위로 상세화한 계획을 수립하여야 한다.

② 생활권은 일상적인 생활활동이 이루어지는 1개 이상 동 규모의 지역생활권과 1개 이상의 자치구 규모인 권역생활권으로 구분한다.

③ 시장은 구청장에게 지역생활권계획의 수립 또는 변경과 관련하여 관할구역에 관한 계획안을 제출하게 할 수 있다.

④ 제3항에 따른 지역생활권계획안은 도시기본계획 및 권역생활권계획에 부합하여야 한다.

⑤ 시장은 생활권계획의 구체적 실현을 위하여 중심지 육성방안, 생활서비스시설(생활SOC) 확충방안, 연차별 집행계획 등을 포함한 실행계획을 수립할 수 있다. 다만, 시장은 자치구와 협의하여 구청장에게 실행계획안을 제출하게 할 수 있다.

⑥ 시장은 생활권계획 수립, 운영 및 실행에 관한 세부적인 사항을 별도로 정할 수 있다.

건축관계법

국토계획법

주차장법

주 택 법

도시및주거
환경정비법

건축사법

장애인시설법

소방시설법

서울시조례

[본조신설 2019.7.18]

제5조 【도시기본계획의 자문 등】 시장은 시도시기본계획의 합리적인 수립을 위하여 관계전문가에게 자문할 수 있다.

제3장 도시관리계획의 입안

제6조 【제안서의 처리절차 등】 ① 법 제26조제1항에 따라 도시관리계획의 입안을 제안하려는 제안서에 법 제25조 제2항 및 영 제18조에 따라 작성한 다음 각 호의 서류를 첨부하여 시장에게 제출하여야 한다. (개정 2017.9.21., 2018.3.22)

1. 도시관리계획도서(계획도 및 계획조서)
2. 계획설명서(법 제13조에 따른 기초조사결과, 재원조달 방안, 경관계획, 환경성 검토결과, 교통성 검토결과 및 토지적성평가 등을 포함한다.
3. 그 밖의 도시관리계획 입안의 타당성을 입증하는 서류

② 제1항에 따른 도시관리계획 입안의 제안서를 받은 시장은 다음 각 호의 사항에 대하여 검토하여야 한다. (개정 2008.7.30)

1. 기초조사 내용의 적정성 여부
2. 자연 및 생활환경의 훼손가능성 여부
3. 인구·교통유발의 심화 여부
4. 도시계획시설의 설치·정비 및 개량에 관한 적정성 여부
5. 용도지역·용도지구 및 용도구역 지정의 적합성 여부
6. 지구단위계획구역 지정 및 지구단위계획의 적정성 여부
7. 도시생태의 훼손가능성 여부
8. 그 밖의 도시관리계획과 관련하여 필요한 사항

③ 시장은 제1항 각 호의 서류가 첨부되지 아니하였거나 미비된 주민제안에 대하여는 제안한 주민에게 보완하도록 요청할 수 있다. (개정 2008.7.30)

제7조 【도시관리계획 입안시 주민의견의 청취】 ① 시장은 법 제28조제3항·제4항에 따라 도시관리계획의 입안에 관하여 주민의 의견을 청취하려는 때에는 도시관리계획안의 주요내용을 시 지역을 주된 보급지역으로 하는 2 이상의 일간신문과 시를 포함한 입안하는 기관의 인터넷 홈페이지에 공고하고 게시판 또는 공보에 게재하여 도시관리계획안을 14일 이상 일반이 열람할 수 있도록 하여야 한다. 다만, 기반시설의 설치·정비 또는 개량에 관한 계획, 도시개발사업이나 정비사업에 관한 계획 입안시 다음 각 호에 해당하는 자에 대해서는 의견청취 관련 사항을 우편 발송 등을 통해 알릴 수 있다. (개정 2017.9.21.2020.7.16)

1. 등기부에 표기된 토지 및 건물 소유자(세입자 포함)

2. 도시관리계획 입안·변경 대상지에 접한 대지 및 건물 소유자(세입자 포함)
3. 20m 이하 도로에 접한 경우 도로 반대편에 접한 대지 및 건물 소유자(세입자 포함)

② 시장은 제1항에 따라 인터넷 홈페이지에 공고하는 경우 도면 등이 포함된 도시관리계획안의 세부사항을 첨부파일 등의 방법으로 공개하여야 한다. (신설 2017.3.23.)

③ 제1항에 따라 공고된 도시관리계획안의 내용에 대하여 의견이 있는 자는 열람기간내에 시장에게 의견서를 제출할 수 있다. (개정 2017.3.23)

④ 시장은 열람기간이 종료된 날부터 60일 이내에 제3항에 따라 제출된 의견을 도시관리계획의 입안에 반영할 것인지 여부를 검토하여 그 결과를 해당 의견을 제출한 자에게 통보하여야 한다. (개정 2017.3.23., 2019.12.31.)

⑤ 시장은 제3항에 따라 제출된 의견을 도시관리계획안에 반영하려는 경우 그 내용이 영 제25조제3항 각 호 및 제4항 각 호에 해당되지 아니하는 사항의 변경인 경우에는 그 내용을 다시 공고·열람하게 하여 주민의 의견을 들어야 한다. (개정 2017.3.23., 2017.9.21)

⑥ 제1항부터 제4항까지의 규정은 제5항에 따른 재공고·열람에 관하여 준용한다. (개정 2017.3.23)

제4장 용도지구의 지정

제8조 삭제 (2020.1.9.)

제8조의2 【특화경관지구의 세분】 영 제31조제3항에 따라 도시관리계획 결정으로 세분하여 지정할 수 있는 특화경관지구는 다음 각 호와 같다. (개정 2018.10.4., 2020.1.9.)

1. 역사문화특화경관지구 : 문화재 또는 문화적 보존가치가 큰 건축물 주변의 역사문화적 경관을 보호 또는 유지하거나 형성하기 위하여 필요한 지구
2. 조망가로특화경관지구 : 주요 자연경관의 조망 확보 또는 가로공간의 개방감 등 조망축을 보호 또는 유지하거나 형성하기 위하여 필요한 지구
3. 수변특화경관지구 : 지역 내 주요 수계의 수변 경관을 보호 또는 유지하거나 형성하기 위하여 필요한 지구
4. 삭제 (2018.10.4.)

[본조신설 2006.10.04.][제목개정 2018.10.4]

제8조의3 【중요시설물보호지구의 세분】 ① 영 제31조제3항에 따라 도시관리계획 결정으로 세분하여 지정할 수 있는 중요시설물보호지구는 다음 각 호와 같다.

1. 공용시설보호지구 : 공용시설을 보호하고 공공업무기능을 효율화하기 위하여 필요한 지구
2. 공항시설보호지구 : 공항시설의 보호와 항공기의 안

전운항을 위하여 필요한 지구

  3. 중요시설보호지구 : 국방상 또는 안보상 중요한 시설물의 보호와 보존을 위하여 필요한 지구

[본조 신설 2018.7.19.]

제9조【용도지구의 지정】법 제37조제3항에 따라 다음 각 호의 용도지구의 지정 또는 변경을 도시관리계획으로 결정할 수 있다. (개정 2015.7.30.)

  1. 문화지구 : 「지역문화진흥법」 제18조에 따른 역사문화자원의 관리·보호와 문화환경 조성을 위하여 필요한 지구

  2. 삭제 (2009.03.18)

  3. 삭제 (2009.03.18)

제5장 도시계획시설의 관리

제10조【도시계획시설의 관리】법 제43조제3항에 따라 시가 관리하는 도시계획시설은 「서울특별시 공유재산 및 물품관리 조례」, 「서울특별시 행정기구 설치 조례」, 「서울특별시 사무위임 조례」, 「서울특별시 도로 등 주요시설물 관리에 관한 조례」, 「서울특별시 도시공원 조례」 그 밖의 도시계획시설의 관리에 관한 조례에 따라 관리한다. (개정 2014.5.14., 2015.1.2., 2019.3.28.)

제10조의2【도시계획시설의 세부시설조성계획】영 제25조제3항제3호에서 "도시·군계획조례로 정하는 범위 이내의 변경"이란 "50퍼센트 미만의 변경"을 말한다. 다만, 이 경우에도 법 제113조에 따른 서울특별시도시계획위원회(이하 "시도시계획위원회"라 한다) 또는 법 제30조제3항 단서에 따른 서울특별시도시건축공동위원회(이하 "시공동위원회"라 한다)에 자문을 할 수 있다.

[본조신설 2020. 7. 16.]

제11조【공동구의 점용료 또는 사용료】법 제44조의3제3항에 따른 공동구의 점용료 또는 사용료에 관한 사항은 「서울특별시 공동구 설치 및 점용료 등 징수 조례」에 따른다. (개정 2019.3.28)

제12조【공동구협의회의 구성 및 운영 등】영 제39조의2제6항에 따른 공동구협의회의 구성·운영 등에 관하여 필요한 사항은 「서울특별시 도로 등 주요시설물 관리에 관한 조례」에 따른다. (개정 2011.7.28)

제13조【도시계획시설채권의 상환기간 및 이율】도시계획시설채권의 상환기간 및 이율에 관한 구체적인 사항은 법 제47조제3항의 범위안에서 「서울특별시 도시철도공채 조례」 제4조를 준용한다. (개정 2015.1.2., 2019.3.28)

제14조【도시계획시설부지의 매수 결정 등】① 법 제47조에 따라 매수청구된 토지에 대한 매수여부 결정 및 통지와 매수 등의 절차 이행은 제10조 및 제68조에 따라 해당 도시계획시설을 설치·관리할 자가 행한다. (개정 2008.7.30)

② 도시계획시설을 설치·관리할 자가 불분명하거나 시가 관리하지 아니하는 시설로서 해당 도시계획시설사업의 시행자가 정하여지지 아니한 시설의 매수청구에 대한 절차 등의 이행은 제10조 및 제68조에 따라 해당 도시계획시설에 대한 인가·허가·승인 또는 신고 등의 사무(주된 용도의 사무처리를 말한다)를 처리하는 자가 행한다. (개정 2008.7.30)

제15조【매수불가 토지 안에서의 설치 가능한 건축물 등의 허용범위】① 영 제41조제5항 단서에 따라 법 제47조제7항 각 호의 어느 하나에 해당하는 토지에 설치할 수 있는 건축물은 해당 용도지역·용도지구 또는 용도구역별 건축기준 범위안에서 다음 각 호의 어느 하나에 해당하는 것을 말한다. (개정 2014.10.20)

  1. 「건축법 시행령」 별표1 제1호가목의 단독주택으로서 3층 이하인 것(연면적의 합계가 300제곱미터 이하인 것에 한한다)

  2. 「건축법 시행령」 별표1 제3호의 제1종근린생활시설로서 3층 이하인 것(분양을 목적으로 하지 아니하고 연면적의 합계가 1천 제곱미터 이하인 것에 한한다)

  3. 「건축법시행령」 별표 1 제4호의 제2종근린생활시설(같은 호 거목·더목 및 러목은 제외한다)로서 3층 이하인 것(분양을 목적으로 하지 아니하고, 연면적의 합계가 1천 제곱미터 이하인 것에 한한다)

② 영 제41조제5항단서에 따라 법 제47조제7항 각 호의 어느 하나에 해당하는 토지에 설치할 수 있는 공작물은 높이가 10미터 이하인 것에 한한다. (개정 2008.7.30, 2018.3.22)

제6장 지구단위계획

제16조【지구단위 계획구역의 지정대상】① 시장은 영 제43조제4항제8호에 따라 다음 각 호의 어느 하나에 해당하는 지역에 대하여 지구단위계획구역으로 지정할 수 있다. (개정 2017.9.21)

  1. 공공시설의 정비 및 시가지 환경정비가 필요한 지역

  2. 도시미관의 증진과 양호한 환경을 조성하기 위하여 건축물의 용도·건폐율··용적률 및 높이 등의 계획적 관리가 필요한 지역

건축관계법

국토계획법

주차장법

주 택 법

도시및주거환경정비법

건축사법

장애인시설법

소방시설법

서울시조례

10-5

건축관계법

국토계획법

주차장법

주 택 법

도시및주거
환경정비법

건축사법

장애인시설법

소방시설법

서울시조례

3. 문화기능 및 벤처산업 등의 유치로 지역 특성화 및 활성화를 도모할 필요가 있는 지역

4. 준공업지역안의 주거·공장 등이 혼재한 지역으로서 계획적인 환경정비가 필요한 지역

5. 단독주택 등 저층주택이 밀집된 지역으로서 계획적 정비가 필요한 지역

6. 지역균형발전 등의 목적을 달성하기 위하여 계획적 개발 및 공공의 재정적 지원이 필요한 지역

7. 민자역사를 개발하려는 지역

8. 공공성 있는 전략개발을 실현할 필요가 있는 지역

② 시장은 토지소유자 등이 공동주택(아파트에 한한다)을 건축하려는 경우, 그 규모 등이 규칙으로 정하는 범위 또는 지역에 해당하는 때에는 해당 공동주택 건축예정부지를 지구단위계획구역으로 지정하여야 한다. 다만, 다른 법률에 의하여 해당 지역에 토지이용 및 건축에 관한 계획이 수립되어 있는 경우에는 그러하지 아니하다. (개정 2017.9.21., 2020. 7.16)

③ 영 제43조제2항제2호에 따른 유사시설은 주차장, 자동차정류장, 자동차·건설기계운전학원, 유통업무설비, 전기·가스·열공급설비, 방송통신시설, 문화시설, 체육시설, 연구시설, 사회복지시설, 종합의료시설, 폐기물처리시설을 말한다. (개정 2012.11.1.)

④ 영 제43조제3항에서 조례로 정하는 면적이란 5천제곱미터를 말한다. (신설 2019.3.28.)

제17조 【도시계획위원회의 자문】 ① 시장은 지구단위계획구역을 지정하려는 때에는 법 제28조에 따른 주민의견을 청취하기 전에 지정의 타당성 여부 등에 대하여 시도시계획위원회 또는 시공동위원회에 자문을 할 수 있다. (개정 2017.9.21., 2020. 7.16)

② 제1항에 따라 시도시계획위원회 또는 시공동위원회에 자문하려는 때에는 구역지정을 위한 기초조사결과 및 개략적인 구역의 지정구상계획을 제출하여야 한다. (개정 2017.9.21 2020. 7.16)

제18조 【지구단위계획의 경미한 사항의 처리 등】 ① 시장은 영 제25조제4항 각 호의 어느 하나에 해당하는 지구단위계획을 변경하는 경우에는 영 제25조제4항 각 호 외의 부분 후단에 따라 해당 공동위원회의 심의를 거치지 아니하고 변경할 수 있다. (개정 2015.1.2., 2020. 7.16)

② 영 제25조제4항 각 호의 어느 하나에 해당하는 경미한 사항의 변경함에 있어 해당 도시계획위원회 또는 공동위원회의 심의를 거쳐 처리하는 경우 동 위원회는 해당 지구단위계획의 수립취지에 반하지 아니하는 범위안에서 조건을 붙여 의결할 수 있다 (개정 2020. 7.16)

제19조 【지구단위계획의 수립기준 등】 ① 법 제51조 및

영 제43조 또는 이 조례 제16조에 따라 지정된 지구단위계획구역에 대한 지구단위계획 수립 및 운용 등에 관한 사항은 규칙으로 정한다. (개정 2008.7.30)

② 영 제52조의2제1항제13호에서 도시계획 조례로 정하는 시설이라 함은 다음 각 호의 시설을 말한다. 다만, 해당 지구단위계획구역에 공공시설 및 기반시설이 충분히 설치되어 있는 경우로 한정한다. (개정 2019.7.18., 2020.10.5., 2020.12.31., 2021.12.30., 2022.12.30)

1. 「공공주택특별법」 제2조제1호가목에 따른 공공임대주택

2. 「건축법 시행령」 별표1제2호라목에 따른 기숙사(이하 "기숙사"라 한다)

3. 공공임대산업시설(「산업발전법 시행령」 제2조에 따른 산업 관련시설 또는 「서울특별시 전략산업육성 및 기업지원에 관한 조례」 제11조제3항에 따른 권장업종과 관련된 시설로서, 시장 또는 구청장이 산업 지원 또는 창업 지원, 영세상인 지원을 위해 임대로 공급하거나 직접 운영하는 시설물 및 이를 위한 부지를 말한다)

4. 공공임대상가(「서울특별시 상가임차인 보호를 위한 조례」 제3조제2호에 의한 상가로서, 시장 또는 구청장이 영세상인 지원을 위해 임대로 공급하거나 직접 운영하는 시설물 및 이를 위한 부지를 말한다)

제19조의2 【공공시설 설치비용 및 부지가액 산정방법】 ① 영 제46조제1항제2호에 따른 공공시설등 설치비용과 부지가액 산정방법은 다음 각 호와 같다. (개정 2018.3.22.)

1. 공공시설등 설치비용은 시설설치에 소요되는 노무비, 재료비, 경비 등을 고려하여 산정한다.

2. 부지가액은 개별공시지가를 기준으로 인근 지역의 실거래가 등을 참고하여 산정한다. 다만, 감정평가를 시행하는 경우 이를 기준으로 할 수 있다.

② 제1항의 산정방법 등 시행에 필요한 사항은 규칙으로 따로 정한다.

[본조신설 2011.7.28]

제19조의3 【공공시설등의 설치비용 사용 및 납부 등】 ① 법 제52조의2제5항에 따른 공공시설등 설치비용의 사용 기준 등 필요한 사항은 다음 각 호와 같다. (개정 2023.12.29.)

1. 시장 또는 구청장은 공공시설등 설치비용 중 법 제52조의2제5항 전단에서 정하는 비용을 장기미집행 시설의 설치에 우선 사용하여야 한다.

2. 제1호에 따른 비용 이외의 공공시설등 설치비용은 지역균형발전을 위하여 공공시설등 공급이 필요한 지역으로서 다음 각 목에 해당하는 지역에 우선 사용할 수 있다.

가. 용도지구 중 고도지구, 경관지구, 취락지구

나. 용도구역 중 개발제한구역, 도시자연공원구역

다. 가목부터 나목까지에 해당되지 않는 지역으로서 주거환경 개선이 시급한 저층주거지 또는 시도시계획위원회나 시공동위원회에서 인정하는 지역

3. 지구단위계획 수립 시 제1호 및 제2호의 범위에서 공공시설등 설치비용의 사용대상 세부사업을 구체적으로 정할 수 있다.

4. 도시관리계획의 변경에 따른 구체적 개발계획과 그에 따른 공공시설등의 부지를 제공하거나 설치 제공 또는 공공시설등 설치를 위한 비용 납부(이하 "공공기여"라 한다)는 도시관리계획 결정권자와 사전에 협의하여 인정된 경우에 한하여 협의된 내용을 바탕으로 한다.

5. 도시공간본부장은 제3호 및 제4호의 사항을 서울특별시의회 정례회 중에 상임위원회에 보고하여야 한다.

6. 제1호부터 제5호까지의 시행에 필요한 사항은 시장이 별도로 정한다.

② 영 제46조의2제2항에 따라 조례로 정하는 금액은 감정평가를 통한 도시관리계획의 변경 전후 토지가치 상승분의 범위 이내에서 결정하며, 공공시설등 설치비용의 산정방법은 제19조의2를 적용한다.

③ 영 제46조의2제3항에 따라 설치비용 납부액의 납부방법은 다음 각 호와 같다.

1. 공공시설등 설치비용을 착공일부터 사용승인 또는 준공검사 신청 전까지 분할납부하게 할 수 있다.

2. 사업시행자는 건축허가 등 이전에 현금납부액, 납부방법 및 기한 등을 포함하여 시장 및 구청장과 협약을 체결하여야 한다.

[전문개정 2021.12.30]

제19조의4 【반환금의 관리 등】 ① 영 제46조제2항에 따른 반환금에 관한 사항은 「서울특별시 지역균형발전 지원 조례」 에 따른 뉴타운지구 및 균형발전촉진지구(이하 "균형발전사업지구"라 한다)와 지구단위계획구역에서 지구단위계획을 수립한 지역에 한한다. (개정 2020.12.31)

② 반환금의 반환기간은 보상금 수령일로부터 10년이 되는 날까지이며, 건축허가(다른 법률에서 건축허가를 의제하는 경우를 포함한다)를 얻기 전까지 납부하여야 한다. 이 경우 반환금의 일부 반환은 허용되지 아니한다.

③ 반환된 반환금은 기반시설의 확보에 사용하여야 하며 별도로 관리하여야 한다.

[본조신설 2005.01.05.]

제19조의5 【지구단위계획구역의 지정 및 행위제한 내용의 제공】 시장은 지구단위계획구역을 지정 또는 변경하는 경우 다음 각 호의 내용을 「토지이용규제 기본법」 제12

조에 따른 국토이용정보체계를 통하여 시민들에게 제공할 수 있다.

1. 건축물의 용도제한

2. 건축물의 건폐율 및 용적률

3. 건축물 높이의 최고한도 또는 최저한도

4. 그 밖에 시장이 지구단위계획 중 시민에게 제공이 필요하다고 인정하는 사항

[본조신설 2016.5.19.]

제19조의6 【역세권 복합개발 지구단위계획 수립】 ① 영 제46조제11항에 따라 용적률 완화를 위하여 공공시설등의 부지를 제공하거나 공공시설등을 설치하여 제공하는 비용은 증가하는 용적률의 2분의 1에 해당하는 용적률을 부지면적 기준으로 환산하여 적용한 토지가치를 말한다.

② 영 제46조제11항에 따른 도시계획 조례로 정하는 비율은 제1항에 따라 산정된 비용의 70퍼센트를 말한다.

[본조신설 2021.5.20.]

제19조의7 【지구단위계획이 적용되지 않는 가설건축물】 영 제50조의2제1호에서 조례로 정하는 존치기간이란 3년을 말한다.

[본조신설 2022.3.10]

제7장 개발행위의 허가

제20조 【허가를 받지 아니하여도 되는 경미한 행위】 영 제53조의 단서에 따라 개발행위의 허가를 받지 아니하여도 되는 경미한 행위는 다음 각 호와 같다. (개정 2016.1.7)

1. 무게가 30톤 이하, 부피가 30세제곱미터 이하 및 수평투영면적이 30제곱미터 이하인 공작물을 설치하는 행위

2. 채취면적이 15제곱미터 이하인 토지에서의 부피 30세제곱미터 이하의 토석을 채취하는 행위

3. 면적이 15제곱미터 이하인 토지에 전체무게 30톤 이하 및 전체부피 30세제곱미터 이하로 물건을 쌓는 행위

제21조 【개발행위허가의 절차 등】 ① 시장은 법 제57조제4항에 따라 개발행위허가를 함에 있어서 다음 각 호의 사항을 검토하여 필요한 경우 조건을 부여할 수 있다. (개정 2008.7.30)

1. 공익상 적정 여부

2. 이해관계인의 보호 여부

3. 주변의 환경·경관·교통 및 미관 등의 훼손 여부

4. 역사적·문화적·향토적 가치 및 보존 여부

5. 조경 및 재해예방 등의 조치 필요 여부

건축관계법

국토계획법

주차장법

주 택 법

도시및주거
환경정비법

건축사법

장애인시설법

소방시설법

서울시조례

건축관계법

국토계획법

주차장법

주 택 법

도시및주거
환경정비법

건축사법

장애인시설법

소방시설법

서울시조례

6. 관계 법령에서 규정하고 있는 공공시설의 확보 여부 등
② 시장은 토지형질변경, 토석채취 및 대상토지면적 1천제곱미터 이상 물건을 쌓아놓는 행위허가에 대하여는 시도시계획위원회의 심의를 거쳐야 한다. <개정 2018.1.4>
③ 영 제55조제1항제1호에 따라 용도지역별 개발행위의 규모를 초과하는 개발행위허가에 대하여는 해당 개발행위가 영 제55조제3항제3의2 각 목의 어느 하나에 해당하는 경우 시도시계획위원회의 심의를 거쳐야 하고, 자치구의 구청장은 시도시계획위원회의 심의를 요청하기 전에 해당 자치구에 설치된 구도시계획위원회에 자문할 수 있다. (신설 2014.1.9.)

제22조【이행보증금 등】 ① 법 제60조제1항제3호에 따라 이행보증금의 예치가 제외되는 공공단체는 「지방공기업법」에 따라 시 또는 자치구에서 설립한 공사 및 공단 등으로 한다 (개정 2019.5.16.)
② 영 제59조제2항에 따라 이행보증금은 개발행위에 필요한 총공사비의 20퍼센트(산지에서의 개발행위의 경우 「산지관리법」 제38조에 따른 복구비를 합하여 총공사비의 20퍼센트 이내) 해당하는 금액으로 한다. (개정 2016.1.7)
③ 제2항에 따른 이행보증금은 「서울특별시 회계관리에 관한 규칙」에 따라 현금으로 예치하거나 「국가를 당사자로 하는 계약에 관한 법률 시행령」 제37조제2항 각 호의 보증서 등으로 갈음할 수 있다. (개정 2020.12.31., 2021.9.30)
④ 시장은 개발행위허가를 받은 자(이하 "허가를 받은 자"라 한다)가 착공 후 허가기간내에 공사를 이행하지 아니하거나 재해방지를 위한 조치 등을 이행하지 아니하는 때에는 허가를 받은 자에게 공사이행 등의 조치를 하도록 촉구하여야 한다.
⑤ 시장은 허가를 받은 자가 제4항에 따른 조치를 하지 아니한 때에는 예치된 이행보증금으로 공사중단 등에 따른 재해방지를 위하여 「행정대집행법」에 따른 대집행을 할 수 있다. (개정 2010.1.07)

제23조 삭제(2006.10.04)

제24조【개발행위허가의 기준 등】 영 별표 1의2에 따른 개발행위허가의 기준 등은 별표 1과 같다. (개정 2011.7.28)

제24조의2【기반시설의 부담 등】 기반시설 용량의 범위안에서 개발행위허가를 허용하는 기반시설연동제의 적용에 관하여는 법·영이 정하는 범위안에서 규칙으로 정한다.

제24조의3【개발행위허가 제한시 주민의견의 청취】 ① 시장은 법 제63조에 따라 개발행위허가를 제한하려면 「토지이용규제 기본법」 제8조에 따라 주민의 의견을 청취하여야 한다.
② 시장은 주민의 의견 청취를 위하여 개발행위허가

제한 열람공고와 동시에 등기부에 표기된 토지 및 건물 소유자(세입자 포함)에게 의견 청취 관련 사항에 관하여 우편(전자우편 포함)을 발송하거나 현수막 설치 등을 통해 알릴 수 있다. (본조신설 2015.5.14.)

제8장 용도지역·용지지구 및 용도구역안에서의 행위제한 <개정 2011.7.28>

제1절 용도지역안에서의 행위제한

제25조【제1종전용주거지역안에서 건축할 수 있는 건축물】 제1종전용주거지역안에서는 영 별표 2 제1호의 각 목의 건축물과 영 별표 2 제2호에 따라 다음 각 호의 건축물을 건축할 수 있다. (개정 2017.3.23., 2019.12.31., 2020.12.31)
1. 「건축법시행령」 별표 1 제1호의 단독주택중 다가구주택
2. 「건축법 시행령」 별표 1 제2호의 공동주택중 다세대주택으로서 19세대 이하인 것(허가권자가 해당 도시계획위원회의 심의를 거치는 것에 한정한다)
3. 「건축법 시행령」 별표 1 제3호의 제1종근린생활시설중 변전소·양수장·정수장·대피소·공중화장실 그 밖에 이와 유사한 것으로서 해당 용도에 쓰이는 바닥면적의 합계가 1천제곱미터 미만인 것
4. 「건축법 시행령」 별표 1 제4호의 제2종근린생활시설중 종교집회장(타종시설 및 옥외확성장치가 없는 것에 한한다)
5. 「건축법 시행령」 별표 1 제5호의 문화 및 집회시설중 전시장(박물관·미술관·기념관)으로서 해당 용도에 쓰이는 바닥면적의 합계가 1천제곱미터 미만인 것에 한한다.
6. 「건축법 시행령」 별표 1 제6호의 종교시설중 종교집회장(제2종 근린생활시설에 해당하지 아니하는 것으로서 타종시설 및 옥외확성장치가 없는 것에 한한다)으로서 해당 용도에 쓰이는 바닥면적의 합계가 1천제곱미터 미만인 것에 한한다.
7. 「건축법 시행령」 별표 1 제10호의 교육연구시설 중 유치원·초등학교
8. 「건축법 시행령」 별표 1 제11호의 노유자시설중 다음 각 목의 건축물
   가. 아동관련시설
   나. 노인복지시설(「주택법 시행령」 제4조제3호에 따른 노인복지주택은 제외한다)
9. 「건축법 시행령」 별표 1 제20호의 자동차관련시설 중 주차장(너비 12미터 이상인 도로에 접한 대지에 건축하는 것에 한한다)

01. 서울특별시 도시계획조례　10장

건축관계법

국토계획법

주차장법

주 택 법

도시및주거
환경정비법

건축사법

장애인시설법

소방시설법

서울시조례

제26조【제2종전용주거지역안에서 건축할 수 있는 건축물】 제2종전용주거지역안에서는 영 별표 3 제1호의 각목의 건축물과 영 별표 3 제2호에 따라 다음 각 호의 건축물을 건축할 수 있다. (개정 2017.3.23)

1. 「건축법 시행령」 별표 1 제4호의 제2종근린생활시설중 종교집회장(타종시설 및 옥외확성장치가 없는 것에 한한다)

2. 「건축법 시행령」 별표 1 제5호의 문화 및 집회시설중 전시장(박물관·미술관·기념관)으로서 해당 용도에 쓰이는 바닥면적의 합계가 1천제곱미터 미만인 것에 한한다.

3. 「건축법 시행령」 별표 1 제6호의 종교시설중 종교집회장(제2종 근린생활시설에 해당하지 아니하는 것으로서 타종시설 및 옥외확성장치가 없는 것에 한한다)으로서 해당 용도에 쓰이는 바닥면적의 합계가 1천제곱미터 미만인 것에 한한다.

4. 「건축법 시행령」 별표 1 제10호의 교육연구시설중 유치원·초등학교·중학교 및 고등학교

5. 「건축법 시행령」 별표 1 제11호의 노유자시설중 다음 각 목의 건축물
  가. 아동관련시설
  나. 노인복지시설

6. 「건축법 시행령」 별표 1 제20호의 자동차관련시설중 주차장(너비 12미터 이상인 도로에 접한 대지에 건축하는 것에 한한다)

제27조【제1종일반주거지역안에서 건축할 수 있는 건축물】 제1종일반주거지역안에서는 영 별표 4 제1호의 각목의 건축물과 영 별표 4 제2호에 따라 다음 각 호의 건축물을 건축할 수 있다. (개정 2017.3.23., 2018.10.4., 2021.5.20., 2023.10.4.)

1. 「건축법 시행령」 별표 1 제4호의 제2종근린생활시설 중 다음 각 목의 건축물
  가. 종교집회장(교회, 성당, 사찰, 기도원, 수도원, 수녀원, 제실(祭室), 사당, 그 밖에 이와 비슷한 것을 말한다)으로서 같은 건축물에 해당 용도로 쓰는 바닥면적의 합계가 5백제곱미터 미만인 것
  나. 서점(「건축법 시행령」 별표 1 제3호의 제1종근린생활시설에 해당하지 않는 것)으로서 같은 건축물에 해당 용도로 쓰는 바닥면적의 합계가 1천제곱미터 미만인 것
  다. 사진관, 표구점으로서 같은 건축물에 해당 용도로 쓰는 바닥면적의 합계가 1천제곱미터 미만인 것
  라. 휴게음식점, 제과점 등 음료·차·음식·빵·떡·과자 등을 조리하거나 제조하여 판매하는 시설(「건축법 시행령」 별표 1 제4호의 너목 또는 제17호에

해당하는 것은 제외한다)로서 같은 건축물에 해당 용도로 쓰는 바닥면적의 합계가 1천제곱미터 미만인 것
  마. 일반음식점으로서 같은 건축물에 해당 용도로 쓰는 바닥면적의 합계가 1천제곱미터 미만인 것
  바. 장의사, 동물병원, 동물미용실, 그 밖에 이와 유사한 것으로서 같은 건축물에 해당 용도로 쓰는 바닥면적의 합계가 1천제곱미터 미만인 것
  사. 학원(자동차학원·무도학원 및 정보통신기술을 활용하여 원격으로 교습하는 것은 제외한다), 교습소(자동차교습·무도교습 및 정보통신기술을 활용하여 원격으로 교습하는 것은 제외한다), 직업훈련소(운전·정비 관련 직업훈련소는 제외한다)로서 같은 건축물에 해당 용도로 쓰는 바닥면적의 합계가 5백제곱미터 미만인 것
  아. 독서실, 기원으로서 같은 건축물에 해당 용도로 쓰는 바닥면적의 합계가 1천제곱미터 미만인 것
  자. 테니스장, 체력단련장, 에어로빅장, 볼링장, 당구장, 실내낚시터, 골프연습장, 놀이형 시설(「관광진흥법」에 따른 기타유원시설업의 시설을 말한다) 등 주민의 체육 활동을 위한 시설(「건축법 시행령」 별표 1 제3호 마목의 시설은 제외한다)로서 같은 건축물에 해당 용도로 쓰는 바닥면적의 합계가 5백제곱미터 미만인 것
  자. 테니스장, 체력단련장, 에어로빅장, 볼링장, 당구장, 실내낚시터, 골프연습장, 놀이형시설(「관광진흥법」에 따른 기타유원시설업의 시설을 말한다) 등 주민의 체육 활동을 위한 시설(「건축법 시행령」 별표 1 제3호 마목의 시설은 제외한다)로서 같은 건축물에 해당 용도로 쓰는 바닥면적의 합계가 5백제곱미터 미만인 것
  차. 금융업소, 사무소, 부동산중개사무소, 결혼상담소 등 소개업소, 출판사 등 일반업무시설로서 같은 건축물에 해당 용도로 쓰는 바닥면적의 합계가 오백제곱미터 미만인 것(「건축법 시행령」 별표 1 제3호의 제1종근린생활시설에 해당하는 것은 제외한다)

2. 「건축법 시행령」 별표 1 제5호의 문화 및 집회시설 중 전시장 및 동·식물원(너비 12미터 이상인 도로에 12미터 이상 접한 대지에 건축하는 것에 한한다) 다만, 해당 용도에 사용하는 바닥면적의 합계가 1천제곱미터 미만인 박물관·미술관·기념관은 그러하지 아니하다)

3. 「건축법 시행령」 별표 1 제6호의 종교시설중 종교집회장으로서 제2종 근린생활시설에 해당하지 아니하는 것

건축관계법

국토계획법

주차장법

주 택 법

도시및주거
환경정비법

건축사법

장애인시설법

소방시설법

서울시조례

4. 「건축법 시행령」 별표 1 제6호의 종교시설중 종교집회장안에 설치하는 봉안당(유골 750구 이하에 한한다. 다만, 도시자연공원구역 내 설치하는 경우에는 「장사 등에 관한 법률」에 따른다).

5. 「건축법 시행령」 별표 1 제10호의 교육연구시설(학원은 제외한다)

6. 「건축법 시행령」 별표 1 제12호의 수련시설 중 유스호스텔(너비 15미터 이상인 도로에 20미터 이상 접한 대지에 건축하는 것에 한한다)

7. 「건축법 시행령」 별표 1 제13호의 운동시설(옥외 철탑이 설치된 골프연습장을 제외하며, 너비 12미터 이상인 도로에 12미터 이상 접한 대지에 건축하는 것에 한한다)

8. 「건축법 시행령」 별표 1 제20호의 자동차관련시설 중 주차장

9. 「건축법 시행령」 별표 1 제23호의 교정 및 군사 시설의 국방·군사시설 중 다음 각 목의 요건을 모두 갖춘 경우

   가. 군부대시설(2016년 12월 31일 현재 제1종일반주거지역에 입지한 시설에 한정한다)인 대지 안에 건축하는 경우

   나. 「국방·군사시설 사업에 관한 법률」에 따른 군부대에 부속된 시설로서 군인의 주거·복지·체육 또는 휴양 등을 위하여 필요한 시설을 건축하는 경우

10. 「건축법 시행령」 별표 1 제25호의 발전시설 중 발전소(「신에너지 및 재생에너지 개발」이용·보급 촉진법·제2조2호에 따른 태양에너지·연료전지·지열에너지·수소에너지를 이용한 발전소에 한정한다.)

11. 「건축법 시행령」 별표 1 제9호의 의료시설 중 요양병원(「의료법」 제3조3호에 따른 요양병원을 말한다.)

제28조【제2종일반주거지역안에서 건축할 수 있는 건축물】 ① 영 별표 5 제1호 및 제2호에 따라 제2종일반주거지역안에서 건축할 수 있는 건축물의 층수는 다음 각 호와 같다. (개정 2020.10.5., 2021.12.30)

1. 5층 이하의 건축물이 밀집한 지역으로서 스카이라인의 급격한 변화로 인한 도시경관의 훼손을 방지하기 위하여 시 도시계획위원회의 심의를 거쳐 시장이 지정·고시하는 구역안에서의 건축물의 층수는 7층 이하로 한다. 다만, 다음 각 목의 어느 하나에 해당하는 경우에는 시도시계획위원회, 시공동위원회, 시도시재정비위원회, 시도시재생위원회 또는 시시장정비사업 심의위원회 등 시도시계획 관련 위원회의 심의를 거쳐 그 층수를 완화할 수 있다.

   가. 「전통시장 및 상점가 육성을 위한 특별법」 제37

조에 따른 시장정비사업 추진계획 승인대상 전통시장 : 15층 이하

   나. 균형발전사업지구·산업개발진흥지구 또는 「재난 및 안전관리기본법」 제27조에 따른 특정관리대상 시설중 「건축법 시행령」 별표 1 제2호가목에 따른 아파트(이하 "특정관리대상 아파트"라 한다) : 10층 이하

   다. 「건축법 시행령」 별표 1 제2호가목에 따른 아파트를 건축하는 경우 : 평균층수 13층 이하

2. 제1호 이외의 지역에서 「건축법 시행령」 별표 1 제2호가목에 따른 아파트를 건축하는 경우 경관관리 또는 주거환경 보호를 위해 시도시계획위원회, 시공동위원회, 시도시재정비위원회, 시도시재생위원회 또는 시시장정비사업 심의위원회 등 시도시계획 관련 위원회 심의를 거쳐 층수를 따로 정할 수 있다.

3. (삭제 2012.5.22.)

4. (삭제 2012.5.22.)

   가. 삭제 (2010.1.7.)>

   나. 삭제 (2010.1.7.)

② 제1항제1호에 따른 "평균층수"는 아파트의 지상 연면적을 규칙으로 정하는 기준면적으로 나누어 환산한 층수를 말한다.(개정 2012.11.1)

③ 제2종일반주거지역안에서는 영 별표 5 제1호의 각 목의 건축물과 영 별표 5 제2호에 따라 다음 각 호의 건축물을 건축할 수 있다. (개정 2017.3.23., 2019.1.3., 2019.12.31)

1. 「건축법 시행령」 별표 1 제4호의 제2종근린생활시설 중 다음 각 목의 건축물

   가. 공연장(극장, 영화관, 연예장, 음악당, 서커스장, 비디오물감상실, 비디오물소극장, 그밖에 이와 비슷한 것으로서 같은 건축물에 해당 용도로 쓰는 바닥면적의 합계가 5백제곱미터 미만이고 너비 12미터 이상인 도로에 접한 대지에 건축하는 것에 한정한다)

   나. 종교집회장(교회, 성당, 사찰, 기도원, 수도원, 수녀원, 제실(祭室), 사당, 그 밖에 이와 비슷한 것)으로서 같은 건축물에 해당 용도로 쓰는 바닥면적의 합계가 5백제곱미터 미만인 것

   다. 자동차영업소(같은 건축물에 해당 용도로 쓰는 바닥면적의 합계가 1천제곱미터 미만인 것으로서 너비 20미터 이상인 도로에 접한 대지에 건축하는 것에 한정한다)

   라. 서점(「건축법 시행령」 별표 1 제3호의 제1종근린생활시설에 해당하지 않는 것)

   마. 총포판매소(너비 20미터 이상인 도로에 접한 대지에 건축하는 것에 한한다)

바. 사진관, 표구점

사. 청소년게임제공업소, 복합유통게임제공업소, 인터넷컴퓨터게임시설제공업소, 그 밖에 이와 비슷한 게임 관련 시설(같은 건축물에 해당 용도로 쓰는 바닥면적의 합계가 5백제곱미터 미만인 것으로서 너비 12미터 이상인 도로에 접한 대지에 건축하는 것에 한정한다)

아. 휴게음식점, 제과점 등 음료·차(茶)·음식·빵·떡·과자 등을 조리하거나 제조하여 판매하는 시설(「건축법 시행령」 별표 1 제4호의 너목 또는 제17호에 해당하는 것은 제외한다)

자. 일반음식점

차. 장의사, 동물병원, 동물미용실, 그 밖에 이와 유사한 것

카. 학원(자동차학원·무도학원 및 정보통신기술을 활용하여 원격으로 교습하는 것은 제외한다), 교습소(자동차교습·무도교습 및 정보통신기술을 활용하여 원격으로 교습하는 것은 제외한다), 직업훈련소(운전·정비 관련 직업훈련소는 제외한다)로서 같은 건축물에 해당 용도로 쓰는 바닥면적의 합계가 5백제곱미터 미만인 것

타. 독서실, 기원

파. 테니스장, 체력단련장, 에어로빅장, 볼링장, 당구장, 실내낚시터, 골프연습장, 놀이형 시설(「관광진흥법」에 따른 기타유원시설업의 시설을 말한다) 등 주민의 체육 활동을 위한 시설(「건축법 시행령」 별표 1 제3호 마목의 시설은 제외한다)로서 같은 건축물에 해당 용도로 쓰는 바닥면적의 합계가 5백제곱미터 미만인 것

하. 금융업소, 사무소, 부동산중개사무소, 결혼상담소 등 소개업소, 출판사 등 일반업무시설로서 같은 건축물에 해당 용도로 쓰는 바닥면적의 합계가 5백제곱미터 미만인 것(「건축법 시행령」 별표 1 제3호의 제1종근린생활시설에 해당하는 것은 제외한다)

거. 다중생활시설(같은 건축물에 해당 용도로 쓰는 바닥면적의 합계가 5백제곱미터 미만인 것으로서 너비 12미터 이상인 도로에 접한 대지에 건축하는 것에 한정한다)

너. 제조업소, 수리점 등 물품의 제조·가공·수리 등을 위한 시설(너비 12미터 이상인 도로에 접한 대지에 건축하는 것에 한한다)로서 같은 건축물에 해당 용도로 쓰는 바닥면적의 합계가 5백제곱미터 미만이고, 다음 요건 중 어느 하나에 해당 하는 것

1) 「대기환경보전법」, 「물환경보전법」 또는 「소음·진동관리법」에 따른 배출시설의 설치 허가 또는 신고의 대상이 아닌 것

2) 「대기환경보전법」, 「수질 및 수생태계 보전에 관한 법률」 또는 「소음·진동관리법」에 따른 배출시설의 설치 허가 또는 신고의 대상 시설이나 귀금속·장신구 및 관련 제품 제조시설로서 발생되는 폐수를 전량 위탁 처리하는 것

더. 노래연습장(너비 12미터 이상인 도로에 접한 대지에 건축하는 것에 한정한다)

2. 「건축법 시행령」 별표 1 제5호의 문화 및 집회시설 중 다음 각 목의 건축물

가. 공연장·집회장(마권장외발매소, 마권전화투표소는 제외하며, 해당 용도에 쓰이는 바닥면적의 합계가 2천제곱미터 미만인 것에 한한다. 다만, 지구단위계획을 수립할 경우 지구단위계획으로 완화할 수 있다)

나. 전시장 및 동·식물원(너비 12미터 미만인 도로에 접한 대지에 건축하는 경우에는 해당 용도에 쓰이는 바닥면적의 합계가 2천제곱미터 미만인 것에 한한다)

3. 「건축법 시행령」 별표 1 제7호의 판매시설중 다음 각 목의 건축물

가. 소매시장 및 상점으로서 해당 용도에 쓰이는 바닥면적의 합계가 2천제곱미터 미만인 것(너비 20미터 이상인 도로에 접한 대지에 건축하는 것에 한한다)

나. 기존의 도매시장 또는 소매시장을 재건축하는 경우로서 종전의 해당 용도에 쓰이는 바닥면적의 합계의 3배 이하 또는 대지면적의 2배 이하인 것

4. 「건축법 시행령」 별표 1 제9호의 의료시설중 병원

5. 「건축법 시행령」 별표 1 제10호의 교육연구시설

6. 「건축법 시행령」 별표 1 제12호의 수련시설(야영장 시설은 제외하며, 유스호스텔의 경우에는 너비 15미터 이상인 도로에 20미터 이상 접한 대지에 건축하는 것에 한정한다)

7. 「건축법 시행령」 별표 1 제13호의 운동시설(너비 12미터 미만인 도로에 접한 대지의 경우에는 해당 용도에 쓰이는 바닥면적의 합계가 2천제곱미터 미만인 것에 한한다)

8. 「건축법 시행령」 별표 1 제14호의 업무시설중 공공업무시설·금융업소 및 사무소로서 해당 용도에 쓰이는 바닥면적의 합계가 3천제곱미터 미만인 것

9. 「건축법 시행령」 별표 1 제18호의 창고시설로서 해당 용도에 쓰이는 바닥면적의 합계가 1천제곱미터 미만인 것

건축관계법

국토계획법

주차장법

주 택 법

도시및주거
환경정비법

건축사법

장애인시설법

소방시설법

서울시조례

건축관계법

국토계획법

주차장법

주 택 법

도시및주거
환경정비법

건축사법

장애인시설법

소방시설법

서울시조례

10. 「건축법 시행령」 별표 1 제19호의 위험물저장 및 처리시설중 다음 각 목의 건축물
    가. 주유소·석유판매소 및 액화가스판매소
    나. 「대기환경보전법」에 따른 저공해자동차 연료공급시설
    다. 시내버스차고지에 설치하는 액화석유가스충전소 및 고압가스충전·저장소
    라. 도료류 판매소
11. 「건축법 시행령」 별표 1 제20호의 자동차관련시설 중 다음 각 목의 건축물
    가. 주차장
    나. 세차장
    다. 「여객자동차 운수사업법」 또는 「화물자동차 운수사업법」에 따른 차고 중 다음의 요건을 갖춘 대지에 건축하는 건축물
        (1) 너비 12미터(일반택시운송사업용 및 자동차대여사업용 차고는 6미터, 마을버스운송사업용의 차고는 8미터) 이상 도로에 접한 대지
        (2) 입지, 출입구, 주변교통량, 지역여건 등을 고려하여 구청장이 주민 열람 후 구도시계획위원회의 심의를 거쳐 주거환경을 침해할 우려가 없다고 인정하여 지정·공고한 구역안에 위치한 대지
12. 「건축법 시행령」 별표 1 제21호에 따른 동물 및 식물 관련 시설 중 다음 각 목의 건축물
    가. 작물재배사
    나. 종묘배양시설
    다. 화초 및 분재 등의 온실
    라. 식물과 관련된 가목부터 다목까지 시설과 유사한 것(동·식물원은 제외한다)
13. 「건축법 시행령」 별표 1 제23호의 교정 및 국방·군사시설
14. 「건축법 시행령」 별표 1 제24호의 방송통신시설
15. 「건축법 시행령」 별표 1 제25호의 발전시설 중 발전소(「신에너지 및 재생에너지 개발」 이용·보급 촉진법· 제2조2호에 따른 태양에너지·연료전지·지열에너지·수소에너지를 이용한 발전소와 지역난방을 위한 열병합발전소에 한한다)
④ 제3항제1호에도 불구하고 구청장은 시장과의 협의 및 구도시계획위원회의 심의를 거쳐 주거환경을 침해할 우려가 없다고 인정하여 지정·공고한 구역안에 위치한 대지에 한해 제3항제1호의 가목, 사목, 너목, 더목 각각의 건축물 접도조건을 완화하여 건축하게 할 수 있다. (신설 2019.1.3.)

제29조 【제3종일반주거지역안에서 건축할 수 있는 건축물】 제3종일반주거지역안에서는 영 별표 6 제1호의 각목의 건축물과 영 별표 6 제2호에 따라 다음 각 호의 건축물을 건축할 수 있다. (개정 2014.10.20., 2017.3.23., 2018.10.4, 2019.1.3, 2019.12.31., 2020.12.31)

1. 「건축법 시행령」 별표 1 제4호의 제2종근린생활시설(단란주점 및 안마시술소는 제외하며, 자동차영업소는 1천제곱미터 미만, 총포판매소는 2천제곱미터 미만으로서 너비 20미터 이상인 도로에 접한 대지에 건축하는 것에 한정한다)
2. 「건축법 시행령」 별표 1 제5호의 문화 및 집회시설 중 다음 각 목의 건축물
    가. 공연장·집회장(마권장외발매소, 마권전화투표소는 제외하며, 해당 용도에 쓰이는 바닥면적의 합계가 3천제곱미터 미만인 것에 한한다. 다만, 예식장을 제외한 용도의 건축물은 너비 20미터 이상인 도로에 접한 대지에 건축하는 경우에는 그러하지 아니하다)
    나. 전시장 및 동·식물원(너비 12미터 미만인 도로에 접한 대지에 건축하는 경우에는 해당 용도에 쓰이는 바닥면적의 합계가 3천제곱미터 미만인 것에 한한다)
3. 「건축법 시행령」 별표 1 제7호의 판매시설중 다음 각 목의 건축물
    가. 소매시장 및 상점으로서 해당 용도에 쓰이는 바닥면적의 합계가 2천제곱미터 미만인 것(너비 20미터 이상인 도로에 접한 대지에 건축하는 것에 한한다)
    나. 기존의 도매시장 또는 소매시장을 재건축하는 경우로서 해당 용도에 쓰이는 바닥면적의 합계의 4배 이하 또는 대지면적의 2배 이하인 것
4. 「건축법 시행령」 별표 1 제9호의 의료시설 중 병원
5. 「건축법 시행령」 별표 1 제10호의 교육연구시설
6. 「건축법 시행령」 별표 1 제12호의 수련시설(야영장시설은 제외하며, 유스호스텔의 경우 너비 15미터 이상인 도로에 20미터 이상 접한 대지에 건축하는 것에 한정한다)
7. 「건축법 시행령」 별표 1 제13호의 운동시설(너비 12미터 미만인 도로에 접한 대지에 건축하는 경우에는 해당 용도에 쓰이는 바닥면적의 합계가 3천제곱미터 미만인 것에 한한다)
8. 「건축법 시행령」 별표 1 제14호의 업무시설(오피스텔의 경우 너비 20미터 이상 도로에 접한 대지에 건축하는 것에 한한다)로서 해당 용도에 쓰이는 바닥면적의 합계가 3천제곱미터 미만인 것
9. 「건축법 시행령」 별표 1 제17호 의 공장(너비 8미터 이상인 도로에 접한 대지에 건축하는 것에 한한

다). 다만, 허가권자가 해당 도시계획위원회의 심의를 거쳐 건축예정지 주변 여건상 교통소통에 지장이 없다고 판단한 경우는 그러하지 아니하다)중 지식산업센터(시장이 필요하다고 인정하여 지정·공고한 구역안의 것에 한한다) 인쇄업, 기록매체복제업, 봉제업(의류편조업을 포함한다), 컴퓨터 및 주변기기제조업, 컴퓨터 관련 전자제품조립업 및 두부제조업의 공장으로서 다음의 각 목의 어느 하나에 해당하지 아니하는 것

가. 「대기환경 보전법」 제2조제9호에 따른 특정대기유해물질을 배출하는 것

나. 「대기환경 보전법」 제2조제11호에 따른 대기오염물질배출시설에 해당하는 시설로서 같은 법 시행령 별표 1의3에 따른 1종사업장부터 4종사업장까지에 해당하는 것

다. 「물환경 보전법」 제2조제8호에 따른 특정수질유해물질을 배출하는 것. 다만, 같은 법 제34조에 따라 폐수무방류배출시설의 설치허가를 받아 운영하는 경우는 제외한다.

라. 「수질 및 수생태계 보전에 관한 법률」 제2조제10호에 따른 폐수배출시설에 해당하는 시설로서 같은 법 시행령 별표 13에 따른 1종사업장부터 4종사업장까지에 해당하는 것

마. 「폐기물관리법」 제2조제4호에 따른 지정폐기물을 배출하는 것

바. 「소음·진동관리법」 제7조에 따른 배출허용기준의 2배 이상인 것

10. 「건축법 시행령」 별표 1 제18호의 창고시설(물류터미널 및 집배송시설 제외) 해당 용도에 쓰이는 바닥면적의 합계가 2천제곱미터 미만인 것

11. 「건축법 시행령」 별표 1 제19호의 위험물저장 및 처리시설중 다음 각 목의 건축물

가. 주유소·석유판매소 및 액화가스판매소

나. 「대기환경 보전법」에 따른 저공해자동차의 연료공급시설

다. 시내버스차고지에 설치하는 액화석유가스충전소 및 고압가스충전·저장소

라. 도료류 판매소

12. 「건축법 시행령」 별표 1 제20호의 자동차관련시설 중 다음 각 목의 건축물

가. 주차장

나. 세차장

다. 「여객자동차 운수사업법」 또는 「화물자동차 운수사업법」에 따른 차고 중 다음의 요건을 갖춘 대지에 건축하는 건축물 (개정 2008.7.30)

(1) 너비 12미터(일반택시운송사업용 및 자동차대여사업용 차고는 6미터, 마을버스운송사업용의 차고는 8미터) 이상 도로에 접한 대지

(2) 입지, 출입구, 주변교통량, 지역여건 등을 고려하여 구청장이 주민 열람 후 구도시계획위원회의 심의를 거쳐 주거환경을 침해할 우려가 없다고 인정하여 지정·공고한 구역안에 위치한 대지

13. 「건축법 시행령」 별표 1의 제21호에 따른 동물 및 식물관련시설중 다음 각 목의 건축물

가. 작물재배사

나. 종묘배양시설

다. 화초 및 분재 등의 온실

라. 식물과 관련된 가목부터 다목까지 시설과 유사한 것(동·식물원은 제외한다)

14. 「건축법 시행령」 별표 1 제23호의 교정 및 군사시설중 다음 각 목의 건축물

가. 교정시설, 보호관찰소 및 갱생보호소 그 밖의 범죄자의 갱생·보육·교육·보건 등의 용도에 쓰이는 시설(구청장이 구도시계획위원회의 심의를 거쳐 주거환경을 침해할 우려가 없다고 인정하여 지정·공고한 구역에 한한다)

나. 국방·군사시설

15. 「건축법 시행령」 별표 1 제24호의 방송통신시설

16. 「건축법 시행령」 별표 1 제25호의 발전시설 중 발전소(「신에너지 및 재생에너지 개발」 이용·보급 촉진법· 제2조2호에 따른 태양에너지·연료전지·지열에너지·수소에너지를 이용한 발전소와 지역난방을 위한 열병합발전소에 한한다)

제30조_【준주거지역안에서 건축할 수 없는 건축물】 준주거주거지역안에서는 영 별표 7 제1호의 각목의 건축물과 영 별표 7 제2호에 따라 다음 각 호의 건축물을 건축할 수 있다. (개정 2014.10.20)

1. 「건축법 시행령」 별표 1 제5호의 문화 및 집회시설 중 마권 장외 발매소, 마권 전화투표소, 경마장, 경륜장, 경정장 (개정 2017.3.23.)

2. 「건축법 시행령」 별표 1 제8호의 운수시설(철도시설은 제외한다)

3. 「건축법 시행령」 별표1 제15호의 숙박시설 중 생활숙박시설

4. 「건축법 시행령」 별표 1 제18호의 창고시설(창고 및 하역장은 제외한다)

5. 「건축법 시행령」 별표 1 제19호의 위험물저장 및 처리시설중 다음 각 목을 제외한 건축물

가. 주유소 및 석유판매소

나. 액화가스취급소

다. 액화가스판매소

건축관계법

국토계획법

주차장법

주 택 법

도시및주거
환경정비법

건축사법

장애인시설법

소방시설법

서울시조례

라. 시내버스차고지에 설치하는 액화석유가스충전소 및 고압가스충전·저장소

마. 「대기환경 보전법」에 따른 저공해자동차의 연료 공급시설

바. 도료류 판매소

6. 「건축법 시행령」 별표 1 제20호의 자동차관련시설 중 다음 각 목의 건축물

가. 정비공장(자동차종합정비공장에 한한다)

나. 차고(「여객자동차 운수사업법」 및 「화물자동차 운수사업법」에 따른 차고는 제외한다) 및 주기장

7. 「건축법 시행령」 별표 1 제21호의 동물 및 식물관련시설 중 가축시설

8. 「건축법 시행령」 별표 1 제23호의 교정 및 군사시설 중 다음 각 목의 건축물

가. 교정시설, 갱생보호시설, 그 밖에 범죄자의 갱생·보육·교육·보건 등의 용도에 쓰이는 시설(구청장이 구도시계획위원회의 심의를 거쳐 주거환경을 침해할 우려가 없다고 인정하여 지정·공고한 구역은 제외한다)

나. 소년원 및 소년분류심사원

9. 「건축법 시행령」 별표 1 제25호의 발전시설(「신에너지 및 재생에너지 개발·이용·보급 촉진법」 제2조2호에 따른 태양에너지·연료전지·지열에너지·수소에너지를 이용한 발전소와 지역난방을 위한 열병합발전소는 제외한다)

10. 「건축법 시행령」 별표 1 제27호의 관광휴게시설

[전문개정 2014.10.20]

제31조【중심상업지역안에서 건축할 수 없는 건축물】① 중심상업지역안에서는 영 별표 8 제1호의 각 목의 건축물과 영 별표 8 제2호에 따라 다음 각 호의 건축물을 건축할 수 없다. (개정 2014.10.20.)

1. 「건축법 시행령」 별표 1 제2호의 공동주택[별표3에 따라 주거외의 용도와 복합된 것은 제외한다] (개정 2017.7.13.)

2. 「건축법 시행령」 별표 1 제9호의 의료시설 중 격리병원

3. 「건축법 시행령」 별표 1 제19호의 위험물저장 및 처리시설 중 위험물 제조소·저장소·취급소

4. 「건축법 시행령」 별표 1 제23호의 교정 및 군사 시설 중 다음 각 목에 해당하는 것

가. 교정시설

나. 갱생보호시설, 그 밖에 범죄자의 갱생·보육·교육·보건 등의 용도로 쓰는 시설

다. 소년원 및 소년분류심사원

5. 「건축법 시행령」 별표 1 제27호의 관광휴게시설 중

휴게소, 공원·유원지, 관광지 부수시설 (개정 2017.3.23.)

② 영 별표 8 제1호의 다목 및 라목 규정에 따라 주거지역 경계로부터 50미터(주거지역 경계가 너비 6미터 이상 도로에 접한 경우 도로 너비를 거리 산정시 포함하여 계산한다. 이하 같다) 이내의 지역안에서는 「건축법 시행령」 별표 1 제15호 숙박시설 중 일반숙박시설 및 생활숙박시설과 제16호 위락시설로의 용도로 건축 또는 용도변경을 할 수 없으며, 주거지역 경계로부터 50미터 초과 200미터까지는 건축물의 용도·규모 또는 형태가 주거환경·교육환경 등 주변환경에 맞지 않다고 허가권자가 인정하는 경우에는 해당 도시계획위원회의 심의를 거쳐 건축 또는 용도변경을 제한할 수 있다. (개정 2014.10.20.)

② 영 별표 8 제1호의 다목 및 라목 규정에 따라 주거지역 경계로부터 50미터(주거지역 경계가 너비 6미터 이상 도로에 접한 경우 도로 너비를 거리 산정시 포함하여 계산한다. 이하 같다) 이내의 지역안에서는 「건축법 시행령」 별표 1 제15호 숙박시설 중 일반숙박시설 및 생활숙박시설과 제16호 위락시설로의 용도로 건축 또는 용도변경을 할 수 없으며, 주거지역 경계로부터 50미터 초과 200미터까지는 건축물의 용도·규모 또는 형태가 주거환경·교육환경 등 주변환경에 맞지 않다고 허가권자가 인정하는 경우에는 해당 도시계획위원회의 심의를 거쳐 건축 또는 용도변경을 제한할 수 있다. (개정 2014.10.20.)

[제목개정 2014.10.20]

제32조【일반상업지역안에서 건축할 수 없는 건축물】① 일반상업지역안에서는 영 별표 9 제1호의 각 목의 건축물과 영 별표 9 제2호에 따라 다음 각 호의 건축물을 건축할 수 없다. (개정 2017.3.23.)

1. 「건축법 시행령」 별표 1 제1호의 단독주택(다른 용도와 복합된 것은 제외한다)

2. 「건축법 시행령」 별표 1 제2호의 공동주택[별표3에 따라 주거외의 용도와 복합된 것은 제외한다] (개정 2017.7.13.)

3. 「건축법 시행령」 별표 1 제12호의 수련시설(생활권 수련시설은 제외한다)

4. 「건축법 시행령」 별표 1 제17호의 공장 중 출판업, 인쇄업, 금은세공업, 기록매체복제업의 공장과 지식산업센터를 제외한 것.

5. 「건축법 시행령」 별표 1 제19호의 위험물저장 및 처리시설 중 위험물 제조소·저장소·취급소

6. 「건축법 시행령」 별표 1 제21호의 동물 및 식물관련시설 중 다음 각 목에 해당하는 것

가. 작물 재배사

나. 종묘배양시설

다. 화초 및 분재 등의 온실

라. 식물과 관련된 가목부터 다목까지의 시설과 비슷한 것(동·식물원은 제외한다)

7. 「건축법 시행령」 별표 1 제23호의 교정 및 군사 시설 중 다음 각 목에 해당하는 것

　가. 교정시설

　나. 갱생보호시설, 그 밖에 범죄자의 갱생·보육·교육·보건 등의 용도로 쓰는 시설

　다. 소년원 및 소년분류심사원

② 영 별표 9 제1호의 가목 및 나목 규정에 따른 「건축법 시행령」 별표 1 제15호 숙박시설 중 일반숙박시설 및 생활숙박시설과 제16호 위락시설의 경우 제31조제2항에 따른다.

[전문개정 2014.10.20]

제33조【근린상업지역안에서 건축할 수 없는 건축물】 ① 근린상업지역안에서는 영 별표 10 제1호의 각 목의 건축물과 영 별표 10 제2호에 따라 다음 각 호의 건축물을 건축할 수 없다. (개정 2017.7.13.)

1. 「건축법 시행령」 별표 1 제2호의 공동주택[별표3에 따라 주거외의 용도와 복합된 것은 제외한다]

2. 「건축법 시행령」 별표 1 제17호의 공장 중 출판업, 인쇄업, 금은세공업, 기록매체복제업의 공장과 지식산업센터를 제외한 것

3. 「건축법 시행령」 별표 1 제19호의 위험물저장 및 처리시설 중 위험물 제조소·저장소·취급소

4. 「건축법 시행령」 별표 1 제21호의 동물 및 식물관련시설 중 다음 각 목에 해당하는 것

　가. 작물 재배사

　나. 종묘배양시설

　다. 화초 및 분재 등의 온실

　라. 식물과 관련된 가목부터 다목까지의 시설과 비슷한 것(동·식물원은 제외한다)

5. 「건축법 시행령」 별표 1 제23호의 교정 및 군사시설(라목 국방·군사시설은 제외한다)

6. 「건축법 시행령」 별표 1 제25호의 발전시설(「신에너지 및 재생에너지 개발·이용·보급 촉진법」 제2조2호에 따른 태양에너지·연료전지·지열에너지·수소에너지를 이용한 발전소와 지역난방을 위한 열병합발전소는 제외한다)

7. 「건축법 시행령」 별표 1 제27호의 관광휴게시설 중 관망탑, 휴게소, 공원·유원지, 관광지 부수시설

② 영 별표 10 제1호의 나목 및 다목, 제2호마목 규정에 따른 「건축법 시행령」 별표 1 제15호 숙박시설 중 일반숙박시설 및 생활숙박시설과 제16호 위락시설의 경우 제31조제2항에 따른다.

[전문개정 2014.10.20]

제34조【유통상업지역안에서 건축할 수 없는 건축물】 ① 유통상업지역안에서는 영 별표 11 제1호의 각 목의 건축물과 영 별표 11 제2호에 따라 다음 각 호의 건축물을 건축할 수 없다. (개정 2014.10.20.)

1. 「건축법 시행령」 별표 1 제10호의 교육연구시설

2. 「건축법 시행령」 별표 1 제13호의 운동시설

3. 「건축법 시행령」 별표 1 제15호의 숙박시설

4. 「건축법 시행령」 별표 1 제19호의 위험물저장 및 처리시설 중 위험물 제조소·저장소·취급소

5. 「건축법 시행령」 별표 1 제20호의 자동차관련시설 중 폐차장(폐차영업소는 제외한다)

6. 「건축법 시행령」 별표 1 제23호의 교정 및 군사시설(라목 국방·군사시설은 제외한다)

7. 「건축법 시행령」 별표 1 제25호의 발전시설(「신에너지 및 재생에너지 개발·이용·보급 촉진법」 제2조2호에 따른 태양에너지·연료전지·지열에너지·수소에너지를 이용한 발전소와 지역난방을 위한 열병합발전소는 제외한다)

8. 「건축법 시행령」 별표 1 제27호의 관광휴게시설

② 영 별표 11 제1호마목 및 제2호자목 규정에 따른 「건축법 시행령」 별표 1 제16호 위락시설의 경우 제31조제2항에 따른다. (신설 2014.10.20.)

[제목개정 2014.10.20]

제35조【준공업지역안에서 건축할 수 없는 건축물】 준공업지역안에서는 영 별표 14 제1호의 각 목의 건축물과 영 별표 14 제2호에 따라 다음 각 호의 건축물을 건축할 수 없다. (개정 2016.3.24., 2017.3.23., 2019.3.28.)

1. 「건축법 시행령」 별표1 제2호의 공동주택 중 공장부지(이적지 포함)에 건축하는 공동주택. 다만, 다음 각 목의 어느 하나에 해당하는 경우는 그러하지 아니하다.

　가. 「건축법 시행령」 별표 1 제2호의 공동주택 중 기숙사

　나. 「공공주택 특별법」 제2조제1호가목의 공공임대주택, 「민간임대주택에 관한 특별법」 제2조제4호의 공공지원민간임대주택 및 제5호의 장기일반민간임대주택(단, 임대주택이 아닌 시설이 포함된 경우는 제외한다)

　다. 지구단위계획, 「도시 및 주거환경 정비법」 제2조제2호 각 목의 정비사업 또는 「도시개발법」 제2조제1항의 도시개발사업은 별표 2에서 정하는 비율 이상의 산업시설의 설치 또는 산업부지를 확보하고 산업시설을 설치하는 경우

1의2. 제1호의 본문규정에 불구하고 2008.7.30현재 주택지 등으로 둘러싸여 산업부지의 활용이 어렵고, 주변

건축관계법

국토계획법

주차장법

주 택 법

도시및주거
환경정비법

건축사업

장애인시설법

소방시설법

서울시조례

건축관계법

국토계획법

주차장법

주 택 법

도시및주거
환경정비법

건축사법

장애인시설법

소방시설법

서울시조례

과 연계하여 개발이 불가능한 3천제곱미터 미만의 공
장이적지의 경우 공동주택(아파트는 제외한다)을 건축
할 수 있다.(허가권자가 해당 도시계획위원회의 심의
를 거치는 경우에 한한다)
2. 「건축법 시행령」 별표 1 제4호의 제2종근린생활시
설 중 단란주점 및 제5호의 문화 및 집회시설 중 마권
장외 발매소, 마권 전화투표소, 경마장, 경륜장, 경정장
3. 「건축법 시행령」 별표 1 제15호의 숙박시설
4. 「건축법 시행령」 별표 1 제23호의 교정 및 군사시
설(라목 국방·군사시설은 제외한다)
5. 「건축법 시행령」 별표 1 제27호의 관광휴게시설
[전문개정 2014.10.20]

제36조【보전녹지지역안에서 건축할 수 있는 건축물】 보전
녹지지역안에서는 영 별표 15 제1호의 각 목의 건축물과
영 별표 15 제2호에 따라 다음 각 호의 건축물을 건축할
수 있다. (개정 2017.3.23.)
1. 「건축법 시행령」 별표 1 제1호의 단독주택(다가구
주택은 제외한다)
2. 「건축법 시행령」 별표 1 제3호의 제1종근린생활시
설로서 해당 용도에 쓰이는 바닥면적의 합계가 500제
곱미터 미만인 것(같은 호 다목의 목욕장 중 「다중이
용업소의 안전관리에 관한 특별법」에 해당하는 것과
같은 호 라목의 산후 조리원은 제외한다)
3. 「건축법 시행령」 별표 1 제4호의 제2종근린생활시
설중 종교집회장
4. (삭제 2017.3.23.)
5. (삭제 2017.3.23.)
6. (삭제 2017.3.23.)
7. (삭제 2017.3.23.)
8. (삭제 2017.3.23.)
9. 「건축법 시행령」 별표 1 제19호의 위험물저장 및 처
리시설중 액화석유가스충전소 및 고압가스충전·저장소
10. 「건축법 시행령」 별표 1 제21호의 동물 및 식물관
련시설중 다음 각 목의 건축물
가. (삭제 2017.3.23.)
나. 작물재배사
다. 종묘배양시설
라. 화초 및 분재 등의 온실
마. 식물과 관련된 나목부터 라목까지의 시설과 유사한 것
11. (삭제 2017.3.23.)
12. (삭제 2017.3.23.)

제37조【생산녹지지역안에서의 건축할 수 있는 건축물】
생산녹지지역안에서는 영 별표 16 제1호의 각목의 건축
물과 영 별표 16 제2호에 따라 다음 각 호의 건축물을

건축할 수 있다. (개정 2017.3.23., 2019.1.3., 2020.12.31)
1. 「건축법 시행령」 별표 1 제2호의 공동주택(아파트
는 제외한다)
2. 「건축법 시행령」 별표 1 제4호의 제2종근린생활시
설 중 해당 용도에 쓰이는 바닥면적의 합계가 1천제곱
미터 미만인 다음 각 목의 건축물
가. 종교집회장(교회, 성당, 사찰, 기도원, 수도원, 수녀
원, 제실(祭室), 사당, 그 밖에 이와 비슷한 것)
나. 서점(「건축법 시행령」 별표 1 제3호의 제1종근
린생활시설에 해당하는 것은 제외한다)
다. 사진관, 표구점
라. 휴게음식점, 제과점 등 음료·차·음식·빵·떡·과자
등을 조리하거나 제조하여 판매하는 시설
마. 일반음식점
바. 장의사, 동물병원, 동물미용실, 그 밖에 이와 유사
한 것
사. 학원, 교습소, 직업훈련소
아. 독서실, 기원
자. 테니스장, 체력단련장, 에어로빅장, 볼링장, 당구
장, 실내낚시터, 골프연습장, 놀이형시설(「관광진
흥법」에 따른 기타유원시설업의 시설을 말한다)
등 주민의 체육 활동을 위한 시설
차. 금융업소, 사무소, 부동산중개사무소, 결혼상담소
등 소개업소, 출판사 등 일반업무시설(「건축법 시
행령」 별표 1 제3호의 제1종근린생활시설에 해당
하는 것은 제외한다)
3. (삭제 2017.3.23.)
4. 「건축법 시행령」 별표 1 제7호의 판매시설(농업·임
업·축산업·수산업용 판매시설에 한한다)
5. (삭제 2017.3.23.)
6. 「건축법 시행령」 별표1 제10호의 교육연구시설중
다음 각 목의 건축물
가. 학교(중학교·고등학교에 한한다)
나. 교육원(농업·임업·축산업·수산업과 관련된 교육시
설에 한한다)
다. 직업훈련소(운전 및 정비관련 직업훈련소는 제외
한다)
7. 「건축법 시행령」 별표 1 제13호의 운동시설
8. 「건축법 시행령」 별표 1 제17호의 공장중 도정공
장·식품공장(「농업·농촌 및 식품산업 기본법」 제3조
제6호에 따른 농수산물을 직접 가공하여 음식물을 생
산하는 것으로 한정한다) 및 제1차산업생산품 가공공
장으로서 다음 각 목의 어느 하나에 해당하지 아니하
는 것
가. 「대기환경보전법」 제2조제9호에 따른 특정대기

유해물질을 배출하는 것

나. 「대기환경보전법」 제2조제11호에 따른 대기오염물질배출시설에 해당하는 시설로서 같은 법 시행령 별표 1의3에 따른 1종사업장부터 3종사업장까지에 해당하는 것

다. 「물환경 보전법」 제2조제8호에 따른 특정수질유해물질을 배출하는 것. 다만, 같은 법 제34조에 따라 폐수무방류배출시설의 설치허가를 받아 운영하는 경우는 제외한다.

라. 「물환경 보전법」 제2조제10호에 따른 폐수배출시설에 해당하는 시설로서 같은 법 시행령 별표 13에 따른 1종사업장부터 4종사업장까지에 해당하는 것

마. 「폐기물관리법」 제2조제4호에 따른 지정폐기물을 배출하는 것

9. 「건축법 시행령」 별표 1 제18호의 창고시설

10. 「건축법 시행령」 별표 1 제19호의 위험물 저장 및 처리시설 중 주유소

11. 「건축법 시행령」 별표 1 제20호의 자동차관련시설중 다음 각 목의 건축물

가. (삭제 2017.3.23.)

나. 「여객자동차 운수사업법」·「화물자동차 운수사업법」 및 「건설기계관리법」에 따른 차고 및 주기장

12. (삭제 2017.3.23.)

13. (삭제 2017.3.23.)

14. (삭제 2017.3.23.)

15. 「건축법 시행령」 별표 1 제28호의 장례식장

제38조 【자연녹지지역안에서 건축할 수 있는 건축물】 자연녹지지역안에서는 영 별표 17 제1호의 각 목의 건축물과 영 별표 17 제2호에 따라 다음 각 호의 건축물을 건축할 수 있다. (개정 2019.1.3, 2020.12.31)

1. 「건축법 시행령」 별표 1 제2호의 공동주택(아파트는 제외한다)

2. 「건축법 시행령」 별표 1 제4호의 제2종근린생활시설중 휴게음식점, 제과점, 일반음식점 및 안마시술소

3. 「건축법 시행령」 별표 1 제5호의 문화 및 집회시설(마권 장외 발매소 및 마권 전화투표소는 제외한다)

4. 「건축법 시행령」 별표 1 제6호의 종교시설

5. 「건축법 시행령」 별표 1 제7호의 판매시설중 다음 각 목의 건축물

가. 「농수산물 유통 및 가격안정에 관한 법률」 제2조에 따른 농수산물공판장

나. 「농수산물 유통 및 가격안정에 관한 법률」 제68조제2항에 따른 농수산물직판장으로서 해당 용도

에 쓰이는 바닥면적의 합계가 1만제곱미터 미만인 것(「농업·농촌 및 식품산업 기본법」 제3조제2호에 따른 농업인, 같은 법 제25조에 따른 후계농업경영인, 같은 법 제26조에 따른 전업농업인 및 「수산업·어촌 발전 기본법」 제3조제3호에 따른 어업인, 같은 법 제16조에 따른 후계수산업경영인, 같은 법 제17조에 따른 전업수산 또는 지방자치단체가 설치·운영하는 것에 한한다)

다. 산업통상부장관이 관계 중앙행정기관의 장과 협의하여 고시하는 대형할인점 및 중소기업공동판매시설

6. 「건축법 시행령」 별표 1 제9호의 의료시설중 종합병원·병원·치과병원 및 한방병원

7. 「건축법 시행령」 별표 1 제10호의 교육연구시설중 다음 각 목의 건축물

가. 직업훈련소(운전 및 정비관련 직업훈련소는 제외한다)

나. 학원(자동차학원 및 무도학원은 제외한다)

8. 「건축법 시행령」 별표 1 제15호의 숙박시설로서 「관광진흥법」에 따라 지정된 관광지 및 관광단지에 건축하는 것

9. 「건축법 시행령」 별표 1 제17호의 공장중 지식산업센터·도정공장 및 식품공장(「농업·농촌 및 식품산업 기본법」 제3조제6호에 따른 농수산물을 직접 가공하여 음식물을 생산하는 것으로 한정한다)으로서 다음 각 목의 어느 하나에 해당하지 아니하는 것

가. 「대기환경보전법」 제2조제9호에 따른 특정대기유해물질을 배출하는 것

나. 「대기환경보전법」 제2조제11호에 따른 대기오염물질배출시설에 해당하는 시설로서 같은 법 시행령 별표 1의3에 따른 1종사업장부터 3종사업장까지에 해당하는 것

다. 「물환경보전법」 제2조제8호에 따른 특정수질유해물질을 배출하는 것. 다만, 같은 법 제34조에 따라 폐수무방류배출시설의 설치허가를 받아 운영하는 경우는 제외한다.

라. 「물환경보전법」 제2조제10호에 따른 폐수배출시설에 해당하는 시설로서 같은 법 시행령 별표 8에 따른 1종사업장부터 4종사업장까지에 해당하는 것

마. 「폐기물관리법」 제2조제4호에 따른 지정폐기물을 배출하는 것

10. 「건축법 시행령」 별표 1 제18호의 창고시설 중 창고

11. 「건축법 시행령」 별표 1 제19호의 위험물저장 및 처리시설(위험물제조소는 제외한다) (개정 2008.7.30)

12. 「건축법 시행령」 별표 1 제20호의 자동차관련시설

13. 「건축법 시행령」 별표 1 제17호의 공장 중 「공익

건축관계법

국토계획법

주차장법

주택법

도시및주거환경정비법

건축사법

장애인시설법

소방시설법

서울시조례

건축관계법

국토계획법

주차장법

주 택 법

도시및주거
환경정비법

건축사법

장애인시설법

소방시설법

서울시조례

사업을 위한 토지 등의 취득 및 보상에 관한 법률」에 따른 공익사업 및 「도시개발법」에 따른 도시개발사업으로 인하여 이전하는 레미콘공장 또는 아스콘공장

제2절 경관지구안에서의 건축제한

제39조【자연경관지구안에서의 건축제한】 ① 영 제72조제1항에 따라 자연경관지구안에서는 다음 각 호의 건축물을 건축하여서는 아니 된다. (개정 2014.10.20)

1. 「건축법 시행령」 별표 1 제4호의 제2종근린생활시설중 안마시술소와 옥외에 철탑이 있는 골프연습장
2. 「건축법 시행령」 별표 1 제5호의 문화 및 집회시설중 공연장·집회장·관람장으로서 해당 용도에 사용되는 건축물의 연면적의 합계가 1천제곱미터를 초과하는 것
3. 「건축법 시행령」 별표 1 제7호의 판매시설
4. 「건축법 시행령」 별표 1 제8호의 운수시설
5. 「건축법 시행령」 별표 1 제9호의 의료시설중 격리병원
6. 「건축법 시행령」 별표 1 제12호의 수련시설중 「청소년활동진흥법」에 따른 유스호스텔
7. 「건축법 시행령」 별표 1 제13호의 운동시설중 골프장과 옥외에 철탑이 있는 골프연습장
8. 「건축법 시행령」 별표 1 제15호의 숙박시설. 다만, 너비 25미터 이상인 도로변에 위치하여 경관지구의 기능을 유지하면서 토지이용의 효율성 제고가 필요한 지역으로 시도시계획위원회의 심의를 득한 「관광진흥법 시행령」 제2조제1항제2호 다목의 한국전통호텔업으로 등록받아 건축하는 한국전통호텔의 경우에는 그러하지 아니하다.
9. 「건축법 시행령」 별표 1 제16호의 위락시설
10. 「건축법 시행령」 별표 1 제17호의 공장
11. 「건축법 시행령」 별표 1 제18호의 창고시설로서 해당 용도에 사용되는 바닥면적의 합계가 500제곱미터를 초과하는 것
12. 「건축법 시행령」 별표 1 제19호의 위험물저장 및 처리시설중 다음 각 목의 건축물
    가. 액화석유가스충전소 또는 고압가스충전소·판매소·저장소로서 저장탱크 용량이 10톤을 초과하는 것
    나. 위험물제조소·저장소·취급소
    다. 유독물보관·저장·판매시설
    라. 화약류 저장소
    마. 위험물 취급소
13. 「건축법 시행령」 별표 1 제20호의 자동차관련시설. 다만, 다음 각 목의 건축물인 경우에는 그러하지 아니하다.

가. 주차장
나. 주유소와 함께 설치하는 자동세차장

14. 「건축법 시행령」 별표 1 제21호의 동물 및 식물관련시설(축사·가축시설·도축장·도계장에 한한다)
15. 「건축법 시행령」 별표 1 제22호의 자연순환 관련 시설
16. 「건축법 시행령」 별표 1 제23호의 교정 및 군사시설중 다음 각 목의 건축물
    가. 교정시설
    나. 보호관찰소, 갱생보호소 그 밖의 범죄자의 갱생·보육·교육·보건 등의 용도에 쓰이는 시설
    다. 소년원 및 소년분류심사원
17. 「건축법 시행령」 별표 1 제24호의 방송통신시설중 촬영소, 그 밖에 이와 유사한 것
18. 「건축법 시행령」 별표 1 제26호의 묘지관련시설

② 영 제72조제2항에 따라 자연경관지구안에서 건축하는 건축물의 건폐율은 30퍼센트를 초과하여서는 아니된다. 다만, 다음 각 호의 어느 하나에 해당하는 지역으로서 구청장이 시도시계획위원회 또는 시도시재생위원회(이항 제3호에 한함)의 심의를 거쳐 지정·공고한 구역안에서는 건폐율을 완화 할 수 있다. (개정 2008.7.30., 2020.7.16, 2020.10. 5., 2021.9.30)

1. 너비 25미터 이상인 도로변에 위치하여 경관지구의 기능을 유지하면서 토지이용의 효율성 제고가 필요한 지역
2. 「도시 및 주거환경정비법」 제2조제3호에 따른 노후·불량건축물이 밀집한 지역으로서 건축규제 완화하여 주거환경 개선을 촉진할 수 있고 주변지역의 경관유지에 지장이 없는 지역
3. 「빈집 및 소규모주택 정비에 관한 특례법」에 따른 가로주택정비사업(서울주택도시공사 또는 한국토지주택공사가 단독으로 시행하거나, 토지등소유자나 조합과 공동으로 시행하는 경우에 한한다) 또는 소규모재건축사업을 시행하려는 지역으로서 건축규제를 완화하여 주거환경 개선을 촉진할 수 있고 주변지역의 경관유지에 지장이 없는 지역 : 건폐율 50퍼센트 이하

③ 제2항 본문의 규정에도 불구하고 자연경관지구안의 토지로서 대지면적 330제곱미터 미만이거나 「건축법 시행령」 별표1제1호의 단독주택(다가구주택은 제외한다)을 건축하는 경우에는 건폐율을 40퍼센트 이하로 할 수 있다. <개정 2020. 7. 16.>

④ 영 제72조제2항에 따라 자연경관지구안에서 건축하는 건축물의 높이는 3층 이하로서 12미터 이하로 하여야 한다. 다만, 다음 각 호의 어느 하나에 해당하는 지역으로서 구청장이 시도시계획위원회의 또는 시도시재생위원회(소규모재건축사업을 시행하려는 지역에 한한다)심의를

거쳐 지정·공고한 구역안에서는 건축물의 높이를 4층 이하로서 16미터 이하로 할 수 있다. (개정 2020.7.16)

1. 인접지역과 높이차이가 현저하여 높이제한의 실효성이 없는 지역으로서 건축규제를 완화하여도 조망축을 차단하지 않고 인접부지와 조화를 이룰 수 있는 지역
2. 너비 25미터 이상 도로변에 위치하여 경관지구의 기능을 유지하면서 토지이용의 효율성 제고가 필요한 지역
3. 「도시 및 주거환경정비법」 제2조제3호에 따른 노후·불량 건축물이 밀집한 지역으로서 건축규제를 완화하여 주거환경 개선을 촉진할 수 있고 주변지역의 경관유지에 지장이 없는 지역
4. 「빈집 및 소규모주택 정비에 관한 특례법」 제2조제1항제3호에 따른 소규모주택정비사업 중 소규모재건축사업을 시행하려는 지역으로서 건축규제를 완화하여 주거환경 개선을 촉진할 수 있고 주변지역의 경관유지에 지장이 없는 지역

⑤ 삭제 (2023.7.24.)

⑥ 영 제72조제2항에 따라 자연경관지구안에서 건축물을 건축하는 때에는 대지면적의 30퍼센트 이상에 해당하는 조경면적을 확보하여 그 부분에 식수(식수) 등의 조경을 하여야 한다. 다만, 면적 200제곱미터 미만의 대지에 건축하는 경우와 「서울특별시 건축조례」 (이하 "건축조례"라 한다) 제24조제4항 각 호의 건축물과 학교 건축물의 수직 증축에 있어서는 그러하지 아니하다. (개정 2019.3.28)

⑦ 제4항 본문의 규정에도 불구하고, 다음 각 호의 어느 하나에 해당하는 지역에서는 시도시계획위원회 또는 시도시재생위원회(소규모주택정비법에 따른 가로주택정비사업(서울주택도시공사 또는 한국토지주택공사가 단독으로 시행하거나, 토지등소유자나 조합과 공동으로 시행하는 경우에 한한다) 또는 소규모재건축사업을 시행하려는 지역에 한한다)의 심의를 거쳐 건축물의 높이를 5층 이하로서 20미터 이하로 할 수 있다. (개정 2020. 7.16, 2020.10. 5., 2021.12.30)

1. 「도시 및 주거환경정비법」 제2조제1호에 따른 정비구역 중 재개발사업 또는 재건축사업을 시행하는 구역
2. 소규모주택정비법에 따른 가로주택정비사업(서울주택도시공사 또는 한국토지주택공사가 단독으로 시행하거나, 토지등소유자나 조합과 공동으로 시행하는 경우에 한한다) 또는 소규모재건축사업 중 소규모재건축사업을 시행하려는 지역으로서 같은 법 제48조제2항 또는 제49조제1항에 따라 용적률을 완화받는 경우

⑧ 제2항부터 제4항까지 각각의 본문 규정에도 불구하고, 다음 각 호에 따라 건폐율 또는 층수·높이를 따로 정할 수 있다. (개정 2020.7.16.)

1. 주거환경개선사업을 위한 정비구역에서 정비계획을 수립 또는 변경하는 경우에는 토지 규모 및 지역 현황 등을 고려하여 제54조제1항에 따른 건폐율의 범위 및 4층 이하로서 16미터 이하의 범위에서 건폐율 및 층수·높이를 따로 정할 수 있다.
2. 저층의 양호한 주거환경을 조성하기 위해 지구단위계획을 수립하는 토지로서 지구단위계획을 통해 2층(8미터) 이하로 높이를 추가로 제한하여 건축하는 경우(다만, 경사지붕으로 조성할 때의 지붕 높이와 층고 1.8미터 이하 다락의 층수는 높이 산정에서 제외한다)에는 토지 규모 및 지역 현황 등을 고려하여 제54조제1항에 따른 건폐율의 범위에서 건폐율을 따로 정할 수 있다.

제40조 삭제 (2020.1.9.)

제41조 [제41조는 제44조의3으로 이동 (2018.10.4.)]

제42조 삭제 (2009.03.18)

제43조 【시가지경관지구안에서의 건축제한】 ① 영 제72조제1항에 따라 시가지경관지구 안에서는 다음 각 호의 건축물을 건축하여서는 아니된다. 다만, 지구단위계획구역으로 지정된 구역으로서, 시도시계획위원회의 심의를 거쳐 시가지경관지구의 지정 목적에 위배되지 아니하다고 인정하는 경우에는 그러하지 아니하다. (개정 2014.10.20., 2018.10.4, 2020.1.9)

1. 「건축법 시행령」 별표 1 제4호의 제2종근린생활시설중 옥외에 철탑이 있는 골프연습장
2. 「건축법 시행령」 별표 1 제13호의 운동시설중 옥외에 철탑이 있는 골프연습장
3. 「건축법 시행령」 별표 1 제17호의 공장
4. 「건축법 시행령」 별표 1 제18호의 창고시설
5. 「건축법 시행령」 별표 1 제20호의 자동차 관련 시설 중 세차장 및 차고
6. 「건축법 시행령」 별표 1 제23호의 교정 및 군사 시설 중 교정시설 및 갱생보호시설, 그 밖에 범죄자의 갱생·보육·교육·보건 등의 용도로 쓰는 시설
7. 삭제 (2020.1.9.)
8. 삭제 (2020.1.9.)
9. 삭제 (2020.1.9.)
10. 삭제 (2020.1.9.)

② 영 제72조제2항에 따라 시가지경관지구 안에서 건축하는 건축물의 높이는 6층 이하로 한다. 다만, 구청장이 시도시계획위원회 심의를 거쳐 경관 상 지장이 없다고 인정하여 지정·공고한 구역에서는 건축물의 높이를 8층

건축관계법

국토계획법

주차장법

주 택 법

도시및주거
환경정비법

건축사법

장애인시설법

소방시설법

서울시조례

건축관계법

국토계획법

주차장법

주 택 법

도시및주거
환경정비법

건축사법

장애인시설법

소방시설법

서울시조례

이하로 할 수 있다. (개정 2008.7.30, 2018.10.4., 2020.1.9)

[제목개정 2018.10.4]

[제44조에서 이동, 종전 제43조는 삭제 (2018.10.4.)]

제44조【역사문화특화경관지구안에서 건축제한】① 영 제72조제1항에 따라 역사문화특화경관지구 안에서는 제43조제1항 각 호 건축물을 건축하여서는 아니된다. 다만, 지구단위계획구역으로 지정된 구역으로서, 시도시계획위원회의 심의를 거쳐 역사문화특화경관지구의 지정 목적에 위배되지 아니하다고 인정하는 경우에는 그러하지 아니하다. (개정 2020.1.9.)

② 영 제72조제2항에 따라 역사문화특화경관지구 안에서 건축하는 건축물의 높이는 4층 이하로 한다. 다만, 허가권자가 「서울특별시 건축 조례」에 따른 건축위원회 또는 「서울특별시 경관 조례」에 따른 경관위원회의 심의를 거쳐 경관 상 지장이 없다고 인정하는 때에는 6층 이하로 할 수 있다. (개정 2020.1.9.)

③ 삭제 (2020.1.9.)

[본조신설 2018.10.4]

[종전 제44조는 제43조로 이동 (2018.10.4.)]

제44조의2【조망가로특화경관지구안에서의 건축제한】① 영 제72조제1항에 따라 조망가로특화경관지구안에서는 제43조 제1항 각호의 건축물과 「건축법 시행령」 별표 1 제16호의 위락시설을 건축하여서는 아니 된다. 다만, 지구단위계획구역으로 지정된 구역으로서, 시도시계획위원회의 심의를 거쳐 조망가로특화경관지구의 지정 목적에 위배되지 아니하다고 인정하는 경우에는 그러하지 아니하다. (개정 2020.1.9.)

② 영 제72조제2항에 따라 조망가로특화경관지구 안에서 건축하는 건축물의 높이는 6층 이하로 한다. 다만, 허가권자가 「서울특별시 건축 조례」에 따른 건축위원회 또는 「서울특별시 경관 조례」에 따른 경관위원회의 심의를 거쳐 경관 상 지장이 없다고 인정하는 때에는 8층 이하로 할 수 있다. (개정 2020.1.9.)

[본조신설 2018.10.4]

제44조의3【수변특화경관지구안에서의 건축제한】① 영 제72조제2항에 따라 수변특화경관지구안에서 건축하는 건축물의 높이·형태·배치·색채 및 조경 등은 수변경관과 조화되도록 계획하여야 한다. (개정 2018.10.4.)

② 영 제72조제2항에 따라 수변특화경관지구안에서 건축하는 7층 이상인 건축물은 양호한 수변경관의 보호 형성을 위해 건축물의 높이 형태 배치 색채 및 조경 등에 대하여 해당 건축위원회의 심의를 거쳐야 한다. (개정 2008.7.30., 2018.10.4.)

③ 수변특화경관지구안에서 6층 이하의 건축물로서 해당

허가권자가 산지, 구릉지 등 지역특성을 고려하여 수변경관의 보호를 위하여 필요하다고 인정하는 경우에는 해당 건축위원회의 심의를 거쳐야 한다. (개정 2008.7.30., 2018.10.4., 2019.12.31)

④ 수변특화경관지구안에서 건축물의 심의에 필요한 사항은 규칙으로 정한다. (개정 2018.10.4.)

[제목개정 2018.10.4]

[제41조에서 이동 (2018.10.4.)]

제45조 삭제 (2020.1.9.)

제46조【건축선 후퇴부분 등의 관리】영 제72조제2항에 따라 시가지경관지구·역사문화특화경관지구·조망가로특화경관지구안에서「건축법」제46조제2항 및 같은 법 시행령 제31조제2항에 따라 지정된 건축선 후퇴부분에는 공작물·담장·계단·주차장·화단·영업과 관련된 시설물 및 그 밖의 이와 유사한 시설물을 설치하여서는 아니 된다. 다만, 다음 각 호의 어느 하나에 해당하는 경우에는 그러하지 아니하다. (개정 2018.10.4., 2020.1.9., 2020. 7.16)

1. 허가권자가 차량의 진·출입을 금지하기 위하여 볼라드·돌의자 등을 설치하도록 하는 때

2. 조경을 위한 식수를 하는 때

3. 공공보도의 보행환경 개선과 도시미관 향상을 위하여 지하철출입구 또는 환기구 등을 건물 또는 대지 내에 설치하는 때

4. 보행자의 편익 또는 가로미관 향상을 위하여 공간이용계획을 수립하여 지구단위계획으로 고시한 경우 또는 허가권자가 해당 도시계획위원회의 심의를 거친 때

② 삭제 (2020.1.9.)

제3절 보호지구안에서의 건축제한
(신설 2018.7.19.)

제47조【보호지구안에서의 건축제한】① 영 제76조제1호에 따라 역사문화환경보호지구안에서는 「문화재보호법?의 적용을 받는 문화재를 직접 관리·보호하기 위한 건축물과 시설 이외에는 이를 건축하거나 설치할 수 없다. 다만, 시장 또는 구청장이 그 문화재의 보존상 지장이 없다고 인정하여 문화재청장과의 협의를 거친 경우에는 그러하지 아니하다.

② 영 제76조제2호에 따라 중요시설물보호지구안에서는 해당 시설물의 보호·관리에 지장을 주는 건축물과 시설은 이를 건축하거나 설치할 수 없다. 다만, 시장 또는 구청장이 그 시설물의 보호·관리에 지장이 없다고 인정하는 경우에는 그러하지 아니하다.

③ 영 제76조제1호 및 제2호에 따라 역사문화환경보호지

구 및 중요시설물보호지구안에서의 건축제한에 대하여는
그 지구의 지정 목적 달성에 필요한 범위안에서 별도의
조례로 정할 수 있다.

④ 영 제76조제3호에 따라 생태계보호지구안에서의 건축
제한은 그 지구의 지정 목적 달성에 필요한 범위안에서
별도의 조례가 정하는 바에 따른다.

[전문개정 2018.7.19]

제48조【중요시설물보호지구안에서의 건축물】 ① 영 제76
조제2호에 따라 공용시설보호지구안에서는 다음 각 호의
건축물을 건축하여서는 아니 된다. (개정 2018.7.19)

1. 「건축법 시행령」 별표 1 제1호의 단독주택(공관은
   제외한다)
2. 「건축법 시행령」 별표 1 제2호의 공동주택
3. 「건축법 시행령」 별표 1 제5호의 문화 및 집회시설
   (전시장 및 동·식물원과 집회장 중 회의장·공회당, 국가
   또는 지방자치단체가 외국인 투자유치를 목적으로 하는
   「외국인투자촉진법」 제2조제1항제6호에 따른 외국인투
   자기업(이하 "외국인투자기업" 이라 한다)과 공동으로
   하는 투자사업인 공연장 또는 「건축법 시행령」 별표
   1 제10가목에 해당하는 용도인 경우의 공연장과 공연장
   중 바닥면적 2,500제곱미터 이하의 음악당은 제외한다.)
4. 「건축법 시행령」 별표 1 제7호의 판매시설중 다음
   각 목의 건축물
   가. 도매시장
   나. 소매시장(대형점·백화점·쇼핑센터는 제외한다)
5. 「건축법 시행령」 별표 1 제8호의 운수시설
6. 「건축법 시행령」 별표 1 제9호의 의료시설중 격리병원
7. 「건축법 시행령」 별표 1 제10호의 교육연구시설(교
   육원, 연구소 및 도서관은 제외한다)
8. 「건축법 시행령」 별표 1 제11호의 노유자시설
9. 「건축법 시행령」 별표 1 제12호의 수련시설
10. 「건축법 시행령」 별표 1 제16호의 위락시설(관광
    숙박시설중 관광호텔내 위락시설은 제외한다)
11. 「건축법 시행령」 별표 1 제17호의 공장
12. 「건축법 시행령」 별표 1 제18호의 창고시설
13. 「건축법 시행령」 별표 1 제19호의 위험물저장 및
    처리시설(주유소는 제외한다)
14. 「건축법 시행령」 별표 1 제20호의 자동차관련시설.
    다만, 다음 각 목의 건축물은 그러하지 아니하다
    가. 주차장
    나. 주유소와 함께 설치한 자동세차장
15. 「건축법 시행령」 별표 1 제21호의 동물 및 식물관
    련시설 중 축사·가축시설·도축장·도계장
16. 「건축법 시행령」 별표 1 제22호의 자연순환 관련 시설
17. 「건축법 시행령」 별표 1 제23호의 교정 및 군사시

설중 다음 각 목의 건축물
   가. 교정시설
   나. 보호관찰소, 갱생보호소 그 밖의 범죄자의 갱생·
      보육 ·교육·보건 등의 용도에 쓰이는 시설
   다. 소년원 및 소년분류심사원
18. 「건축법 시행령」 별표 1 제26호의 묘지관련시설
② 영 제76조제2호에 따라 공항시설보호지구안에서는 다
음 각 호의 건축물을 건축하여서는 아니 된다. (신설
2018.7.19., 2019.1.3., 2019.7.18.)

1. 「공항시설법」 에 따라 제한되는 건축물
2. 「건축법 시행령」 별표 1 제17호의 공장중 「대기환
   경보전법」 , 「물환경보전법」 , 「폐기물관리법」 또는
   「소음 · 진동관리법」 에 따라 배출시설의 설치허가를
   받거나 신고를 하여야 하는 공장
3. 「건축법 시행령」 별표 1 제25호의 발전시설(다만,
   지역난방을 위한 열병합발전소와 항공안전에 미치는
   영향 등에 대해 국토교통부와 협의를 거친 신재생에너
   지 설비로 태양에너지·연료전지·지열에너지·수소에너
   지를 이용한 발전시설은 제외한다)
③ 영 제76조제2호에 따라 중요시설보호지구안에서는 해
당 시설물의 보호·관리에 지장을 주는 건축물과 시설은
이를 건축하거나 설치할 수 없다. 다만, 시장 또는 구청
장이 그 시설물의 보호·관리에 지장이 없다고 인정하여
국방부장관과의 협의를 거친 경우에는 그러하지 아니하
다. (신설 2018.7.19.)

[제목개정 2018.7.19]

제49조 삭제 (2108.7.19.)

제4절 그 밖의 용도지구안에서의 건축제한
(신설 2018.10.4)

제50조 삭제 (2020.1.9.)

제51조 삭제 (2020.1.9.)

제52조【자연취락지구안에서의 건축할 수 있는 건축물】 자
연취락지구안에서는 영 별표 23 제1호의 각목의 건축물
과 영 별표 23 제2호에 따라 「건축법 시행령」 별표 1
제2호의 공동주택(아파트는 제외한다)을 건축할 수 있다.
(개정 2008.7.30)

제53조【그 밖의 용도지구안에서의 건축제한】 영 제79조·영
제80조 및 영 제82조에 따라 다음 각 호의 용도지구안에
서의 건축물 그 밖의 시설의 용도·종류 및 규모 등의 건
축제한에 관한 사항은 그 용도지구의 지정 목적 달성에

건축관계법

국토계획법

주차장법

주 택 법

도시및주거
환경정비법

건축사법

장애인시설법

소방시설법

서울시조례

필요한 범위 안에서 별도의 조례가 정하는 바에 따른다. (개정 2010.1.07.)

1. 방화지구
2. (삭제 2010.1.07)
3. 개발진흥지구
4. 문화지구
5. (삭제 2009.03.18)
6. (삭제 2009.03.18)
7. (삭제 2018.07.19.)
8. (삭제 2010.1.07.)

제5절 건폐율 및 용적률
(신설 2018.10.4)

제54조【용도지역안에서의 건폐율】 ① 법 제77조 및 영 제84조제1항에 따라 용도지역별 건폐율은 다음 각 호의 비율 이하로 한다. (개정 2008.7.30)

1. 제1종전용주거지역 : 50퍼센트
2. 제2종전용주거지역 : 40퍼센트
3. 제1종일반주거지역 : 60퍼센트
4. 제2종일반주거지역 : 60퍼센트
5. 제3종일반주거지역 : 50퍼센트
6. 준주거지역 : 60퍼센트
7. 중심상업지역 : 60퍼센트
8. 일반상업지역 : 60퍼센트
9. 근린상업지역 : 60퍼센트
10. 유통상업지역 : 60퍼센트
11. 전용공업지역 : 60퍼센트
12. 일반공업지역 : 60퍼센트
13. 준공업지역 : 60퍼센트
14. 보전녹지지역 : 20퍼센트
15. 생산녹지지역 : 20퍼센트
16. 자연녹지지역 : 20퍼센트

② 법 제77조제3항 및 영 제84조제4항에 따라 다음 각 호의 지역 안에서의 건폐율은 제1항의 규정에 불구하고 다음 각 호의 비율 이하로 한다. (개정 2016.9.29., 2019.7.18., 2020. 7.16)

1. 취락지구 : 60퍼센트(집단취락지구에 대해서는 「개발제한구역의 지정 및 관리에 관한 특별조치법령」이 정하는 바에 따른다)
2. 「자연공원법」에 따른 자연공원 및 공원보호구역
   가. 공원시설 : 20퍼센트
   나. 공원시설이 아닌 시설 : 60퍼센트
3. 공업지역안에 있는 「산업입지 및 개발에 관한 법률」 제2조제8호가목 및 나목에 따른 국가산업단지 및 일반산업단지 : 60퍼센트

③ 도시계획시설인 학교(유치원은 제외한다) 또는 도시계획시설이 아닌 학교(유치원은 제외한다)로서 학교 전체가 이전한 부지(이하 "학교이적지"라 한다)는 제1항에도 불구하고 30퍼센트 이하로 한다. 다만, 다음 각 호의 어느 하나에 해당하는 경우에는 제1항을 적용한다. (개정 2014.1.9., 2016.9.29., 2021.9.30)

1. 이전 후 10년이 경과된 학교이적지
2. 국가, 지방자치단체, 교육청, 한국토지주택(LH)공사, 서울주택도시공사가 소유하는 학교이적지가 영 제2조제1항제4호에 따른 공공·문화체육시설로 개발되는 경우
3. 개발이 완료된 학교이적지에 「건축법 시행령」 제34조에 따른 직통계단, 같은 법 시행령 제35조에 따른 피난계단 및 같은 법 시행령 제90조의 비상용승강기를 추가 설치하는 경우(다만, 추가 설치된 부분의 면적에 한한다)

④ 삭제(2006.10.04)

⑤ 제1항의 규정에 불구하고 한양도성과 그 일부지역을 포함하는 지역으로서 규칙으로 정하는 한양도성 역사도심(이하 "역사도심"이라 한다) 등 도시정비형 재개발구역 중 소단위 및 보전 정비형의 건폐율은 시도시계획위원회의 심의를 거쳐 영 제84조제1항의 범위안에서 도시·주거환경정비기본계획으로 정할 수 있다. (개정 2016.7.14., 2019.7.18., 2021.12.30)

⑥ 시장은 영 제84조제5항에 따라 토지이용의 과밀화를 방지하기 위하여 건폐율을 낮추어야 할 필요가 있는 경우에는 제1항 및 제2항의 규정에 불구하고 시도시계획위원회의 심의를 거쳐 구역을 정하고, 그 구역에 적용할 건폐율의 최대한도의 10분의 5까지 낮출 수 있다. (개정 2020. 7.16, 2021.12.30.)

⑦ 제1항의 규정에 불구하고 산업·유통개발진흥지구 및 외국인투자기업에 대한 용도지역 안에서의 건폐율은 영 제84조제1항의 건폐율 범위 안에서 시도시계획위원회의 심의를 거쳐 완화할 수 있다. 다만, 제55조제12항에 따라 시도시계획위원회의 심의를 거쳐 용적률 완화를 받은 경우는 제외한다. (개정 2020. 7.16, 2021.12.30)

⑧ 제1항의 규정에 불구하고 영 제84조제6항제1호에 따른 건축물 중 지구단위계획을 수립하는 지역의 건축물의 경우에는 건폐율을 80퍼센트 이상 90퍼센트 이하의 범위 안에서 지구단위계획으로 따로 정할 수 있다. (개정 2016.1.7., 2020. 7.16, 2021.12.30)

⑨ 제1항의 규정에 불구하고 시장정비사업 추진계획 승인대상 전통시장의 경우 구청장이 주변의 교통·경관·미관·일조·채광 및 통풍 등에 미칠 영향이 없다고 인

정하는 경우 건폐율을 제1종일반주거지역, 제2종일반주거지역, 준주거지역 및 준공업지역은 70퍼센트 이하, 제3종일반주거지역은 60퍼센트 이하, 상업지역은 80퍼센트 이하의 범위안에서 적용할 수 있다. 다만, 상업지역의 경우 시장정비사업심의위원회의 심의를 거쳐 90퍼센트 이하의 범위안에서 건폐율을 완화할 수 있다. (개정 2011.7.28)

⑩ 제1항의 규정에도 불구하고 자연녹지지역에 설치되는 도시계획시설 중 유원지의 건폐율은 30퍼센트를, 공원의 건폐율은 20퍼센트를 초과할 수 없다. (신설 2010.1.07)

⑪ 법 제77조제4항제2호 및 영 제84조제6항제5호에 따라 녹지지역의 건축물로서 다음 각 호의 어느 하나에 해당하는 건축물의 건폐율은 30퍼센트 이하로 한다. (개정 2014.10.20., 2018.3.22., 2020. 7.16)

1. 「전통사찰의 보존 및 지원에 관한 법률」 제2조제1호에 따른 전통사찰
2. 「문화재보호법」 제2조제3항에 따른 지정문화재 또는 같은 조 제4항에 따른 등록문화재
3. 「건축법 시행령」 제2조제16호에 따른 한옥

⑫ 제1항제15호에도 불구하고 영 제84조제8항에 따라 생산녹지지역에서 다음 각 호의 어느 하나에 해당하는 건축물의 건폐율은 30퍼센트 이하로 한다. (개정 2020.7.16)

1. 「농지법」 제32조제1항제1호에 따른 농수산물의 가공·처리시설 및 농수산업 관련 시험·연구시설
2. 「농지법 시행령」 제29조제5항제1호에 따른 농산물 건조·보관시설

⑬ 제1항에도 불구하고 영 제84조제6항제2호에 따라 완화하는 비율은 해당 용도지역별 건폐율의 120퍼센트 이하로 한다. (신설 2014.10.20., 2016.9.29., 2019.1.3)

⑭ 제1항제16호에도 불구하고 영 제84조제6항제7호에 따른 자연녹지지역에서 학교의 건폐율은 30퍼센트 이하로 한다. (신설 2017.3.23.)

⑮영 제84조제6항제8호에서 조례로 정하는 비율이란 30퍼센트를 말한다. (신설 2022.3.10.)

제55조【용도지역안에서의 용적률】 ① 법 제78조제1항·제2항 및 영 제85조제1항에 따라 용도지역별 용적률은 다음 각 호의 비율 이하로 한다. (개정 2008.7.30)

1. 제1종전용주거지역 : 100퍼센트
2. 제2종전용주거지역 : 120퍼센트
3. 제1종일반주거지역 : 150퍼센트
4. 제2종일반주거지역 : 200퍼센트
5. 제3종일반주거지역 : 250퍼센트
6. 준주거지역 : 400퍼센트
7. 중심상업지역 : 1천퍼센트(단, 4대문안 : 800퍼센트]

8. 일반상업지역 : 800퍼센트(단, 4대문안 : 600퍼센트)
9. 근린상업지역 : 600퍼센트(단, 4대문안 : 500퍼센트)
10. 유통상업지역 : 600퍼센트(단, 4대문안 : 500퍼센트)
11. 전용공업지역 : 200퍼센트
12. 일반공업지역 : 200퍼센트
13. 준공업지역 : 400퍼센트
14. 보전녹지지역 : 50퍼센트
15. 생산녹지지역 : 50퍼센트
16. 자연녹지지역 : 50퍼센트

② 제1항에도 불구하고 학교이적지에 대한 용도지역별 용적률은 다음 각 호의 비율 이하로 한다. 다만, 이전 후 10년이 경과된 학교이적지는 제1항을 적용한다. (개정 2014.1.9., 2016.9.29.)

1. 상업지역 : 500퍼센트
2. 준주거지역 : 320퍼센트
3. 전용주거지역 : 100퍼센트
4. 제1종일반주거지역 : 120퍼센트
5. 제2종일반주거지역 : 160퍼센트
6. 제3종일반주거지역 : 200퍼센트

③ 제1항제7호부터 제9호까지의 규정에 불구하고 상업지역안에서 제31조제1항제1호, 제32조제1항제2호 및 제33조제1항제1호에 따른 주거복합건물(공동주택과 주거 외의 용도가 복합된 건축물)을 건축하는 때에는 별표 3의 용적률을 적용한다. (개정 2016.1.7., 2016.9.29., 개정 2017.7.13.)

④ 제1항제13호의 규정에 불구하고 준공업지역안에서 공동주택 등의 용적률은 다음 각 호 이하로 한다. (개정 2016.3.24., 2016.3.27., 2017.5.18., 2019.3.28., 2020.3..26, 2021.1.7., 2021.12.301)

1. 공동주택·노인복지주택·오피스텔·다중생활시설(그 밖의 용도와 함께 건축하는 경우도 포함한다)의 용적률은 250퍼센트로 한다. 다만, 전략적인 산업재생이 필요하다고 인정되고 임대산업시설(시장이 영세제조시설, 산업시설 등을 지원하기 위하여 임대로 공급하는 시설물 또는 그 시설물을 설치하기 위한 부지를 말한다. 이하 같다)이 포함된 경우에는 400퍼센트로 한다.

1의2. 제1호 본문에도 불구하고 「산업집적활성화 및 공장설립에 관한 법률 시행령」 제36조의4제2항 또는 [별표 2]에 따른 산업지원시설인 기숙사 및 오피스텔의 경우에 용적률은 400%로 한다.

2. 제1호 본문에 불구하고 「공공주택 특별법」 제2조제1호가목의 공공임대주택 및 같은 법 제2조의2의 공공준주택, 「민간임대주택에 관한 특별법」 제2조제4호의 공공지원민간임대주택 및 제5호의 장기일반민간임대주택은 임대분과 임대분의 3분의1에 해당하는 용적

률을 추가 허용할 수 있으며, 이 경우 용적률은 300퍼센트로 한다.

3. 제1호 본문에 불구하고 「공공주택 특별법 시행령」 제2조제1항제2호의 국민임대주택, 제3호의 행복주택이나 제4호의 장기전세주택 또는 임대산업시설을 확보하는 「민간임대주택에 관한 특별법」 제2조제4호의 기업형임대주택 및 제5호의 준공공임대주택이 포함된 공동주택·노인복지주택·오피스텔(그 밖의 용도와 함께 건축하는 경우도 포함한다)의 용적률은 300퍼센트로 한다.

4. 삭제 (2019.7.18.)

5. 제1호 본문에도 불구하고 「산업입지 및 개발에 관한 법률」 제2조제8호의 각 목에 해당하는 산업단지인 경우, 「산업입지 및 개발에 관한 법률」 및 「산업집적 활성화 및 공장 설립에 관한 법률」의 각종 계획에 의하여 기숙사를 건축할 경우의 용적률은 400퍼센트로 한다.(공동주택, 노인복지주택, 오피스텔, 다중생활시설 이외의 용도와 함께 건축하는 경우도 포함한다)

6. 제1호 본문에도 불구하고 준공업지역안에서 제35조제1호다목에 따른 산업복합건물(별표 2 제3호에 따른 산업시설과 공동주택 등의 용도가 복합된 건축물)을 건축하는 경우에는 별표 2의2의 용적률을 적용한다.

⑤ 제1항제15호 및 제16호의 규정에 불구하고 생산녹지지역 또는 자연녹지지역안에서 법 제2조제6호의 기반시설 중 도시관리계획으로 설치하는 시설의 용적률은 지구단위계획으로 고시하거나 시도시계획위원회의 심의를 거쳐 100퍼센트 이하로 할 수 있다. (개정 2020. 7.16., 2021.12.30)

⑥ 법 제78조제3항 및 영 제85조제6항에 따라 「자연공원법」에 따른 자연공원 및 공원보호구역안에서의 용적률은 100퍼센트 이하로 한다. (개정 2015.1.2)

⑦ 법 제51조·영 제43조 및 이 조례 제16조에 따라 지정된 지구단위계획구역안에서의 용적률은 이 조의 규정과 법 제52조 및 영 제46조의 규정의 범위안에서 규칙으로 정한다. (개정 2019.3.28)

⑧ 제1항제3호부터 제6호까지 및 제4항의 규정에 불구하고 시장정비사업 추진계획 승인대상 재래시장의 용적률은 일반주거지역안은 400퍼센트 이하로, 준주거지역은 450퍼센트 이하로, 준공업지역은 400퍼센트 이하로 한다. (개정 2008.7.30)

⑨ 제8항의 규정에 불구하고 구청장이 「재래시장 및 상점가 육성을 위한 특별법 시행령」 제16조에 따른 사업추진계획을 검토하여 주변의 교통·경관·미관·일조·채광 및 통풍 등에 미칠 영향이 없다고 인정하여 이를 시장정비사업심의위원회에서 심의·가결한 경우에는 준주거지역에 위치한 재래시장의 용적률은 500퍼센트 이하로 할 수 있

다.(개정 2008.7.30)

⑩ 영 제85조제8항 각 호의 지역·지구 또는 구역안에서 건축물을 건축하고자 하는 자가 그 대지의 일부를 공공시설부지로 제공하는 경우에는 해당 건축물에 대한 용적률은 제1항부터 제4항까지의 규정에 따른 해당 용적률의 200퍼센트 이하의 범위안에서 다음의 기준에 따라 산출되는 비율 이하로 한다. $(1+1.3\alpha)\times$제1항부터 제4항까지의 규정에 따른 용적률(다만, 주택재개발사업의 경우 제1항제3호는 180퍼센트 이하, 제1항제4호는 220퍼센트 이하로 한다), 여기서 α란 공공시설부지로 제공한 후의 대지면적 대 공공시설부지로 제공하는 면적의 비율을 말한다. (개정 2015.1.2)

⑪ 제1항제2호의 규정에 불구하고 「서울특별시 지역균형발전 지원 조례」에 따라 뉴타운사업을 시행하는 지구안의 제2종전용주거지역의 용적률은 시장이 필요하다고 인정하는 경우 시도시계획위원회의 심의를 거쳐 150퍼센트 이하로 할 수 있다. (개정 2019.3.28., 2021.12.30)

⑫ 제1항의 규정에 불구하고 산업·유통개발진흥지구, 외국인투자기업 또는 특정관리대상 아파트의 용적률은 해당 용도지역안에서의 용적률을 초과하여 100퍼센트 이하(해당 용도지역의 용적률과 초과 용적률 100퍼센트 이하의 용적률을 합한 전체 용적률이 영 제85조제1항의 용적률 범위를 초과하는 경우에는 영 제85조제1항의 용적률 이하)범위안에서 지구단위계획으로 고시하거나 시도시계획위원회의 심의를 거쳐 완화할 수 있다.(개정 2020. 7.16., 2021.12.30)

⑬ 제1항제8호의 규정에 불구하고 역사도심내 도시환경정비사업으로 시행하는 경우의 용적률은 800퍼센트 범위내에서 도시·주거환경정비기본계획(도시환경정비사업)에서 정하는 용적률을 적용한다. (개정 2016.7.14., 2021.12.30)

⑭ 제1항에도 불구하고 영 제85조제3항에 따라 제1항제1호부터 제6호까지의 지역에서는 「공공주택 특별법」 제2조제1호가목, 「민간임대주택에 관한 특별법」 제2조제4호 및 제5호에 따른 임대주택의 임대기간에 따라 임대주택의 추가 건설을 허용할 수 있는 용적률은 다음 각 호와 같다. 다만, 임대주택건설 사업자가 다음 각 호의 기준 이하로 용적률을 신청하는 경우 그에 따른다. (개정 2015.5.14., 2016.3.24., 2021.12.30., 2023.10.4.)

1. 임대의무기간이 20년 이상인 경우 : 제1항에 따른 용적률의 20퍼센트

2. 임대의무기간이 10년 이상인 경우 : 제1항에 따른 용적률의 15퍼센트

3. 임대의무기간이 5년 이상인 경우 : 제1항에 따른 용적률의 10퍼센트

⑮ 제1항제3호부터 제10호까지의 규정에 불구하고 국·공유지에 「문화예술 진흥법 시행령」 제2조에 따른 문화시설 중 박물관, 도서관, 미술관, 공연장을 건축하여 기부채납하는 경우에는 영 제85조제1항의 해당 용도지역의 용적률의 범위 안에서 지구단위계획으로 고시하거나 시도시계획위원회의 심의를 거쳐 완화 할 수 있다. (개정 2020. 7.16., 2021.12.30.)

⑯ 제1항제6호의 규정에 불구하고 시장이 정하는 준주거지역 안에서 「공공주택 특별법 시행령」 제2조제1항제2호의 국민임대주택, 제3호의 행복주택이나 제4호의 장기전세주택이 포함된 공동주택 또는 주거복합건물을 건립하는 경우에는 500퍼센트 이하로 한다. (개정 2016.7.14., 2017.5.18)

⑰ 제1항에도 불구하고 제1항제3호부터 제10호까지의 지역(역사도심 지역을 포함한다)에서 「관광진흥법 시행령」 제2조제1항제2호 가목 및 다목의 관광호텔업, 한국전통호텔업을 위한 관광숙박시설을 건축할 경우에는 지구단위계획으로 고시하거나 시도시계획위원회 심의를 거쳐 제1항에 따른 용적률의 20이하의 범위안에서 완화할 수 있다. (개정 2016.7.14., 2020. 7.16)

⑱ 제1항의 규정에 불구하고 공공보도의 보행환경 개선과 도시미관향상을 위하여 지하철출입구·환기구·배전함 등(이하 "지하철출입구등"이라 한다)을 건물 또는 대지내 설치하여 기부채납하거나 구분지상권을 설정하는 경우에는 영 제85조제1항의 해당 용도지역의 용적률의 범위 안에서 다음 산식에 따라 지구단위계획으로 고시하거나 시도계획위원회의 심의를 거쳐 완화 할 수 있다. (개정 2015.1.2., 2020. 7.16., 2021.12.30)

1. 대지에 설치할 경우 : 용적률 × (지하철출입구등의 건폐면적 / 대지면적) 이내
2. 건물에 설치할 경우 : 용적률 × (지하철출입구등의 연면적 / 건물 연면적) 이내

⑲ 제1항의 규정에도 불구하고 영 제85조제5항에 따라 완화하는 비율은 해당 용도지역별 용적률의 120퍼센트이하로 한다. (신설 2014.10.20.)

⑳ 법 제78조제6항 및 영 제85조제11항에 따라 건축물을 건축하려는 자가 그 대지의 일부에 영 제85조제10항에 따른 사회복지시설을 설치하여 기부하는 경우에는 기부하는 시설의 연면적의 2배 이하 범위에서 영 제42조의3제2항 및 46조제1항에 따라 용적율 을 완화하여 추가 건축할 수 있다. 다만, 해당 용적률은 다음 각 호의 기준을 초과할 수 없다. (신설 2016.1.7., 2020. 7.16)

 1. 제1항에 따른 용적률의 120퍼센트
 2. 영 제85조제1항의 해당 용도지역의 용적률의 범위

㉑ 영 제85조제10항제3호에 따라 도시계획 조례가 정하는 사회복지시설이란 「도시·군계획시설의 결정·구조 및 설치기준에 관한 규칙」 제107조에 따른 사회복지시설을 말한다. (신설 2016.1.7.)

㉒ 제1항제6호 규정에도 불구하고 준주거지역에서는 「공공주택 특별법」 제2조제1호가목에 따른 임대주택 추가 확보시(증가하는 용적률의 2분의1에 해당하는 용적률) 500퍼센트 이하로 한다. (신설 2019.3.28.)

㉓ 제1항제2호부터 제6호까지에 따른 지역에서 「고등교육법」 제2조에 따른 학교의 학생이 이용하는 다음 각 호의 기숙사를 건설하는 경우에는 지구단위계획으로 고시하거나 시도시계획위원회의 심의를 거쳐 제1항에 따른 해당 용도지역 용적률의 20퍼센트 이하의 범위에서 용적률을 완화할 수 있다. (신설 2019.7.18., 2020. 7.16.)

1. 다음 각 목의 어느 하나에 해당하는 자가 도시계획시설인 학교 부지 외에 건설하는 기숙사
 가. 국가 또는 지방자치단체
 나. 「사립학교법」에 따른 학교법인
 다. 「한국사학진흥재단법」에 따른 한국사학진흥재단
 라. 「한국장학재단 설립 등에 관한 법률」에 따른 한국장학재단
 마. 가목부터 라목까지의 어느 하나에 해당하는 자가 단독 또는 공동으로 출자하여 설립한 법인
2. 도시계획시설인 학교 부지 내의 기숙사

㉔ 제1항에도 불구하고 감염병 대응 등을 위하여 필요한 경우에는 다음 각 호의 범위까지 용적률을 완화할 수 있다. (신설 2022.7.11.)

1. 영 제85조제3항제6호에 의한 경우에는 영 제85조제1항 각 호에 따른 용도지역별 용적률 최대한도의 120퍼센트 이하의 범위에서 완화할 수 있다.
2. 도시계획시설인 종합의료시설 부지(도시계획시설 대학 내 의료시설 포함)에 지구단위계획으로 고시하는 경우(대학은 세부시설에 대한 조성계획으로 고시) 제1항 각 호에 따른 용도지역별 용적률의 120퍼센트 이하의 범위에서 완화할 수 있고, 이 경우 완화 받는 용적률의 1/2이상은 지구단위계획으로 정하는 공공이 필요한 의료시설을 설치하여야 한다.

㉕ 제1항에도 불구하고 도시계획시설인 대학에 세부시설 조성계획을 수립하여 고시하는 경우 제1항 각 호에 따른 용도지역별 용적률의 120퍼센트 이하의 범위에서 완화할 수 있고, 이 경우 완화 받는 용적률은 세부시설조성계획으로 고시하는 혁신성장 시설을 설치하여야 한다. (신설 2023.7.24.)

건축관계법
국토계획법
주차장법
주 택 법
도시및주거환경정비법
건축사법
장애인시설법
소방시설법
서울시조례

건축관계법

국토계획법

주차장법

주 택 법

도시및주거
환경정비법

건축사법

장애인시설법

소방시설법

서울시조례

제6절 기존 건축물의 특례
(신설 2018.10.4)

제55조의2 【기존의 건축물에 대한 특례】 영 제93조제6항에 따라 "대기오염물질발생량 또는 폐수배출량이 증가하지 아니하는 경우"란 다음 각 호의 어느 하나에 해당되지 아니하는 것을 말한다. (개정 2016.1.7., 2019.1.3., 2020.12.31)

1. 「대기환경보전법」 제2조제9호에 따른 특정대기유해물질을 배출하는 것
2. 「대기환경보전법」 제2조제11호에 따른 대기오염물질배출시설에 해당하는 시설로서 같은 법 시행령 별표 1의3에 따른 1종사업장부터 3종사업장까지에 해당하는 것
3. 「물환경보전법」 제2조제8호에 따른 특정수질유해물질을 배출하는 것. 다만, 같은 법 제34조에 따라 폐수무방류배출시설의 설치허가를 받아 운영하는 경우는 제외한다.
4. 「물환경보전법」 제2조제10호에 따른 폐수배출시설에 해당하는 시설로서 같은 법 시행령 별표 13에 따른 1종사업장부터 4종사업장까지에 해당하는 것

제7절 개발제한구역의 관리
(신설 2018.10.4)

제55조의3 【개발제한구역 경계선 관통대지의 해제 기준 면적】 「개발제한구역의 지정 및 관리에 관한 특별조치법 시행령」 제2조제3항제6호나목에 따라 개발제한구역 경계선 관통대지 중 개발제한구역인 부분의 해제 기준 면적은 1천제곱미터 미만으로 한다.
[본조신설 2011.7.28]

제9장 서울특별시 도시계획위원회

제1절 서울특별시 도시계획위원회의 운영 등

제56조 【기능】 시도시계획위원회의 기능은 다음 각 호와 같다. (개정 2015.1.2)
1. 법, 다른 법령 또는 이 조례에서 시도시계획위원회의 심의 또는 자문을 거치도록 한 사항의 심의 또는 자문
2. 시장이 결정하는 도시계획의 심의 또는 자문
3. 국토교통부장관의 권한에 속하는 사항중 중앙도시계획위원회의 심의대상에 해당하는 사항이 시장에게 위임된 경우 그 위임된 사항의 심의

4. 그 밖의 도시계획과 관련된 사항으로서 시장이 요청하는 사항의 심의 또는 자문

제57조 【구성 및 운영】 ① 시도시계획위원회는 위원장 및 부위원장 각 1명을 포함하여 25명 이상 30명 이하로 구성한다. (개정 2010.1.07)
② 시도시계획위원회의 위원장은 위원중에서 시장이 임명 또는 위촉하며, 부위원장은 위원 중에서 호선한다. (개정 2008.7.30)
③ 시도시계획위원회의 위원은 다음 각 호의 어느 하나에 해당하는 자중에서 시장이 임명 또는 위촉한다. 이 경우 제3호에 해당하는 위원의 수는 전체 위원수의 3분의 2 이상이 되어야 한다. (개정 2008.7.30., 2018.3.22)
1. 서울특별시의회의 의원 4명 이상 5명 이하
2. 시 공무원 4명
3. 토지이용·건축·주택·경관·교통· 환경·방재·문화·정보통신 도시설계 조경 등 도시계획관련분야에 관하여 식견과 경험이 있는 자 17명 이상 21명 이하
④ 제3항제3호에 해당하는 위원의 임기는 2년으로 하되, 한 차례만 연임할 수 있다. 다만, 보궐위원의 임기는 전임자의 남은 임기로 한다. (개정 2016.3.24)
⑤ 제3항제3호에 해당하는 위원이 위촉 해제된 후 1년 이내에 재위촉되는 경우에는 이를 연임으로 본다. (신설 2018.1.4.)
⑥ 위원장은 시도시계획위원회의 업무를 총괄하며, 시도시계획위원회를 소집하고 그 의장이 된다. (개정 2018.1.4.)
⑦ 부위원장은 위원장을 보좌하며, 위원장이 부득이한 사정으로 그 직무를 수행하지 못하는 때에는 그 직무를 대행한다. (개정 2018.1.4.)
⑧ 위원장 및 부위원장이 모두 부득이한 사정으로 그 직무를 수행하지 못하는 때에는 위원장이 미리 지명한 위원이 그 직무를 대행 한다. (개정 2018.1.4.)
⑨ 시도시계획위원회의 회의는 재적위원 과반수의 출석(출석위원의 과반수는 제3항제3호에 해당하는 위원이어야 한다)으로 개의하고 출석위원 과반수의 찬성으로 의결한다. 이 경우 위원장도 표결권을 가진다. (개정 2010.1.07., 2018.1.4)
⑩ 시도시계획위원회에 간사 1명과 서기 약간 명을 두되, 간사는 위원회를 주관하는 과의 과장이 되며, 서기는 위원회의 업무를 담당하는 사무관이 된다. (개정 2018.1.4)
⑪ 시도시계획위원회의 간사는 위원장의 명을 받아 서무를 담당하며, 서기는 간사를 보좌한다. (개정 2018.1.4.)

제58조 【분과위원회】 ① 시도시계획위원회는 영 제113조 각 호에 해당하는 사항을 심의 또는 자문하기 위

건축관계법

국토계획법

주차장법

주 택 법

도시및주거
환경정비법

건축사법

장애인시설법

소방시설법

서울시조례

하여 다음 각호와 같이 분과위원회를 둘 수 있다. (개정 2018.3.22., 2020.12.31)

1. 제1분과위원회 : 법 제9조에 따른 용도지역 등의 변경계획에 관한 사항의 심의

2. 제2분과위원회 : 법 제59조에 따른 개발행위에 관한 사항 및 「부동산거래신고 등에 관한 법률」 제13조에 따른 이의신청에 관한 사항 및 「도시 및 주거환경정비법」 제2조에 따른 정비사업에 관한 사항의 심의

3. 제3분과위원회 : 법 제50조에 따른 지구단위계획구역 및 지구단위계획의 결정 또는 변경결정에 관한 사항의 심의

② 시도시계획위원회에서 위임하는 사항을 심의하기 위하여 제1항 각 호외에 별도의 분과위원회를 구성할 수 있다. (개정 2008.7.30)

③ 분과위원회는 시도시계획위원회가 그 위원중에서 선출한 5명 이상 9명 이하의 위원으로 구성하며, 시도시계획위원회의 위원은 2 이상의 분과위원회의 위원이 될 수 있다. (개정 2008.7.30)

④ 분과위원회 위원장은 분과위원회 위원중에서 호선한다.

⑤ 분과위원회의 회의는 재적위원 과반수의 출석으로 개의하고, 출석위원 과반수의 찬성으로 의결한다.

⑥ 분과위원회의 심의사항중에서 시도시계획위원회가 지정하는 사항에 대한 분과위원회의 심의·의결은 시도시계획위원회의 심의·의결로 본다. 이 경우 간사는 분과위원회의 심의·의결 사항을 차기 시도시계획위원회에 보고하여야 한다.

제58조의2 【위원의 제척 및 회피】 ① 위원이 법 제113조의3제1항 각 호의 어느 하나 및 영 제113조의2 각 호의 어느 하나에 해당하는 경우에는 해당 안건의 심의·의결에서 제척된다. (개정 2015.1.2., 2020.12.31)

1. 삭제 (2015.1.2.)

2. 삭제 (2015.1.2.)

② 위원은 제1항에 해당하는 경우에는 해당 안건의 심의 또는 자문에 대하여 회피를 신청하여야 하며, 회의 개최일 3일 전까지 이를 간사에게 통보하여야 한다. (신설 2010.1.07, 2015.1.2.)

③ 위원장은 해당 안건에 대하여 위원에게 제1항 및 제2항의 사유가 있다고 인정되는 경우 회의개최 전까지 직권 또는 위원의 회피 신청에 따라 제척결정을 한다. (신설 2010.1.07., 2015.1.2)

제58조의3 【위원의 위촉 해제】 ① 시장은 다음 각 호의 사유가 발생하였을 때에는 임기만료 전이라도 위원을 해촉할 수 있다. (개정 2017.9.21., 2019.12.31., 2023.7.24.)

1. 위원 스스로 위촉 해제를 원할 때

2. 질병 또는 그 밖의 사유로 3개월 이상 도시계획위원회 회의에 참석할 수 없다고 인정될 때

3. 위원이 해당분야에 대한 자격을 상실한 때

4. 도시계획위원회의 업무와 관련하여 취득한 비밀사항 등을 누설한 때

5. 위원이 제58조의2제1항에 해당됨에도 불구하고 회피 신청을 하지 아니하여 공정성에 저해를 가져 온 경우

6. 제57조제3항제3호에 따라 위촉된 위원 중 감사원장 또는 서울특별시장으로부터 징계의결 요구된 경우

7. 1년 단위(위촉일부터 기산(起算)한다. 이하 이 조에서 같다)의 출석률이 50퍼센트 미만인 경우

② 제1항제7호와 관련하여 다음 각 호의 어느 하나에 해당되는 경우에는 예외로 적용한다.

1. 위원의 1년 단위 참석대상 회의 개최 횟수가 1회인 경우

2. 잔여임기 1년 미만 등으로 1년 단위 출석률 적용이 어려운 경우

3. 천재지변, 응급상황, 그 밖에 위원회가 인정하는 특별한 사정으로 인해 출석하지 못하는 경우

③ 위원이 각종 범죄 또는 법률위반이나 도시계획위원회의 업무에 중대한 지장을 초래하여 위촉 해제된 경우 재위촉할 수 없다. (개정 2017.9.21.)

[본조 신설 2015.1.2.][제목개정 2017.9.21.]

제59조 【자료제출 및 제안설명】 ①시도시계획위원회는 필요하다고 인정하는 때에는 관계기관 또는 부서의 장에게 필요한 자료의 제출을 요구할 수 있으며, 도시계획에 관하여 해당 자치구 또는 관련 전문가의 설명을 들을 수 있다. (개정 2021.9.30)

② 삭제 (2019.12.31)

③ 시도시계획위원회는 공동주택 건설 등을 위하여 민간사업자가 제안한 도시관리계획안을 심의하는 경우 민간사업자가 요청하는 때에는 규칙이 정하는 절차에 따라 그 의견을 청취할 수 있다. (신설 2008.7.30)

④ 시장은 민간사업자가 제안한 도시관리계획의 주요내용을 변경하거나 민간사업자에게 부담을 추가하는 내용으로 심의한 경우에는 해당 심의결과를 구체적인 사유를 명시하여 입안권자에게 통보하고 입안권자는 민간사업자에게 통보하여야 한다. (신설 2008.7.30)

제60조 【회의의 비공개】 ① 시도시계획위원회의 회의는 공개하지 아니한다. 다만, 다음 각 호의 어느 하나에 해당하는 경우는 공개할 수 있다. (개정 2021.9.30.)

1. 관계 법령에 공개하도록 규정된 경우

2. 그 밖에 위원장이 필요하다고 인정하는 경우

건축관계법

국토계획법

주차장법

주 택 법

도시및주거
환경정비법

건축사법

장애인시설법

소방시설법

서울시조례

② 제1항의 규정에 따른 회의 공개 대상·방법 등에 관하여 필요한 사항은 시장이 별도로 정한다. (개정 2021.9.30.)

제61조【회의록】 ① 위원장은 시도시계획위원회의 회의록을 2명 이하의 속기사로 하여금 작성하게 할 수 있다. (개정 2008.7.30)

② 시장은 법 제113조의2 및 영 제113조의3의 규정에 따라 시도시계획위원회 회의록 및 심의자료의 공개요청이 있을 경우 다음 각 호의 기준에 따라 공개하여야 한다. (개정 2016.3.24. 2017.9.21., 2020. 7.16)

1. 심의 종결된 안건의 경우 심의 후 30일이 경과한 날부터 공개한다.

2. 보류된 안건의 경우 최초 심의한 날부터 3개월이 경과한 날부터 공개한다.

3. 제2호의 기간이 지나 재상정된 보류 안건의 경우 심의 종결 또는 보류에도 불구하고 심의 후 30일이 경과한 날부터 공개한다.

4. 제1호부터 제3호까지의 규정에도 불구하고 심의자료는 심의결과에 상관없이 심의 후 바로 공개한다. 다만, 다음 각 목의 어느 하나에 해당하는 경우는 그러하지 아니하다.

　가. 부동산 투기 유발 등 공익을 현저히 해칠 우려가 있다고 인정하는 경우

　나. 심의·의결의 공정성을 침해할 우려가 있다고 인정되는 이름·주민등록번호·직위 및 주소 등 특정인임을 식별할 수 있는 정보

　다. 의사결정과정 또는 내부검토과정에 있는 사항으로서 공개될 경우 업무의 공정한 수행에 현저한 지장을 초래한다고 인정할 만한 상당한 이유가 있는 경우

③ 제2항에 따른 회의록 및 심의자료의 공개는 열람 또는 사본을 제공하는 방법으로 한다. (개정 2011.10.27., 2020. 7.16)

제62조【수당 등】 시장은 시 공무원이 아닌 위원과 속기사에 대하여는 「서울특별시 위원회 수당 및 여비 지급 조례」에서 정하는 바에 따라 예산의 범위 안에서 수당 및 여비를 지급할 수 있다. (개정 2019.3.28.)

제63조【공동위원회의 운영】 ① 제56조, 제57조제4항부터 제11항, 제58조제2항부터 제6항까지, 제58조의2, 제58조의3, 제59조부터 제62조까지의 규정은 공동위원회의 운영에 준용한다. (개정 2008.7.30. 2015.1.2., 2018.1.4)

② 구청장은 제68조제1항에 따른 권한위임사무 처리를 위해 자치구 공동위원회를 설치하여 운영하여야 한다. (신설 2014.1.2., 2020. 7.16)

제63조의2【도시계획 정책자문단 설치·운영 등】 시장은 도시계획의 합리적인 수립·운영 등을 위하여 도시계획 정책자문단(이하 "자문단"이라 한다)을 설치·운영하여 자문할 수 있다.

① 자문단은 위원장과 부위원장 각 1명을 포함하여 25명 이상 30명 이하로 구성하며, 위원장 및 부위원장은 외부 전문가 중 호선에 의하여 위촉한다.

② 자문위원은 도시경관·도시설계·교통 등 도시계획 관련분야 전문가와 문화·미래·역사·관광 등 인문사회 관련분야 전문가 및 시의원으로 구성한다. 이 경우 전체 위원수의 3분의 1 이상은 제57조 제3항의 제1호와 제3호에 해당되는 시도시계획위원회 또는 시공동위원회 위원으로 구성하여야 한다. (개정 2020. 7.16)

③ 자문단의 효율적 운영을 위하여 필요할 경우 분과자문단, 실무지원반, 전문위원을 둘 수 있다.

④ 제58조의2, 제62조의 규정은 자문단의 운영에 준용한다. (개정 2018.1.4.)

⑤ 이 조례에서 정한 것 외에 자문단의 운영에 관한 사항은 자문단 회의를 거쳐 위원장이 정한다.

[본조신설 2013.10.4]

제2절 도시계획상임기획단

제64조【설치 및 기능】 ① 법 제116조에 따라 시도시계획위원회에 도시계획상임기획단(이하 "기획단"이라 한다)을 둔다. (개정 2008.7.30.) 이 경우 「서울특별시 행정기구 설치 조례 시행규칙」에 따른 도시계획상임기획과를 기획단으로 본다. (개정 2021.9.30.)

② 기획단의 기능은 다음 각 호와 같다. (개정 2017.9.21., 2020. 7.16, 2021.9.30)

1. 시장이 입안한 도시기본계획 또는 도시관리계획에 대한 검토

2. 시장이 의뢰하는 도시계획에 관한 기획·지도 및 조사·연구

3. 다음 각 목의 위원회에서 요구하는 사항에 대한 조사연구 및 상정안건 검토

　가. 「국토의 계획 및 이용에 관한 법률」 제113조제1항에 따른 서울특별시 도시계획위원회

　나. 「서울특별시 도시재정비 촉진을 위한 조례」 제21조제1항에 따른 서울특별시 도시재정비위원회

　다. 「서울특별시 도시재생 활성화 및 지원에 관한 조례」 제6조제1항에 따른 서울특별시 도시재생위원회

　라. 「전통시장 및 상점가 육성을 위한 특별법」 제36조제1항에 따른 서울특별시 시장정비사업 심의위원회

마. 「국토의 계획 및 이용에 관한 법률 시행령」 제
25조제2항에 따른 서울특별시도시건축공동위원회
바. 그 밖에 시장이 필요하다고 인정한 위원회
4. 그 밖의 도시계획에 대한 심사·자문 및 「서울특별
시 행정기구 설치 조례 시행규칙」 에 따른 도시계획상
임기획과의 사무

제65조 【기획단의 구성】 기획단에는 법 제116조에 따른 전
문위원을 포함한 임기제 공무원과 일반직 공무원을 둘
수 있다. (개정 2021.9.30.)

제66조 삭제 (2021.9.30)

제67조 삭제 (2021.9.30)

제10장 보 칙<개정 2011.7.28>

제68조 【권한의 위임】 ① 법 제139조제2항에 따라 시장의
권한에 속하는 사무중 별표 4의 사무를 구청장에게 위임
한다. (개정 2008.7.30)
② 제1항의 위임사무는 별도의 규정이 없는 한 이에 부
수되는 사무를 포함한 것으로 본다.
③ 구청장은 제1항에 따른 위임사무 중 별표4의 제1호부
터 제10호까지의 사무를 처리한 때에는 시장에게 그 결
과를 보고하여야 한다. (개정 2008.7.30.)

제68조의2 【토지이용계획확인서 등재 대상】 「토지이용규
제 기본법 시행규칙」 제2조제2항제9호에 따른 지방자치
단체가 도시계획조례로 정하는 토지이용 관련 정보란 다
음 각 호와 같다. (개정 2016.7.14., 2019.3.28.)
1. 제54조제3항에 따른 '학교이적지'
2. 별표 1 제1호라목(2)(마)에 따른 '사고지' (고의 또는
불법으로 임목이 훼손되었거나 지형이 변경되어 원상
회복이 이루어지지 않은 토지)
3. 별표 1 제1호가목(4)에 따른 '비오톱1등급 토지' <제4
조제4항의 도시생태현황 조사결과 비오톱유형평가 1등
급이고 개별비오톱평가 1등급인 토지)
4. 제54조제5항에 따른 '역사도심'
5. 「건축법 시행령」 제31조제2항에 따라 구청장이 지
정·고시한 건축선
[전문개정 2011.7.28]

제69조 【과태료의 징수절차 등】 영 제134조에 따른 과태료
의 징수 및 이의제기 절차는 「질서위반행위규제법」에
따른다. (개정 2020.10. 5)
[제목개정 2020. 10. 5.]

제70조 【규칙】 이 조례의 시행에 필요한 사항은 규칙으로
정한다. (개정 2008.7.30.)

부칙<제7441호, 2020.1.9.>

제1조(시행일) 이 조례는 공포한 날부터 시행한다. 다만, 제
43조제2항의 개정규정은 2020년 10월 1일부터 시행한다.
제2조(시가지경관지구의 높이제한에 대한 경과조치 및 유효
기간) ① 이 조례 시행 당시 지구단위계획으로 결정된
구역은 이 조례 시행일 이전에 지구단위계획으로 고시한
건축물의 높이계획을 따른다.
② 제1항은 이 조례 시행일로부터 3년이 되는 날까지 건축
허가 신청(건축허가가 의제되는 경우와 건축허가 또는
사업계획 승인을 신청하기 위한 건축위원회 심의를 받은
경우를 포함한다) 또는 건축신고를 접수한 경우까지 적
용한다.

부칙<제7530호, 2020.3.26.>

이 조례는 공포한 날부터 시행한다.

부칙<제7656호, 2020.7.16.>

이 조례는 공포한 날부터 시행한다. 다만, 제63조제2항의
개정규정은 공포한 날부터 6개월이 경과한 날부터 시행
한다.

부칙<제7752호, 2020.10.5.>

이 조례는 공포한 날부터 시행한다.

부칙<제7782호, 2020.12.31>

이 조례는 공포한 날부터 시행한다.

부칙<제7856호, 2021.1.7.>

제1조(시행일) 이 조례는 공포한 날부터 시행한다.
제2조(산업부지 확보비율 완화 규정의 유효기간) [별표 2]제
2호마목의 개정규정은 이 조례 시행일로부터 3년이 되는
날까지 건축허가를 신청(건축허가가 의제되는 경우와 건
축허가 또는 사업계획 승인을 신청하기 위한 건축위원회
심의를 받은 경우를 포함한다)한 경우까지 적용한다.

건축관계법

국토계획법

주차장법

주 택 법

도시및주거
환경정비법

건축사법

장애인시설법

소방시설법

서울시조례

건축관계법

국토계획법

주차장법

주 택 법

도시및주거
환경정비법

건축사법

장애인시설법

소방시설법

서울시조례

부칙<제8044호, 2021.5.20>

이 조례는 공포한 날부터 시행한다.

부칙(지방자치법 전부개정 등 상위법령 인용조문 정비 등을 위한 서울특별시 조례 일괄개정조례)<제8127호, 2021.9.30>

이 조례는 공포한 날부터 시행한다. <단서 생략>

부칙<제8186호, 2021.9.30>

이 조례는 공포한 날부터 시행한다.

부칙(서울특별시 조례 일본식 표현 등 용어 일괄정비 조례)<제8235호, 2021.12.30>

이 조례는 공포한 날부터 시행한다.

부칙<제8295호, 2021.12.30>

이 조례는 공포한 날부터 시행한다.

부칙<제8380호, 2022.3.10>

이 조례는 공포한 날부터 시행한다.

부칙<제8435호, 2022.7.11>

이 조례는 공포한 날부터 시행한다.

부칙 <제8584호, 2022.12.30.>

이 조례는 공포한 날부터 시행한다.

부칙<제8671호, 2023.3.27.>

제1조(시행일) 이 조례는 공포한 날부터 시행한다.

제2조(적용특례) 서울특별시 조례 제5981호 서울특별시 도시계획 조례 일부개정조례 부칙 제2조의 규정은 이 조례 시행일 이전에 정비구역 지정 및 정비구역 계획이 고시된 사업의 경우에도 적용한다.

부칙<제8842호, 2023.7.24.>

이 조례는 공포한 날부터 시행한다.

부칙(서울특별시 조례 위원회 위원 위촉 해제 규정 정비 등에 관한 일괄개정조례) <제8862호, 2023.7.24.>

제1조(시행일) 이 조례는 공포한 날부터 시행한다.

제2조(위원의 위촉 해제에 관한 적용례) 위원의 위촉 해제에 관한 개정규정은 이 조례 시행 당시 각종 위원회 위원으로 위촉되어 있는 위원에 대해서도 각각 적용한다. 이 경우 조례 공포일 이전에 위촉된 위원의 경우 임기 만료 전까지는 공포한 날로부터 1년 단위의 출석률을 적용한다.

부칙<제8918호, 2023.10.4.>

이 조례는 공포한 날부터 시행한다.

부칙(서울특별시 행정기구 설치 조례)<제9078호, 2023.12.29.>

제1조(시행일) 이 조례는 2024년 1월 1일부터 시행한다.

제2조(다른 조례의 개정) ① 생략

② 서울특별시 도시계획 조례 일부를 다음과 같이 개정한다.

제19조의3제1항제5호 중 "도시계획국장"을 "도시공간본부장"으로 한다.

③부터 ⑮까지 생략

[별표 1] 개발행위허가 기준(제24조 관련)

(개정 2020.12.31)

1. 분야별 검토사항

건축관계법

국토계획법

주차장법

주 택 법

도시및주거
환경정비법

건축사법

장애인시설법

소방시설법

서울시조례

검토분야	허 가 기 준
가. 공통분야	(1) 조수류, 수목 등의 집단서식지가 아니고, 우량농지 등으로 보전의 필요성이 없을 것 (2) 개발행위로 인하여 해당 지역 및 그 주변지역의 역사적·문화적·향토적 가치가 있는 지역이 훼손되지 아니하고, 국방상 목적 등에 따른 원형 보전의 필요성이 없을 것 (3) 토지의 형질변경이나 토석채취의 경우에는 표고, 경사도, 임상, 인근 도로의 높이, 물의 배수 등을 참작하여 다음의 기준에 적합할 것. 이 경우 기준의 적용은 일필지 단위로 함. 다만, 종전의 「도시계획법」에 따라 일단의 주택지조성사업이 완료된 지목이 "대"인 토지로서 지구단위계획구역으로 지정되어 지구단위계획을 수립한 지역은 다음의 기준을 적용하지 아니한다. 　(가) ha당 입목축적이 산림기본통계(산림청장이 가장 최근 고시한 산림기본통계를 말한다)상 서울특별시 ha당 평균입목축적의 30%(녹지지역에서는 20%) 미만인 토지. 　(나) 평균경사도 18도(녹지지역에서는 12도) 미만인 토지. 다만, 일필지 내에 격자(10m×10m)가 1개 이상일 경우 격자별 산출된 평균경사도 중 최댓값을 적용한다. 다만, 일필지 내에 격자(10m×10m)가 1개 이상일 경우(기존 건축물이 있는 대지에 건축허가·신고를 받거나 공작물을 설치하기 위한 경우는 제외) 격자별 산출된 평균경사도 중 최댓값을 적용한다. (4) 제4조제4항의 도시생태현황 조사결과 비오톱유형평가 1등급이고 개별비오톱평가 1등급으로 지정된 부분은 보전하여야 한다. 　(㉮) "비오톱"이란 특정한 식물과 동물이 하나의 생활공동체를 이루어 지표상에서 다른 곳과 명확히 구분되는 생물서식지를 말한다. 　(㉯) 비오톱유형평가는 5개의 등급으로 구분하여 서식기능, 생물서식의 잠재성, 식물의 층위구조, 면적 및 희귀도를 종합하여 평가한다. 　(㉰) 개별비오톱평가는 자연형 비오톱유형과 근자연형 비오톱유형을 대상으로 평가하여 3개의 등급으로 구분하며 자연성, 생물서식지기능, 면적, 위치 등을 평가항목으로 고려한다.
나. 도시관리계획	(1) 용도지역별 개발행위의 규모 및 건축제한 기준에 적합할 것 (2) 개발행위허가제한지역에 해당하지 아니할 것
다. 도시계획사업	(1) 도시계획사업부지에 해당하지 아니할 것(영 제61조에 따라 허용되는 개발행위를 제외한다) (2) 개발시기와 가설시설의 설치 등이 도시계획사업에 지장을 초래하지 아니할 것
라. 주변지역과의 관계	(1) 개발행위로 건축 또는 설치하는 건축물 또는 공작물이 주변의 자연경관 및 미관을 훼손하지 아니하고, 그 높이·형태 및 색채가 주변건축물과 조화를 이루어야 하며, 도시관리계획으로 경관계획이 수립되어 있는 경우에는 그에 적합할 것 (2) 개발행위로 인하여 해당 지역 및 그 주변지역에 대기오염·수질오염·토질오염·소음·진동·분진 등에 의한 환경오염·생태계파괴 및 위해의 발생 등이 우려되는 다음에 해당하지 아니하는 것. 다만, 환경오염·생태계파괴 및 위해발생 등의 방지가 가능하여 환경오염의 방지, 위해의 방지, 조경, 녹지의 조성, 완충지대의 설치 등을 허가조건으로 붙이는 경우에는 그러하지 아니하다. 　(㉮) 「서울특별시 도시녹화 등에 관한 조례」에 따라 지정된 보호수가 있어 보전의 필요가 있는 경우

건축관계법

국토계획법

주차장법

주 택 법

도시및주거
환경정비법

건축사법

장애인시설법

소방시설법

서울시조례

검토분야	허 가 기 준
라. 주변지역과의 관계	(나) 「자연환경보전법」에 따른 멸종위기 야생 동·식물, 보호 야생동·식물, 국제적 멸종위기종 등이 자생하고 있거나, 생물종 다양성이 풍부한 습지 등과 연결되어 생태보전이 필요한 경우 (다) 개발행위로 인하여 위해·붕괴 등 재해발생의 우려가 있는 경우 (라) 공원·개발제한구역 등에 인접한 지역으로서 개발행위로 인하여 주변의 경관이 크게 손상될 우려가 있는 경우 (마) 고의 또는 불법으로 임목이 훼손되었거나 지형이 변경되어 원상회복이 이루어지지 않은 토지로서 토지이용계획확인서에 그 사실이 명시된 경우 (3) 개발행위로 인하여 임야 및 녹지축이 단절되지 아니하고, 개발행위로 배수가 변경되어 하천·호소·습지로의 유수를 막지 아니할 것
마. 기반시설	해당 행위가 도로·급수시설 또는 배수시설의 설치를 포함하는 경우에는 각각 「도로의 구조·시설 기준에 관한 규칙」, 「수도법」 제18조, 「하수도법」 제12조 및 다음의 기준에 적합할 것 (1) 도로의 설치를 포함하는 개발행위허가의 기준은 다음과 같다. (가) 행위지역 이외의 모든 도로의 기능과 조화되도록 하고, 인근도로와 연결하여 도로로서의 기능이 발휘될 수 있도록 하여야 하며, 도로에 대한 도시계획이 이미 결정되어 있을 때에는 이에 적합하도록 하여야 한다. (나) 대지와 도로와의 관계는 「건축법」에 적합하도록 하여야 한다. (다) 주변의 교통소통에 지장을 초래하지 아니하고, 안전한 구조로 하여야 하고, 보행자 전용도로 이외에는 계단형태로 하여서는 아니 된다. (라) 하수를 충분하게 배출할 수 있는 배수구 등 필요한 시설을 하여야 한다. (마) 다른 도로와의 연결이 예정되어 있거나 차를 돌릴 수 있는 공간이 있는 경우 등 차량의 통행에 지장이 없는 경우를 제외하고는 막다른 길이 되어서는 아니 된다. (2) 급수시설의 설치를 포함하는 개발행위허가의 기준은 다음과 같다. (가) 수도, 그 밖의 급수시설은 해당 행위지역의 규모·형상 및 주변의 상황과 대상건축물 등의 용도 및 규모 등을 감안하여 예상되는 수요에 지장이 없는 규모 및 구조로 하고, 급수시설에 대한 도시관리계획이 결정되어 있는 때에는 이에 적합하도록 하여야 한다. (나) 배수본관은 부득이한 경우를 제외하고는 말단부가 없는 그물 형태로 하고, 외력인 토압 등의 하중과 내력인 수압에 의하여 파괴되지 아니하는 강도를 유지하도록 하여야 한다. (다) 급수시설은 얼어서 해를 입는 일이 없도록 토양이 얼지 아니하는 깊이 이상으로 이를 묻거나 덮개 등 보호조치를 하여야 한다. (3) 하수도 등 배수시설의 설치를 포함하는 개발행위허가의 기준은 다음과 같다. (가) 행위지역의 규모, 형상 및 주변의 상황과 지반의 성질, 대상건축물 등의 용도, 해당 행위지역 안으로 유입되는 지역 밖의 하수상황 또는 강수량 등에 의하여 예상되는 오수 및 빗물을 유효하게 배출하고, 그 배출에 의하여 해당 행위지역 안 및 그 주변 지역에 피해를 끼치지 아니할 규모 및 구조로 하며, 배수시설에 대한 도시관리계획이 결정되어 있을 때에는 이에 적합하도록 하여야 한다.

검토분야	허 가 기 준
마. 기반시설	(나) 해당 행위지역 안의 하수를 충분하게 배출할 수 있도록 행위지역 밖의 하수도·하천 그 밖의 공공의 수역 또는 해역에 연결되도록 하고 이 경우 방류선에서의 배수능력의 부족으로 부득이하다고 인정될 때에는 해당 행위지역 안의 하수를 저류하는 유수지 그 밖의 필요한 시설을 설치하도록 하여야 한다. (다) 하수의 배출은 분류식으로 하되, 해당 행위지역 밖의 조건 등에 따라 부득이한 경우에는 합류식으로 할 수 있다. (라) 하수의 배출은 부득이한 경우를 제외하고는 암거방식에 따르고, 자연환경을 심하게 파괴할 오수를 방출할 경우에는 종말처리시설을 설치하여야 한다. (마) 배수시설의 구조는 자중·수압·토압 또는 차량 등의 하중 및 지진 등에 대한 내구력이 있고, 누수되거나 지하수가 침입하지 아니하는 구조로 하여야 한다. (바) 구조물은 지하수의 부력에 견딜 수 있도록 축조하여야 한다. (사) 배수관은 도로 또는 배수시설의 유지·관리상 지장이 없는 장소에 매설하고, 관경은 200밀리미터 이상이어야 한다. (아) 하수처리시설의 처리능력은 1일에 처리할 수 있는 평균하수처리량으로 하고, 그 하수처리시설과 연결되는 도수관의 처리능력은 1일에 통과시킬 수 있는 최대하수량으로 한다.
바. 그 밖의 사항	(1) 공유수면 매립의 경우에는 그 매립목적이 도시계획에 적합할 것 (2) 토지의 분할 및 물건을 쌓아놓는 행위에 입목의 벌채가 수반되지 아니할 것

2. 개발행위별 검토사항

검토분야	허 가 기 준
가. 건축물의 건축 또는 공작물의 설치	(1) 「건축법」의 적용을 받는 건축물의 건축 또는 공작물의 설치에 해당하는 경우 그 건축 또는 설치의 기준에 관하여는 「건축법」과 법 및 영 그리고 이 조례에서 정하는 바에 따르고, 그 건축 또는 설치의 절차에 관하여는 「건축법」에 따른다. 이 경우 건축물의 건축 또는 공작물의 설치를 목적으로 하는 토지의 형질변경 또는 토석채취에 관한 개발행위허가는 「건축법」에 따른 건축 또는 설치의 절차와 동시에 할 수 있다.결되는 도수관의 처리능력은 1일에 통과시킬 수 있는 최대하수량으로 한다. (2) 도로·상수도 및 하수도가 설치되지 아니한 지역에 대하여는 건축물의 건축(건축을 목적으로 하는 토지의 형질변경을 포함한다)은 이를 허가하지 아니할 것. 다만, 무질서한 개발을 초래하지 아니하는 범위 안에서 다음에 해당하는 경우에는 그러하지 아니하다. (가) 도시계획이 결정되어 있는 지역으로서 신청인이 인접의 기존시설과 연계되는 도로·상수도 및 하수도를 설치할 것을 조건으로 하는 경우(상수도를 대신하여 「먹는물관리법」에 따른 먹는 물 수질기준에 적합한 지하수개발·이용시설을 설치하도록 하거나, 하수도를 대신하여 「하수도법」에 따른 오수정화시설을 설치하는 경우를 포함한다) (나) 자연녹지지역 및 생산녹지지역 안에서 농업·임업·어업 또는 광업에 종사하는 자가 주거용 건축물 및 그 부대시설의 건축을 목적으로 행하는 1천200제곱미터 미만의 토지형질변경을 하고자 하는 경우

건축관계법

국토계획법

주차장법

주 택 법

도시및주거환경정비법

건축사법

장애인시설법

소방시설법

서울시조례

건축관계법

국토계획법

주차장법

주 택 법

도시및주거
환경정비법

건축사법

장애인시설법

소방시설법

서울시조례

검토분야	허 가 기 준
가. 건축물의 건축 또는 공작물의 설치	(대) 창고 등 상수도나 하수도의 설치를 필요로 하지 아니하는 건축물을 건축하고자 하는 경우로서 도로가 설치되어 있거나 도로의 설치를 조건으로 하는 경우 (3) 건축법의 적용을 받는 건축물을 건축하는 경우 대지 면적 중 자연순환기능을 가진 토양 면적의 비율인 생태면적률을 지목이 변경되는 토지의 형질변경 허가대상에 한하여 다음과 같이 적용한다. (가) 단독주택 20% 이상 (나) 공동주택 30% 이상 (다) 유통업무설비, 방송통신시설, 종합의료시설, 교통시설(주차장, 자동차정류장, 운전학원) 20% 이상 (라) 공공문화체육시설 및 공공기관이 건설하는 시설 또는 건축물 30% 이상 (마) 녹지지역 내 시설 및 건축물 50% 이상
나. 토지의 형질변경	(1) 토지의 지반이 연약한 지반인 때에는 그 두께·넓이·지하수위 등의 조사와 지반의 지지력·내려앉음·솟아오름에 관한 시험을 실시하여 흙바꾸기·다지기·배수 등의 방법으로 이를 개량할 것 (2) 토지의 형질변경에 수반되는 성토 및 절토에 의한 비탈면 또는 절개면에 대하여는 옹벽 또는 석축의 설치 등 다음의 안전조치를 할 것 (가) 상단면과 접속되는 지반면은 특별한 사정이 없는 한 비탈면 및 절벽면의 반대방향으로 빗물 등의 지표수가 흘러가도록 하여야 한다. (나) 토사가 무너져 내리지 아니하도록 옹벽·석축·떼붙임 등을 하여야 하고, 비탈면의 경사는 토압 등에 의하여 유실되지 아니하도록 안전하게 하여야 한다. (다) 비탈면의 경사와 석축 또는 콘크리트옹벽의 설치에 관하여는 「건축법 시행규칙」 제25조를 준용한다.
다. 토석채취	(1) 주변의 상황·교통 및 자연경관 등을 종합적으로 고려할 것 (2) 소음·진동 또는 분진 등에 의하여 인근에 피해가 없는 지역에 한하도록 할 것 (3) 지하자원의 개발을 위한 토석의 채취허가는 시가화대상이 아닌 지역으로서 인근에 피해가 없는 경우에 한하도록 할 것. 다만, 국민경제상 중요한 광물자원의 개발을 위한 경우로서 인근의 토지이용에 대한 피해가 최소한에 그치도록 하는 때에는 그러하지 아니하다.
라. 토지분할	(1) 녹지지역 안에서 관계 법령에 따른 허가·인가 등을 받지 아니하고 토지를 분할하는 경우에는 「건축법」 제57조제1항 및 「서울특별시 건축 조례」 제29조에 따른 분할제한 면적 이상으로 분할할 것 (2) 「건축법」 제57조제1항에 따른 분할제한면적(이하 이 칸에서 "분할제한면적"이라 한다) 미만으로 분할하는 경우에는 다음 어느 하나에 해당할 것 (가) 녹지지역 안에서의 기존묘지의 분할 (나) 사설도로를 개설하기 위한 분할(「사도법」에 따른 사도개설허가를 받아 분할하는 경우는 제외한다) (다) 사설도로로 사용되고 있는 토지 중 도로로서의 용도가 폐지되는 부분을 인접 토지와 합병하기 위하여 하는 분할

검토분야	허 가 기 준
라. 토지분할	(바) 토지이용상 불합리한 토지경계선을 시정하여 해당 토지의 효용을 증진시키기 위하여 분할 후 인접토지와 합병하고자 하는 경우에는 다음의 어느 하나에 해당할 것. 이 경우 허가신청인은 분할 후 합병되는 토지의 소유권 또는 공유지분을 소유하고 있거나 그 토지를 매수하기 위한 매매계약을 체결하여야 한다. 1) 분할 후 남는 토지의 면적 및 분할된 토지와 인접 토지가 합병된 후의 면적이 분할제한면적에 미달되지 아니할 것. 2) 분할 전후의 토지면적에 증감이 없을 것 3) 분할하고자 하는 기존토지의 면적이 분할제한면적에 미달되고, 분할된 토지 중 하나를 제외한 나머지 분할된 토지와 인접 토지를 합병한 후의 면적이 분할제한 면적에미달되지 아니할 것 (3) 너비 5미터 이하로 분할하는 경우로서 토지의 합리적인 이용에 지장이 없을 것 (라) 경사가 심한 토지에 성토를 하는 경우에는 성토하기 전의 지반과 성토된 흙과의 접하는 면의 토사가 붕괴되지 아니하도록 필요한 조치를 하여야 한다. (마) 옹벽은 토사의 붕괴 또는 침하 등에 버틸 수 있어야 하고, 그 구조 및 설계방법은 콘크리트 표준시방서에 따른다. (바) 석축은 물이 솟아나오는 경우 등에 대비하여 멧쌓기 또는 찰쌓기 등의 방법을 선택하되 배수 및 토압분산을 위한 뒷채움을 충분히 하여야 하고, 특히 찰쌓기의 경우에는 충분한 배수공을 두어야 한다.
마. 물건을 쌓아놓는 행위	해당 행위로 인하여 위해의 발생, 주변 환경의 오염 및 도시경관의 훼손 등의 우려가 없고, 해당 물건을 쉽게 옮길 수 있는 경우로서 다음의 기준에 적합할 것 (1) 물건적치로 인하여 소음, 악취 및 침출수 등의 피해가 발생되지 않아야 한다. (2) 물건적치로 인하여 시각통로 차폐, 도시미관 훼손 등이 발생되지 않아야 한다.

건축관계법

국토계획법

주차장법

주 택 법

도시및주거
환경정비법

건축사법

장애인시설법

소방시설법

서울시조례

건축관계법

국토계획법

주차장법

주 택 법

도시및주거
환경정비법

건축사법

장애인시설법

소방시설법

서울시조례

[별표 2] 준공업지역내 공장부지(이적지 포함)에 대한 공동주택 허용기준(제35조제1호 관련) (2021.1.7)

1. 공장의 범위
  가. 「산업집적활성화 및 공장설립에 관한 법률」 및 같은 법 시행령상의 공장
  나. 「건축법시행령」 별표 1 제18호의 창고시설 및 제20호 바목의 자동차관련시설 중 자동차정비공장
  다. 현재 공장기능을 수행하지 않고 있더라도 지목이 "공장용지"로서 나대지이거나 주차장 등으로 사용하고 있는 토지

2. 산업부지 확보비율
  가. 도시계획조례 제35조제1호의 단서에서 정하는 산업부지 확보비율은 다음과 같다. 다만, 사업구역내 공장비율이 10%
  미만인 경우 이를 적용하지 않는다.

사업구역내 공장비율 (2008.1.31 기준)	사업구역 면적대비 산업 부지 확보비율	비 고
10~20% 미만	10% 이상	
20~30% 미만	20% 이상	
30~40% 미만	30% 이상	사업구역은 준공업지역 만을 대상으로 산정한다.
40~50% 미만	40% 이상	
50% 이상	50% 이상	

  나. 산업부지에 설치하는 산업시설의 용적률은 공동주택 부지의 용적률 이상으로 한다.
  다. 산업부지중 공공시설로 제공 또는 지방자치단체가 매입하는 부지는 산업시설을 설치한 것으로 볼 수 있다.
  라. 제3호다목에 따른 산업시설 중 「의료법」 제3조의3의 종합병원 또는 「초·중등교육법」 제2조의
  학교를 설치하는 경우에는 가목의 산업부지 확보비율을 1단계(10%) 하향하여 조정할 수 있다.
  마. 한국토지주택공사 또는 서울주택도시공사가 「공공주택 특별법 시행령」 제2조제1항제2호부터
  제4호까지의 공공임대주택을 공급하면서 단독 또는 민간 사업자와 공동으로 사업을 시행하는
  경우에는 가목의 산업부지 확보비율 상한을 40%까지 완화할 수 있다.

3. 산업부지에 설치할 수 있는 산업시설의 범위
  가. 「서울특별시 전략산업 육성 및 기업지원에 관한 조례」 제2조 제10호의 산업시설
  나. 「산업집적 활성화 및 공장 설립에 관한 법률 시행령」 제36조의4제2항에 따른 산업지원시설(해당 건축물의 바닥면적
  합계의 100분의 30이하에 한정한다). 단, 기숙사 및 오피스텔은 산업지원시설 바닥면적 합계의 3분의 1 이하인 경우만
  허용한다.
  다. 정비사업, 지구단위계획, 도시개발사업의 시행을 위한 시도시계획위원회 또는 도시·건축공동위원회의 심의를 거쳐 산
  업시설 또는 산업지원시설로 인정하는 경우
  라. 한국토지주택공사 또는 서울주택도시공사가 「공공주택 특별법 시행령」 제2조제1항제2호부터
  제4호까지의 공공임대주택을 공급하면서 단독 또는 민간 사업자와 공동으로 사업을 시행하
  는 경우에는 나목에 따른 기숙사를 「건축법 시행령」 [별표 1]제14호나목2)에 따른 오피스텔
  로 대체할 수 있다.

4. 그 밖의 사항

가. 공동주택 건립을 위한 노후건축물 적용기준은 시행규칙으로 정한다.

나. 공공시설부지의 위치·용도·비율과 공공시설 제공에 따른 용적률 완화 등에 대하여는 정비사업, 지구단위계획, 도시개발사업의 시행을 위한 시 도시계획위원회 또는 도시·건축공동위원회 심의를 거쳐 정한다.

[별표 2의2] (제55조제4항제6호 관련) (개정 2020. 3.26)

1. 준공업지역내 산업복합건물의 용적률 적용방법

　가. 전체 바닥면적의 합계에 대한 산업시설 바닥면적의 합계의 비율에 따라서 산업복합건물의 용적률을 차등 적용한다.

　나. 사업구역의 면적이 3천제곱미터 이상부터 1만제곱미터까지인 경우에 적용한다. 다만, 한국토지주택공사 또는 서울주택도시공사가 단독 또는 민간 사업자와 공동으로 사업을 시행하는 경우에는 면적을 2만제곱미터까지 완화할 수 있다.

　다. 산업시설 바닥면적의 합계 비율은 별표 2에 따른 산업부지 확보 비율 이상이 되도록 한다.

전체 바닥면적 대비 산업시설 바닥면적의 합계 비율	용적률
30% 미만	250% 이하
30~40% 미만	270% 이하
40~50% 미만	290% 이하
50~60% 미만	310% 이하
60~70% 미만	330% 이하
70~80% 미만	350% 이하
80~90% 미만	370% 이하
90% 이상	400% 이하

2. 산업복합건물에 설치할 수 있는 시설의 범위

　가. 산업시설은 별표 2 제3호에 따른 산업부지에 설치할 수 있는 산업시설 중 「건축법 시행령」 별표 1 제5호 문화 및 집회시설 중 전시장, 제10호 교육연구시설 중 연구소, 제14호 업무시설 중 일반업무시설(오피스텔 제외), 그 밖에 시도시계획위원회 또는 도시·건축공동위원회에서 인정하는 시설로 한다. 다만, 한국토지주택공사 또는 서울주택도시공사가 단독 또는 민간 사업자와 공동으로 사업을 시행하는 경우에는 산업시설 바닥면적의 10%까지 「건축법 시행령」 [별표 1]제2호라목에 따른 기숙사 또는 같은 법 시행령 [별표 1]제14호나목2)에 따른 오피스텔 설치를 허용할 수 있다.

　나. 산업시설 외의 시설은 제35조에 따라서 공동주택 등 준공업지역내 허용되는 시설로 한다.

[별표 3] 상업지역내 주거복합건물의 용도 비율 및 용적률(제31조1항제1호, 제32조제1항2호,제33조1항제1호, 제55조제3항 관련) (개정 2020. 7.16)

1. 상업지역 내에서 주거복합건물의 주거외 용도 비율

가. 주거용 외의 용도로 사용되는 부분의 면적(부대시설의 면적을 포함한다)은 전체 연면적의 20퍼센트(의무 비율) 이상으로 한다. 이때 주거용 외의 용도 비율(의무 비율)에서 「주택법 시행령」 제4조에 따른 준주택은 제외한다.

나. 가목에도 불구하고 다음의 어느 하나에 해당하는 경우에는 시도시계획위원회·도시재정비위원회 또는 시장정비사업심의위원회 등 해당 위원회의 심의를 거쳐 주거용 외의 용도로 사용되는 부분의 면적(부대시설의 면적을 포함한다)을 전체 연면적의 10퍼센트 이상으로 할 수 있다.

    1) 도시정비형 재개발구역 중 도시·주거환경정비기본계획에 따라 시장이 주거기능의 입지가 필요하다고 인정하여 선정한 지역

    2) 「도시재정비 촉진을 위한 특별법」에 따른 재정비촉진지구

    3) 「전통시장 및 상점가 육성을 위한 특별법」에 따른 시장정비사업 추진계획 승인대상 재래시장

    4) 「민간임대주택에 관한 특별법」에 의한 공공지원민간임대주택 공급촉진지구

    5) 시장이 임대주택 공급을 위해 필요하다고 인정하여 선정한 지역

2. 상업지역 내에서 주거복합건물의 용적률

상업지역 내에서 주거복합건물의 용적률은 제55조제1항7호부터 9호까지 정한 용적률 이하로 하되 주거용 용적률은 다음과 같이 한다.

가. 주거용으로 사용되는 부분의 용적률(주거용 부대시설의 용적률을 포함한다)은 400퍼센트 이하로 한다.

나. 가목에도 불구하고 「공공주택 특별법」 제2조제1호가목, 「민간임대주택에 관한 특별법」 제2조제4호 및 제5호에 따른 임대주택 추가 확보시(증가하는 용적률의 2분의1에 해당하는 용적률) 주거용으로 사용되는 부분의 용적률은 중심상업지역 및 역사도심을 제외한 일반상업지역은 600퍼센트 이하, 역사도심 내의 일반상업지역과 근린상업지역은 500퍼센트 이하로 한다.

다. 가목 및 나목에도 불구하고 다음의 어느 하나에 해당하는 용도를 도입하는 경우, 해당 용적률과 같은 비율의 주거용 용적률을 추가로 허용할 수 있다.

    1) 법 제2조제3호에 따른 도시기본계획(생활권계획을 포함한다)상의 중심지 육성방향에 부합하는 용도로 시도시계획위원회, 시도시·건축공동위원회 등 도시계획 심의를 위한 해당 위원회에서 인정하는 용도

    2) 그 밖에 지역의 전략적 육성, 시 정책목적 달성 등을 위해 시도시계획위원회, 시도시·건축공동위원회 등 도시계획 심의를 위한 해당 위원회에서 필요하다고 인정하는 용도

라. 가목및 나목 에도 불구하고 1호 나목의 어느 하나에 해당하는 경우에는 시도시계획위원회·도시재정비위원회 또는 시장정비사업심의위원회 등 해당 위원회의 심의를 거쳐 주거용으로 사용되는 부분의 용적률(주거용 부대시설의 용적률을 포함한다)은 가목 및 나목에서 정한 주거용 용적률 이상으로 할 수 있다.

[별표 4] 권한위임 사무(제68조 관련)(개정 2022.3.10., 2023.7.24.)

건축관계법

국토계획법

주차장법

주 택 법

도시및주거
환경정비법

건축사법

장애인시설법

소방시설법

서울시조례

사　무　명	관계법령
1. 다음의 도시관리계획 입안에 관한 사무 　(시 계획과 관련하여 필요하다고 인정할 때에는 시장이 입안할 수 있으며, 둘 이상의 자치구에 걸치는 경우에는 공동입안하거나 입안할 자를 정한다. 협의가 이루어지지 않을 경우에는 시장이 직접 입안하거나 입안할 자를 정할 수 있음) 　가. 용도지역 　나. 용도지구 　다. 도시계획시설(철도, 궤도 신설은 제외 한다) 　라. 지구단위계획구역의 지정 및 지구단위계획의 수립(기초조사 포함) 　마. 다목 또는 라목의 입안에 대한 주민 제안서의 처리	○법 제24조부터 　　제28조까지 영 제18조부터 　　제22조까지 조례 제6조, 제7조
2. 다음 각 목에 해당하는 도시계획시설의 결정·변경결정 및 고시에 관한 사무(시장이 직접 입안한 도시계획시설, 둘 이상의 자치구에 걸치는 도시계획시설은 제외하며, 시장이 결정권한을 가지고 있는 도시계획시설내 자치구로 결정권한이 위임된 도시계획시설을 중복결정 또는 변경결정하는 경우와 용도지구 내 자치구로 결정권한이 위임된 도시계획시설의 건폐율, 용적률 및 높이의 범위를 결정·변경결정하는 경우에는 시장의 사전동의를 받아야 한다) 　(시장이 직접 입안한 도시관리계획, 둘 이상의 자치구에 걸치는 도시관리계획은 제외한다) 　가. 도로(폭 12미터 이하 또는 구도에 한함) 　나. 광장(폭 12미터 이하 도로 또는 구도에 접속되는 경우에 한함) 　다. 주차장(부지면적 5천제곱미터 미만에 한하되, 개발제한구역은 제외함) 　라. 하천(소하천에 한함) 　마. 체육시설(부지면적 5천제곱미터 미만에 한하되, 개발제한구역은 제외함) 　바. 공공공지(부지면적 5천제곱미터 미만미만에 한하되, 3천제곱미터 초과 공공공지의 면적 축소 또는 폐지는 시장의 사전동의를 받아야 함) 　사. 공공청사(동주민센터, 파출소, 소방파출소, 우체분국, 보건지소로 한함) 　아. 학교(「초·중등교육법」 제2조의 규정에 의한 학교의 건폐율·용적률·높이의 변경결정과 유치원·새마을유아원에 한함) 　자. 문화시설(부지면적 5천제곱미터 미만에 한하되, 전시시설, 국제회의시설 등 세부시설 조성계획 결정대상은 제외함) 　차. 수도(저수용량이 5천톤 이하의 배수지 및 가압장에 한함) 　카. 전기공급설비(소형변전소 154Kv 미만 및 이와 관련되는 송배전시설에 한함) 　타. 가스공급설비(가스배관시설로 한정함) 　파. 방수설비 　하. 사회복지시설 　거. 하수도(공공하수처리시설 및 차집관거는 제외함) 　너. 청소년수련시설(부지면적 5천제곱미터 미만에 한함) 　더. 공원(어린이공원, 소공원으로 한정하되, 면적의 축소 또는 폐지는 시장의 사전동의를 받아야 함) 　러. 시장(市場)(부지면적 5천제곱미타 미만에 한함)	○법 제29조·제30조 영 제23조·제25조
3. 다음의 경미한 도시관리계획의 변경결정에 관한 사무 　가. 단위 도시계획시설 부지면적의 5퍼센트 미만인 시설부지의 변경결정(공원·녹지 및 세부시설에 대한 조성계획을 포함하여 결정하여야 하는 시설을 제외하며, 도로의 경우에는 시종점이 변경되지 아니하는 경우와 중심선이 종전에 결정된 도로의 범위를 벗어나지 아니하는 경우에 한한다)	○법 제30조제5항 단서 영 제25조제3항

건축관계법

국토계획법

주차장법

주 택 법

도시및주거
환경정비법

건축사법

장애인시설법

소방시설법

서울시조례

사　무　명	관계법령
나. 지형사정으로 인한 도시계획시설의 근소한 위치변경 또는 비탈면 등으로 인하여 불가 피하게 된 시설부지의 변경인 경우	
다. 「도시·군계획 시설의 결정·구조 및 설치기준에 관한 규칙」제14조의 규정에 적합한 도로 모퉁이변을 조정하기 위한 도시계획시설의 변경결정	
라. 도시계획결정의 내용중 면적 산정착오 등을 정정하기 위한 변경결정과 「공간정보의 구축 및 관리 등에 관한 법률」제26조제2항 및 「건축법」제26조에 따라 허용되는 오차를 반영하기 위한 변경결정	
마. 가목 및 나목에 따라 도시계획시설(도로) 변경결정에 따른 시가지·특화경관지구의 변 경결정	
4. 다음 각목에 해당하는 지구단위계획의 변경결정에 관한 사무(다만, 특별계획구역 제외한다). 나목부터 라목까지의 규정 및 자목의 경우에는 2회 이상 나누어 변경하는 때에는 총 변경되는 합을 말한다.	
가. 지구단위계획으로 결정한 용도지역·용도지구 또는 도시계획시설에 대한 변경결정으로서 영 제25조제3항 각호의1에 해당하는 변경인 경우	
나. 가구(영 제42조의2제2항제4호에 따른 별도의 구역을 포함한다.)면적의 10퍼센트 이내의 변경인 경우	
다. 획지면적의 변경(신설, 폐지를 포함한다.)	
라. 건축물 높이의 20퍼센트 이내의 변경인 경우(층수변경이 수반되는 경우를 포함하되, 아파트와 오피스텔의 층수변경은 제외한다)	
마. 영 제46조제7항제2호 각 목의 어느 하나에 해당하는 획지의 규모 및 조성계획의 변경인 경우	
바. 건축선(건축한계선, 건축지정선, 벽면지정선 등을 포함한다)의 변경 또는 신설, 폐지의 경우	
사. 건축물의 배치·형태 또는 색채의 변경인 경우	
아. 지구단위계획에서 경미한 사항으로 결정된 사항의 변경인 경우. 다만, 해당 지구단위계획으로 결정권자를 시장으로 지정한 경우는 제외한다.	
자. 지구단위계획구역 면적의 5퍼센트 이내의 변경 및 동 변경 지역안에서의 지구단위계획의 변경(다만, 용도지역의 세분 또는 변경은 제외한다)	
차. 건축법 등 다른 법령의 규정에 따른 용적률 완화(친환경 에너지 상한용적률에 한함) 내용을 반영하기 위한 변경	
카. 법 제52조제1항제7호에 따른 교통처리계획중 주차장출입구·차량출입구·보행자출입구의 위치변경(신설, 폐지를 포함한다)과 그 위치변경에 따른 차량출입 불허구간의 변경	
타. 지하 또는 공중공간에 설치할 시설물의 높이·깊이·배치 또는 규모	
파. 대문·담 또는 울타리의 형태 또는 색채	
하. 간판의 크기·형태·색채 또는 재질	
거. 장애인·노약자 등을 위한 편의시설계획	
너. 에너지 및 자원의 절약과 재활용에 관한 계획	
더. 생물서식공간의 보호·조성·연결 및 물과 공기의 순환 등에 관한 계획	
러. 문화재 및 역사문화환경 보호에 관한 계획	
머. 공개공지, 보행전용통로, 보차혼용로 등 대지내 공지 위치 변경(신설, 폐지를 포함한다.)	
버. 건축물 권장용도, 허용용도, 불허용도의 변경(다만, 아파트와 오피스텔의 허용용도 및 불허용도는 제외한다)	
서. 제2호에 해당하는 도시계획시설의 결정·변경결정 및 고시에 관한 사무(시장이 직접 입안한 도시계획시설, 둘 이상의 자치구에 걸치는 도시계획시설은 제외하며, 시장이 결정권한을 가지고 있는 도시	

사 무 명	관계법령
계획시설내 자치구로 결정권한이 위임된 도시계획시설을 중복결정 또는 변경결정하는 경우와 제2호 각 목에 따라 사전동의가 필요한 경우에는 시장의 사전동의를 받아야 한다)	
4의2. 특별계획구역에 대한 지구단위계획 결정 범위에서의 세부개발계획 결정 및 변경에 관한 사무(용도지역·용도지구의 변경결정이 수반되거나 시장이 하는 건축허가, 시의 사업승인 대상과 시 건축위원회 심의 대상은 제외)	
5. 지형도면 등의 작성 및 고시에 관한 사무(다만, 시장이 결정 또는 변경 결정한 도시관리계획 및 개발행위허가 제한은 제외한다)	ㅇ법 제32조 영 제27조
6. 도시계획시설, , 지구단위계획구역 및 법 제26조제1항에 따라 주민이 입안을 제안한 지구단위계획구역의 실효고시에 관한 사무. 다만, 다음 각 목의 어느 하나에 해당하는 사무는 제외한다. 가. 시장이 단계별 집행계획을 수립·공고한 도시계획시설 나. 삭제(2020. 7.16)	ㅇ법 제33조·제48조 ·제53조, 영 제28조·제42조 ·제50조
6의2. 도시계획시설의 정비, 장기미집행 도시계획시설 현황 및 단계별집행계획의 지방의회 보고에 관한 사무(시장이 재정계획을 수립하여 설치하는 시설은 제외한다)	ㅇ법 제34조, 제48조 영 제29조, 제42조
7. 도시계획시설 부지에 대한 매수청구가 있은 토지의 매수여부의 결정, 매수결정의 통지 및 매수절차 이행 등 매수청구 일체의 사무(구청장이 결정한 시설과 제10조 및 제14조에 따라 구청장이 매수의무자인 도시계획시설에 한한다)	ㅇ법 제47조 영 제41조 조례 제10조, 제14조
8. 개발행위의 허가 및 준공과 관련한 다음의 사무(제21조제3항의 사무는 제외한다.) 가. 건축물의 건축 또는 공작물의 설치(다만, 개발행위가 건축법의 적용을 받는 경우에는 「건축법」의 규정에 따른다) 나. 토지의 형질변경 다. 토석의 채취 라. 토지분할 마. 물건을 쌓는 행위	ㅇ법 제56조부터 제58조까지, 제60조부터 제62조까지 영 제51조부터 제56조까지, 제58조부터 제59조까지 조례 제20조부터 제24조까지
9. 법 제78조제7항제2호에 따라 지구단위계획구역 외의 지역에서 용적률 완화에 관한 규정을 중첩 적용하여 완화되는 용적률이 해당 용도지역별 용적률 최대한도를 초과하는 경우 건축위원회와 도시계획위원회의 공동심의에 관한 사무	ㅇ 법 제78조제7항 제2호
10. 개발행위허가의 제한에 관한 사무(시 도시계획과 관련하여 시장이 필요하다고 인정할 때에는 개발행위허가의 제한을 할 수 있다)	ㅇ법 제63조 영 제60조
11. 도시계획시설사업의 시행에 관한 다음의 사무 가. 도시계획시설에 대한 단계별 집행계획의 수립·공고 및 매년 2단계 집행계획의 검토 (시장이 재정계획을 수립하여 설치하는 시설은 제외한다) 나. 도시계획시설사업의 시행(시장이 시행하는 사업은 제외한다) 및 시행자 지정(시행자가 지방공사인 경우, 그 밖에 시장이 필요하다고 인정하여 해당 도시계획시설 결정시 통지한 시설과 공항은 제외한다) 다. 도시계획시설사업의 실시계획의 작성, 인가 및 고시, 실시계획을 위한 공람공고 및 그에 따른 공시송달 (시장이 시행하거나, 시장이 시행자를 지정한 사업과 공항은 제외한다.) 라. 도시계획시설사업의 공사완료보고서의 수리 및 준공검사, 준공검사필증교부, 공사완료공고(시장이 시행하거나, 시장이 시행자를 지정한 사업은 제외한다)	ㅇ법 제85조 영 제95조 ㅇ법 제86조 영 제96조 ㅇ법 제88조부터 제94조까지, 영 제97조부터 제101조까지

건축관계법

국토계획법

주차장법

주 택 법

도시및주거환경정비법

건축사법

장애인시설법

소방시설법

서울시조례

건축관계법

국토계획법

주차장법

주 택 법

도시및주거
환경정비법

건축사법

장애인시설법

소방시설법

서울시조례

사　무　명	관계법령
12. 기초조사 및 도시계획사업에 관한 조사·측량 등에 따른 타인 의 토지 출입허가에 관한 사항(시장이 시행하거나 시장이 시 행하는 자를 지정하는 사업은 제외한다)	○법 제98조 영 제102조
13. 법률 등의 위반자에 대한 감독처분(자치구에 위임된 사무에 한한다)	○법 제130조
14. 기반시설부담계획의 수립 및 고시에 관한 사항(시 계획과 관련하여 시장이 필요 하다고 인정하는 경우에는 시장이 수립 및 고시할 수 있음)	○법 제133조
15. 사업부지 면적(기부채납 면적 포함)이 1만제곱미터 미만인 경우의 「주택법」에 의한 사업계획 승인 또는 변경 승인 시 다음 각 목의 요건을 모두 충족하는 지구단위계획구역 변경지정 및 지구단위계획의 변경결정에 관한 사무 　가. 기존 지구단위계획구역내 구청장에게 권한위임된 지구단위계획 변경 이 수반되는 경우 　나. 용도지역 변경 또는 층수완화의 내용이 포함되지 않은 경우 　다. 시장이 처리해야 할 도시계획시설의 결정(변경) 내용이 포함되지 않은 경우	

02. 서울특별시 도시계획조례 시행규칙

[규칙 제4606호 타법개정 2023.12.29.]

일부제정 2008.11.13 규칙 제3638호
중간생략
일부개정 2016.10.13 규칙 제3521호
일부개정 2017. 4. 6 규칙 제4158호
일부개정 2018. 5.17 규칙 제4224호
일부개정 2018. 8. 2 규칙 제4237호
일부개정 2019.10.10 규칙 제4308호
일부개정 2020.10.15 규칙 제4376호
일부개정 2021. 1.14 규칙 제4392호
일부개정 2021. 10.7 규칙 제4449호
타법개정 2022. 1.13 규칙 제4461호
일부개정 2022. 3.24 규칙 제4474호
일부개정 2022. 9.26 규칙 제4508호
타법개정 2023.12.29.규칙 제4606호

건축관계법

국토계획법

주차장법

주 택 법

도시및주거
환경정비법

건축사법

장애인시설법

소방시설법

서울시조례

제1장 총 칙

제1조 【목적】 이 규칙은 「서울특별시 도시계획 조례」에서 위임된 사항과 그 시행에 필요한 사항을 규정함을 목적으로 한다.
[전문개정 2008.11.13.]

제2조 【정의】 이 규칙에서 사용하는 용어의 정의는 다음과 같다. (개정 2015.4.16., 2016.1.14., 2018.8.2., 2019.10.10., 2020.10.15., 2023.12.29.)

1. "기준용적률"이란 지구단위계획구역에서 전면도로의 폭, 경관, 그 밖의 기반시설 등 입지적 여건을 고려하여 「서울특별시 도시계획 조례」 (이하 "조례"라 한다) 제55조제1항부터 제4항까지와 제16항의 용적률의 범위 안에서 블록별, 필지별로 별도로 정한 용적률을 말한다.
2. "허용용적률"이란 지구단위계획을 통하여 정해지는 용적률로서 인센티브로 제공되는 용적률(획지계획, 상한용적률을 적용받지 않는 공동개발, 건축물용도, 대지 안의 공지, 친환경 계획요소, 주차 및 차량동선 등 해당 지구단위계획에서 정한 사항을 이행하는 경우 제공되는 용적률)과 기준용적률을 합산한 용적률의 범위 안에서 별도로 정한 용적률을 말한다.
3. "상한용적률"이란 건축주가 토지를 공공시설등의 부지로 제공(기부채납의 경우에 한한다. 이하 같다)하거나 공공시설등을 설치하여 제공(시설과 부지를 함께 제공하는 경우를 포함한다)하는 경우 또는 공공시설 확보를 위하여 공동개발을 지정하거나 지구단위계획 결정을 통하여 추가로 부여되는 용적률을 기준용적률 또는 허용용적률과 합산한 용적률의 범위 안에서 별도로 정한 용적률을 말한다.
4. "공공시설등"이란 「국토의 계획 및 이용에 관한 법률」 (이하 "법"이라 한다) 제52조의2제1항 각 목의 시설을 말한다.
5. "도시생태현황도"란 조례 제4조제4항에 따른 도시생태현황 조사결과 작성된 "토지이용현황도, 불투수토양포장도, 현존식생도, 조류분포도, 양서파충류분포도, 어류분포도, 포유류분포도, 비오톱유형도, 비오톱유형평가도, 개별비오톱평가도" 등으로 구성된 것을 말한다.
6. "비오톱 평가"란 비오톱 유형화를 통해 유형화된 개별공간을 평가기준에 따라서 그 가치를 등급화하는 과정을 말하며, 비오톱 등급을 지도화 한 것을 "비오톱 평가도"라 한다.
[전문개정 2008.11.13.]

제2장 도시관리계획의 입안

제3조 【도시생태현황 조사 및 평가방법】 ① 조례 제4조제4항에 따른 도시생태현황 조사에는 다음 각 호의 내용이 포함되어야 한다.
1. 토지이용현황
2. 토양의 불투수 포장 현황
3. 현존 식생현황
4. 비오톱유형 현황
5. 비오톱유형 평가결과
6. 개별비오톱 평가결과
7. 그 밖의 도시생태현황 조사 및 평가가 필요하다고 시장이 인정하는 사항
② 서울특별시장(이하 "시장"이라 한다)은 제1항의 조사내용을 구체화하고 조사결과를 도시계획에 반영하기 위하여 다음 각 호의 사항을 따로 정할 수 있다.
1. 조사원 구성 및 자격
2. 조사 방법
3. 조사원증의 발급
4. 비오톱(도시생태현황) 유형화 방법
5. 비오톱(도시생태현황) 보전가치 등급 및 등급산정 방법
6. 조사자료의 GIS구축 방법
③ 조례 별표 1 제1호가목(4)의 비오톱유형평가 등급 및 개별비오톱평가 등급은 다음과 같다.
1. 비오톱유형평가 등급

10장

제2편 건축법 관련기준

건축관계법

국토계획법

주차장법

주 택 법

도시및주거
환경정비법

건축사법

장애인시설법

소방시설법

서울시조례

가. 1등급: 보전이 우선되어야 하는 비오톱유형

나. 2등급: 보전이 필요한 비오톱유형

다. 3등급: 대상지 일부에 대하여 보전을 하고 잔여지역은 생태계 현황을 고려한 토지이용이 요구되는 비오톱유형

라. 4등급: 생태계 현황을 고려한 토지이용이 요구되는 비오톱유형

마. 5등급: 도시생태 측면에서 부분적으로 개선이 필요한 비오톱유형

2. 개별비오톱평가 등급

가. 1등급: 보호가치가 우선시 되는 비오톱(보전)

나. 2등급: 보호할 가치가 있는 비오톱(보호 및 복원)

다. 3등급: 현재로서는 한정적인 가치를 가지는 비오톱(복원)

④ 삭제 (2018.8.2.)

[전문개정 2016.1.14.]

제3조의2 【도시생태현황도의 작성 및 정비】① 시장은 지속가능한 개발 사업을 수립·시행 하고, 자연환경을 효율적으로 보전하기 위하여 조례 제4조제4항에 따른 서울특별시 도시생태현황도를 작성할 수 있다.

② 개발 및 자연재해 등으로 인한 도시환경 변화를 반영하기 위하여 도시생태현황도의 작성 및 정비는 5년 주기로 시행한다.<개정 2022.9.26>

③ 시장은 도시생태현황도 작성 결과를 14일 이상 공고하여야 하며, 정비가 완료된 후 특별한 경우가 없으면 30일 이내에 고시하여야 한다.

[본조신설 2016.1.14.]

제3조의3 【도시생태현황도 수시 정비 및 관리 등】조례 제24조 별표 1 제1호가목(4)에 의한 비오톱1등급 토지 소유자의 이의신청 또는 비오톱등급 변경여부에 대하여 검토가 필요한 경우 연 2회 조사 및 평가를 할 수 있다.

[본조신설 2016.1.14.]

제3장 지구단위계획

제4조 【지구단위계획구역의 지정대상 등】① 조례 제16조제2항에서 "규칙으로 정하는 범위 또는 지역"이란 「주택법」 제15조제1항에 따른 사업계획승인 대상 또는 「건축법」 제11조제1항에 따른 건축허가 대상이면서 다음 각 호의 어느 하나에 해당하는 아파트를 건축하고자 하는 경우를 말한다. (개정 2015.4.16., 2016.1.14.,

2018.5.17., 2019.10.10., 2020.10.15., 2022.3.24.)

1. 사업구역 면적(사업구역의 일부를 공공시설로 제공하는 경우에는 그 제공면적은 제외한다)이 5천제곱미터 이상인 경우

2. 건립예정 세대수가 100세대 이상인 아파트(도시형 생활주택은 150세대 이상)를 건축하고자 하는 경우

3. 삭제 (2022.3.24.)

② 제1항에 따른 지구단위계획구역을 지정할 때에는 그 구역의 건축물이 별표 1에서 정한 노후·불량건축물 기준에 적합하여야 한다.(개정 2022.3.24.)

③ 지구단위계획구역 내에서 제1항에 따른 아파트를 건축하고자 하는 경우에는 별표 1에 따른 노후·불량건축물 기준에 적합하여야 한다. (신설 2020.10.15, 2022.3.24.)

제5조 【지구단위계획구역 안의 건축제한】① 시장이 법 제30조에 따라 지구단위계획구역을 지정하고 지구단위계획에 맞는 건축이 이루어질 수 있도록 하기 위하여 지구단위계획의 결정·고시 전까지 법 제63조 및 「국토의 계획 및 이용에 관한 법률 시행령」(이하 "영"이라 한다) 60조에 따른 개발행위허가의 제한 또는 「건축법」 제18조에 따라 건축허가를 제한하는 경우에는 구청장은 건축허가를 제한하여야 한다. (개정 2019.10.10., 2023.12.29.)

② 시장 또는 구청장은 제1항에 불구하고 다음 각 호의 어느 하나에 해당하는 경우로서 8층 이상 또는 연면적 1만제곱미터 이상의 건축물(증축의 경우에는 3개 층 이상의 증축으로 인하여 8층 이상 또는 연면적 1만제곱미터 이상이 되는 건축물에 한한다)은 조례 제56조에 따른 서울특별시도시계획위원회(이하 "시도시계획위원회"라 한다) 또는 조례 제63조에 따른 서울특별시도시건축공동위원회(이하 "시공동위원회"라 한다)의 심의를, 시도시계획위원회 또는 시공동위원회 심의 대상 규모 이외의 건축물은 구도시계획위원회 또는 구공동위원회의 심의를 거쳐 건축을 허가할 수 있다. (개정 2020.10.15)

1. 화재, 천재지변에 따라 파괴된 건축물의 건축 또는 대수선

2. 건축물의 구조상 문제가 있어 건축 또는 대수선이 필요한 경우

3. 건축하고자 하는 획지의 건축계획이 해당 지구단위계획의 기본방향 및 수립 중인 지구단위계획의 내용과 부합되고 도로 등의 기반시설이 확보되었다고 판단되는 경우

4. 공공시설 정비사업의 시행으로 인하여 건축물의 건축 또는 대수선이 필요한 경우

[전문개정 2008.11.13.]

제6조【지구단위계획구역 안의 건축물 높이】시장은 법 제52조제1항제4호에 따라 지구단위계획으로 건축물 높이의 최고한도를 결정할 때에는 「건축법」제60조를 적용할 수 있다.

[전문개정 2008.11.13.]

제7조【지구단위계획구역 안의 용적률 계획 및 운용】① 조례 제19조제1항 및 조례 제55조제7항에 따라 지구단위계획을 수립하는 경우 적용하는 용적률은 다음 각 호에서 정하는 바에 따른다. (개정 2020.10.15)

1. 영 제30조에 따른 기존의 용도지역이 용적률이 높은 용도지역으로 변경(세분을 포함한다. 이하 같다)되거나 변경된 경우

　가. 기준용적률 : 변경 전 용도지역의 조례 제55조제1항부터 제4항까지에 따른 용적률(이하 "변경 전 용도지역의 용적률"이라 한다) 범위 안에서 별도로 정한 용적률

　나. 허용용적률 : 변경 전 용도지역의 용적률+(변경 후 용도지역의 용적률-변경 전 용도지역의 용적률)×2/3 이내. 이 경우 "변경 후 용도지역의 용적률"이란 변경 후 용도지역의 조례 제55조제1항부터 제4항까지의 경우에 따른 용적률을 말한다(이하 같다).

　다. 상한용적률 : 허용용적률×(1+1.3×가중치×α) 이내 (단, 변경 전용도지역의 용적률을 적용하지 아니할 경우에는 조례 제55조제1항부터 제4항까지에 따른 해당지역의 용적률 범위 안) 또는 기준용적률×(1+1.3×가중치×α) 이내. 이 경우 가중치란 사업부지 용적률에 대한 공공시설등 제공 부지의 용적률(2개 이상의 용도지역인 경우에는 면적대비 가중 평균한 용적률) 비율을 말하며, α란 공공시설등의 부지 제공 후의 대지면적에 대한 공공시설등의 부지로 제공하는 면적의 비율을 말한다(이하 같다).

2. 영 제30조에 따른 용도지역 변경이 없는 경우와 용적률이 같은 용도지역으로 변경되거나 변경된 경우

　가. 기준용적률 : 조례 제55조제1항부터 제4항까지와 제16항의 용적률 범위 안에서 별도로 정한 용적률

　나. 허용용적률 : 조례 제55조제1항부터 제4항까지와 제16항의 용적률 이내

　다. 상한용적률 : 허용용적률×(1+1.3×가중치×α) 이내 또는 기준용적률×(1+1.3×가중치×α) 이내

3. 영 제30조에 따른 기존의 용도지역이 용적률이 낮은 용도지역으로 변경되거나 변경된 경우

　가. 기준용적률 : 변경 후 용도지역의 용적률 범위 안에서 별도로 정한 용적률

　나. 허용용적률 : 변경 후 용도지역의 용적률 이내

　다. 상한용적률 : 허용용적률×(1+1.3×가중치×α) 이내 또는 기준용적률×(1+1.3×가중치×α) 이내

② 지구단위계획구역 안에서 용적률의 운용은 다음 각 호에서 정하는 바에 따른다.

1. 허용용적률은 해당 지구단위계획에서 정한 기준용적률에 인센티브로 제공되는 용적률을 더하여 산정하되 제1항에 따라 해당 지구단위계획에서 정한 허용용적률을 초과할 수 없다

2. 상한용적률은 제1호에 따라 산정된 허용용적률에 제1항에 따라 해당 지구단위계획에서 정한 허용용적률×1.3×가중치×α를 더하여 적용한다. 다만, 해당 지구단위계획에서 정한 기준용적률에 제1항에 따라 해당 지구단위계획에서 정한 기준용적률×1.3×가중치×α를 더하여 산출된 용적률을 적용할 수 있도록 정한 경우에는 이를 적용할 수 있다.

③ 제1항에 불구하고 다음 각 호의 어느 하나에 해당하는 경우의 용적률 적용기준은 이에 따른다. (개정 2020.10.15., 2022.1.13.)

1. 다음 각 목의 어느 하나에 해당하는 경우에는 용도지역 변경 여부에 관계없이 제1항제2호를 적용할 수 있다.

　가. 법 제51조제1항제4호에 따라 택지개발예정지구에 지정하는 구역에 지구단위계획을 수립하는 경우. 다만, 「택지개발촉진법」제9조제3항에 따른 실시계획이 승인 고시된 이후에 용도지역이 변경되는 경우에는 그렇지 않다.

　나. 영 제30조 각 호 간의 용적률이 높은 용도지역으로 변경된 구역에서 지구단위계획을 수립하는 경우. 이 경우 용도지역 상향시 제공된 공공시설 등의 부지에 대한 상한용적률은 적용하지 않는다.

　다. 시장이 장기전세주택을 공급하기 위하여 지구단위계획을 수립하는 경우

2. 시도시계획위원회 또는 시공동위원회가 공공시설등 확보, 전략개발 등 지구단위계획의 목적을 달성하기 위하여 특별히 필요하다고 인정하는 경우에는 용적률 적용기준을 지구단위계획으로 따로 정할 수 있다.

④ 조례 제19조의2제2항에 따른 산정방법 등 시행에 필요한 사항은 다음과 같다. (개정 2015.4.16., 2020.10.15.)

1. 공공시설등의 설치비용과 부지가액의 산정은 건축허가 시점을 기준으로 한다.다만, 구체적인 개발안을 전제로 지구단위계획을 수립하는 경우에는 시공동위원회 심의를 통해 공공시설등의 설치비용과 부지가액을 결정할 수 있다.

2. 건축물 시설의 설치비용은 국토교통부장관이 「수도

건축관계법
국토계획법
주차장법
주 택 법
도시및주거환경정비법
건축사법
장애인시설법
소방시설법
서울시조례

건축관계법

국토계획법

주차장법

주택법

도시및주거
환경정비법

건축사법

장애인시설법

소방시설법

서울시조례

권정비계획법」에 따라 매년 고시하는 표준건축비를 기준으로 산정한다. 다만, 체육시설, 문화시설 등 특별한 구조나 성능이 필요하여 표준건축비의 적용이 적절하지 않은 경우에는 설계내역 등 객관적인 산출 근거를 통해 설치비용을 따로 산정할 수 있다.

3. 그 밖의 시행에 필요한 운영기준 등은 시장이 따로 정할 수 있다.
[전문개정 2008.11.13.]

제4장 개발행위의 허가

제8조 【신청서 반려】 구청장은 다음 각 호의 어느 하나에 해당하는 토지의 형질변경, 토석채취 및 1천제곱미터 이상인 물건적치 행위허가 신청에 대하여는 구도시계획위원회의 심의절차 없이 반려할 수 있다.
[전문개정 2008.11.13.]

1. 법 제63조에 따른 개발행위허가 제한이 고시된 토지
2. 조례 제24조 별표 1의 개발행위허가 기준에 명백히 위반된 토지
3. 토지현황이나 관계법령 등의 여건 변화 없이 이미 동일한 신청내용으로 구도시계획위원회의 심의를 거쳐 반려 처분된 토지

제9조 【불법 훼손된 임목 등의 사실 명시 및 해제】 구청장은 조례 별표 1 제1호라목(2)(마)에서 정하는 고의 또는 불법으로 입목이 훼손되었거나 허가를 받지 않은 지형의 변경, 포장, 공작물을 설치하고 원상회복이 이루어지지 않은 토지는 토지이용계획확인서에 그 사실을 명시하여야 하며, 그 명시의 해제는 별표 2의 방법에 따른다.
[전문개정 2017.4.6.]

제10조 【입목축적 조사방법】 조례 별표 1 제1호가목(3)(가)에서 정한 입목축적 조사 및 산출은 「국토의 계획 및 이용에 관한 법률 시행규칙」 제10조의2 제2호에 따르되 입목축적 비율 산출은 별표 3의 방법에 따른다.
[전문개정 2017.4.6.]

제10조의2 【생태면적률 산정방법 등】 ① 조례 별표 1 제2호가목(3)의 생태면적률에 대한 산정은 별표 3의2에 따른다. (신설 2010.4.29)
② 생태면적률 산정표는 별지 제2호의2서식과 같다.
[본조신설 2010.4.29.]

제11조 (삭제 2017.4.6)

제12조 【보고 및 통보】 ① 구청장은 해당연도 토지의 형질변경, 토석채취, 물건적치의 허가사항을 다음연도 1월 10일까지 시장에게 보고하여야 한다.
② 구청장은 토지의 형질변경 등 준공현황을 준공 후 10일 이내에 지적이 표시된 현황도면에 공공시설 및 대지조성도를 첨부하여 공공관리상 필요한 부서에 통보하여야 한다.
[전문개정 2008.11.13.]

제13조 【개발행위허가 접수 및 허가대장의 비치】 구청장은 토지의 형질변경·토석채취·물건적치를 위한 별지 제1호 서식의 개발행위허가 접수대장 및 별지 제2호 서식의 개발행위허가 허가대장을 작성 비치하여야 한다.
[전문개정 2008.11.13.]

제5장 용도지역 · 용도지구 안에서의 행위제한

제14조 【평균층수의 산정】 ① 조례 제28조제2항에서 "규칙으로 정하는 기준면적"이란 동별 아파트의 지상 연면적을 각 동의 층수로 나눈 면적의 합계를 말한다.
② 조례 제28조에 따른 평균층수는 소숫점 이하 둘째 자리에서 반올림하여 첫째 자리까지 산정한다.
[전문개정 2008.11.13.]

제15조 【준공업지역 안의 공동주택 건립을 위한 노후·불량건축물 적용기준】 조례 별표 2 제4호가목에 따른 공동주택(기숙사 및 「임대주택법」 제16조제1항제1호부터 제3호까지에 따른 임대주택은 제외) 및 노인복지주택 건립을 위한 노후건축물 적용기준은 별표 1을 적용한다.
[전문개정 2008.11.13.][제목개정 2022.3.24.]

제16조 【역사도심의 범역 획정 등】 조례 제54조제5항, 제55조제1항제7호부터 제10호까지의 각각의 단서 및 제55조제3항 각 호 외의 부분 단서에 따른 역사도심의 범역은 한양도성과 그 주변지역을 포함하는 지역으로서 별지 도면에서 정한 구역으로 한다. (개정 2019.10.10.)
[전문개정 2016.10.13.]

제16조의2 【공공임대주택 건립에 따른 용적률 완화 기준】
① 조례 제55조제16항에서 "규칙으로 정하는 지역"이란 철도역의 승강장 경계부터 500m 이내의 역세권 지역을 말한다. (개정 2018.8.2., 2021.1.14)
② 제1항에도 불구하고 다음 각 호의 어느 하나에 해당하는 지역은 제외한다. 다만, 시 도시계획위원회 또

는 시공동위원회의 심의를 거쳐 부득이하다고 인정하는 경우에는 그러하지 아니하다. (개정 2015.4.16., 2018. 8.2., 2020.10.15)

1. 전용주거지역·도시자연공원·근린공원·자연경관지구 및 고도지구(김포공항주변 고도지구는 제외한다)와 접한 지역
2. 「경관법」 제7조에 따른 경관계획상 중점경관관리구역, 구릉지 및 한강축 경관형성기준 적용구역

[본조신설 2012.8.9.][제목개정 2018.8.2]

제6장 서울특별시 도시계획위원회

제17조 【공무원 또는 시의원이 아닌 위원의 자격】 조례 제57조제3항제3호에서 "도시계획관련분야에 관하여 식견과 경험이 있는 자"란 다음 각 호의 어느 하나에 해당하는 자를 말한다.

1. 4년제 대학교의 도시계획관련분야 조교수급 이상인 사람
2. 도시계획관련분야 박사학위를 소지한 사람으로서 실무경력이 7년 이상인 사람
3. 「국가기술자격법」에 따른 도시계획관련분야의 기술사로서 실무경력이 7년 이상인 사람
4. 언론사 및 방송사의 논설위원급 또는 해설위원급 이상인 사람
5. 판사, 검사, 변호사 등 법조 관련 인사
6. 정부 또는 지방자치단체가 출연한 연구소 중 도시계획분야의 연구책임자급 이상인 사람
7. 도시계획관련분야에서 3급 이상의 공무원 근무경력이 있는 사람
8. 그 밖의 도시계획관련분야에서 제1호부터 제7호까지에 따른 사람과 동등한 전문지식과 실무경험이 있다고 시장이 인정하는 사람

[전문개정 2008.11.13.]

제18조 【도시계획위원의 위촉 등】 위원을 위촉하고자 하는 경우에는 해당 위원으로부터 별지 제3호 서식에 따른 승낙서를 받아야 하며, 위촉장은 별지 제4호 서식에 따른다.

[전문개정 2008.11.13.]

제19조 【안건의 상정 등】 시장이 시도시계획위원회에 안건을 상정하고자 하는 때에는 다음 각 호에 따른다.

1. 심의안건, 자문안건 또는 보고안건 등으로 구분하여 제출하여야 한다.
2. 회의개최 10일 전까지 시도시계획위원회에 그 목록을 통

보하고, 7일 전까지 세부자료를 제출함을 원칙으로 한다.

3. 입안사유, 조서, 관계도면, 의견청취결과(주민, 지방의회) 및 도시계획상임기획단(이하 "기획단"이라 한다)의 심사의견 등을 기록한 별지 제5호 서식 및 제6호 서식의 심의안과 별지 제7호 서식의 보조자료를 작성하여 제출하여야 한다.

[전문개정 2008.11.13.]

제20조 【회의소집 등】 ① 특별한 사유가 없으면 시도시계획위원회는 매월 첫번째 및 세번째 수요일에, 시공동위원회는 매월 두번째 및 네번째 수요일에 소집함을 원칙으로 한다. (개정 2020.10.15)

② 시도시계획위원회의 위원(이하 "위원"이라 한다)에게 회의개최 통보는 회의개최일 10일 전까지 하여야 하고, 심의안건 및 심의상 필요한 자료의 배포는 회의개최일 5일 전까지 하여야 한다. 다만, 긴급한 안건이 있는 경우 등 부득이한 사정이 있는 경우에는 그렇지 않다.

③ 공무원인 위원이 부득이한 사정으로 시도시계획위원회에 참석하지 못하면 해당 행정기관의 소속공무원이 대리하여 참석할 수 있다. 이 경우 대리참석한 사람은 안건에 대하여 발언할 수 있으나 표결에는 참가할 수 없다.

[전문개정 2008.11.13.]

제21조 【회의출석】 회의에 출석한 위원은 별지 제8호 서식의 서명부에 서명하여야 하며, 간사는 각 위원의 출석상황을 연 1회 시도시계획위원회에 보고하여야 한다.

[전문개정 2008.11.13.]

제22조 【회의진행 등】 ① 위원은 발언하고자 할 경우에는 위원장에게 발언권을 얻어야 하며, 이때 위원의 발언회수는 제한을 받지 않는다. 다만, 위원장은 위원의 발언이 중복 또는 심의안건의 내용과 직접 관련이 없어 회의진행에 지장이 있다고 판단될 경우에는 발언을 중지시킬 수 있다.

② 위원장은 심의안건에 대하여 위원 본인이 직·간접으로 관계가 있다고 인정되는 경우에는 해당안건 심의의 참여를 제한할 수 있다.

③ 조례 제59조제3항에서 "규칙이 정하는 절차"란 다음 각 호를 말한다.

1. 민간사업자가 제안한 도시관리계획안에 대하여 도시계획위원회에 서면 또는 직접의견을 진술하고자 하는 경우 입안권자에게 신청하고 설명자료를 사전에 제출하여야 한다.
2. 안건의 입안권자는 심의안건과 관련하여 자치구 공무원이나 민간사업자(이하 "참고인"이라 한다)의 설명이

건축관계법

국토계획법

주차장법

주 택 법

도시및주거환경정비법

건축사법

장애인시설법

소방시설법

서울시조례

건축관계법

국토계획법

주차장법

주 택 법

도시및주거
환경정비법

건축사법

장애인시설법

소방시설법

서울시조례

필요한 경우 위원회 개최 3일전까지 간사에게 신청하여야 한다. 이 경우 참고인은 위원회에 참석하여 해당 안건에 대한 설명을 할 수 있다. 다만, 효율적인 회의진행을 위하여 위원장이 설명시간 등을 제한 할 수 있다.

④ 위원장은 제3항에 따른 참고인의 설명이 끝난 후 퇴장을 명할 수 있다.

[전문개정 2008.11.13.]

제23조【회의록의 작성】① 속기사는 회의 종료 후 7일 이내에 회의록을 작성하여 간사에게 제출하여야 함을 원칙으로 한다.

② 속기사는 시도시계획위원회의 진행사항 및 회의내용과 속기과정에서 알게 된 비밀 등을 외부에 누설하여서는 아니 되며, 이를 위하여 별지 제9호 서식에 따른 서약서에 서명·날인하여야 한다.

[전문개정 2008.11.13.]

제24조【회의결과의 관리】① 시장은 조례 제60조에 따른 "회의의 비공개" 규정의 준수를 위하여 위촉위원으로부터 별지 제10호 서식의 서약서를 받아야 한다. (개정 2015.4.16.)

② 시장은 제1항에 따라 징구된 서약서의 내용에 반하여 시도시계획위원회의 회의 내용 등을 누설한 위원이 있는 경우 해당위원을 해촉할 수 있으며 해촉된 위원은 재위촉할 수 없다.

③ 삭제 (2020.10.15.)

④ 시도시계획위원회의 심의를 거쳐 결정 또는 부결된 안건은 특별한 사유가 없으면 5년 이내에 동일안건으로 시도시계획위원회에 재상정을 할 수 없다.

[전문개정 2008.11.13.]

제25조【공동위원회의 운영】 제17조부터 제24조까지는 공동위원회의 운영에 준용한다.

[전문개정 2008.11.13.]

제26조 삭제 (2021.10.7.)

제27조 삭제 (2021.10.7.)

제7장 의회 의견청취

제28조【의회 의견청취】시장은 영 제22조제7항 각 호의 어느 하나에 해당하는 것으로서 구청장이 시장에게 결정 신청한 도시계획 안건에 대하여 서울특별시의회의 의견을 들을 수 있다. 다만, 영 제25조제3항 각 호의 사항 및 지구단위계획으로 결정 또는 변경 결정하는 사항은 제외한다.

부칙<제4308호, 2019.10.10.>

이 규칙은 공포한 날부터 시행한다.

부칙<제4376호,2020.10.15.>

이 규칙은 공포한 날부터 시행한다.

부칙<제4392호, 2021.1.14.>

이 규칙은 공포한 날부터 시행한다.

부칙<제4449호, 2021.10.7.>

이 규칙은 공포한 날부터 시행한다.

부칙(어려운 한자어 등의 정비를 위한 서울특별시 규칙 일괄개정규칙)<제4461호, 2022.1.13>.>

이 규칙은 공포한 날부터 시행한다.

부칙<제4474호, 2022.3.24.>

이 규칙은 공포한 날부터 시행한다.

부칙<제4508호, 2022.9.26.>

이 규칙은 공포한 날부터 시행한다.

부칙(서울특별시 규칙 일본어 투 표현 및 만 나이 정비 등을 위한 일괄개정규칙) <제4606호, 2023.12.29.>

이 규칙은 공포한 날부터 시행한다.

건축관계법

국토계획법

주차장법

주 택 법

도시및주거
환경정비법

건축사법

장애인시설법

소방시설법

서울시조례

[별표 1] (개정 2022.3.24.)

지구단위계획구역 지정대상이 되는 노후·불량건축물 기준(제4조 관련)

1. 원칙 : 사업구역 내 건축물 중 사용 검사 후 20년 이상 경과한 건축물이 전체 건축물수의 3분의 2 이상인 경우에는 노후·불량건축물 기준을 충족한 것으로 본다. 다만, 사용 검사 후 20년 이상 경과한 건축물이 전체 건축물수의 2분의 1 이상으로서 다음 각 목의 어느 하나에 해당하는 경우에는 노후·불량건축물 기준을 충족한 것으로 본다.

   가. 영 제42조의3제2항제4호에 따른 특별계획구역으로 지정된 경우

   나. 노후·불량건축물의 연면적 합계가 전체 건축물의 연면적 합계의 10분의 5 이상인 경우

   다. 「서울특별시 도시 및 주거환경정비 조례」 제6조제1항제2호가목 또는 나목의 어느 하나에 해당하는 경우

   라. 준공 후 15년 이상 경과한 다세대주택 및 다가구주택이 해당 지역 건축물수의 10분의 3 이상인 경우

2. 제1호에도 불구하고 다음 각 목의 어느 하나에 해당하는 경우에는 그에 따른 기준을 적용한다.

   가. 2004.9.6 이전 지구단위계획이 결정된 구역 중 아파트 건축을 목적으로 영 제42조의3제2항제4호에 따른 특별계획구역으로 지정된 구역은 노후·불량건축물 기준을 적용하지 않는다.

   나. 사업구역의 정형화 또는 합리적인 공공시설의 확보를 위하여 인접부지를 사업구역에 포함하는 것이 타당하다고 시 도시건축공동위원회가 인정하는 경우 포함되는 부지는 노후·불량건축물 기준을 적용하지 않는다.

   다. 공급되는 주택 전체를 「공공주택 특별법」 제2조제1호에 따른 공공임대주택 또는 제2조의2에 따른 공공준주택으로 공급하는 경우에는 노후·불량건축물 기준을 적용하지 않는다.

   라. 공공임대주택이 포함된 아파트 또는 주거복합건축물을 건축하는 경우에는 노후·불량건축물 기준을 시장이 별도로 정할 수 있다.

   마. 사업구역 면적 대비 구역 내 건축물의 건축면적 합계가 100분의 20 이하이거나, 사업구역 면적 대비 구역 내 건축물의 용적률 산정용 연면적의 합계가 조례에 따른 용도지역별 용적률의 100분의 30 이하인 경우에는 노후·불량건축물 기준을 충족한 것으로 본다.

   바. 그 밖에 시장이 완화가 필요하다고 인정하는 경우에는 노후·불량건축물 기준을 완화하여 적용할 수 있다.

3. 건축물의 동수 및 경과연수 산정 기준

   가. 건축물의 동수 및 경과연수 산정은 건축물대장을 기준으로 한다. 다만, 특정무허가건축물의 경우에는 「서울특별시 도시 및 주거환경정비 조례」 제2조제1호의 규정을 적용한다.

   나. 기존 건축물이 철거된 경우에는 건축물폐쇄대장을 기준으로 한다. 단, 산정시점(지구단위계획 입안을 위한 공고일 또는 허가·승인 신청일)을 기준으로 건축물 철거 신고일 이후 5년 이상 경과한 건축물 및 재해로 인하여 멸실된 건축물은 동수 산정에서 제외한다.

   다. 제1호 및 제2호(마목은 제외한다)를 적용할 때 기존 건축물 전체가 주거 이외의 용도인 경우에는 동수 및 경과연수 산정에서 제외한다. 이 경우 산정시점(지구단위계획 입안을 위한 공고일 또는 허가·승인 신청일)을 기준으로 5년 이내에 주거 용도에서 주거 이외의 용도로 변경한 경우에는 해당 건축물은 주거용 건축물로 본다.

   라. 「주택법 시행령」 제27조제1항제2호에 따른 세대수 이상의 연립주택 및 아파트의 경과연수는 제1호에도 불구하고 「서울특별시 도시 및 주거환경정비 조례」 제4조제1항제1호에서 정하는 기준을 적용한다.

   마. 연립주택 및 아파트의 건축물 동수는 기준층 세대수를 동수로 산정한다.

[별표 2] (개정 2022.9.26.)

불법 훼손된 입목 등의 사실 명시 해제 방법(제9조 관련)

1. 토지소유자 등이 원상회복 계획서, 복구 계획도면, 공사비 산출액 등을 작성 제출한 경우, 원상회복 계획의 적합 여부는 관계부서 협의를 거쳐 도시계획위원회에 상정하여 그 결정에 따른다. 단, 아래의 복원방법에 따라 복원이 불가한 경우, 도시계획위원회에서 복구기준을 따로 정할 수 있다.

   가. 입목 훼손의 경우

   (1) 복원방법

   (가) 서울특별시 ha당 평균입목축적의 100퍼센트 이상이 되도록 식재하여야 한다.

   (나) 식재 후 3년 이상의 입목의 활착을 위한 유예기간을 주어야 하며, 그 기간 동안 입목을 관리하여야

한다. 수목의 생존율이 저조하여 재식재(보식)한 경우 또한 같다.

(다) 활착된 입목축적을 측정하여 서울특별시 ha당 평균입목축적의 100퍼센트 이상 되어야 해제할 수 있다.

(2) 식재한 입목의 관리

(가) 토지소유자 등은 식재한 입목에 대하여 매년 생육상태를 조사하여 그 결과를 제출하여야 한다. 이 경우 공인기관의 기술자에게 그 관리를 위임할 수 있다.

(나) 제출된 생육상태에 대하여는 관리대장에 그 관리상황을 기록하여야 한다.

(3) 식재할 입목은 산림청에서 정한 조림 권장수종 중 용재수종으로 하되, 도시생태현황도의 현존식생도를 참조하여 주변 경관과 환경에 잘 어울리는 수종으로 하며, 가슴높이지름 6㎝ 이상의 입목을 식재해야 한다. 이때 식재한 입목은 판매를 목적으로 재배하는 나무로 보지 아니한다.

나. 무단 형질변경의 경우

(1) 복원방법

(가) 훼손 전 경사도의 110퍼센트 이상을 성·절토 하여야 하며 재해방지를 위하여 최선을 다하여야 한다. 이 경우 훼손 전 경사도의 산정은 가장 최근에 작성된 지형도에 따른다.

(나) 복구 후 3년 이상 토양의 안정화 기간을 주어야 하며 그 기간 동안 토양의 상태를 지속적으로 관리하여야 한다.

(다) 토양의 안정화가 이루어졌을 경우 경사도는 훼손 전 경사도의 105퍼센트 이상 되어야 해제할 수 있다. 다만, 훼손된 성·절토량을 파악할 수 있는 경우에는 그 이상을 성·절토하여 복원할 수 있다.

(2) 토지소유자 등은 성·절토한 토양의 상태, 재해의 우려 등에 대하여 조사하고 그 결과를 매년 제출하여야 한다. 이 경우 담당자는 현장조사를 통하여 토양의 상태 등을 확인하고 관리대장에 기록하여야 한다.

(3) 암반 훼손의 경우에는 어떠한 방법으로도 절대 해제 할 수 없다.

다. 무단으로 포장 또는 공작물을 설치했을 경우도 원상복구 되었을 경우 해제할 수 있다.

2. 복원 완료된 토지에 대하여 토지소유자 등의 사고지 해제 신청이 있는 경우에 담당자는 현장을 확인하여야 하고, 확인 결과 원상회복이 이루어진 것으로 인정되는 경우에는 토지이용계획확인서의 사고지 명시를 지체없이 삭제하여야 한다.

[별표 3] (개정 2022.9.26.)

입목축적 비율 산출방법(제10조 관련)

1. 입목축적 정의
 개발대상 필지의 입목에 대한 수종, 수고, 가슴높이직경, 본수를 ha당 조사결과로 산출하여 서울 특별시 평균입목축적(㎥)적용 시 비율(100분율)로 산정하여 나타낸 것을 말한다.

2. 대상지 ha당 입목축적 산출
 가. 대상지 입목축적은 「국토의 계획 및 이용에 관한 법률 시행규칙」 제10조의2제2호에 따른 방법으로 산출한다.
 나. 위의 방법에 따라 산출한 대상지 입목축적을 ha당 입목축적으로 환산하면 '대상지 ha당 입목축적' 이 된다.

3. 서울특별시 ha당 평균입목축적 산출(평균생장률 적용)
 산림기본통계의 발표 다음 연도부터 다시 새로운 산림기본통계가 발표되기 전까지는 산림청장이 고시하는 평균생장률을 적용하여 해당 연도의 서울특별시 ha당 평균입목축적을 산출한다.

4. 입목축적 비율 산출

건축관계법

국토계획법

주차장법

주 택 법

도시및주거
환경정비법

건축사법

장애인시설법

소방시설법

서울시조례

$$
\frac{\text{입목축적}}{\text{비율}} = \frac{\text{대상지 ha당 입목축적}}{\text{서울특별시 ha당 평균입목축적}} \times 100
$$

[예 시]

□ 서울특별시 ha당 평균입목축적 산출방법 예시(평균생장률 적용)

○ 2021.9.30.~12.31.까지:148.97㎥/ha(서울특별시 ha당 평균입목축적을 그대로 적용)

○ 2022년:148.97㎥/ha+(148.97㎥/ha×2.3%)=152.40㎥/ha

○ 2023년:152.40㎥/ha+(152.40㎥/ha×2.3%)=155.91㎥/ha

○ 2024년:155.91㎥/ha+(155.91㎥/ha×2.3%)=159.50㎥/ha

○ 2025년:159.50㎥/ha+(159.50㎥/ha×2.3%)=163.17㎥/ha

○ 2026년:163.17㎥/ha+(163.17㎥/ha×2.3%)=166.92㎥/ha

※ 2026년에 발표할 2025년 산림기본통계 공표 시까지 활용

※ 산출결과 값이 소수점 셋째자리 이상일 경우 반올림하여 소수점 둘째자리로 결정

건축관계법

국토계획법

주차장법

주 택 법

도시및주거
환경정비법

건축사법

장애인시설법

소방시설법

서울시조례

[별표 3의2] (개정 2016.7.28.)

생태면적률 산정방법 (제10조의2제1항 관련)

1. 생태면적률 계산은 아래 계산식에 따른다.

$$\text{생태면적률}(\%) = \frac{\text{자연순환기능 면적}}{\text{전체면적}} \times 100 = \frac{\Sigma(\text{피복유형별 환산면적}) + \Sigma(\text{식재유형별 환산면적})}{\text{전체면적}} \times 100$$

2. 생태면적률 계산을 위한 공간유형 구분 및 가중치는 아래와 같다.

	피복유형	가중치	설 명	사 례
1	자연지반녹지	1.0	자연지반이 손상되지 않은 녹지 식물상과 동물상의 개발 잠재력 보유	자연 상태의 지반을 가진 녹지
2	수공간 (투수기능)	1.0	자연지반 기초 위에 조성되고, 투수기능을 가지는 수공간	투수기능을 가지는 생태연못 등
			바닥에 차수시설이 설치되어 있는 수공간의 경우 가중치 0.5	
3	인공지반녹지 ≥ 90cm	0.7	토심이 90cm이상인 인공지반 상부녹지	지하주차장 상부, 지하실 상부 녹지
			토심이 90cm미만인 경우 가중치 0.5(단, 최소토심 40cm 이상)	
4	옥상녹화 ≥ 40cm	0.6	토심이 40cm이상인 옥상녹화시스템이 적용된 공간	혼합형 녹화옥상시스템 중량형 녹화옥상시스템
			토심이 40cm미만인 경우 가중치 0.4(단, 최소토심 20cm 이상)	
5	투수포장	0.4	자연지반 위에 조성되고 공기와 물이 투과되는 포장, 식물생장 필수	잔디블록, 목판 또는 판석 부분포장
			포장재의 투수율은 0.01cm/sec를 확보 미식재 면적이 50%이상인 경우 가중치 0.2 불투수포장은 가중치 0.0	
6	벽면녹화	0.3	창이 없는 벽면이나 옹벽(담장)의 녹화, 최대 10m 높이까지만 산정 (단, 최소토심 20cm 이상)	벽면이나 옹벽녹화 공간
7	침투시설 연계면	0.1	지하수 함양을 위한 우수침투시설 또는 일시적 저류시설과 연계된 면	녹화가 되어 있지 않은 옥상 중 침투시설과 연계된 공간

식재유형		개체당 환산면적	가중치	설　명	대표수종
8	0.3m≤수고 <1.5m	0.1㎡ /주수	0.1	수고 0.3m이상 1.5m미만인 관목, 지피초화의 경우 산정제외	철쭉류, 개나리, 영산홍
	1.5m≤수고 <4m	0.3㎡ /주수		수고 1.5m이상 4m미만인 대관목 및 소교목	관목 : 산수유, 애기동백
					교목 : 무궁화, 라일락
	4m≤수고	3㎡ /주수		관목일 경우 환산면적 0.15㎡ 적용	
				수고 4m이상인 대교목	소나무, 향나무, 잣나무, 주목, 느티나무, 청단풍, 메타세쿼이아, 은행나무
				낙엽교목으로 B>12cm or R>15cm 이거나, 상록교목으로 W>2m 인 경우 2주 인정	
				낙엽교목으로 B>18cm or R>20cm 이거나, 상록교목으로 W>3m 인 경우 4주 인정	
				낙엽교목으로 B>25cm or R>30cm 이거나, 상록교목으로 W>5m 인 경우 8주 인정	

(B : 흉고직경, R : 근원직경, W : 수관폭)

※ 인공지반에 설치되는 수공간, 투수포장의 경우는 인공지반 가중치(0.7 또는 0.5)를 해당 공간유형별 가중치에 곱하여 산정함.
※ 해당 수고의 대나무를 식재할 경우 환산면적의 10%만 인정
※ 식재유형 생태면적률은 피복유형 생태면적률의 20% 까지만 인정

건축관계법

국토계획법

주차장법

주 택 법

도시및주거
환경정비법

건축사법

장애인시설법

소방시설법

서울시조례

[별표 4] (삭제 2017.4.6.)

[별지] 역사도심 범역 확정(제16조 관련)

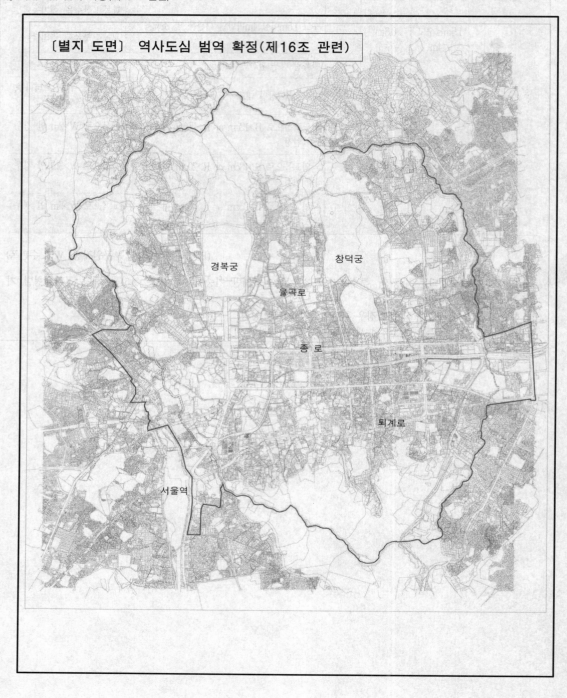

〔별지 도면〕 역사도심 범역 확정(제16조 관련)

03. 서울특별시 주차장설치 및 관리 조례

[조례 제8989호 일부개정 2023.12.29]

일부개정 2020.10. 5 조례 제7716호
일부개정 2021.5. 20 조례 제8020호
일부개정 2021.7. 20 조례 제8085호
일부개정 2021.9. 30 조례 제8155호
일부개정 2021.12.30 조례 제8265호
타법개정 2022.12.30 조례 제8530호
일부개정 2023. 3.27 조례 제8622호
일부개정 2023. 7.18 조례 제8772호
일부개정 2023.12.29 조례 제8989호

제1장 총 칙

제1조【목적】 이 조례는 「주차장법」, 같은 법 시행령 및 시행규칙과 「도시교통정비 촉진법」, 같은 법 시행령 및 시행규칙에서 위임한 사항과 그 시행에 관하여 필요한 사항을 규정함을 목적으로 한다. (개정 2020.7.16)

제2조【주차장확보 노력의무】 자동차를 소유한 시민은 자기 차고 확보를 위하여 노력하여야 하며, 서울특별시(이하 "시"라 한다)는 이에 대하여 행정적·제도적으로 지원하기 위하여 노력하여야 한다.

제3조【주차장수급실태조사】　① 구청장은 「주차장법」(이하 "법"이라 한다) 제3조 및 「주차장법 시행규칙」(이하 "법 시행규칙"이라 한다) 제1조의2에 따라 다음 각 호와 같이 주차장수급실태조사(이하 "수급실태조사"라 한다)를 실시하여야 한다. (개정 2017.1.5., 2020.7.16.)
1. 수급실태조사 대상
  가. 법에 따른 주차시설과 통상적으로 자동차가 주차하는 모든 공간에 대해 주차시설현황을 조사하되, 적법하지 않은 공간은 수급실태조사 대상에서 제외한다.
  나. 법 제2조제5호에 따른 자동차(이륜자동차 및 원동기장치자전거를 포함한다)의 주차수요
2. 수급실태조사 시기 : 연중 주차수요의 변화가 적은 시기를 택하되 세부일정은 서울특별시장(이하 "시장"이라 한다)이 따로 정한다.
3. 수급실태조사 내용
  가. 건축물의 종류별로 주차장의 형태, 소재지, 규모,

주차요금 및 운영방법 등에 관한 사항
  나. 시간대별로 주차차종, 주차위치, 주차대수, 주차장 회전율, 적법 주차여부 등의 주차실태
  다. 그 밖에 시장이 필요하다고 정하는 사항
4. 수급실태조사 방법
  가. 주차시설현황조사는 법 시행규칙 별지 제1호서식에 따른 주차시설로 구분 조사
  나. 주차수요조사는 주간·야간, 적법주차·불법주차로 각각 구분 조사
② 제1항에 따른 수급실태조사는 전수조사를 원칙으로 한다. 다만, 구청장이 실태조사 직전에 실시한 조사와 비교해 주차시설 및 주차수요에 큰 변동이 없다고 판단되는 경우에는 관련 공적 장부 등을 확인하여 처리하거나 표본조사 등을 통하여 처리할 수 있다. (개정 2020.7.16.)
③ 수급실태조사를 하는 사람은 수급실태조사원증표를 지참하여 이를 주차시설관리자에게 보여 주어야 하고, 구청장은 수집 자료의 적정성을 검증하되, 선량한 관리자의 주의 의무로서 수집정보를 유지관리하여야 한다. (개정 2020.7.16.)
④ 그 밖에 수급실태조사와 관련하여 필요한 사항은 시장이 따로 정한다. (개정 2020.7.16.)

제3조의2【주차장안전관리실태조사】 구청장은 법 제3조 및 법 시행규칙 제1조의2에 따라 주차장안전관리실태조사(이하 "안전관리실태조사"라 한다)를 실시하는 경우에는 다음 각 호의 내용을 포함하여야 한다.(개정 2021.9.30.)
1. 주차장의 구조·설비 및 안전기준 충족여부
2. 경사진 주차장인 경우 미끄럼 방지시설 및 미끄럼 주의 안내표지 설치 여부
3. 안전관리실태조사의 주기는 3년으로 하되, 제3조에 따른 수급실태조사와 함께 실시할 수 있다.
[본조신설 2020.7.16.]

제4조【주차환경개선지구의 지원】　① 시장은 법 제4조에 따른 조사구역으로서 야간시간대의 수급실태조사를 고려한 주차장확보율이 70%미만인 지역을 주차환경개선지구로 지정할 것을 구청장에게 권고할 수 있다. (개정 2020.7.16.)
② 시장은 제1항의 권고에 따라 구청장이 지정한 주차환경개선지구에 대하여 다음 각 호의 해당 사업예산을 우선하여 지원할 수 있다.
1. 담장허물기사업
2. 일반건축물 부설주차장 및 학교운동장 야간개방 사업
3. 주택가 공동주차장 및 학교·공원지하주차장건설 사업
4. 민간주차장 설치자금 융자 등

건축관계법

국토계획법

주차장법

주 택 법

도시및주거
환경정비법

건 축 사 법

장애인시설법

소방시설법

서울시조례

건축관계법

국토계획법

주차장법

주 택 법

도시및주거
환경정비법

건축사법

장애인시설법

소방시설법

서울시조례

10-56

제4조의2【주차장 설치 지원】 시장은 구청장이 서울특별시 투자사업심사 대상에서 제외되는 공동주차장을 조성하는 사업에 대하여 다음 각 호의 해당 사업 예산을 지원할 수 있다.

1. 도시재생사업 지역(재건축·재개발 지역 제외)
2. 전통시장 주변 100m 이내 지역
3. 그 밖에 시장이 필요하다고 인정하는 경우
[본조신설 2019.9.26.]

제5조【주차전용건축물의 건축기준 등】 ① 법 제12조의2에 따른 노외주차장인 주차전용건축물의 건폐율·용적률·대지면적의 최소한도 및 높이제한은 다음 각 호와 같다. (개정 2011.9.29.)

1. 건폐율 : 100분의 90 이하
2. 용적률 : 1천500퍼센트 이하
3. 대지면적의 최소한도 : 45제곱미터 이상
4. 높이제한 : 다음 각목의 배율이하

　가. 대지가 너비 12미터미만의 도로에 접하는 경우 : 건축물의 각 부분의 높이는 그 부분으로부터 대지에 접한 도로(대지가 2이상의 도로에 접하는 경우에는 가장 넓은 도로를 말한다. 이하 이 호에서 같다)의 반대쪽 경계선까지의 수평거리의 3배

　나. 대지가 너비 12미터이상의 도로에 접하는 경우 : 건축물의 각 부분의 높이는 그 부분으로부터 대지에 접한 도로의 반대쪽 경계선까지의 수평거리×(36/도로의 너비)배. 다만, 배율이 1.8배미만인 경우에는 1.8배로 한다.

② 영 제1조의2제3항에 따라 제21조제1항제1호의 해당지역 중 상업지역·준주거지역에 설치되는 주차전용건축물의 주차장 외의 용도로 사용되는 부분에 설치할 수 있는 시설의 종류는 제1종 및 제2종 근린생활시설, 업무시설(오피스텔은 제외한다), 운동시설로 한다. 다만, 기존에 허용된 용도로 사용되고 있는 부분과 유통근대화계획으로 지정된 전통시장에는 적용하지 아니한다. (개정 2026.7.14., 2020.10.5.)

제6조【주차요금 및 가산금】 ① 시장이 설치한 노상주차장 및 노외주차장(이하 "공영주차장"이라한다)의 주차요금은 별표 1과 같다. 다만, 하역주차구획의 주차요금은 해당 지역여건 등을 고려하여 시장이 따로 정하는 경우에는 그러하지 아니하다. (개정 2021.3.25.)

② 법 제9조제3항에 따른 노상주차장의 가산금은 다음 각 호의 경우에 부과하되 해당 주차요금의 4배의 금액으로 하며, 주차요금과 가산금은 함께 부과한다. 다만, 제1호에 해당하는 경우에는 가산금을 부과하기 전에 자진하여 납부하도록 15일의 범위 이내에서 유예기간

을 둘 수 있다. (개정 2020.7.16)

1. 주차쿠폰 또는 주차시간측정계기(차량번호 인식을 통한 결제시스템 및 주차요금결제 애플리케이션을 포함한다. 이하 같다)를 사용하지 아니한 경우에는 자동차의 주차를 발견한 때에 이미 4시간을 초과한 것으로 보고 주차요금 및 가산금을 부과하고, 이후 계속 주차하는 때에는 그 주차시간에 대한 주차요금 및 가산금을 추가 부과한다.

2. 주차요금 감면대상이 아니면서 주차시간측정계기에서 주차요금을 감면받은 경우

3. 주차예정시간을 초과한 경우에는 초과시간에 대하여 적용한다.

4. 주차요금을 납부하지 않고 도주한 경우

5. 노상주차장 운영시간이 종료되어 주차장관리자로부터 주차요금 납부통지서를 받고 정해진 기일 내에 주차요금을 납부하지 않은 경우

6. 제14조제4항 본문에 위반하여 주차한 경우

7. 자동차별 주차시간이 제한되어 있는 주차장에서 그 제한시간을 초과하여 주차한 경우 그 초과시간

8. 주차장 안의 지정된 주차구획 외의 곳에 주차한 경우

9. 주차장을 주차 외의 목적으로 이용한 경우

제7조【주차요금의 감면 등】 ① 시장은 제6조제1항 본문에도 불구하고 다음 각 호에 해당할 경우에는 주차요금을 감면할 수 있다. 이 경우, 주차시간측정계기를 통한 주차장 이용자는 증빙서류를 제시하지 않고 주차요금을 감면받을 수 있다. (개정 2016.5.19, 2016.7.14, 2019.1.3, 2019.5.2, 2019.9.26, 2020.5.19, 2020.7.16, 2020.10.5, 2021.3.25, 2021.5.20, 2021.7.20, 2021.9.30, 2021.12.30., 2023.3.27.)

1. 다음의 장애인 및 국가유공자 등이 사용하는 자동차에 대하여는 주차요금의 100분의80을 할인한다. 다만, 지하철환승주차장의 경우에는 1일 1회당 최초 3시간까지의 주차요금은 면제하고 이후 주차요금의 100분의 80을 할인한다.

　가. 「장애인복지법」 제32조, 같은 법 시행규칙 제26조 및 제27조에 따른 장애인자동차표지를 부착하고 장애인이 탑승하여 장애인등록증을 제시한 경우

　나. 「국가유공자 등 예우 및 지원에 관한 법률」 제4조제1항제4호·제6호·제12호·제14호·제15호와 같은 법 제73조에 따른 상이자로서 국가유공자증서를 제시한 경우

　다. 「고엽제후유의증 등 환자 지원 및 단체설립에 관한 법률」 제2조에 따른 고엽제후유증 환자 및 고엽제후유의증환자로서 국가 또는 지방보훈청에

등록한 사실이 확인된 사람

라. 「의사상자 등 예우 및 지원에 관한 법률」 제2조 제3호에 따른 의상자로서 의상자증을 제시한 경우

마. 「독립유공자예우에 관한 법률」에 따른 독립유 공자로서 독립유공자증을 제시한 사람

2. 시장은 「자동차관리법」 제3조 및 같은 법 시행규칙 제2조에 따른 경형자동차와 「대기환경보전법」 제2 조제16호 및 같은 법 시행령 제1조의 2에 따른 저공 해자동차에 대하여 주차요금의 100분의 50을 할인할 수 있다. 다만, 지하철 환승주차장에서 환승목적으로 주차하는 경형자동차와 저공해자동차에 대해서는 주 차요금의 100분의 80을 할인하되, 1일 1회 주차의 경 우에는 최초 3시간까지의 주차요금을 면제한다.

3. 대한민국에 주재하는 외교공관 및 외교관의 자동차 를 위하여 설치된 전용주차구획에 대하여는 그 주차 요금을 면제할 수 있다.

4. 녹색교통지역(「지속가능 교통물류 발전법 시행규 칙」 제12조제1항제3호에 따라 시장이 지정한 녹 색교통진흥특별대책지역을 말한다. 이하 같다)의 노외주차장에서 버스·지하철 환승목적으로 주차시 주 차관리자동화시스템을 또는 출차시 정산기를 통해 확인되면 해당 주차요금의 100분의 50을 할인한다.

5. 모범납세자로 표창을 받은 자로서 서울특별시장 또 는 국세청장이 교부한 성실납세증 표지(스티커)를 부 착한 차량에 대하여는 발행일로부터 1년간 주차요금 을 면제한다.

6. 「5.18민주유공자예우 및 단체설립에 관한 법률」 제 4조제2호에 따른 5.18민주화 운동 부상자가 5.18 민 주유공자 증서를 소지하고 본인 소유의 비사업용 자 동차를 직접 운전하거나 장애정도가 심하여 타인으 로 하여금 대리운전하게 하는 경우에는 1시간 범위 내에서 주차요금을 면제하고 1시간 초과시와 1일 및 월 정기권의 경우는 50를 경감한다.

7. 「다둥이 행복카드」 소지자에 대하여 주차요금의 100 분의50을 할인한다.

7의2. 「한부모가족지원법」에 따른 복지급여 지원대상 자인 경우 주차요금의 100분의50을 할인한다.

8. 「전통시장 및 상점가 육성을 위한 특별법」 제2조 에 따른 전통시장 또는 상권활성화구역(이하 "전통시 장 등"이라 한다)에서 구매한 영수증 제시 또는 구매 한 사실이 주차시간측정계기를 통해 확인된 차량이 공영주차장을 이용하는 경우 최초 2시간까지의 주차 요금을 100분의 50 할인한다, 다만 1급지에 소재한 주차장을 이용할 경우에는 주차요금을 감면하지 아 니한다.

9. 『환경친화적 자동차의 개발 및 보급 촉진에 관한 법 률』 제2조에 따른 "전기자동차"는 충전 할 경우 1시 간 범위 내에서 주차요금을 면제하고 1시간 초과 시 부터 부과되는 주차요금의 100분의 50을 할인한다.

10. 「보훈보상대상자 지원에 관한 법률」 제2조제1항 제2호 및 제4호에 따른 보훈보상대상자로서 보훈보 상대상자증을 제시한 경우 주차요금의 100분의 50을 할인한다.

11. 소상공인 간편결제시스템(소상공인의 결제 수수료 부담을 줄이고자 중소벤처기업부장관이 지정한 운영 기관이 운영하는 결제시스템을 말한다)으로 주차요금 을 결제하는 자에 대하여는 100분의 10 범위에서 시 장이 정하는 바에 따라 해당 주차요금을 할인할 수 있다.

12. 바로녹색결제시스템(사전에 주차요금 납부 가능한 결제수단을 등록하여 주차요금을 자동 납부되도록 하는 시스템을 말한다)으로 주차요금을 결제하는 경 우 100분의 10 범위에서 시장이 정하는 바에 따라 해당 주차요금을 할인할 수 있다.

13. 「참전유공자 예우 및 단체설립에 관한 법률」 제2 조제2호에 따른 참전유공자로서 국가 또는 지방보훈 청에 등록한 사실이 확인된 사람의 경우 주차요금의 100분의 20을 할인한다.

14. 「서울특별시 병역명문가 예우에 관한 조례」 제2 조에 따른 병역명문가 예우대상자가 병역명문가증을 제시하는 경우 주차요금의 100분의 20을 할인한다.

② 주차요금의 할인 등에 따라 100원 미만의 단수가 발생할 경우 그 단수는 계산하지 아니 한다

③ 2이상의 주차요금 감면사유에 해당하는 때에는 그 중 감면율이 높은 하나만 적용한다.

[조례 제7634호(2020.7.16) 부칙 제2조의 규정에 의하여 이 조 제1항제12호는 2021년 6월 30일까지 유효함]

제8조 삭제 (2020.7.16)

제9조【주차거부금지】 주차장의 관리자는 법 제10조의2 제1항, 제17조제2항 및 제19조의3제2항에 따라 다음 각 호의 어느 하나에 해당하는 경우를 제외하고는 정당한 사유없이 그 이용을 거절할 수 없다.

1. 자동차의 구조상 주차가 불가능하거나 곤란한 경우

2. 발화성 또는 인화성 물질을 적재한 경우

3. 주차장의 구조설비를 손상할 우려가 있는 경우

4. 주차장 안에서 자동차를 이용하여 영업행위를 하는 경우

5. 주차장 운영시간 중 계속 주차하여 주차장 이용에 장애가 되는 경우

6. 공영주차장의 주차요금 또는 「도로교통법 시행령」 제 88조에 따른 주차위반 과태료를 3회 이상 체납한 경우

건축관계법

국토계획법

주차장법

주 택 법

도시및주거
환경정비법

건축사법

장애인시설법

소방시설법

서울시조례

건축관계법

국토계획법

주차장법

주 택 법

도시및주거
환경정비법

건축사법

장애인시설법

소방시설법

서울시조례

제9조의2 【주차장 관리자의 책임】 ① 주차장의 관리자는 법령 또는 조례가 정하는 바에 따라 시설 유지 등 선량한 관리자의 주의의무를 다하여야 한다.

② 주차장 관리자는 소관 주차장의 경사 주차면에 고임목 등 주차된 차량이 미끄러지는 것을 방지하는 시설을 설치 또는 비치하여야 한다. (신설 2020.7.16.)

③ 주차장 관리자는 소관 주차장에서의 미끄러짐 사고 예방을 위한 안내 표지판 등 안전시설을 설치하여야 한다. (신설 2020.7.16.)

④ 주차장의 관리자는 제1항의 주의의무를 태만히 하지 아니하였음을 증명한 경우를 제외하고는 그 자동차의 멸실 또는 훼손으로 인한 손해배상의 책임을 면하지 못한다. 다만, 노상주차장관리자가 상주하지 아니하는 노상주차장의 경우는 그러하지 아니하다. (개정 2020.7.16)

[본조신설 2019.9.26.]

제10조 【공영주차장의 위탁관리】 ① 법 제8조제2항 및 제13조제3항에 따라 공영주차장의 관리를 위탁받을 수 있는 자(이하 "관리수탁자"라 한다)의 자격은 다음 각 호와 같다. (개정 2018.1.4., 2019.5.2.)

1. 시가 설립한 공공시설물의 관리를 전문으로 하는 법인
2. 「지방자치단체를 당사자로 하는 계약에 관한 법률시행령」 제13조에 따른 경쟁입찰 참가자격을 갖춘 자
3. 거주자우선주차제 실시를 위한 주민자치위원회 등 주민자율조직
4. 전통시장인근 100m이내에 있고 주차면수가 20면 이하인 노상주차장 및 노외주차장의 경우 해당시장의 상인회 또는 시장관리자
5. 민자사업으로 노외주차장을 설치·기부채납한자 (단, 인근에 사업장을 영위하는 경우에 한함)

② 관리수탁자가 공영주차장의 주차요금을 징수하여 시에 납입한 때에는 징수금액의 100분의 30이상의 금액을 위탁관리수수료로 관리수탁자에게 교부한다. 다만, 공개경쟁입찰을 통하여 관리수탁자를 선정하는 경우에는 낙찰금액을 시에 사전 납부하고, 위탁관리수수료 없이 관리하도록 한다.

③ 제2항에 따른 위탁관리수수료는 매분기말 납입실적을 기준으로 하여 분기별로 교부한다.

제10조의2 【주차전용건축물과 그 부대시설】 ① 사용자 선정은 일반입찰의 방법으로 함을 원칙으로 한다.

② 주차장 외 용도의 시설 또는 부대시설의 경우 시가 인수한 후 시장이 특별한 사유가 있다고 인정할 때에는 최초의 사용허가에 한정하여 종전의 사용자(문서상 사용자와 실제 사용자가 다른 경우에는 당사자 간에 합의한 자를 말한다)에게 수의에 의한 방법으로 사용허가 할 수 있으며, 이 경우 사용허가는 각 점포(사무실 등 포함) 단위로 함을 원칙으로 하고 1인(법인 포함)이 사용허가 받을 수 있는 점포는 1개소로 한정한다. (개정 2018.1.4., 2023.12.29.)

③ 주차전용건축물의 경우 부대시설의 위치, 형태, 용도, 인접건물과의 구조상 밀접한 관련성 등으로 인해 연계관리나 부대시설 전문관리의 필요성이 있어 시장이 일반입찰에 부치기 곤란하다고 판단하는 경우 주차전용건축물을 설치한 민자사업 시행자에게 수의계약으로 부대시설을 사용허가 할 수 있다. (신설 2018.1.4.)

[본조신설 2016.7.14][제목개정 2018.1.4]

제11조 【관리수탁자에 대한 지도·감독】 시장은 제10조에 따른 관리수탁자에 대하여 주차장관리에 관한 사항을 지도·감독한다.

제12조 【관리수탁자의 주차카드 발행】 ① 관리수탁자는 제13조제1항 제1호에 따라 주차요금을 주차시간측정계기를 사용하여 징수하는 경우에는 주차카드를 발행·운용할 수 있다.

② 관리수탁자는 제1항에 따라 주차카드를 발행·운용하는 경우에는 버스·지하철 등 다른 교통수단에서 사용하는 카드와 호환하여 사용될 수 있도록 대책을 강구하여야 하며, 필요한 경우 주차카드의 발행 및 운용을 위한 법인(이하"법인"이라 한다)을 설립·운영할 수 있다.

③ 서울특별시 버스운송사업 조합, 서울교통공사 등 교통운영기관과 주차카드 관련 기술업체 등은 제2항에 따른 법인에 참여할 수 있다. (개정 2017.3.9.,)

④ 시장은 제2항 및 제3항에 따라 주차카드의 발행 및 운용을 위하여 관리수탁자가 법인을 설립·운영하는 경우 주차카드의 발행 및 운용과 관련되는 사항에 대하여는 이를 관리수탁자로 보아 제11조에 따라 지도·감독권을 행사할 수 있으며, 관리수탁자는 법인에 대하여 관리수탁자와 동일한 시장의 지도·감독권 행사 대상이 되는 것과 시장의 지도·감독에 응할 의무가 있음을 법인의 의무사항으로 규정하는 등 시장의 지도·감독권이 원활히 행사될 수 있도록 하여야 한다.

제2장 노상주차장

제13조 【주차요금 징수방법】 ① 법 제9조제2항에 따른 노상주차장의 주차요금은 다음 각 호의 방법에 따라 징수한다. (개정 2020.7.16)

1. 주차시간측정계기에 의한 방법
2. 주차쿠폰을 사용하는 방법
3. 주차표를 교부하는 방법

② 제1항제3호에 따른 주차표를 교부하여 주차요금을 징수하는 주차장에 대하여는 다음 각 호의 어느 하나에 해당하는 경우 사전에 주차요금을 징수할 수 있다.

1. 주차장 운영 종료 2시간 이내에 주차하는 자동차
2. 1회 이용시간이 제한되어 있는 주차장에 주차하는 자동차

③ 제2항에 따라 주차요금이 사전에 징수된 자동차가 운영시간 내에 주차장을 나가는 경우 사전 징수한 주차요금에 대하여는 별표 1의 주차요금을 적용하여 징수하고 잔액은 반환하여야 한다.

④ 시장은 주차장별로 이용특성을 고려하여 1시간 또는 2시간 등으로 1회 주차장 이용시간을 제한하여 운영할 수 있다.

⑤ 관리수탁자는 제4항을 준용하여 주차장 이용시간을 제한하여 운영할 수 있다. 이 경우 사전에 시장의 승인을 받아야 한다.

제14조【하역주차구획】 ① 법 제7조제4항에 따른 하역주차구획은 설치된 노상주차장 안에서 지정한다.

② 제15조제2항의 노상주차장 이용에 관한 안내표지에 하역주차구획의 제한차종, 제한구역, 제한사유 및 위반차량에 대한 조치 등을 명시하여야 한다.

③ 하역주차구획에는 보조표지를 잘 보이게 설치하여야 한다. (개정 2022.12.30.)

④ 하역주차구획에서의 주차는 계속하여 1시간을 초과하여서는 아니 된다. 다만, 화물자동차의 경우에는 그러하지 아니하다.

제14조의2【관광버스 전용주차구획】 ① 시장은 법 시행규칙 제6조의2제1항제4호에 따라 노상주차장의 일부에 대하여 관광버스 전용주차구획을 설치할 수 있다. 이 경우 주차구획에는 「자동차관리법 시행규칙」 별표 1에서 규정하는 승차정원이 16인 이상인 승합자동차가 주차되도록 하여야 한다.

② 제1항에 따른 관광버스 전용주차구획에는 제15조제2항에 따라 노상주차장 이용에 관한 안내표지를 설치하고, 보조표지를 잘 보이게 설치할 수 있다. (개정 2022.12.30.)

[본조신설 2013.10.4.]

제14조의3【장애인 전용주차구획의 설치기준】 법 시행규칙 제4조제1항제8호에 따른 노상주차장에는 다음 각 호의 구분에 따라 장애인 전용주차구획을 설치하여야 한다. 이 경우 산정한 장애인 전용주차구획의 주차대수

중 소수점 이하의 끝수는 이를 한 대로 본다.

1. 주차대수 규모가 20대 이상 50대 미만인 경우 : 한 면 이상
2. 주차대수 규모가 50대 이상인 경우 : 주차대수의 3퍼센트 이상

[본조신설 2016.1.7.]

제15조【주차장의 표지】 ① 노상주차장의 주차장표지는 「도로교통법 시행규칙」 제8조에 따른 안전표지 중 주차장표지에 따른다.

② 법 제11조제2항에 따른 노상주차장 이용에 관한 안내표지는 다음 각 호의 사항을 기재한 내용을 이용자가 쉽게 볼 수 있는 장소에 설치하여야 하며, 그 규격 등은 이용자의 식별의 편리성, 주차장의 위치·규모·형태 및 주변 시설물의 배치상태 등을 고려하여 주차장을 설치하는 자 또는 그 관리의 책임이 있는 자가 정한다.

1. 주차요금 및 그 징수에 관한 사항
2. 가산금 징수에 관한 사항
3. 주차장의 사용시간
4. 주차의 방법 및 시간의 제한에 관한 사항
5. 그 밖의 주의사항

제3장 노외주차장

제16조【노외주차장의 부대시설 설치기준】 ① 법 시행규칙 제6조제5항에 따른 노외주차장(유수지나 하천을 복개하여 설치한 노외주차장은 제외한다)에 설치할 수 있는 부대시설의 종류는 제1종 및 제2종 근린생활시설, 문화 및 집회시설, 종교시설, 판매시설, 운수시설, 운동시설, 업무시설, 자동차관리시설로 한다.

② 제21조제1항제1호의 해당 지역에 설치되는 노외주차장의 경우 노외주차장에 설치할 수 있는 부대시설의 종류는 제1항에도 불구하고 제1종 및 제2종 근린생활시설, 업무시설(오피스텔은 제외한다), 운동시설로 한다. 다만, 기존에 허용된 용도로 사용되고 있는 부분에는 적용하지 아니한다. (개정 2016.7.14., 2020.10.5.)

③ 법 제20조제2항·제3항 및 법 시행규칙 제6조제5항에 따른 노외주차장의 총 시설면적 중 부대시설이 차지하는 비율은 30퍼센트 이내로 한다. 다만, 법 제12조제6항에 따른 노외주차장 설치의 제한지역에 해당하는 경우에는 10퍼센트 이내로 한다.

제17조【주차장설치의 고시】 ① 시장이 노외주차장을 설치하여 사용을 개시하고자 할 때에는 그 사용을 개시한 사실·명칭·위치·규모·사용시간, 그 밖에 필요한 사항

건축관계법

국토계획법

주차장법

주 택 법

도시및주거
환경정비법

건축사법

장애인시설법

소방시설법

서울시조례

건축관계법

국토계획법

주차장법

주 택 법

도시및주거
환경정비법

건축사법

장애인시설법

소방시설법

서울시조례

을 고시하여야 한다. (개정 2009.7.30)

② 법 제12조의3에 따라 노외주차장을 설치하여야 하는 단지조성사업 등의 종류는 다음 각 호와 같다. (신설 2020. 7.16., 2021.9.30)

1. 택지개발사업
2. 도시개발사업
3. 산업단지개발사업
4. 도시철도건설사업(「철도의 건설 및 철도시설 유지관리에 관한법률」 제2조제7호의 철도건설사업 중 「도시철도법」 제2조제2호에 따른 도시철도에 준하여 도시교통의 원활한 소통을 목적으로 「도시철도법」 제2조제1호의 도시교통권역에 철도를 건설하는 사업을 포함한다. 이하 같다)

③ 법 제12조의3제2항에 따른 노외주차장의 규모는 단지조성사업 등에 관하여「도시교통정비 촉진법」 제15조에 따라 교통영향평가를 실시하여야 하는 경우에는 같은 법 제16조제4항(같은 법 제21조제2항에서 준용하는 경우를 포함한다)에 따라 사업자가 통보받은 개선필요사항 등에 기재된 주차장의 연면적에서 부설주차장의 면적을 뺀 면적으로 하되, 다음 각 호에서 정한 면적이상이어야 한다. (개정 2020.7.16)

1. 도시철도건설사업(철도의 연장이 20킬로미터 이상인 경우에 한한다)의 경우 : 다음 산식에 따라 산출한 주차대수를 수용할 수 있는 면적

철도개설 5년후 1개역의 1일 평균승차인원/210 × 철도연장(km)/8

2. 도시철도건설사업 외의 단지조성사업 등의 경우 : 사업부지면적의 0.6퍼센트

④ 단지조성사업 등에 관하여 「도시교통정비 촉진법」 제15조에 따라 교통영향분석·개선대책을 수립하지 아니하는 경우의 노외주차장의 규모는 해당 사업부지면적의 0.6퍼센트 이상의 면적으로 한다. (개정 2020.7.16.)

제17조의2【장애인 전용주차구획의 설치기준】 법 시행규칙 제5조제8호에 따른 노외주차장의 주차대수 규모가 50대 이상인 경우에는 주차대수의 3퍼센트이상의 장애인 전용주차구획을 설치하여야 한다. 이 경우 산정한 장애인 전용주차구획의 주차대수 중 소수점 이하의 끝수는 이를 한 대로 본다.

[본조신설 2016.1.7.]

제18조【주차요금 징수방법 등】 ① 제13조은 공영노외주차장의 주차요금 징수에 관하여 이를 준용한다. 다만, 1일주차권 또는 월 정기권을 발행하여 주차장을 사용하게 하는 경우에는 이를 발행하는 때에 징수한다.

② 제1항 단서의 경우 공영노외주차장의 사용의 중지

또는 폐지 등 해당 주차장의 이용자에게 책임을 돌릴 수 없는 사유로 인하여 주차할 수 없게 된 때에는 다음의 기준에 따라 이미 징수한 주차요금을 반환하여야 한다.

1. 1일주차권: 1일주차권 1매의 단가를 산출하여 사용할 수 없게 된 시간에 대한 금액
2. 월정기권 : 나머지 기간에 대한 요금을 1할 계산한 금액

③ 개인택시·용달화물 및 개별화물의 운송사업용 차량에 대한 정기권요금은 「별표1」의 3급지의 월 정기권 야간금액을 적용한다. (개정 2020.10.5.)

제19조【주차장의 표지】 법 제18조제2항에 따른 공영노외주차장의 이용에 관한 안내표지는 제15조제2항을 준용하되, 그 표지 상단에 서울특별시 또는 관리수탁자의 표시를 하여야 한다. (개정 2023.12.29.)

제4장 부설주차장

제20조【부설주차장의 설치기준】 ① 부설주차장을 설치하여야 할 시설물의 종류와 설치기준은 별표 2와 같다.

② 제1항에 따른 부설주차장의 주차대수의 산정에 있어 2단식 이상의 기계식 주차장을 설치하는 경우의 주차대수의 산정기준은 규칙으로 정한다.

③ 법 시행령 제6조제1항제7호에 따른 중·대형 승합자동차 부설주차장을 설치하여야 할 시설물의 종류와 설치기준은 별표 4와 같다. (신설 2018.1.4.)

제21조【부설주차장의 설치제한지역 및 설치제한 기준 등】 ① 법 시행규칙 제7조의2에 따라 부설주차장의 설치를 제한할 수 있는 지역은 다음 각 호의 어느 하나에 해당하는 지역으로 한다.(이하 "주차장설치제한지역"이라 한다) (개정 2020.10. 5)

1. 별표3 비고 제1호에서 정한 지역 중 상업지역 및 준주거지역
2. 「도시교통정비촉진법」 제42조에 따른 교통혼잡특별관리구역으로서 전철역, 지하철역과 환승센터 또는 복합환승센터의 가장 가까운 출입구로부터 직선거리 500m 이내의 지역 (신설 2011.3.17)

② 주차장설치제한지역에 부설주차장의 설치를 제한하는 시설물의 종류 및 설치기준은 별표 3과 같다.

③ 부설주차장을 설치하여야 할 시설물 및 대지가 주차장 설치제한지역과 그 외의 지역에 걸쳐 있는 경우 설치제한지역의 대지면적이 과반을 차지하는 부설주차장에 대하여는 별표 3의 설치제한기준을 적용한다.

④ 주차장설치제한지역 내 주상복합건물의 부설주차장

설치기준은 주택(오피스텔을 포함한다. 이하 같다)과 비주택을 구분하여 각각의 부설주차장 설치기준에 따라 산정된 대수를 합한 것으로 하되, 주택부분의 경우 부설주차장 설치기준은 별표 2에 따른다.

제21조의2【학교의 부설주차장 설치 한도】 제21조의 규정에도 불구하고 학교(서울특별시교육감이 설치한 시립학교 및 「사립학교법」 제2조제1호에 따른 사립학교 가운데 교육감의 지도·감독을 받는 사립학교를 포함한다)에 설치하는 부설주차장의 최고한도는 서울특별시 교육청 학교 주차장 관리에 관한 조례로 따로 정한다. (개정 2023.12.29.)
[본조신설 2021.12.30]

제22조【부설주차장의 이용제한명령 등】 ① 시장은 「도시교통정비촉진법」 제48조에 따라 특별관리구역시설물이나 특별관리시설물의 소유자에 대하여 다음 각 호의 조치를 명할 수 있다.
1. 부설주차장의 유료화
2. 주차부제의 실시. 단, 「도로교통법」 제2조에 따른 긴급자동차 및 「장애인·노인·임산부 등의 편의증진 보장에 관한 법률 시행령」 제7조의3에 따른 장애인전용주차구역 주차표지 발급대상 등은 제외
② 제1항 각 호의 부설주차장 이용제한을 명하는 경우 세부 운영방법은 「도시교통정비 촉진법 시행령」 제33조에 따라 수립된 지정계획의 세부 시행계획으로 정한다.

[전문개정 2017.9.21]

제23조【공공기관 부설주차장의 일반 이용에의 제공】 ① 시·자치구 및 그 소속기관의 청사에 부설된 주차장으로서 다음 각 호의 어느 하나에 해당하는 경우에는 일반의 이용에 제공할 수 있다.
1. 인근 지역 주민의 야간 주차 공간으로 활용하고자 하는 경우
2. 그 밖에 시장이 교통수요관리상 필요하다고 인정하는 경우
② 제1항의 시설물의 관리자는 제1항에 따른 주차장의 이용자에 대하여 주차요금을 징수할 수 있다.
③ 제2항에 따른 주차요금은 공영노외주차장의 주차요금의 범위 안에서 정한다. 이 경우 해당 급지 요금 수준은 주차수요를 고려하여 차등적으로 적용할 수 있다. (개정 2020.10. 5)

제23조의2【공공기관 부설주차장 주차요금의 감면】 시·자치구 및 그 소속기관의 청사에 부설된 주차장의 관리자는 제23조제2항에도 불구하고 다음 각 호에 해당

하는 경우에는 주차요금을 감면할 수 있다.
1. 제7조제1항에 따른 주차요금의 감면 차량
2. 국가·지방자치단체 소유의 업무수행 관용차량 및 의정활동 수행을 위하여 방문하는 국회의원, 시·구의원 차량
3. 행사·회의참석 등 공무로 방문하는 외빈차량 및 취재를 목적으로 방문하는 언론기관 로고 부착 등 외관상 식별이 가능한 보도차량
4. 삭제 <2020.7.16.>
5. 삭제 <2020.7.16.>
[본조신설 2017.3.23.]

제24조【부설주차장의 설치 등에 대한 보조】 ① 시장은 부설주차장의 소유자 또는 관리자가 주차장을 해당 시설물의 이용자 외에 일반의 이용에 제공하기 위하여 주차장을 추가로 설치하고자 하거나 주차장의 이용에 필요한 시설물을 설치 또는 관리하고자 하는 때에는 주차장의 소유자 또는 관리자에 대하여 그에 필요한 비용의 일부를 보조할 수 있다.
② 제1항에 따라 보조하는 경우에 보조금의 산정기준 및 지원절차 등 보조에 관하여 필요한 사항과 보조금의 지급신청에 관하여 필요한 사항은 시장이 정한다.

제25조【장애인전용주차구획의 설치기준 등】 ① 「장애인·노인·임산부 등의 편의증진보장에 관한 법률 시행령」 제17조에 따라 장애인전용주차구획을 설치하여야 하는 시설물에는 부설주차장의 설치기준에 따른 주차대수의 3퍼센트 이상을 장애인전용주차구획으로 구분·설치하여야 한다. 다만, 부설주차장의 설치기준에 따른 주차대수가 10대 미만인 경우에는 그러하지 아니한다. (개정 2020. 7.16)
② 장애인전용주차구획은 다음 각 호의 어느 하나의 기준에 적합한 위치에 설치하여야 한다.
1. 시설물의 주요 출입구에서 가장 가까운 장소
2. 옥내주차장의 경우 승강기 또는 계단에서 가장 가까운 장소
3. 장애인용 경사로에 가장 가까운 장소
③ 장애인전용주차구획은 다음 각 호에 대하여 「장애인·노인·임산부 등의 편의증진 보장에 관한 법률 시행규칙」 제2조제1항 별표 1의 기준에 적합하게 설치하여야 한다. <개정 2023.12.29.>
1. 주차구획의 크기·높이·기울기·재질
2. 바닥면·주차구획선의 장애인전용표시
3. 장애인전용주차구역 안내표지
④ 삭제 <2023.12.29.>

제25조의2【가족배려주차장 주차구획의 설치기준 등】 ① 법제6조제2항에 따라 주차대수 규모(기계식주차구획을

건축관계법

국토계획법

주차장법

주 택 법

도시및주거
환경정비법

건축사법

장애인시설법

소방시설법

서울시조례

건축관계법

국토계획법

주차장법

주 택 법

도시및주거
환경정비법

건축사법

장애인시설법

소방시설법

서울시조례

제외한다)가 30대 이상인 노상·노외·부설 주차장에는 총주차대수의 10% 이상을 가족배려주차장 주차구획으로 설치한다. (개정 2020. 7.16., 2023.7.18.)

② 가족배려주차장 주차구획의 이용대상은 다음 각 호와 같다. <신설 2023.7.18.>

1. 「모자보건법」 제2조제1호에 따른 임산부 또는 임산부를 동반한 사람

2. 「영유아보육법」 제2조제1호에 따른 영유아를 동반한 사람

3. 고령 등으로 일상생활에서 이동이 불편한 사람(이하 "이동이 불편한 사람"이라 한다) 또는 이동이 불편한 사람을 동반한 사람

③ 확장형 주차구획을 설치하는 주차장에는 제1항에 따라 설치하는 여성우선주차장 주차구획의 50%이상을 확장형 주차구획으로 한다. (개정 2023.7.18.)

④ 가족배려주차장 주차구획은 해당 주차장의 특성을 고려하여, 다음 각 호의 어느 하나의 기준에 부합한 위치에 설치하여야 한다. (개정 2019.5.2, 2022.12.30., 2024.7.18.)

 1. 사각이 없는 밝은 위치

 2. 주차장 출입구 또는 승강기, 계단과 가까워 접근성 및 이동성, 안전성이 확보되는 장소

 3. 폐쇄회로 텔레비전(cctv)으로 감시하기 쉽고 통행이 잦은 위치

 4. 장애인 주차구획과 인접한 위치

⑤ 가족배려주차장 주차구획의 표시는 별도3에 따른다. (신설 2023.7.18.)

[본조신설 2009.5.28.][제목개정 2023.7.18.]

제25조의3 【환경친화적 자동차 전용주차구획의 설치기준 등】 ① 법 제6조제1항에 따라 환경친화적 자동차 전용주차구획을 주차면수 50면 이상인 공영주차장, 시·자치구 및 그 소속기관의 청사에 부설된 주차장에 설치하되, 총 주차대수의 5% 이상으로 한다. (개정 2023.12.29.)

② 환경친화적 자동차 전용주차구획은 별도 제4호 서식에 따라 녹색바탕에 흰색 실선 및 문자로 표시하여야 한다.

[전문개정 2021.12.30]

제25조의4 삭제 (2023.12.29.)

제25조의5(국가유공자 등 우선주차구획 설치 기준 등) ① 주차대수 규모가 50대 이상인 공영주차장 및 시와 그 소속기관의 청사에 부설된 주차장에는 총 주차대수의 1.5% 이상을 국가유공자 등 우선주차구획으로 설치한다.

② 국가유공자 등 우선주차구획은 다음 각 호의 어느 하나에 해당하는 국가유공자 등이 차량에 탑승하였을 때 이용할 수 있다.

1. 「독립유공자예우에 관한 법률」에 따른 애국지사 본인

2. 「국가유공자 등 예우 및 지원에 관한 법률」에 따른 국가유공자 본인

3. 「보훈보상대상자 지원에 관한 법률」에 따른 보훈보상대상자 본인

4. 「참전유공자 예우 및 단체설립에 관한 법률」에 따른 참전유공자 본인

5. 「고엽제후유의증 등 환자지원 및 단체설립에 관한 법률」에 따른 고엽제후유증환자 및 고엽제후유의증환자 본인

6. 「5·18민주유공자예우 및 단체설립에 관한 법률」에 따른 5·18민주유공자 본인

7. 「특수임무유공자 예우 및 단체설립에 관한 법률」에 따른 특수임무유공자 본인

8. 「국가유공자 등 예우 및 지원에 관한 법률」 제11041호로 개정되기 전에 제73조의2에 따라 등록된 상이등급 판정자

③ 국가유공자 등 우선주차구획은 주차장 출입구 또는 승강기에서 근접한 곳으로, 접근성 및 이동성이 확보된 장소에 설치한다.

④ 국가유공자 등 우선주차구획 바닥면에는 별도 5에 따른 주차구획 표시를 하고, 누구나 쉽게 알아볼 수 있는 곳에 별도 6의 안내표지판을 설치한다.

⑤ 제2항에 따른 국가유공자 등은 우선주차구획을 이용할 때 국가보훈부장관이 발행하는 신분증서 또는 확인서를 소지해야 한다.

⑥ 시장은 필요한 경우 우선주차구획 이용자에게 국가보훈부장관이 발행하는 신분증서 등의 제시를 요구할 수 있다.

⑦ 시장은 우선주차구획에 국가유공자 등이 탑승하지 않은 자동차가 주차한 사실이 확인되는 경우 다른 장소로 이동하여 주차하도록 권고할 수 있다.

[본조신설 2023.12.29.]

제5장 보칙

제26조 【융자의 대상】 ① 법 제21조의2제6항에 따른 주차장특별회계(「서울특별시 교통사업특별회계 설치 조례」의 주차장관리계정을 말한다)로부터 융자를 받을 수 있는 자는 다음 각 호와 같다. (개정 2012.11.1)

1. 자기소유의 토지를 확보하고 법 제12조제1항에 따른 노외주차장 설치통보를 한 사람 등으로서 주차대수 규모가 5대 이상인 평면식 주차시설 또는입체식(건물식 또는 기계식) 주차시설을 설치하고자 하는 자

2. 법 제20조제2항에 따른 도시계획사업 실시계획인가를 받은 자

3. 일반의 이용에 제공하기 위하여 부설주차장을 추가로 설치하려는 자

② 제1항제1호의 입체식주차시설은 평면식주차장의 수용능력의 2배 이상의 규모이어야 한다.

③ 융자를 받고자 하는 자는 자기소유재산으로서 융자금의 담보능력이 확보되어야 한다.

④ 제1항에 따라 융자를 받은 자는 융자금의 상환기간 이상 주차장을 운영하여야 한다.(신설 2009.11.11)

⑤ 제1항에 따라 융자를 받은 자는 시장이 주차장 설치 및 운영에 관한 자료 제출을 요구할 경우 이에 응하여야 한다.(신설 2009.11.11)

제27조【융자의 방법】 ① 융자금을 신청하고자 하는 자는 규칙이 정하는 서류를 첨부하여 시장에게 제출하여야 한다.

② 융자금의 지급절차 및 융자한도, 상환기간, 이자율 등 융자에 필요한 사항에 관하여는 시장이 따로 정하는 바에 따른다.

③ 시장은 융자금의 관리·운용에 관한 사무의 일부를 시금고 또는 그 밖의 금융기관에 위탁할 수 있다.

제28조【융자금의 반환】 융자금을 지급받은 자는 다음 각 호의 어느 하나에 해당되는 때에는 즉시 반환하여야 한다. (개정 2009.11.11.)

1. 융자금을 목적 외에 사용한 때
2. 상환기간 중에 노외주차장의 용도가 변경되거나 소멸된 때. 다만, 도시계획정비사업 등 불가피한 사유의 용도변경 및 소멸은 예외로 한다.
3. 융자금을 수령하고 정당한 사유 없이 6개월 이내에 노외주차장 설치공사를 착공하지 아니한 때

제29조【권한의 위임】 시장은 법 시행규칙 제6조의2에 따른 노상주차장의 전용주차구획의 설치·운영에 관한 권한은 구청장에게 위임한다.

제30조【과태료 부과·징수 등】 ① 제22조에 따른 명령을 위반한 시설물 소유자 또는 시설물관리사업자에게는 「도시교통정비촉진법」 제60조제1항제4호에 따라 1천만원 이하의 과태료를 부과한다. (개정 2017.1.5.)

② 제1항에 따른 과태료의 부과·징수 및 이의신청 절차는 「질서위반행위규제법」의 규정을 적용한다. (개정 2020.10.05)

[제목개정 2020. 10. 5.]

부칙<제7573호, 2020.5.19.>

이 조례는 공포한 날부터 시행한다.

부칙<제7580호, 2020.5.19.>

제1조(시행일) 이 조례는 공포한 날부터 시행한다.

제2조(다른 조례의 개정) ① 서울특별시 주차장 설치 및 관리 조례 일부를 다음과 같이 개정한다.

제7조제1항제2호 본문 중 「수도권 대기환경 개선에 관한 특별법」 제2조 및 같은 법 시행령 제3조」를 「「대기환경보전법」 제2조제16호」로 한다.

② 및 ③ 생략

부칙<제7634호, 2020.7.16.>

제1조(시행일) 이 조례는 공포한 날부터 시행한다.

제2조(바로녹색결제시스템 결제에 대한 감면 적용 유효기간) 제7조제1항제12호의 개정규정은 2021년 6월 30일까지 효력을 가진다.

부칙<제7689호, 2020.10.5.>

이 조례는 2020년 12월 1일부터 시행한다.

부칙<제7716호, 2020.10.5.,>

이 조례는 공포한 날부터 시행한다.

부칙(서울특별시 조례 일본어식 용어 일괄정비에 관한 조례)<제7912호, 2021.3.25>

이 조례는 공포한 날부터 시행한다.

부칙<제8020호, 2021.5.20>

이 조례는 공포 후 60일이 경과한 날부터 시행한다.

부칙<제8085호, 2021.7.20>

건축관계법

국토계획법

주차장법

주 택 법

도시및주거
환경정비법

건축사법

장애인시설법

소방시설법

서울시조례

건축관계법

국토계획법

주차장법

주 택 법

도시및주거
환경정비법

건축사법

장애인시설법

소방시설법

서울시조례

제1조 (시행일) 이 조례는 공포한 날부터 시행한다. 다만 제7조제1항 제7호의2의 개정규정은 공포 후 6개월이 경과한 날부터 시행한다.

제2조 (데이터센터의 부설주차장 설치기준에 관한 적용례) 별표2 제9호의 개정규정은 이 조례 시행 전에 설치된 데이터센터의 경우에도 적용한다.

부칙(지방자치법 전부개정 등 상위법령 인용조문 정비 등을 위한 서울특별시 조례 일괄개정조례) <제8127호, 2021.9.30>

이 조례는 공포한 날부터 시행한다. <단서 생략>

부칙<제8155호, 2021.9.30>

이 조례는 공포한 날부터 시행한다.

부칙(서울특별시 조례 일본식 표현 등 용어 일괄정비 조례) <제8235호, 2021.12.30>

이 조례는 공포한 날부터 시행한다.

부칙<제8265호, 2021.12.30>

이 조례는 공포한 날부터 시행한다. 다만 제25조의3제1항 및 제2항의 개정규정은 공포 후 3개월이 경과한 날부터 시행한다.

부칙(어려운 용어 정비 등을 위한 서울특별시 조례 일괄개정조례) <제8530호, 2022.12.30.>

이 조례는 공포한 날부터 시행한다.

부칙<제8622호, 2023.3.27.>

이 조례는 공포한 날부터 시행한다.

부칙<제8772호, 2023.7.18.>

제1조(시행일) 이 조례는 공포한 날부터 시행한다.

제2조(여성우선주차장 주차구획의 설치기준 등에 관한 경과조치) 이 조례 시행 당시 종전의 제25조의2의 규정에 따라 설치된 여성우선주차장 주차구획은 개정규정에 따른 가족배려주차장 주차구획으로 본다.

제3조(다른 조례의 개정) 서울특별시 임산부 전용주차구역 설치·운영에 관한 조례 일부를 다음과 같이 개정한다.
제4조제1항 단서 중 "여성우선주차구역"을 "가족배려주차구획"으로 한다.
제4조제3항 중 "제25조의2제3항 여성우선주차장 주차구획"을 "제25조의2제4항 가족배려주차장 주차구획"으로 한다.

부칙<제8989호, 2023.12.29.>

이 조례는 공포한 날부터 시행한다.

부칙(서울특별시 조례 일본어 투 표현 등의 정비를 위한 일괄개정조례) <제8993호, 2023.12.29.>

이 조례는 공포한 날부터 시행한다.

[별표 1] 공영주차장 주차요금표 (개정 2023.12.9)

공영주차장 주차요금표(제6조제1항 관련)

(단위 : 원-1구획당)

구 분	노 상 주 차 장		노 외 주 차 장		
	1회 주차시 5분당	1일주차권 (야간에 한함)	1회 주차시 5분당	월 정 기 권	
				전 일	야 간
1급지	500	5,000	400	250,000	100,000
2급지	250	4,000	250	180,000	60,000
3급지	150	3,000	150	100,000	40,000

※ 개별주차장 요금은 해당 급지 주차요금에 공시지가 변수를 곱하여 산정한다.("공시지가 변수"는 주차장이 위치한 법정동 평균공시지가를 서울시 평균공시지가로 나누어 4제곱근 한 값으로, 소수점 두 번째 자리에서 반올림하며, 5년 마다 산정하여 적용한다.)

※ **개별주차장 1일 주차요금은 1시간 환산요금의 6배를 적용하며, 시간제 주차요금이 1일 주차요금을 초과하는 경우에는 1일 주차요금을 받는다.**

<비고>

1. 이 주차요금표는 법 제7조제1항 및 제12조제1항에 따라 설치한 공영주차장에 적용한다.
2. 1구획은 승용자동차를 기준으로 하되, 1구획을 초과하는 자동차에 대하여는 그 점용구획의 수에 따라 징수한다.
3. 급지는 다음 각 목과 같이 도시철도역 접근성 및 환승역·비환승역을 기준으로 선정한다. 이 경우, 도시철도역 출입구를 반경 기준으로 하여 선정하고, 시설물 및 대지가 걸쳐 있는 경우 대지면적의 과반을 차지하는 해당 급지로 선정한다.
   가. 1급지: 다음 중 어느 하나에 위치한 주차장
   (1) 2개 노선 이상 교차하는 도시철도역 반경 300m 이내
   (2) 단일 노선 도시철도역 반경 100m 이내
   나. 2급지: 다음 중 어느 하나에 위치한 1급지를 제외한 지역의 주차장
   (1) 2개 노선 이상 교차하는 도시철도역 반경 500m 이내
   (2) 단일 노선 도시철도역 반경 300m 이내
   (3) 1급지를 제외한 녹색교통지역 전 지역
   다. 3급지 : 1·2급지를 제외한 지역의 주차장
   라. 시장은 인근 주차장과의 형평을 유지하거나 효율적인 관리를 위하여 특히 필요하다고 인정하는 경우에는 급지를 조정할 수 있다.
4. 시장은 주차장의 효율적 관리와 대기질 개선을 위하여 지역여건·계절적 요인·자동차의 대기오염도 등을 감안하여 특히 필요하다고 인정하는 경우에는 주차요금을 80% 범위 안에서 조정할 수 있다. 다만, 공영주차장으로부터 50m 이내에 문화 및 집회시설이 있는 경우 해당 시설물 이용자에 한하여 주차요금을 추가로 조정할 수 있다.
5. 주간 및 야간의 시간구분·야간주차요금의 징수방법 및 노상주차장의 요금 징수기간 등은 시장이

따로 정하는 바에 따른다.

6. 시장은 개인택시·용달화물과 개별화물 및 마을버스의 운송사업용자동차에 대하여 일반인의 주차장 이용에 지장이 없는 범위 안에서 2년 이내의 기간을 정하여 노상·노외주차장의 정기권을 발행할 수 있다. 이 경우, 「환경친화적 자동차의 개발 및 보급 촉진에 관한 법률」에 따른 환경친화적 자동차에 우선적으로 정기권을 발행할 수 있다.

7. 관광버스 주차장 1구획의 주차요금은 해당 급지 공영주차장 승용차 1구획 주차요금의 2배로 한다. 다만, 시장은 효율적 교통수요관리를 위하여 최초 2시간 이내 입출차가 주차관리자동화시스템(주차요금결제애플리케이션)에 의해 확인되는 경우에 해당 주차요금의 100분의 50범위 안에서 할인할 수 있다.("관광버스주차장 1구획 주차요금" 적용 대상은 '자동차관리법시행규칙 별표1'에 의한 중형이상의 승합자동차로 한다)

8. 시장은 지불수단(현금, 신용카드, 교통카드 등) 다양화를 통해 주차장 이용객 편의가 증진될 수 있도록 하여야 하며, 공영주차장별로 지불 가능한 결제수단을 주차안내판 등 주차장 이용객이 쉽게 알아볼 수 있는 곳에 공지하여야 한다.

9. 노상주차장의 월 정기권은 주차수요, 지역여건 등을 고려하여 주차장의 효율적 관리가 특히 필요하다고 인정하는 경우에 한하여 발행할 수 있으며, 요금은 노외주차장 월 정기권 요금을 따른다.

국토계획법

주차장법

주 택 법

도시및주거
환경정비법

건축사법

장애인시설법

소방시설법

서울시조례

[별표 2] 〈개정 2023.12.29.〉
부설주차장의 설치대상시설물종류 및 설치기준(제20조제1항 관련)

건축관계법

국토계획법

주차장법

주 택 법

도시및주거
환경정비법

건축사법

장애인시설법

소방시설법

서울시조례

시설물	설치기준
1. 위락시설	시설면적 67㎡당 1대
2. 문화 및 집회시설(관람장을 제외한다), 종교시설, 판매시설, 운수시설, 의료시설(정신병원·요양병원 및 격리병원을 제외한다), 운동시설(골프장·골프연습장 및 옥외수영장을 제외한다), 업무시설(외국공관 및 오피스텔을 제외한다), 방송통신시설중 방송국, 장례식장	시설면적 100㎡당 1대
2-1.업무시설(외국공관 및 오피스텔을 제외한다)	일반업무시설 : 시설면적 100㎡당 1대 공공업무시설 : 시설면적 200㎡당 1대
3. 제1종 근린생활시설 ('제3호 바목 및 사목을 제외한다), 제2종 근린생활시설, 숙박시설	시설면적 134㎡당 1대
4. 단독주택(다가구주택을 제외한다)	시설면적 50㎡초과 150㎡ 이하 : 1대, 시설면적 150㎡초과 : 1대에 150㎡를 초과하는 100㎡당 1대를 더한 대수 [1+{(시설면적-150㎡)/100㎡}]
5. 다가구주택, 공동주택(외국공관안의 주택 등의 시설물 및 기숙사를 제외한다) 및 업무시설 중 오피스텔	「주택건설기준 등에 관한 규정」 제27조제1항에 따라 산정된 주차대수(다가구주택, 오피스텔의 전용면적은 공동주택 전용면적 산정방법을 따른다)로 하되, 주차대수가 세대당 1대에 미달되는 경우에는 세대당(오피스텔에서 호실별로 구분되는 경우에는 호실당) 1대(전용면적이 30제곱미터이하인 경우에는 0.5대, 60제곱미터이하인 경우0.8대)이상으로 한다. 다만, 주택법시행령 제3조 규정에 의한 도시형 생활주택 소형 주택은 「주택건설기준 등에 관한 규정」 제27조의 규정에서 정하는 바에 따른다.
6. 골프장, 골프연습장, 옥외수영장, 관람장	골프장 : 1홀당 10대 골프연습장 : 1타석당 1대 옥외수영장 : 정원 15인당 1대 관람장 : 정원 100인당 1대
7. 수련시설, 공장(아파트형제외), 발전시설	시설면적 233㎡당 1대
8. 창고시설	시설면적 267㎡당 1대
9. 방송통신시설 중 데이터센터	시설면적 400㎡당 1대
10. 그 밖의 건축물	대학생 기숙사: 시설면적 400㎡당 1대 대학생 기숙사를 제외한 건축물: 시설면적 200㎡당 1대

〈비고〉

1. 시설물의 종류는 다른 법령에 특별한 규정이 없는 한 「건축법 시행령」 별표 1에 따른 시설물에 의하되, 다음 각 목의 어느 하나에 해당하는 시설물을 건축 또는 설치하려는 경우에는 부설주차장을 설치하지 아니할 수 있다.

　가. 제1종 근린생활시설 중 변전소·양수장·정수장·대피소·공중화장실, 그 밖의 이와 유사한 시설

건축관계법

국토계획법

주차장법

주 택 법

도시및주거
환경정비법

건축사법

장애인시설법

소방시설법

서울시조례

　　나. 종교시설 중 수도원·수녀원·제실 및 사당

　　다. 동물 및 식물관련시설(도축장 및 도계장은 제외한다)

　　라. 방송통신시설(방송국·전신전화국·통신용시설 및 촬영에 한한다) 중 송신·수신 및 중계시설

　　마. 주차전용건축물(노외주차장인 주차전용건축물에 한한다)에 주차장 외의 용도로 설치하는 시설물(판매시설 중 백화점·쇼핑
센터·대형점과 문화 및 집회시설 중 영화관·전시장·예식장은 제외한다)

　　바. 「도시철도법」에 따른 역사(「철도의 건설 및 철도시설 유지관리에 관한 법률」 제2조제7호에 따른 철도건설사업으로
건설되는 역사를 포함한다)

　　사. 「건축법 시행령」 제6조제1항제4호에 따른 전통한옥 밀집지역 안에 있는 전통한옥

2. 시설물의 시설면적은 공용면적을 포함한 바닥면적의 합계를 말하되, 하나의 부지 안에 둘 이상의 시설물이 있는 경우에는
각 시설물의 시설면적을 합한 면적을 시설면적으로 하며, 시설물 안의 주차를 위한 시설의 바닥면적은 해당 시설물의 시설
면적에서 제외한다.

3. 시설물의 소유자는 부설주차장(해당 시설물의 부지에 설치하는 부설주차장은 제외한다)의 부지의 소유권을 취득하여 이를
주차장전용으로 제공하여야 한다. 다만, 주차전용건축물에 부설주차장을 설치하는 경우에는 그 건축물의 소유권을 취득하여
야 한다.

4. 용도가 다른 시설물이 복합된 시설에 설치하여야 하는 부설주차장의 주차대수는 용도가 다른 각 시설물별로 설치기준에
따라 산정(위 표 제5호의 시설물은 주차대수의 산정대상에서 제외하되, 비고 제8호에서 정한 기준을 적용하여 산정된 주차
대수는 별도로 합산한다)한 소수점 이하 첫째자리까지의 주차대수를 합하여 산정한다. 다만, 단독주택(다가구주택은 제외한
다. 이하 이 호에서 같다)의 용도로 사용되는 시설의 면적이 50제곱미터 이하인 경우에는 단독주택의 용도로 사용되는 시설
의 면적에 대한 부설주차장의 주차대수는 단독주택의 용도로 사용되는 시설의 면적을 100제곱미터로 나눈 대수로 한다.

5. 시설물을 용도변경하거나 증축함에 따라 추가로 설치하여야 하는 부설주차장의 주차대수는 용도 변경하는 부분 또는 증축으
로 인하여 면적이 증가하는 부분(이하 "증축하는 부분"이라 한다)에 대하여만 설치기준을 적용하여 산정한다. 다만, 위 표
제5호에 따른 시설물을 증축하는 경우에는 증축 후 시설물의 전체면적에 대하여 위 표 제5호에 따른 설치기준을 적용하여
산정한 주차대수에서 증축 전 시설물의 면적에 대하여 증축시점의 위 표 제5호에 따른 설치기준을 적용하여 산정한 주차대
수를 뺀 대수로 한다.

6. 설치기준(위 표 제5호에 의한 설치기준을 제외한다. 이하 이 호에서 같다)에 따라 주차대수를 산정함에 있어서 소수점 이하
의 수(시설물을 증축하는 경우 먼저 증축하는 부분에 대하여 설치기준을 적용하여 산정한 수가 0.5 미만인 때에는 그 수와
나중에 증축하는 부분들에 대하여 설치기준을 적용하여 산정한 수를 합산한 수의 소수점 이하의 수. 이 경우 합산한 수가
0.5 미만인 때에는 0.5 이상이 될 때까지 합산하여야 한다)가 0.5 이상인 경우에는 이를 1로 본다. 다만, 해당 시설물 전체
에 대하여 설치기준(시설물을 설치한 후 법령·조례의 개정 등으로 설치기준 또는 설치제한기준이 변경된 경우에는 변경된
설치기준 또는 설치제한 기준을 말한다)을 적용하여 산정한 총 주차대수가 1대 미만인 경우에는 주차대수를 0으로 본다.

7. 용도변경되는 부분에 대하여 설치기준을 적용하여 산정한 주차대수가 1대 미만인 경우에는 주차대수를 0으로 본다. 다만,
용도변경 되는 부분에 대하여 설치기준을 적용하여 산정한 주차대수의 합(2회 이상 나누어 용도변경하는 경우를 포함한다)
이 1대 이상인 경우에는 그러하지 아니하다.

8. 단독주택 및 공동주택 중 「주택건설기준 등에 관한 규정」이 적용되는 주택에 대하여는 같은 규정에 따른 기준을 적용한다.

9. 승용차와 승용차 외의 자동차가 함께 사용하는 부설주차장의 경우에는 승용차 외의 자동차의 주차가 가능하도록 하여야 하
며, 승용차 외의 자동차가 더 많이 이용하는 부설주차장의 경우에는 그 이용 빈도에 따라 승용차 외의 자동차의 주차에 적
합하도록 승용차 외의 자동차가 이용할 주차장을 승용차용주차장과 구분하여 설치하여야 한다. 이 경우 주차대수의 산정은
승용차를 기준으로 한다.

10. '대학생기숙사'는 「고등교육법」 제2조 및 제4조에 따른 학교에 재학 중인 학생의 주거를 위해 대학, 정부기관, 지방자치단
체, 공공기관, 지방공기업이 건립하는 시설을 말한다.

03. 서울특별시 주차장설치 및 관리조례

10장

건축관계법

국토계획법

주차장법

주 택 법

도시및주거
환경정비법

건축사법

장애인시설법

소방시설법

서울시조례

[별표 3] 〈개정 2021.9.30〉

부설주차장의 설치제한 지역에서의 시설물의 종류별 설치기준(제21제2항 관련)

시 설 물	최고한도
1. 위락시설	시설면적 134㎡당 1대
2. 문화 및 집회시설(관람장을 제외한다), 종교시설, 판매시설, 운수시설, 의료시설(정신병원·요양병원 및 격리병원을 제외한다), 운동시설(골프장·골프연습장 및 옥외수영장을 제외한다), 업무시설(외국공관 및 오피스텔을 제외한다), 방송통신시설중 방송국, 장례식장	시설면적 122㎡당 1대
3. 국가 및 지방자치단체의 청사	시설면적 200㎡당 1대
4. 제1종 근린생활시설(「건축법 시행령」 별표 1 제3호 바목 및 사목을 제외한다), 제2종 근린생활시설, 숙박시설	시설면적 268㎡당 1대
5. 골프장, 골프연습장, 옥외수영장, 관람장	골프장 : 1홀당 6대 골프연습장 : 타석당 0.6대 옥외 수영장 : 정원 25인당 1대 관람장 : 정원 167인당 1대
6. 수련시설, 공장(아파트형 제외), 발전시설	시설면적 466㎡당 1대
7. 창고시설	시설면적 534㎡당 1대
8. 기타 건축물	시설면적 400㎡당 1대

〈비고〉
1. 부설주차장의 설치제한 지역은 다음 각 목의 지역 중 상업 및 준주거지역으로 한다.
   가. 4대문 주변지역: 사직로 · 율곡로 · 종로 · 난계로 · 퇴계로 · 통일로를 연결한 내부지역과 그 경계도로에 직접 접하고 있는 대지
   나. 신촌지역: 경의선철도 · 이화여대길 · 대흥로 · 구 용산선철도 · 양화로 · 연희로를 연결한 내부지역과 그 경계도로에 직접 접하고 있는 대지
   다. 영등포지역: 여의도 및 경인로 · 도림로 · 선유로 · 노들로를 연결한 내부지역과 그 경계도로에 직접 접하고 있는 대지
   라. 강남 · 서초지역: 반포대로 · 올림픽대로 · 분당수서로 · 남부순환로를 연결한 내부지역과 그 경계도로에 직접 접하고 있는 대지
   마. 잠실지역: 올림픽로 · 석촌호수로 · 삼학사로 · 잠실로 · 올림픽로 · 송파대로 · 신천로 · 오금로 · 올림픽로 · 위례성대로 · 백제고분로를 연결한 내부지역과 그 경계도로에 직접 접하고 있는 대지
   바. 천호지역: 올림픽로 · 상암로 · 양재대로 · 풍성로를 연결한 내부지역과 그 경계도로에 직접 접하고 있는 대지
   사. 청량리지역: 제기로 · 전농로 · 서울시립대로 · 천호대로 · 정릉천을 연결한 내부지역과 그 경계도로에 직접 접하고 있는 대지
   아. 용산 · 마포지역: 강변북로 · 마포대로 · 충정로 · 통일로 · 한강대로를 연결한 내부지역과 그 경계도로에 직접 접하고 있는 대지
   자. 미아지역: 도봉로 · 오현로 · 오패산로 · 정릉로 · 삼양로 · 솔샘로를 연결한 내부지역과 그 경계도로에 직접 접하고 있는 대지
   차. 목동지역: 목동동로 · 목동서로 · 안양천로를 연결한 내부지역과 그 경계도로에 직접 접하고 있는 대지

2. 시설물의 종류는 다른 법령에 특별한 규정이 없는 한 「건축법 시행령」 별표 1에 따른 시설물에 의하되, 다음 각 목의 어느 하나에 해당하는 시설물을 건축 또는 설치하고자 하는 경우에는 부설주차장을 설치하지 아니할 수 있다.

    가. 제1종 근린생활시설 중 변전소·양수장·정수장·대피소·공중화장실, 그 밖에 이와유사한 시설

    나. 종교시설 중 수도원·수녀원·제실 및 사당

    다. 동물 및 식물관련시설(도축장 및 도계장을 제외한다)

    라. 방송통신시설(방송국·전신전화국·통신용시설 및 촬영소에 한한다) 중 송신·수신 및 중계시설

    마. 주차전용건축물(노외주차장인 주차전용건축물에 한한다)에 주차장 외의 용도로 설치하는 시설물

    바. 「도시철도법」에 따른 역사(「철도건설 및 철도시설 유지관리에 관한 법률」 제2제7호 따른 철도건설사업으로 건설되는 역사를 포함한다)

    사. 「건축법 시행령」 제6조제1항제4호에 따른 전통한옥 밀집지역 안에 있는 전통한옥

3. 시설물의 시설면적은 공용면적을 포함한 바닥면적의 합계를 말하되, 하나의 부지 안에 둘 이상의 시설물이 있는 경우에는 각 시설물의 시설면적을 합한 면적을 시설면적으로 하며, 시설물 안의 주차를 위한 시설의 바닥면적은 해당 시설물의 시설면적에서 제외한다.

4. 시설물의 소유자는 부설주차장(해당 시설물의 부지에 설치하는 부설주차장을 제외 한다)의 부지(「공간정보의 구축 및 관리 등에 관한 법률」 제67조제1항의 규정에 의한 주차장지목에 한한다)의 소유권을 취득하여 이를 주차장전용으로 제공하여야 한다. 다만, 주차전용건축물에 부설주차장을 설치하는 경우에는 그 건축물의 소유권을 취득하여야 한다.

5. 용도가 다른 시설물이 복합된 시설물에 설치하여야 하는 부설주차장의 주차대수는 용도가 다른 각 시설물별로 설치기준에 따라 산정한 소숫점이하 첫째자리까지의 주차대수를 합하여 산정한다.

6. 시설물을 용도변경하거나 증축함에 따라 추가로 설치하여야 하는 부설주차장의 주차 대수는 용도변경하는 부분 또는 증축으로 인하여 면적이 증가하는 부분(이하 "증축 하는 부분"이라 한다)에 대하여만 설치기준을 적용하여 산정한다.

7. 설치기준에 따라 주차대수를 산정함에 있어서 소수점 이하의 수(시설물을 증축하는 경우 먼저 증축하는 부분에 대하여 설치기준을 적용하여 산정한 수가 0.5 미만인 때에는 그 수와 나중에 증축하는 부분들에 대하여 설치기준을 적용하여 산정한 수를 합산한 수의 소수점 이하의 수. 이 경우 합산한 수가 0.5 미만인 때에는 0.5 이상이 될 때까지 합산하여야 한다)가 0.5 이상인 경우에는 이를 1로 본다. 다만, 해당 시설물 전체에 대하여 설치기준(시설물을 설치한 후 법령·조례의 개정 등으로 설치기준 또는 설치제한기준이 변경된 경우에는 변경된 설치기준 또는 설치제한 기준을 말한다)을 적용하여 산정한 총 주차대수가 1대 미만인 경우에는 주차대수를 0으로 본다.

8. 용도변경되는 부분에 대하여 설치기준을 적용하여 산정한 주차대수가 1대 미만인 경우에는 주차대수를 0으로 본다. 다만, 용도변경 되는 부분에 대하여 설치기준을 적용하여 산정한 주차대수의 합(2회이상 나누어 용도변경하는 경우를 포함한다)이 1대이상인 경우에는 그러하지 아니하다.

9. 승용차와 승용차외의 자동차가 함께 사용하는 부설주차장의 경우에는 승용차외의 자동차의 주차가 가능하도록 하여야 하며, 승용차외의 자동차가 더 많이 이용하는 부설주차장의 경우에는 그 이용빈도에 따라 승용차외의 자동차의 주차에 적합하도록 승용차외의 자동차가 이용할 주차장을 승용차용주차장과 구분하여 설치하여야 한다. 이 경우 주차대수의 산정은 승용차를 기준으로 한다.

10. 주차장설치 제한지역 내에 설치하는 시설물은 장애인 등 교통약자, 긴급자동차, 화물조업을 위한 주차구획은 1대 이상을 설치하여야 한다. 이 경우 최고한도 적용 산정주차대수가 0대인 경우는 제외한다.

11. 주차장설치 제한지역의 전철 및 지하철역사 또는 복합환승센터 내에 입지한 시설물의 최고한도는 〔별표2〕 설치기준의 3분의1 이내로 한다.

12. 「도시교통정비촉진법」 제15조에 따른 교통영향분석의 심의대상시설물로서 「도시교통정비촉진법」 제17조 제1항 및 제2항에 따른 위원회에서 필요하다고 인정한 경우에는 교통 약자 등을 위한 주차구획을 최고한도 이내에서 설치토록 할 수 있다"로 한다.

13. 제3호의 시설물을 신축 또는 증축하는 경우 「도로교통법」 제2조제22호의 긴급자동차를 대상으로 구분된 주차장의 주차대수는 부설주차장 주차대수의 최고한도를 산정할 때에 포함하지 아니한다.

건축관계법

국토계획법

주차장법

주 택 법

도시및주거
환경정비법

건축사법

장애인시설법

소방시설법

서울시조례

[별표 4] (신설 2018.1.4.)
중·대형 승합자동차 부설주차장의 설치대상 시설물 종류 및 설치기준(제20조 제3항 관련)

시설물	설치기준
1. 판매시설 중 면세점으로 사용되는 시설 (관세법 제174조에 따른 특허를 받은 면세점)	○ 개소당 50대 이상
2. 관광숙박시설 (건축법 시행령 별표1에 따른 관광숙박시설)	○ 객실수 200실당 1대 이상

<비고>
　1. 객실수 200실 미만의 관광숙박시설에도 필요시 도시계획심의 및 건축심의시 입지여건 등
　　을 감안하여 버스 주·정차 공간을 설치하도록 할 수 있다.

<별도 1> 삭제 (2023.12.29.)
<별도 2> 삭제 (2023.12.29.)

건축관계법

국토계획법

주차장법

주 택 법

도시및주거
환경정비법

건축사법

장애인시설법

소방시설법

서울시조례

〈별도 제3호 서식〉 (2023.7.18.)

가족배려주차장 주차구획(제25조의2제5항 관련)

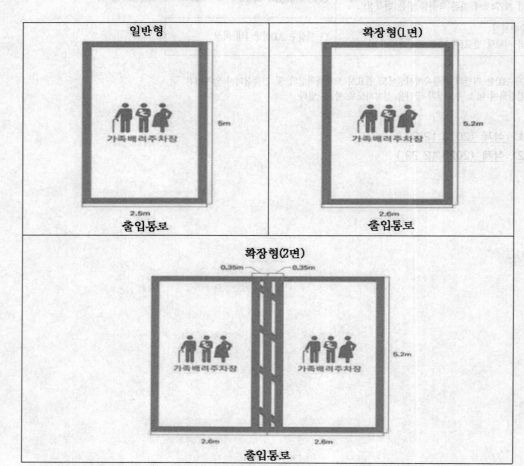

- 비 고 -

1. 주차 구획선은 일반형(가로 2.5m이상 × 세로 5m이상)과 확장형 [가로 2.6m이상 × 세로 5.2m이상, 2면의 중앙여유공간 0.7m(각각 0.35m)를 사선표시] 으로 주차장 설치기준에 의하되 흰색 바탕에 꽃담황토색 실선으로 표시
   가. 그림문자(가로 140cm × 세로100cm)는 주차면 중앙에 꽃담황토색으로 표시
   나. 가족배려주차장 글자를 그림문자 아래에 꽃담황토색으로 병기

<별도 제4호 서식> (개정 2021. 12. 30.)

환경친화적자동차전용**주차구획** (제25조의3제3항 관련)

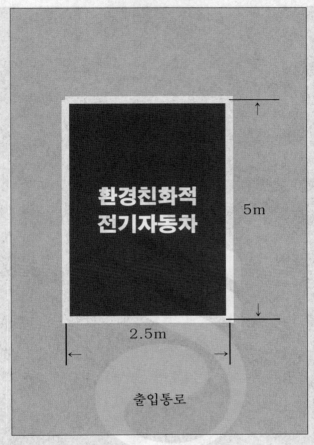

5m

환경친화적
전기자동차

2.5m

출입통로

환경친화적자동차전용주차장 주차구획(제25조의3제3항 관련)

- 비 고 -
1. 주차 구획선은 일반형(가로 2.5m이상×세로 5m이상)으로 주차장설치기준에 의하되 녹색
   바탕에 흰색 실선과 문자 사용
2. 주차구획은 「주차장법 시행규칙」 부칙<국토교통부령 제498호, 2018.3.21.>제3조(주차장
   의 주차구획에 관한 경과조치)에 따른다.

건축관계법

국토계획법

주차장법

주 택 법

도시및주거
환경정비법

건축사법

장애인시설법

소방시설법

서울시조례

〈별도 5〉 (개정 2023.12.29.)
국가유공자 등 우선 주차구획(제25조의5제4항 관련)

건축관계법

국토계획법

주차장법

주 택 법

도시및주거
환경정비법

건 축 사 법

장애인시설법

소방시설법

서울시조례

국가유공자 등
우선

<별도 5> (신설 2023.12.29.)
국가유공자 등 우선 주차구획 안내표지판(제25조의5제4항 관련)

건축관계법

국토계획법

주차장법

주 택 법

도시및주거
환경정비법

건축사법

장애인시설법

소방시설법

서울시조례

10장

제2편 건축법 관련기준

건축관계법

국토계획법

주차장법

주 택 법

도시및주거
환경정비법

건축사법

장애인시설법

소방시설법

서울시조례

04. 서울특별시 주차장설치 및 관리조례 시행규칙

[규칙 제4303호 타법개정 2019.10.10]

일부개정 2009. 6.11 규칙 제3665호
일부개정 2010. 1.14 규칙 제3729호
타법개정 2019.10.10 규칙 제4303호

제1조 【목적】 이 규칙은 「서울특별시 주차장 설치 및 관리 조례」의 시행에 필요한 사항을 규정함을 목적으로 한다. (개정 2019.10.10)

제2조 【주차요금 고지서발급】 공영주차장의 이용자가 「서울특별시 주차장 설치 및 관리 조례」(이하 "조례"라 한다) 제6조제1항에 따른 주차요금을 납부하지 아니한 때에는 시장 또는 관리수탁자는 별지 제1호서식의 주차요금 납부고지서를 발부하여야 한다. 이 경우 납부기한은 7일로 한다. (개정 2009.06.11)

제2조의2 삭제 (2016.1.14.)

제3조 【가산금 부과】 조례 제6조제2항에 따른 가산금은 별지 제2호서식 및 별지 제3호서식에 따라 이를 부과한다.
[전문개정 2009.06.11.]

제4조 【1일주차권 및 월정기권】 ① 시장이 설치한 노상 및 노외주차장 이용자에게 발행하는 1일주차권 및 월정기권은 별지 제4호서식 및 별지 제5호서식과 같이 하되, 월정기권은 해당 주차장규모와 주차수요를 감안하여 적정한 수량을 발행하여야 한다.
② 시장은 주차장의 이용편의 및 관리의 적정을 기하기 위하여 필요하다고 인정하는 경우에는 주차장별로 제1항에 따른 1일주차권 및 월정기권의 발행을 제한할 수 있다.
[전문개정 2009.06.11.]

제5조 【주차표를 분실한 경우조치】 이용자가 주차표를 분실하였을 때에는 시장 및 관리수탁자는 주차표에 기재된 사항과 주차장을 나가고자 하는 자의 운전면허증 또는 증거물 등에 의하여 동일여부를 확인한 후에 자동차가 주차장을 나가도록 허락하여야 한다.
[전문개정 2009.06.11.]

제6조 【노외주차장 관리】 노외주차장 관리자는 다음 각 호에 정한 사항을 준수하여야 하며 주차장 주변의 주차질서를 확립하여야 한다.
1. 주차장 설치로 인한 환경오염, 소음공해방지
2. 그 밖의 지시사항
[전문개정 2009.06.11.]

제7조 【기계식주차장의 대수인정】 조례 제20조제2항에 따른 기계식 주차장의 주차대수는 「주차장법」 제19조의6제1항에 따른 안전도인증을 받은 대수로 하되, 단순 2단식 주차시설(자동차가 나가기 위하여 다른 자동차를 사람의 운전에 의해 이동시켜야 하는 경우를 말하며, 동일방식의 3단식이상의 주차시설을 포함한다)에 있어서는 해당 주차시설별로 1대로 한다.
[전문개정 2009.06.11.]

부칙 <제3665호, 2009.6.11>

이 규칙은 공포한 날부터 시행한다.

부칙 <제3729호, 2010.1.14>

이 규칙은 공포한 날부터 시행한다.

부칙(자치법규 일괄정비를 위한 서울특별시재정운영조례시행규칙 등의 개정에 관한 규칙)<제3462호, 2016.1.14>

이 규칙은 공포한 날부터 시행한다.

부칙(서울특별시 규칙의 상위법령 및 조례 인용조문 정비를 위한 일괄정비 규칙)<제4303호, 2019.10.10>

이 규칙은 공포한 날부터 시행한다.

05. 서울특별시 도시 및 주거환경정비조례

[조례 제9052호, 일부개정 2023.12.29.]

일부개정 2021. 1. 7. 조례 제7862호
일부개정 2021. 7.20. 조례 제8105호
일부개정 2021. 9.30. 조례 제8184호
타법개정 2021.12.30. 조례 제8235호
일부개정 2021.12.30. 조례 제8294호
타법개정 2022.10.17. 조례 제8468호
타법개정 2022.12.30. 조례 제8530호
일부개정 2022.12.30. 조례 제8582호
일부개정 2023. 3.27. 조례 제8675호
일부개정 2023. 5.22. 조례 제8734호
일부개정 2023. 7.24. 조례 제8849호
일부개정 2023.10. 4. 조례 제8960호
타법개정 2023.12.29. 조례 제8993호
일부개정 2023.12.29. 조례 제9052호

제1장 총 칙

제1조【목적】이 조례는 「도시 및 주거환경정비법」, 같은 법 시행령 및 같은 법 시행규칙에서 위임된 사항과 그 시행에 필요한 사항을 규정함을 목적으로 한다.

제2조【정의】이 조례에서 사용하는 용어의 뜻은 다음과 같다. (개정 2021.9.30., 2022.12.30.)

1. "특정무허가건축물"이란 건설교통부령 제344호 공익사업을위한 토지등의취득및보상에관한법률시행규칙 부칙 제5조에서 "1989년 1월 24일 당시의 무허가건축물등"을 말한다.

2. "신발생무허가건축물"이란 제1호에 따른 특정무허가건축물 이외의 무허가건축물을 말한다.

3. "관리처분계획기준일"이란 「도시 및 주거환경정비법」(이하 "법"이라 한다) 제72조제1항제3호에 따른 분양신청기간의 종료일을 말한다.

4. "권리가액"이란 관리처분계획기준일 현재 제36조제3항에 따라 산정된 종전 토지 등의 총 가액을 말한다.

5. "호수밀도"란 건축물이 밀집되어 있는 정도를 나타내는 지표로서 정비구역 면적 1헥타르당 건축되어 있는 건축물의 동수를 말하고 다음 각 목의 기준에 따라 산정한다.

　가. 공동주택 및 다가구주택은 독립된 주거생활을 할 수 있는 구조로서 건축물대장 기준으로 세대(다가구주택은 가구, 이하 이목에서는 같다)수가 가장 많은 층의 1세대를 1동으로 보며, 나머지 층의 세대수는 계상하지 않는다.

　나. 신발생무허가건축물은 건축물 동수 산정에서 제외한다.

　다. 정비구역의 면적 중 존치되는 공원 또는 사업이 완료된 공원 및 존치되는 학교 면적을 제외한다.

　라. 단독주택을 건축물 준공 후 다세대주택 또는 다가구주택으로 전환한 경우에는 변경 전의 건축물 동수에 따라 산정한다.

　마. 준공업지역에서 정비사업으로 기존 공장의 재배치가 필요한 경우에는 정비구역 면적 중 공장용지 및 공장 건축물은 제외하고 산정한다.

　바. 비주거용건축물은 건축면적당 90제곱미터를 1동으로 보며, 소수점 이하는 버리고 산정한다.

6. "사업시행방식전환"이란 법 제123조제1항 또는 법률 제6852호 도시및주거환경정비법 부칙 제14조에 따라 재개발사업의 시행방식이 전환되는 것을 말한다.

7. "무주택세대주"란 세대주를 포함한 세대원(세대주와 동일한 세대별 주민등록표상에 등재되어 있지 않은 세대주의 배우자 및 배우자와 동일한 세대를 이루고 있는 세대원을 포함한다) 전원이 주택을 소유하고 있지 않은 세대의 세대주를 말한다.

8. "미사용승인건축물"이란 관계 법령에 따라 건축허가 등을 받았으나 사용승인·준공인가 등을 받지 못한 건축물로서 사실상 준공된 건축물을 말한다.

9. "과소필지"란 토지면적이 90제곱미터 미만인 토지를 말한다.

10. "주택접도율"이란 「도시 및 주거환경정비법 시행령」(이하 "영"이라 한다) 제7조제1항 관련 별표 1 제1호마목에 따른 정비기반시설의 부족여부를 판단하기 위한 지표로서 폭 4미터 이상 도로에 길이 4미터 이상 접한 대지의 건축물의 총수를 정비구역 내 건축물 총수로 나눈 비율을 말한다. 다만, 연장 35미터 이상의 막다른 도로의 경우에는 폭 6미터로 한다.

11. "권리산정기준일"은 법 제77조에 따른 건축물의 분양받을 권리를 산정하기 위한 기준일로서 법 제16조제2항에 따른 고시가 있은 날 또는 시장이 투기를 억제하기 위하여 기본계획 수립 후 정비구역 지정·고시 전에 따로 정하는 날을 말한다.

12. "주거지보전사업"이란 재개발구역(재개발사업을 시행하는 정비구역을 말한다. 이하 같다)에서 기존 마을의 지형, 터, 골목길 및 생활상 등 해당 주거지의 특성 보전 및 마을 공동체 활성화를 위하여 건축물의 개량 및 건설 등의 사항을 포함하여 임대주택을 건설하는 사업을 말한다.

건축관계법

국토계획법

주차장법

주 택 법

도시및주거
환경정비법

건축사법

장애인시설법

소방시설법

서울시조례

10-78

제3조 【재개발사업의 구분】 법 제2조제2호나목에 따른 재개발사업은 다음 각 호에 따라 구분한다.

1. 주택정비형 재개발사업: 정비기반시설이 열악하고 노후·불량건축물이 밀집한 지역에서 주거환경을 개선하기 위하여 시행하는 재개발사업
2. 도시정비형 재개발사업: 상업지역·공업지역 등에서 도시 기능의 회복 및 상권 활성화 등 도시환경을 개선하기 위하여 시행하는 재개발사업

제4조 【노후·불량건축물】 ① 영 제2조제3항제1호에 따라 노후·불량건축물로 보는 기준은 다음 각 호와 같다.

1. 공동주택
   가. 철근콘크리트·철골콘크리트·철골철근콘크리트 및 강구조인 공동주택: 별표 1에 따른 기간
   나. 가목 이외의 공동주택: 20년
2. 공동주택 이외의 건축물
   가. 철근콘크리트·철골콘크리트·철골철근콘크리트 및 강구조 건축물(「건축법 시행령」 별표 1 제1호에 따른 단독주택을 제외한다): 30년
   나. 가목 이외의 건축물: 20년

② 영 제2조제2항제1호에 따른 노후·불량건축물은 건축대지로서 효용을 다할 수 없는 과소필지 안의 건축물로서 2009년 8월 11일 전에 건축된 건축물을 말한다.

③ 미사용승인건축물의 용도별 분류 및 구조는 건축허가 내용에 따르며, 준공 연도는 재산세 및 수도요금·전기요금 등의 부과가 개시된 날이 속하는 연도로 한다.

제5조 【공동이용시설】 영 제4조제3호에 따라 시·도조례로 정하는 공동이용시설은 다음 각 호의 시설을 말한다.

1. 관리사무소, 경비실, 보안·방범시설 등 마을의 안전 및 공동이용관리를 위해 필요한 시설
2. 주민운동시설, 도서관 등 주민공동체 활동을 위한 복리시설
3. 마을공동구판장, 마을공동작업소 등 주민 소득원 개발 및 지역 활성화를 위해 필요한 시설
4. 쓰레기수거 및 처리시설 등 마을의 환경개선을 위해 필요한 시설
5. 「노인복지법」 제38조제1항제2호에 따른 주·야간보호서비스를 제공하는 재가노인복지시설과 장애인복지시설(「장애인복지법」 제58조제1항제2호에 해당하는 장애인 지역사회재활시설 중 장애인 주간보호시설을 말한다)

제2장 정비구역의 지정

제6조 【정비계획 입안대상지역 요건】 ① 영 제7조제1항 별표 1 제4호에 따른 정비계획 입안대상지역 요건은 다음 각 호와 같다. (개정 2021.7.20., 2023.12.29.)

1. 주거환경개선구역(주거환경개선사업을 시행하는 정비구역을 말한다. 이하 같다)은 호수밀도가 80 이상인 지역으로서 다음 각 목의 어느 하나에 해당하는 지역을 말한다. 다만, 법 제23조제1항제1호에 따른 방법(이하 "관리형 주거환경개선사업"이라 한다)으로 시행하는 경우에는 제외한다.
   가. 노후·불량건축물의 수가 대상구역 안의 건축물 총수의 60퍼센트 이상인 지역
   나. 주택접도율이 20퍼센트 이하인 지역
   다. 구역의 전체 필지 중 과소필지가 50퍼센트 이상인 지역
2. 주택정비형 재개발구역(주택정비형 재개발사업을 시행하는 구역을 말한다. 이하 같다)은 면적이 1만제곱미터[법 제16조제1항에 따라 서울특별시 도시계획위원회 또는 「도시재정비 촉진을 위한 특별법」(이하 "도시재정비법"이라 한다) 제5조에 따른 재정비촉진지구에서는 같은 법 제34조에 따른 도시재정비위원회가 심의하여 인정하는 경우에는 5천제곱미터] 이상으로서 다음 각 목의 어느 하나에 해당하는 지역
   가. 구역의 전체 필지 중 과소필지가 40퍼센트 이상인 지역
   나. 주택접도율이 40퍼센트 이하인 지역
   다. 호수밀도가 60 이상인 지역
3. 영 별표 1 제2호바목에 따른 역세권에 대하여 입안하는 도시정비형 재개발구역(도시정비형 재개발사업을 시행하는 구역을 말한다. 이하 같다)은 다음 각 목에 해당하는 지역에 수립한다.

가. 역세권은 철도역의 승강장 경계로부터 반경 500미터 이내의 지역을 말한다.

나. 가목에도 불구하고 다음 각 목의 어느 하나에 해당하는 지역은 역세권에서 제외한다. 다만, 서울특별시 도시계획위원회 심의를 거쳐 부득이하다고 인정하는 경우에는 예외로 한다.

1) 전용주거지역·도시자연공원·근린공원·자연경관지구 및 최고고도지구(김포공항주변 최고고도지구는 제외한다)와 접한 지역

2) 「경관법」 제7조에 따른 경관계획상 중점경관관리

구역, 구릉지 및 한강축 경관형성기준 적용구역

　다. 노후·불량건축물의 수가 대상지역 건축물 총수의 60퍼센트 이상인 지역

② 정비구역 지정은 제1항에서 정한 정비계획 입안대 상지역 요건 이외에 법 제4조에 따른 도시·주거환경 정비기본계획에 따른다.

③ 영 [별표 1] 제4호에 따라 부지의 정형화, 효율적인 기반시설의 확보 등을 위하여 필요하다고 인정되는 경우에는 서울특별시 도시계획위원회의 심의를 거쳐 정비구역 입안대상지역 면적의 100분의 110 이하까 지 정비계획을 입안할 수 있다. (개정 2021.7.20.)

④ 영 제7조제1항 별표 1 제3호라목에서 "시·도조례로 정하는 면적"이란 1만제곱미터 이상을 말한다. 다만, 기존의 개별 주택단지가 1만제곱미터 이상인 경우에 는 서울특별시 도시계획위원회 심의를 거쳐 부지의 정형화, 효율적인 기반시설 확보 등을 위하여 필요하 다고 인정하는 경우로 한정한다.

⑤ 삭제 (2021.7.20.)

제7조【정비계획 입안 시 조사·확인 내용】 영 제7조제2 항제7호에서 "그 밖에 시·도조례로 정하는 사항"이란 다음 각 호의 사항을 말한다.

1. 거주가구 및 세입자 현황
2. 도시관리계획상 토지이용계획 현황
3. 토지의 용도 소유자·규모별 현황
4. 건축물의 허가유무 및 노후·불량 현황
5. 건축물의 용도, 구조, 규모 및 건축경과(준공) 연도 별 현황
6. 정비구역 내 유·무형의 문화유적, 보호수목 현황 및 지역유래
7. 법 제2조제9호에 따른 토지등소유자(이하 "토지등소 유자"라 한다)의 정비구역 지정에 관한 동의현황(주 민제안의 경우에만 해당한다)
8. 기존 수목의 현황
9. 구역 지정에 대한 주민(토지등소유자 및 세입자)의 의견
10. 토지등소유자의 분양희망 주택규모 및 자금부담 의사
11. 세입자의 임대주택 입주 여부와 입주희망 임대주택 규모
12. 법 제31조제4항에 따른 조합설립추진위원회(이하 " 추진위원회"라 한다) 구성 단계 생략에 대한 토지등 소유자 의견

제8조【정비계획의 내용 등】 ① 영 제8조제3항제11호에 서 "그 밖에 정비사업의 원활한 추진을 위하여 시·도조 례로 정하는 사항"이란 다음 각 호의 사항을 말한다.

1. 가구 또는 획지에 관한 계획
2. 임대주택의 건설에 관한 계획[자치구청장(이하 "구

청장"이라 한다)은 대학 주변지역 및 역세권에 위치 한 정비구역에 대해서는 대학생 및 청년에게 공급할 수 있는 임대주택 건설계획을 입안할 수 있다]

3. 주민의 소득원 개발에 관한 사항(주거환경개선사업 으로 한정한다)
4. 환경성 검토결과(「국토의 계획 및 이용에 관한 법 률」 제27조제2항을 준용한다)
5. 기존 수목의 현황 및 활용계획
6. 인구 및 주택의 수용계획
7. 주거환경관리를 위한 주민공동체 활성화 방안(관리 형 주거환경개선사업으로 한정한다)
8. 구역 내 옛길, 옛물길, 「한옥 등 건축자산의 진흥에 관한 법률」 제2조의 건축자산 및 한옥 등 역사·문화 자원의 보전 및 활용계획

② 그밖에 필요한 정비계획 세부내용은 다음 각 호와 같다.

1. 정비구역에는 원칙적으로 기존 공원이나 녹지를 포 함하지 않도록 한다. 다만, 공원 또는 녹지의 기능을 회복하거나 그 안의 건축물을 정비하기 위하여 필요 한 경우와 토지이용의 증진을 위하여 필요한 경우에 는 예외로 한다.
2. 영 제8조제3항제5호에 따른 기존건축물의 정비·개량 에 관한 계획은 건축물의 경과연수, 용도, 구조, 규모, 입지, 허가유무 및 노후·불량 정도를 고려하여 존치, 개수, 철거 후 신축, 철거이주 등으로 구분하여 계획 하도록 한다.
3. 종교부지, 분양대상 복리시설 부지는 필요한 경우 획지로 분할하고 적정한 진입로를 확보하도록 하여 야 한다.
4. 법 제9조제1항제9호에 따른 정비사업시행 예정시기 는 사업시행자별 사업시행계획인가 신청 준비기간을 고려하여 정비구역 지정고시가 있은 날부터 4년 이 내의 범위에서 정하여야 한다.
5. 도시정비형 재개발사업의 경우 정비구역의 특성과 도심부 기능회복을 위하여 복합용도건축계획을 원칙 으로 하고 주변의 건축물, 문화재 또는 자연 지형물 이 있는 경우에는 주변 경관에 미치는 영향을 최소 화할 수 있도록 계획한다.

제9조【안전진단 절차 및 비용부담 등】 ① 영 제10조제7 항에 따른 "안전진단의 요청절차 및 그 처리에 관하여 필요한 세부사항"은 다음 각 호와 같다.

1. 영 제10조제1항 후단 규정에 따라 구청장은 재건축 사업의 시기를 조정할 필요가 있다고 인정하는 경 우 안전진단 실시 시기를 조정할 수 있다.
2. 안전진단 시기조정사유, 조정대상구역, 시기조정자

건축관계법 / 국토계획법 / 주차장법 / 주택법 / 도시및주거 환경정비법 / 건축사법 / 장애인시설법 / 소방시설법 / 서울시조례

건축관계법
국토계획법
주차장법
주택법
도시및주거
환경정비법
건축사법
장애인시설법
소방시설법
서울시조례

료, 시기조정 절차 및 방법 등에 대해서는 제49조부터 제51조까지를 준용한다. 이 경우 "정비구역"은 "정비예정구역(정비예정구역이 아닌 경우 사업예정구역을 말한다)"으로, "사업시행계획인가 또는 관리처분계획인가"는 "안전진단"으로 본다.

3. 서울특별시장(이하 "시장"이라 한다)은 관계 법령 및 이 조례에서 정하지 아니한 시기조정에 필요한 세부기준을 별도로 정할 수 있다.

② 법 제12조제2항 각 호에 해당하는 자가 안전진단의 실시를 요청하는 경우 「도시 및 주거환경정비법 시행규칙」(이하 "시행규칙"이라 한다) 제3조에서 정한 안전진단 요청서와 규칙에서 정한 서식을 첨부하여 구청장에게 제출하여야 하고, 이 경우 안전진단의 실시를 요청하는 자가 안전진단에 드는 비용의 전부를 부담해야 한다.

③ 안전진단의 실시를 요청한 자는 영 제10조제1항에 따라 구청장이 안전진단의 실시여부를 결정하여 통보한 경우 안전진단에 필요한 비용을 예치하여야 한다.

④ 구청장은 법 제13조제1항에 따라 안전진단 결과보고서가 제출된 경우 예치된 금액에서 비용을 직접 지급한 후 나머지 비용은 안전진단의 실시를 요청한 자와 정산하여야 한다.

⑤ 제2항에도 불구하고 구청장은 다음 각 호의 기준을 모두 충족하는 경우에는 안전진단에 필요한 비용의 전부 또는 일부를 한 차례만 지원할 수 있고, 안전진단에 필요한 비용을 지원받은 자는 사업시행계획인가 전까지 지원비용을 현금으로 반환하여야 하며, 지원 및 반환방법 등 세부사항은 시장이 정할 수 있다. (신설 2023.3.27., 2023.12.29.)

1. 토지등소유자의 과반수 동의를 받은 경우

2. 안전진단의 실시를 요청하는 자가 안전진단 비용, 반환방법 및 기한 등을 포함하여 구청장과 협약을 체결한 경우

⑥ 제2항에 따른 비용 산정에 관한 사항은 「시설물의 안전 및 유지관리에 관한 특별법」 제37조를 준용한다. (개정 2023.3.17.)

제10조 【정비계획의 입안 제안】 ① 법 제14조제1항제1호부터 제5호까지 및 제7호에 해당하여 영 제12조제1항에 따라 구청장에게 정비계획의 입안을 제안하는 경우에는 해당 지역 토지등소유자의 60퍼센트 이상 및 토지면적의 2분의 1 이상의 동의를 받아야 한다. (개정 2023.5.22.)

② 관리형 주거환경개선사업의 경우에는 제1항에도 불구하고 해당 지역 토지등소유자의 과반수 동의를 받

아 구청장에게 정비계획의 입안을 제안할 수 있다.

③ 토지등소유자가 법 제14조제1항에 따라 정비계획의 입안을 제안하려는 때에는 규칙에서 정한 입안 제안 신청서에 영 제12조제1항에 따른 정비계획도서, 계획설명서, 제7조 각 호에 따른 정비계획 입안 시 조사내용 및 그 밖의 필요한 서류를 첨부하여 구청장에게 제출한다.

④ 법 제14조제1항제6호에 따라 정비계획의 변경을 요청하는 경우 직접 동의서를 받는 방법 외에 총회(주민총회를 포함한다)에서 토지등소유자(조합이 설립된 경우에는 조합원을 말한다)의 3분의 2이상 찬성으로 의결될 경우에도 토지등소유자의 3분의 2 이상 동의를 받은 것으로 본다.

⑤ 정비계획의 입안에 따른 토지등소유자의 동의자 수의 산정방법 등은 영 제33조에 따른다.

제11조 【정비계획의 경미한 변경】 ① 영 제13조제4항제12호에서 "시·도조례로 정하는 사항을 변경하는 경우"란 다음 각 호의 어느 하나에 해당하는 경우를 말한다.

1. 정비구역 명칭의 변경

2. 「도시·군계획시설의 결정·구조 및 설치기준에 관한 규칙」 제14조에 따라 도로모퉁이를 잘라내기 위한 정비구역 결정사항의 변경

3. 영 제8조제3항제5호에 따른 기존건축물의 정비·개량에 관한 계획의 변경

4. 정비구역이 접하여 있는 경우(동일 도시정비형 재개발구역 안에서 시행지구를 분할하여 시행하는 경우의 지구를 포함한다) 상호경계조정을 위한 정비구역 또는 지구 범위의 변경

5. 정비구역 또는 지구 범위의 변경이 없는 단순한 착오에 따른 면적 등의 정정을 위한 변경

6. 법 제9조제1항제5호에 따른 건축물의 주용도·건폐율·용적률 및 높이에 관한 계획의 변경을 수반하지 않는 획지의 변경 또는 도시정비형 재개발구역 안에서 사업시행지구 분할계획

7. 법 제10조에 따라 국토교통부장관이 고시하는 임대주택 건설비율 범위에서의 세대수 변경

8. 정비계획에서 정한 건축계획의 범위에서 주택건립 세대수를 30퍼센트 이내로 증가하는 변경 또는 10퍼센트 이내로 축소하는 변경

9. 「건축법」 등 관계 법령의 개정으로 인한 정비계획 변경 또는 「건축법」 제4조에 따라 구성된 건축위원회 심의결과에 따른 건축계획의 변경

② 구청장이 처리할 수 있는 정비계획의 경미한 변경 사항은 다음 각 호의 어느 하나에 해당하는 경우를 말한다.

1. 영 제13조제4항제1호의 경우 중 정비구역 면적 5퍼센트 미만의 변경
2. 영 제13조제4항제2호의 경우 중 정비기반시설 규모 5퍼센트 미만의 변경
3. 영 제13조제4항제3호부터 제6호까지, 제10호 및 제11호의 경우
4. 영 제13조제4항제7호의 경우 중 건축물의 건폐율 또는 용적률을 축소하거나 5퍼센트 미만의 범위에서 확대하는 변경
5. 영 제13조제4항제8호의 경우 중 건축물의 최고 높이를 낮게 변경하는 경우
6. 제1항 각 호에 해당하는 경우

제12조 【현금납부액 산정기준 및 납부 방법 등】 ① 시장은 법 제17조제4항에 따라 사업시행자가 공공시설 또는 기반시설(이하 "공공시설등"이라 한다)의 부지 일부를 현금으로 납부를 요청하는 경우 관련 법령에 따른 설치요건과 공공시설 건축물에 대한 수요 여부 등을 종합적으로 고려하여 그 범위를 정한다.

② 영 제14조제3항에 따라 현금으로 납부하는 해당 기부토지에 대하여 사업시행계획인가(현금납부에 관한 정비계획이 반영된 최초의 사업시행계획인가를 말한다)된 사업시행계획을 고려하여 평가한다.

③ 사업시행자는 제1항에 따른 현금납부액 산정을 위해 구청장에게 감정평가업자의 선정·계약을 요청하고 감정평가에 필요한 비용을 미리 예치하여야 한다. 구청장은 감정평가가 끝난 경우 예치된 금액에서 감정평가 비용을 직접 지급한 후 나머지 비용은 사업시행자와 정산하여야 한다.

④ 시장은 제1항에 따라 산정된 현금납부액을 착공일부터 준공검사일까지 분할납부 하게 할 수 있다.

⑤ 사업시행자는 관리처분계획인가 전까지 제1항에 따라 산정된 현금납부액, 납부방법 및 기한 등을 포함하여 시장과 협약을 체결하여야 한다.

⑥ 시장은 그밖에 현금납부에 필요한 사항을 정할 수 있다.

제13조 【정비구역 분할·통합 및 결합 시행방법 등】 ① 법 제18조제1항에 따라 시장은 정비사업의 효율적인 추진 또는 도시의 경관보호 등을 위하여 필요한 경우 구역의 분할·통합 및 결합을 추진할 수 있다. 이 경우 법 제8조, 제15조 및 제16조에 따라 정비구역을 지정(변경지정을 포함한다)하여야 한다.

② 법 제18조제2항에 따라 서로 떨어진 구역을 하나의 정비구역(이하 "결합정비구역"이라 한다)으로 결합하여 시행하는 정비사업(이하 "결합정비사업"이라 한

다)은 다음 각 호의 기본방향에 적합하여야 한다.

1. 도시경관 또는 문화재 등의 보호가 필요한 낙후한 지역을 토지의 고도이용이 가능한 역세권 지역과 결합하여 정비사업을 시행할 수 있다.
2. 도시경관 또는 문화재 등을 보호하기 위하여 토지의 이용이 제한된 지역(이하 "저밀관리구역"이라 한다)의 용적률을 토지의 고도이용이 가능한 역세권 지역(이하 "고밀개발구역"이라 한다)에 이전하여 개발하여야 한다.
3. 토지이용계획, 건축물의 밀도 및 높이 계획, 정비기반시설계획 등 정비계획은 지역 특성을 고려하여 수립하여야 한다.

③ 결합정비구역으로 지정하여 결합정비사업을 시행하고자 하는 경우 별표 2에서 정한 시행방법과 절차에 따라야 한다.

④ 도시재정비법에 따른 재정비촉진사업에 대하여도 제1항부터 제3항까지를 준용한다.

제14조 【정비구역등의 직권해제 등】 ① 시장은 법 제21조제1항제1호 및 제2호에 따라 정비구역 또는 정비예정구역(이하 "정비구역등"이라 한다)의 지정을 해제하려는 경우에는 사업추진에 대한 주민 의사, 사업성, 추진상황, 주민갈등 및 정체 정도, 지역의 역사·문화적 가치의 보전 필요성 등을 종합적으로 고려하여야 한다.

② 법 제21조제1항제1호의 "정비사업의 시행으로 토지등소유자에게 과도한 부담이 발생할 것으로 예상되는 경우"란 제80조에 따라 추진위원회 위원장(이하 "추진위원장"이라 한다)이나 조합임원 또는 신탁업자가 입력한 정비계획 등으로 산정된 추정비례율(표준값을 말한다)이 80퍼센트 미만인 경우로서 제6항에 따라 의견을 조사하여 사업찬성자가 100분의 50 미만인 경우를 말한다.

③ 법 제21조제1항제2호에서 "정비구역등의 추진 상황으로 보아 지정 목적을 달성할 수 없다고 인정되는 경우"란 다음 각 호의 어느 하나에 해당하는 경우를 말한다. (개정 2018.10.4., 2019.9.26.)

1. 정비예정구역으로서 다음 각 목의 어느 하나에 해당하는 경우
   가. 정비구역 지정요건이 충족되지 않은 경우
   나. 관계 법령에 따른 행위제한이 해제되거나 기한이 만료되어 사실상 정비구역 지정이 어려운 경우
2. 추진위원장 또는 조합장이 장기간 부득이한 사유로 직무를 수행할 수 없거나 주민 갈등 또는 정비사업비 부족으로 추진위원회 또는 조합 운영

건축관계법

국토계획법

주차장법

주 택 법

도시및주거
환경정비법

건축사법

장애인시설법

소방시설법

서울시조례

10장 제2편 건축법 관련기준

건축관계법

국토계획법

주차장법

주 택 법

도시및주거
환경정비법

건축사법

장애인시설법

소방시설법

서울시조례

이 사실상 중단되는 등 정비사업 추진이 어렵다고 인정되는 경우

3. 자연경관지구, <u>고도지구</u>, 문화재 보호구역, 역사문화환경 보존지역 등이 포함된 구역으로서 다음 각 목의 어느 하나에 해당되는 경우

가. 추진위원회가 법 제31조에 따른 추진위원회 승인일(최초 승인일을 말한다)부터 3년이 되는 날까지 법 제35조, 영 제30조, 시행규칙 제8조를 모두 준수한 조합 설립인가를 신청(첨부 서류를 모두 갖춘 신청으로 한정한다)하지 않는 경우

나. 사업시행자가 법 제35조에 따른 조합설립인가(최초 설립인가를 말한다)를 받은 날 또는 법 제26조제2항, 제27조제2항에 따른 사업시행자 지정을 받은 날이나 법 제25조에 따라 공동으로 정비사업을 시행하기로 한 날부터 4년이 되는 날까지 법 제50조, 시행규칙 제10조를 모두 준수한 사업시행계획인가를 신청(첨부 서류를 모두 갖춘 신청으로 한정한다)하지 않는 경우

다. 사업시행자가 법 제50조에 따른 사업시행계획인가(최초 인가를 말한다)를 받은 날부터 4년이 되는 날까지 법 제74조, 시행규칙 제12조를 모두 준수한 관리처분계획인가를 신청(첨부 서류를 모두 갖춘 신청으로 한정한다)하지 않는 경우

라. 추진위원회 또는 조합이 총회를 2년 이상 개최(법 또는 「정비사업 조합설립추진위원회 운영규정」에 따른 의사정족수를 갖춘 경우로 한정한다)하지 않는 경우

4. 법 제20조제2항에 따라 구청장이 정비구역등의 해제를 요청하지 않는 경우

5. 삭제 (2019.9.26.)

④ 구청장은 제2항 또는 제3항 각 호의 어느 하나에 해당하는 경우에는 시장에게 정비구역등의 해제를 요청할 수 있다.

⑤ 법 제21조제1항제5호에서 "시·도조례로 정하는 비율"이란 추진위원회 구성에 동의한 토지등소유자의 2분의 1 이상, 조합 설립에 동의한 토지등소유자의 3분의 2 이상을 말하며, 법 제21조제1항제3호, 제5호, 제6호에 따른 정비구역등의 해제를 요청하는 자는 별지 제7호서식의 정비구역등의 해제 요청서에 다음 각 호의 서류를 첨부하여 구청장에게 제출하여야 한다. 이 경우 구청장은 해제 요청서류 및 동의자 수 등의 적정여부를 확인하고 그 결과를 시장에게 통보

하여야 한다. (신설 2022.12.30.)

1. 토지등소유자의 명부(법 제21조제1항제5호에 해당하는 경우에는 추진위원회 구성 또는 조합 설립에 동의한 토지등소유자의 명부)

2. 정비구역등의 해제에 동의한 토지등소유자의 명부

3. 별지 제8호서식의 정비구역등의 해제 동의서

⑥ 시장은 정비구역등을 해제하려는 경우 대상 구역의 명칭, 위치, 해제 이유 및 근거 등을 구청장에게 통보하여야 한다. 이 경우 구청장은 법 제21조제2항에 따라 30일 이상 주민에게 공람하여 의견을 듣고, 구의회의 의견을 들은 후 이를 첨부하여 시장에게 제출하여야 한다. (개정 2022.12.30.)

⑦ 구청장은 시장으로부터 정비구역등이 제2항에 해당한다고 통보 받은 경우 해당 정비구역등의 토지등소유자의 의견을 조사하여 그 결과를 시장에게 통보하여야 한다. 다만, 제2항에 해당하여 주민의견조사를 실시한 구역의 추정비례율이 주민의견조사 당시 대비 10퍼센트 이상 하락하는 경우에는 재조사할 수 있다. (개정 2022.12.30.)

⑧ 제6항에 따른 토지등소유자의 사업찬성자 수 산정방법, 해제 동의의 철회방법 등에 대하여는 영 제33조를 준용한다. (개정 2022.12.30.)

⑨ 시장은 구청장이 토지등소유자 의견조사를 할 때 소요되는 비용의 일부 또는 전부를 지원할 수 있다. (개정 2022.12.30.)

⑩ 그 밖에 토지등소유자 의견조사의 절차와 방법 등에 관하여는 시장이 따로 정할 수 있다. (개정 2022.12.30.)

⑪ 시장은 정비구역등의 직권해제를 하려는 경우 도시계획위원회 심의를 하기 전에 서울특별시의회 소관 상임위원회의 의견을 들을 수 있다. (개정 2022.12.30.)

제15조【추진위원회 및 조합 비용의 보조비율 및 보조방법 등】 ① 영 제17조제1항제4호에서 "시·도조례로 정하는 비용"이란 추진위원회 승인 및 조합설립인가 이후 다음 각 호의 업무를 수행하기 위하여 사용한 비용으로서 총회(주민총회를 포함한다)의 의결을 거쳐 결정한 예산의 범위에서 추진위원회 및 조합이 사용한 비용을 말한다.

1. 법 제32조제1항 각 호 및 제45조제1항 각 호의 업무

2. 영 제26조 각 호 및 제42조제1항 각 호의 업무

3. 법원의 판결, 결정으로 인하여 주민총회를 개최하지 못한 경우로서 법 제31조에 따라 승인 받은 추진위원회의 의결을 거쳐 결정된 예산의 범위 이내에서 사용한 비용

4. 총회의 의결사항 중 대의원회가 총회의 권한을 대

행하여 정한 업무(영 제43조의 대의원회가 대행할 수 없는 사항을 제외한다)

② 추진위원회 및 조합의 사용비용에 대한 보조 금액(이하 "보조금"이라 한다)은 제16조에 따른 검증위원회의 검증을 거쳐 결정하며, 시장은 검증위원회의 사용비용 검증에 필요한 기준을 정할 수 있다.

③ 시장 또는 구청장은 제16조에 따른 검증위원회 또는 제17조에 따른 재검증위원회의 검증을 거쳐 결정한 금액을 기준으로 다음 각 호에 정하는 비율에 따라 보조금을 지급할 수 있다. (개정 2022.12.30.)

  1. 제14조제2항, 같은 조 제3항제1호부터 제3호까지에 해당되어 법 제21조제1항에 따라 정비구역등을 해제하여 추진위원회의 승인 또는 조합설립인가가 취소되는 경우: 70퍼센트 이내
  2. 삭제 (2022.12.30.)
  3. 법 제21조제1항제5호 또는 제6호에 따라 정비구역등을 해제하여 추진위원회의 승인 또는 조합설립인가가 취소되는 경우: 70퍼센트 이내

④ 추진위원회의 보조금은 승인 취소된 추진위원회의 대표자가 추진위원회 승인 취소 고시가 있는 날부터 6개월 이내에 별지 제1호서식의 추진위원회 사용비용 보조금 신청서에 다음 각 호의 서류를 첨부하여 구청장에게 신청하여야 한다.

  1. 추진위원회 사용비용 업무항목별 세부내역서와 증명 자료
  2. 추진위원회 사용비용 이해관계자(채권자의 성명과 연락처 등은 반드시 포함) 현황과 증명 자료
  3. 추진위원회 사용비용 보조금 지원신청 관련 의결 및 의사록(대표자, 지급통장계좌번호, 채권자 현황 등)

⑤ 조합의 보조금은 설립인가 취소된 조합의 대표자가 조합설립인가 취소 고시가 있는 날부터 6개월 이내에 별지 제2호서식의 조합 사용비용 보조금 신청서에 제4항 각 호 및 다음 각 호의 서류를 첨부하여 구청장에게 신청하여야 한다.

  1. 조합 사용비용 업무항목별 세부내역서와 증명 자료
  2. 조합 사용비용 이해관계자(채권자의 성명과 연락처 등은 반드시 포함) 현황과 증명 자료
  3. 조합 사용비용 보조금 지원신청 관련 의결 및 의사록(대표자, 지급통장계좌번호, 채권자 현황 등)

⑥ 구청장은 제4항 또는 제5항에 따른 신청이 있는 경우 신청내용(제4항제3호 및 제5항제3호를 제외한다)을 제69조제1항에 따른 정비사업 종합정보관리시스템(이하 "종합정보관리시스템"이라 한다) 및 구보에 공고하고, 추진위원회 또는 조합 사용비용 이해관계자(이하 "이해관계자"라 한다)에게 서면으로 통보하여야 한다.(개정 2021.9.30., 2021.12.30.)

⑦ 구청장은 제6항에 따른 공고 및 서면통보를 완료한 후 검증위원회의 검증을 거쳐 보조금을 결정하고 대표자, 해산된 추진위원회 위원 또는 조합 임원과 이해관계자에게 서면으로 통보하여야 한다. 이 경우 대표자는 보조금 결정을 통보받은 날부터 20일 이내에 이의신청을 할 수 있고, 구청장은 정당한 사유가 있는 경우에는 제17조에 따른 재검증위원회의 검증을 거쳐 그 결과를 통보하여야 한다.

⑧ 대표자는 제7항에 따라 보조금 결정을 통보받은 날부터 20일 이내에 제4항제3호 또는 제5항제3호의 통장사본을 첨부하여 구청장에게 보조금 지급을 신청하여야 한다. 이 경우 구청장은 신청 내용을 시장에게 통보하여야 한다.

⑨ 구청장은 제8항에 따른 보조금 지급 신청이 있는 경우에는 지급일자 등 지급계획을 클린업시스템 및 구보에 공고하고, 공고 완료일로부터 10일 이후에 신청된 통장계좌번호로 보조금을 입금한다. <개정 2021.9.30>

⑩ 구청장이 영 제17조에 따른 추진위원회 또는 조합의 사용비용을 보조하는 경우에는 시장은 「서울특별시 지방보조금 관리 조례」 제4조에도 불구하고 구청장에게 보조금의 일부 또는 전부를 지원할 수 있다. <개정 2022.10.17>

제16조【사용비용검증위원회 구성 및 운영 등】 ① 구청장은 추진위원회 및 조합의 사용비용을 검증하기 위해 사용비용검증위원회(이하 "검증위원회"라 한다)를 구성·운영할 수 있다.

② 검증위원회는 부구청장을 위원장으로 한 15명 이내의 위원으로 구성하며, 위원은 다음 각 호의 사람 중에서 구청장이 임명 또는 위촉한다. 다만, 제1호에 해당하는 사람은 각각 1명 이상 위촉하며 제2호에 해당하는 사람은 전체 위원의 3분의 2 이상으로 한다.

  1. 정비사업에 관하여 학식과 경험이 풍부한 변호사 및 공인회계사
  2. 도시계획기술사, 건축사, 감정평가사, 세무사 등 정비사업에 관한 학식과 경험이 풍부한 전문가 및 정비사업 관련 업무에 종사하는 5급 이상 공무원

③ 제2항에 따른 검증위원회 구성 시 성별을 고려하되, 「양성평등기본법」 제21조제2항에 따라 특정 성별이 위촉직 위원 수의 10분의 6을 초과하지 아니하도록 하여야 한다. 다만, 해당 분야 특정 성별의 전문인력 부족 등 부득이한 사유가 있다고 인정되어 양

건축관계법

국토계획법

주차장법

주 택 법

도시및주거
환경정비법

건축사법

장애인시설법

소방시설법

서울시조례

성평등실무위원회의 의결을 거친 경우에는 그러하지 아니하다.

④ 위원장은 효율적이고 공정한 검증을 위하여 사용비용 보조를 받고자 하는 자와 그 밖의 이해관계자에게 검증위원회에 출석하여 해당 추진위원회 및 조합 운영 실태와 자금 조달 및 지출 등에 대하여 설명하거나 관련 자료를 제출하도록 할 수 있으며, 위원에게 현장조사를 하게 하거나 검증위원회에서 관련 전문가의 의견을 들을 수 있다.

⑤ 검증위원회에 제출하는 증명 자료는 계약서, 국세청에서 인정하는 영수증과 해당 업체에서 국세청에 소득 신고한 자료 등으로 한다.

⑥ 검증위원회 위원에 대해서는 예산의 범위에서 수당과 여비 등을 지급하되, 조사 및 현황 확인을 위한 출장비용 등은 실제 비용으로 지급할 수 있다.

제17조【사용비용재검증위원회 구성 및 운영 등】① 구청장은 제15조제7항 후단에 따른 이의신청이 있는 경우 이를 재검증하기 위해 사용비용재검증위원회(이하 "재검증위원회"라 한다)를 구성·운영할 수 있다.

② 재검증위원회는 부구청장을 위원장으로 한 10명 이내의 위원으로 구성하며, 위원은 검증위원회 위원이 아닌 사람(공무원은 제외한다)으로서 다음 각 호의 사람 중에서 구청장이 임명 또는 위촉한다. 다만, 제1호에 해당하는 자는 각각 1명 이상 위촉하며 제2호에 해당하는 사람은 전체 위원의 3분의 2 이상으로 하며 제16조제3항은 재검증위원회 구성 시 준용한다. 이 경우 "검증위원회"는 "재검증위원회"로 본다.

1. 정비사업에 관한 학식과 경험이 풍부한 변호사 및 공인회계사

2. 도시계획기술사, 건축사, 감정평가사, 세무사 등 정비사업에 관한 학식과 경험이 풍부한 전문가 및 정비사업 관련 업무에 종사하는 5급 이상 공무원

③ 그밖에 재검증위원회 운영에 관한 사항은 검증위원회의 운영 규정을 준용한다.

제18조【위원의 제척·기피·회피】① 검증위원회 및 재검증위원회 위원은 다음 각 호의 어느 하나에 해당하는 경우 해당 안건의 심의·의결에서 제척된다.

1. 위원 또는 그 배우자나 배우자이었던 사람이 해당 안건의 당사자이거나 그 안건의 당사자와 공동권리자 또는 공동의무자인 경우

2. 위원이 해당 안건 당사자의 친족이거나 친족이었던 경우

3. 위원이 해당 안건 당사자의 대리인이거나 대리인이었던 경우

4. 위원이 해당 안건에 대하여 감정, 용역(하도급을 포함한다), 자문 또는 조사 등을 한 경우

② 위원은 제1항 각 호에 따른 제척 사유에 해당하는 경우 스스로 해당 안건의 심의·의결에서 회피하여야 한다.

③ 해당 안건의 당사자는 위원에게 공정한 검증을 기대하기 어려운 사정이 있는 경우 위원회에 기피 신청을 할 수 있으며, 위원회는 의결로 기피 여부를 결정한다. 이 경우 기피 신청의 대상인 위원은 그 의결에 참여할 수 없다.

제3장 정비사업의 시행

제19조【조합의 설립인가 신청서류】시행규칙 제8조제1항 별지 제5호서식의 신청인 제출서류란 중 제1호아목에서 "그 밖에 시·도조례로 정하는 서류"란 다음 각 호의 서류를 말한다. <개정 2023.12.29.>

1. 정비구역의 위치도 및 현황사진

2. 정비구역의 토지 및 건축물의 지형이 표시된 지적현황도

3. 법 제64조제1항제1호에 해당하는 매도청구대상자명부 및 매도청구계획서(재건축사업으로 한정한다)

4. 추진위원회에 대하여 회계감사를 실시한 경우 그 회계감사 결과

제20조【조합의 설립인가 신청서류 등의 작성 방법】① 시행규칙 별지 제5호서식에 따른 조합설립(변경) 인가신청서 및 제출서류의 작성방법은 다음 각 호와 같다.

1. 주된 사무소의 소재지는 사업시행구역이 소재하는 자치구의 관할구역 안에 두는 것을 원칙으로 한다.

2. 사업시행예정구역의 명칭 및 면적은 법 제9조에 따른 정비계획과 동일하게 작성한다.

3. 조합원 수는 신청서에 첨부된 조합원 명부의 인원을 기준으로 한다.

4. 정관은 법 제40조제2항에 따른 표준정관을 준용하여 작성함을 원칙으로 한다.

5. 조합원 명부에는 조합원 번호, 동의자의 주소, 성명 및 권리내역을 기재하여야 하며 동의율을 확인할 수 있는 동의 총괄표를 첨부한다.

6. 토지등소유자의 조합설립동의서는 시행규칙 제8조제3항 별지 제6호서식의 조합설립동의서를 말한다.

7. 임원선출에 관한 증명 서류로 토지등소유자의 대표자 추천서 또는 총회(창립총회를 포함한다) 회의록

등을 제출하여야 한다.

② 제1항제1호부터 제3호까지와 제5호 및 제7호는 시행규칙 제7조에 따른 추진위원회 승인신청서 작성에 준용한다. 이 경우 제7호의 "임원"은 "위원"으로 본다.

제21조【조합설립인가내용의 경미한 변경】 영 제31조제9호에서 "그 밖에 시·도조례로 정하는 사항"이란 다음 각 호의 사항을 말한다.

1. 법령 또는 조례 등의 개정에 따라 단순한 정리를 요하는 사항
2. 사업시행계획인가 또는 관리처분계획인가의 변경에 따라 변경되어야 하는 사항
3. 매도청구대상자가 추가로 조합에 가입함에 따라 변경되어야 하는 사항
4. 그밖에 규칙으로 정하는 사항

제22조【조합정관에 정할 사항】 영 제38조제17호에서 "그 밖에 시·도조례로 정하는 사항"이란 다음 각 호의 사항을 말한다. (개정 2019.9.26., 2023.3.27.)

1. 이사회의 설치 및 소집, 사무, 의결방법 등 이사회 운영에 관한 사항
2. 특정무허가건축물 소유자의 조합원 자격에 관한 사항
3. 공유지분 소유권자의 대표자 선정에 관한 사항
4. 단독 또는 다가구주택을 건축물 준공 이후 다세대주택으로 전환한 주택을 취득한 자에 대한 분양권 부여에 관한 사항
5. 재정비촉진지구의 도시계획사업으로 철거되는 주택을 소유한 자 중 구청장이 선정한 자에 대한 주택의 특별공급에 관한 사항
6. 융자금액 상환에 관한 사항
7. 융자 신청 당시 담보 등을 제공한 조합장 등이 변경될 경우 채무 승계에 관한 사항
8. 정비구역 내 공가 발생 시 안전조치 및 보고 사항
9. 법 제87조에 따른 권리의 확정, 법 제88조에 따른 등기 절차, 법 제89조에 따른 청산금 등의 징수 및 지급이 완료된 후 조합 해산을 위한 총회 또는 대의원회의 소집 일정에 관한 사항
10. 법 제45조제1항제5호에 따른 시공자 선정 및 변경에 필요한 총회의 의결 요건에 관한 사항

제23조【정관의 경미한 변경사항】 영 제39조제14호에서 "그 밖에 시·도조례로 정하는 사항"이란 제22조제1호의 사항으로서 예산의 집행 또는 조합원의 부담이 되지 않는 사항을 말한다. (개정 2020.12.31.)

제24조【전문조합관리인의 선정 및 절차 등】 ① 구청장은 영 제41조제2항에 따라 전문조합관리인을 공개모집하는 경우 응시자격, 심사절차 등 응시자가 알아야 할 사항을 해당 지역에서 발간되는 일간신문에 공고하고, 자치구 인터넷 홈페이지, 종합정보관리시스템 등에 10일 이상 공고하여야 한다.(개정 2021.9.30.)

② 구청장은 다음 각 호의 어느 하나에 해당하는 경우에는 7일의 범위에서 제1항에 따른 공고를 다시 할 수 있다.

1. 제1항에 따른 공고의 결과 응시자가 없는 경우
2. 제3항의 선정위원회가 응시자 중 적격자가 없다고 결정한 경우

③ 구청장은 전문조합관리인 선정을 위해 필요한 경우 선정위원회를 구성·운영할 수 있다.

④ 선정위원회는 다음 각 호에 해당하는 사람 중 위원장을 포함하여 5명 이상으로 구성하고, 위원장은 제2호의 전문가 중 1명을 호선하며 제16조제3항은 선정위원회 구성 시 준용한다. 이 경우 "검증위원회"는 "선정위원회"로 본다.

1. 해당 자치구에서 정비사업 업무에 종사하는 6급 이상 공무원
2. 영 제41조제1항 각 호에 해당하는 정비사업 분야 전문가

⑤ 선정위원회 위원의 제척·기피·회피에 관한 사항은 제18조를 준용한다. 이 경우 "검증위원회 및 재검증위원회"는 "선정위원회"로 본다.

⑥ 구청장은 전문조합관리인을 선정한 경우 15일 이내에 해당 조합 또는 추진위원회와 조합원, 토지등소유자에게 통보하여야 한다.

⑦ 시장은 전문조합관리인 선정에 필요한 기준을 정하여 고시할 수 있다.

제24조의2【전문조합관리인의 선정의 권고 등】 ① 시장은 이전고시로부터 1년이 경과한 조합으로, 법 제41조제5항 단서의 사유로 청산 및 해산의 진행이 곤란하다고 인정되는 조합의 청산 및 해산을 위하여 전문조합관리인을 선정하도록 구청장에게 권고할 수 있다.

② 시장은 매년 이전고시를 받은 날로부터 1년이 경과한 조합을 대상으로 법 제111조제2항에 따라 그 청산 및 해산과 관련한 자료의 제출을 명할 수 있다.
[본조신설 2019. 9. 26.]

제25조【사업시행계획인가의 경미한 변경】 영 제46조제12호에서 "그 밖에 시·도조례로 정하는 사항"이란 다음 각 호의 어느 하나에 해당하는 사항을 말한다.

1. 법 제53조에 따른 시행규정 중 영 제31조제1호 및

건축관계법

국토계획법

주차장법

주 택 법

도시및주거
환경정비법

건축사법

장애인시설법

소방시설법

서울시조례

이 조례 제21조제1호에 해당하는 사항

2. 영 제47조제2항제3호에 따른 사업시행자의 대표자

3. 영 제47조제2항제8호에 따른 토지 또는 건축물 등에 관한 권리자 및 그 권리의 명세

제26조【사업시행계획서의 작성】 ① 영 제47조제2항에 따라 법 제52조제1항제13호에서 "시·도조례로 정하는 사항"이란 영 제47조제2항 각 호의 사항을 말한다. 이 경우 기존주택의 철거계획서에는 주택 및 상가 등 빈집 관리에 관한 사항, 비산먼지·소음·진동 등 방지대책 및 공사장 주변 안전관리 대책에 관한 사항을 포함하여 작성하여야 한다.

② 제1항에 따른 사업시행계획의 작성과 관련하여 필요한 서식 등은 규칙으로 정할 수 있다.

제27조【임대주택의 건설계획】 ① 사업시행자는 법 제52조제1항제6호에 따른 임대주택의 건설계획에 임대주택의 부지확보 및 대지조성계획을 포함하고, 임대주택 입주대상자 명부를 첨부하여 사업시행계획인가를 신청하여야 한다.

② 도시정비형 재개발사업의 시행 시 세입자대책이 필요한 경우 세입자대책은 다음 각 호의 기준에 따라 작성한다.

1. 해당 정비사업으로 신축되는 건축물의 상가 또는 공동주택의 분양을 원하는 세입자가 있는 정비구역 또는 지구에 대하여 구청장이 사업시행계획인가를 하는 때에는 제44조에 따른 보류지를 제3자에 우선하여 제46조제1항제1호에 해당하는 세입자(이하 "적격세입자"라 한다)에게 분양하도록 할 수 있다.

2. 제1호에 따른 적격세입자가 있는 경우 세입자의 자격요건은 제46조를 준용한다.

3. 사업시행자는 사업시행계획인가내용에 제44조에 따른 보류지를 제3자에 우선하여 적격세입자에게 분양하도록 한 경우에는 법 제72조제1항에 따른 분양공고 내용에 이를 포함하여야 한다.

제28조【임대주택의 건설 등】 ① 사업시행자는 임대주택을 건설하여 시장에게 처분하거나 서울주택도시공사(이하 "공사"라 한다)를 시행자로 지정하여 건설할 수 있다.

② 구청장은 제1항에 따라 사업시행자가 건설하는 임대주택 건설계획에 관하여 다음 각 호의 사항을 공사와 협의하여야 한다.

1. 정비구역에 건설되는 임대주택 건축계획

2. 임대주택 입주대상자 명부

3. 임대주택 건립비용 및 편입된 토지 조서

③ 제1항에 따라 공사가 임대주택을 건설하는 경우에는 다음 각 호의 사항을 시장에게 보고하여야 한다.

1. 정비구역의 임대주택 건립규모 및 건축계획

2. 임대주택 건립비용 및 편입된 토지 조서

3. 주변지역의 임대주택 입주 현황

제29조【시행규정에 정할 사항】 법 제53조제12호에서 "그 밖에 시·도조례로 정하는 사항"이란 다음 각 호의 사항을 말한다.

1. 건축물의 철거에 관한 사항

2. 주민 이주에 관한 사항

3. 토지 및 건축물의 보상에 관한 사항

4. 주택의 공급에 관한 사항

제30조【국민주택규모 주택 건설비율 등】 ① 법 제54조제4항제1호 및 제2호에서 "시·도조례로 정하는 비율"은 법적상한 용적률에서 정비계획으로 정해진 용적률을 뺀 용적률의 100분의 50을 말한다.

② 법 제55조제4항에 따라 인수한 장기공공임대주택의 임차인 자격 및 입주자 선정에 관한 사항은 「서울특별시 공공주택 건설 및 공급 등에 관한 조례 시행규칙」에서 정할 수 있다.

③ 법 제101조의5제2항에 따른 "시·도조례로 정하는 비율"은 법적상한초과용적률에서 정비계획용적률을 뺀 용적률의 100분의 50을 말한다. 다만, 지역여건 등을 고려하여 사업을 추진하기 어렵다고 인정된 경우 도시계획위원회 또는 도시재정비위원회 심의를 거쳐 100분의 40까지 완화할 수 있다. <신설 2021.9.30., 2021.12.30., 2023.12.29.>

④ 법 제101조의6제2항에 따른 "시·도조례로 정하는 비율"은 법 제101조의6제1항에 따라 완화된 용적률에서 정비계획용적률을 뺀 용적률의 100분의 50을 말한다. 다만, 지역여건 등을 고려하여 사업을 추진하기 어렵다고 인정된 경우 도시계획위원회 또는 도시재정비위원회 심의를 거쳐 100분의 40까지 완화할 수 있다. <신설 2021.9.30., 2021.12.30., 2023.12.29.> [제목개정 2021.9.30]

제31조【지정개발자의 정비사업비의 예치 등】 ① 법 제60조제1항에 따라 재개발사업의 지정개발자(지정개발자가 토지등소유자인 경우로 한정한다. 이하 이 조에서 같다)가 예치하여야 할 금액은 사업시행계획인가서의 정비사업비 100분의 10으로 한다.

② 구청장은 제1항에 따른 예치금을 납부하도록 지정개발자에게 통지하여야 한다.

③ 제2항에 따른 예치금의 납부통지를 받은 지정개발

건축관계법

국토계획법

주차장법

주 택 법

도시및주거
환경정비법

건축사법

장애인시설법

소방시설법

서울시조례

자는 예치금을 해당 자치구의 금고에 현금으로 예치하거나 다음 각 호의 보증서 등으로 제출할 수 있다.

1. 「보험업법」에 따른 보험회사가 발행한 보증보험 증권
2. 국가 또는 지방자치단체가 발행한 국채 또는 지방채
3. 「주택도시기금법」 제16조에 따른 주택도시보증공사가 발행한 보증서
4. 「건설산업기본법」 제54조에 따른 공제조합이 발행한 보증서

제32조【분양신청의 절차 등】 ① 영 제59조제1항제9호에서 "그 밖에 시·도조례로 정하는 사항"이란 다음 각 호의 사항을 말한다.

1. 법 제72조제4항에 따른 재분양공고 안내
2. 제44조제2항에 따른 보류지 분양 처분 내용

② 영 제59조제2항제3호에서 "그 밖에 시·도조례로 정하는 사항"이란 다음 각 호의 사항을 말한다.

1. 분양신청 안내문
2. 철거 및 이주 예정일

③ 법 제72조제3항에 따라 분양신청을 하고자 하는 자는 영 제59조제2항제2호에 따른 분양신청서에 다음 각 호의 서류를 첨부하여야 한다.

1. 종전의 토지 또는 건축물에 관한 소유권의 내역
2. 분양신청권리를 증명할 수 있는 서류
3. 법 제2조제11호 또는 이 조례에 따른 정관등에서 분양신청자격을 특별히 정한 경우 그 자격을 증명할 수 있는 서류
4. 분양예정 대지 또는 건축물 중 관리처분계획 기준의 범위에서 희망하는 대상·규모에 관한 의견서

제33조【관리처분계획의 내용】 영 제62조제6호에서 "그 밖에 시·도조례로 정하는 사항"이란 다음 각 호의 사항을 말한다.

1. 법 제74조제1항제1호의 분양설계에는 다음 각 목의 사항을 포함한다.
    가. 관리처분계획 대상물건 조서 및 도면
    나. 임대주택의 부지명세와 부지가액·처분방법 및 임대주택 입주대상 세입자명부(임대주택을 건설하는 정비구역으로 한정한다)
    다. 환지예정지 도면
    라. 종전 토지의 지적 또는 임야도면
2. 법 제45조제1항제10호에 따른 관리처분계획의 총회의결서 사본 및 법 제72조제1항에 따른 분양신청서(권리신고사항 포함) 사본
3. 법 제74조제1항제8호에 따른 세입자별 손실보상을 위한 권리명세 및 그 평가액과 영 제62조제1호에 따른 현금으로 청산하여야 하는 토지등소유자별 권

리명세 및 이에 대한 청산방법 작성 시 제67조에 따른 협의체 운영 결과 또는 법 제116조 및 제117조에 따른 도시분쟁조정위원회 조정 결과 등 토지등소유자 및 세입자와 진행된 협의 경과

4. 영 제14조제3항 및 이 조례 제12조제3항에 따른 현금납부액 산정을 위한 감정평가서, 납부방법 및 납부기한 등을 포함한 협약 관련 서류
5. 그 밖의 관리처분계획 내용을 증명하는 서류

제34조【관리처분계획의 수립 기준】 법 제74조제1항에 따른 정비사업의 관리처분계획은 다음 각 호의 기준에 적합하게 수립하여야 한다. (개정 2023.5.22.)

1. 종전 토지의 소유면적은 관리처분계획기준일 현재 「공간정보의 구축 및 관리 등에 관한 법률」 제2조제19호에 따른 소유토지별 지적공부(사업시행방식전환의 경우에는 환지예정지증명원)에 따른다. 다만, 1필지의 토지를 여러 명이 공유로 소유하고 있는 경우에는 부동산등기부(사업시행방식전환의 경우에는 환지예정지증명원)의 지분비율을 기준으로 한다.
2. 국·공유지의 점유연고권은 그 경계를 기준으로 실시한 지적측량성과에 따라 관계 법령과 정관 등이 정하는 바에 따라 인정한다.
3. 종전 건축물의 소유면적은 관리처분계획기준일 현재 소유건축물별 건축물 대장을 기준으로 하되, 법령에 위반하여 건축된 부분의 면적은 제외한다. 다만, 정관 등이 따로 정하는 경우에는 재산세과세대장 또는 측량성과를 기준으로 할 수 있다.
4. 종전 토지 등의 소유권은 관리처분계획기준일 현재 부동산등기부(사업시행방식전환의 경우에는 환지예정지증명원)에 따르며, 소유권 취득일은 부동산등기부상의 접수일자를 기준으로 한다. 다만, 특정무허가건축물(미사용승인건축물을 포함한다)인 경우에는 구청장 또는 동장이 발행한 기존무허가건축물확인원이나 그 밖에 소유자임을 증명하는 자료를 기준으로 한다.
5. 국·공유지의 점유연고권자는 제2호에 따라 인정된 점유연고권을 기준으로 한다.
6. 「건축법」 제2조제1항제1호에 따른 대지부분 중 국·공유재산의 감정평가는 법 <u>제74조제4항제1호</u>를 준용하며, 법 제98조제5항 및 제6항에 따라 평가한다.

제35조【감정평가업자의 선정기준 등】 법 <u>제74조제4항제</u>2호에 따라 구청장이 감정평가업자를 선정하는 기준·절차 및 방법은 다음 각 호와 같다. (개정 2023.5.22.)

1. 구청장은 「감정평가 및 감정평가사에 관한 법률」(이하 "감정평가법"이라 한다) 제2조제4호의 감정평가업자 중 같은 법 제29조에 따라 인가를 받은 감정

건축관계법

국토계획법

주차장법

주 택 법

도시및주거
환경정비법

건축사법

장애인시설법

소방시설법

서울시조례

평가법인으로부터 신청을 받아 다음 각 목의 평가항목을 평가하여 감정평가업자를 선정하며, 세부 평가기준은 별표 3과 같다.

가. 감정평가업자의 업무수행실적
나. 소속 감정평가사의 수
다. 기존평가참여도
라. 법규 준수 여부
마. 감정평가수수료 적정성
바. 감정평가계획의 적정성

2. 감정평가업자가 다음 각 목의 어느 하나에 해당하는 경우에는 선정에서 제외한다.

가. 감정평가법 제32조에 따른 업무정지처분 기간이 만료된 날부터 6개월이 경과되지 아니한 자
나. 감정평가법 제41조제1항에 따른 과징금 또는 같은 법 제52조에 따른 과태료 부과 처분을 받은 날부터 6개월이 경과되지 아니한 자
다. 「공익사업을 위한 토지 등의 취득 및 보상에 관한 법률」 제95조, 감정평가법 제49조 또는 제50조에 따른 벌금형 이상의 선고를 받고 1년이 경과되지 아니한 자

제36조 【재개발사업의 분양대상 등】 ① 영 제63조제1항제3호에 따라 재개발사업으로 건립되는 공동주택의 분양대상자는 관리처분계획기준일 현재 다음 각 호의 어느 하나에 해당하는 토지등소유자로 한다.

1. 종전의 건축물 중 주택(주거용으로 사용하고 있는 특정무허가건축물 중 조합의 정관등에서 정한 건축물을 포함한다)을 소유한 자
2. 분양신청자가 소유하고 있는 종전토지의 총면적이 90제곱미터 이상인 자
3. 분양신청자가 소유하고 있는 권리가액이 분양용 최소규모 공동주택 1가구의 추산액 이상인 자. 다만, 분양신청자가 동일한 세대인 경우의 권리가액은 세대원 전원의 가액을 합하여 산정할 수 있다.
4. 사업시행방식전환의 경우에는 전환되기 전의 사업방식에 따라 환지를 지정받은 자. 이 경우 제1호부터 제3호까지는 적용하지 아니할 수 있다.
5. 도시재정비법 제11조제4항에 따라 재정비촉진계획에 따른 기반시설을 설치하게 되는 경우로서 종전의 주택(사실상 주거용으로 사용되고 있는 건축물을 포함한다)에 관한 보상을 받은 자

② 제1항에도 불구하고 다음 각 호의 어느 하나에 해당하는 경우에는 여러 명의 분양신청자를 1명의 분양대상자로 본다.

1. 단독주택 또는 다가구주택을 권리산정기준일 후 다세대주택으로 전환한 경우

2. 법 제39조제1항제2호에 따라 여러 명의 분양신청자가 1세대에 속하는 경우
3. 1주택 또는 1필지의 토지를 여러 명이 소유하고 있는 경우. 다만, 권리산정기준일 이전부터 공유로 소유한 토지의 지분이 제1항제2호 또는 권리가액이 제1항제3호에 해당하는 경우는 예외로 한다.
4. 1필지의 토지를 권리산정기준일 후 여러 개의 필지로 분할한 경우
5. 하나의 대지범위에 속하는 동일인 소유의 토지와 주택을 건축물 준공 이후 토지와 건축물로 각각 분리하여 소유하는 경우. 다만, 권리산정기준일 이전부터 소유한 토지의 면적이 90제곱미터 이상인 자는 예외로 한다.
6. 권리산정기준일 후 나대지에 건축물을 새로 건축하거나 기존 건축물을 철거하고 다세대주택, 그 밖에 공동주택을 건축하여 토지등소유자가 증가되는 경우

③ 제1항제2호의 종전 토지의 총면적 및 제1항제3호의 권리가액을 산정함에 있어 다음 각 호의 어느 하나에 해당하는 토지는 포함하지 않는다.

1. 「건축법」 제2조제1항제1호에 따른 하나의 대지범위 안에 속하는 토지가 여러 필지인 경우 권리산정기준일 후에 그 토지의 일부를 취득하였거나 공유지분으로 취득한 토지
2. 하나의 건축물이 하나의 대지범위 안에 속하는 토지를 점유하고 있는 경우로서 권리산정기준일 후 그 건축물과 분리하여 취득한 토지
3. 1필지의 토지를 권리산정기준일 후 분할하여 취득하거나 공유로 취득한 토지

④ 제1항부터 제3항까지에도 불구하고 사업시행방식전환의 경우에는 환지면적의 크기, 공동환지 여부에 관계없이 환지를 지정받은 자 전부를 각각 분양대상자로 할 수 있다.

제37조 【단독주택재건축사업의 분양대상 등】 ① 단독주택재건축사업(대통령령 제24007호 도시 및 주거환경정비법 시행령 일부개정령 부칙 제6조에 따른 사업을 말한다. 이하 같다)으로 건립되는 공동주택의 분양대상자는 관리처분계획기준일 현재 다음 각 호의 어느 하나에 해당하는 토지등소유자로 한다.

1. 종전의 건축물 중 주택 및 그 부속토지를 소유한 자
2. 분양신청자가 소유하고 있는 권리가액이 분양용 최소규모 공동주택 1가구의 추산액 이상인 자. 다만, 분양신청자가 동일한 세대인 경우의 권리가액은 세대원 전원의 가액을 합하여 산정할 수 있다.

② 제1항에도 불구하고 다음 각 호의 어느 하나에 해당하는 경우에는 여러 명의 분양신청자를 1명의 분양대상자로 본다.

1. 단독주택 또는 다가구주택을 권리산정기준일 후 다세대주택으로 전환한 경우
2. 법 제39조제1항제2호에 따라 여러 명의 분양신청자가 1세대에 속하는 경우
3. 1주택과 그 부속토지를 여러 명이 소유하고 있는 경우
4. 권리산정기준일 후 나대지에 건축물을 새로 건축하거나 기존 건축물을 철거하고 다세대주택, 그 밖에 공동주택을 건축하여 토지등소유자가 증가되는 경우

제38조【주택 및 부대·복리시설 공급 기준 등】 ① 영 제63조제1항제7호에 따라 법 제23조제1항제4호의 방법으로 시행하는 주거환경개선사업, 재개발사업 및 단독주택재건축사업의 주택공급에 관한 기준은 다음 각 호와 같다. (개정 2023.5.22.)

1. 권리가액에 해당하는 분양주택가액의 주택을 분양한다. 이 경우 권리가액이 2개의 분양주택가액의 사이에 해당하는 경우에는 분양대상자의 신청에 따른다.
2. 제1호에도 불구하고 정관등으로 정하는 경우 권리가액이 많은 순서로 분양할 수 있다.
3. 법 제76조제1항제7호라목에 따라 2주택을 공급하는 경우에는 권리가액에서 1주택 분양신청에 따른 분양주택가액을 제외하고 나머지 권리가액이 많은 순서로 60제곱미터 이하의 주택을 공급할 수 있다.
4. 동일규모의 주택분양에 경합이 있는 경우에는 권리가액이 많은 순서로 분양하고, 권리가액이 동일한 경우에는 공개추첨에 따르며, 주택의 동·층 및 호의 결정은 주택규모별 공개추첨에 따른다.

② 영 제63조제1항제7호에 따라 법 제23조제1항제4호의 방법으로 시행하는 주거환경개선사업과 재개발사업으로 조성되는 상가 등 부대·복리시설은 관리처분계획기준일 현재 다음 각 호의 순위를 기준으로 공급한다. 이 경우 동일 순위의 상가 등 부대·복리시설에 경합이 있는 경우에는 제1항제4호에 따라 정한다.

1. 제1순위 : 종전 건축물의 용도가 분양건축물 용도와 동일하거나 비슷한 시설이며 사업자등록(인가·허가 또는 신고 등을 포함한다. 이하 이 항에서 같다)을 하고 영업을 하는 건축물의 소유자로서 권리가액(공동주택을 분양받은 경우에는 그 분양가격을 제외한 가액을 말한다. 이하 이 항에서 같다)이 분양건축물의 최소분양단위규모 추산액 이상인 자

2. 제2순위 : 종전 건축물의 용도가 분양건축물 용도와 동일하거나 비슷한 시설인 건축물의 소유자로서 권리가액이 분양건축물의 최소분양단위규모 추산액 이상인 자
3. 제3순위 : 종전 건축물의 용도가 분양건축물 용도와 동일하거나 비슷한 시설이며 사업자등록을 필한 건축물의 소유자로서 권리가액이 분양건축물의 최소분양단위규모 추산액에 미달되나 공동주택을 분양받지 않은 자
4. 제4순위 : 종전 건축물의 용도가 분양건축물 용도와 동일하거나 비슷한 시설인 건축물의 소유자로서 권리가액이 분양건축물의 최소분양단위규모 추산액에 미달되나 공동주택을 분양받지 않은 자
5. 제5순위 : 공동주택을 분양받지 않은 자로서 권리가액이 분양건축물의 최소분양단위규모 추산액 이상인 자
6. 제6순위 : 공동주택을 분양받은 자로서 권리가액이 분양건축물의 최소분양단위규모 추산액 이상인 자

제39조【관리처분계획의 타당성 검증 비용 예치 등】 ① 구청장은 법 제78조제3항에 따라 관리처분계획의 타당성 검증을 공공기관에 요청하기 전에 사업시행자에게 타당성 검증에 필요한 비용을 미리 예치하도록 통지한다.

② 구청장은 타당성 검증이 끝난 경우 예치된 금액에서 타당성 검증 비용을 직접 지급한 후 나머지 비용을 사업시행자와 정산하여야 한다.

③ 법 제78조제3항제3호에 따라 관리처분계획의 타당성 검증을 요청할 때에는 별지 제3호서식의 관리처분계획 타당성 검증요청서에 별지 제4호서식의 검증요청 동의서를 첨부하여 구청장에게 제출하여야 한다.

제40조【일반분양】 법 제79조제2항에 따라 토지등소유자에게 공급하는 주택과 제44조에 따른 처분 보류지를 제외한 대지 및 건축물(이하 "체비시설"이라 한다)은 법 제79조제4항에 따라 조합원 또는 토지등소유자 이외의 자에게 분양할 수 있으며 분양기준은 다음 각 호에 따른다.(개정 2021.12.30.)

1. 체비시설 중 공동주택은 법 제74조제1항제4호가목에 따라 산정된 가격을 기준으로 「주택법」 및 「주택공급에 관한 규칙」에서 정하는 바에 따라 일반에게 분양한다.
2. 체비시설 중 부대·복리시설은 법 제74조제1항제4호라목에 따라 산정된 가격을 기준으로 「주택법」 및 「주택공급에 관한 규칙」에서 정하는 바에 따

건축관계법

국토계획법

주차장법

주 택 법

도시및주거
환경정비법

건축사법

장애인시설법

소방시설법

서울시조례

건축관계법

국토계획법

주차장법

주 택 법

도시및주거
환경정비법

건축사법

장애인시설법

소방시설법

서울시조례

라 분양한다. 다만, 세입자(정비구역의 지정을 위한 공람공고일 3개월 전부터 사업시행계획인가로 인하여 이주하는 날까지 계속하여 영업하고 있는 세입자를 말한다)가 분양을 희망하는 경우에는 다음 각 목의 순위에 따라 우선 분양한다.

　가. 제1순위 : 종전 건축물의 용도가 분양건축물 용도와 동일하거나 비슷한 시설인 건축물의 세입자로서 사업자등록을 필하고 영업한 자

　나. 제2순위: 종전 건축물의 용도가 분양건축물 용도와 동일하거나 비슷한 시설인 건축물의 세입자로서 영업한 자

3. 제1호 및 제2호에도 불구하고 구청장은 재정비촉진지구에서 도시계획사업으로 철거되는 주택을 소유한 자(철거되는 주택 이외의 다른 주택을 소유하지 않은 자로 한정한다)가 인근 정비구역의 주택분양을 희망하는 경우에는 「주택공급에 관한 규칙」 제 36조에 따라 특별공급하도록 한다.

제41조【재개발임대주택 인수가격 및 가산항목 등】 ① 영 제68조에 따른 재개발임대주택(이하 "임대주택"이라 한다)의 인수가격은 건축비와 부속토지의 가격을 합한 금액으로 한다. 이 경우 건축비는 조합이 최초 일반분양 입주자 모집공고 당시의 「공공건설임대주택 표준건축비」에 따른다. 단, 「공공건설임대주택 표준건축비」가 개정되는 경우에는 개정고시일 이후의 잔여 건축공정률에 개정된 표준건축비를 적용하여 건축비를 산정할 수 있다. <개정 2023.12.29.>

② 영 제68조제2항에 따른 임대주택 건축비 및 부속토지의 가격에 가산할 항목은 「공동주택 분양가격의 산정 등에 관한 규칙」 제9조의2 및 「공공주택 특별법 시행규칙」 별표 7에 따라 협의하여 정한다.

③ 제1항에도 불구하고 사업시행자가 장기전세주택 등 임대주택의 건립을 선택하여 용적률을 완화 받은 경우에는 인수자에게 부속토지를 무상으로 제공하여야 한다.

④ 영 제68조제2항에 따른 재개발임대주택의 부속토지는 임대주택의 대지권(「집합건물의 소유 및 관리에 관한 법률」 제2조제6호의 대지사용권으로서 건물과 분리하여 처분할 수 없는 것을 말한다)의 대상이 되는 토지를 말한다. 이 경우 정비구역 지정 시 별도 획지로 구획하여 재개발임대주택을 건설하는 경우에는 그 획지를 말한다.

제42조【임대주택 인수방법 및 절차 등】 ① 시장은 법 제79조제5항에 따라 조합이 재개발사업의 시행으로 건설된 임대주택(대지 및 부대·복리시설을 포함한다. 이하 같다)의 인수를 요청하는 경우 제41조제1항 및

제2항에 따라 산정된 인수가격으로 조합과 매매계약(이하 "매매계약"이라 한다)을 체결하여야 한다.

② 조합은 사업시행계획인가 이후 임대주택 건설계획 및 매매가격 산출내역(변경을 포함한다) 등 관련서류를 구청장에게 제출하고 구청장은 이를 시장과 협의하여야 한다.

③ 조합은 제2항에 따라 협의된 매매가격을 관리처분계획에 반영하여야 한다.

④ 시장과 조합은 최초 일반분양 입주자 모집공고를 하는 때에 임대주택 매매계약을 체결하여야 한다.

⑤ 제4항에도 불구하고 시장은 정비사업 활성화 등 필요시 예산의 범위에서 매매계약 시점을 조정할 수 있다.

⑥ 시장은 매매계약에 따른 임대주택의 인수대금을 다음 각 호와 같이 지급한다. <개정 2023.12.29.>

1. 계약금은 매매계약을 체결하는 경우 총액의 5퍼센트 지급

2. 중도금은 건축공정에 따라 5회에 걸쳐 분할 지급하되, 건축공정의 20퍼센트, 35퍼센트, 50퍼센트, 65퍼센트, 80퍼센트 이상인 때에 각각 총액의 15퍼센트를 지급

3. 잔금은 법 제83조에 따른 준공인가(준공인가전 사용허가 포함) 후에 총액의 15퍼센트를 지급하고, 나머지는 법 제86조에 따른 이전고시일 이후에 지급

⑦ 시장은 임대주택 인수에 필요한 사항은 별도로 정할 수 있다.

⑧ 제28조제1항에 따라 공사를 사업시행자로 지정하여 건설하고자 하는 임대주택부지의 매매계약 및 대금의 지급방법은 다음 각 호와 같다. (개정 2020.12.31.)

1. 임대주택 부지의 매매계약은 정비구역의 대지조성을 완료한 후에 해당 사업시행자와 시장이 체결한다.

2. 매매가격은 영 제68조제2항에 따른 산정가격으로 한다.

3. 매매대금은 계약금·중도금 및 잔금으로 구분하여 다음과 같이 지급한다.

　가. 계약금은 부지의 매매계약을 체결하는 때에 총액의 20퍼센트를 지급

　나. 중도금은 총액의 75퍼센트로 하되, 사업시행자가 임대부지의 현황측량을 하여 인계·인수한 이후에 지급

　다. 잔금은 법 제86조에 따른 이전고시일 이후에 지급

⑨ 사업시행자가 주거지보전사업으로 임대주택을 건설하는 경우 임대주택의 매매계약 체결 및 시기, 매매가격 및 대금 지급방법은 다음 각 호와 같다.

건축관계법
국토계획법
주차장법
주 택 법
도시및주거
환경정비법
건축사법
장애인시설법
소방시설법
서울시조례

1. 매매계약은 임대주택의 착공신고를 한 때에 시장과 해당 사업시행자가 체결한다.
2. 매매가격은 영 제68조제2항에 따라 정하되, 건축비의 가격에 가산할 항목은 시장과 사업시행자가 협의하여 따로 정할 수 있고, 관리처분계획인가로 확정한다. 이 경우 해당 사업시행계획인가 고시가 있는 날을 기준으로 감정평가업자 둘 이상이 평가한 금액을 산술평균한 금액을 초과하지 못한다.
3. 매매대금은 계약금·중도금 및 잔금으로 구분하여 다음과 같이 지급한다.
   가. 계약금은 매매계약 체결하는 때에 총액의 20퍼센트를 지급
   나. 중도금은 사업시행자가 임대주택 부지의 대지조성을 완료하고, 현황측량 실시 결과를 시장에게 인계한 이후에 총액의 60퍼센트를 지급
   다. 잔금은 법 제83조에 따른 준공인가 이후에 총액의 15퍼센트를 지급하고, 나머지는 법 제86조에 따른 이전고시일 이후에 지급

제43조【주거환경개선사업의 주택공급대상에서 제외되는 자】 영 제66조 별표 2 제2호 단서에 따라 주택공급에서 제외하는 자는 토지면적이 90제곱미터에 미달하는 토지소유자로 한다.

제44조【보류지 등】 ① 사업시행자는 제38조에 따라 주택 등을 공급하는 경우 분양대상자의 누락·착오 및 소송 등에 대비하기 위하여 법 제79조제4항에 따른 보류지(건축물을 포함한다. 이하 같다)를 다음 각 호의 기준에 따라 확보하여야 한다.
1. 법 제74조 및 제79조에 따른 토지등소유자에게 분양하는 공동주택 총 건립세대수의 1퍼센트 범위의 공동주택과 상가 등 부대·복리시설의 일부를 보류지로 정할 수 있다.
2. 사업시행자가 제1호에 따른 1퍼센트의 범위를 초과하여 보류지를 정하려면 구청장에게 그 사유 및 증명 서류를 제출하여 인가를 받아야 한다.
② 제1항에 따른 보류지는 다음의 기준에 따라 처분하여야 한다.
1. 분양대상의 누락·착오 및 소송 등에 따른 대상자 또는 제27조제2항제3호에 따른 적격세입자에게 우선 처분한다.
2. 보류지의 분양가격은 법 제74조제1항제3호를 준용한다.
3. 제1호에 따라 보류지를 처분한 후 잔여분이 있는 경우에는 제40조에 따라 분양하여야 한다.

제45조【주거환경개선사업의 임대보증금·임대료】 영 제69

조제1항 별표 3 제1호다목2)에 따른 주거환경개선구역의 임대주택의 임대보증금 및 임대료에 관하여는 임대주택법령의 관련규정에 따른다.

제46조【재개발사업의 임대주택 공급대상자 등】 ① 영 제69조제1항 별표 3 제2호가목4)에서 "시·도조례로 정하는 자"란 다음 각 호의 어느 하나에 해당하는 자를 말한다. (개정 2021.9.30.)
1. 해당 정비구역에 거주하는 세입자로서 세대별 주민등록표에 등재된 날을 기준으로 영 제13조에 따른 정비구역의 지정을 위한 공람공고일(1996년 6월 30일 이전 지정된 정비구역은 사업계획결정고시일, 사업시행방식전환의 경우에는 전환을 위한 공람공고일을 말한다. 다만, 공공재개발사업의 경우 공공시행자를 지정한 날 또는 공공재개발사업을 추진하기 위해 정비구역을 지정하거나 변경한 날 중 빠른 날을 말한다. 이하 이 조에서 "기준일"이라 한다) 3개월 전(「국민기초생활 보장법」 제2조제2호에 따른 수급자는 사업시행계획인가 신청일 전)부터 사업시행계획인가로 인하여 이주하는 날(법 제81조제3항에 따라 건축물을 철거하는 경우 구청장의 허가를 받아 이주하는 날)까지 계속하여 거주하고 있는 무주택세대주(다만, 신발생무허가건축물에 거주하는 세입자는 제외한다) 및 해당 정비구역에 거주하는 토지등소유자로서 최소분양주택가액의 4분의 1보다 권리가액이 적은 자 중 해당 정비사업으로 인해 무주택자가 되는 세대주
2. 해당 정비구역의 주택을 공급받을 자격을 가진 분양대상 토지등소유자로서 분양신청을 포기한 자(철거되는 주택 이외의 다른 주택을 소유하지 않은 자로 한정한다)
3. 소속 대학의 장(총장 또는 학장)의 추천에 따라 선정된 저소득가구의 대학생(제8조제1항제2호에 따라 임대주택을 계획한 해당구역으로 한정한다)
4. 해당 정비구역 이외의 재개발구역 안의 세입자로서 제1호 또는 토지등소유자로서 제2호에 해당하는 입주자격을 가진 자
5. 해당 정비구역에 인접하여 시행하는 도시계획사업(법·영·시행규칙 및 이 조례에 따른 정비사업을 제외한다)으로 철거되는 주택의 소유자 또는 무주택세대주로서 구청장이 추천하여 시장이 선정한 자
6. 그밖에 규칙으로 정하는 자
② 제1항제1호에 따른 공급대상자 세대의 판단기준은 다음 각 호와 같다.
1. 기준일 3개월 이전부터 임대주택 입주 시까지 세대별 주민등록표에 부부 또는 직계 존·비속으로 이루어

국토계획법

주차장법

주 택 법

도시및주거
환경정비법

건축사법

장애인시설법

소방시설법

서울시조례

진 세대. 이 경우 이혼모가 직계 존·비속이었던 사람과 동거하고 있는 세대를 포함한다.

2. 관할 구청장이 소년·소녀 가장세대로 정한 세대로서 가족 2명 이상이 세대별 주민등록표에 등재된 세대

3. 형제자매 등으로만 이루어진 세대로서 가족 2명 이상이 세대별 주민등록표에 등재된 세대. 이 경우 세대주가 30세 이상이거나 「소득세법」 제4조에 따른 소득이 있는 사람이어야 한다.

4. 기준일 3개월 이전부터 이주 시까지 세대별 주민등록표상에 배우자 및 직계 존·비속인 세대원이 없는 세대인 경우에는 세대주가 30세 이상이거나 「소득세법」 제4조에 따른 소득이 있는 자이어야 한다. 다만, 가옥주와 동일 가옥 거주자로서 주민등록표상 분리세대는 제외하며, 동일 가옥에 주민등록표상 여러 세대인 경우 하나의 임대주택만 공급한다.

③ 영 제69조제1항 별표 3 제2호나목에 따라 재개발사업의 임대주택은 다음 각 호의 순위에 따라 공급한다.

1. 제1순위: 제1항제1호에 해당하는 자
2. 제2순위: 제1항제2호에 해당하는 자
3. 제3순위: 제1항제3호에 해당하는 자
4. 제4순위: 제1항제4호에 해당하는 자
5. 제5순위: 제1항제5호에 해당하는 자
6. 제6순위: 제1항제6호에 해당하는 자

④ 제1항제3호 및 제3항제3호에 따라 공급하는 임대주택은 소속 대학의 장(총장 또는 학장)이 추천하는 학생으로서 다음 각 호의 순위에 따라 재학기간으로 한정하여 공급한다.

1. 제1순위: 아동복지시설에서 퇴거한 대학생
2. 제2순위: 기초생활수급자 자녀의 대학생
3. 제3순위: 차상위계층 자녀의 대학생

⑤ 제3항에 따른 같은 순위에서 경쟁이 있는 때에는 해당 정비구역에서 거주한 기간이 오래된 순으로 공급한다.

제47조 【공사완료의 고시】 구청장은 영 제74조제1항 단서에 따라 사업시행자(공동시행자인 경우를 포함한다)가 토지주택공사인 경우로서 「한국토지주택공사법」 제19조제3항 및 같은 법 시행령 제41조제2항에 따라 준공인가 처리결과를 구청장에게 통보한 경우에는 영 제74조제2항 각 호의 사항을 해당 자치구의 공보에 고시하여야 한다.

제4장 사업시행계획인가 및 관리처분계획인가 시기조정

제48조 【정의】 이 장에서 사용하는 용어의 뜻은 다음과 같다.

1. "주변지역"이란 사업시행구역이 위치한 자치구와 행정경계를 접하는 자치구를 말한다.

2. "주택재고량"이란 시장이 통계청 인구주택총조사를 기준으로 매 분기까지 주택공급과 주택멸실을 고려하여 작성한 주택의 재고량을 말한다.

3. "조정대상구역"이란 서울특별시 주거정책심의위원회(이하 "주거정책심의회"라 한다)의 심의를 거쳐 사업시행계획인가 또는 관리처분계획인가 시기조정 대상으로 확정된 정비구역을 말한다.

4. "시기조정자료"란 해당 구역의 현황 및 추진상황, 예상 이주시기 및 이주가구, 주택의 멸실 및 공급량을 말한다.

제49조 【시기조정사유 등】 ① 법 제75조제1항에서 "특별시·광역시 또는 도의 조례로 정하는 사유"란 다음 각 호의 어느 하나에 해당하는 경우(이하 "심의대상구역"이라 한다)를 말한다. (개정 2021.12.30.)

1. 정비구역의 기존 주택 수가 자치구 주택 재고 수의 1퍼센트를 초과하는 경우

2. 정비구역의 기존 주택 수가 2,000호를 초과하는 경우

3. 정비구역의 기존 주택 수가 500호를 초과하고, 같은 법정동에 있는 1개 이상의 다른 정비구역(다음 각 목 중 하나에 해당)의 기존 주택 수를 더한 합계가 2,000 호를 초과하는 경우

가. 해당구역의 인가 신청일을 기준으로 최근 6개월 이내 관리처분계획인가를 신청하였거나, 관리처분계획인가를 받은 구역

나. 조정대상구역 중 이주가 완료되지 않은 구역

② 심의대상구역 중 다음 각 호의 어느 하나에 해당하는 경우 조정대상구역으로 정할 수 있다.

1. 주변지역의 주택 멸실량이 공급량을 30퍼센트를 초과하는 경우

2. 주변지역의 주택 멸실량이 공급량을 2,000호를 초과하는 경우

3. 그밖에 주택시장 불안정 등을 고려하여 주거정책심의회에서 인가 시기의 조정이 필요하다고 인정하는 경우

제50조 【시기조정자료】 ① 구청장은 해당 자치구의 주택공급, 멸실 현황 및 예측, 정비사업 추진현황 및 계획(제49조제1항제3호에 따른 심의대상구역 해당여부를 포

건축관계법

국토계획법

주차장법

주 택 법

도시및주거
환경정비법

건축사법

장애인시설법

소방시설법

서울시조례

함한다), 전세가격 동향 등을 매월 말일까지 작성하여 시장에게 제출하여야 한다.

② 시장은 구청장이 제출한 시기조정자료 등을 기초로 자치구별 주택 재고량을 매 분기별 공고하여야 한다.

③ 구청장은 정비구역의 사업시행계획인가 또는 관리처분계획인가 신청 이전이라도 시기조정자료를 사업시행자에게 요청할 수 있다.

④ 시장은 시기조정에 필요한 세부기준을 별도로 정하여 운영할 수 있다.

제51조【시기조정 절차 및 방법】 ① 구청장은 심의대상구역의 사업시행자가 사업시행계획인가 또는 관리처분계획인가를 신청하는 경우에는 시기조정자료와 검토의견을 작성하여 시장에게 심의를 신청하여야 한다.

② 시장은 심의대상구역의 사업시행계획인가 또는 관리처분계획인가 시기에 대하여 주거정책심의회의 심의를 거쳐 조정여부 및 조정기간 등을 결정한다.

③ 시장은 제2항에 따른 결정사항을 심의신청일로부터 60일 이내 구청장에게 서면으로 통보하며, 구청장은 특별한 사유가 없으면 결정사항에 따라야 한다.

④ 구청장은 제2항에 따라 결정된 조정기간이 경과되면 인가를 할 수 있다.

⑤ 조정대상구역의 사업시행자는 사업시행계획인가 조정기간 중이라도 공공지원자와 협의하여 시공자를 선정할 수 있다.

제5장 비용의 부담 등

제52조【정비기반시설 등의 비용 보조 등】 ① 시장은 법 제92조제2항 및 영 제77조에 따라 다음 각 호의 어느 하나에 해당하는 정비기반시설의 설치비용의 전부 또는 일부를 구청장에게 지원할 수 있다.

1. 주택정비형 재개발구역 안의 「도로법」 제48조에 따른 자동차전용도로, 「도로의 구조·시설 기준에 관한 규칙」 제3조에 따른 주간선도로, 보조간선도로 및 「도시공원 및 녹지 등에 관한 법률」 제15조에 따른 도시공원(소공원·어린이공원은 제외한다)

2. 다음 각 목의 어느 하나에 해당하는 사유로 시행하는 도시정비형 재개발구역 안에 설치하는 주요 정비기반시설

가. 천재지변 등의 사유로 긴급히 사업을 시행할 필요가 있는 경우

나. 시장이 시행하는 도시계획사업과 연계하여 사업을 시행할 필요가 있는 경우

다. 문화유산 보존을 위하여 문화재 등의 주변지역에 정비사업을 시행함으로써 건축규모가 제한되는 경우

라. 공공건축물의 건축 및 그 밖의 지역경제 활성화를 위하여 구청장이 시장과 사전 협의하여 사업을 시행하는 경우

마. 수복형(「2025 서울특별시 도시·주거환경정비기본계획(도시환경정비사업부문)」에 따른 소단위 정비형을 말한다) 정비방식(지역의 특성과 장소성을 유지·보전하면서 노후한 건축물과 취약한 도시환경을 점진적으로 정비하는 방식)으로 시행하는 경우

② 시장은 법 제95조에 따라 다음 각 호의 어느 하나에 해당하는 경우 정비기반시설의 설치비용의 일부를 사업시행자에게 보조할 수 있다. (개정 2023.7.24.)

1. 주거환경개선구역에 설치하는 주요 정비기반시설과 공동이용시설 건설(관리형 주거환경개선구역에 한한다)에 드는 비용

2. 주택정비형 재개발구역 안에서 다음 각 호의 어느 하나에 해당하는 정비기반시설 설치비용(이하 "설치비용"이라 한다)

가. 너비 8미터 이상의 도시계획시설도로

나. 소공원, 어린이공원 및 녹지, 공공공지, 광장

다. 공용주차장

라. 시장이 인정하는 다음 각 목의 지역에서 지형 등에 어울리는 중저층 등 다양한 주거지조성을 목적으로 재개발사업을 시행할 경우에는 8미터 미만의 도시계획시설도로

1) 해발 40미터 이상의 구릉지로서 정비사업이 추진되는 지역

2) 경관보존이 필요한 지역

3) 최고 7층 이하의 저밀도개발지역

③ 사업시행자가 제2항제2호에 따라 정비기반시설 설치비용을 보조받기 위해서는 규칙으로 정하는 서류를 작성하여 구청장에게 신청하고 구청장은 이를 시장과 협의하여야 하며, 구청장은 법 제56조에 따른 사업시행계획인가 공람 전에 그 결과를 사업시행자에게 통보하여야 한다. 이 경우 설치비용 보조 대상은 「건축법」 제21조에 따른 착공신고 이전에 사업시행계획인가(변경인가를 포함한다)를 받은 구역으로 한정한다.

④ 설치비용 보조금은 제3항에 따라 통보한 금액의 범위에서 준공 후 교부한다.

건축관계법

국토계획법

주차장법

주 택 법

도시및주거
환경정비법

건축사법

장애인시설법

소방시설법

서울시조례

⑤ 제3항 및 제4항에 따른 설치비용 보조금의 산정기준과 신청·통보·교부의 세부절차 및 방법 등에 대하여 필요한 사항은 시장이 규칙으로 정할 수 있다.

⑥ 구청장은 법 제96조에 따라 사업시행자가 설치하여야 하는 정비기반시설의 설치부지가 일부만 확보되어 사업시행자가 정비기반시설을 설치하여도 해당 시설이 제기능을 발휘할 수 없거나 시설이용의 효율성이 미흡할 것으로 판단되는 경우에 사업시행자에게 해당 정비기반시설의 설치비용을 해당 자치구의 구금고에 예치하게 할 수 있다.

⑦ 시장은 법 제8조제5항에 따라 구청장이 정비계획을 입안하는 경우 규칙에서 정하는 범위에서 필요한 비용을 지원할 수 있다.

⑧ 시장은 주거환경 보전을 위해 정비구역(재건축구역은 제외한다) 내에 다음 각 호의 어느 하나에 해당하는 지역에 일부 주택을 존치하는 경우 토지등소유자에게 예산의 범위에서 공사비용의 2분의 1까지 주택개량비용을 보조할 수 있다. 이 경우 시장은 그 보조대상 및 방법 등을 정할 수 있다.

1. 역사·문화적 특성 보전이 필요한 지역

2. 경관지구·고도지구와 같은 규제지역

⑨ 시장은 주택정비형 재개발구역 중 제8조제8호에 따라 역사·문화자원의 보전 및 활용계획을 정비계획에 반영한 정비구역 중 시장이 필요하다고 인정하는 경우 옛길, 옛물길 및 한옥 보전 등에 따른 사업비용을 예산의 범위에서 지원할 수 있다.

제53조【사업비의 융자 등】 ① 시장은 도시의 기능회복 등을 위하여 도시정비형 재개발사업을 시행하는 자에게 다음 각 호의 범위에서 정비사업에 소요되는 비용의 일부를 융자할 수 있다.

1. 구청장이 시행하는 사업은 건축공사비의 80퍼센트 이내

2. 구청장 이외의 자가 시행하는 사업은 건축공사비의 40퍼센트 이내

② 영 제79조제5항제5호에서 "그 밖에 시·도조례로 정하는 사항"이란 추진위원회·조합의 운영자금 및 설계비 등 용역비를 말한다.

③ 융자는 영 제79조제5항에서 정하는 범위에서 다음 각 호의 기준에 따라 할 수 있다.

1. 융자금에 대한 대출 이율은 한국은행의 기준금리를 고려하여 정책자금으로서의 기능을 유지하는 수준에서 시장이 정하되, 추진위원회 및 조합의 운영자금 및 용역비 등 융자 비목에 따라 대출이율을 차등 적용할 수 있다.

2. 사업시행자는 정비사업의 준공인가 신청 전에 융자금을 상환하여야 한다.

④ 추진위원회 또는 조합은 총회의 의결을 거쳐 시장에게 융자를 신청할 수 있으며, 다음 각 호의 내용이 포함된 운영규정 또는 정관을 제출하여야 한다.

1. 융자금액 상환에 관한 사항

2. 융자 신청 당시 담보 등을 제공한 추진위원장 또는 조합장 등이 변경될 경우 채무 승계에 관한 사항

⑤ 시장은 관리형 주거환경개선사업구역의 주택개량 및 신축공사비를 80퍼센트 이내에서 융자할 수 있다.

⑥ 제2항부터 제4항까지에서 정한 것 이외에 융자에 관하여 필요한 사항은 규칙으로 정한다.

제54조【정비기반시설 및 토지 등의 귀속】 ① 법 제97조제3항제4호에 따른 공유재산 중 사업시행자에게 무상으로 양도되는 도로는 일반인의 통행에 제공되어 실제 도로로 이용하고 있는 부지를 말한다. 이 경우 같은 법 제97조제1항에 따라 구청장 또는 토지주택공사등에게 무상으로 귀속되는 경우도 포함한다.

② 시장은 무상양도(귀속)에 필요한 도로의 기준 등을 정할 수 있다.

제55조【국·공유지의 점유·사용 연고권 인정기준 등】 ① 법 제98조제4항에 따라 정비구역의 국·공유지를 점유·사용하고 있는 건축물소유자(조합 정관에 따라 조합원 자격이 인정되지 않은 경우와 신발생무허가건축물을 제외한다)에게 우선 매각하는 기준은 다음 각 호와 같다. 이 경우 매각면적은 200제곱미터를 초과할 수 없다.

1. 점유·사용인정 면적은 건축물이 담장 등으로 경계가 구분되어 실제사용하고 있는 면적으로 하고, 경계의 구분이 어려운 경우에는 처마 끝 수직선을 경계로 한다.

2. 건축물이 사유지와 국·공유지를 점유·사용하고 있는 경우에 매각면적은 구역 내 사유지면적과 국·공유지 면적을 포함하여야 한다.

② 제1항에 따른 점유·사용 면적의 산정은 「공간정보의 구축 및 관리 등에 관한 법률」에 따른 지적측량 성과에 따른다.

③ 국·공유지를 점유·사용하고 있는 자로서 제1항에 따라 우선 매수하고자 하는 자는 관리처분계획인가신청을 하는 때까지 해당 국·공유지의 관리청과 매매계약을 체결하여야 한다.

제56조【공동이용시설 사용료 면제를 위한 공익 목적 기준 등】 ① 법 제100조에 따라 관리형 주거환경개선구역 내 공동이용시설의 사용료를 면제하기 위한 "공익 목적의 기준"이란 다음 각 호의 어느 하나에 해당하는 기준을 말한다.

건축관계법

국토계획법

주차장법

주 택 법

도시및주거
환경정비법

건축사법

장애인시설법

소방시설법

서울시조례

1. 주거환경을 보호 및 정비하고 주민의 건강, 안전, 이익을 보장하며, 지역사회가 당면한 문제를 해결하는 활동일 것
2. 복지, 의료, 환경 등의 분야에서 사회서비스 또는 일자리 제공을 통해 지역경제를 활성화하여 지역 주민의 삶의 질을 높이는 활동일 것

② 법 제100조에 따라 공동이용시설의 사용료를 면제할 수 있는 대상은 다음 각 호와 같다.
1. 구청장
2. 주민공동체운영회
3. 제1항의 공익 목적의 달성을 위해 주민공동체운영회와 연계되어 지역주민 주도로 구성된 조직

③ 제1항 및 제2항에 따라 공동이용시설의 사용료를 면제받는 대상은 기존상권을 침해하지 않는 범위에서 지역에서 요구되는 수익시설을 운영할 수 있으며, 수익금 창출 시 이를 마을기금으로 적립하고 제1항의 공익 목적의 달성을 위하여 투명하게 활용하여야 한다.

④ 시장은 제3항에 따른 마을기금의 적립, 사용 등에 관해서는 제61조를 준용하여 지도·감독할 수 있다.

제57조【주거환경개선구역 안의 국·공유지의 관리처분】
① 법 제101조제5항에 따라 사업시행자에게 양여된 주거환경개선구역 안의 국·공유지의 관리처분에 관하여는 「서울특별시 공유재산 및 물품 관리 조례」 제26조제3항 및 제36조와 「공유재산 및 물품 관리법 시행령」 제80조를 준용한다. <개정 2023.12.29.>
② 관리청은 양여된 토지를 처분하는 경우 해당 주거환경개선사업이 취소되는 때에는 해당 토지의 처분계약을 해제하는 특약을 등기하여야 한다.

제6장 관리형 주거환경개선사업의 주민협의체 및 주민공동체운영회

제58조【정의】 이 장에서 사용하는 용어의 뜻은 다음과 같다.
1. "주민"이란 관리형 주거환경개선사업이 예정된 구역 또는 관리형 주거환경개선구역의 토지등소유자 및 세입자를 말한다.
2. "주민협의체"란 정비계획을 수립하기 위해 주민, 관련 전문가 및 이해관계자 등으로 구성된 조직을 말한다.
3. "주민공동체운영회"란 관리형 주거환경개선사업의 정비구역 지정 후 물리적·사회적·경제적 측면의 도시

재생 추진을 위해 주민, 관련 전문가 및 이해관계자 등으로 구성된 조직을 말한다.

제59조【주민공동체운영회의 구성과 운영 등】 ① 주민공동체운영회를 구성하려면 구역 내 거주하는 주민의 10분의 1 이상의 동의를 받아 구청장의 승인을 받아야 한다. 다만, 주민공동체운영회 구성에 필요한 동의를 받지 못한 경우 구청장이 주민공동체운영회를 구성할 수 있다.
② 주민공동체운영회를 구성하는 때에는 운영규약을 작성하여야 하며, 운영규약을 변경하는 경우 구청장의 승인을 받아야 한다.
③ 시장은 주민공동체운영회의 운영, 위원 선임방법 및 절차 등 운영규약 작성에 필요한 사항을 포함한 주민공동체운영회 표준운영규약을 정할 수 있다.

제60조【주민공동체운영회 등의 지원】 시장 및 구청장은 관리형 주거환경개선구역 또는 예정된 구역에서 주민 역량 강화 및 주민공동체 활성화를 위해 주민공동체운영회 및 주민협의체의 구성 및 운영 등에 필요한 비용의 일부를 예산의 범위에서 지원할 수 있다.

제61조【주민공동체운영회의 지도·감독】 ① 시장은 주민공동체운영회에 대하여 지원 경비 및 주민공동이용시설 운영 사무와 관련하여 필요한 사항을 보고하게하거나 업무 지도·감독에 필요한 서류, 시설 등을 검사할 수 있다.
② 시장은 제1항의 보고·검사결과 사무 처리가 위법 또는 부당하다고 인정될 때에는 시정명령을 할 수 있다.
③ 시장은 제2항에 따라 시정명령을 할 경우 문서로 주민공동체운영회에 통보하고 사전에 의견진술의 기회를 주어야 한다.
④ 시장은 주민공동체운영회가 제2항에 따른 시정명령을 이행하지 않을 경우 지원 경비 환수 또는 공동이용시설 관리주체 변경 등의 조치를 할 수 있다.

제5장 감독 등

제62조【정비사업 추진실적 보고】 ① 법 제111조제1항에 따라 구청장은 다음 각 호의 추진실적을 해당 처분이 있는 날부터 10일 이내 시장에게 보고하여야 한다.
1. 법 제24조·제25조·제26조·제27조에 따른 사업시행자 지정 및 고시
2. 법 제28조에 따른 사업대행개시결정 및 고시

건축관계법

국토계획법

주차장법

주 택 법

도시및주거
환경정비법

건축사법

장애인시설법

소방시설법

서울시조례

3. 법 제31조에 따른 추진위원회의 승인

4. 법 제35조에 따른 조합의 설립(변경)인가(신고수리)

5. 법 제50조에 따른 사업시행계획(변경·중지·폐지)인가(신고수리) 및 고시

6. 법 제74조·제78조에 따른 관리처분계획(변경)인가(신고수리) 및 고시

7. 법 제79조제4항 및 「주택공급에 관한 규칙」 제20조에 따른 일반분양을 위한 입주자 모집승인

8. 법 제83조에 따른 준공인가(준공인가 전 사용허가 포함) 및 공사완료 고시

9. 제11조제2항에 따른 정비계획의 경미한 변경 지정 및 고시

② 법 제111조제1항에 따라 구청장은 다음 각 호의 사항을 매 분기가 끝나는 날부터 7일 이내 시장에게 보고하여야 한다.

1. 법 제111조제2항에 따른 자료제출의 명령 또는 업무 조사의 내용

2. 법 제112조에 따라 사업시행자로부터 보고된 회계감사 결과의 내용

3. 법 제113조제1항에 따른 감독처분 현황

4. 법 제113조제2항에 따른 점검반 구성 및 현장조사 결과 내용

③ 법 제111조제1항에 따라 구청장은 제86조제2항에 따른 조합의 해산 및 청산에 관한 계획과 추진사항을 매 반기가 끝나는 날로부터 7일 이내에 시장에게 보고하여야 한다. (신설 2023.7.24.)

④ 구청장은 「주택공급에 관한 규칙」 제57조에 따라 같은 규칙 제2조제7호나목에 따른 관리처분계획인가일 당시 입주대상자로 확정된 조합원명단을 전산관리지정기관에 통보하여야 한다. (개정 2023.7.24.)

제63조【교육의 실시 및 이수 등】 ① 법 제115조 및 영 제90조에 따라 시장 또는 구청장이 교육을 실시하는 경우 추진위원장 및 감사, 조합임원, 전문조합관리인 등은 교육을 이수하여야 하며, 정비사업전문관리업자의 대표자 및 기술인력, 토지등소유자 등에 대하여도 교육을 실시할 수 있고 필요한 경우에는 교육 의무이수 대상자를 지정할 수 있다.

② 시장 또는 구청장은 제1항에 따라 교육을 실시하는 경우 다음 각 호의 내용을 포함한 기준을 정하여 공고할 수 있다.

1. 영 제90조에 따른 교육의 세부내용

2. 교육 이수 시기

3. 제1항에 따른 교육 의무이수 대상자

4. 그밖에 필요한 사항

제64조【도시분쟁조정위원회 위원 자격】 법 제116조제3항제5호에서 "그 밖에 정비사업에 전문적 지식을 갖춘 사람으로서 시·도조례로 정하는 자"란 다음 각 호의 어느 하나에 해당하는 자를 말한다.

1. 해당 자치구의회 의원

2. 해당 자치구 도시계획위원회 또는 건축위원회 위원

제65조【도시분쟁조정위원회 운영 등】 ① 도시분쟁조정위원회(이하 "조정위원회"라 한다)의 위원 중 법 제116조제3항제1호에 해당하는 공무원 및 위원장의 임기는 해당 직에 재직하는 기간으로 하고, 위촉직 위원의 임기는 2년으로 하되, 연임할 수 있다.

② 조정위원회에는 다음 각 호와 같이 분과위원회를 둔다.

1. 제1분과위원회 : 조합 또는 추진위원회와 조합원 또는 토지등소유자간의 분쟁 조정

2. 제2분과위원회 : 제1분과위원회에 해당하지 않는 그밖에 분쟁에 관한 사항 조정

③ 위원장은 조정위원회의 회의를 소집하여 그 의장이 되며 위원장의 직무는 다음 각 호와 같다. 다만, 위원장이 부득이한 사유로 직무를 수행할 수 없는 때에는 해당 위원 중 호선된 위원이 그 직무를 대행한다.

1. 위원장이 조정위원회의 회의를 소집하고자 하는 때에는 회의 개최 5일 전까지 회의 일시·장소 및 분쟁조정 안건 등을 위원에게 통지한다.

2. 위원장은 조정위원회의 심사에 앞서 분과위원회에서 사전심사를 담당하게 할 수 있다.

3. 위원장은 효율적인 심사조정을 위하여 필요하다고 인정하는 경우에는 현장조사를 하거나 조정당사자, 관련전문가 및 관계공무원을 회의에 참석하게 하여 의견을 진술하게 할 수 있다.

④ 조정위원회의 회의는 재적위원 과반수의 출석으로 개회하고, 출석위원 과반수의 찬성으로 의결한다. 다만, 분과위원회는 위원 전원의 찬성으로 의결한다.

⑤ 조정위원회의 사무를 처리하기 위하여 간사 1명과 서기 1명을 두되, 간사는 조정위원회를 주관하는 업무담당 주사가 되고, 서기는 업무담당자로 한다.

⑥ 조정위원회의 위원이 다음 각 호의 어느 하나에 해당하는 경우에는 해당 분쟁조정 사건의 심사의결에서 제척된다.

1. 해당 분쟁조정 사건과 관련하여 용역·감정·수용·자문 및 연구 등을 수행하였거나 수행 중에 있는 경우

2. 해당 분쟁조정 사건의 당사자와 친족관계에 있거나

건축관계법

국토계획법

주차장법

주 택 법

도시및주거
환경정비법

건축사법

장애인시설법

소방시설법

서울시조례

있었던 경우

3. 해당 분쟁조정 사건과 직접적인 이해관계가 있는 경우

⑦ 당사자는 위원에게 심사의결의 공정성을 기대하기 어려운 사정이 있는 경우에는 기피신청을 할 수 있다. 이 경우 조정위원회의 위원장은 기피신청에 대하여 조정위원회의 의결을 거치지 아니하고 결정한다.

⑧ 위원이 제척사유에 해당하는 경우에는 스스로 해당 분쟁조정 사건의 심사·의결에서 회피할 수 있다.

⑨ 조정위원회에 출석한 위원에게는 예산의 범위에서 수당과 여비 등을 지급하되, 조사 및 현장 확인을 위한 출장비용 등은 실제 비용으로 지급할 수 있다.

제66조【조정위원회 조정신청 및 절차】 ① 조정신청자는 조정신청서 2부를 제출하여야 하며, 조정위원회는 조정상대방에게 1부를 송부한다.

② 조정신청서를 송부 받은 자는 20일 이내 답변서를 제출하여야 한다. 다만, 같은 기간 이내 조정위원회에 출석하여 진술하는 것으로 서면 통보한 경우에는 답변서를 제출하지 않을 수 있다.

③ 그밖에 조정위원회 운영 등에 필요한 사항은 규칙으로 정한다.

제67조【협의체 구성 및 운영】 ① 구청장은 법 제117조의2에 따라 정비사업과 관련하여 발생하는 문제를 협의하기 위한 협의체를 구성·운영할 수 있다. (개정 2023.3.27.)

② 협의체는 법 제72조에 따른 분양신청기간 종료일의 다음 날부터 구성하며, 협의가 이루어지지 않는 경우에는 관리처분계획 수립을 위한 총회 전까지 3회 이상 운영한다. 다만, 구청장이 필요하다고 인정하는 경우에는 관리처분계획인가 이후에도 운영할 수 있다. (개정 2023.3.27.)

③ 협의체는 다음 각 호에 해당하는 사람 중 위원장 1명(제2호에 따른 전문가 중에서 호선한다)을 포함하여 10명 이상 30명 이하의 위원으로 구성하되, 제2호에 따른 전문가는 제16조제3항을 준용하여 5명 이상 포함하여야 한다. (개정 2023.3.27., 2023.7.24.)

1. 해당 자치구에서 정비사업 업무에 종사하는 6급 이상 공무원

2. 법률, 감정평가, 정비사업전문관리업 등 분야별 전문가

3. 사업시행자

4. 법 제52조제1항제4호에 따른 주거 및 이주 대책 수립 대상 세입자

5. 법 제73조제1항 각 호에 따른 손실보상에 관한 협의

대상자

6. 법 제74조제4항, 영 제60조에 따라 재산 또는 권리 등을 평가한 감정평가법인등

7. 그 밖에 구청장이 협의가 필요하다고 인정하는 자

④ 협의체 회의에는 제3항제3호에서 제7호에 해당하는 자 전부 또는 일부가 참석한다. (개정 2023.3.27.)

1. 삭제 (2023.3.27.)

2. 삭제 (2023.3.27.)

3. 삭제 (2023.3.27.)

4. 삭제 (2023.3.27.)

5. 삭제 (2023.3.27.)

⑤ 협의체는 다음 각 호의 사항을 협의·조정한다. (개정 2023.3.27.)

1. 주거세입자에 대한 손실보상액 등

2. 상가세입자에 대한 영업손실보상액 등

3. 법 제73조제1항 및 영 제60조에 따라 분양신청을 하지 않은 자 등에 대한 손실보상 협의 금액(토지·건축물 또는 그 밖의 권리에 대한 금액) 등

4. 그 밖에 구청장이 필요하다고 인정하는 사항

⑥ 제2항에 따라 협의체가 3회 이상 운영되었음에도 불구하고 합의가 이루어지지 않은 경우 구청장은 법 제117조제2항제2호 및 영 제91조제4호에 따라 조정위원회를 개최하여 심사·조정할 수 있다.

⑦ 구청장은 협의체 운영 결과 또는 조정위원회 조정 결과 등을 사업시행자에게 통보하여야 한다.

⑧ 시장은 협의체 구성 방법 및 운영 등에 필요한 세부기준을 정하여 고시할 수 있으며, 협의체 운영에 소요되는 비용의 전부 또는 일부를 지원할 수 있다.

제68조【이주관리 등】 ① 사업시행자는 정비구역 내 토지 또는 건축물의 소유권과 그 밖의 권리에 대하여 법 제64조에 따른 매도청구, 법 제65조에 따른 수용 또는 사용에 대한 재결의 결과, 명도소송의 청구가 있는 경우 그 결과 및 집행법원에 인도집행을 신청하거나 집행일시 지정을 통보받은 경우 그 내용을 구청장에게 지체 없이 보고하여야 한다.

② 구청장은 법 제111조제2항에 따라 소속 공무원에게 인도집행 과정을 조사하게 할 수 있다.

③ 법 제81조제4항제4호에서 "시장·군수등이 인정하는 시기"란 동절기(12월 1일부터 다음 해 2월 말일까지를 말한다)를 말하며, 이 경우 건축물의 철거는 기존 점유자에 대한 퇴거행위를 포함한다. 다만, 제67조에 따른 협의체 운영 결과 또는 조정위원회 조정 결과에 따라 합의된 경우의 이주 시에는 예외로 한다.

제69조【정비사업관리시스템의 구축 및 운영 등】 ① 시

건축관계법

국토계획법

주차장법

주 택 법

도시및주거
환경정비법

건축사법

장애인시설법

소방시설법

서울시조례

장은 법 119조에 따라 정비사업의 효율적이고 투명한 관리를 위하여 다음 각 호의 서비스를 제공하는 종합정보관리시스템을 구축·운영한다. <개정 2021.9.30.>

1. 정보공개 : 정비사업 시행과 관련한 자료 구축 및 정보 제공

2. 조합업무지원 : 추진위원회·조합의 예산·회계와 정보공개 등록 및 행정업무 등 처리

3. 분담금 추정 프로그램: 제80조에 따른 토지등소유자별 분담금 추산액 등 정보 제공

② 시장은 제1항에 따라 구축된 종합정보관리시스템의 기능을 지속적으로 개선하고 이용자의 활용을 촉진하는 계획을 수립하고 시행하여야 한다. (개정 2021.9.30.)

③ 구청장은 시스템에 구축된 정비구역 홈페이지가 정상적으로 운영되도록 관리·감독·지원하여야 한다.

④ 법 제124조에 따라 추진위원회 및 사업시행자(조합의 경우 청산인을 포함한 조합임원을 말한다)는 인터넷을 통하여 정보를 공개하는 경우 종합정보관리시스템을 이용하여야 한다. 다만 토지등소유자가 단독으로 시행하는 재개발사업의 경우에는 제외할 수 있다. (개정 2021.9.30.)

⑤ 추진위원장 또는 조합임원(조합의 청산인을 포함한다)은 종합정보관리시스템을 이용하여 예산·회계관리 및 문서 등의 작성된 자료를 공개하여야 한다.(개정 2021.9.30.)

⑥ 시장은 제1항 각 호에 따른 종합정보관리시스템의 운영 및 관리에 관한 세부기준을 정할 수 있다. (개정 2020.12.31., 2021.9.30)

제70조 【정보공개의 방법 및 시기 등】 ① 구청장은 법 제120조에 따라 다음 각 호의 사항을 회계연도 종료일부터 90일 이내 종합정보관리시스템에 공개하여야 한다. (개정 2021.9.30.)

1. 관리처분계획의 인가(변경인가를 포함한다. 이하 이 조에서 같다)를 받은 사항 중 법 제29조에 따른 계약금액

2. 관리처분계획의 인가를 받은 사항 중 정비사업에서 발생한 이자

② 제1항의 공개는 별지 제5호서식에 따른다.

제71조 【정보제공 및 의견청취】 시장 및 구청장은 필요한 경우에 토지등소유자에게 의사결정에 필요한 정보를 제공하고 의견을 청취할 수 있다.

제8장 정비사업의 공공지원

제72조 【정의】 이 장에서 사용하는 용어의 뜻은 다음과 같다. (개정 2019.12.31., 2022.12.30.)

1. "공공지원자"란 법 제118조제2항 각 호의 업무를 수행하는 자로서의 구청장을 말한다.

2. "위탁지원자"란 법 제118조제1항에 따라 공공지원을 위탁받은 자를 말한다.

3. "설계도서"란 해당 목적물의 설계서, 물량내역서 등 공사의 입찰에 필요한 서류를 말한다.

4. 삭제 <2023.3.27>

제73조 【공공지원의 대상사업】 법 제118조제1항에서 "시·도조례로 정하는 정비사업"이란 법 제25조에 따른 시행자 중 조합이 시행하거나 조합이 건설업자 또는 등록사업자와 공동으로 시행하는 정비사업을 말한다. 다만, 법 제16조에 따라 정비구역 지정·고시가 있은 날 당시의 토지등소유자의 수가 100명 미만으로서 주거용 건축물의 건설비율이 50퍼센트 미만인 도시정비형 재개발사업은 제외한다. (개정 2023.12.29.)

제74조 【공공지원을 위한 비용부담 등】 ① 구청장은 공공지원 업무를 수행하는데 필요한 다음 각 호의 비용을 부담한다.

1. 추진위원회 구성 또는 조합설립(법 제31조제4항에 따라 추진위원회를 구성하지 아니하는 경우로 한정한다)을 위한 구청장의 용역 및 선거관리위원회 위탁비용

2. 위탁지원 수수료

② 법 제118조제2항 각 호 외의 업무를 지원받고자 하는 경우에는 총회의 의결을 거쳐 구청장에게 신청할 수 있다.

③ 구청장은 제2항에 따라 조합의 신청이 있는 경우 법 제118조제1항의 기관 중에서 지정하여 조합에 통보하여야 하며, 조합은 해당 기관과 지원 범위 및 수수료 등에 대한 계약을 체결하고 비용을 부담하여야 한다.

제75조 【공공지원자의 업무범위】 법 제118조제2항제6호에 따라 "그 밖에 시·도조례로 정하는 사항"이란 다음 각 호에 해당하는 업무를 말한다. (개정 2019.9.26., 2023.3.27.)

1. 추진위원회 구성을 위한 위원 선출업무의 선거관리위원회 위탁

2. 건설사업관리자 등 그 밖의 용역업체 선정 방법 등에 관한 업무의 지원

3. 조합설립 준비업무에 관한 지원

4. 추진위원회 또는 조합의 운영 및 정보공개 업무의

건축관계법

국토계획법

주차장법

주 택 법

도시및주거
환경정비법

건축사법

장애인시설법

소방시설법

서울시조례

지원

5. 법 제52조제1항제4호에 따른 세입자의 주거 및 이주 대책 수립에 관한 지원

6. 관리처분계획 수립에 관한 지원

7. 법 제31조제4항에 따라 추진위원회 구성 단계를 생략하는 정비사업의 조합설립에 필요한 토지등소유자의 대표자 선출 등 지원

8. 법 제118조제7항제1호에 따른 건설업자의 선정방법 등에 관한 업무 지원

9. 법 제87조에 따른 권리의 확정, 법 제88조에 따른 등기 절차, 법 제89조에 따른 청산금 등의 징수 및 지급, 법 제86조의2에 따른 조합 해산 준비업무에 관한 지원

제76조 【선거관리의 방법 등】 시장은 추진위원회 위원, 조합임원 또는 제75조제7호에 따른 토지등소유자의 대표자 선출을 위하여 다음 각 호의 내용을 포함한 선거관리기준을 정할 수 있다.

1. 선거관리위원회의 업무위탁에 관한 사항

2. 주민설명회 개최에 관한 사항

3. 입·후보자 등록공고 및 등록에 관한 사항

4. 합동연설회 개최에 관한 사항

5. 주민선거 실시에 관한 사항

6. 그밖에 선거관리를 위하여 필요한 사항

제77조 【시공자 등의 선정기준】 ① 법 제118조제6항에 따라 조합은 조합설립인가를 받은 후 총회의 의결을 거쳐 시공자를 선정하여야 한다. (개정 2023.3.27., 2023.12.29.)

② 제1항에 따라 조합은 시장이 별도로 정하여 고시한 세부기준에 따라 설계도서를 작성하여 법 제29조제1항에 따른 경쟁입찰 또는 수의계약(2회 이상 경쟁입찰이 유찰된 경우로 한정한다. 이하 이 조에서 같다)의 방법으로 시공자를 선정하여야 한다. (개정 2023.3.27.)

③ 삭제 (2023.3.27.)

④ 삭제 (2023.3.27.)

⑤ 삭제 (2023.3.27.)

⑥ 시장은 정비사업전문관리업자·설계자·시공자 및 법 제118조제7항제1호에 따른 건설업자의 선정방법 등에 대하여 다음 각 호의 내용을 포함하는 기준을 정할 수 있다. (개정 2022.12.30.)

1. 업체 선정에 관한 세부절차

2. 업체 선정 단계별 공공지원자 등의 기능 및 역할

3. 그밖에 업체 선정 방법 등 지원을 위하여 필요한 사항

⑦ 시장은 제75조제2호에 따른 용역업체의 선정기준 등에 대하여 제5항을 준용하여 정할 수 있다. (개정 2022.12.30., 2023.3.27.)

⑧ 시장은 법 제25조부터 제28조까지의 방법으로 시행하는 정비사업에서 사업시행자 등이 정비사업전문관리업자·설계자·시공자 등을 선정하는 경우에는 제73조에도 불구하고 제2항, 제6항 및 제7항에 따른 기준을 적용하게 할 수 있다. (신설 2023.12.29.)

제78조 【공동사업시행의 협약 등】 ① 법 제118조제8항에 따른 협약사항에 관한 구체적인 내용은 다음 각 호와 같다.

1. 협약의 목적

2. 당사자 간의 지위, 권리 및 의무

3. 협약의 범위 및 기간

4. 협약의 체결, 변경, 해지, 연장, 이행 보증 등에 관한 사항

5. 사업의 시행, 변경에 관한 사항

6. 사업경비의 부담, 이익의 분배, 손실의 부담에 관한 사항

7. 채권 및 채무에 관한 사항

8. 의사결정 방법 및 절차 등에 관한 사항

9. 공사의 시행 및 관리에 관한 사항

10. 공사목적물의 처분 및 인수 등에 관한 사항

11. 입주 및 하자관리 등에 관한 사항

12. 분쟁 및 소송 등에 관한 사항

13. 인·허가 업무에 관한 사항

14. 그밖에 공동사업시행에 필요한 사항

② 시장은 제1항 각 호의 내용이 포함된 표준공동사업시행협약서를 작성하여 보급할 수 있다.

제79조 【위탁지원자의 지정 등】 ① 공공지원자가 법 제118조제1항에 따라 정비사업에 대한 사업시행 과정 지원을 위탁하고자 하는 경우 「행정권한의 위임 및 위탁에 관한 규정」을 준용하여 위탁지원자를 지정하여야 한다.

② 시장은 다음 각 호의 내용이 포함된 표준협약서를 작성하여 보급할 수 있다.

1. 위탁의 목적

2. 상호 간의 권리와 의무

3. 구역의 위치 및 면적

4. 위탁 업무의 범위

5. 위탁 기간

6. 계약체결 및 수수료 지급 방법

7. 감독에 관한 사항

8. 협약 해지 등 위탁 관리에 필요한 사항

제80조 【조합설립 등의 업무지원】 ① 추진위원장 또는 조합임원은 조합설립 동의 시부터 최초로 관리처분

건축관계법

국토계획법

주차장법

주 택 법

도시및주거
환경정비법

건축사법

장애인시설법

소방시설법

서울시조례

계획을 수립하는 때까지 사업비에 관한 주민 동의를 받고자 하는 경우에는 분담금 추정 프로그램에 정비계획 등 필요한 사항을 입력하고, 토지등소유자가 개략적인 분담금 등을 확인할 수 있도록 하여야 하며, 토지등소유자에게 개별 통보하여야 한다.

② 추진위원장 또는 조합임원은 토지등소유자에게 동의를 받고자 하는 사업비의 내용과 부합하게 자료를 입력하여야 한다.

③ 법 제27조제3항제2호에서 "그 밖에 추정분담금의 산출 등과 관련하여 시·도조례로 정하는 사항"과 영 제32조제2호에서 "그 밖에 추정 분담금의 산출 등과 관련하여 시·도조례로 정하는 정보"란 제2항에 따라 산출된 정보를 말한다.

제81조【관리처분계획 수립 지원 등】 시장은 제75조제5호 및 제6호의 업무지원에 필요한 방법과 절차 및 기준을 정할 수 있다.

제82조【공공지원에 의한 조합설립 방법 및 절차 등】 ① 시장은 법 제31조제4항 및 영 제27조제6항에 따라 추진위원회를 구성하지 아니하는 경우에 조합설립 방법 및 절차 등에 필요한 사항을 다음 각 호의 내용을 포함하여 고시하여야 한다.

1. 토지등소유자의 대표자 등 주민협의체 구성을 위한 선출방법

2. 참여주체별 역할

3. 조합설립 단계별 업무처리 기준

4. 그 밖에 조합설립 업무지원을 위하여 필요한 사항

② 구청장은 제7조제12호에 따라 토지등소유자의 과반수가 추진위원회 구성 단계 생략을 원하는 경우 제1항에 따른 방법과 절차 등에 따라 조합을 설립하여야 한다.

제83조【정비사업의 예산회계기준 작성 등】 ① 추진위원회 또는 조합은 예산회계처리 및 행정업무에 대하여 정관등이 정한 방법과 절차에 따라 다음 각 호의 내용이 포함된 관련 규정을 정하여 운영하여야 한다.

1. 예산회계처리규정

　가. 예산의 편성과 집행

　나. 세입·세출예산서 및 결산보고서 작성

　다. 수입의 관리·징수방법 및 수납 기관 등

　라. 지출의 관리 및 지급 등

　마. 계약 및 채무관리

　바. 그 밖에 회계문서와 장부에 관한 사항

2. 행정업무처리규정

　가. 상근임(위)·직원의 내부인사

　나. 보수 및 회의수당 등 지급기준

　다. 내무업무 및 물품처리 등

　라. 문서의 보존 및 관리 등

　마. 상근임(위)·직원의 복무기준

　바. 그 밖에 행정업무 처리에 필요한 사항

② 시장은 제1항 각 호의 내용이 포함된 표준규정을 작성하여 고시할 수 있다.

제84조【비용지원 등】 법 제118조제4항에 따라 시장은 다음 각 호의 업무에 소요되는 비용의 70퍼센트 범위에서 「서울특별시 지방보조금 관리 조례」 제8조에 따라 자치구 재정력을 고려하여 구청장에게 지원할 수 있다. 다만, 법 제44조제3항에 따라 구청장이 직접 총회를 소집하는 경우 소요비용의 일부 또는 전부를 지원할 수 있다. (개정 2022.10.17., 2022.12.30.)

1. 법 제118조제2항제1호에 따른 추진위원회 구성을 위한 소요비용

2. 법 제118조제1항에 따른 공공지원의 위탁수수료

3. 제82조에 따른 조합설립 지원을 위한 소요비용

제85조【공공지원의 정보공개】 공공지원자 및 위탁지원자는 다음 각 호의 관련 자료를 종합정보관리시스템과 그 밖의 방법을 병행하여 토지등소유자, 조합원 및 세입자에게 공개하여야 한다. (개정 2021.9.30.)

1. 법 제118조제1항에 따른 위탁지원자의 지정 및 계약에 관한 사항

2. 법 제118조제2항제2호에 따른 정비사업전문관리업자 선정 및 계약에 관한 사항

3. 제75조제1호 및 제7호에 따른 추진위원회 구성을 위한 위원 선출 및 조합설립(추진위원회 구성 단계를 생략하는 경우로 한정한다)에 필요한 토지등소유자의 대표자 선출에 관한 사항

4. 조합임원의 선거관리에 관한 사항

제86조【자료의 제출】 추진위원장 또는 조합장은 구청장의 효율적인 공공지원 업무 추진을 위하여 공공지원자(위탁지원자를 포함한다)에게 다음 각 호의 자료를 제출하여야 한다. (개정 2019.9.26., 2023.3.27., 2023.7.24.)

1. 추진위원회·주민총회·조합총회 및 조합의 이사회·대의원회의 개최에 관한 사항

2. 시공자·설계자 및 정비사업전문관리업자 등 업체 선정계획과 계약에 관한 사항

3. 법 제87조에 따른 권리의 확정, 법 제88조에 따른 등기 절차, 법 제89조에 따른 청산금 등의 징수 및 지급에 관한 계획 및 추진사항

4. 법 제86조의2에 따른 조합 해산 계획 및 추진사항 (다만, 조합이 해산된 경우 청산 계획 및 추진사항)

5. 그밖에 규칙으로 정하는 사항

② 조합장은 법 제86조제2항에 따른 이전고시일 다음 날부터 6개월마다 제1항제4호 관련 자료를 공공지원자에게 제출하여야 한다. 다만, 조합이 해산된 경우에는 청산인이 제출한다. (신설 2023.7.24.)

제86조의2 【정비사업정책자문위원회의 설치 및 운영】 ① 시장은 정비사업의 중요정책 입안, 계획의 수립 및 시행에 있어서 전문적이고 다양한 의견수렴과 합리적인 정책추진을 도모하기 위해 정비사업정책자문위원회(이하 "자문위원회"라 한다.)를 설치·운영할 수 있다.

② 자문위원회는 다음 각 호의 어느 하나에 해당하는 사항중 위원장이 필요하다고 인정하는 경우 자문에 응한다.

1. 도시·주거환경정비기본계획 수립·시행에 관한 사항
2. 정비사업 중요정책 입안·결정 사항
3. 정비사업 분야 법령, 조례의 제·개정 및 제도 개선에 관한 사항
4. 그 밖에 시민의 권리·의무와 밀접한 이해관계가 있는 사항 등 위원장이 자문위원회의 회의에 부치는 사항

③ 자문위원회는 위원장, 부위원장을 포함한 30명 이내의 위원으로 구성하며, 위원장은 주택정책실장이 되고, 부위원장은 주택공급기획관이 되며, 위원은 정비사업에 대한 학식과 경험이 풍부한 사람으로서 다음 각 호의 사람 중에서 시장이 성별을 고려하여 임명 또는 위촉한다.

1. 시의회가 추천한 시의원
2. 대학이나 연구기관에서 부교수 이상 또는 이에 상당하는 직에 재직하고 있는 사람
3. 변호사, 공인회계사, 감정평가사, 세무사, 도시계획기술사, 건축사 등 분야별 전문가
4. 정비사업 관련 업무에 종사하는 4급 이상 공무원
5. 그 밖에 위원장이 필요하다고 인정하는 사람

④ 위원장은 자문위원회의 직무를 총괄하며, 자문위원회를 대표한다. 다만, 위원장이 그 직무를 수행할 수 없을 때에는 부위원장이 이를 대행한다.

⑤ 자문위원회의 위원 중 공무원 및 위원장의 임기는 해당 직에 재직하는 기간으로 하고, 위촉직 위원의 임기는 2년으로 하되, 한 차례만 연임할 수 있다. 다만, 보궐위원의 임기는 전임자의 남은 기간으로 한다.

⑥ 자문위원회는 자문사항에 따라 위원장이 필요하다고 인정하는 경우 위원이 아닌 분야별 전문가를 회의에 참석하게 하여 의견을 들을 수 있다.

⑦ 시장은 자문위원회의 회의록 및 관련 자료가 다음 각 호의 어느 하나에 해당하는 경우 공개하지 아니할 수 있다.

1. 부동산 투기 유발 등 공익을 현저히 해칠 우려가 있다고 인정하는 경우

2. 의사결정의 공정성을 침해할 우려가 있다고 인정되는 이름·주민등록번호·직위 및 주소 등 특정인임을 식별할 수 있는 정보
3. 의사결정과정 또는 내부검토과정에 있는 사항으로서 공개될 경우 업무의 공정한 수행에 지장을 초래한다고 인정할 만한 상당한 이유가 있는 경우

⑧ 위원의 수당 및 여비는 「서울특별시 위원회 수당 및 여비 지급 조례」를 준용한다.

⑨ 위원의 제척·기피·회피 등에 대해서는 제18조를 준용한다.

⑩ 이 조례에서 정한 것 외에 자문위원회의 운영에 관한 사항은 자문위원회의 회의를 거쳐 위원장이 정한다.
[본조신설 2023.10.4.]

제9장 보칙

제87조 【자료공개의 방법 및 비용부담 등】 ① 조합원 및 토지등소유자는 추진위원장이나 사업시행자가 법 제124조제4항에 따른 서류 및 관련 자료 공개 요청에 대하여 통지한 날부터 10일 이내에 수수료를 현금으로 납부해야 한다.

② 제2항에 따른 수수료 금액은 별표 4와 같다.

제88조 【관련 자료의 인계】 ① 법 제125조제2항에 따라 토지주택공사등이 아닌 사업시행자는 다음 각 호의 서류를 구청장에게 인계하여야 한다.

1. 이전고시 관계서류
2. 확정측량 관계서류
3. 청산관계 서류
4. 등기신청 관계서류
5. 감정평가 관계서류
6. 손실보상 및 수용 관계서류
7. 공동구설치 비용부담 관계서류
8. 회계 및 계약 관계서류
9. 회계감사 관계서류
10. 총회, 대의원회, 이사회 및 감사의 감사 관계서류
11. 보류지 및 체비시설의 처분에 대한 분양 관계서류

② 제1항에 따른 서류의 인계는 법 제86조에 따른 이전고시일부터 3개월 또는 정비사업이 폐지되는 경우 폐지일부터 2개월 이내에 하여야 한다. 다만, 구청장이 부득이한 사정이 있다고 인정하는 때에는 사업시행자의 신청에 따라 연기할 수 있다.

제89조 【도시·주거환경정비기금의 운용 및 비율 등】 ① 법 제126조제1항 및 제4항에 따른 도시·주거환경정비

건축관계법
국토계획법
주차장법
주 택 법
도시및주거환경정비법
건축사법
장애인시설법
소방시설법
서울시조례
10-101

10장 제2편 건축법 관련기준

건축관계법

국토계획법

주차장법

주 택 법

도시및주거
환경정비법

건축사법

장애인시설법

소방시설법

서울시조례

기금(이하 "정비기금"이라 한다)은 서울특별시 주택사업특별회계에 포함하여 운용·관리한다.

② 법 제126조와 영 제95조에 따른 기금의 재원 중 정비기금으로 적립되는 비율은 다음 각 호와 같다.

1. 정비구역 내 공유지 매각대금의 100분의 30
2. 개발부담금 중 지방자치단체 귀속분의 100분의 50
3. 「지방세법」 제112조(같은 조 제1항제1호는 제외한다)에 따른 재산세 징수 총액의 100분의 10

③ 법 제126조제3항제1호라목에서 "시·도조례로 정하는 사항"이란 다음 각 호와 같다.

1. 추진위원회·조합의 운영경비, 설계비 등 용역비, 세입자 대책비, 조합원 이주비
2. 관리형 주거환경개선구역의 신축비용, 주민공동체 활성화를 위한 조직 운영비 및 사업비
3. 제52조제8항에 따라 지원하는 주택개량비용
4. 도시정비형 재개발사업의 건축비용
5. 추진위원회 및 조합 사용비용 보조금
6. 정비구역(전면철거방식이 아닌 정비사업으로 한정한다) 내 범죄예방 등 안전한 주거환경 조성비
7. 주택정비형 재개발구역 중 옛길, 옛물길 및 한옥 보전 등에 따른 사업비용

제90조 【권한의 위임】 시장은 다음 각 호의 권한을 구청장에게 위임한다.

1. 정비사업의 임대주택 매매계약 체결 및 단계별(계약금·중도금·잔금) 매매대금의 지급에 관한 사항
2. 법 시행 전 종전의 「도시저소득주민의주거환경개선을위한임시조치법」에 따라 주거환경개선지구로 지정된 정비구역의 정비계획 수립
3. 법 제21조제1항에 따라 해제되는 정비구역등의 추진위원회 또는 조합이 사용한 비용의 보조에 관한 업무

제91조 【금품·향응 수수행위 등에 대한 신고 및 신고포상금 지급기준 등】 ① 시장은 법 제142조에 따라 금품·향응 수수행위 등의 사실을 신고한 자에 대하여 신고포상금(이하 "포상금"이라 한다)을 지급할 수 있다. 이 경우 지급한도액은 2억원 이하로 한다.

② 시장은 법 제132조 각 호의 행위 사실을 시장 또는 수사기관에게 신고 또는 고발한 자에게 그 신고 또는 고발사건에 대해 기소유예, 선고유예·집행유예 또는 형의 선고 등이 확정되는 경우 신고포상금 심사위원회(이하 "심사위원회"라 한다)의 의결을 거쳐 포상금을 지급할 수 있다.

③ 법 제132조 각 호의 행위를 하는 자를 신고하려는 자는 별지 제6호서식에 따른 금품·향응 수수행위 등에 관한 신고서에 신고내용을 증명할 수 있는 자료를 첨부하여 시장에게 제출하여야 한다. 다만, 동일한 사항에 대하여 이미 신고 되어 진행 중이거나 종료된 경우에는 신고내용을 조사하지 않는다.

④ 포상금은 제2항에 따라 포상금 지급이 결정된 그 해 예산의 범위에서 지급한다.

⑤ 포상금 지급에 따른 심사위원회 구성 및 지급기준 등에 관한 세부적인 사항은 규칙으로 정할 수 있다.

부칙<제6899호, 2018.7.19.>

제1조(시행일) 이 조례는 공포한 날부터 시행한다. 다만, 제69조제5항의 개정규정은 2019년 1월 1일부터 시행한다.

제2조(유효기간) 제3조 및 제6조제1항제1호 단서에 따라 정비사업을 주택정비형 재개발사업, 도시정비형 재개발사업, 주거환경개선사업 및 관리형 주거환경개선사업으로 구분하여 운영하는 사항은 「2030 서울특별시 도시·주거환경정비기본계획」을 수립하여 고시하는 때까지 그 효력을 가진다.

제3조(공공지원에 의한 조합설립 방법 등에 관한 적용례) 제7조제12호 및 제82조의 개정규정은 서울특별시조례 제5417호 서울특별시 도시 및 주거환경 정비조례 일부개정조례 시행 후 구청장이 최초로 정비계획 수립을 위해 조사하는 정비구역부터 적용한다.

제4조(안전진단 시기조정 및 비용부담 등에 관한 적용례)

① 제9조제1항의 개정규정은 서울특별시조례 제6188호 서울특별시 도시 및 주거환경 정비조례 일부개정조례 시행 후 안전진단 실시 시기가 도래하거나 안전진단 실시를 요청하는 분부터 적용한다.

② 제9조제3항의 개정규정은 이 조례 시행 이후 안전진단의 실시를 신청하는 분부터 적용한다.

제5조(추진위원회 및 조합 비용의 보조비율 및 보조방법 등에 관한 적용례) 제15조의 개정규정은 조합(조합이 법 제25조에 따라 공동으로 정비사업을 시행하는 경우는 제외한다)이 시행하는 정비사업으로 한정한다.

제6조(사용비용 보조비율 및 보조에 관한 적용례) 제15조부터 제17조까지의 개정규정은 「서울특별시 도시 및 주거환경 정비조례」(서울특별시조례 제6407호를 말한다) 제4조의3제3항제4호에 따라 2017년 12월 31일까지 토지등소유자가 해제를 요청하여 해제한 정비구역등에 대해서도 적용한다.

제7조(특정무허가건축물의 정의 및 재개발사업의 분양대상

등에 관한 적용례) 제2조제1호 및 제36조제1항제1호의 개정규정은 서울특별시조례 제5102호 서울특별시 도시 및 주거환경 정비조례 일부개정조례 시행 후 최초로 정비구역의 지정을 위한 주민공람을 하는 분부터 적용한다.

제8조(세대의 기준변경에 따른 적용례) 제36조제1항·제2항 및 제37조제2항제2호의 개정규정에 따른 세대 기준은 2009년 8월 7일 이후 최초로 조합설립인가를 받은 분부터 적용한다.

제9조(단독주택재건축사업의 분양대상 등에 관한 적용례) ① 제37조제2항제1호의 개정규정은 서울특별시조례 제4768호 서울특별시 도시 및 주거환경 정비조례 일부개정조례 시행 후 다세대주택으로 전환한 분부터 적용한다.
② 제37조제2항제4호의 개정규정은 서울특별시조례 제4768호 서울특별시 도시 및 주거환경 정비조례 일부개정조례 시행 후 최초로 건축허가를 신청하는 분부터 적용한다.

제10조(상가세입자 우선 분양권에 관한 적용례) 제40조제2호 단서의 개정규정은 서울특별시조례 제4824호 서울특별시 도시 및 주거환경 정비조례 일부개정조례 시행 이후 최초로 정비구역이 지정되는 분부터 적용한다.

제11조(기초생활수급자 임대주택 적용례) 제46조의 개정규정은 서울특별시조례 제5348호 서울특별시 도시 및 주거환경 정비조례 일부개정조례 시행 후 최초로 사업시행인가를 신청하는 분부터 적용한다.

제12조(임대주택의 매매계약에 관한 적용례) 제42조제9항의 개정규정은 서울특별시조례 제6843호 서울특별시 도시 및 주거환경 정비조례 일부개정조례 시행 후 최초로 사업시행계획인가를 신청하는 정비구역부터 적용한다.

제13조(자료공개의 방법 및 수수료에 관한 적용례) 제87조제1항의 개정규정은 이 조례 시행 이후 최초로 정비사업 시행에 관한 서류와 관련된 자료에 대하여 복사를 요청한 경우부터 적용한다.

제14조(신고포상금 지급기준에 관한 적용례) 제91조의 개정규정은 이 조례 시행 이후 최초로 시장 또는 수사기관에 신고 또는 고발한 사건부터 적용한다.

제15조(정비구역 입안대상지역 요건에 관한 특례) 제6조제1항제2호나목의 개정규정에도 불구하고 서울특별시조례 제4824호 서울특별시 도시 및 주거환경 정비조례 일부개정조례 시행 전에 고시된 「2010 도시·주거환경 정비기본계획」상 주택재개발예정구역인 경우에는 주택접도율이 50퍼센트 이하인 지역을 주택정비형 재개발구역의 정비계획 입안대상지역으로 한다.

제16조(일반적 경과조치) 이 조례 시행 당시 종전의 「서울특별시 도시 및 주거환경 정비조례」에 따른 결정·처분·절차 및 그 밖의 행위는 이 조례의 규정에 따라 행하여진 것으로 본다.

제17조(주거환경관리사업의 시행을 위한 정비구역 등에 관한 경과조치) ① 이 조례 시행 당시 종전의 「도시 및 주거환경정비법」(법률 제14567호로 개정되기 전의 것을 말한다)에 따라 주거환경관리사업을 시행하기 위하여 지정·고시된 정비구역은 이 조례에 따라 지정·고시된 관리형 주거환경개선구역으로 본다.
② 이 조례 시행 당시 종전의 「도시 및 주거환경정비법」(법률 제14567호로 개정되기 전의 것을 말한다)에 따라 주택재개발사업·도시환경정비사업을 시행하기 위하여 지정·고시된 정비구역은 각각 이 조례에 따라 지정·고시된 주택정비형 재개발구역·도시정비형 재개발구역으로 본다.

제18조(주거환경관리사업 등에 관한 경과조치) 이 조례 시행 당시 종전의 「도시 및 주거환경정비법」(법률 제14567호로 개정되기 전의 것을 말한다)에 따라 시행 중인 주거환경관리사업·주택재개발사업·도시환경정비사업은 각각 이 조례에 따른 관리형 주거환경개선사업·주택정비형 재개발사업·도시정비형 재개발사업으로 본다.

제19조(승인된 추진위원회에 관한 경과조치) 서울특별시조례 제4167호 서울특별시도시및주거환경정비조례 시행 당시 법률 제6852호 도시및주거환경정비법 부칙 제9조에 따라 승인을 받아 추진위원회가 설립된 경우는 제4조제1항제1호의 개정규정에도 불구하고 노후·불량 건축물의 기준년도를 5층 이상의 건축물은 22년으로, 4층 이하 건축물은 21년으로 한다.

제20조(정비계획 수립대상 정비구역 지정 요건에 대한 경과조치) 제6조제1항제2호다목의 개정규정에도 불구하고 「1998년 서울특별시 주택재개발 기본계획」상 정비예정구역으로 선정되고 「2010 서울특별시 도시·주거환경 정비기본계획」에 반영된 자연녹지지역 내 정비예정구역은 주택재개발구역 지정 시 도시계획위원회의 심의를 받아 호수밀도 규정을 적용하지 아니할 수 있다.

제21조(도시환경정비사업 임대주택 및 공동주택 건설기준에 관한 경과조치) ① 제8조의 개정규정에도 불구하고 「서울특별시 도시 및 주거환경 정비조례」(서울특별시조례 제4359호를 말한다) 제9조제5호 및 「서울특별시 도시 및 주거환경 정비조례」(서울특별시조례 제4824호를 말한다) 제9조제2호에 따라 상업지역 내

건축관계법

국토계획법

주차장법

주 택 법

도시및주거
환경정비법

건축사법

장애인시설법

소방시설법

서울시조례

도시환경정비사업에 임대주택을 계획하여 사업시행인가를 신청한 경우에는 종전의 「서울특별시 도시 및 주거환경 정비조례」(서울특별시조례 제4359호를 말한다) 제9조제5호 및 「서울특별시 도시 및 주거환경 정비조례」(서울특별시조례 제4824호를 말한다) 제9조제2호에 따른다.

② 제8조의 개정규정에도 불구하고 「서울특별시 도시 및 주거환경 정비조례」(서울특별시조례 제4824호를 말한다) 제9조제2호에 따라 상업지역 내 도시환경정비사업의 공동주택 건설기준을 적용하여 사업시행인가를 신청한 경우에는 종전의 서울특별시 도시 및 주거환경 정비조례(서울특별시조례 제4824호를 말한다)를 따른다.

제22조(정비계획의 입안 제안에 따른 동의자 수 산정방법에 관한 경과조치) 이 조례 시행 전에 정비계획의 입안 제안 신청을 한 경우에 동의자 수 산정방법에 대해서는 제10조의 개정규정에도 불구하고 종전의 「서울특별시 도시 및 주거환경 정비조례」(서울특별시조례 제6843호를 말한다) 제6조제3항에 따른다.

제23조(직권해제 등에 관한 적용례 및 경과조치) ① 제14조의 개정규정은 「도시 및 주거환경정비법」 제25조부터 제27조까지에 따른 사업시행자가 시행하는 정비사업에 적용한다.

② 제1항에도 불구하고 상업지역(상업지역 면적이 과반인 경우를 포함한다)의 도시정비형 재개발사업과 「도시 및 주거환경정비법」 제25조제1항제2호 및 「도시 및 주거환경정비법」(법률 제14567호로 개정되기 전의 것을 말한다) 제8조제3항에 따른 토지등소유자가 시행하거나 토지등소유자가 공동으로 시행하는 경우에는 제외한다.

③ 제14조의 개정규정은 「도시 및 주거환경정비법」 제74조에 따라 관리처분계획인가된 구역은 제외한다.

제24조(조합정관에 정할 사항 등에 관한 경과조치) 제22조제8호의 개정규정에도 불구하고 이 조례 시행 전에 사업시행계획인가를 받은 구역은 종전의 「서울특별시 도시 및 주거환경 정비조례」(서울특별시조례 제6843호를 말한다)에 따른다.

제25조(사실상 주거용으로 사용되고 있는 건축물에 관한 경과조치) 서울특별시조례 제4657호 서울특별시 도시 및 주거환경 정비조례 일부개정조례 시행 전에 종전의 「서울특별시 도시 및 주거환경 정비조례」(서울특별시조례 제4657호로 개정되기 전의 것을 말한다) 제24조제1항제1호에 따른 "사실상 주거용으로 사용되고 있는 건

축물"로서 서울특별시조례 제4657호 서울특별시 도시 및 주거환경 정비조례 일부개정조례 시행 전에 「도시 및 주거환경정비법」(법률 제9047호로 개정되기 전의 것을 말한다. 이하 이 조에서 같다) 제4조제1항에 따른 정비계획을 주민에게 공람한 지역의 분양신청자와 그 외 지역에서 「도시 및 주거환경정비법」 제4조제3항에 따른 정비구역 지정 고시일부터 「도시 및 주거환경정비법」 제46조제1항에 따른 분양신청 기간이 만료되는 날까지 세대원 전원이 주택을 소유하고 있지 아니한 분양신청자는 제36조제1항제1호의 개정규정에도 불구하고 종전의 「서울특별시 도시 및 주거환경 정비조례」(서울특별시조례 제4657호로 개정되기 전의 것을 말한다)에 따른다.

제26조(분양대상 기준의 적용례 및 경과조치) ① 제36조제1항제2호의 개정규정에도 불구하고 서울특별시조례 제4167호 서울특별시도시및주거환경정비조례 시행 당시 종전의 「도시재개발법」 제4조에 따라 재개발구역으로 지정된 정비구역(정비계획이 수립되지 않은 정비구역은 제외한다)의 경우 구역지정고시일을 서울특별시조례 제4167호 서울특별시도시및주거환경정비조례 시행일로 보며 서울특별시조례 제4167호 서울특별시도시및주거환경정비조례 제24조제1항제2호 단서의 30제곱미터를 20제곱미터로 본다.

② 서울특별시조례 제4167호 서울특별시도시및주거환경정비조례 시행 전에 단독 또는 다가구주택을 다세대주택으로 전환하여 구분등기를 완료한 주택에 대하여는 제36조제2항제1호의 개정규정에도 불구하고 전용면적 60제곱미터 이하의 주택을 공급하거나 정비구역 내 임대주택을 공급할 수 있으며, 다세대주택의 주거전용 총면적이 60제곱미터를 초과하는 경우에는 종전 관련 조례의 규정에 따른다. 다만, 하나의 다세대전환주택을 공유지분으로 소유하고 있는 경우에는 주거전용 총면적에 포함시키지 아니하며 전용면적 85제곱미터 이하 주택을 분양신청 조합원에게 배정하고 잔여분이 있는 경우, 전용면적 60제곱미터 이하 주택 배정조합원의 상향요청이 있을 시에는 권리가액 다액 순으로 추가 배정할 수 있다.

③ 제36조제2항제6호의 개정규정에도 불구하고 서울특별시조례 제4657호 서울특별시 도시 및 주거환경 정비조례 일부개정조례 시행 후 최초로 건축허가를 신청하는 경우 분부터 적용한다.

제27조(다세대주택으로 전환된 주택의 분양기준에 관한 경과조치) 제36조제2항제1호와 제37조제2항제1호의 개정규정에도 불구하고 서울특별시조례 제4824호 서울특별

시 도시 및 주거환경 정비조례 일부개정조례 시행 당시 최초로 사업시행인가를 신청하는 분부터 1997년 1월 15일 전에 가구별로 지분 또는 구분소유등기를 필한 다가구주택이 건축허가 받은 가구 수의 증가 없이 다세대주택으로 전환된 경우에는 가구별 각각 1명을 분양대상자로 하여 적용한다.

제28조(다가구주택의 분양기준에 관한 경과조치) ① 1997년 1월 15일 전에 가구별로 지분 또는 구분소유등기를 필한 다가구주택(1990년 4월 21일 다가구주택 제도 도입 이전에 단독주택으로 건축허가를 받아 지분 또는 구분등기를 필한 사실상의 다가구주택을 포함한다)은 제36조제2항제3호의 개정규정에도 불구하고 다가구주택으로 건축허가 받은 가구 수로 한정하여 가구별 각각 1명을 분양대상자로 한다.

② 1997년 1월 15일 전에 가구별로 지분 또는 구분소유등기를 필한 다가구주택(1990년 4월 21일 다가구주택 제도 도입 이전에 단독주택으로 건축허가를 받아 지분 또는 구분등기를 필한 사실상의 다가구주택을 포함한다)은 제37조제2항제3호의 개정규정에도 불구하고 서울특별시조례 제4768호 서울특별시 도시 및 주거환경 정비조례 일부개정조례 시행 당시 최초로 사업시행인가를 신청하는 분부터 적용하며, 이미 사업시행인가를 받은 조합으로서 사업시행인가를 변경하고자 하는 경우에는 토지등소유자 전원의 동의를 받아야 한다.

제29조(권리산정기준일에 관한 적용례 및 경과조치) ① 제36조 및 제37조 개정규정은 서울특별시조례 제5007호 서울특별시 도시 및 주거환경 정비조례 일부개정조례 시행 이후 최초로 기본계획(정비예정구역에 신규로 편입지역 포함)을 수립하는 분부터 적용한다.

② 서울특별시조례 제5007호 서울특별시 도시 및 주거환경 정비조례 일부개정조례 시행 전에 기본계획이 수립되어 있는 지역 및 지구단위계획이 결정·고시된 지역은 종전의 「서울특별시 도시 및 주거환경 정비조례」(서울특별시조례 제5007호로 개정되기 전의 것을 말한다) 제27조 및 제28조에 따른다.

③ 분양대상 적용 시 제2항을 따르는 경우 2003년 12월 30일 전부터 공유지분으로 소유한 토지의 권리가액이 분양용 최소규모 공동주택 1가구의 추산액 이상인 자는 종전의 「서울특별시 도시 및 주거환경 정비조례」(서울특별시조례 제5007호로 개정되기 전의 것을 말한다) 제27조제2항제3호에 따른 분양대상자로 본다.

제30조(재개발임대주택 부속토지 가격 산정 및 매매계약에 관한 경과조치) 제41조 및 제42조의 개정규정에도 불구하고 이 조례 시행 전에 시장과 재개발임대주택 매매계약을 체결한 구역은 종전의 「서울특별시 도시 및 주거환경 정비조례」(서울특별시조례 제6843호를 말한다)에 따른다.

제31조(협동주택의 분양기준에 관한 경과조치 등) 제36조제2항제3호와 제37조제2항제3호의 개정규정에도 불구하고 서울특별시조례 제4768호 서울특별시 도시 및 주거환경 정비조례 일부개정조례 시행 당시 최초로 조합설립인가를 신청하는 분부터 종전의 「서울특별시주택개량재개발사업시행조례」 제4조제2항에 따라 건축된 협동주택으로서 지분 또는 구분소유등기를 필한 세대는 사실상 구분된 가구 수로 한정하여 각각 1명을 분양대상자로 하여 적용한다.

제32조(임대주택 공급대상 기준에 관한 경과조치) 서울특별시조례 제4167호 서울특별시도시및주거환경정비조례 시행 당시 종전의 「도시재개발법」 제4조에 따라 재개발구역으로 지정된 정비구역의 임대주택 공급대상기준은 제46조의 개정규정에도 불구하고 「서울특별시도시재개발사업조례시행규칙」에 따른다. 이 경우 구역지정 고시일을 대통령령 제18044호 도시및주거환경정비법시행령 제11조에 따른 정비구역 지정을 위한 공람공고일로 본다.

제33조(협의체 구성 및 운영에 관한 적용례 및 경과조치) ① 제67조의 개정규정은 서울특별시조례 제6408호 서울특별시 도시 및 주거환경 정비조례 일부개정조례 시행 당시 착공신고를 완료한 구역은 제외한다.

② 서울특별시조례 제6408호 서울특별시 도시 및 주거환경 정비조례 일부개정조례 시행 전에 사전협의체를 구성·운영한 경우에는 제67조의 개정규정에 따라 협의체를 구성·운영한 것으로 본다.

③ 서울특별시조례 제6408호 서울특별시 도시 및 주거환경 정비조례 일부개정조례 시행 전에 관리처분계획 인가된 구역 중 사업시행계획 및 관리처분계획에 사전협의체 운영과 관련된 사항이 있는 경우 이에 따른다.

제34조(다른 조례의 개정) ① 서울특별시 건축기본조례 일부를 다음과 같이 개정한다.

제37조제3항제2호를 다음과 같이 한다.

2. 시장이 결정하는 정비계획(「도시 및 주거환경정비법」·「도시개발법」·「도시재정비 촉진을 위한 특별법」에 따른 주거환경개선사업·재개발사업·재건축사업·도시개발사업 등)의 수립 자문

건축관계법

국토계획법

주차장법

주 택 법

도시및주거
환경정비법

건축사법

장애인시설법

소방시설법

서울시조례

건축관계법

국토계획법

주차장법

주 택 법

도시및주거
환경정비법

건축사법

장애인시설법

소방시설법

서울시조례

② 서울특별시 건축 조례 일부를 다음과 같이 개정한다.

제3조제1항제4호 중 "제4조제3항에 따른 도시환경정비구역이나 주택재개발사업구역"을 "제16조에 따라 지정·고시된 재개발사업을 위한 정비구역"으로 하고, "「서울특별시 도시 및 주거환경정비조례」 제8조제2항제8호"를 "「서울특별시 도시 및 주거환경정비 조례」 제8조제1항제8호"로 한다.

제7조제1항제1호라목 중 "「도시 및 주거환경정비법」 제30조의3 제4항제7호"를 "「도시 및 주거환경정비법」 제54조제3항제7호"로 한다.

제35조의3제1호 중 "「도시 및 주거환경 정비법」에 따른 주택재개발사업 및 주택재건축사업, 도시환경정비사업"을 "「도시 및 주거환경정비법」에 따른 재개발사업 및 재건축사업"으로 한다.

③ 서울특별시 공공주택 건설 및 공급 등에 관한 조례 일부를 다음과 같이 개정한다.

제8조제2항제1호 중 "「도시 및 주거환경정비법」 제30조의3제3항"을 "「도시 및 주거환경정비법」 제55조제1항"으로 "주택재건축사업"을 "재건축사업"으로 한다.

④ 서울특별시 공유재산 및 물품관리 조례 일부를 다음과 같이 개정한다.

제3조제2항제2호 중 "「도시 및 주거환경 정비법」 제2조에 따른 주거환경개선사업 및 주택재개발사업"을 "「도시 및 주거환경정비법」 제2조에 따른 주거환경개선사업 및 재개발사업"으로 한다.

제26조제3항 중 "「도시 및 주거환경정비법」 제4조에 따른 주택재개발사업"를 "「도시 및 주거환경정비법」 제16조에 따라 지정·고시된 재개발사업"으로 한다.

제36조제1항제8호 중 "「도시 및 주거환경정비법」 제2조제2호나목의 주택재개발사업"을 "「도시 및 주거환경정비법」 제2조제2호나목의 재개발사업"으로 하고 제2항제5호 중 "「도시 및 주거환경정비법」 제2조제2호나목의 주택재개발사업"을 "「도시 및 주거환경정비법」 제2조제2호나목의 재개발사업"으로 한다.

⑤ 서울특별시 국공립어린이집 설치 지원 조례 일부를 다음과 같이 개정한다.

제14조제2호 중 "「도시 및 주거환경정비법」 제3조제1항제7호"를 "「도시 및 주거환경정비법」 제5조제1항제7호"로 한다.

⑥ 서울특별시 도시개발 체비지 관리 조례 일부를 다음과 같이 개정한다.

제4조제1항제5호 중 "「서울특별시 도시 및 주거환경 정비조례」"를 "「서울특별시 도시 및 주거환경정비 조례」"로 한다.

제15조제2호 중 "「서울특별시 도시 및 주거환경정비조례」"를 "「서울특별시 도시 및 주거환경정비조례」"로 한다.

⑦ 서울특별시 도시계획 조례 일부를 다음과 같이 개정한다.

제35조제1호다목 중 "「도시 및 주거환경 정비법」"을 "「도시 및 주거환경정비법」"으로 한다.

제54조제5항 중 "도시환경정비구역"을 "도시정비형 재개발구역"으로 한다.

제55조제13항 중 "도시환경정비사업"을 각각 "도시정비형 재개발사업"으로 한다.

⑧ 서울특별시 도시재정비 촉진을 위한 조례 일부를 다음과 같이 개정한다.

제2조의2제2항 중 "「도시 및 주거환경정비법」 제17조"를 "「도시 및 주거환경정비법」 제36조"로 한다.

제4조 중 "「도시 및 주거환경정비법」 제28조 및 제48조"를 "「도시 및 주거환경정비법」 제50조 및 제74조"로 한다.

제5조제1항제3호 중 "「서울특별시 도시 및 주거환경 정비조례」 제7조제1항제8호"를 "「서울특별시 도시 및 주거환경정비 조례」 제11조제1항제8호"로 하고, 같은 항 제13호 중 "「도시 및 주거환경정비법」 제28조 및 제48조"를 "「도시 및 주거환경정비법」 제50조 및 제74조"로 한다.

⑨ 서울특별시 문화지구 관리 및 육성에 관한 조례 일부를 다음과 같이 개정한다.

제6조제1항 중 "「도시 및 주거환경정비법」 제4조"를 "「도시 및 주거환경정비법」 제16조"로 한다.

⑩ 서울특별시 물순환 회복 및 저영향개발 기본조례 일부를 다음과 같이 개정한다.

제11조제1항제9호 중 "「도시 및 주거환경정비법」 제2조제2호나목부터 라목에 따른 주택재개발사업·주택재건축사업·도시환경정비사업"을 "「도시 및 주거환경정비법」 제2조제2호나목 및 다목에 따른 재개발사업·재건축사업"으로 한다.

⑪ 서울특별시 사회주택 활성화 지원 등에 관한 조례 일부를 다음과 같이 개정한다.

제15조제4호 중 "주거환경관리사업구역내"를 "관리형 주거환경개선사업구역 내"로 한다.

⑫ 서울특별시 시세감면조례 일부를 다음과 같이 개정한다.

제9조제1항 중 "「서울특별시 도시 및 주거환경 정비조례」"를 "「서울특별시 도시 및 주거환경정비 조례」"로 한다.

제13조 중 "주택재개발사업"을 "주택정비형 재개발사업"으로 한다.

⑬ 서울특별시 역세권 청년주택 공급 지원에 관한 조례 일부를 다음과 같이 개정한다.

제2조제7호를 다음과 같이 한다.

7. "도시정비형 재개발사업"이란 「서울특별시 도시 및 주거환경정비 조례」 제3조제2호에 따른 정비사업을 말한다.

제6조제3호 중 "도시환경정비사업"을 "도시정비형 재개발사업"으로 한다.

제12조제5항 중 "도시환경정비사업"을 "도시정비형 재개발사업"으로 한다.

⑭ 서울특별시 주택사업특별회계 조례 일부를 다음과 같이 개정한다.

제1조 중 "「도시 및 주거환경정비법」에 따른 주거환경개선사업·주택재개발사업·주택재건축사업 및 도시환경정비사업"을 "「도시 및 주거환경정비법」에 따른 주거환경개선사업·재개발사업·재건축사업"으로 한다.

제5조제1항제1호 중 "「도시 및 주거환경정비법」 제30조제5호"를 "「도시 및 주거환경정비법」 제52조제6호 및 제7호"로, "제82조제2항제4호"를 "법 제126조제2항제2호"로 한다.

제5조제1항제2호 중 "법 제57조"를 "법 제89조"로 한다.

제5조제1항제3호 중 "법 제63조"를 "법 제95조"로 한다.

제5조제1항제5호 중 "법 제68조"를 "법 제101조"로 한다.

제5조제1항제6호 중 "법 제82조제2항제1호"를 "법 제126조제2항제6호"로 하고, "「서울특별시 도시 및 주거환경정비조례」(이하 "조례"라 한다) 제65조제2항제3호"를 "「서울특별시 도시 및 주거환경정비 조례」(이하 "조례"라 한다) 제89조제2항제3호"로 한다.

제5조제1항제7호 중 "법 제82조제2항제2호"를 "법 제126조제2항제3호"로 하고, "조례 제41조제4항"을 "조례 제89조제2항제2호"로 한다.

제5조제1항제8호 중 "법 제82조제2항제3호"를 "법 제126조제2항제4호"로 한다.

제5조제2항제1호 중 "법 제30조제5호·제30조의3"을 "법 제52조제6호 및 제7호·제54조"로 한다.

제5조제2항제2호 중 "법 제57조"를 "법 제89조"로 한다.

제5조제2항제4호 중 "법 제60조·제64조"를 "법 제92조·제96조"로 한다.

제5조제2항제5호 중 "법 제63조"를 "법 제95조"로 한다.

제5조의2제2항제10호 중 "주거환경개선사업·주택재개발사업·주택재건축사업 및 도시환경정비사업"을 "주거환경개선사업, 재개발사업 및 재건축사업"으로 하고, "도시환경정비사업 이외의 사업"을 "「서울특별

시 도시 및 주거환경정비 조례」 제3조제2호에 따른 도시정비형 재개발사업 이외의 사업"으로 한다.

제5조의3제2항제1호라목 중 "주거환경개선사업·주택재개발사업·주택재건축사업 및 도시환경정비사업"을 "주거환경개선사업, 재개발사업 및 재건축사업"으로 하고, 같은 항 제2호나목 중 "「도시 및 주거환경정비법 시행령」 제60조제4항"을 "「도시 및 주거환경정비법 시행령」 제79조제4항"으로 하며, 같은 호 다목 중 "주거환경개선사업·주택재개발사업·주택재건축사업 및 도시환경정비사업"을 "주거환경개선사업, 재개발사업 및 재건축사업"으로 한다.

제7조제3항제2호 중 "「도시 및 주거환경 정비조례」 제39조제2항 각 호 및 제3항"를 "「서울특별시 도시 및 주거환경정비 조례」 제53조제3항 및 제4항"으로 한다.

⑮ 서울특별시 지역균형발전 지원 조례 일부를 다음과 같이 한다.

제7조제2항제8호 중 "「도시 및 주거환경정비법」 제3조"를 "「도시 및 주거환경정비법」 제4조"로 한다.

서울특별시 한양도성 역사도심 특별 지원에 관한 조례 일부를 다음과 같이 개정한다.

제3조제3항제4호 중 "「도시 및 주거환경정비법」 제3조"를 "「도시 및 주거환경정비법」 제4조"로 한다.

서울특별시 행정기구 설치조례 일부를 다음과 같이 개정한다.

제16조제11호 중 "주거환경관리사업"을 "관리형 주거환경개선사업"으로 한다.

제35조(다른 법규와의 관계) 이 조례 시행 당시 다른 조례에서 종전의 「서울특별시 도시 및 주거환경 정비조례」 또는 그 규정을 인용하는 경우에 이 조례 가운데 그에 해당하는 규정이 있는 경우에는 종전의 「서울특별시 도시 및 주거환경 정비조례」 또는 그 규정을 갈음하여 이 조례 또는 이 조례의 해당 규정을 인용한 것으로 본다.

부칙<제6916호, 2018.10.4.>

제1조(시행일) 이 조례는 공포한 날부터 시행한다.

제2조 생략

제3조(다른 조례의 개정) ①부터 ④까지 생략

⑤ 「서울특별시 도시 및 주거환경 정비조례」 일부를 다음과 같이 개정한다.

제6조제5항제2호가목 중 "최고고도지구(김포공항 주변 최고고도지구는 제외한다)"를 "고도지구(김포

건축관계법

국토계획법

주차장법

주택법

도시및주거
환경정비법

건축사법

장애인시설법

소방시설법

서울시조례

공항주변 고도지구는 제외한다)"로 한다.
제14조의3제3항제3호 각 목 외의 부분 중 "최고고
도지구"를 "고도지구"로 한다.

부칙<제7372호, 2019.9.26.>

제1조(시행일) 이 조례는 공포한 날부터 시행한다.

제2조(적용례) 제22조제9호의 개정규정은 이 조례 시행 후
조합의 설립인가(변경인가를 포함한다)를 신청하는 경
우부터 적용한다.

부칙< 제7423호, 2019.12.31.> (서울특별시 자치법규 일본식 표현 일괄정비 조례)

이 조례는 공포한 날부터 시행한다.

부칙<제7782호, 2020.12.31>

이 조례는 공포한 날부터 시행한다.

부칙<제7862호, 2021.1.7>

이 조례는 공포한 날부터 시행한다.

부칙<제8105호, 2021.7.20>

이 조례는 공포한 날부터 시행한다.

부칙<제8184호, 2021.9.30>

이 조례는 공포한 날부터 시행한다.

부칙 (서울특별시 조례 일본식 표현 등 용어 일괄정비 조례) <제8235호, 2021.12.30>

이 조례는 공포한 날부터 시행한다.

부칙 <제8294호, 2021.12.30>

이 조례는 공포한 날부터 시행한다.

부칙(서울특별시 지방보조금 관리 조례) <제8468호, 2022.10.17>

제1조(시행일) 이 조례는 공포한 날부터 시행한다.

제2조 및 제3조 생략

제4조(다른 조례의 개정) ① 서울특별시 도시 및 주거환경
정비 조례 일부를 다음과 같이 개정한다.

제15조제10항 및 제84조 각 호 외의 부분 본문 중 "「서
울특별시 지방보조금 관리 조례」 제8조"를 각각 "「서
울특별시 지방보조금 관리 조례」 제4조"로 한다.
②부터 ⑨까지 생략

부칙(어려운 용어 정비 등을 위한 서울특별시 조례 일괄개정조례) <제8530호, 2022.12.30.>

이 조례는 공포한 날부터 시행한다.

부칙<제8582호, 2022.12.30.>

제1조(시행일) 이 조례는 공포한 날부터 시행한다. <개정
2023.3.27>

제2조(추진위원회 및 조합 비용의 보조에 관한 경과조치)
법률 제16383호 도시 및 주거환경정비법 시행 후 이
조례 개정 전, 법 제21조제1항제6호에 따라 해제된 정
비구역에서 조례 제15조제4항 및 제5항에 따라 보조금

을 신청하는 경우, 추진위원회 승인 취소 및 조합설립
인가 취소 고시가 있는 날을 이 조례 시행일로 본다.

부칙<제8675호, 2023.3.27.>

제1조(시행일) 이 조례는 공포한 날부터 시행한다. 다만,
제9조제5항, 제77조제1항 및 제2항의 개정규정은 2023
년 7월 1일부터 시행한다.

제2조(안전진단 절차 및 비용부담 등 대한 적용례) 제9조
제5항의 개정규정은 이 조례 시행 시행 후 안전진단
실시 시기가 도래하거나 안전진단 실시를 요청하는 분
부터 적용한다.

제3조(시공자 등의 선정기준에 대한 적용례) 제77조제1항
및 제2항의 개정규정은 이 조례 시행 당시 조합설립인
가를 받은 구역에 대해서도 적용한다.

부칙<제8734호, 2023.5.22.>

이 조례는 공포한 날부터 시행한다.

부칙<제8849호, 2023.7.24.>

이 조례는 공포한 날부터 시행한다.

부칙<제8960호, 2023.10.4.>

이 조례는 공포한 날부터 시행한다.

부칙 (서울특별시 조례 일본어 투 표현 등의 정비를 위한 일괄개정조례) <제8993호, 2023.12.29.>

이 조례는 공포한 날부터 시행한다.

부칙<제9052호, 2023.12.29.>

제1조(시행일) 이 조례는 공포한 날부터 시행한다.

[별표1]

철근콘크리트·철골콘크리트·철골철근콘크리트
및 강구조 공동주택의 노후·불량건축물 기준 (제4조제1항제1호 관련)

구분 준공년도	5층 이상 건축물	4층 이하 건축물
1981.12.31. 이전	20년	20년
1982	22년	21년
1983	24년	22년
1984	26년	23년
1985	28년	24년
1986	30년	25년
1987		26년
1988		27년
1989		28년
1990		29년
1991.1.1이후		30년

[별표 2]

결합정비사업의 시행방법 및 절차(제13조제3항)

1. 구청장은 다음 각 목의 절차에 따라 결합정비사업을 위한 정비계획을 입안할 수 있다.

   가. 도시·주거환경정비기본계획(이하 "기본계획"이라 한다)의 정비예정구역을 대상으로 영 제13조제1항에 따른 주민공람 전에 서울특별시 도시계획위원회(이하 "도시계획위원회"한다) 자문을 거쳐 신청할 수 있다.

   나. 저밀관리구역과 고밀개발구역을 결합하여 정비계획을 입안하고자 하는 경우에는 가목의 절차에 따라야 한다.

2. 결합정비구역의 저밀관리구역과 고밀개발구역은 다음 각 목에 적합하여야 한다.

   가. 저밀관리구역은 다음의 어느 하나에 해당하여야 한다.

   (1) 자연경관지구 또는 최고고도지구로 지정되어 있는 낙후한 지역

   (2) 문화재보호구역 주변

   (3) 제1종일반주거지역

   (4) 제2종일반주거지역으로서 7층 이하인 지역

   (5) 한옥밀집지역

   (6) (1)부터 (5)까지와 유사하거나 도시경관 또는 문화재 등을 보호하기 위하여 도시계획위원회 자문을 거쳐 시장이 인정하는 지역

   나. 고밀개발구역은 다음의 어느 하나에 해당하여야 한다.

   (1) 지하철, 국철 및 경전철역의 중심(승강장 중심점)으로부터 반경 500미터 이내의 역세권

   (2) 제2종일반주거지역, 제3종일반주거지역, 준주거지역, 상업지역으로서 폭 20미터 이상의 도로에 인접하여 토지의 고도이용이 가능한 지역

   (3) (1)·(2)와 유사하거나 기반시설, 주변여건 등을 고려하여 토지의 고밀개발이 가능하다고 도시계획위원회 자문을 거쳐 시장이 인정하는 지역

3. 결합정비구역의 정비계획은 다음 각 목에 적합하여야 한다.

   가. 이 표에서 사용하는 용어의 정의는 다음과 같다.

   (1) 기본계획용적률이란 저밀관리구역을 단독의 정비사업으로 정비하는데 필요한 용적률을 말하며, 정비기반시설 등을 제공하기 전 구역면적을 기준으로 산정한다. 다만, 도시관리계획 등을 기초로 도시계획위원회에서 정한 용적률을 기본계획용적률로 정할 수 있다.

   (2) 관리목표용적률이란 도시경관 또는 문화재 등을 보호하기 위하여 저밀관리구역에 새로이 정한 용적률을 말하며, 정비기반시설 등을 제공한 후 대지면적을 기준으로 산정한다.

   (3) 이전대상연면적이란 기본계획용적률과 관리목표용적률의 차에 해당하는 지상층 건축물 총면적(즉, 기본계획용적률을 적용한 지상층 건축물 총면적과 목표용적률을 적용한 지상층 건축물 총면적의 차)을 말한다.

   (4) 이전대상용적률이란 이전대상연면적을 고밀개발구역의 택지면적(정비기반시설을 제외한 정비구역 면적으로서 주택과 부대시설을 건축하기 위한 대지면적을 말한다)으로 나눈 용적률을 말한다.

   (5) 인센티브용적률이란 결합정비사업을 시행하면서 도시경관 또는 문화재 보호 등의 공공기여를 인정하여 완화하는 용적률을 말한다.

   나. 관리목표용적률은 저밀관리구역 입지특성에 따라 다음 표의 범위 안에서 도시계획위원회 자문을 거쳐 정한다.

입 지 특 성			관리목표용적률
전용주거지역에 준하는 밀도관리가 필요한 지역 · 자연경관 또는 문화재 등 보호가 필요하여 자연경관지구에 준하는 밀도관리가 필요한 지역	자연 경관지구	1종, 2종	90퍼센트 이하
그 밖에 저밀주택지로 관리할 필요가 있는 지역	최고 고도지구	1종, 2종	120퍼센트 이하

건축관계법

국토계획법

주차장법

주 택 법

도시및주거
환경정비법

건축사법

장애인시설법

소방시설법

서울시조례

건축관계법

국토계획법

주차장법

주 택 법

도시및주거
환경정비법

건축사법

장애인시설법

소방시설법

서울시조례

다. 인센티브용적률은 다음과 같이 산정한다.
  (1) 인센티브 용적률 = 이전대상용적률 × 0.5의 산정 값과 용적률 5% 중 큰 값. 다만, 인센티브용적률은 최대 20% 이하로 한다.
라. 고밀개발구역은 「국토의 계획 및 이용에 관한 법률 시행령」 별표 5 제1호 및 제2호에 따른 층수제한 규정에도 불구하고 용적률 완화에 반영되지 않은 정비기반시설 등 제공 면적에 비례하여 「국토의 계획 및 이용에 관한 법률 시행령」 제46조의 범위 내에서 도시계획위원회의 심의를 거쳐 완화할 수 있다.
마. 저밀관리구역과 고밀개발구역의 결합정비사업은 같은 종류의 정비사업간 결합하는 것을 원칙으로 한다. 다만, 도시계획위원회의 자문을 통해 인정하는 경우에는 서로 다른 종류의 정비사업간에도 결합할 수 있다.(신설 2012.7.26)

4. 결합정비구역의 추진위원회 및 조합 설립 절차 등
가. 하나의 추진위원회 및 조합을 구성하여야 한다. 다만, 저밀관리구역과 고밀개발구역으로 분할시행이 필요한 경우 저밀관리구역 및 고밀개발구역별로 추진위원회·조합으로 구성할 수 있으며, 다수의 정비구역으로 구성된 경우에는 구역별로 추진위원회·조합을 설립할 수 있다.
나. 「정비사업조합설립추진위원회 운영규정」에 따라 운영하되, 결합정비구역의 추진위원회는 다음의 사항에 따라 추진할 수 있다.
  (1) 구역별 토지등소유자의 과반수의 동의를 얻어 조합설립을 위한 하나의 추진위원회를 구성하며, 국토해양부령으로 정하는 방법과 절차에 따라 구청장의 승인을 얻어야 한다.
  (2) 저밀관리구역과 고밀개발구역을 대표하는 위원장을 선임하고, 위원장이 선임되지 않은 구역에서 부위원장을 선임한다.
  (3) 저밀관리구역과 고밀개발구역의 토지등소유자 수에 비례하여 추진위원회 위원을 선임하며, 각 구역에 같은 수의 감사를 선임한다.
다. 주택재개발 및 주택재건축사업 표준정관에 지역여건을 고려한 정관을 작성 및 운영하되, 결합정비구역의 조합은 다음 사항을 따라 추진할 수 있다.
  (1) 조합을 설립하고자 하는 경우에는 구역별로 토지등소유자의 4분의 3이상 및 토지면적의 2분의 1 이상 소유자의 동의를 얻어 정관 및 국토해양부령이 정하는 서류를 첨부하여 구청장의 인가를 받아야 한다.
  (2) 저밀관리구역과 고밀개발구역을 대표하는 조합장을 선임하고, 조합장이 선임되지 않은 구역에서 부조합장을 선임한다.
  (3) 저밀관리구역과 고밀개발구역의 조합원수에 비례하여 조합 이사를 선임하며, 각 구역에 같은 수의 감사를 선임한다.
라. 가목 단서에 따라 저밀관리구역과 고밀개발구역으로 분할시행이 필요하여 저밀관리구역 및 고밀개발구역별로 각각 추진위원회·조합으로 구성하는 경우는 다음 사항을 따라 추진할 수 있다.
  (1) 추진위원회는 각 정비구역별 「정비사업조합설립추진위원회 운영규정」에 따라 운영한다.
  (2) 조합은 각 정비구역별 조합정관을 작성하여 운영하되, 결합개발정비사업 시행에 필요한 연면적의 분배, 비용분담 등을 포함한다.

5. 결합정비사업 시행 및 관리처분 등
가. 저밀관리구역의 조합원은 저밀관리구역에 건립되는 건축물에 대하여 우선 분양신청을 하거나 고밀개발구역에 건립되는 건축물의 분양을 신청할 수 있다. 고밀개발구역의 조합원도 또한 같다.
나. 관리처분계획은 해당 사업에 따른 개발이익을 저밀관리구역의 조합원과 고밀개발구역의 조합원 간에 공정하고 합리적으로 배분할 수 있도록 수립되어야 한다.
다. 관리처분계획인가 후 저밀관리구역과 고밀개발구역을 분리하여 각각 착공할 수 있다.
라. 제4호 라목에 따라 저밀관리구역과 고밀개발구역으로 분할시행하는 경우 구역별로 관리처분계획을 수립할 수 있다.

[별표 3]

감정평가업자 선정 평가기준(제35조제1호 관련)

① 평가항목 : 감정평가업자의 업무수행실적(배점 : 20점)
- 최근 3년간 서울시내 정비사업(재개발·재건축·도시환경정비·가로주택정비사업)의 감정평가 계약 및 평가금액을 기준으로 실적을 평가함
- 평가건수(10점)

구 분	상위20%이내	20%초과~40%	40%초과~60%	60%초과~80%	80%초과~100%
평점	10	8	6	4	2

- 평가금액(10점)

구 분	상위20%이내	20%초과~40%	40%초과~60%	60%초과~80%	80%초과~100%
평점	10	8	6	4	2

② 평가항목 : 감정평가사 수(배점 : 15점)
- ○ 감정평가업자 소속 감정평가사 수 평가기준
  - 「부동산가격 공시 및 감정평가에 관한 법률」 제28조에 따라 인가를 받은 감정평가법인의 서울시소재 사무소에 소속된 감정평가사 수를 평가함
- ○ 평가배점(15%) - 서울시소재 사무소 소속 감정평가사의 수

구 분	20명 초과	16~20명	11~15명	6~10명	5명 이하
평점	15	14	13	12	11

③ 평가항목 : 기존 평가참여 규모(배점 : 30점)
- 서울시 감정평가업자 선정 평가기준 시행일 이후 서울시 자치구청장이 선정하여 평가한 정비사업 관리처분(종전, 종후) 평가금액 및 횟수(한국감정평가협회의 실적자료를 기준으로 하되, 실적이 등록되지 않은 경우에는 선정 시점을 기준으로 하며 이 경우 평가금액은 추정금액으로 한다)를 기준으로 평가함
- 기 참여 평가총액(15점)

구 분	하위 20%이내	하위 20%초과~40%	하위 40%초과~60%	하위 60%초과~80%	하위 80%초과~100%
평점	15	12	9	6	3

- 기 참여 평가횟수(15점)

구 분	하위 20%이내	하위 20%초과~40%	하위 40%초과~60%	하위 60%초과~80%	하위 80%초과~100%
평점	15	12	9	6	3

④ 평가항목 : 행정처분 횟수(배점 : 15점)
- 최근 3년간 감정평가업자 및 서울시소재 사무소 소속 감정평가사의 행정처분 횟수를 기준으

건축관계법
국토계획법
주차장법
주 택 법
도시및주거
환경정비법
건축사법
장애인시설법
소방시설법
서울시조례

로 평가함(한국감정평가협회 확인)

- 감정평가업자는 업무정지, 과징금 및 과태료부과 횟수를 기준으로, 소속 감정평가사는 자격취소, 등록취소, 업무정지 및 견책 횟수를 기준으로 하되, 업무정지, 자격취소 및 등록취소는 횟수를 2배로 환산하여 산정한다.

구 분	없음	3회 이하	4~6회	7~9회	10회 이상
평 점	15	12	9	6	3

⑤ 평가항목 : 감정평가수수료 적정성(배점 : 10점)

- 국토교통부장관이 공고한 감정평가업자의 보수기준의 기준요율을 기준으로 평가에 참여한 업자의 제안가격을 평가함

구분	기준요율 평가수수료의 80%금액	감정평가업자가 제안한 수수료(금액) (국토부고시 기준요율금액의 80%초과 ~ 100%미만)	국토부고시 기준요율 적용 수수료(금액) (100%~120%)
평점	10점	평가점수 = {(국토부고시 기준요율금액 - 제안금액)/국토부고시 기준요율금액) × 50	0점

⑥ 평가항목(비계량) : 감정평가계획의 적정성(배점 : 10점)

- 구청장이 감정평가업자선정위원회를 구성하여 심사한다. 이 경우 평가구역 조합의 임원이나 조합이 추천한 전문가 1인을 포함할 수 있다.

평가대상	평가항목														
	업무추진계획(25%)					인력투입계획(25%)					사후서비스 제안정도(50%)				
평 점	10	8	6	4	2	10	8	6	4	2	10	8	6	4	2

※ 시장은 구청장의 정비사업 감정평가업자 선정 평가에 필요한 세부기준을 정하여 운용할 수 있다.

06. 서울특별시 도시 및 주거환경정비조례 시행규칙

[제44507호, 일부개정 2022.9.26.]

일부개정 2010. 3.11. 규칙 제3740호
일부개정 2013. 2.21. 규칙 제3893호
일부개정 2014. 1.23. 규칙 제3953호
일부개정 2017. 1.19. 규칙 제3538호
전부개정 2018. 8. 2. 규칙 제4238호
타법개정 2022. 1.13. 규칙 제4461호
타법개정 2022. 8.18. 규칙 제4496호
일부개정 2022. 9.26. 규칙 제4507호

제1장 총 칙

제1조【목적】이 규칙은 「서울특별시 도시 및 주거환경 정비 조례」에서 위임한 사항과 그 시행에 필요한 사항을 규정함을 목적으로 한다.

제2조【정비계획 입안 제안 및 구역지정 신청서류】① 자치구청장(이하 "구청장"이라 한다)은 「도시 및 주거환경정비법」(이하 "법"이라 한다) 제9조에 따른 정비계획을 입안하여 법 제8조제5항에 따라 서울특별시장(이하 "시장"이라 한다)에게 정비구역 지정(변경지정을 포함한다)을 신청하는 경우 다음 각 호의 서류를 제출하여야 한다.

1. 별지 제1호서식에 따른 정비계획 및 구역지정(변경)신청서
2. 정비계획 입안과 관련한 다음 각 목의 서류 각 1부
   가. 주민 서면 통보 및 주민설명회 개최 공문 사본
   나. 주민공람 공고문 사본 및 별지 제2호서식에 따른 이해관계인 제출의견 심사내역서
   다. 별지 제3호서식에 따른 구의회 의견청취 결과
   라. 별지 제4호서식에 따른 토지 및 건축물 조서
   마. 별지 제5호서식에 따른 기초 조사·확인 내역서
3. 서울특별시도시계획위원회 심의 및 관련 부서와의 협의에 필요한 서류(전자문서 포함)
   가. 도시관리계획 현황 및 토지이용계획
   나. 정비구역 및 주변의 교통처리계획도서
   다. 개략적인 건축계획 및 건축시설의 배치도
   라. 정비기반시설 및 도시계획시설의 설치·정비계획도서

제3조【안전진단 동의 등】「서울특별시 도시 및 주거환경정비 조례」(이하 "조례"라 한다) 제9조제2항에서 "규칙에서 정한 서식"이란 다음 각 호의 사항을 말한다.
1. 별지 제6호서식에 따른 안전진단 요청을 위한 동의 서
2. 별지 제8호서식에 따른 동의총괄표

제4조【정비계획의 입안 제안에 관한 동의 등】법 제14조제1항에 따라 토지등소유자가 정비계획의 입안을 제안하는 경우에는 다음 각 호의 서류를 첨부하여 제출하여야 한다.
1. 별지 제1호서식에 따른 정비계획 및 구역지정(변경) 신청서
2. 별지 제4호서식에 따른 토지 및 건축물 조서
3. 별지 제5호서식에 따른 기초 조사·확인 내역서
4. 별지 제7호서식에 따른 정비계획(변경)의 입안제안에 관한 동의서
5. 별지 제8호서식에 따른 동의총괄표

제5조【신탁업자 사업시행자 지정 신청서류】법 제27조제1항제3호 및 같은 법 시행령(이하 "영"이라 한다) 제21조제3호에 따라 동의율을 확인할 수 있는 동의총괄표는 별지 제8호서식에 따른다.

제6조【추진위원회의 구성·승인 신청 등】「도시 및 주거환경정비법 시행규칙」(이하 "법 시행규칙"이라 한다) 제7조제1항제1호에 따른 토지등소유자의 명부는 별지 제9호서식에 따른다.

제7조【조합설립추진위원회승인서】구청장은 법 제31조제1항에 따라 조합설립추진위원회(이하 "추진위원회"라 한다)를 승인하는 때에는 별지 제10호서식의 조합설립추진위원회승인서를 신청인에게 교부하여야 한다.

제8조【조합의 설립인가 신청 등】조례 제20조제1항제5호에 따른 조합원 명부는 별지 제11호서식에 따르고, 동의율을 확인할 수 있는 동의총괄표는 별지 제8호서식에 따른다.

제9조【조합설립인가서】구청장은 법 제35조에 따라 조합의 설립(변경)을 인가하는 때에는 별지 제12호서식의 조합설립(변경)인가서를 신청인에게 교부하여야 한다.

제10조【조합설립인가 내용의 경미한 변경】조례 제21조제4호에서 "그 밖에 규칙으로 정하는 사항"이란 사업시행계획인가 신청예정시기의 변경을 말한다.

제11조【사업시행계획서의 작성】① 법 제52조제1항제3호에 따른 임시거주시설 등을 포함한 주민이주대책은 별지 제13호서식에 따른다.
② 영 제47조제2항제5호에 따른 자금계획은 별지 제14호서식에 따른다.

건축관계법
국토계획법
주차장법
주 택 법
도시및주거환경정비법
건축사법
장애인시설법
소방시설법
서울시조례

10장

제2편 건축법 관련기준

건축관계법

국토계획법

주차장법

주 택 법

도시및주거
환경정비법

건축사법

장애인시설법

소방시설법

서울시조례

10-116

③ 영 제47조제2항제7호에 따른 정비사업의 시행에 지장이 있다고 인정되는 정비구역안의 건축물 또는 공작물 등의 명세는 별지 제15호서식에 따른다.

④ 영 제47조제2항제8호에 따른 토지 또는 건축물 등에 관한 권리자 및 그 권리의 명세는 별지 제16호서식에 따른다.

⑤ 영 제47조제2항제10호부터 제12호까지에 따라 정비사업의 시행으로 용도가 폐지되는 정비기반시설의 조서와 사업시행자에게 무상으로 양도(귀속) 또는 양여되는 국·공유지의 조서는 별지 제17호서식에 따르고 새로 설치할 정비기반시설의 조서는 별지 제18호서식에 따른다.

⑥ 영 제47조제2항제14호 및 조례 제26조제1항 후단에 따른 기존주택의 철거계획서는 별지 제19호서식에 따른다.

제12조【사업시행계획인가의 신청】 ① 법 시행규칙 제10조제2항제1호가목 단서에 따른 사업시행계획서에 대한 토지등소유자의 동의서는 별지 제20호서식에 따르고, 토지등소유자의 명부는 별지 제9호서식을 따른다.

② 법 시행규칙 제10조제2항제1호라목에 따른 수용 또는 사용할 토지 또는 건축물의 명세 및 소유권 외의 권리의 명세서는 별지 제21호서식에 따른다.

③ 조례 제27조제1항에 따른 임대주택 입주대상자 명부는 별지 제22호서식에 따른다.

④ 사업시행자가 「국토의 계획 및 이용에 관한 법률」 제56조제1항에 따른 개발행위의 허가 및 같은 법 제130조제2항에 따른 타인 토지의 출입허가를 사업시행계획인가와 함께 받고자 하는 때에는 법 시행규칙 제10조제1항에 따른 사업시행계획 인가신청서에 이를 명확하게 적고 관계 법령에 의한 구비서류를 첨부하여 구청장에게 제출하여야 한다. (개정 2022.1.13.)

제13조【사업시행계획인가 등】 ① 구청장은 법 제50조에 따라 사업시행계획인가를 하는 때에는 사업시행자에게 별지 제23호서식의 사업시행계획 (변경·중지·폐지)인가서를 교부하고, 서울주택도시공사사장(이하 "공사사장"이라 한다)에게 임대주택건설 및 공급계획과 관계도면 등을 통보하여야 한다.

② 구청장은 영 제49조에 따라 토지등소유자에게 공고 내용을 통지하는 때에는 임대주택 공급대상자에게도 이를 통지하여야 한다.

제14조【분양신청】 영 제59조제2항제2호에 따른 분양신청서는 별지 제24호서식에 따른다.

제15조【재개발사업의 임대주택 공급대상자 등】 ① 사업시행자는 조례 제28조제2항제2호에 따른 임대주택 입주대상자 명부 작성을 위하여 사업시행구역 안의 세입자에게 임대주택 입주신청서 및 영 제54조제4항에 따른 주거이전비 지급에 관한 안내문을 서면으로 통지하여야 한다.

② 제1항에 따라 서면으로 통지를 받은 후 임대주택의 입주를 희망하는 세입자는 별지 제25호서식의 임대주택 입주신청서를 사업시행자에게 제출하여야 한다.

③ 사업시행자는 임대주택 입주신청서가 제출된 때에는 조례 제46조제1항에 따른 공급대상 자격요건 및 거주실태를 조사하여 구청장에게 제출하고, 신청인 및 세대원 전원의 주택소유 여부에 관하여 구청장에게 전산검색을 의뢰하여야 한다.

④ 사업시행자는 제3항에 따른 전산검색 등을 거쳐 주택소유자로 판명되거나 그 밖의 자격요건에 미달하여 임대주택 입주대상에서 제외되는 신청자에게 소명기회를 부여하여야 한다.

⑤ 조례 제46조제1항제6호에서 "그 밖에 규칙으로 정하는 자"란 서울특별시조례 제4167호 서울특별시도시및주거환경정비조례 부칙 제5조에 따라 임대주택 공급대상자에 해당된 자(철거되는 주택 외의 다른 주택을 소유하지 아니한 자로 한정한다)를 말한다.

⑥ 조례 제46조제1항에 따른 무주택세대주에 해당되는지 여부는 「주택공급에 관한 규칙」 제53조를 준용한다.

⑦ 임대주택의 공급대상자는 법 제50조에 따른 사업시행계획인가로 확정된다.

제16조【관리처분계획서의 작성】 ① 법 제74조제1항제3호 및 제5호에 따른 분양대상자별 분양예정인 대지 또는 건축물의 추산액과 분양대상자별 종전의 토지 또는 건축물의 명세 및 사업시행계획인가 고시가 있은 날을 기준으로 한 가격은 별지 제26호서식에 따른다.

② 법 제74조제1항제4호 및 영 제62조제2호에 따른 보류지 등의 명세와 추산액 및 처분방법은 별지 제27호서식에 따른다.

③ 법 제74조제1항제6호에 따른 정비사업비의 추산액 및 그에 따른 조합원 분담규모 및 분담시기는 별지 제28호서식에 따른다.

④ 법 제74조제1항제7호에 따른 분양대상자의 종전 토지 또는 건축물에 관한 소유권 외의 권리명세는 별지 제29호서식에 따른다.

⑤ 법 제74조제1항제8호에 따른 세입자별 손실보상을

위한 권리명세 및 평가액은 별지 제30호서식에 따른다.

⑥ 영 제62조제1호에 따른 현금으로 청산하여야 하는 토지등소유자별 기존의 토지·건축물 또는 그 밖의 권리의 명세와 이에 대한 청산방법은 별지 제31호서식에 따른다.

⑦ 영 제62조제4호에 따른 정비사업의 시행으로 인하여 새롭게 설치되는 정비기반시설의 명세와 용도가 폐지되는 정비기반시설의 명세는 별지 제17호서식 및 별지 제18호서식에 따른다.

⑧ 조례 제33조제1호가목에 따른 관리처분계획 대상물건 조서는 별지 제32호서식에 따른다.

⑨ 조례 제33조제1호나목에 따른 임대주택의 부지명세와 부지가액·처분방법 및 임대주택 입주대상 세입자명부는 별지 제33호서식 및 별지 제34호서식에 따른다.

제17조【관리처분계획의 인가 등】 ① 구청장은 사업시행자가 관리처분계획의 인가를 신청한 경우 제15조에 따른 임대주택 공급대상자가 있거나 서울특별시조례 제5007호 서울특별시 도시 및 주거환경 정비조례 부칙 제3조제2항에 따른 서울특별시조례 제4949호 서울특별시 도시 및 주거환경 정비조례 제27조제1항제2호 단서에 해당하는 분양대상자가 있는 경우에 법 제78조제1항 본문에 따른 관계 서류의 공람 전에 주택소유 여부에 관한 전산검색을 실시하여야 한다.

② 구청장이 법 제78조제2항에 따라 관리처분계획의 인가를 결정하는 경우 사업시행자에게 별지 제35호서식의 관리처분계획인가서를 교부하여야 하며, 공사사장에게는 정비사업구역 내 임대주택의 부지명세와 부지가액·처분방법(별지 제33호서식) 및 임대주택 입주대상 세입자명부(별지 제34호서식)를 통보하여야 한다.

③ 사업시행자는 법 제78조제5항에 따라 분양신청자에게 관리처분계획인가 내용 등을 통지하는 경우 제15조제7항에 따라 임대주택 입주대상자로 확정된 자에게도 별지 제36호서식의 임대주택 입주안내서를 통지하여야 한다.

제18조【임대주택의 관리 등】 ① 시장은 임대주택 및 입주자 관리에 관한 사무를 공사사장에게 위탁할 수 있다.

② 공사사장은 제17조제2항에 따라 구청장으로부터 임대주택의 처분명세서와 임대주택 입주대상 세입자명부를 통보받은 때에는 주택소유 여부에 관한 전산검색을 실시하여, 조례 제46조에 따른 임대주택 입주대

상 자격 여부를 심사한 후, 동·호의 추첨 등 입주에 필요한 절차를 이행한 후 그 결과를 시장 및 관할구청장에게 통보하여야 한다.

③ 임대주택의 임대차계약의 체결, 임대보증금의 결정·수납, 임대주택의 동·호 결정 등 임대주택의 입주자 관리에 관하여는 법·영·조례 및 이 규칙에서 특별히 정한 것을 제외하고는 서울주택도시공사의 임대 및 주택관리에 관한 규정과 내규 등을 적용한다.

④ 구청장은 시장과 사업시행자가 임대주택 매매계약을 체결하는 때와 임대주택 사용승인(또는 임시사용승인)을 하는 때에는 공사사장으로 하여금 해당 임대주택을 확인·점검토록 조치하여야 한다.

⑤ 공사사장은 제2항에 따라 임대주택을 공급한 후 잔여주택이 있거나 입주포기·이주 등으로 공가가 발생된 경우에는 다음 각 호의 방법에 따라 조치하여야 한다.

1. 공사사장은 잔여주택에 대한 우선배정 계획을 수립하여 각 구청장에게 통보하여야 한다.

2. 구청장은 공사사장으로부터 우선배정 계획을 통보받은 때에는 이를 관할 구역 내 재개발사업 사업시행자에게 통보하고, 구청 홈페이지 및 게시판에 10일 이상 공고하여 대상 세입자로부터 우선배정 신청을 받아 그 명단을 공사사장에게 통보하여야 한다.

3. 공사사장은 우선배정 신청자가 조례 제46조에 따른 임대주택 공급대상자에 해당하는지 여부를 심사한 후, 적합한 세입자를 대상으로 공급하되, 사업시행계획인가일이 오래 경과한 정비구역 순으로 우선배정한다.

4. 우선배정의 순위는 제3호에 따라 공사사장이 결정하되, 공급 물량이 부족한 경우 동일한 조건인 때에는 추첨에 의하여 결정할 수 있으며, 공사사장은 우선배정을 결정하는 때에는 지체 없이 해당 구청장에게 그 결과를 통보하여야 한다.

5. 잔여주택을 우선배정한 후에도 잔여주택이 있는 경우 그 처분방법은 시장이 정하되, 중앙행정기관에서 특별공급요청이 있는 경우 「주택공급에 관한 규칙」 제35조부터 제47조까지에서 정한 대상자에게 특별공급할 수 있다.

⑥ 공사사장은 불법 전대행위가 발생되지 아니하도록 정기적인 확인을 실시하여야 하며, 종합적인 입주 및 퇴거 관리로 공가가 발생되지 아니하도록 조치하여야 한다.

제19조【시기조정자료의 작성】 조례 제48조제4호에 따른 시기조정자료 중 예상 이주시기 및 이주가구는 별지 제37호서식에 따른다.

건축관계법

국토계획법

주차장법

주 택 법

도시및주거
환경정비법

건축사법

장애인시설법

소방시설법

서울시조례

건축관계법

국토계획법

주차장법

주 택 법

도시및주거
환경정비법

건축사법

장애인시설법

소방시설법

서울시조례

제20조 【정비기반시설 설치비용 보조】 ① 조례 제52조제3항에 따라 주택정비형 재개발사업의 정비기반시설 설치비용 보조를 신청하고자 하는 사업시행자는 사업시행계획인가 신청 시 별지 제38호서식의 정비기반시설 설치비용 보조 신청서에 다음 각 호의 서류를 첨부하여 구청장에게 제출하여야 한다.
  1. 설치비용 보조 대상이 되는 정비기반시설의 종류, 규모 및 설치비용
  2. 정비기반시설의 조서·도면 및 설치비용 계산서
② 시장은 제1항에 따른 설치비용 보조대상 금액에서 다음 각 호의 비용을 제외하고 보조할 수 있다.
  1. 새로 설치하는 정비기반시설 내 기존 정비기반시설 중 국·공유지에 해당하는 면적의 토지비
  2. 법 제17조제3항에 따라 정비구역지정 시 용적률 완화를 적용받은 부지 면적(조성비를 포함한다)의 환산비용
  3. 법 제97조제2항에 따라 무상양도 받은 국·공유지 비용

제21조 【구청장에 대한 정비계획 수립 비용 보조】 시장은 조례 제52조제7항에 따라 구청장이 정비계획을 입안하는 경우에 정비계획 수립을 위한 총 용역비의 50퍼센트(관리형 주거환경개선사업의 경우에는 100퍼센트) 범위에서 지원할 수 있다.

제22조 【융자계획 수립】 시장은 조례 제53조제6항에 따라 정비사업에 소요되는 비용을 융자하고자 하는 때에는 사업비 융자계획을 매년 수립하여야 하며, 다음 각 호의 사항을 포함하여 시보에 공고하여야 한다.
  1. 융자신청 대상자
  2. 우선 융자대상 정비구역
  3. 융자금액
  4. 상환기간 및 방법
  5. 이율
  6. 신청기간
  7. 신청서류

제23조 【융자신청대상자】 융자신청대상자는 정비사업 융자계획 공고 이전에 법 제16조에 따라 정비구역으로 지정·고시된 구역의 추진위원회와 조합(법 제25조에 따라 조합과 공동으로 시행하는 경우는 제외한다)으로 한다.

제24조 【우선융자대상 정비구역】 시장은 제26조에도 불구하고 공공목적의 조기수행을 위하여 필요한 경우에는 우선융자대상 정비구역을 선정하여 다른 정비구역보다 우선하여 융자할 수 있다.

제25조 【융자신청】 ① 융자신청대상자가 조례 제53조제1항제2호 및 제2항에 따른 비용을 융자받고자 하는 경우 제22조제6호의 신청기간 내에 별지 제39호서식의 정비사업 융자금신청서를 자금 사용계획서 및 세부집행계획과 함께 시장에게 제출하여야 한다.
② 시장은 제1항에 따른 제출서류의 접수 및 적정여부 검토에 관한 사항을 구청장에게 협조 요청할 수 있다.

제26조 【융자대상 및 금액 결정 방법 등】 ① 시장은 제25조에 따라 융자신청대상자가 제출한 자금 사용계획서 및 세부집행계획 등의 적정성 및 별표 1에서 정한 평가항목 점수 등을 종합적으로 검토하여 융자대상자의 순위를 결정할 수 있다.
② 시장은 제1항에 따라 결정된 융자대상자 순위 등을 고려하여 융자금액 등을 결정할 수 있으며, 이 경우 융자금액 결정에 필요한 세부적인 절차 및 기준 등을 별도로 정할 수 있다.
③ 조례 제53조에 따른 융자금액을 산정하기 위한 건축공사비는 도시정비형 재개발구역의 건축물 등의 철거비와 건축시설공사비 및 그 밖의 부대비(설계비, 감리비 등)로 한다.

제27조 【융자사무의 위탁】 ① 시장은 「서울특별시 주택사업특별회계 조례」 제14조제2항에 따라 융자사무를 위탁 받는 금융기관 등을 선정 시 위탁수수료율 등을 고려하여 시장이 정한다.
② 시장은 제1항에 따라 선정된 금융기관 등(이하 "수탁기관"이라 한다)과 정비사업 융자금 운용·위탁에 관한 협약(이하 "협약"이라 한다)을 체결하여야 한다.

제28조 【융자대상자 통보】 ① 시장은 제24조 및 제26조에 따라 융자대상자 및 금액을 결정한 때에는 지체 없이 이를 수탁기관 및 융자대상자에게 통보하여야 한다.
② 융자대상자는 제1항에 따른 융자결정 통보일부터 90일 이내 수탁기관에 융자금 대출을 신청하여야 한다.
③ 제2항에도 불구하고 매년 마지막 융자계획에 관한 공고에 따라 선정된 융자대상자는 해당 공고에서 정한 날까지 수탁기관에 융자금 대출을 신청하여야 한다.
④ 제3항에 따라 융자금 대출 신청을 한 융자대상자는 해당 연도 내에 수탁기관에서 융자금을 대출 받아야 한다.
⑤ 제2항 및 제3항에 따른 기한 내에 융자대상자가 수탁기관에 융자금 대출을 신청하지 않을 경우 융자결

정은 취소된다. 다만, 부득이한 사유로 제2항 및 제3항에 따른 신청기간이 끝나기 전에 시장의 사전승인을 받은 경우에는 그러하지 아니하다.

⑥ 시장은 제5항에 따라 융자결정이 취소되거나 사전승인을 한 경우에는 지체 없이 융자대상자와 수탁기관에 그 사실을 통지하여야 한다.

제29조【융자의 취소 및 융자신청 제한 등】 ① 시장은 융자대상자로 결정된 자가 다음 각 호의 어느 하나에 해당되는 경우에는 융자결정을 취소할 수 있다.

1. 거짓 또는 부정한 수단으로 융자를 받은 경우
2. 정비구역 해제 또는 추진위원회 승인·조합설립인가가 취소된 경우
3. 사업시행계획인가 또는 관리처분계획인가가 취소된 경우

② 시장은 제1항에 따라 융자결정을 취소한 경우에 이를 수탁기관에 통보하여야 하며, 수탁기관은 융자대상자에게 대출한 융자금(이자 포함)을 일시에 회수하여야 한다.

③ 융자대상자는 제1항에 따라 융자결정이 취소된 날부터 5년 이내에 융자 신청을 할 수 없다. 다만, 추진위원회 또는 조합설립이 취소되어 법령에 따라 새로 승인 또는 인가를 얻는 구역으로서 시장이 공공의 지원이 필요하다고 인정하는 경우에는 예외로 할 수 있다.

제30조【융자금 상환방법 등】 ① 융자대상자는 수탁기관에서 대출받은 융자금(이자 포함)을 정비사업의 준공인가 신청 전에 상환하고 시장에게 융자금 상환 증빙서류를 준공인가 신청 시 제출하여야 한다. 다만, 시장이 제22조에 따라 융자대상자별 융자 기간 및 상환방법 등을 별도로 정한 융자계획을 수립하여 공고하는 경우 그에 따른다.

② 시장은 제1항에 따른 서류의 접수에 관한 사항에 대하여 구청장에게 협조를 요청할 수 있다.

제31조【융자금의 대여조건 및 상환】 ① 융자금 운용과 수탁기관의 융자대상자에 대한 융자금 대출금리 및 상환조건 등에 대하여 이 규칙에서 정하지 아니한 사항은 제27조제2항에 따라 체결된 협약에 따른다.

② 수탁기관은 융자금 대여 시 시장에게 별지 제40호서식의 정비사업 융자금 대여차용증서를 제출하여야 한다.

③ 수탁기관은 융자대상자가 대출받은 융자금의 상환 여부에도 불구하고 해당 대여원리금 상환일(공휴일인 경우 그 다음 영업일)에 상환하여야 한다.

④ 대여이자 계산 시 대여일, 상환일, 상환일 전일은 이자계산일수에 포함하지 않으며, 1년은 365일로 한다.

⑤ 융자대상자가 대출받은 융자금을 상환기일 전에 수탁기관에 조기상환하는 경우 수탁기관은 제3항에도 불구하고 대출금을 회수한 날부터 14 영업일 이내에 시장에게 대여원리금을 상환하여야 한다.

⑥ 수탁기관은 대여원리금을 상환하는 때에는 시장이 지정한 계좌에 납입하여야 한다.

⑦ 시장은 별지 제41호서식의 정비사업 융자금관리카드를 작성하여 융자상환내역을 관리하여야 한다.

제32조【추진실적의 보고】 조례 제62조제1항에 따른 추진실적 보고에 필요한 사항은 다음 각 호와 같다.

1. 조례 제62제1항제1호 및 제2호에 따른 서류: 고시문 사본
2. 조례 제62조제1항제3호에 따른 서류 : 별지 제10호서식의 조합설립추진위원회 승인서 사본
3. 조례 제62조제1항제4호에 따른 서류 : 별지 제12호서식의 조합설립(변경)인가서 사본
4. 조례 제62조제1항제5호에 따른 다음 각 목의 서류
   가. 사업시행계획인가신청서(법 시행규칙 별지 제8호서식, 제출서류 제외)사본
   나. 새로 설치할 정비기반시설의 조서(별지 제18호서식, 제출서류 제외) 사본
   다. 사업시행계획인가서(별지 제23호서식, 제출서류 제외) 및 고시문 사본
   라. 임대주택 입주대상자 명부(별지 제22호서식, 제출서류 제외) 사본
5. 조례 제62조제1항제6호에 따른 다음 각 목의 서류
   가. 관리처분계획인가신청서(법 시행규칙 별지 제9호서식, 제출서류 제외) 사본
   나. 관리처분계획인가 시 정비사업비 추산액 및 그에 따른 조합원 분담규모 및 분담시기(별지 제28호서식) 사본
   다. 임대주택의 부지명세와 부지가액·처분방법(별지 제33호서식)
   라. 임대주택 입주대상 세입자명부(별지 제34호서식, 제출서류 제외) 사본
   마. 관리처분계획인가서(별지 제35호서식, 제출서류 제외) 및 고시문 사본
6. 조례 제62조제1항제7호에 따른 서류 : 「주택공급에 관한 규칙」 제20조에 따라 승인한 입주자모집 공고안 사본 1부
7. 조례 제62조제1항제8호에 따른 서류 : 공사완료 고시문 사본 1부

건축관계법
국토계획법
주차장법
주 택 법
도시및주거환경정비법
건축사법
장애인시설법
소방시설법
서울시조례

건축관계법

국토계획법

주차장법

주 택 법

도시및주거
환경정비법

건축사법

장애인시설법

소방시설법

서울시조례

제33조【조정위원회 운영 등】조례 제66조제3항에서 "그 밖에 조정위원회 운영 등에 필요한 사항"이란 다음 각 호의 사항을 말한다.

1. 별지 제42호서식에 따른 조정위원회 조정신청서
2. 별지 제43호서식에 따른 조정위원회 위원기피 신청서
3. 별지 제44호서식에 따른 조정서

제34조【신고포상금 신청절차 및 지급기준 등】① 시장은 조례 제91조제3항에 따라 금품·향응 수수행위 등에 관한 신고내용을 확인하고 수사기관에 수사를 의뢰하여야 한다.

② 조례 제91조제2항에 따라 수사기관에 고발한 자가 포상금을 지급받으려는 경우에 신고한 사건의 종국처분 통지를 받은 날부터 2개월 이내에 별지 제45호서식의 포상금 지급신청서에 신고한 사건의 수사결과통지서 사본 등 신고 또는 고발에 대한 처리 결과를 확인할 수 있는 서류를 첨부하여 시장에게 제출하여야 한다.

③ 시장은 제1항에 따른 수사의뢰에 대한 수사기관의 처분내용을 통보 받거나 제2항에 따라 신고포상금 지급신청을 요청받은 경우 신고포상금 심사위원회(이하 "심사위원회"라 한다) 심의를 통해 신고포상금(이하 "포상금"이라 한다) 지급여부 및 지급금액을 결정하고, 포상금 지급결정이 있는 경우에는 포상금 지급대상자에게 지체 없이 통보하여야 한다.

④ 조례 제91조제5항에 따른 포상금의 지급기준은 별표 2와 같다.

제35조【심사위원회 구성 및 운영 등】① 제34조제3항에 따라 포상금 지급여부 및 지급금액 등을 심의하기 위하여 심사위원회를 둔다. 이 경우 심사위원회는 심의가 필요할 때마다 구성·운영하고, 회의 종료와 함께 자동 해산된다.

② 심사위원회는 위원장을 포함하여 10명 이내의 위원으로 구성한다.

③ 심사위원회의 위원장은 주거사업기획관이 되고, 위원은 다음 각 호에 해당하는 사람 중에서 시장이 위촉 또는 임명하되, 제2호, 제4호, 제5호에 해당하는 사람이 각 2명 이상 포함되어야 하며, 위촉직 위원의 경우 「양성평등기본법」 제21조제2항 본문에 따라 특정 성별이 위촉직 위원 수의 10분의 6을 초과하지 아니하도록 하여야 한다. 다만, 같은 항 단서에 따라 해당 분야 특정 성별의 전문인력 부족 등 부득이한 사유가 있다고 인정되어 양성평등실무위원회의 의결을 거친 경우에는 그러하지 아니하다.

1. 서울특별시의회 의장이 추천하는 서울특별시의원

2. 정비사업에 관한 학식과 경험이 풍부한 판사, 검사, 변호사
3. 대학이나 연구기관에서 부교수 이상 또는 이에 상당하는 직에 재직하고 있는 사람
4. 도시계획기술사, 건축사, 감정평가사, 공인회계사 등 정비사업에 관한 학식과 경험이 풍부한 전문가
5. 정비사업 관련 업무에 종사하는 5급 이상 공무원

④ 위원의 임기는 제1항에 따른 심사위원회 구성·운영 기간으로 한다.

⑤ 심사위원회 위원의 제척·기피·회피에 관한 사항은 조례 제18조를 준용한다. 이 경우 "검증위원회 및 재검증위원회"는 "심사위원회"로 본다.

⑥ 위원장이 회의를 소집하려는 때에는 회의의 일시·장소 및 심의 안건을 회의개최일 3일 전까지 각 위원에게 통지하여야 한다. 다만, 긴급한 경우 그러하지 아니하다.

⑦ 심사위원회는 위원장을 포함한 재적위원 과반수의 출석으로 개의하고 출석위원 과반수의 찬성으로 의결한다.

제36조【비밀유지】 포상금의 지급과 관련된 업무를 한 자는 조례 제91조제3항에 따라 금품·향응 수수행위 등에 관하여 신고한 자의 관련 정보 등을 타인에게 제공하거나 누설하여서는 안 된다.

부칙<제4238호, 2018.8.2.>

제1조(시행일) 이 규칙은 공포한 날부터 시행한다.

제2조(일반적 경과조치) 이 규칙 시행 당시 종전의 규칙에 의하여 행하여진 처분, 협약, 절차 및 그 밖의 행위는 이 규칙의 규정에 의하여 행하여진 것으로 본다.

제3조(다른 규칙의 개정) ① 서울특별시 교통영향분석·개선대책 수립에 관한 조례 시행규칙 일부를 다음과 같이 개정한다.

별표 제1호가목 교통영향분석·개선대책 제출시기 또는 심의요청시기란 중 "「도시 및 주거환경정비법」 제28조에 따른 사업시행인가"를 "「도시 및 주거환경정비법」 제50조에 따른 사업시행계획인가"로 한다.

② 서울특별시 공공임대주택 운영 및 관리 규칙 일부를 다음과 같이 개정한다.

제2조제1호마목 중 "「서울특별시 도시 및 주거환경정비조례」"를 "「서울특별시 도시 및 주거환경정비조례」"로 한다.

③ 서울특별시 도시개발 조례 시행규칙 일부를 다음과

같이 개정한다.

제2조제2호 중 "「도시 및 주거환경정비법」 제3조"를 "「도시 및 주거환경정비법」 제4조"로 한다.

④ 서울특별시 도시계획 조례 시행규칙 일부를 다음과 같이 개정한다.

별표 1 제1호가목 중 "경과연수는 「서울특별시 도시 및 주거환경 정비조례」 제3조제1항제1호"를 "경과연수는 「서울특별시 도시 및 주거환경정비 조례」 제4조제1항제1호"로 하고, 같은 표 제2호가목 단서 중 "「서울특별시 도시 및 주거환경 정비조례」 제2조제1호"를 "「서울특별시 도시 및 주거환경정비 조례」 제2조제1호"로 한다.

⑤ 서울특별시 한양도성 보존 및 관리 등에 관한 조례 시행규칙 일부를 다음과 같이 개정한다.

제3조제2호 중 "주택재개발"을 "재개발"로 한다.

⑥ 서울특별시 행정기구 설치조례 시행규칙 일부를 다음과 같이 개정한다.

제20조의2제7항제1호 중 "도시환경정비사업"을 "도시정비형 재개발사업"으로 하고, 같은 항 제3호 중 "도시환경정비구역"을 "도시정비형 재개발구역"으로 하며, 같은 항 제4호부터 제6호까지 중 "도시환경정비사업"을 각각 "도시정비형 재개발사업"으로 하고, 같은 조 제9항제3호 중 "주택재개발·주택재건축·주거환경개선사업"을 "주택정비형 재개발·재건축·주거환경개선사업"으로 하며, 같은 항 제4호, 같은 조 제10항 제21호 및 제22호 중 "주택재개발·단독주택재건축·주거환경개선사업"을 각각 "주택정비형 재개발·단독주택재건축·주거환경개선사업"으로 하고, 같은 항 제23호 및 제24호 중 "주택재개발·주거환경개선사업"을 각각 "주택정비형 재개발·주거환경개선사업"으로 하며, 같은 항 제25호 중 "주택재개발·주거환경개선사업구역"을 "주택정비형 재개발·주거환경개선사업구역"으로 하고, 같은 조 제12항제1호부터 제3호까지 중 "주거환경관리사업·가로주택정비사업"을 각각 "관리형 주거환경개선사업·가로주택정비사업"으로 하며, 같은 항 제5호 중 "주거환경관리사업"을 "관리형 주거환경개선사업"으로 하고, 같은 항 제6호 및 제8호 중 "주거환경관리사업·가로주택정비사업"을 각각 "관리형 주거환경개선사업·가로주택정비사업"으로 하며, 같은 항 제9호부터 제13호까지 중 "주거환경관리사업"을 각각 "관리형 주거환경개선사업"으로 한다.

제4조(다른 법규와의 관계) 이 규칙 시행 당시 다른 법규에서 종전의 「서울특별시 도시 및 주거환경 정비조례 시행규칙」 또는 그 규정을 인용하고 있는 경우 이 규칙 중 그에 해당하는 규정이 있으면 종전의 「서울

특별시 도시 및 주거환경 정비조례 시행규칙」 또는 그 규정을 갈음하여 이 규칙 또는 이 규칙의 해당 규정을 인용한 것으로 본다.

부칙(어려운 한자어 등의 정비를 위한 서울특별시 규칙 일괄개정규칙) <제4461호, 2022.1.13>

이 규칙은 공포한 날부터 시행한다.

부칙(상위법령에 근거없는 주민등록번호 수집 정비를 위한 서울특별시 규칙 일괄개정규칙) <제4496호, 2022.8.18>

이 규칙은 공포한 날부터 시행한다.

부칙 <제4507호, 2022.9.26.>

이 규칙은 공포한 날부터 시행한다.

건축관계법

국토계획법

주차장법

주 택 법

도시및주거
환경정비법

건축사법

장애인시설법

소방시설법

서울시조례

[별표 1] 융자순위 결정을 위한 점수표(제26조 관련)

융자순위 결정을 위한 점수표

구 분				평가항목	배점
동의율 (10점)	추진위원회 승인		1	60% 이상	10
			2	60% 미만	8
	조합 설립		1	80% 이상	10
			2	80% 미만	8
건립예정 주택 중 소형평형비율 (10점)			1	전용 60㎡이하가 전체세대수의 45% 이상	10
			2	전용 60㎡이하가 전체세대수의 45% 미만	8
정비기반시설 (공공시설등 포함) 부담률 (10점)			1	20% 이상	10
			2	15% 이상	8
			3	15% 미만	6
자치구 재정수요충족도 (10점)			1	충족도 50% 미만	10
			2	충족도 50~70% 미만	8
			3	충족도 70% 이상	6
사업추진단계 (10점)			1	정비구역 지정 된 추진위원회	10
			2	조합설립인가 후	8
			3	사업시행계획인가 후	6
융자지원여부 (10점)			1	융자신청을 처음으로 하는 경우	10
			2	융자대상자로 결정되어 융자금을 받은 경우	8
공공지원 규정 적용여부 (10점)			1	예산·회계규정	4
			2	행정업무규정	3
			3	선거관리규정	3
정성평가(30점)				융자금 지원 여부를 위한 적정성 검토 등	30

[별표 2] 신고포상금 지급기준 및 지급기준액(제34조 관련)

신고포상금 지급기준 및 지급기준액

건축관계법

1. 일반기준

가. 법 제142조 및 조례 제91조에 따른 포상금은 예산의 범위에서 지급한다. 다만, 당해 연도 예산에 비하여 포상금의 지급대상자가 많을 경우에 심사위원회가 신고에 따른 기여도, 포상금 산정 액수 등을 고려하여 우선순위를 정할 수 있다.

나. 포상금의 이중지급 방지를 위하여 포상금을 지급받을 자가 동일한 사유로 다른 법령에 따라 포상금을 받았거나 받을 예정인 경우, 그 액수가 도시 및 주거환경정비법령·조례 및 이 규칙에 따라 받을 포상금의 액수와 같거나 이를 초과할 때는 포상금을 지급하지 아니하며, 적은 때에는 그 금액을 공제하고 지급한다.

다. 포상금 지급사유가 둘 이상 해당하는 경우에는 그 중 포상금 산정 액수가 많은 것을 기준으로 한다.

라. 심사위원회는 이미 공개된 내용이거나 이미 수사 중인 금품 수수행위 또는 신고 받은 금품 수수행위를 관계 행정기관의 조사 등으로 이미 알게 된 경우에는 포상금을 지급하지 아니할 수 있다.

마. 심사위원회는 신분상 사법처분, 금전적 처분에 따라 금액기준 범위에서 포상금 지급금액을 조정하여 지급할 수 있다.

국토계획법

주차장법

2. 개별기준

가. 신분상 사법처분

주 택 법

포상금액 기준	유형
1) 2억원 이하	금품·향응 수수행위로 인하여 형의 선고를 받은 기간이 10년 이상인 자가 있는 경우
2) 1억원 이하	금품·향응 수수행위로 인하여 형의 선고를 받은 기간이 7년 이상 10년 미만인 자가 있는 경우
3) 5,000만원 이하	금품·향응 수수행위로 인하여 형의 선고를 받은 기간이 5년 이상 7년 미만인 자가 있는 경우
4) 3,000만원 이하	금품·향응 수수행위로 인하여 형의 선고를 받은 기간이 3년 이상 5년 미만인 자가 있는 경우
5) 1,000만원 이하	금품·향응 수수행위로 인하여 형의 선고를 받은 기간이 1년 이상 3년 미만인 자가 있는 경우 또는 선고유예나 집행유예를 받은 자가 있는 경우
6) 500만원 이하	금품·향응 수수행위로 인하여 형의 선고를 받은 기간이 6개월 이상 1년 미만인 자가 있는 경우 또는 선고유예나 집행유예를 받은 자가 있는 경우
7) 100만원 이하	금품·향응 수수행위로 인하여 형의 선고를 받은 기간이 6개월 미만인 자가 있는 경우 또는 선고유예·집행유예 또는 기소유예를 받은 자가 있는 경우

도시및주거환경정비법

건축사법

장애인시설법

소방시설법

※ 비고 : 1. 집행유예, 선고유예의 경우에는 선고받은 형(징역, 금고, 벌금 등)을 기준으로 포상금의 지급금액을 산정한다.

2. 벌금(노역장유치 포함), 몰수 등 재산형의 경우에는 "나. 금전적 처분"의 산정기준을 준용하여 포상금의 지급금액을 산정한다.

서울시조례

제2권 건축관계법해설

定價 120,000원(전 3권)

저 자 최한석·김수영
발행인 이 종 권

2002年 6月 10日 초판발행
2003年 2月 3日 2차개정발행
2004年 1月 2日 3차개정발행
2005年 1月 14日 4차개정발행
2006年 1月 20日 5차개정발행
2007年 2月 13日 6차개정발행
2008年 3月 24日 7차개정발행
2009年 2月 23日 8차개정발행
2010年 1月 25日 9차개정발행
2011年 3月 21日 10차개정발행
2012年 2月 20日 11차개정발행
2013年 2月 5日 12차개정발행
2014年 2月 26日 13차개정발행
2015年 2月 23日 14차개정발행
2016年 2月 22日 15차개정발행
2017年 3月 6日 16차개정발행
2018年 3月 6日 17차개정발행
2019年 3月 4日 18차개정발행
2020年 3月 5日 19차개정발행
2021年 3月 10日 20차개정발행
2022年 3月 23日 21차개정발행
2023年 3月 21日 22차개정발행
2024年 3月 28日 23차개정발행

發行處 (주)한솔아카데미

(우)06775 서울시 서초구 마방로10길 25 트윈타워 A동 2002호
TEL : (02)575-6144/5   FAX : (02)529-1130
〈1998. 2. 19 登錄 第16-1608號〉

※ 破本은 交換해 드립니다.

ISBN 979-11-6654-494-1 14540
ISBN 979-11-6654-492-7 (세트)

저자 Profile

최한석 (崔漢碩)

건축사
동국대학교 건축공학과 외래교수
남서울대학교 건축공학과 겸임교수
인천전문대학 건축과 외래교수
한솔아카데미 교재집필위원
(주)동화종합건축사사무소

김수영 (金洙瑩)

건축사 / 공학박사
동국대학교, 연세대학교, 경희대학교, 인천대학교(대학원)
유한대학교, 수원과학대학교 등 출강
국민권익위원회 건축관계법 자문위원
부천시 건축위원회 및 도시계획위원회 위원
감정평가사 자격시험 출제위원
건축사 예비시험 및 자격시험 출제위원
에이드디자인그룹 건축사 사무소(주) 소장
한솔아카데미 전문위원